MARK DEVER

A MENSAGEM DO **ANTIGO** TESTAMENTO

UMA EXPOSIÇÃO TEOLÓGICA E HOMILÉTICA DE CADA LIVRO DO ANTIGO TESTAMENTO

MARK DEVER

A MENSAGEM DO ANTIGO TESTAMENTO

UMA EXPOSIÇÃO TEOLÓGICA E HOMILÉTICA DE CADA LIVRO DO ANTIGO TESTAMENTO

Traduzido por Lena Aranha

9ª Impressão

Rio de Janeiro
2025

Todos os direitos reservados. Copyright © 2008 para a língua portuguesa da Casa Publicadora das Assembleias de Deus. Aprovado pelo Conselho de Doutrina.

É proibida a duplicação ou reprodução deste volume, no todo ou em parte, sob quaisquer formas ou meios (eletrônico, mecânico, gravação, fotocópia, distribuição na web e outros), sem permissão expressa da Editora.

Título do original em inglês: *The Message of the Old Testament. Promises Made*
Crossway Books, Wheaton, Illinois, EUA
Primeira edição em inglês: 2006
Tradução: Lena Aranha

Preparação dos originais: César Moisés, Daniele Pereira, Gleyce Duque.
Revisão: Elaine Arsenio, Daniele Pereira, Gleyce Duque, César Moisés
Capa e projeto gráfico: Joab Santos
Editoração: Josias Finamore, Alexandre Soares, Natan Tomé

CDD: 220 – Bíblia
ISBN: 978-65-5968-329-1

As citações bíblicas foram extraídas da versão Almeida Revista e Corrigida, edição de 1995, da Sociedade Bíblica do Brasil, salvo indicação em contrário.

Para maiores informações sobre livros, revistas, periódicos e os últimos lançamentos da CPAD, visite nosso site: https://www.cpad.com.br.

SAC — Serviço de Atendimento ao Cliente: 0800-021-7373

Casa Publicadora das Assembleias de Deus
Av. Brasil, 34.401, Bangu, Rio de Janeiro – RJ
CEP 21.852-002

2ª Edição
9ª Impressão - 2025
Impresso no brasil
Tiragem: 400

Dedicatória

Para Ligon Duncan, C. J. Mahaney e R. Albert Mohler, Jr., amigos e colaboradores, unidos pelo evangelho.

Agradecimentos

Mais uma vez, estou em débito com muitas pessoas que me apoiaram e me ajudaram, sem as quais você não teria este livro.

Muitos amigos encorajaram-me de modo especial. C. J. Mahaney foi incansável. Em uma ocasião, quando pregava para um grupo de pastores da Sovereign Grace e acabei o resumo de um sermão, ele disse-me para prosseguir com uma outra pregação — embora estivessem televisionando um jogo de basquete do Duke/Maryland.

Os estudiosos que me ensinaram o Antigo Testamento — quer pessoalmente, quer por meio de seus livros — foram Gordon Hugenberger, Graeme Goldsworthy, Alec Motyer, Christopher Wright, Ray Orlund Jr., William Dumbrell e Doug Stuart. E, claro, não posso omitir o grande avô de todos eles, Geerhardus Vos. Deus usou esses homens para moldar minha compreensão em relação a grande abrangência da história da redenção.

Os editores são pessoas que, se convertidos, devem ter virtudes especiais. Bill Deckard, da Crossway, foi sempre gentil e rápido em responder às perguntas e em acompanhar este manuscrito ao longo do processo de publicação. Jonathan Leeman deu um ano de sua vida para ler e editar os resumos de meus sermões do Novo e do Antigo Testamentos. Posso apenas começar a perceber as virtudes que ele desenvolveu ao trabalhar durante um ano comigo nesta tarefa. Sem dúvida, o cuidado, as reflexões, as sugestões e as edições de Jonathan trouxeram clareza ao texto que, neste momento, você tem em mãos. Ele foi generoso em ceder seu tempo e foi uma alegria trabalhar com ele.

A pregação é um chamado maravilhoso e exigente. É um trabalho muito satisfatório que ajuda o pregador a entender a si mesmo e a tentar ajudar os outros de forma a despertar o interesse. Nossa congregação em Washington, D. C., tem sido abençoada com muitos pastores que amam esse trabalho e o desempenham bem. Todos são um estímulo para mim. Em nossa congregação, Michael Lawrence, em particular, é um colaborador do evangelho em nossa congregação e, mais de uma vez foi um exemplo, além de questionar e revisar, ao ajudar-me a pensar da forma correta e a pregar o Antigo Testamento. Ele foi dotado com a compreensão da Palavra do Senhor e a habilidade de transmiti-la bem para a glória de Deus. As conversas com ele modelaram e melhoraram esses sermões.

A família do pregador sempre fica em uma posição especial, difícil e abençoada. Em parte, as dificuldades decorrem das expectativas dos outros e deles mesmos, assim como pecadores redimidos, como também o são todos cristãos. As bênçãos, às vezes, são menos evidentes. Preparei estes sermões na esperança de que essas bênçãos se realizem na vida de cada membro de minha família — Connie, Annie e Nathan. Louvo a Deus pelo que já posso ver e anseio por ver muito mais do maravilhoso plano de Deus.

E agora, leitor, vamos ao livro! Que Deus o ajude a vislumbrar mais do plano maravilhoso dEle ao longo da história e em sua vida à medida que examina esses sermões.

—Mark Dever
Capitol Hill Baptist Church
Washington, D. C.
Agosto de 2005

Prefácio

Jesus enfatizou de forma incontestável que as Escrituras do Antigo Testamento testificavam dEle. Claro que elas também testificam todo tipo de outras coisas: piedade, fidelidade, o progresso e o regresso do povo de Deus, o pecado, o julgamento e assim por diante. Contudo, Jesus, os apóstolos e outros escritores do Novo Testamento enfatizam que, acima de tudo, o Antigo Testamento é sobre Ele.

Portanto, por que a primeira pergunta que, muitas vezes, fazemos a respeito do Antigo Testamento é esta: o que essa passagem nos fala a respeito de nós mesmos? Sem dúvida, a primeira e principal pergunta que deveríamos fazer é: como essa passagem testifica de Cristo?

Sempre devemos começar por essa última pergunta, porque apenas Jesus Cristo, aquele que cumpre o Antigo Testamento, define a vida do cristão. Se o Antigo Testamento não apontar para Cristo, também não aponta para o cristão. Um sermão deve primeiro ser cristocêntrico para poder centrar-se de forma autêntica e cristã nas pessoas. Nas páginas do Antigo Testamento, aprendemos muito com os homens e as mulheres, bons e maus, que viveram antes de nós. Todavia, na análise final, apenas Cristo define como esses indivíduos foram bons ou maus. Além disso, nosso crescimento cristão vem de nos tornarmos mais parecidos com Cristo, não com Abraão, ou Davi, ou Daniel. Esses heróis do Antigo Testamento são exemplos para nós apenas à medida que prenunciam e apontam para Cristo.

Mark Dever, neste livro, empreendeu uma tarefa difícil e importante. Ele cristalizou a mensagem de cada livro do Antigo Testamento e empenhou-se em mostrar o valor cristão de cada um desses livros. Esses sermões não devem ser vistos como modelos de pregação rotineira sobre o Antigo Testamento, pois raramente um pregador tentaria cobrir todo um livro em um sermão. No entanto, ele fornece uma ampla perspectiva de como os livros apontam para Cristo e são cumpridos por ele. O pregador precisa inferir os princípios da pregação de Cristo do Antigo Testamento e aplicá-los às unidades textuais mais apropriadas para os sermões expositivos.

Mark Dever usa três caminhos principais para traçar a relação do Antigo Testamento com a mensagem de nossa redenção em Cristo. Esses três caminhos não são mutuamente exclusivos, mas sim perspectivas distintas da unidade das Escrituras. O cerne de todos eles é o princípio de que o Antigo Testamento registra muitas promessas feitas pelo Senhor em relação à redenção de seu povo. Essas promessas não encontram sua resposta derradeira no Antigo Testamento, que termina deixando-nos em suspense. Cabe ao Novo Testamento registrar o cumprimento perfeito dessas promessas na vida, morte e ressurreição de Jesus de Nazaré e por intermédio delas.

A primeira abordagem que o autor usa é isolar o tema principal do livro específico que é objeto de sua pregação. A seguir, ele extrai esses temas por meio de referências diretas ao Novo Testamento ou dos mesmos temas teológicos encontrados em Cristo. Isto é, iniciamos com os temas teológicos do Antigo Testamento e caminhamos para a explicação desses temas pelo evangelho de Cristo.

O segundo tipo de ligação explorado é o que segue a direção dada pelas alusões e citações do Antigo Testamento no Novo Testamento. Estima-se que o Novo Testamento faz cerca de 1,6 mil dessas referências. Cada livro do Novo Testamento, com exceção talvez de 2 e 3 João, torna essas conexões — em sua maioria teológicas e não meramente analógicas — claras.

O terceiro método é muito tipológico. A tipologia baseia-se no fato de que o Deus das Escrituras revelou a si mesmo e a seus propósitos salvadores em estágios progressivos. Afinal, por que o Antigo Testamento é a única Bíblia de Jesus e dos apóstolos? E por que a igreja, desde o início, reconhece o Antigo Testamento como Escritura cristã? Porque as pessoas do Novo Testamento entenderam que tudo que Deus disse e fez ao longo da história de Israel preparava o caminho para vinda do Messias, Jesus Cristo, nosso Senhor. Alcança-se especificamente essa preparação pela prefiguração da verdade que seria totalmente revelada em Jesus.

Jesus disse aos judeus que afirmavam ser descendentes de Moisés: "Se vós crêsseis em Moisés, creríeis em mim, porque de mim escreveu ele" (Jo 5.46). A resposta de Jesus quando afirmavam que Abraão era o pai deles: "Abraão, vosso pai, exultou por ver o meu dia, e viu-o, e alegrou-se" (Jo 8.56). Fica claro que, de alguma forma, o dia de Cristo estende-se até o Antigo Testamento. Cristo cumpre as promessas feitas a Abraão. O Jesus ressurrecto, quando apareceu para seus discípulos desmoralizados, lembrou-os da necessidade de que houvesse o sofrimento de Cristo. Então, "começando por Moisés e por todos os profetas, explicava-lhes o que dele se achava em todas as Escrituras" (Lc 24.27). As palavras finais de Jesus a respeito da explicação das Escrituras do Antigo Testamento foram: "Assim está escrito, e assim convinha que o Cristo padecesse e, ao terceiro dia, ressuscitasse dos mortos; e, em seu nome, se pregasse o arrependimento e a remissão dos pecados, em todas as nações, começando por Jerusalém" (Lc 24.46,47). Isso só pode significar que o Antigo Testamento é sobre o evangelho de Cristo.

É preciso admitir que muitos pregadores negligenciam o Antigo Testamento porque é muito mais difícil de pregar do que o Novo Testamento. Alguns que o acham mais fácil do que eu creio que fazem isso, porque acham adequado reduzir o Antigo Testamento a uma fonte para homilias moralizadoras. Aceita-se o papel dos personagens do Antigo Testamento como puramente tipos. Também há os pregadores narrativos que se satisfazem em apenas recontar as histórias e deixar que os ouvintes cheguem as suas próprias conclusões. Todavia, toda a história da Bíblia é apenas uma. Ela apresenta muita variedade e diversidade, porém, ainda é uma e a mesma história. Sob o ponto de vista cristão, inicia-se com Cristo, o Criador (Jo 1.1-3), chega ao ápice com Cristo, o Salvador e consuma-se com o retorno de Cristo em glória. Não podemos mais isolar a narrativa do Antigo Testamento do Cristo que lhe provê sentido, da mesma forma que não poderíamos isolar uma cena de uma peça teatral de seu ponto de culminância e de seu desenlace. O livro de Mark Dever lembra-nos da unidade que há na diversidade das muitas cenas do grande drama divino das Escrituras.

—Graeme Goldsworthy
Conferencista em Hermenêutica convidado
Moore Theological College, Sidney

Sumário

Agradecimentos 07
Prefácio de Graeme Goldsworthy 09
Introdução: Voe primeiro, Caminhe depois 15
A Bíblia inteira: O que Deus quer de nós? 21
O Antigo Testamento: Promessas Feitas..47

A Grande História

1. A mensagem de Gênesis: "[...] das coisas não nascidas que ainda entesouradas se acham nos fracos germes e começos"...................67
2. A mensagem de Êxodo: "O mundo todo é um palco"................................89
3. A mensagem de Levítico: "Não se te mostra amigo o mundo e, menos ainda, a lei do mundo"... 113
4. A mensagem de Números: "O que é, não tem valor; só ao que foi e há de ser se vota amor!" 135
5. A mensagem de Deuteronômio: "O passado é o prólogo"...................... 157

O outro Milênio

6. A mensagem de Josué: conquista.. 185
7. A mensagem de Juízes: beco sem saída... 207
8. A mensagem de Rute: surpresa 231
9. A mensagem de 1 Samuel: fé em momentos de transgressões 255
10. A mensagem de 2 Samuel: arrependimento... 279
11. A mensagem de 1 Reis: declínio 303
12. A mensagem de 2 Reis: queda.. 327
13. A mensagem de 1 Crônicas: alturas... 351
14. A mensagem de 2 Crônicas: profundezas 375
15. A mensagem de Esdras: renovação.. 399
16. A mensagem de Neemias: reconstrução 429
17. A mensagem de Ester: surpresa.. 455

Sabedoria Antiga

18. A mensagem de Jó: sabedoria para os perdedores................................... 485
19. A mensagem de Salmos: sabedoria para as pessoas espirituais.............. 501
20. A mensagem de Provérbios: sabedoria para os ambiciosos 521
21. A mensagem de Eclesiastes: sabedoria para os bem-sucedidos.............. 543
22. A mensagem de Cantares: sabedoria para os casados 563

GRANDES ESPERANÇAS
23. A mensagem de Isaías: o Messias.. 583
24. A mensagem de Jeremias: justiça.. 605
25. A mensagem de Lamentações: justiça muito próxima.......................... 627
26. A mensagem de Ezequiel: paraíso... 649
27. A mensagem de Daniel: sobrevivência... 669

QUESTÕES ETERNAS
28. A mensagem de Oséias: o que é o amor?... 689
29. A mensagem de Joel: a quem Deus salvará?.. 713
30. A mensagem de Amós: Deus se importa?.. 737
31. A mensagem de Obadias: Deus tem inimigos?..................................... 761
32. A mensagem de Jonas: você pode se esconder de Deus?.................... 783
33. A mensagem de Miquéias: o que Deus quer?....................................... 807
34. A mensagem de Naum: quem está no comando?................................ 827
35. A mensagem de Habacuque: como posso ser feliz?............................ 847
36. A mensagem de Sofonias: pelo que temos de ser agradecidos?........ 871
37. A mensagem de Ageu: seus investimentos são seguros?.................... 891
38. A mensagem de Zacarias: Deus dá uma segunda chance?................. 915
39. A mensagem de Malaquias: é importante a forma como adoro a Deus?........ 937

Introdução:
Voe primeiro, Caminhe depois

O mais alto que já estive acima da superfície da terra foi em um avião. As linhas comerciais voam cerca de 10,3 mil metros de altura, o que representa estar cerca de 1,5 mil metros acima da mais alta montanha da terra. Apenas pilotos militares, astronautas e alguns poucos indivíduos temerários já foram mais alto que eu! Claro, incontáveis pessoas — milhões? — já chegaram tão alto quanto eu, confortavelmente sentadas nas cabines pressurizadas e comendo amendoim ou salgadinhos.

A cada ano mais e mais pessoas fazem viagens aéreas para lugares distantes. É habitual que fiquemos muito mais acima do nível do mar quando voamos do que qualquer pessoa já esteve há apenas cem anos atrás! Em toda a história, o recorde de maior altura alcançada pelo homem na atmosfera sempre coube a alguns alpinistas ousados e aplicados. Agora, tudo que temos de fazer é chegar ao aeroporto uma hora antes do vôo, enfrentar umas duas filas e, depois, sentar em uma cadeira bem acolchoada por várias horas.

A partida é minha parte favorita da viagem. O avião desliza devagar. Faz uma pausa e, depois, engata uma marcha mais rápida. Depois de segundos, você olha pela janela e vê que está correndo mais rápido do que qualquer carro da rodovia.

A seguir, as rodas deixam o chão, primeiro a da frente, depois as traseiras. Antes de perceber, você já observa os topos dos prédios em volta do aeroporto, a rodovia que leva a ele, o desenho da cidade, as montanhas, e os rios e o litoral!

Eu apenas afastei um pouco o olhar do computador, pois estou escrevendo essa introdução em um trem e acabo de atravessar uma ponte alta sobre um largo e impetuoso rio. Quando olho para fora da janela, o olhar alcança bem longe. Essas vistas — de um avião ou de um trem — lhe dão uma perspectiva totalmente nova de onde você está. Você se localiza e entende melhor para onde vai e como chegar lá.

Claro que, em tudo na vida, precisamos entender melhor para onde vamos, e isso requer que, primeiro, saibamos onde estamos.

A coleção de sermões deste livro — pregados na Capitol Hill Baptist Church, em Washington, D. C. — tentam ajudar-nos a fazer exatamente isso, ao voar mais alto do que os sermões costumam fazer. Cada sermão deste livro apresenta uma visão geral de todo o Antigo Testamento (também inclui um sermão sobre todo o Antigo Testamento e um sobre toda a Bíblia). Eu esperava que essas "visões bíblicas gerais" ajudassem minha congregação a conhecer melhor onde estamos e para onde vamos. Espero que façam o mesmo por você. Sem dúvida, eles fizeram isso para mim.

Eu já estava familiarizado com alguns livros do Antigo Testamento quando chegou a semana de pregá-los — Gênesis, Deuteronômio, Salmos, Jonas, Malaquias. Contudo, começar a trabalhar os outros livros pareceu mais com minha primeira viagem a um novo país! Todavia, em ambas as categorias, encontrei muito mais do que esperava: uma estranheza rica, nova e saudável e ao mesmo tempo, uma característica familiar que me fez saber que apenas conhecia mais do mesmo Deus que viera a conhecer e a amar por intermédio de Jesus Cristo.

Lembro-me de pregar os profetas maiores em uma série intitulada "Grandes Esperanças". À medida que trabalhava — um domingo, em Isaías, no seguinte, em Jeremias, depois, em Ezequiel e, por fim, em Daniel —, parecia-me ouvir os quatro movimentos de uma grande sinfonia. Isaías iniciava com grandiosas e sombrias premonições de destruição, o incrível amor da expiação e, depois, a triunfante alegria da esperança escatológica. Jeremias assumiu o segundo movimento com o aterrador cerco a Jerusalém, em escala menor, sem, contudo, deixar de trazer os doces temas da libertação e da justiça prometidas. A seguir, voltamos nosso ouvido para a Babilônia, em que ecoam as variações de Ezequiel sobre Jeremias. O tom dele é conhecido, mas menos particular mais abstrato. Ele nos dá perspectivas novas e estimulantes sobre o amor de Deus por seu povo, e de como esse povo o rejeitou. Por fim, Daniel reformula os grandes temas dos livros anteriores em diversas e belas vinhetas de indivíduos que crêem em Deus e esperam nEle, que se opõem ao Senhor e são antagonizados por Ele, e de alguns que experimentam o julgamento e a restauração dEle. Os temas transportam às visões de Daniel de um futuro místico e maravilhoso à medida que a "música" dos profetas maiores esmaece.

Uma coisa é entender cada livro em si mesmo. Vê-los um ao lado do outro — como eles se complementam, contrabalançam e expandem uns aos outros —, traz um novo brilho a cada um deles e ao conjunto.

Neste volume, voltamo-nos especificamente para o Antigo Testamento. Para alguns cristãos, o Novo Testamento pode parecer como os populosos estados da costa leste norte-americana. Em geral, os livros do Novo Testamento são menores, mais estudados e mais familiares. Por outro lado, os livros do Antigo Testamento podem parecer como as terras desconhecidas e célebres do oeste estado-americano pareceu aos pioneiros do século XIX. Os grandes campos abertos da história patriarcal, as impenetráveis rochas da lei levítica e as densas florestas e penhascos profundos dos profetas afugentaram muitos pretensos viajantes. Todos conhecem uma ou duas histórias trazidas pelas almas corajosas que se aventuraram no desconhecido, porém, muitos cristãos ficam satisfeitos em passar suas horas de quietude entre os cenários mais conhecidos e, aparentemente, mais aconchegantes dos Evangelhos e das epístolas. Os livros do Antigo Testamento são grandes e não os conhecemos muito bem. Eles exigem que saibamos toda sorte de histórias que já esquecemos ou nunca aprendemos. E o que dizer de todos aqueles nomes impronunciáveis! Toda a idéia de fazer uma jornada ao Antigo Testamento começa a soar difícil, morosa, inútil e, talvez, até perigosa.

Por motivos como esses, muitos de nós abandonamos o Antigo Testamento em favor do Novo. Deixemos que os estudiosos, os arqueólogos, os caçadores de profecias e os professores da Escola Dominical lidem com ele!

Contudo, desprezamos a revelação de Deus ao deixar de lado esses livros. Mais que isso, limitamos nossa capacidade de entender a revelação de Jesus Cristo do Novo Testamento. Se Cristo é a chave da história humana, o Antigo Testamento descreve em detalhes a fechadura.

Se Cristo é o ápice da história, o Antigo Testamento arruma o cenário e inicia o enredo. Você lê apenas os finais dos livros?

O Novo Testamento apresenta-nos o cumprimento das promessas de Deus, o Antigo Testamento conta-nos as promessas que Ele fez.

Em outras palavras, se você não entender o que o Antigo Testamento ensina nunca entenderá Cristo. Nosso Deus não desperdiça palavras. Um Testamento precisa do outro. Se primeiro entender a questão que o Antigo Testamento deixou sem resposta, você será mais capaz de compreender a cruz de Cristo. A cruz é a resposta. Você conhece bem a indagação?

Nada substitui o Antigo Testamento na transmissão da grandiosidade da obra de Deus, da magnificência de seu plano e da tenacidade de seu amor. Prive-se dessa parte da revelação do Senhor, e seu Deus parecerá menor, menos santo e menos amoroso do que realmente é.

Em vista dos temores que as pessoas têm em relação ao Antigo Testamento, nestes sermões de visão geral tento apresentar a obra maravilhosa de Deus no Antigo Testamento em um vôo a 10 mil metros de altura, não pelo caminhar passo a passo pelas planícies, pelas montanhas e pelos penhascos. Dessa forma, iniciamos com uma visão da amplidão e da extensão do continente inteiro. Minha esperança é inspirá-lo para que retorne e explore as muitas trilhas do Antigo Testamento mais detalhadamente.

Como mencionei na introdução do volume parceiro deste, The Message of the New Testament: Promises Kept (A Mensagem do Novo Testamento: Promessas Cumpridas), incluímos no início de cada capítulo a data em que o sermão original foi feito, em parte como referência ocasional para os fatos que ocorreram na época. E mais, em reconhecimento à contínua importância da Palavra de Deus, estamos felizes em imprimir estes sermões.

Oro para que estes sermões exaltem a Deus na vida do leitor à medida que aprendem mais a respeito das formas como Ele escolheu revelar-se em sua Palavra. Se isso acontecer, estarei mais que bem pago pelo relativamente pequeno preço do esforço de prepará-los.

—Marke Dever
Capitol Hill Baptist Church
Washington, D. C.
Agosto de 2005

A BÍBLIA INTEIRA: O QUE DEUS QUER DE NÓS?

PANORAMA GERAL

PROMESSAS FEITAS: A MENSAGEM DO ANTIGO TESTAMENTO

Uma História Específica
Uma Paixão pela Santidade
Uma Promessa de Esperança

PROMESSAS CUMPRIDAS: A MENSAGEM DO NOVO TESTAMENTO

O Redentor Prometido: Cristo
O Relacionamento Prometido: O Povo da Nova Aliança
A Renovação Prometida: A Nova Criação

CONCLUSÃO

A Bíblia Inteira:
O que Deus Quer de nós?

PANORAMA GERAL[1]

A Bíblia é objeto de numerosas e variadas opiniões.

Muitas pessoas não gostam dela. Voltaire, o grande filósofo francês, previu que a Bíblia desvaneceria em cem anos. Ele disse isso há mais de duzentos anos — no século XVIII. Talvez, em sua época, esse tipo de ceticismo fosse raro, porém, tornou-se mais comum nos séculos seguintes. Um historiador escreveu: "Por volta do século XIX, os ocidentais já tinham mais certeza da existência do átomo do que qualquer das coisas de que a Bíblia fala a respeito".[2] Por volta do século XX, grandes seções das partes do mundo antes "cristãs" caíram em um ceticismo oficial em relação à Bíblia. O governo soviético publicou há cerca de cinqüenta anos a obra A Dictionary of Foreign Words (Um Dicionário de Palavras Estrangeiras) que define a Bíblia como "uma coletânea de lendas distintas e contraditórias, escritas em diferentes épocas e cheias de erros históricos que as igrejas publicam como 'livro santo'".

Por outro lado, muitas pessoas tinham opiniões excelentes a respeito da Bíblia. Ambrósio, o bispo de Milão do século IV, descreve belamente a Bíblia com estas palavras: "Como em um paraíso, Deus caminha pelas Sagradas Escrituras à procura do homem". Uma vez, Emanuel Kant afirmou: "Já senti mais conforto com uma simples linha da Bíblia do que com todos os outros livros que já li". Daniel Webster falou o seguinte a respeito: "Tenho pena do homem que não encontra na Bíblia um rico suprimento de pensamentos e de regras de conduta". Abraham Lincoln chamou-a de "o melhor presente que Deus deu para o homem". Ele também afirmou: "Pois sem ela não conheceríamos o certo e o errado". Theodore Roosevelt declarou: "O conhecimento integral da Bíblia vale mais que a instrução universitária". Sem dúvida, uma das compreensões mais profundas da Bíblia vem de A. T. Robertson, grande estudioso de grego, que atestou: "Dê a um homem uma Bíblia aberta, uma mente aberta, uma consciência ordenada, e ele certamente se tornará um grande cristão".³

Algumas pessoas acreditam que têm muita fé na Bíblia, contudo a sinceridade delas não é garantia de que a compreendam. O rei Menelique II, imperador da Etiópia cem anos atrás, tinha muita fé na Bíblia. Ele arrancava e comia algumas páginas do livro santo sempre que ficava doente. Essa era uma prática constante dele e parece que nunca lhe fez mal. Em dezembro de 1913, ele se recobrava de um acidente quando começou a sentir-se particularmente doente. Pediu a um assistente que arrancasse as páginas de 1 e 2 Reis e o alimentasse com elas, página a página. Ele morreu antes de acabar de comer os dois livros.

Com certeza, a Bíblia é popular, quer você goste dela, quer não. Ela é uma campeã de vendas de todos os tempos. As pesquisas mostram que, em geral, os norte-americanos crêem na Bíblia.

Embora, provavelmente, o livro seja mais vendido que lido. Talvez a maioria dos norte-americanos não tenha o fervor gastronômico do rei Menelique, o que é muito bom, mas talvez também não conheçam a Bíblia melhor que ele. George Gallup, perito em pesquisa de opinião pública, relata: "Os norte-americanos respeitam a Bíblia, mas não a lêem. E tornaram-se uma nação de analfabetos bíblicos, porque não a lêem. Quatro em cada cinco americanos acreditam que a Bíblia é a Palavra de Deus literal ou inspirada, no entanto, apenas quatro em cada dez sabem que Jesus fez o Sermão do Monte, e um número menor ainda conhece o nome dos quatro Evangelhos... Parece provável que o ciclo de analfabetismo bíblico continue — os adolescentes de hoje sabem ainda menos sobre a Bíblia que os adultos. A celebração da Páscoa... é crucial para a fé, contudo três em cada dez adolescentes — 20% dos adolescentes freqüentadores regulares de igreja — não sabem nem por que se celebra a Páscoa. O declínio na leitura bíblica deve-se em parte à convicção muito difundida de que ela é inacessível e, em parte, à menor ênfase que as igrejas dão ao ensino da Palavra".⁴

Com este estudo, queremos ajudar a acabar exatamente com esse tipo de ignorância. Talvez você e eu não aprenderemos tudo sobre o cristianismo em um estudo rápido. Na verdade, tenho certeza de que isso não é possível. Mas espero chamar sua atenção para o tema central da Bíblia, como também para a mensagem básica do cristianismo ou, como é chamado, do "evangelho".

Muitas pessoas se surpreendem ao saber que a Bíblia trata de todo tipo de tema. Ela é muito conhecida como uma coletânea de livros. Como um estudioso bíblico diz:

Fitam-nos de frente não menos que sessenta e seis livros separados, compostos cada um deles de cento e cinqüenta composições separadas. Esses tratados saíram das mãos de, pelo menos, trinta escritores diferentes, espalhados em um período de tempo de cerca de quinhentos anos e adotam estilos de quase todos os tipos de escritos conhecidos entre os homens. Histórias, códigos de lei, máximas éticas, tratados filosóficos, discursos, dramas, cânticos, hinos, épicos, biografias, cartas oficiais e pessoais, vaticínios. [...]
Os escritores também são de tipos diversificados. O tempo do trabalho deles estende-se do passado antigo do Egito até o brilho esplendoroso de Roma sob o comando dos césares. [...]
Contudo, podemos percebê-la com admiração ainda maior. Uma vez que penetremos sob toda essa diversidade inicial e observemos o caráter interior de cada livro, perceberemos a mais incrível unidade que permeia o todo. [...] As partes estão tão ligadas que a ausência de um único livro traria confusão e desordem. Do início ao fim, ela ensina a mesma doutrina. [...] Na verdade, cada livro acrescenta alguma clareza, definição ou até incrementa o que os outros proclamam.[5]

Claramente, a Bíblia é composta de muitas partes. Contudo, esse livro é um único todo: "há diversidade total na origem desses livros e, todavia, uma precisão máxima na combinação de cada um com o todo".[6]

Você já ouviu falar a respeito da grande série de livros de fotografias vista de cima? Washington vista de cima, Rio de Janeiro vista de cima, e Europa vista de cima e muitos outros. Eu gosto da série, porque nos dá um panorama geral. As plantas originais dos planejadores das cidades, escondidas quando caminhamos pelas ruas com seus prédios altos, tornam-se repentinamente visíveis à medida que as fotografias nos eleva e permite que vejamos o todo do alto. As fotos aéreas fornecem perspectiva e correlação e conseguimos ver o que o planejador visionou em sua mente e em seu projeto. A percepção do todo é importante para a compreensão e para o planejamento. Algumas pessoas declaram que só quando foram publicadas as primeiras fotos da terra toda em 1970, tiradas do espaço, foi que começaram os movimentos ecológicos. Será que isso não estava na capa do antigo Whole Earth Catalog (Catálogo da Terra Inteira)? Eu acho que ver uma fotografia da terra define nossa compreensão do mundo como um todo e estimula certos tipos de indivíduos para a ação. Da mesma forma, queremos que estes sermões alcem vôo e forneçam uma visão clara, do tipo a "Bíblia vista de cima" ou a "Bíblia inteira".

Ou podemos considerar o conceito de fotografia de lapso de tempo. Nesse tipo de fotografia, o fotógrafo posiciona a câmera para tirar uma série de fotos do mesmo local ao longo do dia. Isso lhe permite ver as mudanças que ocorrem em um local durante um longo período de tempo em apenas alguns momentos de leitura rápida das fotografias. Ler a Bíblia do princípio ao fim fornece o mesmo resultado. Claro que a Bíblia é muito mais curta que o período que ela registra. Sei que você precisaria de muito tempo para lê-la, mas levaria menos tempo que os séculos necessários para escrevê-la, como também levou menos tempo para ser escrita que os eventos levaram para acontecer. Portanto, o texto das Escrituras já é como uma série de fotografias de lapso de tempo, e no curso deste estudo, tentaremos fazer uma leitura rápida ainda mais resumida da série de retratos que apresentam a mensagem do todo.

A linha narrativa que seguiremos, como também a do esboço deste estudo, é a história das promessas feitas e cumpridas. No Antigo Testamento, Deus fez promessas ao seu povo e cumpriu-as no Novo Testamento. A mensagem mais importante do mundo, até mesmo para você, é essa das promessas feitas e cumpridas. Neste estudo, talvez você as "apreenda". Ou talvez ele o pegue. Como Martinho Lutero disse: "A Bíblia é viva e fala comigo, ela tem pés e corre atrás de mim, tem mãos e agarra-me". Oro para que isso aconteça com você.

Antes de continuarmos, deixe-me mencionar alguns bons recursos para ajudá-lo a ter uma compreensão adicional da Bíblia. Primeiro, o livro God Has Spoken (Deus falou),[7] de J. I. Packer, o ajudará a entender por que, como cristãos, temos de estudar e entender a Bíblia. Segundo, Chris Wright escreveu um ótimo livro, bastante breve, intitulado User's Guide to the Bible (Usuário de Guias Bíblicos)[8] que o ajudará a conhecer o conteúdo da Bíblia. Ele tem ilustrações, cronologia, cores vívidas e é bem fino! É um recurso maravilhoso! Por fim, o pequeno Gospel and Kingdom (O Evangelho e o Reino), de Graeme Goldsworthy, que inclui a primeira das três obras de sua Godsworth Trilogy (Trilogia de Godsworth),[9] é um dos melhores tratamentos da linha histórica de toda a Bíblia. Goldsworth sustenta que Deus, em todas as Escrituras, traz seu povo para o lugar que deve ocupar sob o seu governo.

PROMESSAS FEITAS: A MENSAGEM DO ANTIGO TESTAMENTO

Nem todas as pessoas que lêem a Bíblia vêem-na como um todo. Alguns ignoram o Antigo Testamento. Perto do fim do século II, os seguidores de Marcião rejeitaram o Antigo Testamento, embora ele fosse a Bíblia de Jesus e dos apóstolos. Marcião e seus seguidores também excluíram tudo do Novo Testamento, com exceção de Lucas e das dez epístolas de Paulo. Embora os cristãos tenham rápida e completamente rejeitado esse corte radical, o Antigo Testamento, com muita freqüência, tem um destino similar nos círculos evangelísticos de hoje. Ninguém diz o que Marcião disse, mas o efeito é o mesmo: ignora-se o Antigo Testamento. Às vezes, escavam-no à procura de boas histórias de José, Davi ou Moisés. Talvez procuremos bons exemplos de bravura ou de devoção para que nossos filhos os sigam. Ou sejamos sentimentais em relação a uns poucos salmos e provérbios preferidos. Mas, via de regra, ignoramos o Antigo Testamento. É apenas por preguiça que fazemos isso?

Se você é cristão, com certeza, sabe que o Novo Testamento registra a maravilhosa revelação que Deus faz de si mesmo em Cristo. Todavia, se você ignora o Antigo Testamento, também deixa de lado a base e o fundamento do Novo. O Antigo Testamento fornece o contexto para a compreensão da pessoa e da obra de Cristo. A obra da criação, a rebelião do homem contra Deus, a morte como conseqüência do pecado, a eleição de um povo específico, a revelação que Ele faz do pecado por meio da lei, a história e as obras de seu povo em meio aos outros povos — poderia prosseguir indefinidamente —, todas essas coisas formam o cenário para vinda de Cristo. Ele entra em cena em um ponto específico da linha da história. Portanto, as parábolas de Jesus, muitas vezes, referem-se à história que se iniciou em Gênesis. As suas batalhas verbais com os fariseus enraízam-se nas diferenças em relação à interpretação da Lei. E as epístolas, com freqüência, fundamentam-se no Antigo Testamento. Para entender tanto o propósito de Deus na história como a linha histórica, temos que começar do início. Quando entendemos melhor o Antigo Testamento, damos um grande passo em direção a um melhor entendimento do Novo Testamento e, por conseguinte, também de Jesus Cristo, do cristianismo, de Deus e de nós mesmos. No Antigo Testamento, consideraremos primeiro a história específica. Em segundo lugar, estudaremos a paixão de Deus pela santidade. Em terceiro, observaremos as promessas de esperança do Antigo Testamento.

Uma História Específica

Como não é de admirar, nosso texto se inicia na primeira página da Bíblia: "No princípio, criou Deus os céus e a terra" (Gn 1.1). É aí que se inicia a narrativa dessa história específica. A Bíblia não é apenas um livro de sábios conselhos religiosos e de proposições teológicas, embora seja as duas coisas. Ela é um relato verdadeiro situado na história real. É uma saga histórica — um livro épico. E o relato do Antigo Testamento é incrível!

Nesse primeiro versículo, inicia-se o relato com o maior evento da história do mundo. Você não tem nada e, de repente, tem alguma coisa.

Mas, ao continuar a leitura, tem mais! Você tem a criação inanimada e, de repente, tem vida!

Você tem as criaturas e, depois, o homem feito à imagem de Deus.

Você tem o jardim do Éden e, a seguir, a queda.

E tudo isso acontece nos três primeiros capítulos da Bíblia. Algumas pessoas consideram o terceiro capítulo de Gênesis, em que Adão e Eva pecam no jardim, como o mais importante para a compreensão de toda a Bíblia. O restante fica sem sentido se abolirmos Gênesis 3.

Depois do pecado de Adão e Eva, Caim matou seu irmão, Abel. E a humanidade degenerou ainda mais por muitas gerações. Por fim, Deus julgou o mundo com o dilúvio e salvou apenas um homem justo — Noé — e sua família. As gerações que vieram depois de Noé não foram melhores. A humanidade se rebelou na torre de Babel; dessa vez, Deus dispersou todos pela face da terra. Deus promete um novo começo ao mostrar sua fidelidade a outra pessoa específica, Abraão, e sua família. Após um breve período de prosperidade, os descendentes de Abraão, agora chamados de Israel, tornam-se escravos no Egito. A seguir, acontece o êxodo quando Moisés leva o povo para fora do Egito. Deus dá a Lei a Israel. O povo entra na Terra Prometida. Durante um breve espaço de tempo, eles são governados por uma série de juízes. Estabelece-se um reinado, e os reis Davi e seu filho, Salomão, foram o pináculo desse período. Salomão construiu o Templo que guardava a arca da aliança e era o centro israelita de adoração a Jeová. Pouco depois da morte de Salomão, o reino dividiu-se entre Israel e Judá — o Reino do Norte e Reino do Sul. Depois, Judá se deteriora até ser destruída pela Babilônia. Os sobreviventes foram exilados na Babilônia, onde permaneceram por setenta anos. A seguir, um remanescente retorna a Jerusalém e reconstrói o Templo, contudo Israel nunca reviveu a glória que conheceu sob o reinado de Davi e de Salomão. E essa é toda a história do Antigo Testamento.

Se você olhar o índice da Bíblia verá que essa história não foi recontada em apenas um livro, mas em 39 livros menores. Esses livros, que juntos compõem o Antigo Testamento, são bem diferentes um do outro. Chama-se de Pentateuco os cinco primeiros livros, de Gênesis a Deuteronômio, ou os cinco livros da Lei. Os doze livros que seguem esses cinco são chamados de históricos — de Josué a Ester. Esses dezessete livros juntos trazem a narrativa da criação até o retorno do exílio e terminam cerca de quatrocentos anos antes de Cristo. Todos os dezessete livros, um após o outro, são razoavelmente cronológicos.

Os cinco livros seguintes que vêm depois desses de narrativa histórica — Jó, Salmos, Provérbios, Eclesiastes e Cantares — enfatizam algumas experiências mais pessoais do povo de Deus. Esses livros são grandes coletâneas tiradas de todo esse período do Antigo Testamento de literatura de sabedoria, poemas devocionais e literatura cerimonial do templo.

Depois de Cantares, temos uma série de dezessete livros que se inicia com Isaías e termina com Malaquias, o último livro do Antigo Testamento. Esses são os profetas. Os primeiros dezessete livros seguem a história de Israel, o grupo de livros a seguir descreve as experiências pessoais que aconteceram nessa história, e o último grupo apresenta os comentários de Deus sobre a história. Os livros de profecia são, como o eram, os editoriais autorizados de Deus.

Portanto, o Antigo Testamento, como um todo, fornece uma revelação clara e concreta de Deus para seu povo, feita a diversos autores e durante um grande período de tempo. E que forma magnífica Deus escolheu para se revelar a nós. Se você já esteve na posição em que precisou contratar funcionários sabe o que representa receber um currículo de uma página que tenta resumir a vida de um indivíduo, e sabe como esse resumo deixa a desejar em seu objetivo de propiciar o conhecimento do mesmo, além do fato de você ter de tomar uma decisão importante com base nessa informação reduzida. É muito mais revelador encontrar e interagir com a pessoa. Bem, no Antigo Testamento, Deus nos fornece muito mais que apenas um currículo superficial. Ele nos dá um relato de como trabalhou com seu povo ao longo das eras. Vemos como Ele os tratou, e como eles responderam a Ele. Vemos como Ele é. E isso nos leva à segunda coisa que temos de perceber a respeito do Antigo Testamento se quisermos entender a mensagem da Bíblia.

Uma Paixão pela Santidade

O Antigo Testamento não só nos apresenta a história específica de Israel, mas também a paixão de Deus pela santidade.

Muitas pessoas associam o Antigo Testamento a um Deus raivoso. Elas até acham que esse Deus do Antigo Testamento é injusto. Mas nada poderia estar mais longe da verdade! Tenha certeza de que quando Deus fica irado no Antigo Testamento não é por tirania caprichosa ou excêntrica. Ele está comprometido com seu caráter santo e glorioso e com a aliança que fez com seu povo. O pecado é o culpado, o que causa a ira do Senhor, tira-lhe a glória e quebra a sua aliança com seu povo.[10]

O que significa o termo "aliança"? Os cristãos se referem à aliança quando se reúnem na ceia do Senhor e lembram as palavras de Jesus: "Este é o cálice da nova aliança no meu sangue" (Lc 22.20 ARA). Talvez algumas pessoas pensem que a fala de Jesus sobre a nova aliança seja fria ou legal, mas não é; Ele usou o termo do Antigo Testamento para formar relacionamentos. Uma aliança é um compromisso relacional de confiança, de amor e de cuidado, e, no Antigo Testamento, Deus fez várias alianças com seu povo — com Abraão, com Moisés e com outros. A paixão do Senhor por santidade fica mais evidente quando seu povo quebra os termos da aliança relacional com Ele, termos esses definidos pela lei mosaica e em conformidade com o seu caráter santo. Dessa forma, podemos definir o pecado como uma quebra na aliança, mas também sabemos que essa quebra da Lei representa a quebra da aliança, do relacionamento e — em grau mais profundo — um desafio à santidade de Deus. O Antigo Testamento nos apresenta um Deus raivoso? Sim, mas é um Deus que está justamente irado porque não fica indiferente frente ao pecado e ao incrível sofrimento e dor que este causa.

O Antigo Testamento, como o Novo, ensina que todos os homens são pecadores e não podem lidar com isso sozinhos.[11] O pecado exige alguma forma de reparação. Contudo, como pode ser reparado? Deus é santo, e a justiça só poderia ser restaurada, assim parece, quando Ele condenar justamente a pessoa que, de forma pecaminosa, quebrou sua lei (os termos de sua aliança com Moisés). Portanto, o pecado deve ser condenado! Ou — e essa é nossa única esperança —, precisa-se fazer algum tipo de expiação.

O que é expiação? O termo "expiação" tem origem latina e quer dizer algo realizado em que as duas partes passam a ter "uma só mente". Uma oferta de expiação capacita duas partes antagônicas a se tornar uma, ou seja, reconciliar-se. A nação de Israel não era a única no mundo antigo do Oriente Próximo que sabia que precisava de expiação diante de Deus, pois era comum a noção de conciliar-se com uma deidade; no entanto, apenas o Antigo Testamento apresenta a noção de expiação no contexto de um genuíno relacionamento pactual entre Deus e o homem.

No Antigo Testamento, a expiação também é única, mas de outra forma. Ela está, como em muitas culturas, ligada ao sacrifício. Todavia, na Bíblia, o sacrifício da expiação não depende da iniciativa do homem, como acontece com algumas lamentáveis tentativas de apaziguar um deus vulcânico jogando um objeto de estimação no fogo. No Antigo Testamento, o Deus vivo fala e diz a seu povo como se aproximar dEle. Ele toma a iniciativa de providenciar a forma como será feita a reconciliação.

O sacrifício não é a única imagem que o Antigo Testamento usa para descrever a expiação,[12] mas desde o início, ele teve um papel importante. Logo depois da queda, Caim e Abel oferecem sacrifícios (Gn 4.3,4). Ordena-se aos israelitas que antes de deixar o Egito matem um cordeiro pascal sem defeitos e pintem as portas de suas casas com o sangue (Êx 12). O sangue do cordeiro era o aviso para o Espírito de Deus ignorar a casa e poupar a vida do primogênito da família (que representa a família toda) da justa punição do Senhor por causa do pecado. Em tudo isso, fica muito claro que o Senhor era o objeto do evento sacrificial. Os sacrifícios eram feitos para satisfazer a Ele e às suas justas exigências. Por isso, Deus diz a Moisés: "Vendo eu sangue, passarei por cima de vós" (Êx 12.13).

O livro de Levítico desempenha um papel importante para levar ao conhecimento do povo israelita que o relacionamento deles com Deus seria restaurado por intermédio de sacrifício. Todo sacrifício tinha de ser voluntário, ter um custo, ser acompanhado da confissão do pecado e estar de acordo com a prescrição do Senhor. Dava-se a vida do animal sacrificado, simbolizado pelo sangue dele, em troca da vida do adorador culpado. O que um animal tinha a ver com o indivíduo culpado? Em certo sentido, absolutamente nada. Na verdade, supunha-se que o animal fosse puro.¹³ Todavia, a expiação tinha de ser por meio do sangue.¹⁴ "Porque a alma da carne está no sangue, pelo que vo-lo tenho dado sobre o altar, para fazer expiação pela vossa alma, porquanto é o sangue que fará expiação pela alma" (Lv 17.11). Deus usava o ato sacrificial para pôr na mente de seu povo a imagem de trocar uma vida inocente por uma culpada. O derramamento de sangue revela claramente que o pecado causa a morte. O pecado custa caro. A salvação e o perdão custam caro. Agora, sei que toda essa idéia de sacrifícios e de sangue é impopular — para dizer o mínimo — para muitas pessoas de hoje. Todavia, é a forma como o Antigo Testamento mostra a santidade de Deus e sua ira contra o pecado. Os sacrifícios bíblicos, ao contrário de outros sacrifícios antigos, não eram, via de regra, feitos pelas pessoas agradecidas, mas pelas culpadas; eles não eram feitos pelas pessoas ignorantes, mas pelas instruídas.

A planta do Templo do Antigo Testamento também era usada para mostrar às pessoas como o pecado as separava de Deus. No fim da Bíblia, você pode encontrar um diagrama do Templo que mostra que tinha uma série de quadrados e retângulos concêntricos. Os adoradores ficavam separados do Senhor, que ficava no quadrado mais recôndito chamado de Santo dos Santos. A planta física dos templos mostra que o pecado impede o acesso a Deus. Era um quadro visual de como o pecado separa o homem de seu Criador. Afora os sacrifícios que ocorriam no pátio exterior do Templo durante o ano inteiro, uma vez por ano, o sumo sacerdote entrava no Santo dos Santos para oferecer sacrifício por todas as pessoas (Lv 16). Esse era o Dia da Expiação.

O simples fato de os sacrifícios terem de ser repetidos anualmente mostra que o sacrifício, em si mesmo ou por si mesmo, não era o ponto.¹⁵ Em vez disso, a repetição do ato mostra que as pessoas estavam em estado pecaminoso, e que por mais completo e perfeito que fosse o sacrifício não podia afastar totalmente o pecado. Ironicamente, os sacrifícios eram mais eficazes quando feitos com o conhecimento de que não eram eficazes e que apenas a graça de Deus salva. Todavia, perceba o problema que há aqui. Se, no fim, o sacrifício não era eficaz para remover o pecado, como a graça de Deus podia salvar de forma justa?

Nesse ponto, chegamos ao enigma do Antigo Testamento. Em Êxodo 34, Deus refere a si mesmo com as seguintes palavras: "Jeová, o Senhor, Deus misericordioso e piedoso, tardio em iras e grande em beneficência e verdade; que guarda a beneficência em milhares; que perdoa a iniqüidade, e a transgressão, e o pecado; que ao culpado não tem por inocente" (34.6,7). Agora, como pode ser isso? Como Deus pode "perdoa[r] a iniqüidade, e a transgressão, e o pecado" e ainda "ao culpado não te[r] por inocente"? Isso nos leva à última coisa que precisamos compreender em relação ao Antigo Testamento e ao Deus que Ele revela.

Uma Promessa de Esperança

O Antigo Testamento não apresenta Deus como um indiferente distribuidor de condenações severas. Sim, Ele é santo, justo e firme em seu compromisso de punir o pecado, da mesma forma que o é no Novo Testamento. Mas o Senhor do Antigo Testamento é um Deus de amor, mesmo em relação a seus inimigos. Ele é o "Deus misericordioso e piedoso, tardio em iras e grande em beneficência e verdade" (Êx 34.6). O amor não é unicamente cristão, é bíblico.

Muitas passagens do Antigo Testamento ordenam o amor. Por exemplo, o mandamento que Jesus chamou de o primeiro e o maior dado a Israel foi: "Amarás, pois, o Senhor, teu Deus, de todo o teu coração, e de toda a tua alma, e de todo o teu poder" (Dt 6.5). Também vem do Antigo Testamento o segundo mandamento logo abaixo do primeiro:

"O estrangeiro que peregrina convosco como a vós mesmos; amá-lo-eis" (Lv 19.34). E Israel devia amar pelo mesmo padrão que o Senhor ama: "[Ele] que faz justiça ao órfão e à viúva e ama o estrangeiro, dando-lhe pão e veste. Pelo que amareis o estrangeiro, pois fostes estrangeiros na terra do Egito" (Dt 10.18,19). Já que Deus ama os inimigos, seu povo também deve amá-los. Em Provérbios ordena: "Quando cair o teu inimigo, não te alegres, nem quando tropeçar se regozije o teu coração" (24.17). Em Provérbios 25 ensina: "Se o que te aborrece tiver fome, dá-lhe pão para comer; e, se tiver sede, dá-lhe água para beber" (v. 21). O Deus do Antigo Testamento é um Deus de amor.

Vemos o indizível e indulgente amor de Deus ao observar sua longanimidade em relação àqueles que se declaram seu inimigo pela desobediência em toda a extensão de tempo da história do Antigo Testamento. Ele não precisaria deixar que a história da humanidade continuasse depois da Queda no jardim do Éden. Ele não precisava preservar a desobediente nação de Israel. Contudo, Ele demonstra graça, amor, misericórdia e longanimidade em escala épica — ao longo de toda a história da humanidade. Quase parece que Ele planejou usar a história para revelar sua glória ao seu povo. Na verdade, foi o que Ele planejou.

Como já disse, é necessário entender essa promessa de esperança para compreender o Antigo Testamento. Que esperança? Falamos bastante sobre o compromisso de Deus com a santidade e o fracasso de seu povo em viver de acordo com as condições da santidade. Também vimos a promessa de punição ao perverso (em Êx 34). Portanto, que esperança o pecador poderia ter? A esperança não está na história deles. A história do Antigo Testamento provou que eles (e nós) eram seres caídos moral e espiritualmente. Tampouco a esperança estava no sistema sacrificial. Como o salmista disse: "Sacrifício e oferta não quiseste",[16] pelo menos sem alguma coisa mais fundamental. "Perdoa[r] a iniqüidade" e ainda *"ao culpado* não te[r] por inocente"? Se a resposta não estiver nas pessoas do Antigo Testamento e na história delas está em Deus e na sua promessa, especificamente na *pessoa prometida* por Ele. Já vimos que para mitigar a sua justa ira é necessário o derramamento de sangue. A justiça exige que o pecado seja pago pelo próprio culpado *ou* por um substituto inocente que suporta o sofrimento e a morte em favor do culpado. Além disso, a punição de um substituto requer algum tipo de relação entre o culpado e o que é oferecido em sacrifício. Todavia, onde encontrar um substituto perfeito?

Fontes do século I sugerem que na época do nascimento de Jesus havia visível expectativa e promessa messiânica. As pessoas não se perguntavam se o Messias viria, elas tomavam isso por certo, pois a única esperança que tinham repousava no ungido especial do Senhor — o Messias. Por quê? O Antigo Testamento está cheio de promessas da vinda de uma pessoa. O povo de Deus esperava pelo profeta que Ele prometera a Moisés (Dt 18.15-19). Ele esperava um rei e, talvez, um servo sofredor (Is 9.6; 11.1-5; 53). Eles esperavam pela vinda do Filho do Homem sobre nuvens conforme a visão de Daniel (Dn 7.13).

Essas promessas apontam para a resposta do enigma do Antigo Testamento e são a esperança que ele contém. Na verdade, o Antigo Testamento nos ensina mais que qualquer outra coisa que essas promessas são nossa única esperança.

Promessas Cumpridas: A Mensagem do Novo Testamento

Pergunto-me sobre o que se fundamenta sua esperança. É crucial que respondamos a essa pergunta. Muitos de nossos problemas, se não a maioria deles, vêm de atarmos nossas esperanças a coisas que não foram feitas para suportá-las — coisas que afundam como pedra na água e nos levam para baixo com elas. No início, algumas coisas até agüentam grandes promessas, mas no fim, provam ser apenas fantasias passageiras ou coisa pior. Neste velho mundo, não é apenas na política que as promessas não são cumpridas.

Por isso, devemos virar-nos para Deus. Ele nos fez e nos conhece. Ele sabe onde devemos pôr nossas esperanças. No Antigo Testamento, Ele estabeleceu diante de nós a promessa sobre a qual devemos pôr nossa esperança. E no Novo Testamento, encontramos o cumprimento dessas promessas.

A nação de Israel aumentou e diminuiu por quase dois mil anos até que a esperança dela quase desvanecesse. Até mesmo após a libertação do exílio na Babilônia passaram-se apenas algumas centenas de anos para que outro invasor estrangeiro a esmagasse — o poderoso Império Romano. O sentimento de desapontamento beirava o desespero. E todas as antigas esperanças que tinham? O seu Libertador nunca chegaria? O seu relacionamento com Deus nunca seria restaurado? O mundo nunca seria endireitado? Deus prometera todas essas coisas ao seu povo.

E Deus cumpriu suas promessas. O Novo Testamento relata a história do cumprimento de todas as promessas feitas no Antigo Testamento.

A fim de entendermos o Novo Testamento, primeiro veremos a Cristo, depois o povo da aliança de Deus e, por fim, a renovação de toda a criação. Talvez o ajude pensar nesses três temas como três círculos concêntricos. Iniciamos com o centro e nos movemos para o exterior. Em tudo isso, descobrimos que Deus irrompeu na história do homem e tem trabalhado para que seus propósitos sejam alcançados.

O Redentor Prometido: Cristo

Primeiro, o Libertador de Israel realmente viria? O Novo Testamento responde a essa pergunta do Antigo Testamento com um ressonante sim! Na verdade, aqUEle que cumpre essa promessa é o próprio cerne do Novo Testamento: Jesus Cristo.

O Novo Testamento ensina que Deus, antes da criação do mundo, planejara enviar Cristo. No jardim, Adão e Eva rebelaram-se contra as justas ordens do Senhor, e, durante milênios, o seu povo rebelou-se de forma constante. Contudo, o plano do Senhor permaneceu imutável em meio a tudo isso. Viria o Libertador ungido — o Messias (hebraico) ou o Cristo (grego). E Ele viria de um remanescente disperso de Israel que vivia em meio à ocupação romana.

A coletânea de 27 livros que compõem o Novo Testamento inicia-se com o tratamento direto dessa promessa com quatro relatos da vida do Messias. Os quatro registros, de Mateus, Marcos, Lucas e João, afirmam que Jesus de Nazaré é o Messias. Ele é o prometido por quem o povo de Deus estava esperando. Jesus foi fiel, onde Adão e Israel fracassaram. Ele enfrentou as tentações de Satanás, como seus predecessores. No entanto, sobreviveu a elas sem pecado. Ele é o profeta prometido por Moisés, o rei prognosticado por Davi e o divino Filho do Homem anunciado por Daniel. Na verdade, Jesus é a própria Palavra de Deus que se fez carne (Jo 1.1,14).

Depois dos quatro Evangelhos temos o relato de Atos que mostra como Jesus continua a ser ativo no mundo à medida que sua igreja se expande por todas as nações. O livro de Atos inicia-se com Jesus ascendendo ao céu e, a seguir, derramando seu Espírito em Pentecostes. Nos capítulos seguintes, o Espírito estabelece a Igreja como a nova sociedade de Deus e capacita-a a crescer e a fazer o trabalho de Cristo. O livro acaba com Paulo preso em Roma.

No relato de Atos vemos, com freqüência, o cumprimento das promessas que Deus fez a seu povo (e.g. 15.13-18), e esse padrão é típico do Novo Testamento. Jesus é o novo Adão (I Co 15.45-47). Jesus é o Justo (I Pe 3.18; At 3.14; I Jo 2.1). Jesus é maior que Moisés (Jo 1.17; 5.45,46; Hb 3.1-6) e que Davi (Mt 22.41-45; At 2.29-36). Jesus disse que Abraão regozijou-se em ver o seu dia (Jo 8.56-58). De acordo com o Novo Testamento, Jesus cumpre as promessas feitas no Antigo Testamento.

Na verdade, Jesus Cristo é a essência da Bíblia, pois trata de sua totalidade. Você pode resumir a Bíblia em uma palavra ao apontar para Cristo. O Antigo Testamento fez promessas sobre Cristo, e o Novo Testamento cumpre-as em Cristo.

Lemos a Bíblia porque amamos a Cristo, e porque queremos saber sobre o seu amor por nós. John Stott escreve: "O homem que ama a esposa, ama as cartas e as fotografias dela porque lhe falam sobre ela. Portanto, se amamos ao Senhor Jesus, amamos a Bíblia porque nos fala a respeito dEle. O marido não é estúpido a ponto de preferir as cartas da esposa à voz dela, ou as fotografias à presença dela. Ele apenas ama essas coisas por causa dela. Nós também amamos a Bíblia por causa de Cristo, pois ela é o seu retrato e a sua carta de amor".[17] Existem religiosos legalistas e insensíveis que brigam pela Bíblia, mas não amam ao Senhor conforme está descrito em suas páginas. A Bíblia apresenta-nos Cristo a fim de que possamos vê-lo como o centro de nossa esperança e de nossa satisfação. NEle encontramos todas as respostas que precisamos sobre Deus e seu chamado para nossa vida. Cristo é o Libertador prometido não apenas para o povo de Deus do Antigo Testamento, mas também para você e para mim.

O Relacionamento Prometido: O Povo da Nova Aliança

Isso leva-nos ao segundo círculo concêntrico de entendimento da mensagem do Novo Testamento: Cristo veio para um povo. A humanidade, embora tenha sido criada à imagem de Deus, perdeu a capacidade de refletir sua imagem com perfeição por causa do pecado. Cristo veio e, mais uma vez, revelou essa imagem. Mas não fez apenas isso! Ele veio para separar um povo para Deus, um povo especial da aliança especialmente chamado para refletir a imagem do Senhor para toda a criação. Já vimos que a linguagem bíblica pactual não é fria e legal, mas, relacional. Também vimos que Jesus Cristo usa esse tipo de linguagem cristã quando nos oferece "o Novo Testamento no meu sangue" — palavras que lembramos quando compartilhamos a ceia do Senhor. A nova aliança, ou Novo Testamento, significa o novo relacionamento que os cristãos têm com Deus.

Como Cristo realiza isso? Jesus disse aos seus seguidores: "Derribai este templo, e em três dias o levantarei" (Jo 2.19). No momento em que falou, Ele estava de pé no templo, mas não se referia ao prédio do templo, e sim a si mesmo. No Novo Testamento, Jesus é o novo templo. Ele é o novo local de congregação para Deus e seu povo. Ele é o Mediador. Cristo veio para cumprir a esperança por um Sacerdote, não apenas para cumprir a esperança do Antigo Testamento por um Messias como Profeta e Rei. Jesus, nosso Sacerdote Mediador, garante-nos um novo relacionamento com Deus ao resolver o enigma do Antigo Testamento: como o Senhor pode perdoar o perverso e não deixar o culpado sem punição? Cumpriu-se a punição de todos que se arrependeriam e confiariam em Jesus quando ele foi pregado na cruz. Ele sofreu a punição! Ele substituiu o culpado, e este pode ser perdoado. Após sua ressurreição, Jesus usou o Antigo Testamento para ensinar o seguinte:

E, começando por Moisés e por todos os profetas, explicava-lhes o que dele se achava em todas as Escrituras. [...] Então, abriu-lhes o entendimento para compreenderem as Escrituras. E disse-lhes: Assim está escrito, e assim convinha que o Cristo padecesse e, ao terceiro dia, ressuscitasse dos mortos; e, em seu nome, se pregasse o arrependimento e a remissão dos pecados, em todas as nações, começando por Jerusalém (Lc 24.27,45-47).

O sacrifício de Cristo forneceu a forma de seu povo ser perdoado, exatamente a promessa que o Senhor fez por intermédio do profeta Isaías:

Verdadeiramente, ele tomou sobre si as nossas enfermidades e as nossas dores levou sobre si; e nós o reputamos por aflito, ferido de Deus e oprimido.Mas ele foi ferido pelas nossas transgressões e moído pelas nossas iniquidades; o castigo que nos traz a paz estava sobre ele,
e, pelas suas pisaduras, fomos sarados.Todos nós andamos desgarrados como ovelhas; cada um se desviava pelo seu caminho, mas o Senhor fez cair sobre ele a iniquidade de nós todos (Is 53.4-6).

Foi isso que Cristo fez! Ele foi ferido. Ele foi moído. E levou sobre si nossas iniquidades. O seu corpo forneceu o sacrifício sacerdotal que precisávamos para ficar entre Deus e nós, a fim de que pudéssemos ser o povo do Senhor. Como Jesus ensinou aos seus discípulos: "Porque o Filho do Homem também não veio para ser servido, mas para servir e dar a sua vida em resgate de muitos (Mc 10.45; cf. Gl 4.4,5; Fp 2).

Ao dar a si mesmo, Cristo combinou uma força e uma humildade incríveis. O capítulo 5 de Apocalipse apresenta um dos melhores retratos disso. Um dos anciãos diz para o apóstolo João que olhe para o Leão da tribo de Judá. Ele vira-se para ver o Leão, mas o que vê? Um Cordeiro. A mensagem não é de que há dois deuses, mas sim, de que o Leão é o Cordeiro. O Leão de Judá se transformou no Cordeiro morto pelos nossos pecados. Essa é a história do nosso grande Deus. Ele se tornou nosso Cordeiro sacrificial — nosso substituto. E Ele comprou-nos, a sua Igreja, com seu sangue ao agir como nosso substituto (At 20.28).

Portanto, Cristo é a resposta do enigma do Antigo Testamento. E as pessoas se tornam santas em Cristo. Agora, Deus tem, por intermédio de Cristo, o que desejava de seu povo no Antigo Testamento, o que planejou, e eles nunca realizaram: um remanescente, uma nação, um povo para louvá-lo com os lábios e para viver em santidade. Ele tem um novo povo da aliança que é genuinamente santo em Cristo.

Ao longo das páginas do Novo Testamento encontramos essa ênfase, da maior importância, na salvação que vai do pecado à santidade. Paulo disse aos crentes efésios (Ef 2.8,9), coríntios (I Co 1.18) e romanos (Rm 5.9) que estavam salvos. Os cristãos já são considerados santos em Cristo, até mesmo agora somos feitos santos e, um dia, graças a Deus, seremos santos em nós mesmos. Começou em nós a obra do Reino de Deus e aguardamos a sua conclusão.

O Novo Testamento retrata totalmente o contraste entre o mundo e o Reino de Deus. A descrença marca o mundo, e a fé, o Reino do Senhor. O mundo caracteriza-se pela escravidão e pelas trevas, o povo da aliança do Senhor usufrui de liberdade e de luz. O mundo conhece apenas a morte, os que pertencem ao Reino têm a promessa de vida eterna. A raiva e o temor são típicos do primeiro, e o amor, do segundo. A vida separada de Cristo é marcada pela ilegalidade. Em Cristo, habitamos em Deus. As Escrituras concedem tantas coisas ao povo do Senhor, que eles vêem esses contrastes, descobrem como fazer para ser salvos e sabem o que acarretará o julgamento do Senhor. Assim, a confissão de fé de nossa igreja (tirada da Confissão de New Hampshire de 1833) inicia-se com as palavras:

> Das Escrituras: Cremos que a Bíblia Sagrada foi escrita por homens divinamente inspirados, e é um perfeito tesouro de instrução celestial; que tem Deus como seu autor, salvação como seu fim, e verdade sem qualquer mistura de erro como seu conteúdo; que ela revela os princípios pelos quais Deus nos julgará; e por isso é, e continuará sendo até o fim do mundo, o verdadeiro centro da união cristã, e o supremo padrão pelo qual toda conduta, credos, e opiniões humanas devem ser julgados.

Após os Evangelhos, os demais Livros do Novo Testamento, enfatizam a identidade de Jesus Cristo e ajudam-nos a definir e a descobrir o que representa para nós ser o povo especial da aliança de Cristo. No índice do Novo Testamento encontramos os quatro Evangelhos. A seguir, temos o relato de Atos, que representa a transição entre os Evangelhos e os livros que tratam da forma como o povo de Deus deve viver. Em Atos, o evangelho expande-se para além dos limites de Jerusalém e alcança a Judéia, Samaria e o início das três jornadas missionárias de Paulo até os confins do mundo. Após o relato de Atos, temos uma série de cartas que descrevem o que significa viver como o povo especial da aliança de Deus.

Paulo escreveu as treze primeiras dessas cartas. Ele, originalmente um rabi do tipo mais rígido, foi convertido por Deus de forma espetacular quando viajara para perseguir alguns cristãos "até à morte" (At 22.4).

Depois das cartas de Paulo, ainda há mais oito escritas por Tiago, Pedro, João, Judas e uma de autor desconhecido (Hebreus). Ao ler essas cartas vemos que no povo de Deus da nova aliança cumpriram-se as promessas do Antigo Testamento. Veja, Deus desejava se revelar em uma comunidade onde as pessoas vivem umas para as outras e amam umas as outras de forma a manifestar o caráter de dEle para o mundo, e não apenas em Cristo. Se somos cristãos, isso acontece hoje mesmo em nossas igrejas!

Como cristãos, muitas vezes oramos: "Venha o teu Reino. Seja feita a tua vontade, tanto na terra como no céu" (Mt 6.10). Você já se perguntou o que isso representa? Algumas pessoas limitam a esperança das coisas que podem realizar em sua força pessoal. Contudo, o cristianismo nunca foi assim. Como cristãos, sempre pomos nossa esperança em algo que está além do que podemos realizar sozinhos. Em sua segunda carta, Pedro escreveu: "Aguardamos novos céus e nova terra, em que habita a justiça" (2 Pe 3.13). Esse reino vindouro, esses novos céus e nova terra, essa moradia da justiça, apontam para o cumprimento de nossa primeira e última esperança: o conserto do mundo inteiro. No Novo Testamento, esse é o terceiro movimento do plano de Deus à medida que se estende de Cristo para o seu povo da aliança e para o círculo mais exterior — toda a criação.

A Renovação Prometida: A Nova Criação

Qual é o propósito da história? De qualquer modo, por que a vida, o universo e você e eu existimos? Em última instância, toda a história e toda a criação existem para a glória de Deus. É o que diz a conclusão do Novo Testamento. Em Apocalipse, escrito pelo apóstolo João, toda a criação é alçada para a glória de Deus.

Sei que, às vezes, Apocalipse é objeto de documentários sensacionalistas com músicas funestas. No entanto, Apocalipse é um livro de esperança e de encorajamento maravilhoso para o povo de Deus. Ele apresenta a consumação da nossa salvação. Por fim, estamos no local em que o Senhor mora e sob o seu governo e em perfeita comunhão com Ele. Os céus e a terra são recriados, e a igreja militante que enfrenta lutas se transforma na igreja triunfante que repousa (veja Ap 21.1-4; 21.22—22.5).

Algumas pessoas lêem Apocalipse e comentam: "Isso é apenas platonismo grego idealista"; ou: "Isso é apenas outro gnosticismo que nega o mundo como se apenas o invisível tivesse importância". Todavia, isso não é, de forma alguma, o que João nos apresenta. Em Apocalipse, a criação é concluída de novo, renovada e reapresentada em um novo céu e uma nova terra, tudo isso caminha em direção à grande finalidade da Bíblia e da história do mundo — a glória de Deus. Isso não é platonismo nem gnosticismo! Como cristãos não cremos apenas em uma alma eterna que ascende e vive nas nuvens com o Senhor, mas também acreditamos nesta doutrina, que era ofensiva para os gregos antigos: a ressurreição do corpo. Um dia, de uma forma que está além do nosso alcance, Deus reconstituirá nosso corpo caído e perecível. A ressurreição de Jesus era apenas as "primícias". Foi o início da grande colheita que acontecerá (1 Co 15.20). E a nova feitura, de nosso corpo é um retrato do que Ele fará com toda a criação.

Por fim, a santidade do povo do Senhor será completa, e habitaremos com Ele. Na verdade, Apocalipse apresenta um jardim do Éden restaurado ainda melhor que o anterior. Agora, ele é uma cidade celestial perfeita, em que tudo funciona não porque o encanamento é bom, e as taxas são baixas, mas porque Deus habita com seu povo. João descreve as dimensões dessa cidade celestial como um grande cubo. Qualquer cristão que conheça o Antigo Testamento sabe que a visão de João refere-se ao lugar santíssimo, o Santo dos Santos. Esse lugar especial do Templo de Israel era um cubo perfeito e o local mais evidente da presença de Deus na terra. Agora, a presença imediata e total de Deus é dada a todo seu povo nessa cidade celestial configurada como um cubo. O mundo todo se transforma em templo. João escreve: "E ouvi uma grande voz do céu, que dizia: Eis aqui o Tabernáculo de Deus com os homens, pois com eles habitará, e eles serão o seu povo, e o mesmo Deus estará com eles e será o seu Deus. E Deus limpará de seus olhos toda lágrima, e não haverá mais morte, nem pranto, nem clamor, nem dor, porque já as primeiras coisas são passadas" (Ap 21.3,4).

Já que sabemos do que se trata este mundo, como cristãos, temos grandes notícias a transmitir. Lembro-me de um dia em que estava sentado de pernas cruzadas em uma aula de filosofia da Universidade Duke, em uma sala coberta com carpete de lã roxo e iluminada por uma lâmpada pendurada no teto (certamente, acabo de entregar minha idade). O professor iniciou a aula com a pergunta: "Qual o propósito da vida?" Bem, ninguém podia dizer nada porque, naquela época, era uma arrogância responder a esse tipo de pergunta. No entanto, eu era um jovem cristão, e o silêncio estava me matando. Lembro-me de pensar comigo mesmo que ali estavam todas aquelas pessoas feitas à imagem de Deus, e eu sem dizer nada. Por fim, deixei escapar: "O propósito da vida é glorificar a Deus e deleitar-se com Ele para sempre"! Amigos cristãos, esse é o propósito da vida. Nós não estamos às cegas em relação a isso. Você pode não saber por que faz esse trabalho, por que fica doente; e certamente, não sabe um monte de coisas importantes. Mas neste momento, você sabe a coisa mais importante do mundo: o propósito da vida é conhecer a Deus a fim de que possa glorificá-lo e deleitar-se com Ele para sempre.

No momento, vivemos um tempo de espera e, por isso, é muito apropriado que Apocalipse seja o último livro do Novo Testamento. Ele foi escrito por um homem idoso, solitário e exilado. Tudo que pudesse ter valor neste mundo fora-lhe tirado, e ele estava totalmente desesperado. E, mesmo assim, estava cheio de esperança! Isso é cristianismo. Precisamos viver cheios dessa esperança. Deus prometeu que a terra terá pleno conhecimento da sua glória e cumprirá essa promessa na nova criação. Deus cumprirá todas as promessas que fez.

Conclusão

Todos nós sabemos que os desapontamentos também são úteis. Muitas vezes, os destroços de planos acalentados são o primeiro passo para o verdadeiro benefício que Deus tem guardado para nós. O apóstolo Paulo aprendeu isso quando pediu que Deus tirasse o espinho de sua carne (2 Co 12.7-9). Em sua grande e estranha misericórdia, Deus não atendeu ao pedido. Os israelitas nacionalistas também aprenderam isso na espera pelo Messias. Deus reservava algo melhor em seus planos que a imediata supremacia política de Israel sobre os inimigos.

E isso também é verdade em sua e na minha vida. Nem você nem eu temos uma vida perfeitamente sintonizada com a vontade, os desejos e as esperanças de Deus. Portanto, faltamente nos deparamos com desapontamentos. Vemos as coisas em que depositamos nossas esperanças afundarem como pedras na água. E é pela graça de Deus que isso acontece conosco. Por mais estranho que possa parecer, se cremos, de fato, na Bíblia, temos de aprender a confiar que Ele sabe o que faz e que o seu plano para nós é melhor do que qualquer coisa que tenhamos planejado por nós mesmos. Muitas vezes, apegamo-nos com todo nosso poder ao que temos neste mundo. Mas Deus tem algo muito melhor preparado para seus filhos.

Se você é filho de Deus, por meio do novo nascimento em Cristo, Ele tem em mente um fim inimaginavelmente bom para você! Como João escreveu em uma de suas cartas: "Amados, agora somos filhos de Deus, e ainda não é manifesto o que havemos de ser. Mas sabemos que, quando ele se manifestar, seremos semelhantes a ele; porque assim como é o veremos" (1 Jo 3.2). E Paulo debulha-se em doxologia quando pensa no que Deus fez e fará: "Ó profundidade das riquezas, tanto da sabedoria, como da ciência de Deus! Quão insondáveis são os seus juízos, e quão inescrutáveis, os seus caminhos!" (Rm 11.33).

Claro que nem sempre nossa mente está voltada para coisas tão elevadas. Nem sempre estamos sentados na igreja ou lendo sermões sobre toda a Bíblia. Muitas vezes, nossa vida é consumida por outras esperanças e buscamos contentamento em meio a coisas menores. William Wilberforce foi um homem desse tipo. Ele pensava que tinha tudo que um homem queria. Ele nasceu em uma família tradicional de Yorkshire, Inglaterra, em 1759. Cresceu com muitos privilégios, tinha tranquilidade e muita perspicácia. Ele saiu-se muito bem em seus estudos na Universidade de Cambridge, onde também se tornou amigo de William Pitt, que muito cedo se tornou primeiro-ministro da Inglaterra. Logo após sua graduação, em 1781, em Cambridge, Wilberforce foi eleito para o Parlamento. Tinha muito bom gosto e logo se tornou conhecido em Londres por causa de sua amizade próxima com muitos líderes políticos e pessoas importantes da sociedade. Ele logo se sobressaiu "na" multidão e, no início dos vinte anos, alcançou uma posição de considerável poder e destaque. No inverno de 1784-1785, Wilberforce viajou a passeio pelo sul da França com diversos amigos, entre eles estava Isaac Milner. Durante a viagem, Wilberforce fez freqüentes zombarias com o que pensava ser a extremada e fervorosa piedade de um cristão evangélico. Seu companheiro de viagem, Milner, era esse tipo de cristão, embora o espirituoso Wilberforce desconhecesse esse fato. Em certo momento, Wilberforce referiu-se a um líder evangélico proeminente, dizendo que era um bom homem, mas que "levava as coisas um pouco longe demais". Milner, que ainda não contestara seu jovem amigo, respondeu: "Nem um pouco longe demais". Ele sugeriu que uma leitura atenta do Novo Testamento poderia fazer com que Wilberforce tivesse uma opinião diferente desse líder. Wilberforce, um pouco surpreso com o ardor do amigo, disse que faria aquela leitura. E leu! Nas poucas semanas que restavam de viagem, Deus usou a Bíblia para transformar William Wilberforce em um novo homem. Como ele disse depois, a mensagem da Bíblia sobre Deus e o homem, o pecado e o sacrifício de Cristo, o perdão e o novo nascimento que pode ser nosso pelo arrependimento e pela fé em Cristo — todas essas coisas de que temos falado neste estudo — tornaram-se vivas para aquele homem. Ele nasceu de novo, transformou-se de apenas outro espirituoso anônimo que caçava nos arredores de Londres, sempre em busca do benefício próprio, em Wilberforce, o grande libertador, o homem que entregou a vida pelo fim da escravidão na Grã-Bretanha. Isso lhe custou décadas de trabalho, mas, no fim, ele conseguiu aprovar um projeto de lei que primeiro acabava com o comércio de escravos e, depois, com a própria escravidão. A sua vida foi transformada. Wilberforce tornou-se o campeão da liberdade depois que Deus libertou a sua alma com a mensagem da Bíblia — com as Boas-Novas de Jesus Cristo.

A Bíblia é a auto-revelação de Deus para nós. No Antigo e Novo Testamentos, Ele se revela para nós por meio das promessas que faz e cumpre. Depois, nos chama para que respondamos a Ele em confiança. Em 1813, a pergunta número 6 do Catecismo Batista, uma variação do Catecismo Menor de Westminster, diz:

> P.: O que é que as Escrituras ensinam principalmente?
> R.: As Escrituras ensinam principalmente o que o homem deve crer com relação a Deus, e o que Deus requer do homem (2 Tm 1.13; 3.15,16).

Paulo aponta para a mesma obrigação do crente quando escreve: "Porque não me envergonho do evangelho de Cristo, pois é o poder de Deus para salvação de todo aquele que crê, primeiro do judeu e também do grego" (Rm 1.16).

A pergunta é: Você crê? Você converteu-se a Ele? Você confia no que Ele diz? Muitas vezes, precisamos daquele lapso de segundos para ver que Deus é fiel porque, às vezes — se formos honestos —, parece que nossas orações não são respondidas. Assim, recue e veja o que Deus faz nas páginas das Escrituras. Você verá que Ele é fiel, da mesma forma como foi com Abraão quando o chamou para uma terra estranha, e, embora esse homem não entendesse tudo que Deus fazia, creu nEle e seguiu suas instruções. E Deus o abençoou. Deu a Abraão o dom da fé para que este o conhecesse.

Deus também faz promessas para nós em sua Palavra, e nós também somos chamados a responder em confiança. Como Jesus no jardim do Getsêmani e, ao contrário, de Adão e Eva no jardim do Éden, temos de ouvir e crer em sua Palavra. Somos restaurados à comunhão com o Senhor, para a qual fomos criados, quando fazemos isso.

Essa é a esperança em que podemos confiar e a qual não nos desaponta. E essa é a principal preocupação de toda a Bíblia, do Antigo e Novo Testamentos: a restauração da comunhão de Deus com seu povo para sua glória e seu deleite.

Oremos:

Senhor Deus, invariavelmente entramos em sua presença com menos objetivos que o Senhor tem para nós. Contudo, oramos para que o Senhor grave em nosso coração a grande história de sua revelação em sua Palavra. Oramos para que o Senhor dê a sua Palavra em uma língua que possamos ouvir, mãos que nos mantenham firmes, e pés que nos persigam. Senhor, seja tenaz em seu amor por nós como tem sido ao longo da história de sua lida com seu povo. Oramos em nome de Jesus. Amém.

Questões para Reflexão

1. Como vimos no início deste livro, a Bíblia tem sido objeto de muitas e variadas opiniões. Quais são algumas das mais importantes opiniões que as pessoas têm hoje da Bíblia?
2. Como a Bíblia pode ter uma linha mestra em sua história e mensagem, se é composta de 66 livros distintos escritos por mais de 30 autores?
3. Quais são algumas das vantagens de examinar toda a Bíblia e sua mensagem em um apanhado rápido?
4. Observamos que a Bíblia não é apenas um livro de conselhos religiosos sábios e de propostas teológicas, embora seja essas duas coisas. Ela é uma história real que acontece na história do mundo. Por que você acha que Deus revelou a si mesmo em uma narrativa histórica? Que vantagens isso traz para nós, como leitores?
5. O que é expiação? Como o Antigo Testamento liga expiação e sacrifício? Os sacrifícios do Antigo Testamento eram eficazes na reconciliação do homem com Deus?
6. Qual é o "enigma" do Antigo Testamento?
7. Suponha que um amigo lhe diga que tem dificuldades com o Deus do Antigo Testamento porque Ele parece ser um Deus irado e raivoso. Como você responderia a isso?

8. Como Cristo resolve o enigma do Antigo Testamento? O que queremos dizer quando nos referimos a Ele como nosso "Sacerdote"?
9. O que é o evangelho cristão?
10. O que espera pelos cristãos na consumação de toda a criação? Do que o cristão desfrutará totalmente que Adão, no jardim, foi o último a desfrutar, e o sumo sacerdote desfrutava parcialmente no Santo dos Santos? Como você acha que isso será? Você acha que nos cansaremos disso? Você consegue imaginar algo tão bonito, maravilhoso e glorioso de que você nunca se canse?
11. Se você estivesse em uma aula de filosofia — ou em qualquer outro lugar em meio a não-cristãos —, e alguém perguntasse qual o sentido da vida, o que você diria? Você consegue defender sua resposta?
12. William Wilberforce parecia levar a sério o dilema de Paulo: "Mas de ambos os lados estou em aperto, tendo desejo de partir e estar com Cristo, porque isto é ainda muito melhor. Mas julgo mais necessário, por amor de vós, ficar na carne" (Fp 1.23,24). Wilberforce conhecia o prêmio que o aguardava no céu e, por isso, estava livre para dar-se totalmente ao trabalho de Deus na terra. Onde se encontra sua recompensa máxima? Você preza mais algumas do que as outras. Você pode calcular o que seja ao examinar o que tenta edificar, proteger ou realizar com todos seus recursos físico, financeiro, social e mental. O que é isso? Sua vida está cada vez mais alinhada com a grande promessa das Escrituras ou com outra coisa?

NOTAS

A Bíblia Inteira: O que Deus Quer de nós?

1. A data de pregação original deste sermão foi 9 de janeiro de 2000, na Capitol Hill Baptist Church, em Washington, D. C.
2. Huston Smith, "Postmodernism and the World's Religion", em Walter Truett Anderson, ed., The Truth About the Truth: De-Confusing and Re-Constructing the Postmodern World (Nova York: G. P. Putnam's Sons, 1995), p. 205.
3. Everett Gill, A. T. Robertson: A Biography (Nova York: Macmillan, 1943), p. 181.
4. Citado por Michael S. Horton, "Recovering the Plumb Line", em John H. Armstrong, ed., The Coming Evangelical Crisis: Current Challenges to the Authority of Scripture and the Gospel (Chicago: Moody, 1996), p. 259.
5. B.B. Warfield, "The Divine Origin of the Bible", em Revelation and Inspiration, vol. I de The Works of Benjamin B. Warfield (Grand Rapids, Mich.: Baker, 1981), pp. 436, 437.
6. Ibid., p. 437.
7. J. I. Packer, God Has Spoken (Downers Grove, Ill.: InterVarsity, 1979).
8. Chris Wright, User's Guide to the Bible (Belleville, Mich.: Lion, 1984).
9. Graeme Goldsworthy, Gospel and Kingdom: A Christian Interpretation of the Old Testament (Exeter, UK: Paternoster, 1981); The Goldsworthy Trilogy (Exeter, UK: Paternoster, 2000).
10. Habacuque 1.13; Isaías 59.2; Provérbios 15.29; também Colossenses 1.21; Hebreus 10.27.
11. I Reis 8.46; Salmos 13.3; Provérbios 20.9; Eclesiastes 7.20; também Marcos 10.18; Romanos 3.23.
12. Por exemplo, Isaías usa a imagem de uma brasa viva que remove a impureza dos lábios (Is 6.6,7); Oséias descreve a compra de um ofensor (Os 3.2,3); Zacarias fala sobre tirar as vestes sujas (Zc 3.4).
13. E. g., Levítico 1.3,10; 3.1,6; 4.3,23,28.
14. Ex., Gênesis 9.5; Levítico 1.4; 4.4; 14.51; 16.21.
15. Leia a repreensão aos sacrifícios em Jeremias 7 e verifique você mesmo esse fato.
16. Salmos 40.6. Parece que o salmista, entre outros escritores do Antigo Testamento, teve a mesma visão do escritor de Hebreus que afirmou: "A lei [...] nunca, pelos mesmos sa-

crifícios que continuamente se oferecem cada ano, pode aperfeiçoar os que a eles se chegam. Doutra maneira, teriam deixado de se oferecer, porque, purificados uma vez os ministrantes, nunca mais teriam consciência de pecado. Nesses sacrifícios, porém, cada ano, se faz comemoração dos pecados, porque é impossível que o sangue dos touros e dos bodes tire pecados" (Hb 10.1-4).

[17] John Stott, Fundamentalism and Evangelism (Grand Rapids, Mich.: Eerdmans, 1959), p. 41.

O ANTIGO TESTAMENTO: PROMESSAS FEITAS

VALE A PENA LER O ANTIGO TESTAMENTO?

UMA HISTÓRIA ESPECÍFICA
Narrativa Histórica
Os Escritos
Os Profetas

UMA PAIXÃO POR SANTIDADE

UMA PROMESSA DE ESPERANÇA

O Antigo Testamento:
Promessas Feitas

VALE A PENA LER O ANTIGO TESTAMENTO?[1]

Confesso que passei muito tempo em livrarias. Nos últimos anos, percebi uma oferta cada vez maior de livros religiosos nas livrarias seculares. Claro, geralmente as lojas os classificam sob o título "espiritualidade". De qualquer forma, nessas seções que aumentam a cada dia, você vê a oferta de livros sobre anjos, pensamentos de conforto, textos orientais antigos, máximas de gerência de gurus e uma variedade infindável de assuntos. É surpreendente como esses livros também vendem bem.

O que você acha que as pessoas procuram nesse florescente mercado de livros espirituais? Orientação? Esperança? Seja qual for a resposta, meu palpite é que comparativamente poucas pessoas se voltam para o Antigo Testamento.

Você se lembra do Antigo Testamento: "No princípio", e tudo isso! Essas palavras não apenas iniciam a Bíblia, como provavelmente são as palavras mais famosas do Antigo Testamento e, talvez, as mais conhecidas de nossa língua.

Precisamos constatar que muitas pessoas não valorizam essas linhas de abertura do Antigo Testamento. Muitos cristãos e, também, não-cristãos consideram o Antigo Testamento muito longo e entediante, muito obscuro e enigmático. Além disso, o Novo Testamento não suplantou o Antigo Testamento? O estudo do Antigo Testamento em comparação com o Novo faria algumas pessoas pensarem que é o mesmo que comer peixe com espinho quando se pode comer filé sem espinho; ou o mesmo que assistir a um grande jogo em um lugar ruim e sem visibilidade quando é possível vê-lo de pé no campo.

Outras pessoas têm problemas mais profundos com o Antigo Testamento. Elas referem-se aos profetas exaltados, aos sacrifícios de animais e às aparentemente leis arcaicas com rótulos pejorativos de que a coisa toda é "primitiva" ou "rude". E, em vista da virtude proeminente do multiculturalismo de nossos dias, dificilmente alguém acharia um livro mais fora de compasso com os tempos que o Antigo Testamento. Alguém pode alegar que ele é a pior demonstração de etnocentrismo da história.

Ele não é o livro de um Deus irado que mata um homem por tentar prender uma arca decorada, que envia ursos para matar crianças por serem desrespeitosas com os anciãos, que silencia resmungões com serpentes mortais apenas por causa de seus resmungos?[2] Não é esse Livro que contém ameaças, e dilúvios, e chuvas de pedra, e fogo e de enxofre divinamente ordenados?

A ira atribuída a Deus nesse livro não o torna grande nem poderoso para muitas pessoas de hoje. Na verdade, essa ira deixa, até mesmo, os mais piedosos entre nós a vê-lo como arbitrário e cruel: um deus que não nos traz adoração, mas preocupação, não sujeito a admiração, mas ao aborrecimento, a suprema personificação da feiúra, não da beleza. Bem, agora já dissemos isso! E em um sermão! Já ouvi pessoas dizerem essas coisas em outros lugares. Portanto, também devemos ser honestos em um sermão, pois isso é o que muitas pessoas pensam do Antigo Testamento.

Claro que essas idéias não são novas. Ao longo da história da igreja, as pessoas sentem-se embaraçadas por causa do Antigo Testamento. Perto do final do século II, Marcião e seus seguidores romperam relações com outros cristãos. Eles rejeitaram todo o Antigo Testamento porque Deus parecia muito cruel, irado e inconsistente com o Deus revelado em Jesus de Nazaré. Com certeza, o Antigo Testamento foi a Bíblia de Jesus de Nazaré! (Do Novo Testamento, Marcião aceitava apenas o Evangelho de Lucas e dez das cartas de Paulo.)

Embora a igreja, rápida e universalmente, tenha rejeitado a cirurgia radical que Marcião fez na Bíblia, muitas vezes, o Antigo Testamento tem um destino similar em nossos círculos de cristãos evangélicos. Não fazemos afirmações teológicas a respeito do assunto, mas o efeito é o mesmo. Talvez o examinemos por causa de algumas boas histórias sobre José, Davi, Moisés e Elias. Às vezes, citamos alguns salmos, memorizamos diversos provérbios e aprovamos a maior parte dos Dez Mandamentos. Mas, via de regra, simplesmente ignoramos o Antigo Testamento.

Bem, antes de tomarmos a decisão radical de omitir uma parte tão grande da Bíblia, eu sugiro que ampliemos nosso entendimento do conteúdo do Antigo Testamento. Gostaria de resumir isso para você sob três títulos:

Primeiro, uma história específica
Segundo, uma paixão por santidade,
E terceiro, uma promessa de esperança

Não posso lidar com todas as questões que você tem a respeito do Antigo Testamento, mas posso ajudá-lo na estruturação. Algumas pessoas resumem a mensagem do Antigo Testamento desta forma: "É o povo de Deus no seu lugar e sob seu governo". Em certo sentido, isso é parecido com a minha sugestão. Eu resumiria a mensagem do Antigo Testamento com a palavra promessas. As promessas que Deus fez no Antigo Testamento cumpriram-se no Novo, especialmente em Jesus Cristo.

Em outras palavras, estou convencido de que a melhor compreensão do Antigo Testamento ajuda-nos muito no entendimento do Novo, o que significa que entenderemos melhor a Cristo, o cristianismo, a Deus e a nós mesmos.

UMA HISTÓRIA ESPECÍFICA

Se não entendermos que o Antigo Testamento trata de uma história específica não compreenderemos nada dele, nem do Deus revelado nele. Sei que basta pronunciar a palavra "história", e as pessoas já ficam com sono. Sei que a história tem a reputação de ser bastante maçante. Talvez, na escola, vocês tenham memorizado uma longa lista de nomes e de datas. Sinto muito por isso. Esse sermão não será apenas uma longa lista de nomes e datas! Na verdade, a história do Antigo Testamento é bastante surpreendente.

Não é de admirar que o texto desse sermão inicie-se na primeira página da Bíblia: "No princípio, criou Deus os céus e a terra" (Gn 1.1). Veja que essa história surpreendente inicia-se com nada. E, a seguir, acontece a coisa mais extraordinária: de nada conseguimos alguma coisa.

E nesse algo, vemos a maravilhosa obra criativa de Deus. Primeiro, a criação inanimada — água, terra e sol. A seguir, Deus traz a vida — vegetação, peixes, aves e animais. Talvez você já tenha lido no jornal como os cientistas ficam entusiasmados com a possibilidade de haver água em Marte, e isso se deve ao fato de que onde há água existe vida. Isso pode ser estimulante para as pessoas seculares, porém, para os cristãos, a coisa mais surpreendente é o que Deus fez a seguir: as pessoas a sua imagem para que reflitam seu caráter. Tudo isso acontece nos dois primeiros capítulos da Bíblia.

No terceiro capítulo, os primeiros seres humanos criados por Deus lhe desobedecem, e a conseqüência disso, é a ruína de todo o cosmos.

Dos capítulos 4 a 6, vemos a história da desintegração — ela se inicia com o primeiro filho, Caim, que mata o irmão e vai até as pessoas dos dias de Noé, as quais eram tão ruins que Deus decide eliminar toda terra. Talvez você pense: "Provavelmente a história humana tivesse mais sorte se iniciássemos de novo com apenas um homem justo e sua família". Sem dúvida, mas a humanidade não se sairia melhor.

O capítulo 10 inicia-se com o repovoamento do mundo e, novamente, a posterior desintegração sintetizada no capítulo 11, com a história da torre de Babel. Em Babel, o homem orgulhoso tentou edificar independentemente de Deus, ao que Ele respondeu com mais julgamento.

No capítulo 12, o Senhor chama Abraão, o que marca um novo início.

Antes de seguirmos adiante, seria interessante observarmos a grande seqüência de história que a Bíblia contém. Conforme o registro de Gênesis 6, pessoalmente acredito que a maior parte da história do mundo ocorreu antes dos dias de Noé. O apóstolo Pedro, em sua segunda carta, refere-se ao mundo de antes do dilúvio como o "mundo antigo" ou "a era que então era" (2 Pe 2.5; tradução do autor). Talvez, na época anterior a Noé, possivelmente, houvesse a ascensão e queda de impérios inteiros, dos quais hoje nem sequer imaginamos a existência. Além disso, o tempo que transcorreu entre a época de Abraão e a de Jesus é tão longo como o que nos separa dos dias de Jesus.

De qualquer forma, Deus chamou Abraão para ser o primeiro de seu novo povo. Ele deu descendentes a Abraão. O povo do Senhor começou a ter prosperidade por intermédio do neto de Abraão, Jacó (também chamado de Israel). Após uma série de viradas providenciais, essas pessoas terminaram como escravas no Egito, contudo logo se reproduziram e tornaram-se uma grande nação.

A seguir, Moisés tirou a nação de Israel (nome do neto de Abraão) do Egito. Primeiro, Deus deu a lei a Israel, a qual os marcava como um povo muito especial. Segundo, Ele deu-lhes a Terra Prometida em que o povo escolhido deveria viver e mostrar o caráter do Senhor para as nações. No entanto, houve confusão moral e política durante o governo dos líderes denominados de juízes, em vez de demonstração do caráter de Deus.

Após alguns séculos, o povo de Israel pediu e recebeu um rei na pessoa de Saul, e Davi sucedeu Saul no trono da nação. O reinado de Davi é o que melhor representa o arquétipo de reinado em que um homem escolhido pelo Senhor e a Palavra de Deus governam o povo. Esse reinado discutível alcança seu ponto máximo de prosperidade com a construção do Templo por Salomão, filho de Davi. Todavia, Salomão, de muitas formas, torna-se descrente, e o reino no reinado de Roboão, filho de Salomão, divide-se em dois. As duas partes do reino, agora dividido, caem em idolatria até que, por fim, Deus destrói o Reino do Norte por intermédio do Império Assírio. Pouco mais de um século depois disso, Ele exila a metade Reino do Sul na Babilônia. Várias gerações viveram no exílio até que as pessoas retornam e reconstroem o Templo e os muros de Jerusalém. Aí termina a história do Antigo Testamento, com as pessoas reduzidas a uma posição de desespero total e de dependência em Deus.

Essa é a história recontada ao longo dos 39 livros do Antigo Testamento. Você sabe que o Antigo Testamento não é apenas um livro, mas 39 menores que juntos formam o todo.

E esses 39 livros são bastante distintos uns dos outros. No índice de sua Bíblia, você pode distinguir as categorias principais. Os primeiros cinco livros (de Gênesis a Deuteronômio) formam o Pentateuco, ou a Lei. Os doze livros seguintes (de Josué a Ester) são conhecidos como livros históricos. Esses primeiros dezessete livros compõem a narrativa desde a criação até o retorno do exílio babilônio, evento que se deu cerca de quatrocentos anos do nascimento de Cristo. Os próximos cinco livros (de Jó a Cantares) são chamados de escritos. A seguir, temos os últimos dezessete livros que são de profecias (de Isaías a Malaquias). Assim, uma forma de dividir o cânon cristão do Antigo Testamento seria determinar que há um primeiro grupo composto de dezessete livros, um grupo intermediário, de cinco livros, e o último grupo com dezessete livros. Aqui, seguiremos essa divisão.

Narrativa Histórica

Os primeiros dezessete livros de narrativa histórica (de Gênesis a Ester) são razoavelmente cronológicos. Contudo, a história desses livros não é a narrativa seca que, hoje, os estudiosos escrevem com a pretensão de serem objetivos e equilibrados. Não, são histórias confessionais. É a história escrita por pessoas que sabem quem é Deus, como também sabem que são seu povo.

- Gênesis, como já dissemos, descreve como foi criado o mundo e o primeiro ser humano. O jardim do Éden apresenta o padrão de Deus, como também o homem vivendo em perfeita paz, o que só veremos de novo no final do Novo Testamento, em Apocalipse, com a cidade celestial. Depois, Deus inicia seu plano de salvação por intermédio de Abraão e seus descendentes. No fim de Gênesis, o povo do Senhor — a nação de Israel — é levado em escravidão para o Egito.
- Êxodo acompanha a história do povo de Deus desde a morte de José, no Egito, ao longo do êxodo até a construção do Tabernáculo no deserto, o qual representava a presença do Senhor com seu povo. Deus usa Moisés para entregar a Lei e para guiar seu povo no êxodo.
- Levítico apresenta a compilação da lei do Senhor dada ao seu povo no deserto. Essas leis enfatizam o problema de como o homem pecador deve abordar um Deus santo. A santidade é o tema de Levítico.

- Números, acima de tudo, conta a história do povo de Israel em viagem para a Terra Prometida. Ele relata várias circunstâncias dramáticas da infidelidade do povo, ao lado da perseverante fidelidade de Deus.
- Deuteronômio tem esse nome porque apresenta a segunda vez em que o Senhor dá a Lei ao seu povo (deutero = segundo; nomos = lei). O povo alcança o final de seus quarenta anos de perambulação pelo deserto. A geração mais velha já morreu. Agora, o Senhor repete a Lei para essa nova geração que se prepara para entrar na Terra Prometida.
- Josué descreve a conquista da Terra Prometida e sua divisão entre as doze tribos. O povo era governado por Josué, sucessor de Moisés.
- Juízes relata a história de quatorze juízes que governaram Israel (ou suas regiões) depois de Josué. Continuamente, o povo voltava-se para a ilegalidade, e a frase: "Naqueles dias, não havia rei em Israel, porém cada um fazia o que parecia reto aos seus olhos" (Jz 21.25), é um bom resumo dessa época.
- Rute é um Livro pequeno inserido na época dos juízes. Ele funciona como história da Anunciação do Antigo Testamento que prepara o caminho para o nascimento de Davi.
- 1 e 2 Samuel tratam do último juiz, Samuel; um "início anulado" de reinado, com Saul; e o primeiro rei verdadeiro, com Davi.
- 1 e 2 Reis enfatizam o reinado de Salomão, filho de Davi, seguido da queda de Salomão e sua linhagem. Durante a época de Roboão, filho de Salomão, o reino divide-se em dois e, a partir desse momento, ele principalmente declinou.
- 1 e 2 Crônicas apresentam informações adicionais interessantes de tudo que aconteceu desde Adão até o início do exílio. Concentram-se em Davi, em Salomão, no papel do Templo e, depois, em como os reis do Reino do Sul levam a nação ao exílio.

Os últimos três livros de história são a respeito do exílio e o retorno dele:

- Esdras descreve o retorno dos judeus do exílio na Babilônia e a reconstrução do Templo.
- Neemias continua a história com a descrição da reconstrução do muro de Jerusalém, que representa o cumprimento parcial da promessa de Deus de restaurar seu povo.
- Ester é o último Livro histórico. É a história de como Deus salva a comunidade judaica do Império Persa no período final do exílio.

Os Escritos

Os cinco livros que compõem o grupo intermediário do Antigo Testamento são conhecidos como escritos e enfatizam algumas experiências mais pessoais do povo de Deus. Eles são, em grande medida, literatura de sabedoria, poemas devocionais e literatura cerimonial do Templo.

- Jó é a história de um homem justo que é testado por Deus. Não sabemos o ano em que foi escrito.
- Salmos são orações poéticas, confissões e lamentos dirigidos a Deus. Parece que quase metade deles foram escritos por Davi. A coletânea toda foi escrita durante um longo período de tempo.
- Provérbios apresenta a sabedoria de Salomão e de outros em relação às questões práticas da vida.
- Eclesiastes, provavelmente, também escrito por Salomão, reconta a busca de um homem pelo caminho da felicidade e do sentido das coisas. Parece o relato de um homem que desce pela rua, à noite, e ilumina com a lanterna uma série de travessas que são ruelas sem saída, e ele continua a andar e a dizer: "Isso não é bom, isso não é bom, isso não é bom..."
- Cantares é uma coletânea de cânticos de amor de um noivo e de sua noiva. Ele enfatiza a importância do relacionamento amoroso.

Os Profetas

A coletânea final de livros do Antigo Testamento é a dos profetas. Os primeiros dezessete livros apresentam histórias narrativas, os cinco do meio, reflexões de vários indivíduos, e esse último grupo de dezessete Livros apresenta os comentários de Deus sobre a história de Israel, especialmente em relação à desobediência dele.

Os primeiros cinco livros são chamados de profetas maiores por causa da extensão deles, alguns são bastante longos.

- Isaías era profeta no Reino do Sul, chamado de Judá. Os primeiros 39 capítulos são profecias referentes ao cativeiro. Os capítulos 40 a 66 apontam para a futura restauração e redenção da nação.
- Jeremias anunciou suas profecias durante o cerco de Jerusalém, cerco esse que acabou com a queda da cidade em 586 a.C. Ele continua a profetizar por sete anos após a queda da cidade.
- Lamentações é o lamento do profeta Jeremias por causa do cerco e da destruição de Jerusalém.

- Ezequiel profetizou na Babilônia, na mesma época de Jeremias. Na verdade, em 597 a.C., Nabucodonosor tirou-o de Jerusalém e levou-o para a Babilônia junto com outros judeus. Ezequiel, treinado como sacerdote, profetizou contra Judá até a queda de Jerusalém, depois disso, dedicou-se às promessas de Deus de julgamento para as nações e a restauração de seu povo.
- Daniel, relato que, em parte é profético e, em parte, histórico, registra a história do cativeiro judeu e de como Deus usou o profeta durante o cativeiro da nação.

Depois dos cinco livros dos profetas maiores, temos doze livros dos profetas menores. São chamados de profetas menores não porque não tenham importância, mas apenas porque são breves.

- Oséias profetizou para o Reino do Norte (em geral, chamado de Israel) na mesma época em que Isaías profetizava para o Reino do Sul. Oséias fala da infidelidade de Israel, à medida que Deus usa a adúltera esposa de Oséias, como um exemplo vivo para demonstrar como Israel foi infiel ao Senhor.
- Joel pregou sobre o julgamento de Deus que estava prestes a cair sobre o Reino do Sul. Depois, ele promete que após se arrependerem receberiam as bênçãos de Deus. (Na verdade, esse é o tema principal da maioria dos profetas.)
- Amós previu o julgamento e a restauração de Israel, o Reino do Norte, ao mesmo tempo em que Isaías profetizava no Reino do Sul.
- Obadias pronunciou, de forma bastante breve, uma profecia de julgamento contra uma das nações vizinhas de Judá, Edom. Ele também promete restauração para os israelitas dispersos pelo mundo.
- Jonas fugiu quando foi chamado para profetizar na cidade assíria de Nínive e foi engolido por um grande peixe. No ventre do peixe, ele orou, arrependeu-se, foi libertado e obedeceu ao Senhor.
- Miquéias profetiza na época em que Isaías e Oséias o faziam. Ele fala de julgamento e libertação para Israel e para Judá.
- Naum viveu cerca de um século depois de Jonas e falou contra Nínive, no que dizia respeito ao julgamento vindouro de Deus. Ele também prometeu libertação futura para Judá.
- Habacuque lembrou ao povo de Deus, que vivia em uma época de maldade, que o seu julgamento viria com certeza, e que deviam confiar na promessa de restauração e de proteção suprema que Ele fizera.

- Sofonias prometeu que o julgamento viria sobre Judá. Também os chamou ao arrependimento e prometeu bênçãos futuras.

Os três últimos profetas ministraram durante a época da reconstrução de Jerusalém, feita sob o comando de Esdras e de Neemias.

- Ageu era contemporâneo de Zacarias. Pode ser que tenha nascido no cativeiro, na Babilônia, mas retornou a Jerusalém e estimulou o povo a continuar a reconstrução do templo.
- Zacarias, contemporâneo de Ageu, profetizou dois meses depois de Ageu e apresenta uma série de sonhos turbulentos que atacaram a letargia religiosa das pessoas e também previu a era messiânica.
- Malaquias, talvez um contemporâneo de Neemias na Jerusalém pós-exílio, também atacou a apatia religiosa das pessoas e prometeu a vinda de um Messias. Ele foi o último profeta do Antigo Testamento.

Toda essa história mostra que Deus escolhe pessoas bem específicas para ser seu povo. Algumas pessoas acham injusto o Senhor escolher quem Ele quer. Deixe-me lembrá-lo: Deus fez o mundo e pode fazer o que lhe agradar. Ele escolheu um povo específico a fim de ensinar-lhe quem Ele é como Deus, o que significa ser santo aos seus olhos e o que significa ser pecador para o seu povo e, enfim, depender dEle e de sua misericórdia.

Quando nos afastamos e olhamos o panorama geral, vemos que não temos uma teologia desencarnada sobre o Senhor, pois temos uma revelação terrena bem específica e clara dEle. Você sabe como olhar o currículo de uma pessoa é diferente de trabalhar ao lado dela. No Antigo Testamento, temos o currículo de Deus e, na verdade, o vemos trabalhar com seu povo. Vemos como Deus é, como as pessoas respondem a Ele, e como Ele lida com elas em troca.

UMA PAIXÃO POR SANTIDADE

Isso nos leva à segunda coisa a ser observada no Antigo Testamento. Devemos entender a paixão de Deus pela santidade, além de compreender a história específica de Israel.

Como já comentamos, muitas pessoas associam o Antigo Testamento a um Deus irado e condenam-no como injusto. Mas nada poderia estar mais longe da verdade! Acho que entendemos Deus melhor à medida que compreendemos o seu caráter.

Nós, cristãos, muitas vezes, repetimos as palavras de Cristo: "Este cálice é o Novo Testamento no meu sangue", quando celebramos a ceia do Senhor. Jesus tirou a linguagem da "aliança ou testamento" diretamente do Antigo Testamento, em que o conceito de aliança é crucial. Agora, talvez essa linguagem da aliança soe muito fria e legal para você, mas na Bíblia, não é assim, de forma alguma. É a linguagem da comunhão! As alianças de Deus eram usadas para trazer seu povo a ter uma comunhão comprometida com Ele. E o desejo de Deus por santidade se expressa no contexto da comunhão comprometida da aliança. Em suma, Ele tinha um ardente desejo de que seu povo da aliança fosse separado para Ele e tivesse uma vida e um caráter semelhantes ao dEle. Por isso, a Bíblia considera o problema do pecado algo tão importante, pois o pecado não se assemelha a Deus. NEle, não há o menor vestígio de pecado, portanto, isso causa problemas enormes no relacionamento do ser humano com o Senhor. O pecado nos separa de Deus.

O Antigo Testamento apresenta um Deus que pode sentir ira? Sim, mas suas expressões de ira não são caprichos tirânicos. Sua ira mostra seu compromisso com seu caráter santo e sua oposição implacável ao pecado do homem. O pecado (a quebra dos mandamentos divinos) separa o seu povo de Deus e deixa claro a necessidade de que se reconciliem com Ele.[3] Em suma, Deus fica irado porque não é indiferente em relação ao pecado e sente raiva pela destruição de sua criação.

O Antigo Testamento ensina claramente que todas as pessoas são pecadoras,[4] e a história, como um todo, leva-nos à rápida conclusão de que o homem não é capaz de lidar com o pecado por conta própria (veja Rm 3.20; Gl 2.16). Ao contrário, os relacionamentos que o pecado rompe precisam de algum tipo de reparação em que a iniciativa parte de Deus. Como isso acontece? Como podemos restaurar a paz com Deus em vista da sua santidade?

Nesse ponto, tornam-se importantes as referências bíblicas à expiação. A expiação tem a finalidade de transformar duas partes discordantes em uma.

A noção de oferecer um ato ou ritual de expiação a fim de aplacar uma divindade ofendida não era exclusividade do Israel antigo; na verdade, isso era comum entre as religiões antigas. Contudo, os autores do Antigo Testamento aplicam de forma única a noção de expiação no contexto do relacionamento e, por isso, referem-se, de forma totalmente única no mundo antigo, à necessidade de reconciliação.

O Antigo Testamento usa várias imagens para descrever a expiação. Todavia, o sacrifício foi a imagem mais proeminente que Deus usou para ensinar sobre expiação. Os pecadores tentavam restaurar seu relacionamento com Deus por meio do sacrifício. Agora, o retrato de sacrifício apresentado não é o de uma deidade tribal mal-humorada que exige que se jogue uma virgem no vulcão a fim de ser pacificada. Em algumas culturas antigas encontramos esse tipo de imagem — tentativas irracionais de tentar acalmar algum deus com o autoflagelo. Na Bíblia, você não encontrará essa noção. No Antigo Testamento, Deus fala e fornece o caminho para a conciliação — a sua forma de deixar de lado sua ira e restaurar o povo desobediente consigo.

De muitas formas, a idéia do sacrifício parece quase inata ao ser humano. Pouco depois da expulsão de Adão e Eva do jardim do Éden, seus filhos, Caim e Abel, ofereceram sacrifícios, embora Deus ainda não tivesse dado a Lei. Abraão e seus descendentes também ofereceram sacrifícios. Talvez a explicação para que o sacrifício fosse tão comum entre as religiões antigas seja essa compulsão natural do homem em oferecer sacrifícios, acrescida do hábito comum de mimetismo do ser humano.

Contudo, como já sugerimos, o interessante em relação aos sacrifícios do Antigo Testamento é que diferem das práticas de sacrifício das nações que viviam ao redor deles. Os sacrifícios bíblicos não eram apenas de gratidão (agradecer a Deus por uma colheita boa) e, sem dúvida, não eram para manipular (persuadir o Senhor a mandar uma boa colheita). Eles eram para a culpa — para as pessoas que entendiam que tinham violado os mandamentos de Deus. E não apenas isso, os sacrifícios bíblicos não eram apenas para as pessoas ignorantes que pensavam: "Talvez, fazer isso melhore as coisas". Não, eles eram realizados de acordo com as instruções do Senhor.

Deus determinou, especificamente, que os animais usados como ofertas não tivessem defeitos, fossem especiais, e que a pessoa oferecesse o sacrifício de livre e espontânea vontade.[5] Trocava-se a vida do adorador culpado pela do animal sem defeito, simbolizado pelo sangue dele. Em Êxodo 12, por exemplo, trocava-se o sangue do cordeiro da Páscoa pelo primogênito, que representava a família toda. Em Levítico, Deus disse que "a alma da carne está no sangue, pelo que vo-lo tenho dado sobre o altar, para fazer expiação pela vossa alma, porquanto é o sangue que fará expiação pela alma" (Lv 17.11). Além disso, os sacrifícios levíticos exigiam que a parte humana culpada colocasse a mão sobre a cabeça do animal que estava sendo sacrificado a fim de indicar a transferência da culpa.

Sei que muitas pessoas não vêem com bons olhos esses sacrifícios — talvez eles soem primitivos e cruéis. Contudo, você percebe o que Deus queria ensinar às pessoas? Primeiro, Ele ensinava que era santo e tinha paixão pela santidade. Segundo, mostrava que o pecado era algo sério — mortalmente sério! —, porque era uma aberração para a santidade dEle. Terceiro, mostrava que a expiação exigia a morte de um inocente pelo culpado. Os sacrifícios levíticos, em si mesmos, nunca foram o foco (como vemos pela denúncia de Jeremias sobre o que os sacrifícios ofertados pelas pessoas deixavam de fora; veja Jr 7.21s). É irônico, porém, que os sacrifícios mais apropriados fossem os oferecidos por pessoas que entendiam que a oferta de sacrifício não era suficiente para expiar o pecado. Por isso, o salmista declara: "Contra ti, contra ti somente pequei" (Sl 51.4). O sacrifício não era eficaz a não ser pela graça de Deus. Eles pensavam que o pecado corrompia, que impedia o acesso físico a Deus. Eles achavam que a purificação era necessária e também que o pecado era algo tão sério que apenas a morte podia expiá-lo. A salvação e o perdão custavam caro.

No Antigo Testamento, vemos a paixão de Deus pela santidade e a ineficácia final do sacrifício por meio do Dia da Expiação, o dia em que se oferecia um sacrifício especial pelos pecados de toda a nação. Leia a respeito disso em Levítico 16. O sumo sacerdote, representante do povo, entrava no Santo dos Santos do templo, uma vez por ano, a fim de oferecer um sacrifício na presença de Deus. Primeiro, ele fazia expiação por si mesmo, já que ele também era pecador. A seguir, fazia expiação por todas as pessoas. Quem podia ver a oferta de sangue que o sumo sacerdote fazia? Ninguém, apenas o Senhor! Depois, o sumo sacerdote confessava os pecados de Israel sobre um segundo bode, o qual seria solto no deserto para simbolizar a remoção total do pecado afastando-o do povo de Deus.

É particularmente interessante o fato de que esse ritual tinha de ser repetido todos os anos. Outras nações tendiam a oferecer sacrifícios apenas quando não prosperava. Todavia, os israelitas, independentemente da situação da nação, tinham de fazer o sacrifício todos os anos. Por quê? Deus ensinava-os que estavam necessitados e separados dEle, não obstante o que ocorresse com a vida da nação. Eles precisavam se aperfeiçoar e fazer expiação com regularidade. Eles estavam em pecado, e, basicamente, nenhum sacrifício de animal poderia remover os seus pecados. Não havia sacrifício perfeito. Se houvesse, as pessoas poderiam ter parado de oferecê-los (Hb 10.1-3). Em vez disso, esses sacrifícios imperfeitos enfatizavam o fato de que Deus é santo, de que nosso pecado nos afasta dEle, e que Ele fornece um caminho para o perdão e para o acesso a Ele.

Isso levanta uma questão que chamo de o enigma do Antigo Testamento. Em Êxodo 34, o Senhor se descreve para Moisés com as seguintes palavras: "Jeová, o Senhor, Deus misericordioso e piedoso, tardio em iras e grande em beneficência e verdade; que guarda a beneficência em milhares; que perdoa a iniqüidade, e a transgressão, e o pecado; que ao culpado não tem por inocente" (Êx 34.6-7a). Pense no que o Senhor disse: como Ele pode "perdoa[r] a iniqüidade" e "ao culpado não te[r] por inocente"?

UMA PROMESSA DE ESPERANÇA

Isso me leva à última coisa que precisamos entender se quisermos compreender o Antigo Testamento e o Deus dessa Escritura: a promessa de esperança que Ele nos traz.

O Antigo Testamento não apresenta o retrato de um Deus de condenação inflexível. É o mesmo Deus que encontramos no Novo Testamento. Ele é santo, justo e firme em seu compromisso de punir o pecado, mas também é um Deus de amor, mesmo em relação a seus inimigos.

Isso o surpreende? Muitas pessoas surpreendem-se quando sabem que o Antigo Testamento ordena o amor. Por exemplo:

- O grande mandamento dado a Israel é: "Amarás, pois, o Senhor, teu Deus, de todo o teu coração, e de toda a tua alma, e de todo o teu poder" (Dt 6.5).
- O Senhor ordena que as pessoas amem ao seu próximo como a si mesmas (Lv 19.34). Jesus citou o Antigo Testamento quando disse isso!
- Deus ordena que os israelitas amem os estrangeiros porque Ele os ama (Dt 10.18,19).
- Deus até diz a Israel para devolver a propriedade perdida aos inimigos: "Quando cair o teu inimigo, não te alegres, nem quando tropeçar se regozije o teu coração" (Pv 24.17); e: "Se o que te aborrece tiver fome, dá-lhe pão para comer; e, se tiver sede, dá-lhe água para beber" (Pv 25.21).

Tudo isso é do Antigo Testamento, e eu poderia continuar indefinidamente! Não sei que Antigo Testamento você tem lido, mas o verdadeiro fala de amor.

Agora, uma forma de demonstrar que o Deus do Antigo Testamento é o mesmo do Novo Testamento é ler texto a texto e apontar todas as determinações e exemplos individuais de amor. Mas creio que o mais convincente seria considerar toda a história apresentada no Antigo Testamento em que testemunhamos a longanimidade e o amor paciente do Senhor em relação às criaturas feitas a sua imagem, as quais, apesar disso, o rejeitam. Por que a história do Antigo Testamento é tão longa? O apóstolo Pedro disse que Ele "é longânimo para convosco, não querendo que alguns se percam, senão que todos venham a arrepender-se" (2 Pe 3.9). O fato de Ele não ter acabado com a história do homem já na Queda no jardim do Éden, quando seria justo que fizesse isso, mostra a sua paciência. Durante séculos e séculos da história de Israel, Deus agüentou pacientemente a desobediência da nação. Enfim, o Antigo Testamento apresenta a graça, o amor, a misericórdia e a paciência épicas do Senhor.

Ele sempre prometeu e planejou revelar sua glória para seu povo. E Ele o fez ao longo do Antigo Testamento.

Então, qual é a promessa de esperança do Antigo Testamento em que o povo de Deus pode confiar? Sem dúvida, a esperança da nação não podia estar em sua história.

Foi uma história de erros contínuos! Nem estar no sistema sacrificial. Como disse o salmista: "Sacrifício e oferta não quiseste; os meus ouvidos abriste" (Sl 40.6), o que significa que o Senhor fez do salmista um dos seus. Os escritores do Antigo Testamento pareciam entender o que o autor de Hebreus quis dizer com estas palavras:

> Porque, tendo a lei a sombra dos bens futuros e não a imagem exata das coisas, nunca, pelos mesmos sacrifícios que continuamente se oferecem cada ano, pode aperfeiçoar os que a eles se chegam. Doutra maneira, teriam deixado de se oferecer, porque, purificados uma vez os ministrantes, nunca mais teriam consciência de pecado. Nesses sacrifícios, porém, cada ano, se faz comemoração dos pecados, porque é impossível que o sangue dos touros e dos bodes tire pecados (Hb 10.1-4).

Portanto, onde está a esperança? Temos de retornar a Êxodo 34, que apresenta o enigma do Antigo Testamento, para encontrar a resposta a essa pergunta. Lembra-se que perguntamos como Ele pode "perdoa[r] a iniquidade" e "ao culpado não te[r] por inocente"? Afinal, você e eu merecemos a punição do Senhor, não importa quão virtuoso você pense ser por que perseverou até o fim de um sermão sobre todo o Antigo Testamento! Todos nós somos culpados diante do Senhor. E Êxodo 34 promete que Deus não deixará nosso pecado impune. Então que esperança há nisso?

Dissemos que a expiação exige o sofrimento e a morte substitutivos de um inocente em favor do culpado. Mas também dissemos que é necessário mais que a morte de um animal para realizar isso. É necessário que a vítima e o culpado tenham algum relacionamento muito mais estreito do que seria possível entre nós e um animal, que não foi feito à imagem de Deus.

A resposta ao enigma que o Antigo Testamento propôs aos israelitas e a nós não está em nós mesmos nem em um cordeiro. A esperança deles e a nossa tem de estar na pessoa prometida pelo Antigo Testamento.

As pessoas da época de Jesus não se perguntavam se viria um Messias, elas tinham certeza de que sua única esperança repousava no "ungido" especial de Deus. No entanto, a forma como o Ungido veio, pegou todos de surpresa. Jesus apresentou-se não apenas como o cumprimento das promessas do Antigo Testamento de que um Messias real viria, mas também como o de todo um outro conjunto de promessas — a promessa de um servo do Senhor que sofreria por seu povo no lugar deste. Jesus concilia as profecias do Antigo Testamento de um Messias real e de um servo do Senhor que sofreria por seu povo. Sem dúvida, Ele meditou profundamente a respeito do Antigo Testamento e conhecia estas palavras de Isaías:

> *Verdadeiramente, ele tomou sobre si as nossas enfermidades*
> *e as nossas dores levou sobre si;*
> *e nós o reputamos por aflito, ferido de Deus e oprimido.*
> *Mas ele foi ferido pelas nossas transgressões*
> *e moído pelas nossas iniqüidades;*
> *o castigo que nos traz a paz estava sobre ele,*
> *e, pelas suas pisaduras, fomos sarados.*
> *Todos nós andamos desgarrados como ovelhas;*
> *cada um se desviava pelo seu caminho,*
> *mas o Senhor fez cair sobre ele*
> *a iniqüidade de nós todos* (Is 53.4-6).

Essa promessa aponta para a resposta do enigma, ela é a esperança do Antigo Testamento. Na verdade, acima de tudo, o Antigo Testamento nos ensina que essa é nossa única esperança!

Oremos:

Senhor, a história pode parecer irrelevante quando estamos desatentos. E não temos certeza total do que a história significa quando estamos atentos. No entanto, ficamos apreensivos quando vemos seu caráter, sua paixão por santidade e sua promessa de julgar toda injustiça e perversidade em sua Palavra. Todavia, tu estabelecestes uma forma de nos reconciliar com o Senhor e encontramos esperança nessa oferta. Em sua Palavra, o Senhor nos tranqüiliza com a promessa de que podemos confiar em ti, já que não temos os recursos para confiar em nós mesmos. Perdoe-nos por confiarmos em nossos estratagemas e em nossos planos. Ensina-nos o que significa confiar apenas no Senhor para nossa salvação. Oramos em nome de Jesus. Amém.

Questões para Reflexão

1. Como você descreveria o Antigo Testamento em comparação com o Novo? Quanto tempo você dedicou ao estudo do Antigo Testamento? Que lições essenciais a respeito da vida de Cristo você aprendeu nele?
2. Por que a leitura, o estudo e a compreensão da história da obra de Deus com seu povo, no Antigo Testamento, é útil e até essencial para o entendimento de quem Ele é? Que risco corremos não entendendo como Deus tem trabalhado na história?
3. O Senhor do Antigo Testamento é um Deus de ira? Ele demonstra mais ira que o Deus do Novo Testamento?
4. Existe algum sentido pelo qual o cristão deva ser agradecido pelo fato de Deus ter raiva do pecado e deva encontrar conforto nisso? Por quê?

5. Os sacrifícios do Antigo Testamento removem a culpa da pessoa que oferece o sacrifício? Qual o objetivo dos sacrifícios da Páscoa e dos levíticos?
6. Que benefício o estudo e a meditação sobre os sacrifícios do Antigo Testamento, como o da Páscoa ou até mesmo os de todo o livro de Levítico, trazem para o cristão?
7. Qual é o enigma do Antigo Testamento? Qual é a resposta para ele?
8. Por que a forma como Jesus veio ao mundo e se apresentou como o Messias foi surpreendente? Por que isso nos dá esperança?
9. Por que o cristão deveria passar mais tempo lendo, estudando e meditando sobre o Antigo Testamento?

Notas

O Antigo Testamento: Promessas Feitas

[1] A data de pregação original deste sermão foi em 1 de setembro de 1996, na Capitol Hill Baptist Church, em Washington, D. C.

[2] 2 Samuel 6.6-9; 2 Reis 2.23-25; Números 21.4-9.

[3] Provérbios 15.29; Isaías 59.2; Habacuque 1.13; Colossenses 1.21; Hebreus 10.27.

[4] 1 Reis 8.46; Salmos 14.3; Provérbios 20.9; Eclesiastes 7.20; cf. Marcos 10.18; Romanos 3.23.

[5] Ex.: Gênesis 9.5; Levítico 1.4; 4.4; 14.51; 16.21.

PARTE 1

A Grande História

A MENSAGEM DE GÊNESIS: "[...] DAS COISAS NÃO NASCIDAS QUE AINDA ESTESOURADAS SE ACHAM NOS FRACOS GERMES E COMEÇOS"

A IMPORTÂNCIA DOS PRINCÍPIOS

INTRODUÇÃO A GÊNESIS

DEUS REVELA SEU CARÁTER POR MEIO DO MUNDO QUE CRIOU (CAPS. 1—11)
A santidade e o julgamento de Deus contra o pecado
A misericórdia de Deus
A soberania de Deus
Nossa resposta: obediência e fé

DEUS REVELA SEU CARÁTER POR MEIO DE SEU POVO PARTICULAR (CAPS. 12—50)
A santidade e o julgamento de Deus contra o pecado
A misericórdia de Deus
A soberania de Deus
Nossa resposta: obediência e fé

CONCLUSÃO

CAPÍTULO 1

A Mensagem de Gênesis:
"[...] Das coisas não nascidas que ainda entesouradas se acham nos fracos germes e começos"

A Importância dos Princípios[1]

O príncipe Harry, da Inglaterra, está com problemas. Aparentemente, ele tem bebido em público. Dizem que isso é influência dos amigos. "As más companhias corrompem os bons costumes." Algumas pessoas se preocupam, pois talvez isso possa desqualificá-lo na sucessão pelo trono da Inglaterra. Ninguém que começa assim pode ter substância da realeza, certo?

Foi a mesma coisa que disseram a respeito de outro jovem príncipe Harry, ou Hal Bolingbroke, filho de Henrique IV e futuro Henry V. William Shakespeare escreveu uma série de peças a respeito da ascensão desse jovem príncipe ao trono. Você já ouviu falar do personagem cômico "Falstaff"? Ele surgiu nessa série de peças. Falstaff era o companheiro indócil do príncipe Harry, acusado de levá-lo à bebedeira e à devassidão públicas que envergonharam seu pai, o rei.

Na peça de Shakespeare, The Second Part of Henry IV (A Segunda Parte de Henrique IV), um rei Henrique, debilitado pela doença, recorda-se de uma profecia lúgubre que, certa vez, lhe contaram e pergunta-se se era verdadeira. Em sua resposta, o conde de Warwick (uma figura não totalmente histórica) pronuncia as palavras que você encontra no título deste sermão: "Na vida dos mortais há sempre um fato que é símbolo dos tempos decorridos. Observando-o, podemos ser profetas, quase sem erro, do volver das coisas não nascidas que ainda entesouradas se acham nos fracos germes e começos" (III. i.80-85). Em outras palavras, você pode prever o desfecho final ao estudar com atenção a história de alguma coisa, principalmente o início dela.

O que você acha? Sua experiência confirma isso?

Sem dúvida, os princípios são importantes. Muitas pessoas o consideram a melhor parte da jornada. Platão dizia que era a parte mais importante do trabalho. A construção toda fica comprometida, se a fundação não for boa. A Bíblia conta-nos que o temor a Deus é um bom ponto de partida. Com certeza, os princípios, com freqüência, dizem-nos algo do todo. Eles são prodigiosos e carregam em si a semente do resultado final. É provável que eu possa lhe dizer como será o seu dia se contar-me como ele se iniciou. Por isso, aconselhamos: "Inicie-o da forma que pretende prosseguir com ele". E tudo isso apenas porque sou muito cuidadoso na forma de iniciar os sermões. Ponho uma quantidade de tempo desproporcional na forma de iniciar um sermão. Os inícios são muito importantes. Eles podem revelar tudo, da trajetória ao objetivo, do método ao motivo.

INTRODUÇÃO A GÊNESIS

Nessa série de cinco estudos veremos o princípio da Bíblia. Veja no índice de sua Bíblia que os primeiros cinco livros são Gênesis, Êxodo, Levítico, Números e Deuteronômio. Neste estudo, veremos especificamente Gênesis. A história de Gênesis e a dos princípios. O livro traz muita coisa, mas a linha básica é simples: Os três primeiros capítulos tratam de Deus, da criação, de Adão e Eva e da Queda. Os capítulos 4—11 cobrem o tempo de Adão a Abraão, em que estão incluídos o dilúvio e a torre de Babel. Os capítulos 12—50 enfatizam Abraão e sua família (os de 12—25 falam sobre Abraão; os de 26—36 principalmente sobre seu neto Jacó; e os de 37—50 falam mais sobre o filho de Jacó, José).

A história é narrada de forma bonita e cativante. Ela contém partes tão majestosas e grandes que nenhuma tradução consegue esconder isso: "No princípio, criou Deus os céus e a terra" (Gn 1.1). E também apresenta pequenos detalhes preciosos: "Assim, serviu Jacó sete anos por Raquel; e foram aos seus olhos como poucos dias, pelo muito que a amava" (Gn 29.20). Amigo, se você ainda não leu o livro de Gênesis, faça. Deixe-me encorajá-lo a lê-lo de uma vez só. Isso lhe tomará três ou quatro horas, mas certamente, essa é uma boa maneira de gastar a tarde de domingo ou a noite de sábado; talvez, uma forma muito melhor de passar a noite de sábado que a da semana passada!

Você terá a impressão de que o tempo passa mais devagar à medida que progride na leitura. Nos capítulos iniciais, atravessamos os séculos na velocidade do vento. Contudo, o tempo passa mais devagar quando nos aproximamos da época em que foram escritos os cinco primeiros livros — provavelmente, quando os filhos de Israel se preparavam para entrar na Terra Prometida. Se os cinco primeiros livros da Bíblia juntos formam o início de toda ela, Gênesis fornece o prólogo desse início. Ele vai da criação até o ponto em que o êxodo principia, o qual, por fim, leva o povo de Deus para a terra do Senhor. Nesta série de cinco estudos, veremos um livro por estudo. Se esse é o primeiro sermão meu que você lê, deixe-me dizer que esse é bastante distinto de meus sermões habituais. Mas acredito que esse tipo de sermão seja útil. Às vezes, faço esses sermões sobre o panorama geral dos livros da Bíblia a fim de que nossa congregação tenha mais conhecimento do que as Escrituras ensinam. Muitas vezes, de uma grande altura, por ter um panorama do todo, você vê coisas que não perceberia se estivesse mais baixo, com seus pés no chão. Pode ser difícil alcançar essa posição mais profunda, pois isso dá um pouco mais de trabalho, mas vale a pena.

Para muitas pessoas, Gênesis é apenas uma mistura de personagens bíblicos importantes. Nessa semana, alguém me pediu para enumerar os cinco personagens mais importantes de Gênesis. Ele se surpreendeu quando não mencionei Moisés, mas este só aparece em nosso próximo estudo, Êxodo. Eu disse, em ordem, quais seriam os cinco personagens mais importantes — bem, quem você acha que são? Deus? Está bem, isso não é justo. O personagem mais importante tem de ser Adão. E depois, Abraão. A seguir, a coisa fica um pouco perigosa. Todavia, eu pensaria em José, depois Jacó e, por fim, Noé. Fale comigo mais tarde se quiser conversar mais sobre isso.

Se abrir a Bíblia verá que o primeiro livro é Gênesis. Neste estudo, não teremos nenhum texto mais relevante. Em vez disso, olharemos o livro todo que, basicamente, se divide em duas partes. A primeira parte são os primeiros onze capítulos. Essa seção trata da criação do mundo e de toda a raça humana. Os personagens principais são Adão e Noé. A segunda seção abrange o resto do livro, do capítulo 12 até o fim do relato. Nessa seção, a câmera dá um "close" e se aproxima. Ela pára e olha toda a raça humana, em vez de olhar uma família específica por meio da qual o Senhor pretende realizar seus propósitos especiais: Deus escolhe um povo particular para si mesmo com a finalidade de salvá-lo do mundo para a glória dEle. Nessa seção, o personagem principal é Abraão, seu filho, Isaque, o filho deste, Jacó, e José, filho de Jacó. E isso completa o livro.

Não temos tempo para olhar do começo ao fim desse livro maravilhoso da Bíblia — ele suscita mais perguntas do que eu jamais poderia responder! —, mas veremos as principais lições que, segundo minha opinião, devemos aprender sobre Deus e sobre nós mesmos. Nas duas partes desse livro, examinaremos a revelação da santidade e o julgamento do pecado, feito por Deus, a misericórdia e a soberania do Senhor, seguida de qual deveria ser nossa resposta a essas coisas. Ao ler e reler Gênesis, ao longo das duas últimas semanas, pareceu-me que esses são os quatro temas que emergem ao longo das histórias. Gênesis não registra tudo que aconteceu no período de tempo que o relato cobre. É provável que Moisés tenha dito muito mais coisas aos filhos de Israel à medida que se preparavam para entrar na Terra Prometida. Contudo, em sua soberania, Deus escolheu ensinar essas histórias, e acho que sei o que Ele queria que aprendêssemos. Esses temas emergem na primeira parte e, depois, surgem, na maneira como muitas vezes Deus revela a si mesmo, com mais clareza na segunda parte. Muitas vezes, com o tempo, a revelação do Senhor torna-se mais clara.

DEUS REVELA SEU CARÁTER POR MEIO DO MUNDO QUE CRIOU (CAPS. 1—11)

A primeira parte de Gênesis (caps. 1—11) fornece uma boa parte de tudo que a Bíblia fala da história humana. Alguns estudiosos, com base no que o apóstolo Pedro falou sobre o "mundo antigo" (2 Pe 2.5), sugerem que a maior parte da história humana aconteceu antes do dilúvio. Quer isso seja verdade quer não, a Bíblia não tem muito a dizer sobre o período de tempo entre Adão e Abraão, o qual aparece no final do capítulo 11. Presumindo que Abraão viveu cerca de 4 mil anos atrás, esses poucos capítulos trazem tudo que sabemos sobre a época da criação até Abraão. Eles registram as histórias da criação e da Queda, de Caim e de Abel, de Noé e do dilúvio, bem como a da torre de Babel. Esses capítulos iniciais da Bíblia também deixam evidente algumas coisas essenciais sobre Deus.

Certamente, a primeira entre essas coisas é a auto-existência de Deus. Essa é a forma como os teólogos apresentam o assunto. Em outras palavras, ninguém fez o Senhor. No início, Deus criou os céus e a terra. Ele não depende de ninguém, nem de você, nem de mim. Ele não depende das ofertas semanais da igreja. Não temos de pagar um salário para Ele. Na verdade, tudo que temos é dEle. Ele nos fez. A Bíblia não fala muito sobre com o assunto da auto-existência de Deus, a não ser no famoso primeiro capítulo da criação.[2] E a ênfase de Gênesis nem é a magnificência da criação do Senhor. Todavia, a sua auto-existência é o pano de fundo de tudo o mais. Todos os outros escritores bíblicos assumem esse fato. Assim, nos dois primeiros capítulos Gênesis relata a história da criação de forma breve e clara e, depois, concentra-se no fato de que o Deus que criou o mundo é santo. Nosso Criador será nosso Juiz. Ele nos deu a vida, e lhe prestaremos contas dela.

A Santidade e o Julgamento de Deus contra o Pecado

Primeiro, nós observamos com clareza a santidade de Deus e seu compromisso em condenar os que pecam na grande seqüência de eventos que vão da criação à Queda e ao dilúvio. No capítulo 3, encontramos a história do primeiro pecado no jardim, quando Adão e Eva comem o fruto da árvore proibida. Lemos sobre Eva olhando tolamente o fruto, debatendo com Satanás sobre o que Deus falou e examinando a aparência e os efeitos do fruto. Ela até comenta que o fruto é bonito de se olhar. A seguir, ela o segura (Deus não dissera nada sobre segurar o fruto, disse?) e, por fim, o come. Adão, antes de tornar o pecado seu também, falhou em sua responsabilidade de proteger e de guiar sua esposa. Claro, Deus é tão bom quanto sua Palavra. A Bíblia registra: "O Senhor Deus, pois, o lançou fora do jardim do Éden, para lavrar a terra, de que fora tomado" (Gn 3.23).

O capítulo 7, em seu ponto culminante, o dilúvio, mostra que Deus continua comprometido com o bem e o certo. Bem, quase todos conhecem a história do Dilúvio, já a contamos e recontamos; a tornamos sentimental com nossas imagens e recursos. Lembro-me uma vez quando nossos filhos eram pequenos, minha esposa e eu compramos uma arca de plástico com Noé, sua esposa e todos os animais para eles. No entanto, quanto mais penso no Dilúvio, mais percebo como uma pequena banheira é totalmente insuficiente para representar o horror dessa história. Sem dúvida, o dilúvio é um dos quatro maiores julgamentos da Bíblia, junto com a Queda de Adão, a cruz de Cristo e o julgamento final. Com certeza, o dilúvio foi uma calamidade horrível com a qual Deus eliminou quase toda a raça humana. A arca de Noé não era um brinquedo, e a águas agitadas não eram uma banheira com água quente! As águas cobriram a terra como expressão da ira mortífera de Deus contra os homens, a quem Ele descreve com a dura frase: "A imaginação do coração do homem é má desde a sua meninice" (8.21). Alguém já lhe disse que o Antigo Testamento jamais ensina sobre a depravação total? Nessa passagem, as palavras do Senhor sugerem outra coisa.

Amigo, se você não for cristão, imploro que reserve um tempo para ler Gênesis. Talvez encontre alguns detalhes que o deixem confuso ou fique sem resposta para alguma pergunta. Todavia, você não pode deixar de ouvir a mensagem sonora e clara: há um Deus, Ele o criou com intenção e propósito e você falhou em amar e em viver conforme o propósito para o qual foi criado.

Será que é de admirar que, nos últimos dois séculos, tenha havido tantos ataques aos dois primeiros capítulos da Bíblia? Se realmente achamos que viemos à existência apenas por um processo acidental, então não temos de prestar contas a ninguém. Contudo, esse tipo de liberdade é solitário. É sem propósito e falso. É a liberdade que ignora um desígnio para o mundo, que rejeita a idéia de que as pessoas são especiais para o Senhor, e que faz clonagem dos seres humanos apenas para utilizar no crescimento de partes isoladas de nosso corpo e, depois, descartá-las. Isso é o que chamamos de naturalismo. O naturalismo é a filosofia que diz que, já que Deus não nos criou, somos tão especiais como pensamos ser. Assim, de acordo com nossa conveniência, matamos bebês no ventre das mães e idosos nas casas de repouso. Alguns dizem que fazemos essas coisas pelo bem da sociedade! Quando chegar o nosso dia, que Deus possa livrar-nos dessas mentiras. E são mentiras. São mentiras quer sejam ensinadas por um vizinho do outro lado da rua, quer por um professor de Princeton. Precisamos chamá-las pelo que são.

Deus é santo e virá, em Cristo, para julgar nossos pecados. Como disse o apóstolo Pedro, o Senhor Jesus "nos mandou pregar ao povo e testificar que ele é o que por Deus foi constituído juiz dos vivos e dos mortos".[3] Devemos louvar a Deus pela majestade e beleza de sua criação, que combina com essas mesmas qualidades de seu caráter. E devemos nos preparar para seu julgamento escrutinador. Somos chamados para louvá-lo e para preparar-nos para Ele. Oro para que Deus capacite nossa igreja a fazer as duas coisas. Precisamos ser capazes de ver a excelência da criação do Senhor. O fato de falarmos constantemente sobre a cruz e sobre nossa necessidade de salvação não nos impede de ver as coisas boas neste mundo. Vemos muitas coisas boas em nossa família, em nossos amigos e em nossa sociedade como um todo. Todavia, devemos também perceber nossos pecados. Como igreja, cultivemos a disposição e prontidão de ver toda a bondade de Deus na criação — quer por intermédio da natureza, quer por intermédio das pessoas; quer por meio de cristãos, quer por meio de não-cristãos —, mas cultivemos também a prontidão e disposição para ver nossos pecados a fim de os confessarmos com reverência e nos afastarmos deles. Deus é bom em sua criação, embora ela seja caída. Ele é santo e julgará nossos pecados.

A Misericórdia de Deus

Mas, graças a Deus, nesses capítulos iniciais da Bíblia, não encontramos apenas a demonstração da sua santidade. Até mesmo quando pronuncia sua maldição no julgamento do primeiro pecado, Deus oferece um vislumbre da esperança que nos fornece em nossos pecados. No que os cristãos chamam de "proto-evangelho", promete que a semente da mulher "ferirá a cabeça [da serpente]" (3.15). Isso não soa como o Deus da Bíblia a respeito de quem lemos continuamente? Até mesmo em seu primeiro julgamento, nosso santo Criador demonstra misericórdia. E Ele fala com tanta ternura. Esses capítulos iniciais usam muitas vezes a expressão: "E lembrou-se Deus". Assim, em 8:1, o Senhor, com misericórdia, "lembrou-se [...] de Noé, e de todo animal, e de toda rês que com ele estava na arca". Depois do julgamento do dilúvio, o Senhor promete lembrar a aliança que fez com Noé e sua descendência (9.15,16). Em meio à ira, Deus lembra-se da misericórdia.

Amigo, é importante que você veja a misericórdia do Senhor como parte do retrato básico que a Bíblia apresenta dEle. Não podemos apenas falar de sua santidade e perfeição, sem falar de sua misericórdia. Aqui, nesses primeiros capítulos da Bíblia, em que Deus julga o ser humano pecador por macular sua criação e a si mesmo — especialmente feito a sua imagem! —, Ele também se lembra da misericórdia.

É interessante o fato de que a Igreja Primitiva apresentasse a arca de Noé como um retrato de Cristo. Alguns dos desenhos mais antigos de Cristo são representações da arca pregada em uma cruz, indicando que Ele é a nossa arca. Ele é o nosso vaso de misericórdia em que, uma vez que estejamos nEle, podemos atravessar com tranquilidade o dilúvio do julgamento de Deus. Ele sempre foi misericordioso e mais ainda quando deu a si mesmo em Cristo. Nossa única esperança é a misericórdia do Senhor. Como cristãos, não temos motivo para orgulho. Pecamos contra Deus e estamos caídos sob o aspecto moral. Gastamos totalmente nossos parcos recursos e, agora, não temos como prover nossas necessidades espirituais básicas. Dependemos completamente da graça e da misericórdia do Senhor para nossa salvação.

Por isso, a cruz de Cristo deve sempre ser o centro de nossa adoração, quer coletiva, quer particular. Não quero dizer uma cruz de verdade para a qual olhamos fixamente, mas a compreensão e a afirmação do que Deus fez na cruz de Cristo. Esses primeiros capítulos de Gênesis não apresentam esperança para a humanidade à parte da misericórdia do Senhor! Hoje, sabemos o que os personagens de Gênesis apenas percebiam de forma vaga: como o Senhor realizaria nossa salvação dando a si mesmo em Cristo. Portanto, devemos louvar a Deus como Criador e Redentor. Devemos entoar cânticos sobre sua verdade e sua misericórdia. Devemos louvar o Cordeiro que morreu por nós. Como diz o hino Deus, toda a natureza canta sua glória: "Nossos pecados corromperam sua imagem; Natureza, a consciência serve apenas como um incessante e obscuro lembrete da ira que merecemos. Contudo, a graça e a misericórdia salvadora reveladas em sua Palavra de verdade revelam o louvor de todos que o conhecem, todos os selados no sangue de Jesus".[4] Essa verdade a respeito do Senhor é realmentee maravilhosa. O santo é misericordioso!

Todavia, isso traz-nos outra pergunta: como Ele pode fazer isso? Como pode agir com tanta santidade e misericórdia?

A Soberania de Deus

Nesses capítulos iniciais de Gênesis, também verificamos que o Senhor é um Deus soberano. Temos de lembrar que Ele é o Criador de tudo; portanto, não é de surpreender que tenha soberania sobre tudo que fez. O Autor de tudo tem autoridade sobre todas as coisas. Assim, nos dois primeiros capítulos aprendemos que Ele fez tudo, e, no terceiro, que Ele julga o que fez, até a criatura feita a sua imagem. O capítulo 7 acaba com qualquer dúvida que reste em relação a isso: "E expirou toda carne que se movia sobre a terra [...]. Tudo o que tinha fôlego de espírito de vida em seus narizes, tudo o que havia no seco, morreu. Assim, foi desfeita toda substância que havia sobre a face da terra [...]" (7.21-23).

Não ignore, por mera arrogância, Deus e suas afirmações. Ele é santo e está comprometido em defender o próprio nome. Ele julgará o pecado das criaturas feitas a sua imagem, e você carrega a sua imagem. Mas também não é preciso desesperar-se por ignorância, pois por mais difícil ou complicada que pense ser sua situação, Deus é capaz de ser misericordioso, tem poder para isso. "Oh, não há como Deus ver sentido em minha vida confusa e desordenada." Há sim. Ele é poderoso e gracioso.

Se você tiver qualquer dúvida a respeito disso, veja a vida de nosso Senhor Jesus Cristo. Em Atos 4, Pedro apresenta isso muito bem em sua oração: "Senhor, tu és o que fizeste o céu, e a terra, e o mar, e tudo o que neles há; [...]. Porque, verdadeiramente, contra o teu santo Filho Jesus, que tu ungiste, se ajuntaram, não só Herodes, mas Pôncio Pilatos, com os gentios e os povos de Israel, para fazerem tudo o que a tua mão e o teu conselho tinham anteriormente determinado que se havia de fazer". Herodes e Pôncio Pilatos fizeram o que o poder e a vontade de Deus havia determinado que acontecesse. Você já tinha prestado atenção a isso? Claro, Jesus disse isso ao presunçoso Pilatos. Quando Pilatos afirmou a Jesus: "Não sabes tu que tenho poder para te crucificar e tenho poder para te soltar?" Jesus respondeu: "Nenhum poder terias contra mim, se de cima te não fosse dado" (Jo 19.10,11). Ou como Ele dissera antes a um grupo de fariseus: "Dou a minha vida para tornar a tomá-la. Ninguém ma tira de mim, mas eu de mim mesmo a dou; tenho poder para a dar e poder para tornar a tomá-la" (Jo 10.17,18). Magnífico! Essas não são as palavras de um defensor da resistência mais passiva, não-agressiva. Essas não são palavras de um Mahatma Gandhi, ou de um Martin Luther King Jr. Essas palavras estão a léguas de distância das deles. Jesus disse que não apenas "eu de mim mesmo a [vida] dou; tenho poder para a dar e poder para tornar a tomá-la". Como Ele tem poder para fazer isso? Com o auxílio dos judeus e dos gentios, das autoridades israelitas e romanas. Ele controla não apenas quando morrerá, mas também como morrerá e quem estará envolvido nisso. Ninguém tem um poder como esse a não ser Deus, que é quem Jesus é. Assim, Pedro afirma em sua oração que Deus é o Senhor soberano que determinou todos os que conspirariam para a morte de Jesus. O que prova isso tudo? Jesus tem poder não apenas para dar sua vida, mas também para tomá-la de novo. Isso é poder!

Podemos ter certeza de que Deus tem poder e autoridade para cumprir as promessas que nos faz, como as que fez para Adão, e Eva, e Noé. O Senhor é

> "[...] das coisas não nascidas que ainda entesouradas se acham nos fracos germes e começos"

capaz de fazer o que fala e está comprometido em fazer isso! Uma das razões por que a igreja precisa ser cuidadosa em ensinar o poder e a sua soberania é para que o amemos e confiemos nEle como merece. Por favor, mude sua mente caso pense que a soberania de Deus é apenas algo sobre o que se pode discutir. Oramos para o Deus que fez o mundo e tudo o que nele há. O Deus a quem louvamos com nossos cânticos é aquEle que nos fez. O Deus, cuja Palavra examinamos neste momento é aquEle que, no dilúvio, julgou o mundo com justiça e severidade. Ele é muito capaz de cumprir todas as suas promessas, e nós, como cristãos, devemos lembrar isso uns aos outros. Às vezes, cristãos imaturos discutem a soberania de Deus como se fosse um jogo entre jovens estudantes de teologia. No entanto, nada é mais inútil que isso! Claro que há questões difíceis em relação a como se ajustam a soberania do Senhor e a nossa responsabilidade, mas não conseguimos mais clareza sobre o assunto ao negar essas grandes verdades. Não devemos negar a responsabilidade humana no esforço de entender melhor o equilíbrio entre as duas coisas. E, sem dúvida, não devemos negar a soberania do Senhor a fim de entender melhor o equilíbrio entre essas coisas. Se quisermos, como indivíduos e como igreja, confiar totalmente nEle, precisamos saber a verdade da grandiosidade do Senhor. Deus é soberano, e, nesses capítulos iniciais da Bíblia, Ele revela sua soberania.

Nossa Resposta: Obediência e Fé

Esses capítulos iniciais de Gênesis também nos ensinam que devemos responder em obediência e em fé a Deus. Devemos crer em suas palavras. Se Ele diz isso, temos de crer e obedecer. Adão e Eva não creram e nem o obedeceram, como também Caim e as pessoas dos dias de Noé. Quando Jesus quis expressar quão moralmente falidos estariam os dias futuros na ocasião de sua volta, Ele voltou a tempos muito anteriores a sua permanência na terra, anteriores ao declínio de Israel e à queda desta nação na idolatria, anteriores à confusão da era dos juízes, anteriores à rebelião no deserto, anteriores à torre de Babel, pois foi até os dias de Noé. Apenas naquele período da história, Ele poderia ver um tempo suficientemente perverso. Ele disse:

> E, como foi nos dias de Noé, assim será também a vinda do Filho do Homem. Porquanto, assim como, nos dias anteriores ao dilúvio, comiam, bebiam, casavam e davam-se em casamento, até ao dia em que Noé entrou na arca, e não o perceberam, até que veio o dilúvio, e os levou a todos, assim será também a vinda do Filho do Homem (Mt 24.37-39).

Agora, com tudo isso em mente, pense em Noé. Talvez você tenha um pouco mais de respeito por ele. Pela graça de Deus, Noé permaneceu como o único contra-exemplo. Ele ficou firme. Gênesis 6 e 7 salientam a justiça de Noé: "Noé era varão justo e reto em suas gerações" (6.9). E poucos versículos adiante: "Assim fez Noé; conforme tudo o que Deus lhe mandou" (6.22). E, de novo, no capítulo seguinte: "E fez Noé conforme tudo o que o Senhor lhe ordenara" (7.5). Será que Noé não compartilhava de nossa natureza humana corrompida? Ele era totalmente imaculado? Claro que não. No capítulo 8, o Senhor fala a respeito de todos os homens, até mesmo de Noé: "A imaginação do coração do homem é má" (8.21). No capítulo 9, Noé embebeda-se. E a Bíblia menciona apenas isso a respeito dele. Pergunto-me como ele tratou a esposa no trigésimo dia na arca. No capítulo 6, Deus fala de forma concisa sobre a obediência comparativa de Noé e, no capítulo 7, Ele refere-se à obediência de Noé em relação à construção da arca. Noé foi chamado de justo da mesma forma em que se poderia dizer que sua vida, como cristão, permanece sem culpa em comparação com o mundo ao seu redor. Você não vive de uma forma odiosa que faz com que as pessoas se afastem de você. Quero dizer que sua vida parece diferente — se você se diz cristão —, porque carrega o nome de Cristo. Sua vida testemunha a dEle, quer seja um testemunho falso, quer seja verdadeiro. Por isso, nossa igreja encoraja-o a deixar de ser membro, se sua vida não é digna do nome de cristão que você carrega.

Bem, como Noé vivia de forma comparativamente justa? Ele era simplesmente melhor que as outras pessoas? De forma alguma. Noé apenas cria na promessa que Deus lhe fizera. Ele respondeu com fé às palavras do Senhor — ao crer em suas palavras e ao obedecer-lhe. Noé creu nas palavras do Senhor e, por isso, construiu a arca. Em Hebreus 11, é isso que o autor nos relata: "Pela fé, Noé, divinamente avisado das coisas que ainda não se viam, temeu, e, para salvação da sua família, preparou a arca, pela qual condenou o mundo, e foi feito herdeiro da justiça que é segundo a fé" (11.7). Não, Noé não foi de alguma forma isentado das conseqüências da Queda. Pela graça de Deus, a palavra doadora de vida do Senhor foi dita a Noé. Ele teve fé e creu no que o Senhor lhe disse.

Deixe-me incentivá-lo a prestar atenção à Palavra, se você nunca refletiu sobre a sua verdade, mas sente-se movido por ela. Afaste-se de seus pecados e volte-se para Ele. Vivemos em uma época marcada pelos tipos de pecados e de injustiças que pareciam ser os dos dias de Noé. Nossos dias quase já alcançaram o ponto em que as pessoas se opõem menos ao divórcio que ao casamento, ao aborto que ao nascimento, à homossexualidade que à aliança entre um homem e uma mulher. Deus nos fez a sua imagem, e somos chamados a lhe obedecer tão completamente como fez Jesus Cristo. Você se lembra do que aconteceu no outro jardim da Bíblia? Não no jardim do Éden, mas no do Getsêmani? Como a história que aconteceu no Getsêmani foi bem diferente! No primeiro jardim, o primeiro Adão escolheu seu caminho — o pecado. No segundo jardim, o segundo Adão escolheu o caminho de Deus — a obediência. Que possamos fazer a mesma coisa, mesmo que acabemos solitários como Noé, ou rejeitados como Cristo.

Precisamos de igrejas que trabalhem para que possamos viver isso, certo? Deus sempre pretendeu que os cristãos se reunissem em igrejas que não são enganadas por uma demonstração de palavras sobre o que crêem, mas são comprometidas em ver essas palavras transformadas em arrependimento, em santidade e em disciplina. Que nossa igreja possa responder em obediência e em fé à Palavra do Senhor.

Deus Revela seu Caráter por meio do seu Povo Particular (caps. 12—50)

A história de Gênesis continua depois de Noé e do dilúvio. O capítulo 10 fala das nações que descendem de Noé. O capítulo 11 discorre sobre a torre de Babel e o julgamento de Deus ali. E, a seguir, acontece o evento mais importante entre a Queda de Adão e o nascimento de Cristo. Sim, hoje, estou fazendo grandes afirmações, contudo esse é o livro de Gênesis, não o de Tito! Portanto, direi mais uma vez: em Gênesis 12 ocorre o evento mais crucial entre a Queda de Adão e o nascimento de Cristo. Você sabe qual é ele? O Senhor chama Abraão (12.1-3). Esse chamado determina o resto da história da Bíblia. Aqui, a câmera pára nessa linha familiar, a linhagem de Abraão, de Isaque e de Jacó. E, na parte final de Gênesis, veremos que Deus quer revelar seu caráter, da mesma forma que o revelou por intermédio de toda a criação, por meio do povo particular que chamou para ser separado do mundo. Os mesmos temas introduzidos dos capítulos 1 a 11 são trabalhados de forma mais completa nos capítulos de 12 a 50, que tratam da vida do povo que recebeu o chamado especial de Deus.

A Santidade e o Julgamento de Deus contra o Pecado

Esses capítulos, acima de tudo, ensinam claramente a santidade de Deus. Eles enfatizam seu compromisso com a pureza e a justiça e mostram o julgamento do pecado. Vemos essas coisas de muitas formas: Abraão apela para a santidade de Deus (18.25); Jacó confessa seu desmerecimento (32.10); e este também perdoa a idolatria (35.2-4); e Deus derruba os filhos perversos de Judá (38.7,10). O povo particular de Deus deve ser santo como Ele é.

Na segunda parte de Gênesis, a passagem de Sodoma e Gomorra é a que evidencia mais vividamente a santidade de Deus e sua condenação do pecado. Com certeza, as armas de destruição em massa inventadas pela era moderna não tornam os números dessa passagem mais modestos. A destruição de Deus é total:

> Então, o Senhor fez chover enxofre e fogo, do Senhor desde os céus, sobre Sodoma e Gomorra [...]
> E Abraão levantou-se aquela mesma manhã de madrugada [...]. E olhou para Sodoma e Gomorra e para toda a terra da campina; e viu, e eis que a fumaça da terra subia, como a fumaça duma fornalha (Gn 19.24,27,28).

De acordo com a Bíblia, parece que não temos direitos supremos. Nossos direitos são inalienáveis diante dos outros seres humanos. No entanto, diante de quem nos criou não temos direitos supremos.

Todavia, Deus não demonstra sua santidade apenas por meio de seus julgamentos exteriores, seu povo particular é chamado a internalizar a sua santidade. Assim, Abraão e sua descendência são chamados a permanecer distintos das nações circunvizinhas. Deus proíbe, em especial, o casamento com os cananeus.[5] E é quase certo que a família de Abraão não gostasse das cananéias. Abraão e Isaque andaram longas distâncias a fim de conseguir esposas não-cananéias para seus filhos. Algumas dessas passagens que relatam a busca por esposa são surpreendentes.

Por que Deus se opunha tanto ao casamento inter-racial? Não creio que tenhamos qualquer base para deduzir isso. Como se torna mais e mais evidente à medida que a história bíblica se desdobra, Deus sabia que o casamento entre israelitas e estrangeiros traria um problema principal: os estrangeiros levariam seu povo a adorar deuses estrangeiros. Por isso, Ele se opunha a esses casamentos, e aconteceu exatamente o que Ele previu. Israel não podia ser o povo particular de Deus se adorasse outros deuses. Portanto, Ele proibiu com energia o casamento inter-racial.

Além disso, Deus queria restaurar sua santidade e seu caráter em seu povo. Originariamente, Ele criara o homem para não ser pecador (assassino, idólatra e adúltero), mas para ser santo (amoroso e fiel a Deus e comprometido com uma esposa). Assim, Deus enfatizou certas verdades da criação quando começou a obra de restauração: o casamento é para um homem e uma mulher, e o casal deve unir-se na adoração do único Deus verdadeiro. Uma forma de ajudar seu povo a recuperar essas verdades era a proibição de casamento inter-racial.

Você percebe que ser humano não quer dizer ser pecador, não é mesmo? Às vezes, as pessoas entendem errado o sentido de depravação e a equiparam à humanidade e aos efeitos da Queda inerentes ao ser humano, como na frase: "Bem, ele é apenas humano". Mas essa equiparação está errada. Ser um homem caído quer dizer ser pecador. Houve uma época em que Adão e Eva não eram pecadores, apesar de serem seres humanos. E, no céu, seremos pessoas isentas do pecado. Jesus também era totalmente humano, mas não pecador. Ele era santo. Viveu o tipo de vida que Deus pretende que vivamos, e que podemos viver, de modo crescente, pela obra de seu Espírito Santo. Assim, o Senhor chama-nos para levar uma vida distinta, de pureza sexual. Não devemos dormir com quem não seja nosso cônjuge. Nem devemos casar com uma pessoa que não seja, de forma manifesta, um crente sincero em Cristo. Isso faz parte do chamado à santidade que o Senhor faz para nós cristãos.

Nós, como igreja, queremos encorajar o crescimento em santidade. Assim como Paulo disse, o encorajamos a examinar a si mesmo antes de ir à mesa do Senhor. Você já deve ter observado, se freqüenta nossa igreja, que sempre anunciamos a ceia do Senhor com uma semana de antecedência. Fazemos esse anúncio por medo de que as pessoas esqueçam? Não, há anos fazemos a ceia todo primeiro domingo de cada mês. Antes, a anunciamos como um chamado ao arrependimento e à fé. Percebemos que como povo particular do Senhor, nós, os chamados pelo seu nome, não podemos permitir que persista em nossa vida qualquer pecado sem arrependimento, quer de imoralidade sexual, quer de qualquer outro tipo. Permitir um pecado sem arrependimento em nossa vida lança mentira sobre o Deus que nos chamou e faz com que o mundo se engane sobre quem Ele é. O Senhor está comprometido com sua santidade e com a de seu povo particular.

A Misericórdia de Deus

Como vimos na segunda metade de Gênesis, o comprometimento de Deus com a santidade não elimina sua misericórdia. Na verdade, se na segunda metade do livro parece intensificar-se a manifestação da sua santidade, o mesmo ocorre com sua misericórdia. Por exemplo, encontramos mais exemplos da "lembrança" misericordiosa do Senhor. Em meio ao terrível julgamento de Sodoma e Gomorra, Deus é misericordioso com Ló e sua família (19.16), fato que o autor do livro resume com o uso dessa linguagem de rememoração: "E aconteceu que, destruindo Deus as cidades da campina, Deus se lembrou de Abraão e tirou Ló do meio da destruição, derribando aquelas cidades em que Ló habitara" (19.29). Logo depois da morte de Abraão, a amada esposa de seu neto Jacó, Raquel, não podia ter filho. Contudo, lemos: "E lembrou-se Deus de Raquel, e Deus a ouviu, e abriu a sua madre. E ela concebeu, e teve um filho [...] José" (30.22-24).

Ao longo das histórias desse livro, Deus deixa claro como cristal que Abraão e seus filhos serão especiais apenas por crerem nEle. Eles não podem fazer nada por conta própria. No capítulo 15, Ele deixa isso claro ao fazer uma aliança com Abraão. O Senhor, e apenas Ele, declara a aliança (15.17,18), enfatizando com isso que Ele, e apenas Ele, a cumprirá. A aliança não depende de Abraão. No capítulo 22, essa assimetria fica até mais clara quando, anos mais tarde, Deus chama Abraão a fim de que sacrifique Isaque, seu filho esperado havia anos. Enquanto preparavam o lugar para o sacrifício, Isaque perguntou ao seu pai onde estava o cordeiro para o holocausto. Talvez Abraão tenha dado uma resposta melhor do que tinha consciência: "Deus proverá para si o cordeiro para o holocausto, meu filho" (22.8). O Senhor providenciou o cordeiro, como também providenciaria depois o Cordeiro de Deus, seu Filho unigênito. O chamado de Deus para Abraão e sua obra entre os filhos deste deveram-se totalmente à graça e à misericórdia dEle. Em Gênesis, seu povo não merece nada.

Na verdade, ao longo da Bíblia, essa é a história do povo de Deus e da sua igreja hoje. Somos redimidos pela graça! Na igreja, não nos reunimos como uma sociedade de aperfeiçoamento moral com a finalidade de considerar nossas virtudes e de demonstrar aos de fora da igreja condescendência. Reunimo-nos como aqueles que reconhecem que são redimidos apenas pela graça do Senhor. Assim, no capítulo 18, quando Judá dormiu pecaminosamente com sua nora — uma história de mau gosto —, o Senhor, em sua graça, redime a conseqüência disso. Em Mateus 1.3 ensina que a união deles foi um dos muitos concubinatos pecaminosos por meio do qual Jesus, a semente prometida de Abraão, veio ao mundo. Isso não quer dizer que estava tudo bem com a ação de Judá. Não estava. Todavia, Deus usou-a para demonstrar sua incrível misericórdia e maravilhosa graça. Ele pega as piores situações da vida dos chamados pelo seu nome e as trabalha para o nosso bem.

Espero que você perceba que fazer parte do povo de Deus — ser salvo — não é algo que podemos fazer por nós mesmos. Você percebe, se conhece bem a si mesmo, que apenas o Senhor pode salvá-lo. E que você, se fosse deixado por conta própria, seria tão imoral quanto Judá, tão falaz quanto Abraão, tão desesperado quanto Raquel. Não podemos nos salvar mais do que Ló seria capaz de deixar Sodoma, ou Abraão sairia por conta própria de sua terra natal. Somos o povo de Deus apenas porque Ele nos chamou a sair de nossos pecados horríveis e de nossas situações confusas.

E louvemos a Deus por ter feito isso! Louvemos a Ele por não ter deixado que, no fim, seu povo fosse governado pelo pecado! Louvemos a Ele por ter providenciado um sacrifício para os pecados de seu povo que nunca poderíamos prover por nós mesmos. A justiça do Senhor não será totalmente satisfeita mesmo que você morra para os seus pecados. Seus pecados ofenderam um Deus infinitamente santo e justo, e você merece mais que uma morte que dure apenas um momento. Louve a Deus por Ele ter sacrificado seu Filho imaculado, Jesus Cristo. Jesus morreu na cruz para levar sobre si todos os pecados daqueles que, mais tarde, o aceitariam e creriam nEle.

Oro para que você tenha conhecido o perdão e a incrível bênção do Senhor. Por isso, estimulo que os membros de nossa igreja voltem nas noites de domingo para se reunir uma segunda vez no Dia do Senhor. Entre outras coisas, esse é o momento da semana em que ouvimos os testemunhos da sua graça na vida de outra pessoa, a fim de trazer glória para o nome de Deus e para nos encorajar. O Senhor é gracioso e misericordioso.

A Soberania de Deus

Nessa segunda parte de Gênesis, que enfatiza a obra do Senhor no meio de seu povo particular, também vemos com mais clareza a sua soberania. Talvez você se pergunte: "Como podemos ver com mais clareza a soberania de Deus do que na criação, na Queda, no dilúvio e na destruição de Babel?" Bem, pode não aparecer de forma tão dramática, mas torna-se mais específica. Como Deus poderia realizar seu plano de salvação para ter um povo seu se não fosse soberano? Ao longo desses capítulos, vemos o trabalho soberano de Deus. Ele escolheu Abraão, não o irmão deste, Naor. Ele escolheu Isaque, não Ismael. Jacó, não seu irmão Esaú. Ele proibiu que o rei Abimeleque demonstrasse sua afeição por Sara, esposa de Abraão (20.6). É esse Deus soberano quem diz para Abraão: "Saibas, decerto, que peregrina será a tua semente em terra que não é sua; e servi-los-á e afligi-la-ão quatrocentos anos. Mas também eu julgarei a gente à qual servirão, e depois sairão com grande fazenda" (15.13,14). Nos capítulos iniciais de Êxodo aprendemos que Ele sempre estava certo, em todos os aspectos. Nos grandes e nos pequenos assuntos. Esse Deus reina.

A soberania do Senhor ressalta-se de forma mais proeminente na história de José, que ocupa os capítulos finais de Gênesis. Deus diz tanto a faraó como a José algo a respeito do futuro, porque Ele o controla. E esses capítulos finais do livro apresentam exatamente o que Ele prometeu. O seu plano para que José irritasse os irmãos, levando-os a vendê-lo para os egípcios. Seu plano de que José fosse vendido para casa de Potifar tanto para demonstrar sua capacidade como para que a esposa deste levantasse uma falsa acusação contra José, pois o Senhor sabia como ela era. O fato de José ser preso e, assim, ter a oportunidade de ficar conhecido como interpretador de sonhos, o que o distinguiria diante do faraó e, por causa disso, recebesse autoridade para que o Egito tivesse alimento; e, para que, depois, seus irmãos viessem ao Egito em busca de alimento. Você vê com que cuidado Deus planeja tudo? É incrível! O Senhor cuida de tudo, desde o menor detalhe até as maiores realizações, a fim de mostrar sua glória. Como Ele arranja tudo com cuidado para cumprir as promessas que fez a Abraão.

Você acha que José enxergou tudo isso? Creio que ele viu uma boa parte disso pela fé, algo que aprendemos em algumas das mais incríveis palavras da Bíblia.

Por volta do capítulo 41, José praticamente tem autoridade absoluta no Egito. No capítulo 45, os irmãos, que bateram nele e o venderam como escravo, estão diante dele, totalmente sob o seu poder. Ninguém pode dizer a José para que não faça o que quiser com eles. Ele é a lei da terra. Bem, talvez você ache que conseguiu fazer avanços piedosos em seu coração em relação à vingança. Mas e se você tivesse totalmente sob seu controle as pessoas que bateram em você e o venderam como escravo? Observe o que José disse aos irmãos: "Pelo que Deus me enviou diante da vossa face, para conservar vossa sucessão na terra e para guardar-vos em vida por um grande livramento. Assim, não fostes vós que me enviastes para cá, senão Deus, que me tem posto por pai de Faraó, e por senhor de toda a sua casa, e como regente em toda a terra do Egito" (45.7,8). Vários capítulos adiante Jacó morre e, mais uma vez, os irmãos temem que ele se vingue deles. E, novamente, quando ficam de pé diante dele, José diz: "Vós bem intentastes mal contra mim, porém Deus o tornou em bem, para fazer como se vê neste dia, para conservar em vida a um povo grande" (50.20).

Se alguém que não conhece a Deus está acompanhando este estudo, devo lhe informar que é preciso que você tenha o cuidado de não cometer o erro de subestimá-lo. O Senhor é soberano sobre a natureza e sobre as nações, sobre a minha e a sua vida. Ele é o Criador deste mundo. E mostrou sua soberania até mesmo sobre a morte, ao ressuscitar Jesus Cristo. Podemos ignorá-lo por algum tempo, mas não evitá-lo para sempre. Lembre-se disso! Se você não conhece ao Senhor pela fé em Cristo, saiba que pode conhecê-lo e que, quando fizer isso, terá confiança nesse Deus e coragem no serviço a Ele. Você pode crer nas palavras do Senhor e obedecer às suas instruções.

Amigo cristão, de todas as pessoas, nós, como o seu povo particular, devemos saber isto: nossa igreja deve distinguir-se por tratar a Deus com a reverência que Ele merece como Criador, e Senhor, e Juiz. Não podemos tratá-lo com casualidade. Não precisamos tratá-lo com preocupação, mas com confiança; não com tristeza, mas com alegria. Nós sabemos quem e como Ele é. Já vimos algo de sua graça em nossa vida e na dos que congregam conosco. Nosso Deus é o Senhor soberano do mundo, o Criador Todo-poderoso e nosso Redentor. O Espírito doador de vida que, em Gênesis 1, por meio de sua Palavra, chamou a vida do caos, é o mesmo que, por sua Palavra, chamou a vida espiritual do caos existente em minha alma e na sua, se você for cristão. Esse é o Deus a quem servimos.

Nossa Resposta: Obediência e Fé

Como podemos ter uma vida assim? Respondendo como Abraão: em obediência e em fé. Como vimos, o escritor de Hebreus afirma que Noé agiu pela fé. Todavia, em nenhuma outra passagem do Antigo Testamento, a justificação apenas pela fé aparece de forma tão evidente como na vida de Abraão — pelo menos, é o que escritor do Novo Testamento declara. Romanos 4 e Gálatas 3 são os capítulos do Novo Testamento que se devotam, de forma mais clara e mais cuidadosa, à justificação apenas pela fé. Paulo aponta para Abraão e a fé deste, não para Moisés, Davi ou Malaquias. Paulo menciona especificamente a afirmação de Gênesis 15.6: "E creu ele no Senhor, e foi-lhe imputado isto por justiça". Se você faz anotações em sua Bíblia, esse é um versículo que deveria ser destacado. De acordo com a prática do Novo Testamento, esse é um dos versículos mais importantes do Antigo Testamento. Ele é citado diversas vezes.[6] Por quê? Porque esse é o início da nossa fé.

Ao longo da história, dos capítulos 12—25, Abraão ouve a palavra de Deus, crê e a obedece. Ele obedece quando o Senhor lhe diz para deixar a casa do pai em Harã (12.1,4). Ele creu na promessa do Senhor de que lhe daria descendência, de que a abençoaria e de que a multiplicaria muito, mesmo sendo Abraão já de idade avançada (12.2; 15.1-6; 17.2,6; 18.10; 21.2-5). Ele creu na promessa do Senhor de que lhe daria uma terra (13.15; 15.18-21; 17.8). E obedeceu à ordem de circuncidar a si mesmo e a sua descendência como uma confirmação da aliança (17.10,23). Contudo, no capítulo 22, observamos a fé de Abraão de forma mais clara quando diz a Isaque que Deus providenciaria o sacrifício (22.8), não temos motivo para crer que Abraão soubesse que, no fim, o Senhor providenciaria o carneiro (22.13). O seu filho fez apenas uma pergunta não-teológica: "Eis aqui o fogo e a lenha, mas onde está o cordeiro para o holocausto?" Ao que tudo indica, Abraão pensava que Deus providenciara o sacrifício, e este era Isaque. Abraão planejava dar a vida de seu único filho a Deus como lhe fora ordenado. Como ele poderia fazer isso? Mais uma vez, o escritor de Hebreus ajuda-nos:

> Pela fé, ofereceu Abraão a Isaque, quando foi provado, sim, aquele que recebera as promessas ofereceu o seu unigênito. Sendo-lhe dito: Em Isaque será chamada a tua descendência, considerou que Deus era poderoso para até dos mortos o ressuscitar (Hb 11.17-19).

Esse era o tipo de fé que Abraão tinha. Ele conhecia seu Deus e tinha fé que seu filho seria ressuscitado depois que cumprisse a ordem de matá-lo. Ele sabia que aquEle que criara o mundo e a vida tinha poder para trazer seu filho de volta à vida. Isso é conhecer a Deus e tomá-lo pela sua palavra! Apenas essa fé salva! Louvemos o Deus que deu a Abraão esse conhecimento e relacionamento íntimo sobre Ele.

Nosso Criador é Santo e Perfeito e nos fez a sua imagem. Todavia, nós pecamos e nos separamos dele por isso. Trouxemos o seu julgamento justo sobre nós. Por mais difícil que seja sua vida asseguro-lhe que ainda não vivenciou o completo julgamento de seus pecados pelo Senhor, como o enfrentará se permanecer afastado da fé em Cristo. Você estará completamente perdido a menos que, como Abraão e Noé, deixe o seu pecado e volte-se para a justiça. Abandone seu próprio juízo e volte-se para Deus e comece a crer nEle e em sua Palavra.

Deus veio em Cristo e suportou a sua própria ira contra o pecado por meio de sua morte na cruz, a morte substitutiva por todos que crêem nEle. Você fará isso? Você aceitará a Cristo? Creia nas promessas de Deus, em Cristo, confie nEle e encontre a vida! O Senhor enviou nossa cura em Cristo porque não podemos curar a nós mesmos. Contudo, temos de crer e de obedecer. Tenha confiança na verdade da Palavra do Senhor! Seja cuidadoso em obedecer às ordens dEle!

Conclusão

No início do capítulo mencionamos: "Fracos germes e começos". E em Gênesis vemos princípios e "fracos [...] começos", certo? Vimos o Deus autoexistente criando o mundo e a humanidade. Vimos o início de nossos problemas e da nossa fé. Esse livro apresenta a raça humana pecadora e a fé cristã.

Em tudo isso, parece que Deus trabalha por meio de "fracos germes e começos". Nesse livro, você notou que as cidades ricas e poderosas são julgadas? Pense em Sodoma e Gomorra com seus ricos negociantes, ou em Babel com seus habilidosos construtores. O Senhor julgou-as e escolheu abençoar o mundo por meio da família nômade do Oriente Médio, em vez de por intermédio deles. Asseguro-lhe que você nunca ouviu a respeito de um período de música ou de arquitetura abraâmicas. Ele e sua família eram nômades! Deus não iniciou seu incrível plano de salvação por meio de civilizações como a da China, ou da Índia, ou do Egito. Ele o iniciou com uma família migrante. Foi assim que o Senhor escolheu abençoar o mundo.

Se você já leu todo o Livro de Gênesis também notou que em todas as genealogias e registro de filhos e filhas mencionam-se apenas três mulheres estéreis. Sara, esposa de Abraão (Gn 11.30), era estéril, porém Deus abriu seu ventre, e ela teve Isaque quando já era velha. Rebeca, esposa de Isaque, também era estéril (25.21). Todavia, o Senhor fez com que tivesse Jacó e Esaú. E Raquel, esposa de Jacó, era estéril (29.31), mas o Senhor fez com tivesse José e Benjamim. O Senhor prometeu que Abraão seria pai de uma grande nação. No entanto, as duas primeiras mulheres (Sara e Rebeca) da linhagem do Messias prometido eram, originalmente, estéreis.

Você não acha que Deus tinha algo em mente? Que Ele indicava alguma coisa? Ele queria mostrar que a promessa que fizera a Abraão e a seus descendentes dependia apenas dEle, e não dependia em nada desses homens. Ele queria a glória por isso. Ele queria os filhos de Israel de pé sobre a Terra Prometida lendo os relatos de Moisés sobre seus antepassados e crendo que apenas Ele pusera a Terra Prometida em suas mãos. Ele cumprira sua promessa.

Você percebeu que Deus é digno de confiança e deve ser totalmente obedecido? Percebeu que nenhuma benção ou prosperidade que recebeu foi por seu poder e por sua força? Gênesis foi escrito para nos ensinar isso.

William Shakespeare não era o único escritor que sabia ser dramático. Gênesis inicia-se com poder de âmbito universal e esperança de vida: "No princípio, criou Deus [...]" Todavia, observe como o livro termina. As últimas palavras são: "E o [José] puseram num caixão no Egito" (50.26). Satanás observa a cena como se tivesse ganhado a batalha, não é mesmo? Parece que sua rebelião contra a criação do Senhor foi bem-sucedida. A morte tocou todos os filhos de Adão, e José, o último herói de Gênesis, falece. O livro que se inicia com a criação termina com um caixão!

Observe onde está o caixão: no Egito, a nação mais poderosa da terra. Deus sabia o que fazia. Ele sabia onde plantar as sementes de seus propósitos. Ele sabia exatamente onde deixar o caixão de José. Como veremos em Êxodo, foi montado o palco para o grande drama do Senhor da redenção e da ressurreição em que mostrará para o mundo todo que nenhuma nação sobre a terra, nem mesmo a maior superpotência, pode impedir o plano dEle. Todavia, o negócio de Deus ainda não está nem perto de terminar!

Você pensa que vivenciou algo que fez com que o plano de Deus para sua vida tenha sido aniquilado? Alguma circunstância horrível demais? Alguma situação confusa demais? Algum pecado sério demais? Se você sentiu isso, então não estudou com atenção o Criador deste mundo... ou o caixão de José. Você acha que a história acabou? Deus ainda não acabou de escrever sua história. E, graças a Deus, Ele ainda não concluiu seus planos hoje!

Oremos:

Ó Deus, a morte final de nossa vida chama-nos para voltar-nos para o Senhor em arrependimento. Esse relato de nossa criação e de sua recriação misericordiosa em Cristo chama-nos a crer no Senhor por intermédio de Cristo, nosso Senhor ressuscitado. Amém.

Questões para Reflexão

1. Enumere as diversas vantagens em ler um Livro da Bíblia como Gênesis de uma vez só. Você tem planos de fazer isso logo?
2. Qual foi a última vez que você meditou a respeito do horror do dilúvio? Sem ser repulsivo, imagine por um momento o que deve ter sido para todos, menos para Noé e sua família. Deus pretendia que você refletisse dessa forma

a fim de ensinar-lhe alguma coisa sobre seu futuro? Sobre o futuro da sua família? De seus amigos?
3. Deus é injusto ao prometer julgar todos os pecados? Por quê?
4. O que é a santidade de Deus? E a sua misericórdia? Como Deus pode viver perfeitamente de acordo com as exigências de sua santidade e ser misericordioso com os que merecem punição?
5. Como deve ser a igreja que tenta imitar a misericórdia e a santidade de Deus? Que tipo de práticas caracterizariam a vida conjunta de seus membros?
6. Espero que você tenha notado que esse sermão circula duas vezes pelos mesmos atributos do Senhor: sua santidade, sua misericórdia e sua soberania. Na primeira vez, esses atributos revelam-se por meio de sua obra na criação. Na segunda, por meio de sua obra em meio ao seu povo. Hoje, onde você vê a santidade, a misericórdia e a soberania de Deus na criação? E em meio ao seu povo particular?
7. Qual o propósito da Bíblia em nos ensinar a soberania de Deus, presumindo que não seja para que os estudiosos e os seminaristas discutam a respeito disso? Por que você deve ensinar aos seus filhos a doutrina da soberania de Deus?
8. Como a doutrina da soberania de Deus pode afetar a prática de evangelismo e de missão de sua igreja?
9. Se você percebeu, esse sermão trata a fé e a obediência como os dois lados de uma mesma moeda. Assim, Noé creu em Deus e construiu a arca. Abraão confiou em Deus e saiu de sua terra. No entanto, fé e obras não são coisas distintas? Nós, como cristãos, somos justificados pela fé, não pelas obras, certo? Então como podemos dizer que a resposta certa a dar a Deus é fé e obediência? A fé e a obediência caracterizam sua vida?
10. Você já teve a tentação de achar que alguma situação em que esteve preso em sua vida era muito complicada para que Deus o pudesse livrar dela? Que cometeu algum pecado muito hediondo para ser perdoado? Pense a respeito dessas ocasiões e, a seguir, medite em qual seria a resposta do autor de Gênesis. Se Deus realmente criou os céus e a terra com o sopro de sua boca, se, de verdade, Abraão e seus descendentes dependiam totalmente da graça do Senhor para sua posição como filhos do Senhor, que palavras de encorajamento o escritor de Gênesis pode oferecer?

NOTAS

Capítulo I

[1] A data de pregação original deste sermão foi em 20 de janeiro de 2002, na Capitol Hill Baptist Church, em Washington, D. C.
[2] Veja também Jó 36—39; Salmos 50; Provérbios 8; Isaías 40; Atos 17.24,25.
[3] Atos 10.42; cf. 17.31; João 5.27.
[4] "God, All Nature Sings Thy Glory" do Hymns II. Letra: direitos autorais © David Clowney, cedidos para InterVarsity Christian Fellowship/USA. Usado com permissão da InterVarsity Press, P. O. Box 1400, Downers Grove, Illinois, 60515.
[5] 24.3; 26.34,35; 27.46; 28.8,9; 34.9; 38.2.
[6] Romanos 4.3,9,22,23; Gálatas 3.6; Tiago 2.23.

A MENSAGEM DE ÊXODO: "O MUNDO TODO É UM PALCO"

O GRANDE ESPETÁCULO

A OBRA SOBERANA DE DEUS
  Em Moisés
    Deus Levanta Moisés
    Deus Chama Moisés
    Deus Usa Moisés para Liderar seu Povo

  Em Faraó
    Deus Coloca Faraó na Posição que Merece
    Deus Endurece o coração de Faraó
    Deus Derrota Faraó

DEUS OPERA COM SOBERANIA PARA SALVAR SEU POVO PARTICULAR
  Ao Diferenciar seu Povo dos Egípcios
  Ao Diferenciar seu Povo de todos os Povos da Terra
    Deus Dá-lhes sua Lei e sua Aliança
    Deus Ensina e Chama-os à Obediência Santa
    Deus Garante-lhes sua Presença Especial

DEUS OPERA COM SOBERANIA PARA SALVAR UM POVO PARTICULAR PARA SUA GLÓRIA

CONCLUSÃO

CAPÍTULO 2

A Mensagem de Êxodo: "O Mundo todo É um Palco"

O Grande Espetáculo[1]

Algumas das peças mais populares de William Shakespeare são comédias. E entre elas, Assim é se lhe parece é uma das mais populares. É a história de dois irmãos que se indispõem quando o mais jovem usurpa o lugar do mais velho e exila-o em uma floresta. No clássico estilo shakespeariano em que erros de identidade, romance e insensatez, tudo se mistura para criar uma boa comédia. A peça também apresenta um louco sincero que faz um dos mais famosos discursos de todas as peças de Shakespeare. O louco resume os sete estágios da vida do homem, da infância à velhice. Embora a parte mais citada do discurso seja a primeira linha em que o louco diz: "O mundo todo é um palco. Todos os homens e mulheres são atores e nada mais..."

A frase inicial: "O mundo todo é um palco", capta bem como a Bíblia apresenta este mundo como um palco divinamente preparado para apresentar a grande história da humanidade. A Bíblia é um teatro cheio de comédias e de tragédias, na verdade, mais do que a fértil mente do Sr. Shakespeare foi capaz de produzir. E acima de tudo é um teatro que tem a finalidade de revelar a glória de Deus.

Realmente, essa é a mensagem de toda a Bíblia. Eu poderia pregar uma visão geral do Antigo e do Novo Testamentos, e não apenas de Êxodo, como uma grande demonstração da glória de Deus. Esse é o principal tema dos primeiros cinco livros bíblicos, chamados de Pentateuco ou, às vezes, de a Lei, pois contêm os Dez Mandamentos (e muitos outros!). Esses cinco livros iniciam-se com a obra de Deus na criação, o danoso primeiro pecado e o seu grande plano para o mundo — salvar as pessoas por meio da descendência de Abraão. No estudo de Gênesis vimos tudo isso. Os outros quatro livros contam a história dos descendentes de Abraão desde o tempo que ficaram no Egito até pouco antes de entrarem na Terra Prometida. E Êxodo, o segundo livro, apresenta o que talvez seja um dos episódios mais dramáticos da Bíblia.

Em geral, na nossa igreja, aos domingos de manhã, estudamos seções menores das Escrituras, em vez de um livro inteiro, como Êxodo. Contudo, algumas coisas só podem ser vista a partir do panorama geral. Por isso, de tempos em tempos, nós nos afastamos do objetivo de passar várias semanas em um livro e fazemos o que chamamos de "sermão panorâmico". Neste momento, estamos fazendo uma série de cinco estudos desse tipo sobre os cinco primeiros livros da Bíblia. Aqui, vemos Êxodo, o segundo livro. É necessário cerca de duas horas e meia a três para lê-lo em sua totalidade. Não teremos tempo para fazer isso, mas encorajo-o a fazer isso por conta própria. Também não examinaremos apenas um texto de Êxodo, mas examinaremos vários textos do livro para apreender o máximo que pudermos. Apresento, a título de ajuda, uma sentença-tese que surgiu de minha leitura de Êxodo nessa última semana e que servirá de foco para nossa investigação. Como você verá, esse estudo compõe-se de três pontos e cada um deles fornecerá uma parte da sentença-tese e, definitivamente, afirmará alguma coisa sobre a obra de Deus. Também veremos que cada ponto contradiz algum conceito errôneo que, com freqüência, as pessoas têm em relação ao Senhor.

A OBRA SOBERANA DE DEUS

Ponto um: Deus trabalha soberanamente. Êxodo, em essência, desafia a noção comum de que o Senhor é passivo. Quantas vezes você ouviu as pessoas apresentarem Deus como um recurso que serve para melhorar sua vida, caso decida usar esse recurso tão acessível? Em nosso estudo anterior, vimos que o Senhor, de forma alguma, é um Deus passivo. Em Gênesis, Ele criou o mundo do nada. Julgou o mundo com o dilúvio. Chamou Abraão e cumpriu sua promessa de dar-lhe filhos apesar da idade avançada e da esterilidade de sua esposa. A seguir, ocorre a incrível história de José. Lembra-se da afirmação de José para os irmãos? "Vós bem intentastes mal contra mim, porém Deus o tornou em bem" (Gn 50.20).

Em Êxodo, a grande história da obra soberana de Deus continua. Ao longo do livro, vemos isso de várias formas, talvez surja de forma mais clara na vida dos dois principais oponentes: Moisés e Faraó.

Em Moisés

Deus levanta Moisés (caps. 1—2). A forma como Deus levanta Moisés é a primeira manifestação de sua obra soberana na vida dele. O capítulo 1 abrange um período de vários séculos, enquanto o capítulo 2 abrange cerca de oitenta anos. E os demais capítulos 3—40, acontecem em um período de pouco mais de um ano. Esse evento que cobre um ano mostra a ênfase do livro. Contudo, os capítulos introdutórios fornecem algumas informações importantes. No fim da história de Gênesis, no capítulo 50, os filhos de Israel eram poucos e viviam com privilégios já que José, irmão deles, era o primeiro-ministro todo poderoso do Egito. Depois, José morre no fim de Gênesis. Os primeiros parágrafos de Êxodo mostram que José foi esquecido nas décadas e séculos subseqüentes, que os israelitas cresceram em número, e que os egípcios ficaram alarmados com isso. O nacionalismo e a xenofobia, com freqüência, levam a atitudes desagradáveis e feias, principalmente quando a população sente-se ameaçada ou até subjugada pelo crescimento de uma minoria. No caso do Egito, o rei (não sabemos exatamente qual deles) decide, de forma inteligente, transformar esse problema em algo vantajoso: usar o crescimento populacional dessa minoria como um grande grupo de trabalhadores forçados e baratos na construção de obras públicas — sem dúvida, todas elas com a finalidade de melhorar a reputação dele. Portanto, os israelitas conhecem a opressão, e não mais desfrutam dos privilégios a que estavam acostumados na época de José. Na verdade, a opressão é grande: consideram que a escravidão não é suficiente para diminuir a população; o rei instrui seus servos para matar os filhos homens dos israelitas.

Os tempos são negros, todavia, no capítulo 2, exatamente nesse contexto, encontramos a obra soberana de Deus contra esse perigoso pano de fundo. Moisés, como se fosse um Noé ainda bebê, foi protegido do furor assassino do rei em uma pequena arca de papiro revestida com alcatrão e piche. Soberanamente, Deus permitiu que Moisés fosse encontrado e, entre todas as pessoas, fosse criado pela filha de Faraó. O capítulo 2 de Êxodo apresenta tudo que sabemos sobre os primeiros oitenta anos de vida de Moisés. Não temos qualquer motivo para pensar que ele teve uma família nuclear com mamãe e papai faraó, a filha princesa, e dois netos, Ramsés e Moisés, aparentemente os herdeiros, como o desenho animado Príncipe do Egito, da Dreamworks, sugeriu anos atrás. A segunda metade do capítulo conta o que sabemos, que Moisés se tornou um assassino. Talvez você não tivesse pensado nisso, mas ele era. A Bíblia deixa claro que o maior libertador, do Antigo Testamento, do povo de Deus era um assassino. Ele fez justiça com as próprias mãos ao matar um egípcio que batia em um trabalhador hebreu. Como resultado disso, teve de fugir e acaba na terra de outros descendentes de Abraão, os medianitas, que viviam no deserto ao leste do Egito. Em Midiã, Moisés casa-se, estabelece-se e, provavelmente, pensa em aposentadoria com a aproximação de seu octogésimo aniversário, como se o único plano de Deus para Moisés fosse preservar a vida dele. No entanto, algo ainda mais surpreendente acontece a ele.

Deus chama Moisés (caps. 3—4). Os capítulos 3 e 4 informam que Deus chama Moisés. E apesar de Êxodo ser a história de Moisés, percebi em minha releitura desta semana, que, na verdade, Deus é o personagem principal do relato e aparece para o idoso Moisés em uma chama de fogo no meio de uma sarça. Ele revela seu nome a Moisés, embora este não estivesse ali à procura disso. Deus ordenou que Moisés falasse com Faraó e tirasse o seu povo do Egito. Moisés não estava sentado lendo o Federalist Papers, que determinava que os israelitas deviam tomar em suas mãos a questão de sua libertação. Não, ele era um pastor de oitenta anos. Deus é o ator dessa história. Até mesmo os prodígios que, por ordem dEle, Moisés realiza diante de Faraó e sua corte foram concebidos, escritos, coreografados e capacitados por Deus! Ele ainda não concluíra seu propósito para Moisés, Ele o escolheu para livrar seu povo da escravidão.

Deus usa Moisés para liderar seu povo (caps. 5—18). Deus não apenas chama Moisés soberanamente, mas também realiza de forma soberana seus planos por intermédio dele. Vemos isso ao longo dos incríveis capítulos 5—18. Talvez você conheça a história, e não temos tempo para repeti-la aqui. Rememoremos de forma bem resumida. Perto do final do capítulo 4, Moisés retorna ao Egito. Ele anuncia os planos de Deus e faz prodígios diante do povo hebreu, e o povo "creu" (4.31). Eles aceitaram a idéia: "Sim, isso soa como algo proveniente de Deus, acreditamos nisso". Todavia, as coisas pioraram antes de melhorarem. Moisés exige que Faraó liberte o povo (cap. 5). Faraó decide que o pedido de Moisés significa que o povo está sem trabalho e ficou preguiçoso. Assim, ele torna o trabalho do povo mais árduo. No entanto, a oposição de Faraó não demove a Deus do plano de libertar seu povo por intermédio de Moisés. Esse octogenário, sem dúvida com vigor dado por Deus, confronta Faraó diversas vezes ao longo dos capítulos 7, 8, 9, 10, 11 e 12.

A última gota vem nos capítulos 11 e 12. O capítulo 11 prediz a praga sobre os primogênitos. O capítulo 12 explica a comemoração da Páscoa que lembrará essa praga às próximas gerações de israelitas e, a seguir, explica a própria praga:

> E aconteceu, à meia-noite, que o Senhor feriu todos os primogênitos na terra do Egito, desde o primogênito de Faraó, que se sentava em seu trono, até ao primogênito do cativo que estava no cárcere, e todos os primogênitos dos animais. E Faraó levantou-se de noite, ele, e todos os seus servos, e todos os egípcios; e havia grande clamor no Egito, porque não havia casa em que não houvesse um morto (12.29,30).

Perto do fim do capítulo 12, finalmente, Moisés conduz seu povo no êxodo: "Assim, partiram os filhos de Israel de Ramessés para Sucote, coisa de seiscentos mil de pé, somente de varões, sem contar os meninos. [...] E aconteceu, naquele mesmo dia, que o Senhor tirou os filhos de Israel da terra do Egito, segundo os seus exércitos" (12.37,51).

Os capítulos 13 e 14 retratam o apogeu da vitória de Deus sobre os egípcios. O capítulo 13 introduz as regulamentações sobre a consagração do primogênito para o Senhor. Na última metade do capítulo 13 e em todo o capítulo 14, Deus triunfa vitorioso sobre os egípcios à medida que Moisés lidera os israelitas com segurança na travessia das águas divididas do mar Vermelho. Os perseguidores egípcios vêem-se em uma armadilha, após voltarem atrás na decisão de libertar os israelitas:

> E os egípcios seguiram-nos, e entraram atrás deles todos os cavalos de Faraó, os seus carros e os seus cavaleiros, até ao meio do mar. E aconteceu que, na vigília daquela manhã, o Senhor, na coluna de fogo e de nuvem, viu o campo dos egípcios; e alvoroçou o campo dos egípcios, e tirou-lhes as rodas dos seus carros, e fê-los andar dificultosamente. Então, disseram os egípcios: Fujamos da face de Israel, porque o Senhor por eles peleja contra os egípcios.
> E disse o Senhor a Moisés: Estende a tua mão sobre o mar, para que as águas tornem sobre os egípcios, sobre os seus carros e sobre os seus cavaleiros. Então, Moisés estendeu a sua mão sobre o mar, e o mar retomou a sua força ao amanhecer, e os egípcios fugiram ao seu encontro; e o Senhor derribou os egípcios no meio do mar, porque as águas, tornando, cobriram os carros e os cavaleiros de todo o exército de Faraó, que os haviam seguido no mar; nem ainda um deles ficou (14.23-28).

Esse é o Deus apresentado em Êxodo. Ele é soberano até mesmo para soltar as rodas presas! No capítulo 15, Moisés comanda um cântico de vitória a Deus. A seguir, nos demais capítulos 15, 16, 17 e 18, Moisés e o povo fazem uma jornada de três meses até o monte Sinai. Esses capítulos apresentam a soberania de Deus ao prover alimento (água, maná e caça) e a vitória de seu povo no ataque dos amalequitas. Deus trabalhou soberanamente por meio de Moisés em todos esses episódios.

Em Faraó

Todavia, Deus não realiza sua obra soberana apenas na vida de Moisés. Principalmente nos capítulos iniciais de Êxodo, vemos o trabalho soberano de Deues em Faraó, rei do Egito, e por intermédio dele. Nessa história, Faraó, sob vários aspectos, é o oposto de Moisés. Moisés não tem nada, mas ganha tudo. Faraó tem tudo e perde tudo. E Deus exerce soberania sobre os dois.

Deus coloca Faraó na posição que merece. Deus colocou Faraó em sua posição de poder da mesma forma que levantou Moisés para liderar seu povo. O Senhor tinha o propósito de pôr no trono um faraó que, como os primeiros versículos do livro declaram, "não conhecera a José" (1.8). E um pouco depois, Ele fala com clareza para faraó: "Para isto te mantive" (9.16). Sem dúvida, você percebe que Deus é soberano tanto para levantar faraó quanto para levantar Moisés. O que Paulo declara em Atos 17? "De um só fez toda a geração dos homens para habitar sobre toda a face da terra, determinando os tempos já dantes ordenados e os limites da sua habitação" (At 17.26). Verificamos ao longo das Escrituras que Deus é aquEle que exalta e humilha — até mesmo os reis (1 Sm 2.7).

Deus endurece o coração de Faraó. A seguir, vem a parte da história que mais confunde as pessoas, mas que, inegavelmente, é crucial para a grande fuga do Egito. A obra soberana de Deus em Faraó não foi apenas colocá-lo em uma posição de autoridade, mas também a de endurecer seu coração. Com antecedência, Deus avisara Moisés que faria isso (da mesma forma que, mais tarde, Ele avisa o profeta Ezequiel que o enviará para um povo de coração endurecido que não o ouviria). Releia Êxodo 4.12: "Quando voltares ao Egito, atenta que faças diante de Faraó todas as maravilhas que tenho posto na tua mão; mas eu endurecerei o seu coração, para que não deixe ir o povo". A passagem 4.21 é digna de nota se você já teve alguma discussão a respeito de Deus endurecer o coração de Faraó, o que parece que todo cristão faz em um momento ou outro. Às vezes, as pessoas dizem: "Tudo bem, Deus endureceu o coração de Faraó no sentido em que permitiu que ele endurecesse o próprio coração". Aprecio o atrativo dessa interpretação, e esse atrativo tem repercussões em meu interior. Contudo, gostaria de apontar que não é isso que o texto declara. Não afirmo que entendo tudo sobre como Deus endureceu o coração de Faraó ou todas as implicações disso. Mas, sem dúvida, o versículo afirma que Deus tinha um propósito para endurecer o coração de Faraó. Além disso, a passagem 4.21 parece ser o versículo que controla tudo que acontece no resto da história. Essa é a primeira menção ao assunto. E nas pragas dos capítulos 7—11 aparecem muitas menções ao endurecimento do coração de Faraó (7.3-5; 9.12; 10.20,27; 11.10). Algumas passagens apenas registram que o coração se endureceu ou já era duro (7.13,14, 22; 8.19; 9.7). E outras afirmam que Faraó endureceu o próprio coração (8.15,32). O final do capítulo 9 e início do 10, usam esses três tipos de descrições, e o texto é claro: logo após a praga da chuva de granizo e antes da dos gafanhotos, Faraó endureceu seu coração e é descrito como pecaminosamente culpado; porém, Deus finaliza o assunto ao descrever-se como a causa última disso:

> Vendo Faraó que cessou a chuva, e a saraiva, e os trovões, continuou a pecar; e agravou o seu coração, ele e os seus servos. Assim, o coração de Faraó se endureceu, e não deixou ir os filhos de Israel, como o Senhor tinha dito por Moisés.
> Depois, disse o Senhor a Moisés: Entra a Faraó, porque tenho agravado o seu coração e o coração de seus servos, para fazer estes meus sinais no meio deles (9.34—10.1; grifo do autor).

Deus derrota Faraó. A obra soberana de Deus culmina com a derrota final de Faraó no capítulo 14. No relato dramático da travessia do mar Vermelho pelos israelitas, Deus opera soberanamente não apenas em Faraó, mas em todas as circunstâncias: Ele solta as águas e faz com que os carros dos egípcios perdessem as rodas. Mais importante ainda, Ele diz a Moisés: "Eu endurecerei o coração de Faraó, para que os [o povo de Israel] persiga" (14.4). Alguns versículos adiante, Ele amplia seu propósito: "E eis que endurecerei o coração dos egípcios para que entrem nele atrás deles" (14.17). E é exatamente isso o que acontece.

De acordo com a Bíblia e, especificamente, com Êxodo, Deus *não* é passivo. As circunstâncias não determinam o seu plano, ao contrário, seu plano determina as circunstâncias. Amigo, essa é a história de toda a Bíblia. Por isso, tantas coisas incomuns acontecem — desde a promessa de dar um filho para um casal estéril com cem anos de idade até a de Deus se fazer carne e morrer na cruz pelos pecados do mundo. Poucas vezes, a Bíblia lida com o provável. Do início ao fim, a grande história das Escrituras apresenta o propósito soberano de Deus realizado de forma surpreendente. Portanto, o

Senhor trabalha soberanamente na vida de Moisés e de Faraó. E supõe-se que testemunhemos isso, assim, ouviremos as suas promessas para nós, creremos nelas e lhe obedeceremos, sabendo que Ele cumprirá tudo que prometeu.

DEUS OPERA COM SOBERANIA PARA SALVAR SEU POVO PARTICULAR

Todavia, supõe-se que observemos mais coisas no relato. Também devemos notar que Deus opera com soberania (acrescentemos um pouco mais à sentença para torná-la nosso segundo ponto) *para salvar um povo especial*. Está evidente que é isso que Deus faz nessa história.

Êxodo desafia a noção usual de que o Senhor trata todas as pessoas da mesma maneira ou está comprometido com o igualitarismo. Não, não é isso que acontece em Êxodo. Com certeza, o Senhor é justo, Ele é o padrão de justiça. Contudo, Deus, misteriosa e graciosamente, escolheu estender sua misericórdia a alguns escolhidos. E ninguém pode exigir sua misericórdia. A misericórdia é *dEle*. Deus escolhe, por intermédio de um fundamento totalmente íntegro, a quem estender sua misericórdia.

Ao Diferenciar seu Povo dos Egípcios

Em toda a primeira parte desse livro — de forma dramática e soberana — Deus diferenciou seu povo dos egípcios ao chamar, os israelitas, de seu povo particular. Claro que isso acontece, total e completamente, no próprio Êxodo. Todavia, muito antes, Ele distinguiu seu povo de forma explícita. No capítulo 8, o Senhor prometeu a Faraó que faria "separação entre o meu povo e o teu povo" (8.23), ao enviar a praga das moscas sobre os egípcios, mas não sobre os israelitas. Ele faz a mesma coisa na praga seguinte, a que afeta todos os rebanhos e animais que estão nos campos dos egípcios. Deus afirma por intermédio de Moisés: "E o Senhor fará separação entre o gado dos israelitas e o gado dos egípcios, para que nada morra de tudo o que for dos filhos de Israel" (9.4). E dois versículos adiante: "E o Senhor fez esta coisa no dia seguinte, e todo o gado dos egípcios morreu; porém, do gado dos filhos de Israel, não morreu nenhum" (9.6). Os propósitos soberanos de Deus estão claros? Parece que sim. Ele quer diferenciar seu povo dos outros. Na praga da chuva de granizo, Ele faz isso de novo: "Somente na terra de Gósen, onde *estavam* os filhos de Israel, não havia saraiva" (9.26). O Senhor faz um ponto com isso. Ele traz muitas pragas para deixar claro que elas não são aberrações da natureza. O Deus soberano age com propósito, por meio dessas pragas para, especificamente, chamar um povo para si mesmo.

Observamos também que Ele faz essa distinção mesmo na grande e final praga que afeta os primogênitos. O Senhor prometeu a Moisés que essa terrível dor não cairia sobre os israelitas e disse: "Para que saibais que o Senhor fez diferença entre os egípcios e os israelitas" (11.7). Ele também instruiu Moisés a comemorar essa lição na cerimônia anual de Páscoa: "E acontecerá que, quando vossos filhos vos disserem: Que culto é este vosso? Então, direis: Este é o sacrifício da Páscoa ao Senhor, que passou as casas dos filhos de Israel no Egito, quando feriu aos egípcios e livrou as nossas casas" (12.26,27a). Portanto, fica evidente que a mensagem de Êxodo é que Deus faz distinção entre o seu povo, os israelitas, e os egípcios.

Ao Diferenciar seu Povo de todos os Povos da Terra

À medida que o livro continua, depois do Êxodo (caps. 1—18), vemos que Deus não apenas opera com soberania para diferenciar seu povo dos egípcios, mas também de todos os povos da terra (caps. 19—40).

Deus dá-lhes sua Lei e sua aliança. De forma única, Deus dá aos israelitas suas leis e faz uma aliança com eles. Os capítulos 19—31 registram que isso acontece no monte Sinai e em suas cercanias. No capítulo 19, o Senhor está presente no monte Sinai e conversa primeiro com Moisés e, depois, com o povo por intermédio deste. Ele diz-lhes:

> Vós tendes visto o que fiz aos egípcios, como vos levei sobre asas de águias, e vos trouxe a mim; agora, pois, se diligentemente ouvirdes a minha voz e guardardes o meu concerto, então, sereis a minha propriedade peculiar dentre todos os povos; porque toda a terra é minha. E vós me sereis reino sacerdotal e povo santo (19.4-6).

A seguir, Deus lhes dá os Dez Mandamentos (cap. 20) junto com outros estatutos e ordenações (caps. 20, 21, 22 e 23). Por que o Senhor dá todas essas leis para o povo? Para refletir seu caráter? Sim! Contudo, Ele também quer que seu povo viva de forma distinta do mundo caído ao redor deles, no qual as pessoas não refletem naturalmente o seu caráter. A forma de viver deve diferenciar seu povo das outras nações. Eles não devem adorar ídolos. Precisam devem ter cuidado no trato com seus servos, assegurar que se faça justiça, que se assumam as responsabilidades, que se respeite a propriedade, que se tenha compaixão e assim por diante. Afinal, esse é o Deus que declara: "Sou misericordioso" (22.27). Ele quer que seu povo viva como Ele e se pareça consigo.

Deus sabe que a vida de misericórdia para a qual chamou seu povo é difícil. Por isso, adverte-os para o fato de que nem sempre esse modo de vida é bem aceito: "Não seguirás a multidão para fazeres o mal" (23.2). Ele instrui-os para ajudar até mesmo as pessoas que os odeiam: "Se vires o jumento daquele que te aborrece deitado debaixo da sua carga, deixarás, pois, de ajudá-lo? Certamente o ajudarás juntamente com ele" (23.5). Você vê isso? Essa não é a forma comum das pessoas viverem! Ah, mas essas pessoas não são comuns. Devem o povo particular de Deus — especialmente separadas para Ele. Elas têm até o sábado semanal especial e três comemorações anuais para lembrar quem é Deus e o que Ele tem feito por elas (cap. 23).

O capítulo 24 descreve o ato formal de selar, ou de confirmar, a aliança. No final do capítulo 24, Moisés sobe ao monte Sinai e permanece lá por quarenta dias e noites a fim de receber as instruções registradas nos capítulos 25 — 31. Essas instruções descrevem o plano de Deus para o Tabernáculo, as ofertas, a arca, o altar, os castiçais, o pátio do Tabernáculo, até o azeite e as vestimentas dos sacerdotes, como também outros assuntos relacionados à adoração a Deus. Todas essas práticas, e a aliança como um todo, fazem parte do plano de Deus para diferenciar seu povo dos outros da terra. Por isso, Ele disse a Moisés: "Tu, pois, fala aos filhos de Israel, dizendo: Certamente guardareis meus sábados, porquanto isso é um sinal entre mim e vós nas vossas gerações; para que saibais que eu sou o Senhor, que vos santifica" (31.13). Ser santo significa ser separado para os propósitos dEle. E Deus tornou o povo santo ao dar-lhes suas leis e fazer uma aliança única com eles.

Deus ensina e chama-os à obediência santa. Todavia, o Senhor também opera soberanamente para fazê-los seu povo particular ao ensinar-lhes a obediência santa e ao chamá-los a ela. Até onde posso dizer, Êxodo apresenta cinco ofensas capitais: matar,[2] feitiçaria (22.18), bestialidade (22.19) e sacrifício para outros deuses (22.20) e — o único mencionado duas vezes — profanação do sábado com o trabalho (31.14,15; 35.2). Deus, como Senhor Soberano e Legislador, quer deixar visível a santidade de seu povo. Eles se diferenciarão de todos os outros povos à medida que obedecerem suas leis, diferenciação essa que reflete o seu caráter santo. Talvez seja por isso que as leis nos parecem tão severas.

O capítulo 32 apresenta, sob o aspecto negativo, a importância da lei ao mostrar como as pessoas lhe desobedecem de forma deplorável. Em uma história cheia de ironia, as pessoas fundem um bezerro de ouro para adorar. Moisés esteve durante quarenta dias no monte recebendo as instruções de Deus, quando, de repente, recebe ordem para voltar, porque o povo de Israel fez um grande ídolo. Não é de admirar que, agora, abram caminho para a idolatria, já que antes, durante a jornada até o Sinai, eles murmuravam por causa de alimento (15.24; 16.2; 17.3). Muitas vezes, a coisa acontece dessa forma. Os pecados menores preparam o caminho para os maiores. Nós os olhamos, os toleramos e pensamos neles. Depois, entramos neles e os adotamos como nossos. Esses pecados nos adotaram antes que os conhecêssemos. Meu amigo, tenha cuidado com sua tolerância em relação à murmuração contra o Senhor ou ao impacientar-se com os seus caminhos. Arão fundiu um bezerro com o ouro que pessoas lhe deram, e elas proclamaram ao ver o bezerro: "Estes são teus deuses, ó Israel, que te tiraram da terra do Egito"! Você pode imaginar uma coisa dessas! O Senhor separou Arão para ser seu sumo sacerdote. E o povo está ocupado com a adoração de um ídolo no exato momento em que Deus dá a Moisés as plantas para o Tabernáculo, seu lugar especial de habitação junto a seu povo. Isso é o mesmo que cometer adultério na lua-de-mel! Que coisa terrível! No momento em que o Senhor traz Israel para si com mais ternura e cuidado, eles o traem da forma mais clara e categórica. Depois, Deus deixa clara a seriedade desse pecado — e, ao mesmo tempo, testa Moisés — quando diz para ele: "Agora, pois, deixa-me, que o meu furor se acenda contra eles, e os consuma; e eu farei de ti uma grande nação" (32.10). Qual foi a resposta de Moisés a essa oferta tentadora? Qual seria a sua? Imagine que o Senhor lhe diga: "Essa sua igreja é muito pecadora. Eu a eliminarei e estabelecerei um novo povo para você". Bem, parece que Moisés pensava mais no nome de Deus que no seu próprio (por isso, mais adiante, o Pentateuco fala a respeito dele: "E era o varão Moisés mui manso, mais do que todos os homens que havia sobre a terra" [Nm 12.3]).

Veja as palavras de Moisés:

> Por que hão de falar os egípcios, dizendo: Para mal os tirou, para matá-los nos montes e para destruí-los da face da terra? Torna-te da ira do teu furor e arrepende-te deste mal contra o teu povo. Lembra-te de Abraão, de Isaque e de Israel, teus servos, aos quais por ti mesmo tens jurado e lhes disseste: Multiplicarei a vossa semente como as estrelas dos céus e darei à vossa semente toda esta terra, de que tenho dito, para que *a* possuam por herança eternamente (Êx 32.12,13).

O que você acha disso? Moisés quer ensinar a Deus? Acho que parece que Moisés começa a entender o que o Senhor está fazendo com seu povo.

A seguir, ele desceu do monte e, quando realmente viu o que estava acontecendo, "acendeu-se [seu] furor", segundo a ARC, ou "irou-se", segundo a NVI. E ele "arremessou as tábuas das suas mãos, e quebrou-as ao pé do monte" (32.19). Depois, Moisés toma medidas para punir o povo. Três mil foram executados pela espada, e o Senhor abateu muitos mais com uma praga. Parece que Deus até distinguia quem era seu povo de verdade, e os que apenas exteriormente pareciam ser. A sua intenção era ter um povo visível e visivelmente aliado a Ele.

A seguir, lemos:

> E aconteceu que, no dia seguinte, Moisés disse ao povo: Vós pecastes grande pecado; agora, porém, subirei ao Senhor; porventura, farei propiciação por vosso pecado. Assim, tornou Moisés ao Senhor e disse: Ora, este povo pecou pecado grande, fazendo para si deuses de ouro. Agora, pois, perdoa o seu pecado; se não, risca-me, peço-te, do teu livro, que tens escrito (32.30-32).

Observe, mais uma vez, a humildade de Moisés. Ele pensa nos outros antes de em si mesmo.

No capítulo 34, renova-se a aliança. E nos capítulos 35—40, constrói-se o Tabernáculo de acordo com as instruções apresentadas nos capítulos 25—31. Deve-se dizer que, após a renovação da aliança, relatada no capítulo 34, o povo obedece e constrói o Tabernáculo totalmente de acordo com as instruções de Moisés. Parece que não se esquecem de nenhum detalhe. Nos capítulos anteriores, o Senhor falou a Moisés, dando-lhe instruções, em relação ao Tabernáculo e ao mobiliário deste dizendo: "Atenta, pois, que o faças conforme o seu modelo, que te foi mostrado no monte".[3] De acordo com a afirmação final do capítulo 39, o povo fez isso: "Conforme tudo o que o Senhor ordenara a Moisés, assim fizeram os filhos de Israel toda a obra. Viu, pois, Moisés toda a obra, e eis que a tinham feito; como o Senhor ordenara, assim a fizeram; então, Moisés os abençoou" (39.42,43). Eles continuariam a ser o povo particular de Deus, separado de todos os outros povos da terra.

Deus garante-lhes sua presença especial. Claro que a coisa que mais distinguia o povo de Israel dos outros povos da terra — o ponto central do significado de ser o povo de Deus — é a sua presença especial com eles. Essa verdade vem especificamente à tona como conseqüência do fiasco com o bezerro de ouro. No início do capítulo 33, o Senhor instruiu Moisés para levar o povo à Terra Prometida. Ele assegurou que enviaria um anjo para ir à frente deles a fim de garantir o sucesso da jornada, porém, Ele disse: "Eu não subirei no meio de ti, porquanto *és* povo obstinado" (33.3). Não quero ser desrespeitoso com essa observação, mas qualquer pai pode entender esse sentimento de Deus. Ele ama seu povo com carinho, mas percebe que não pode habitar com eles por causa da desobediência. Qual foi a reação do povo ao ouvir isso? Veja a humildade deles: Eles não foram desafiadores. Não ficaram centrados em si mesmos. Eles se entristeceram. Em outras palavras, eles tacitamente admitiram a legitimidade da acusação de Deus e lamentaram. Por isso, Moisés voltou até o Senhor e disse:

> Se a tua presença não for conosco, não nos faças subir daqui. Como, pois, se saberá agora que tenho achado graça aos teus olhos, eu e o teu povo? Acaso,

não é por andares tu conosco, e separados seremos, eu e o teu povo, de todo o povo que há sobre a face da terra (33.15,16)?

Você percebe que Moisés toca no cerne do que é ser santo e especial? Com certeza, não são as circunstâncias, nem os eventos, nem mesmo a obediência deles que os torna especiais. No âmago, a santidade deles é um reflexo da presença especial de Deus entre eles. Isso é o que significa ser o povo de Deus.

Bem, o Senhor diz que estará com eles. Eles dão muita atenção ao desenho do Tabernáculo, embora tenham de levar em consideração a sua santidade e a pecaminosidade deles quando forem habitar juntos. O Tabernáculo é uma coisa muito interessante. Não podemos nos demorar muito aqui, mas pense a respeito disso por um momento. O Tabernáculo é um local muito especial a respeito do qual Deus conferiu instruções precisas, até em relação a sua localização no meio do acampamento israelita. Por um lado, ele em si mesmo simboliza a presença especial de Deus entre seu povo. Ele não prometeu a nenhuma outra nação a bênção de habitar entre elas. Por isso, o povo devia ser fiel apenas a Ele (por isso, Ele advertiu contra casamentos com estrangeiros, pois sabia que as esposas estrangeiras desviaram o marido para deuses estrangeiros — 34.16). Por outro lado, a própria planta do Tabernáculo lembra a Israel de seus pecados. Ele deve ser construído e mantido com cuidado e servido por indivíduos especialmente separados para isso. No Tabernáculo exige-se a oferta de sacrifícios pelos pecados das pessoas. E restrições específicas indicam quais pessoas podem se aproximar dos locais mais santos, ou seja, do Santo dos Santos. Isso lembra aos israelitas que o Deus que habita com eles, a quem pertencem, ao contrário deles, é perfeitamente santo. Os seus pecados os separam dEle, embora Ele habite com eles. Contudo, são chamados a ser separados dos povos à sua volta e dos pecados deles mesmos. Tudo isso se parece com o que a ceia do Senhor significa para nós. Ela lembra-nos da presença de Cristo conosco, mas também nos lembra de nossos pecados.

Deus pretende que nós, seu povo, sejamos diferentes do mundo a nossa volta. Com isso, Ele não pretende parecer arbitrário, como se tivesse um aperto de mão especial ou usasse uma linguagem peculiar. Não, para Ele o mais importante é que sejamos o reflexo do seu caráter. Que nos preocupemos com a justiça, que tenhamos boa-vontade para nos dar, que amemos e cuidemos de nossos inimigos e dos que nos ferem. Somos marcados como o povo de Deus porque compartilhamos o seu caráter. Oh, amigo, deixe-me exortá-lo a viver assim. Por que você não faria isso? A popularidade entre os homens é algo muito superficial para impedi-lo de seguir a Deus em obediência. Você deixará de obedecer ao Senhor apenas porque Ele o chama a viver de uma forma distinta que pode não ser popular entre os que estão a sua volta? A popularidade transitória junto a um grupo efêmero de amigos nunca se igualará ao prazer que Deus sente ao partilhar com as pessoas feitas à sua imagem, regeneradas pelo seu Espírito e que vivem de acordo com o seu caráter. O seu povo foi chamado para ser santo, especial e distinto. O Senhor é um Deus distintivo e trabalha soberanamente para salvar o seu povo.

Você acha que conseguiu conhecer a história de Êxodo? Façamos uma rápida revisão:

Capítulos 1—4 descrevem as circunstâncias do nascimento e do chamado de Moisés.

Capítulos 5—15 registram a confrontação de Moisés com Faraó, as pragas e o próprio Êxodo.

Capítulos 16—18 relatam os três meses de jornada até o monte Sinai.

Capítulos 19—23 detalham a aliança inicial feita no monte Sinai por ocasião do recebimento dos Dez Mandamentos.

Capítulos 24—31 falam a respeito dos quarenta dias e noites de Moisés no monte Sinai e das instruções de Deus em relação ao Tabernáculo.

Capítulo 32 descreve o horrível incidente do bezerro de ouro.

Capítulos 33—34 apresentam a conseqüência desse incidente e a renovação da aliança.

E os capítulos 35—40 finalizam com a meticulosa obediência do povo às instruções de Deus para a construção do Tabernáculo.

Isso é Êxodo.

Você sente que conhece a mensagem do livro? Deus trabalha soberanamente para salvar um povo especial. Essa é a história do livro. Espero que você perceba isso. Todavia, não compreenderemos a mensagem total de Êxodo a menos que observemos mais um ponto crucial.

DEUS OPERA COM SOBERANIA PARA SALVAR UM POVO PARTICULAR PARA SUA GLÓRIA

Deus opera com soberania para salvar um povo particular para sua glória. Acima de tudo, ao longo de Êxodo, o Senhor visa mostrar sua glória. No entanto, você apenas aprenderá isso ao ler o livro. Todas as histórias ou filmes populares que recontam a história de Êxodo, desde Os Dez Mandamentos, de Cecil B. DeMille, ao O príncipe do Egito, deixam totalmente de lado esse ponto. Em geral, apresentam o povo hebreu como um tipo dos colonizadores norte-americanos ou dos escravos afro-americanos. Moisés é uma espécie de combinação de Washington e Jefferson, de Frederick Douglas e Abraham Lincoln, libertador e legislador, preocupado acima de tudo com a liberdade humana. Todavia, a preocupação primordial dessa história não é a liberdade humana. Talvez ela tenha umas poucas implicações que tendem para essa direção, mas esse não é o ponto do livro.

Na verdade, Êxodo desafia diretamente a noção de que Deus faz tudo por causa da raça humana. O homem não é o propósito supremo da criação, mas sim a glória de Deus! Façamos mais um rápido passeio pelo livro a fim de garantir que você apreenda esse ponto principal. Podemos dizer que o livro inteiro tem o intuito de estabelecer a própria fama de Deus! Você vê isso em todas as passagens. Acho que você, se ainda não tinha percebido isso, mudará a forma de ler Êxodo, e talvez toda a Bíblia.

De início, por que Deus chama Moisés para tirar os israelitas do Egito? "E eu vos tomarei por meu povo, e serei vosso Deus; e sabereis que eu sou o Senhor, vosso Deus, que vos tiro de debaixo das cargas dos egípcios" (6.7; grifo do autor). O propósito é que os israelitas reconheçam Jeová como o Deus deles.[4]

Por que Deus endurece o coração de Faraó, a fim de que ele se oponha aos seus próprios planos?

> Eu, porém, endurecerei o coração de Faraó, e multiplicarei na terra do Egito os meus sinais e as minhas maravilhas. Faraó, porém, não vos ouvirá; e eu porei a mão sobre o Egito e tirarei os meus exércitos, o meu povo, os filhos de Israel, da terra do Egito com grandes juízos. *Então, os egípcios saberão que eu sou o Senhor,* quando estender a mão sobre o Egito e tirar os filhos de Israel do meio deles (7.3-5; grifo do autor).

O propósito é que os egípcios reconheçam Jeová como Deus.

Por que, em meio à praga das rãs, Moisés pediu que Faraó estabelecesse a data para Deus remover as rãs do Egito? Você percebeu isso? Faraó responde ao pedido de Moisés: "Amanhã". Então, Moisés replica: "Seja conforme a tua palavra, para que saibas que ninguém há como o Senhor, nosso Deus" (8.10; grifo do autor). O seu propósito era que Faraó reconhecesse que apenas Jeová é Deus.

Em meio à praga da chuva, e da saraiva, e dos trovões, por que Deus disse a Faraó que o estava pressionando tanto? "Porque esta vez enviarei todas as minhas pragas sobre o teu coração, e sobre os teus servos, e sobre o teu povo, para que saibas que não há outro como eu em toda a terra" (9.14; grifo do autor). Lembre-se de que Ele diz isso a um homem cuja nação tinha tantos deuses quanto nossa igreja tem pessoas. Esse livro promete a libertação misericordiosa da adoração falsa para a adoração do único Deus verdadeiro.

No capítulo 9, encontramos uma das afirmações mais claras da Bíblia sobre os propósitos soberanos de Deus. A certa altura, o Senhor disse claramente a Faraó por que o pusera no poder:

> Porque agora tenho estendido a mão, para te ferir a ti e ao teu povo com pestilência e para que sejas destruído da terra; mas deveras para isto te mantive,

para mostrar o meu poder em ti e *para que o meu nome seja anunciado em toda a terra* (9.15,16).[5]

Moisés volta a esse ponto quando diz a Faraó o momento exato em que acabará a praga da chuva, e da saraiva, e dos trovões: "Em saindo da cidade, estenderei as mãos ao Senhor; os trovões cessarão, e não haverá mais saraiva; para que saibas que a terra é do Senhor" (9.29; grifo do autor).

E por que as pragas não terminam nesse ponto? Afinal, alguns versículos atrás, Faraó soara arrependido: "Esta vez pequei!" (9.27). Todavia, o seu arrependimento não é duradouro. Deus tem propósitos adicionais para ele. Leia de novo o início do capítulo 10:

> Depois, disse o Senhor a Moisés: Entra a Faraó, porque tenho agravado o seu coração e o coração de seus servos, para fazer estes meus sinais no meio deles, e *para que contes aos ouvidos de teus filhos e dos filhos de teus filhos* as coisas que fiz no Egito e os meus sinais que tenho feito entre eles; *para que saibais* que eu sou o Senhor (10.1,2; grifo do autor).

E, mais uma vez, no capítulo 11, por que Faraó continua recusando-se a ouvir ao Senhor, embora isso traga desastre para si mesmo e para sua nação? "O Senhor dissera a Moisés: Faraó vos não ouvirá, *para que as minhas maravilhas se multipliquem na terra do Egito*" (11.9; grifo do autor).

Nos capítulos 14—15, essas afirmações atingem seu ápice. Deus fez com que faraó mudasse de idéia depois de soltar os israelitas: "E eu endurecerei o coração de Faraó, para que os persiga, *e serei glorificado* em Faraó e em todo o seu exército; e *saberão os egípcios que eu sou o Senhor* (14.4; grifo do autor). Os israelitas vêem a aproximação dos egípcios, porém, Moisés assegura-lhes: "Não temais; estai quietos *e vede* o livramento do Senhor, que hoje vos fará; porque aos egípcios, que hoje vistes, nunca mais vereis para sempre (14.13; grifo do autor). Então, o Senhor faz com que os egípcios entrem no mar Vermelho para ir atrás dos israelitas:

> E eis que endurecerei o coração dos egípcios para que entrem nele atrás deles; e *eu serei glorificado* em Faraó, e em todo o seu exército, e nos seus carros, e nos cavaleiros, *e os egípcios saberão que eu sou o Senhor*, quando for glorificado em Faraó, e nos seus carros, e nos seus cavaleiros (14.17,18; grifo do autor).

Os israelitas chegam à mesma conclusão ao olhar o exército egípcio se afogar: "E viu Israel a grande mão que o Senhor mostrara aos egípcios; *e temeu o povo ao Senhor* e creu no Senhor e em Moisés, seu servo" (14.31; grifo do autor).

Em todos esses episódios, Deus ganha a reputação que deseja e que merece entre as criaturas feitas a sua imagem. No capítulo 15, o cântico comemorativo de Moisés exulta com a glória única de Deus: "*Ó Senhor, quem é como tu entre os deuses?* Quem é como tu, glorificado em santidade, terrível em louvores, operando maravilhas?" (15.11, grifo do autor). E alguns versículos adiante:

> *Os povos o ouvirão, eles estremecerão;*
>   apoderar-se-á uma dor dos habitantes da Filístia.
> Então, os príncipes de Edom se pasmarão,
>   dos poderosos dos moabitas apoderar-se-á um tremor,
> derreter-se-ão todos os habitantes de Canaã.
> Espanto e pavor cairá sobre eles;
>   pela grandeza do teu braço
>   emudecerão como pedra;
>   até que o teu povo haja passado, ó Senhor,
>   até que passe este povo que adquiriste
> (15.14-16, grifo do autor).

Claro que foi por isso que o Senhor, soberanamente, colocou seu povo no Egito; na conclusão de nosso estudo de Gênesis, foi o que pensamos a respeito de José ser sepultado no Egito. Por que Ele deixou José ali? Porque o Egito tinha muito poder. Porque o Egito era o palco perfeito para Deus mostrar sua glória. Que benefício Deus teria no triunfo sobre tribos nômades ou sobre alguma nação menor, se o seu propósito era tornar seu poder conhecido e ter grande fama? Quando Deus, levou José e os filhos de Israel para o Egito, preparava o palco em que mostraria sua glória para que fosse testemunhada por todo o mundo.

E Deus pretende que as obras desse livro sejam recontadas a fim de que sua glória continue a ser enaltecida e ampliada. O capítulo 18 é um dos primeiros a recontar essas obras, quando Moisés encontra seu sogro, Jetro, no deserto. Repare na reação de Jetro ao ouvir o que o Senhor fizera:

> E Moisés contou a seu sogro todas as coisas que o Senhor tinha feito a Faraó e aos egípcios por amor de Israel, e todo o trabalho que passaram no caminho, e como o Senhor os livrara.
> E alegrou-se Jetro de todo o bem que o Senhor tinha feito a Israel, livrando-o da mão dos egípcios. E Jetro disse: Bendito seja o Senhor, que vos livrou das mãos dos egípcios e da mão de Faraó; que livrou a este povo de debaixo da mão dos egípcios. *Agora sei que o Senhor é maior* que todos os deuses (18.8-11a; grifo do autor).

Essa é a mensagem de Êxodo: o Senhor — Jeová — é maior que todos os outros deuses. Deus trabalhou soberanamente para salvar um grupo especial de pessoas a fim de que observemos sua grandeza. Ele não é apenas outra projeção das esperanças do homem ou de ideais filosóficos. O Senhor age no tempo e no espaço, portanto, podemos ver seu poder e adorar sua majestade.

Deus trabalha soberanamente para salvar um povo particular para a sua glória. Ele fez isso e ainda faz hoje. Isso é o que Ele faz na igreja!

Conclusão

Êxodo é um livro maravilhoso, não é mesmo? É cheio de riquezas acerca de Deus, sobre quem e como Ele é. Os cristãos sempre souberam sobre o livro de Êxodo e sempre o amaram. Você quer saber como deve viver? Faça como os cristãos têm feito há dois mil anos, leia Êxodo e memorize os Dez Mandamentos. Jesus, Paulo e Tiago voltaram-se para esses mandamentos e os ensinaram. Eles viam esse livro como legislador. Estêvão e Paulo voltaram-se para o Êxodo a fim de entender por que o povo de Deus não o aceitava como o Messias. Em Êxodo, encontraram os meios para responder a essa questão. Aprenderam que o povo de Deus sempre foi teimoso. O fato de sermos o seu povo não diz nada de bom a respeito da nossa natureza ou de nós mesmos. Somos seu povo apenas pela graça, pois nossa natureza é totalmente predisposta ao mal e à desobediência. Em Êxodo, Estêvão e Paulo descobriram por que o povo de Deus o rejeita, porém, mesmo por trás dessa rejeição, o Senhor tem algum propósito soberano.

É evidente que nem tudo em Êxodo é tão claro assim. No capítulo 34, no final do fiasco do bezerro de ouro, encontramos algo que chamo de o enigma do Antigo Testamento:

> E o Senhor desceu numa nuvem e se pôs ali junto a ele [Moisés]; e ele apregoou o nome do Senhor. Passando, pois, o Senhor perante a sua face, clamou: JEOVÁ, o Senhor, Deus misericordioso e piedoso, tardio em iras e grande em beneficência e verdade; que guarda a beneficência em milhares; que perdoa a iniqüidade, e a transgressão, e o pecado; que ao culpado não tem por inocente; que visita a iniqüidade dos pais sobre os filhos e sobre os filhos dos filhos até à terceira e quarta geração (34.5-7).

Como pode ser isso? Como Deus pode "perdoa[r] a iniqüidade, e a transgressão, e o pecado"? Realmente, esse é o enigma de todo o Antigo Testamento.

Êxodo não responde totalmente a essa pergunta. Temos de ultrapassar os limites desse livro para encontrar essa resposta. O Evangelho de João apresenta a paixão de Cristo onde os judeus pedem a Pilatos que quebre as pernas dos crucificados. Eles não queriam que os corpos ficassem dependurados durante o sábado e, quando se quebrava as pernas, apressava-se a morte, porque isso levava à asfixia. Os soldados não quebraram as pernas de Jesus porque viram que já estava morto. Jesus já entregara seu Espírito. João declara: "Porque isso aconteceu para que se cumprisse a Escritura, que diz: Nenhum dos seus ossos será quebrado" (Jo 19.36). João refere-se a que Escritura? Sim, a Êxodo 12 em que Deus instrui Moisés a respeito da ceia de Páscoa em comemoração à salvação do povo na praga do primogênito. O Senhor disse a Moisés em relação ao cordeiro da Páscoa morto no lugar dos primogênitos: "Nem dela quebrareis osso" (Êx 12.46). O evangelista João, quando escreveu a respeito da morte de Jesus, tinha essa passagem em mente.

João e os cristãos primitivos sabiam que Cristo é o Cordeiro da Páscoa que morreu por nós. Paulo afirma: "Porque Cristo, nossa páscoa, foi sacrificado por nós" (1 Co 5.7). Nosso pecado invoca a justa ira de Deus. Contudo, se nos arrependemos e cremos na morte expiatória de Cristo — se o vemos como o nosso Cordeiro da Páscoa — o julgamento justo de Deus nos ignorará e se aplicará a Ele. Nossos pecados são perdoados. O maior ato de salvação de Deus no Antigo Testamento foi a do povo de Israel, relatada em Êxodo. Todavia, esse ato apenas aponta para seu maior ato de salvação: a salvação de seu povo por meio da substituição de Cristo como o Cordeiro da Páscoa, Ele morre em nosso lugar para que possamos viver para a glória eterna dEle.

E o fim supremo de tudo isso é a glória de Deus! O Senhor quer que toda sua criação o veja como Ele é, lhe agradecendo, temendo, obedecendo, louvando e amando. Êxodo é a respeito disso. Isso desafia nossa noção de Deus como um servo passivo e igualitário, não é mesmo? De acordo com Êxodo, o Senhor salva, soberanamente, um povo particular para a sua glória.

Por isso, Deus restaurou as circunstâncias da vida dos israelitas e faz o mesmo com você. Você ainda não está morto. A história de sua vida ainda não terminou. Talvez esteja no mesmo ponto de sua vida em que os israelitas estavam nos últimos anos de escravidão antes da vinda de Moisés, quando labutavam arduamente. Não perca a esperança! Não desista da fé nas promessas de Deus. Oro para que você também aprenda a temer, a servir e a amar apenas a Ele — não para sua glória e fama pessoal, mas para a dEle. Em Êxodo, vemos a sua glória e, em Cristo, de forma ainda mais clara, e, hoje, ela aparece na vida do seu povo. Que responsabilidade! Que privilégio! Que outro motivo teríamos para viver?

Oremos

Querido Deus, percebemos, quando nos contemplamos, que não há outro motivo para o Senhor nos salvar a não ser sua glória. Não podemos salvar a nós mesmos. Não há nada de especial em nós, nada que nos separe dos outros. E, honestamente, Senhor, sabemos, depois de danificarmos sua imagem e de pecarmos contra o Senhor, que não há nada, nem depende de nós para que sua glória seja manifestada. Todavia, Deus, sua demonstração de amor e de perseverança por nós, a ponto de matar seu Filho, ganha a confiança de nosso coração em seus propósitos, mesmo quando não os entendemos totalmente. Oh, Deus, quando nossa mente não conseguir totalmente liderar nosso caminhar, oramos para que nosso coração seja vencido pelo amor ao Senhor à medida que vermos, em Cristo, seu amor por nós. Oramos para sua glória por intermédio de Jesus Cristo, nosso Senhor, nosso Cordeiro da Páscoa morto por nós, para que o Senhor faça isso em nosso coração. Amém.

Questões para Reflexão

1. No início deste estudo, ligamos a linha da história de toda a Bíblia à citação de Shakespeare: "O mundo todo é um palco. Todos os homens e mulheres são atores e nada mais..." Se isso é verdade, quem escreve e dirige a peça? Você pode resumir em um parágrafo toda a história encenada nas Escrituras? Você tem um papel neste drama?
2. Leia Gênesis 15.13-16 e medite a respeito do fato de que Deus falou essas palavras centenas de anos antes do Êxodo. A seguir, pense sobre a escravidão dos israelitas e do assassinato de todos os meninos judeus. Deus estava em seu trono durante esses atos terríveis? Por que não fez nada para impedi-los? O que significa dizer que Deus era "soberano" em meio a esses eventos?
3. Depois de responder à pergunta 2, como você vê as tragédias que ocorrem em sua vida? Pense em alguma tragédia ou conjunto de circunstâncias difíceis recentes que você vivenciou. É possível que Deus tenha planejado essas circunstâncias específicas para você? Se sim, por que isso é reconfortante?
4. Como vimos, Moisés era um assassino, o rei Davi também. E Saul (mais tarde, o apóstolo Paulo) não era pouquinho. Por que você acha que Deus chama pessoas tão improváveis? Você vê seu próprio chamado como algo provável ou improvável? É mais difícil para Deus perdoar um assassino do que a você? Explique.
5. Como nós, cristãos, consideramos o mérito de nossa posição como de filhos de Deus? Como essa atitude injusta se reflete em nossas igrejas?
6. Como vimos, muitas vezes, Moisés intercedia junto a Deus em favor do povo pecador. Quem é o seu Moisés?
7. Em última instância, Deus salvou seu povo do Egito, endureceu o coração de Faraó e realizou muitos milagres para a glória dEle. Isso faz com que o Senhor seja vaidoso? Por quê?
8. Por que nossa obediência glorifica a Deus?

9. Que qualidades caracterizam uma igreja centrada na glória de Deus? Qual é a aparência de uma igreja assim? Quais são as características de uma igreja que não é centrada na glória de Deus?
10. Qual a importância do Cordeiro da Páscoa na história de Êxodo? O que Paulo quis dizer com a referência a Jesus como nosso Cordeiro Pascal (I Co 5.7)? Qual a importância do Cordeiro Pascal do Novo Testamento em nossa vida?
11. Qual é o enigma do Antigo Testamento que encontramos em Êxodo (veja Êx 34.5-7)? Como Cristo decifra esse enigma?

Notas

Capítulo 2

[1] A data de pregação original deste sermão foi em 27 de janeiro de 2002, na Capitol Hill Baptist Church, em Washington, D. C.

[2] Embora isso inclua outras mortes pelas quais a pessoa seja responsável (cf. 21.14-17,23,29).

[3] Cf. 25.9,40; 26.30; 27.8.

[4] Quando as traduções bíblicas mais recentes apresentam o termo "Senhor" em versal/versalete, corresponde à palavra hebraica YHWH, em geral, traduzido por Iavé ou Jeová, o nome que Deus usa para si mesmo.

[5] Embora, às vezes, os cristãos questionem o que Paulo declara em Romanos 9.17, ele apenas cita o que o Senhor disse em Êxodo 9!

A MENSAGEM DE LEVÍTICO: "NÃO SE TE MOSTRA AMIGO O MUNDO E, MENOS AINDA, A LEI DO MUNDO"

ONDE ENCONTRAR A RESPOSTA?

INTRODUÇÃO A LEVÍTICO

O POVO DE DEUS É DISTINTO, POR ISSO, DEVERIA TER UMA VIDA SANTA
- *Os Sacerdotes São especialmente Distintos*
  - Tarefas Especiais
  - Provisões Especiais
  - Julgamento Especial

- *Todo o Povo Deve Ser Distinto*
  - Limpeza e Ritual de Purificação
  - Santidade

O POVO DE DEUS É PECADOR, POR ISSO, DEVERIA OFERECER SACRIFÍCIOS
- *Pecadores Necessitam de Sacrifício*
- *Pecadores Necessitam e Expiação*
  - O Dia da Expiação
  - Cristo

CONCLUSÃO

CAPÍTULO 3

A Mensagem de Levítico:
"Não se te Mostra Amigo o Mundo e, menos ainda, a Lei do Mundo"

Onde Encontrar a Resposta?[1]

"Não se te mostra amigo o mundo e, menos ainda, a lei do mundo." No último ato do que talvez seja a peça mais famosa de Shakespeare, *Romeu e Julieta*, Romeu disse essas palavras a um pobre farmacêutico que não sabia se podia vender-lhe a poção que acabaria com sua dor e o uniria a Julieta, que ele pensava estar morta. A lei proibia a venda. Romeu tira vantagem da pobreza do farmacêutico e dobra a situação a sua vontade. Ele, segurando quarenta moedas de ouro, admoesta e compartilha, argumenta e solidariza-se com o pobre homem a fim de que lhe dê a poção que deseja:

> *És tão nu e tão cheio de misérias,*
> *e a morte ainda receias? Tens a fome nas faces;*
> *as angústias e o infortúnio de fome em teu olhar estão morrendo;*
> *do dorso pendem-te a miséria e a ofensa.*
> *Não se te mostra amigo o mundo e, menos ainda, a lei do mundo.*
> *Em todo o mundo não há uma lei para deixar-te rico.*
> *Não sejas pobre, então; passa por cima da lei e toma isto*
> (V.i.68-74).

Romeu diz que o mundo e a lei estão contra o farmacêutico, portanto ele precisa cuidar de si mesmo. O pobre farmacêutico não é o único que já sentiu as correntes secundárias da obrigação e do desejo puxando em direções opostas. Quantos de nós já não se viu perseverando em uma direção enquanto era puxado para outra? Hoje, o mundo parece ser seu amigo?

Tenho outra história para lhe contar, caso sinta-se confuso com as direções que tem no coração. Ela envolve uma tragédia mais profunda que qualquer uma já escrita por Shakespeare, contudo termina plena de alegria e de triunfo. Se você nunca a leu, quero apresentá-lo à grande história da Bíblia. É uma história verídica. É história de como Deus fez o mundo e o que faz em sua vida e para o quê Ele o chama a ser e a fazer. Neste estudo, examinaremos essa história. Este mundo e suas leis não respondem às maiores questões sobre a vida. Para conseguir essa resposta temos de voltar-nos para o que Deus está fazendo neste mundo.

Introdução a Levítico

Nestes últimos estudos, examinamos o que é conhecido como "Pentateuco", ou os cinco primeiros livros do Antigo Testamento (penta significa cinco; e teuco, livro). Já examinamos Gênesis e Êxodo. Hoje, voltamos-nos para Levítico. Preciso dizer-lhes que esse não é um sermão comum. Em geral, prego a partir de uma passagem menor, não de um livro inteiro. Às vezes, é bom para igreja pegar um livro inteiro da Bíblia de uma vez, porque assim temos uma visão panorâmica das coisas que não conseguimos quando estamos muito perto delas. Os padrões emergem, e os temas ficam mais visíveis do que quando examinamos apenas uma frase ou um parágrafo. Isso significa que folhearemos bastante, para cá e para lá, o livro de Levítico.

Não sei o que você pensa quando ouve a palavra "Levítico". Talvez você o confunda com o Leviatã, de Thomas Hobbes, se nunca leu Levítico. Ou talvez pense na calça jeans Levis. Ou talvez não pense em nada, apenas o nome lhe pareça obscuro. Talvez ele ainda soe obscuro para você após a leitura a respeito dos sacerdotes, dos sacrifícios e um monte de regras. Levítico é assim. Ele tem algumas passagens famosas. Por exemplo, você sabia que o nome da America's Liberty Bell (Sino da Liberdade da América) vem desse livro? Se você já viu o sino, na Filadélfia, provavelmente, leu as palavras inscritas nele: "'Apregoareis liberdade'; Levítico 25.10". A frase é desse livro!

Admito que o livro é formidável. Como você pode verificar em sua Bíblia, ele é o terceiro livro do Antigo Testamento. Leva-se cerca de três horas para lê-lo de uma vez só. Como encorajei a leitura de Gênesis e de Êxodo para sua família reunida, faço o mesmo em relação ao livro de Levítico, leiam-no juntos. É a Palavra de Deus e, sem dúvida, é muito melhor que gastar horas em frente à televisão. Apenas esteja ciente de que ele não se estrutura em torno de uma linha histórica como Gênesis e Êxodo, e seus filhos podem fazer inúmeras perguntas incomuns. Mas sempre é bom para os filhos ouvirem mamãe e papai dizerem: "Não sei".

Como já disse, Levítico não tem muita narrativa. Em sua maior parte contém as instruções que Deus deu a Moisés quando o povo de Israel estava acampado aos pés do monte Sinai. Lembre-se, o povo permaneceu no monte Sinai cerca de um ano após o recebimento dos Dez Mandamentos. E o primeiro versículo e o último de Levítico contam-nos de forma muito bonita o conteúdo do livro. Bem no início, declara: "E chamou o Senhor a Moisés e falou com ele da tenda da congregação" (1.1). Se passarmos para o último versículo, lemos: "Estes são os mandamentos que o Senhor ordenou a Moisés, para os filhos de Israel, no monte Sinai" (27.34).

O que aprendemos com todo esse ensinamento divino? Muito! Providencialmente, recebi, essa semana, pelo correio uma cópia de uma publicação da Christianity Today intitulada Leadership Journal, dedicada a pastores e líderes de igreja. A edição continha um artigo chamado "Preaching in Leviticus for a Year" [A pregação de Levítico por um ano]. Em Michigan, alguns pastores fundaram uma igreja e gastaram seu primeiro ano de existência na pregação de todo o livro de Levítico. Como o autor mesmo declara: "Vivi em Levítico" por um ano, e, aparentemente, sua congregação amou isso. Portanto, você pode encontrar muitas coisas interessantes em Levítico. Neste estudo, quero apenas destacar as duas coisas principais que podemos tirar do livro. Primeiro, vemos que o povo de Deus é distinto, por isso, deve levar uma vida santa. Segundo, vemos que ele é pecador e, por isso, deve oferecer sacrifícios. Oro para que você perceba o que essas duas verdades significam para sua vida.

O Povo de Deus é Distinto, por isso, Deveria Ter uma Vida Santa

Primeiro, vemos que o povo de Deus é distinto e, por isso, deve ter uma vida santa. O livro de Levítico divide-se em muitas seções principais. Os capítulos 1—7 descrevem os vários tipos de sacrifícios que as pessoas devem oferecer. Os capítulos 8—10 enfatizam a preparação de Arão, irmão de Moisés, como sumo sacerdote. Os capítulos 11—15 resumem as leis de pureza e de purificação. E os capítulos 17—27 enumeram diversas leis sobre santidade. Todavia, quero iniciar com uma história, da seção do meio, devotada a um grupo especial de pessoas na nação, as quais devem obedecer a exigências especiais — os sacerdotes.

Os Sacerdotes São especialmente Distintos

Como disse, não há muitas histórias em Levítico, porém, as poucas apresentadas são notáveis, como essa a respeito dos filhos de Arão, Nadabe e Abiú. Assim como o pai que era o sumo sacerdote, eles também eram sacerdotes:

E os filhos de Arão, Nadabe e Abiú, tomaram cada um o seu incensário, e puseram neles fogo, e puseram incenso sobre ele, e trouxeram fogo estranho perante a face do Senhor, o que lhes não ordenara. [Não sabemos o que é o fogo estranho. Tudo que sabemos é que é estranho, fato enfatizado pela declaração de Moisés de "que lhes não ordenara"]

Então, saiu fogo de diante do Senhor e os consumiu; e morreram perante o Senhor. E disse Moisés a Arão: Isto é o que o Senhor falou, dizendo:

"Serei santificado naqueles que se cheguem a mim [os sacerdotes] e serei glorificado diante de todo o povo."

Porém Arão calou-se.

E Moisés chamou a Misael e a Elzafã, filhos de Uziel, tio de Arão, e disse-lhes: Chegai, tirai vossos irmãos de diante do santuário, para fora do arraial. Então, chegaram e levaram-nos nas suas túnicas para fora do arraial, como Moisés tinha dito.

E Moisés disse a Arão e a seus filhos Eleazar e Itamar: Não descobrireis as vossas cabeças, nem rasgareis vossas vestes, para que não morrais, nem venha grande indignação sobre toda a congregação; mas vossos irmãos, toda a casa de Israel, lamentem este incêndio que o Senhor acendeu (10.1-6; cf. 16.1).

Agora, qual o sentido dessa história? O que aconteceu? Bem, o entendimento dessa história ajuda a compreensão de Levítico. Deus põe uma tribo inteira de sacerdotes, os levíticos, diretamente no centro do povo que está criando. E os levíticos são chamados a ser distintos de uma forma especial. Eles tinham de ser purificados cerimonialmente, ser inteiros fisicamente (21.5,16-23). Os seus filhos, como os presbíteros cristãos, não podiam se comportar de forma que envergonhasse publicamente o pai (21.9). No entanto, Nadabe e Abiú, como sacerdotes, ao agir de forma contrária à ordem de Deus não cumprem o real propósito do sacerdócio — agir de forma distinta.

Tarefas especiais. Os sacerdotes eram chamados a serem distintos de forma especial porque tinham tarefas especiais. Primeiro, eles realizavam os sacrifícios. O cidadão israelita comum levava o animal a ser sacrificado para o Tabernáculo, e ele mesmo cortava a garganta do animal. Depois que o sangue do animal era drenado, o sacerdote levava o sangue para o altar com utensílios feitos especialmente para o Tabernáculo. Conforme a finalidade do sacrifício, o sacerdote punha o sangue sobre o altar ou na base do altar. A seguir, ele queimaria o resto do animal fora do acampamento a fim de demonstrar a impureza do animal. Havia outros tipos de sacrifícios, como a oferta de manjares, mas seja qual fosse o tipo de sacrifício, o sacerdote era responsável por todas essas tarefas especiais do Tabernáculo.

Levítico menciona apenas uma vez outra tarefa primordial do sacerdote: ensinar. Essa é uma tarefa em que raramente pensamos, mas é muito importante: "Para fazer diferença entre o santo e o profano e entre o imundo e o limpo, e para ensinar aos filhos de Israel todos os estatutos que o Senhor lhes tem falado pela mão de Moisés" (10.10,11). Talvez deixemos de perceber o trabalho de ensinar dos sacerdotes, porque ensinar sobre os sacrifícios na Escola Dominical é algo muito mais dramático! Você pode fazer um esboço do Tabernáculo na lousa e mostrar onde o sangue era posto no altar. Mas se considerarmos a população total de Israel, a maioria dos sacerdotes devia estar envolvida com o ensino. Uma pequena parte dela deve esteve no Tabernáculo — ou, depois, no Templo em Jerusalém — fazendo esses sacrifícios.

Provisões especiais. Os sacerdotes também recebiam uma provisão especial para sua sobrevivência. Eles comiam a carne dos animais usados na maior parte dos sacrifícios. Você percebeu isso? Apenas alguns dos sacrifícios eram totalmente consumidos na própria cerimônia sacrificial, a saber, as "ofertas queimadas". Contudo, a maior parte dos sacrifícios era comida pelo cidadão que trazia o sacrifício e pelos sacerdotes. Era dessa forma que Deus provia para sua tribo sacerdotal. Os cidadãos de todas as outras tribos trabalhavam para ter alimento. Entretanto, o trabalho dos levitas era ensinar a Palavra do Senhor e preservar os sacrifícios do Tabernáculo. Por isso, Deus ajudava-os com esses sacrifícios.

Julgamento especial. No entanto, os sacerdotes — junto com o reconhecimento, as tarefas e os privilégios especiais — recebiam um julgamento especial, o que leva de volta a Nadabe e Abiú. Nadabe e Abiú, como todos os sacerdotes, eram apontados como modelos públicos. Eles tinham de ensinar e de dar o exemplo do que é ser obediente ao Senhor. Todavia, Nabade e Abiú decidiram se aproximar do Senhor de acordo com seu padrão pessoal. Amigo, não podemos nos aproximar do Senhor da forma que nos agrada.

O Senhor até advertiu a Arão, o sumo sacerdote e o homem mais santo da terra, de que ele não podia entrar na presença de Deus da forma que sempre lhe agradasse. O Senhor disse a Moisés: "Dize a Arão, teu irmão, que não entre no santuário em todo o tempo, para dentro do véu [...] para que não morra" (16.2). Adorar esse Deus é uma coisa séria. Ele não está a nossa disposição. Ele não é esse tipo de Deus, e nós não somos esse tipo de pessoa. Esses sacerdotes lidavam com assuntos sérios e deviam ser julgados de forma séria (veja o temor de Arão em 10.19,20).

Não sei como tudo isso soa para você até aqui. Talvez se surpreenda ao aprender esse elaborado sistema de sacerdotes e de sacrifícios instituído por Deus, se não estiver acostumado a ler a Bíblia cristã e, em especial, o Antigo Testamento. Contudo, a Bíblia ensina com clareza que o Senhor provê para o seu povo de uma forma que não seríamos capazes de fazer por nós mesmos. Se você estiver pensando em se tornar cristão, um bom começo é perceber que não tem tudo de que precisa em você mesmo. Como igreja, nosso objetivo não é dizer qualquer coisa que melhore sua auto-estima a fim de que consiga lidar, por conta própria, com qualquer problema que a vida lhe apresente. Na verdade, gostaríamos de economizar seu tempo e dizer-lhe que você não consegue fazer isso. Fomos feitos à imagem de Deus, porém, somos seres caídos. Não temos todas as respostas de que precisamos em nosso interior, inatas e armazenadas, apenas à espera de serem invocadas por alguma questão socrática ou uma epifania de autocompreensão. Se quiser encontrar a Deus, primeiro precisa chegar a seu limite. Primeiro, precisa reconhecer suas limitações, o que pode ou não fazer. Apenas depois disso, você encontrará a Deus. Isso faz sentido para você? Se não fizer, converse com um amigo cristão e continue a ler as Escrituras. Leia o Evangelho de Marcos e medite sobre o que a vida e as palavras de Jesus dizem a respeito de conhecer esse Deus.

Esses sacerdotes levitas, de alguma forma, são como os professores e os presbíteros de nossas igrejas atuais.[2] De outra forma, eles apontam para todos os cristãos. O Novo Testamento chama a igreja cristã de "sacerdócio real", em que todos somos chamados para ser os mediadores entre Deus e o mundo e uns dos outros.[3] Não apenas os pastores, como eu, cuidam dos outros cristãos e compartilham as Boas Novas de Jesus Cristo com os não-cristãos, mas todos nós somos chamados a cuidar uns dos outros e a evangelizar.

Mas é preciso lembrar que os sacerdotes e suas atividades, em sua forma suprema, não apontam para nós, mas para Cristo, nosso Sumo Sacerdote. Como diz o escritor de Hebreus:

> Temos um sumo sacerdote tal, que está assentado nos céus à destra do trono da Majestade, ministro do santuário e do verdadeiro Tabernáculo, o qual o Senhor fundou, e não o homem.
> Porque todo sumo sacerdote é constituído para oferecer dons e sacrifícios; pelo que era necessário que este também tivesse alguma coisa que oferecer. Ora, se ele estivesse na terra, nem tampouco sacerdote seria, havendo ainda sacerdotes que oferecem dons segundo a lei, os quais servem de exemplar e sombra das coisas celestiais, como Moisés divinamente foi avisado, estando já para acabar o Tabernáculo; porque foi dito: Olha, faze tudo conforme o modelo que, no monte, se te mostrou. Mas agora alcançou ele ministério tanto mais excelente, quanto é mediador de um melhor concerto, que está confirmado em melhores promessas (Hb 8.1b-6).

Hoje, no centro do povo de Deus está aquEle que nos torna especiais: Cristo.

Todo o Povo Deve Ser Distinto

Todavia, não eram apenas os sacerdotes que deviam ser especialmente separados. Iniciamos com eles, porque fornecem o quadro mais óbvio do que Deus tenta fazer. Contudo, para entender o que Levítico ensina é necessário ver que o Senhor quer que todo seu povo seja distinto. Penso que, por isso, em Levítico, Nadabe e Abiú não são os únicos a receber julgamento imediato do Senhor. Nesse livro, encontramos um relato de outro homem, cujo nome não é fornecido, membro da tribo de Dã e, portanto, ele não era levita, que também recebeu julgamento imediato do Senhor. O homem descrito como "filho de uma mulher israelita, o qual era filho de um egípcio" envolveu-se em uma briga e, depois, "blasfemou o nome do Senhor e o amaldiçoou". O Senhor disse a Moisés que o homem devia ser apedrejado, e lemos que "leva[ram] o que tinha blasfemado para fora do arraial e o apedreja[ram] com pedras; e fizeram os filhos de Israel como o Senhor ordenara a Moisés" (24.10,11,23). O povo de Deus tem de ser distinto, do contrário, mentem a respeito de quem é o Senhor.

Limpeza e ritual de purificação. Ao longo de Levítico, também vemos uma grande preocupação com questões de limpeza e de rituais de purificação. Como já vimos, Deus disse a Arão: "[Você deve] fazer diferença entre o santo e o profano e entre o imundo e o limpo".[4] Encontramos esse tema em todos os livros da Lei (o Pentateuco), mas em nenhum deles com tanta ênfase como em Levítico. Na Bíblia, mais da metade do uso da palavra "imundo" ocorre em Levítico.

A utilização de um desenho é útil para ajudar a compreensão dessa questão de limpo *versus* imundo: um grande círculo chamado "limpo", no qual devem estar quase todas as coisas da vida. Alguns tipos de alimentos eram declarados imundos e estavam fora do círculo. Algumas coisas limpas podiam sair do círculo e se tornarem imundas em conseqüência de certos atos. Contudo, em geral, a condição de imundo não era irreversível. Muitas coisas imundas podiam ser limpas e trazidas de volta ao círculo. E as coisas imundas não eram necessariamente erradas ou mesmo evitáveis. Com certeza, a pessoa que cometeu atos imorais como adultério, homossexualidade, assassinato e muitas outras coisas enumeradas no livro era imunda; contudo também se considerava imunda a pessoa que teve um aborto natural ou tinha uma doença de pele contagiosa. A pessoa podia se tornar imunda por uma série de atividades em que os israelitas se engajavam diretamente. A preparação do corpo de um morto tornava a pessoa imunda. A pessoa devia preparar o corpo do morto, mas depois tinha de adotar certas medidas para anular os efeitos desse cerimonial imundo. O relacionamento no casamento, a menstruação e o parto deixavam a pessoa imunda, embora não fossem pecado. Tudo isso era bom e certo.

Levítico faz distinção também entre as coisas "santas" e as "profanas", além de entre aquilo que era "limpo" e "imundo". Devemos começar com o pensamento de que tudo — limpo e imundo — é "profano". A seguir, você pode puxar alguma coisa limpa para um círculo menor chamado "santo". O ato de puxar a coisa limpa para o círculo menor chama-se "santificação", isto é, torná-la santa. Tirar a coisa santa do círculo menor — profaná-la — torna-a profana de novo. Além disso, as coisas profanas imundas não podiam ter contato com as santas. A lei estabelecia conseqüências mais graves quando faziam isso. Por exemplo, Deus ordenou que a pessoa imunda que tocasse ou comesse algo santo fosse "extirpada" do seu povo (7.20,21; 22.3). Algumas coisas simplesmente nunca atendiam às exigências. Se você já ligou uma bateria de carro, sabe que ligar o cabo da bateria no pólo errado provoca faíscas, simplesmente porque algumas coisas não devem se tocar. As coisas imundas não deviam nunca tocar as santas. Por isso, Deus instruiu seu povo, vez após vez, para que levassem as coisas imundas para fora do acampamento, pois no meio do campo estava o Tabernáculo do Senhor.[5]

Em Levítico, a lei, do começo ao fim, transmite essa noção básica de que tudo está dividido entre limpo e imundo e entre santo e profano. Por que é assim? Poder-se-ia dizer muito a respeito disso, porém, deixe-me fazer duas observações. Primeiro, isso mostra-nos que Deus não é indiferente em relação a *nada*. Todos os assuntos da vida lhe interessam. Assim, tudo em Israel — absolutamente tudo — era santo ou profano. Com isso, Ele ensinava os israelitas que a vida envolve fazer diferenciações e que não deviam presumir que alguma coisa fosse moralmente neutra. E você, se visse sua vida dessa forma? Ela seria diferente? Seria mais sensível em relação ao que o Senhor realmente valoriza em sua vida? Você se tornaria mais vivo para Ele? Penso que esse seja um dos motivos por que as pessoas gostam de *O peregrino*, de John Bunyan, de *Cartas de um diabo a seu aprendiz*, de C. S. Lewis, ou mesmo dos romances sobre bem-estar espiritual de Frank Peretti. Todos esses livros mostram-nos como os assuntos do dia a dia são muito importantes.

Segundo, Deus preocupa-se muito com a forma como é adorado e recusa-se a permitir que seu povo o adore da mesma forma que nações circunvizinhas adoravam seus falsos deuses. No Oriente Próximo da Antigüidade, os rituais de fertilidade, os cultos de prostituição e os sacrifícios de crianças tinham um papel importante na adoração. Por isso, em Levítico vemos que qualquer coisa que diga respeito à sexualidade, ao nascimento ou à morte humana deixa a pessoa imunda (e.g., 15.16-33; 22.4). E não se pode tocar uma pessoa imunda, ela tem de permanecer separada. Deus não quer que coisas como sacrifício de crianças ou cultos de prostituição sequer aconteçam, menos ainda que façam parte da adoração a Ele. Assim, Ele instituiu essa série de leis para toda a nação, não apenas para os sacerdotes.

Por intermédio dessas regras, o povo começou a perceber que a preocupação do Senhor com a pureza era essencial para entrar e para permanecer em comunhão com Ele. A lei ensina que todas as fases da vida devem ser vividas de forma a agradar ao Senhor. Em certo sentido, as leis eram uma redoma que permitia que a semente da pureza e da santidade crescessem em ambiente hostil.

Santidade. Na última metade de Levítico — capítulos 17—27 — torna-se mais aparente a preocupação de Deus com a santidade. O Senhor quer que todo o seu povo viva como ordenou, assim, reforça os ensinamentos de Êxodo ao mostrar as ramificações dos ensinos anteriores. Não deve haver adoração e idolatria falsas, sacrifício infantil ou feitiçaria.[6] O capítulo 18 apresenta muitos pecados sexuais que são proibidos. Ele chama os israelitas a ter preocupação evidente com o peso honesto dos produtos,[7] com o pobre,[8] com o surdo e o cego,[9] com o velho[10] e com a justiça na lei, principalmente em relação aos estrangeiros entre eles.[11]

Nessa seção de Levítico há instruções magníficas. Veja esse versículo do capítulo 19: "Não amaldiçoarás ao surdo" (19.14a). Isso não é maravilhoso? O surdo não sabe que foi amaldiçoado, mas Deus sabe e não quer que seu povo amaldiçoe o surdo. Ou observe o seguinte versículo: "Não fareis injustiça no juízo; não aceitarás o pobre" (19.15a). Tendemos a pensar que a Bíblia mostra uma preocupação especial com o pobre e que demonstra isso de muitas formas. Até mesmo Levítico apresenta muitas prescrições em relação ao tratamento do pobre, porém, ele não pode estar acima da justiça.

O rico também não deve estar além da justiça. Veja o resto do versículo, caso você seja uma pessoa que se sente tentada a apenas pensar em seu próprio bem-estar e ganho: "Nem respeitarás [mostrar favoritismo] o grande; com justiça julgarás o teu próximo" (19.15b, ênfase do autor). A justiça é cega para a riqueza e a posição social. Ou, talvez, você deva pensar a respeito deste versículo: "Diante das cãs te levantarás, e honrarás a face do velho, e terás temor do teu Deus. Eu sou o Senhor" (19.32). Não é uma bela imagem? Não me importaria se reaprendêssemos essa lição. Na verdade, Levítico apresenta muitas coisas que merecem um exame atencioso.

Na verdade, você sabia que o versículo favorito de Jesus está em Levítico? Podemos, pelo menos, dizer que contém o versículo do Antigo Testamento que Jesus mais citou. No capítulo 19, encontramos as famosas palavras: "Amarás o teu próximo como a ti mesmo" (19.18). Sim, isso é de Levítico! No sermão do monte, Jesus usa esse mandamento para explicar outras ordens da lei.[12] Em sua conversa com o jovem rico, Jesus cita esse mandamento para resumir as outras exigências da lei.[13] E Ele ilustra esse mandamento ao contar uma de suas mais famosas parábolas, a do bom samaritano. Tiago também chama esse mandamento de "lei real" (Tg 2.8), enquanto Paulo diz aos romanos e aos gálatas que esse mandamento resume a lei (Rm 13.9; Gl 5.14).

Você já pensou muito a respeito do fato de o amor ser a raiz e o resumo da lei? Talvez, ao ler Levítico e meditar sobre a lei, você se pergunte o que cada determinação da lei tem a ver com amor. Jesus as entendia dessa forma.

O mandamento para que amemos nosso próximo demonstra que a santidade envolve ter cuidado em não negligenciar a obediência, e não apenas evitar cometer pecado. Muitas vezes, quando a igreja se aproxima de Deus, à mesa do Senhor, para pedir perdão, confessamos nossos pecados com as seguintes palavras: "Fizemos o que não devíamos e deixamos de fazer o que devíamos fazer". Somos culpados tanto de fazer o que não devíamos como de não fazer o que devíamos fazer. O povo de Deus precisa ser marcado não apenas pela santidade do não fazer, mas também pela do fazer! Essa é a forma como você entende a vida cristã? De que ser filho do Senhor significa fazer o que Ele valoriza?

Em Levítico, uma categoria de pecado que muitas vezes surpreende as pessoas, mas que é importante observar, é a do pecado não intencional — o pecado cometido por ignorância ou involuntário. Agora, talvez alguns aspectos de sua visão de mundo apenas desmoronaram com o que eu disse. Muitas pessoas apenas presumem que, por definição, não existe essa coisa de pecado não intencional. Afinal, o pecado diz respeito à intenção do coração, certo? Como, por exemplo, o que Jesus disse, no Sermão do Monte, a respeito de olhar uma mulher com luxúria. Bem, sem dúvida, nossa intenção é um fator crucial, e ela pode ser pecaminosa. Você pode parecer reto, e não ser. Todavia, o pecado é mais que isso. Os capítulos 4 e 5 de Levítico referem-se ao pecado cometido por ignorância. Por exemplo: "E, se alguma pessoa pecar e fizer contra algum de todos os mandamentos do Senhor o que se não deve fazer, ainda que o não soubesse, contudo, será ela culpada e levará a sua iniqüidade".[14]

Você já havia pensado nessa categoria de pecado? Isso é importante, porque nos mostra que o pecado não é fundamentalmente subjetivo. Em sua raiz, não é algo que você faça contra sua consciência, sua natureza ou o que percebe como certo. O pecado, em sua essência, é objetivo. É algo que você faz contra a Lei de Deus. Portanto, a ignorância não é uma desculpa para ele. Claro que isso tem grandes implicações, deixe-me apontar apenas três. Primeiro, você já ouviu um pregador dizer: "Há apenas um pecado imperdoável: não receber o Senhor Jesus Cristo"? Bem, eu entendo o que ele quer dizer com isso, porém, pode dar uma impressão errada. Afora o fato de que a Bíblia nunca disse isso, a afirmação omite o fato de que todos os cristãos, talvez por anos, recusaram ao Senhor Jesus Cristo antes de se converterem. Todavia, até certo ponto, somos perdoados por essa recusa anterior. Por outro lado, as pessoas que morrem sem nunca escutar o evangelho não ficarão diante de Deus e serão julgadas por não terem escutado o evangelho. Não, de acordo com as Escrituras, elas serão julgadas por causa de seus pecados (veja Rm 2.12-16). Mais uma vez, a ignorância não é uma desculpa.

Segundo, saber que podemos pecar sem intenção é uma grande motivação para adquirirmos conhecimento. Amigo, se é verdade que o Senhor é santo e que, um dia, teremos de prestar contas a esse Deus Todo-poderoso e onisciente, então precisamos saber como o ofendemos. Não podemos, por comodismo, confiar em uma avaliação dos motivos de nosso coração, mas temos de examinar a Palavra do Senhor e conhecer a vontade dEle.

Terceiro, devíamos sentir a urgência de compartilhar as informações do evangelho com os outros. Essas informações são vitais, são boas. Deus providenciou uma forma de perdoar e de reconciliar as pessoas que pecaram contra Ele.

Como povo de Deus devemos levar uma vida claramente santa. Vemos a importância da vida santa na severidade da punição para a profanidade. Claro que muitos pecados enumerados em Levítico são improváveis de serem julgados em uma corte humana. Deus sabe que não haverá testemunha para todo crime. Todavia, Ele sempre sabe a verdade e, em Levítico, promete, muitas vezes, punir Ele mesmo o culpado. Ninguém do povo do Senhor pode amaldiçoar os pais; nem cometer adultério ou incesto; nem ligar-se a perversões contra a ordem natural, como a homossexualidade ou a bestialidade; nem engajar-se na falsa adoração que os médiuns promovem ou na prostituição cultual; nem blasfemar contra ao Senhor. Ninguém deve matar. O povo de Deus precisa ser conhecido pela adoração exclusiva a Ele, pelo respeito ao próximo, e pela fidelidade e pureza em seus relacionamentos. Com a punição capital, Deus ensinava aos israelitas que a qualidade de vida deles era mais importante que a duração dela. É mais importante que seu povo seja santo que velho. Você já pensou nisso? Amo o verso do hino [Ó fronte ensangüentada em tanto opróbrio e dor] onde oramos: "Oh Faze-me teu pra sempre, e se vier a desfalecer, Senhor, jamais, jamais permita que eu sobreviva ao meu amor por ti".[15] O hino não diz apenas: "Deus, dê-me uma vida longa", mas sim: "Deus, dê-me uma boa vida, uma vida que traga honra e glória ao Senhor".

A mesma santidade que devia marcar os israelitas como indivíduos, também devia ser a marca de todo o povo. O capítulo 26 resume a preocupação do Senhor com a nação em uma lista de bênçãos para a obediência, e em uma lista maior ainda de ameaças para a desobediência. Esse é um capítulo muito sério e vale a pena lê-lo com atenção. O Senhor, entre outras ameaças, afirma: "E vos espalharei" (26.33), no caso de eles escolherem a profanidade que caracterizava várias outras nações. Se eles, como nação, não fossem diferentes na prática, porque deveriam ser no local em que viviam? A desobediência resultaria em exílio. Essa foi a primeira ameaça de exílio que Deus fez para a nação — aqui, ao pé do monte Sinai, falando para a geração que escapara do Egito. Todavia, quarenta anos mais tarde, Ele faz essa ameaça de novo, na segunda leitura da lei para a geração seguinte, enquanto ela se preparava para entrar na Terra Prometida. Nessa ocasião, em Deuteronômio 28, o Senhor provê uma lista semelhante de bênçãos e de promessas e repete essas ameaças.

Quanto a nós hoje, eu não conheço todas as forças espirituais e mudanças sociais que estão em operação nas nações e entre elas. Contudo, sei que se o povo de Deus for desobediente e igual às pessoas que o rodeiam parecerá que o Senhor tem pouco incentivo para garantir a liberdade religiosa das igrejas que levam o mundo a ter uma idéia errônea sobre o que significa ser cristão.

Então, por que o povo de Deus deve lhe obedecer? Levítico fornece, pelo menos, seis motivos para isso. Primeiro, porque querem prosperar.[16] O Senhor promete, muitas vezes, prosperidade para o obediente. E sim, refiro-me à prosperidade terrena. Isso não quer dizer que o Senhor promete riqueza financeira, mas promete uma vida agradável e plena.

Segundo, eles deviam lhe obedecer porque Ele prometera estar com eles.[17] A presença dEle é o motivo principal que os torna seu povo.

Terceiro, deviam lhe obedecer porque o temiam.[18] Em Levítico, lemos inúmeras recomendações para que se tema a Deus, em vez de fazer tal coisa. Não amaldiçoe o surdo, mas tema a Deus (19.14). Não tire vantagem do próximo, mas tema a Deus (25.17). E assim por diante.

Quarto, deviam lhe obedecer por causa do relacionamento especial que Ele tinha com eles. No capítulo 25, o Senhor diz: "Os filhos de Israel me são servos" (25.55). Eles pertenciam a Ele. No Antigo Testamento, o Senhor possuía Israel, da mesma forma que, no Novo Testamento, Cristo possui a igreja (veja At 9.4). E como Deus ama os seus! Se você leu Levítico, talvez tenha notado todas as passagens sobre alianças. O Senhor não usa a fria linguagem comercial nem a formal das cortes legais ao falar da aliança, mas usa a linguagem ardente do amor devotado.[19] Sempre que ler sobre alianças na Bíblia, lembre-se disso. Em Êxodo 20, Deus trocou votos de casamento com seu povo e renovou-os em Êxodo 24. Ele ama seu povo, pois este é propriedade sua.

Quinto, deviam lhe obedecer porque foram chamados a refletir o caráter dEle. Apenas em Levítico 19, Deus exorta-os quatorze vezes a seguir esse ou aquele mandamento porque "eu sou o Senhor"! Em outras palavras, a moralidade da Bíblia é fundamentada com objetividade, encontra-se no caráter de Deus. Assim, no capítulo 19.2, encontramos o que podemos designar como o lema de Levítico: "Santos sereis, porque eu, o Senhor, vosso Deus, sou santo".[20]

Sexto, deviam lhe obedecer porque Ele pretendia que testemunhassem para as nações. Que fundamentos maravilhosos e positivos para a obediência. Examine estas palavras do capítulo 20:

E não andeis nos estatutos da gente que eu lanço fora de diante da vossa face, porque fizeram todas estas coisas; portanto, fui enfadado deles. E a vós vos tenho dito: Em herança possuireis a sua terra, e eu a darei a vós para possuí-la em herança, terra que mana leite e mel. Eu sou o Senhor, vosso Deus, que vos separei dos povos.
Fareis, pois, diferença entre os animais limpos e imundos [...]. E ser-me-eis santos, porque eu, o Senhor, sou santo e separei-vos dos povos, para serdes meus (20.23-26).

Amigo, espero que, nesses versículos, você perceba que o Deus cristão de quem falamos não é apenas uma intuição nossa. Ele não é um sentimento religioso passageiro, nem uma tradição confortável, nem rituais habituais. Esse Deus de quem falamos é totalmente santo. Ele é diferente de nós.

Se você não for cristão, peço que pense a respeito dos cristãos que conhece. Há uma coisa que você deve encontrar em seu amigo cristão, essa esquiva e surpreendente qualidade de que estivemos falando — a santidade. E eu esperaria que a santidade desse amigo cristão o confortasse e, ao mesmo tempo, o inquietasse. Isso acontece? Seja honesto com você mesmo a respeito disso.

No entanto, se você é cristão deve entender a importância da santidade entre o povo do Senhor. Se não entende isso, então se livre do nome de cristão! Não adicione mais motivo de julgamento sobre você ao confundir os outros com o que significa ser seguidor de Cristo! Nós, os cristãos, devemos ser santos. E, como igreja, deveríamos ser santos. Na comunidade, a Capitol Hill Baptist Church deveria ter a reputação de santa, reputação essa que, mais uma vez, conforta e inquieta nosso próximo. Por isso, ser membro é importante. Se você vem com regularidade à igreja, pense a respeito de se tornar um membro dela. Pense em assistir a uma aula. Comprometa-se em freqüentar fielmente a igreja e em integrar-se à vida de outros membros. Deixe-os saber que você está comprometido com o trabalho do lugar. Deus pretende que o nosso testemunho corporativo como igreja seja um aspecto vital do evangelismo — nosso testemunho como um único corpo. Jesus disse que o mundo saberia que somos seus discípulos pelo amor que temos uns pelos outros (Jo 13.35). Ele não disse que saberiam que somos cristãos porque você, como indivíduo cristão, é tão amoroso, mas porque vocês como congregação cristã, são amorosos uns com os outros. Jesus estabeleceu as coisas dessa forma. Essa idéia é dEle, não nossa.

É que neste mundo a santidade do povo de Deus sempre será parcial. O povo do Antigo Testamento aguardava aquEle que seria totalmente santo. Quanto entusiasmo houve no dia em que, como Lucas reconta, o anjo anunciou à virgem Maria: "Descerá sobre ti o Espírito Santo, e a virtude do Altíssimo te cobrirá com a sua sombra; pelo que também o Santo, que de ti há de nascer, será chamado Filho de Deus" (Lc 1.35)!

Ele era santo. Totalmente santo. E Ele torna-se nossa santidade quando pertencemos a Ele. Como, mais tarde, Paulo ponderou com os cristãos coríntios: "Mas vós sois dele, em Jesus Cristo, o qual para nós foi feito por Deus sabedoria, e justiça, e santificação, e redenção" (I Co 1.30).

O Povo de Deus é Pecador, por isso, Deveria Oferecer Sacrifícios

Há muito mais a dizer sobre como devemos ser um povo distinto, porém, temos de passar para essa outra parte de Levítico. O livro de Levítico, além de ensinar que o povo do Senhor deve ser claramente santo, também ensina que ele é pecador e, por isso, precisa oferecer sacrifícios.

No capítulo 9, observamos isso quando Arão inicia seu ministério sacerdotal. No capítulo 8, Arão é consagrado, ordenado e separado para sacerdote. A seguir, no capítulo 9, ele realiza seus primeiros sacrifícios e se sai bem. A passagem relata,

> Depois, Arão levantou as mãos ao povo e o abençoou; e desceu, havendo feito a expiação do pecado, e o holocausto, e a oferta pacífica.
> Então, entraram Moisés e Arão na tenda da congregação; depois, saíram e abençoaram o povo; e a glória do Senhor apareceu a todo o povo. Porque o fogo saiu de diante do Senhor e consumiu o holocausto e a gordura sobre o altar; o que vendo todo o povo, jubilou e caiu sobre as suas faces (9.22-24).

Pecadores Necessitam de Sacrifício

O povo de Deus precisa de sacrifícios porque, inevitavelmente, fracassam em ser santos. Eles, inevitavelmente, pecam.

Os sete primeiros capítulos de Levítico fornecem instruções de como oferecer sacrifícios no Tabernáculo. Deus ordena que o impuro, o pecador e o agradecido tragam suas ofertas para o pátio em volta da tenda da congregação. Presume-se que o oferente, ao entrar no pátio, conte ao sacerdote qual a finalidade do sacrifício. O que eles levavam para sacrificar? Às vezes, levavam algum alimento, como na oferta de manjar. Todavia, o mais importante é que levavam os melhores animais que tinham, como Levítico menciona diversas vezes, animais "sem mancha".[21] O sacrifício tinha de ter valor por si mesmo e ser custoso para quem o oferecia. O sacrifício significava a perda de uma posse e, também, a destruição de uma vida. No capítulo 17, Deus declara: "Porque a alma da carne está no sangue, pelo que vo-lo tenho dado sobre o altar, para fazer expiação pela vossa alma, porquanto é o sangue que fará expiação pela alma" (17.11). Os sacrifícios ensinavam aos israelitas que o pecado traz a morte, e que apenas o derramamento de sangue expia o pecado.

Depois de trazer o sacrifício para o pátio do Tabernáculo, o indivíduo que o oferecia punha as mãos sobre a cabeça do animal.[22] Eles, ao fazerem isso, identificavam-se com a oferta, era como se dissessem: "O que acontecer com esse animal é o que deveria acontecer comigo por causa de meus pecados". E, a seguir, ele, não o sacerdote, "degola[va]" o animal. Depois de o animal ser degolado, o sacerdote pegava o sangue do animal sacrificado e espargia-o sobre o altar e em volta da base do altar da forma exigida para aquele pecado em particular ou para aquela ocasião específica. Nem mesmo os anciãos da comunidade estavam isentos dessa obrigação:

> Mas, se toda a congregação de Israel errar, e o negócio for oculto aos olhos da congregação, e se fizerem, contra algum dos mandamentos do Senhor, aquilo que se não deve fazer, e forem culpados, e o pecado em que pecarem for notório, então, a congregação oferecerá um novilho, por expiação do pecado, e o trará diante da tenda da congregação. E os anciãos da congregação porão as suas mãos sobre a cabeça do novilho perante o Senhor; e degolar-se-á o novilho perante o Senhor (4.13-15).

Esse é uma clara imagem de substituição! Retrata-se que o animal morre no lugar de toda a comunidade.

Além dos sacrifícios específicos, oferecidos como expiação de algum pecado em particular, ou para dar graças a Deus por uma provisão específica, esses sacrifícios eram um evento regular, oferecidos diária, semanal, mensal e anualmente. Agora, como a nação podia agendá-los com antecedência e em uma base regular, se eram oferecidos principalmente como expiação de pecados? Porque Deus sabia que eles pecariam. Por trás de todo o sistema sacrificial havia a certeza de que a nação continuaria a pecar. Não haveria um fim imediato para essa procissão de pecado e de sacrifício. Por isso, Deus ordenou que os sacerdotes não deixassem o fogo do altar se apagar (6.12,13; 24.2-4).

Talvez, sinta-se chocado com todo esse processo. Todavia, Levítico e todos os livros da Bíblia deixam claro que merecemos morrer por causa de nossos atos. Nossa justiça falhou e também precisamos de um sacrifício substitutivo. Voltamo-nos para Hebreus — que poderíamos chamar de comentário de Levítico do Novo Testamento — para encontrar esse sacrifício substitutivo. O autor de Hebreus declara:

> Porque, se o sangue dos touros e bodes e a cinza de uma novilha, espargida sobre os imundos, os santificam, quanto à purificação da carne, quanto mais o sangue de Cristo, que, pelo Espírito eterno, se ofereceu a si mesmo imaculado

a Deus, purificará a vossa consciência das obras mortas, para servirdes ao Deus vivo (9.13,14)?

Pecamos contra Deus ao fazer o que queremos, e não o que Ele quer. Por isso, devemos lamentar nossos pecados e arrependermos-nos deles. Deveríamos deixar nossos pecados e virar-nos para Deus e pôr nossa fé no sacrifício pelos pecados que Ele nos ofereceu em Jesus Cristo.

Como fazemos isso? Reunidos regularmente com a igreja e ao aprender a Palavra de Deus. Estabeleça relacionamento com outros cristãos. Leia livros que discutam a natureza do pecado e as exigências do Senhor. Viabilize bons ensinamentos para você, quer na Escola Dominical, quer em outro lugar. Todos esses caminhos ajudam a instruir-nos em como matar o pecado e em como viver da forma que o Senhor quer que vivamos. Sem dúvida, temos de saber como é oferecermos-nos como sacrifício vivo se quisermos fazer isso. E precisamos orar e nos esforçar para alcançar essa compreensão.

Pecadores Necessitam de Expiação

Levítico deixa absolutamente claro que os pecadores precisam de expiação. As distinções que o livro faz entre o que é limpo e imundo, o que é santo e profano mostram que corrompemos até as coisas que tocamos por causa dos nossos pecados (cf. Jd 23). Algo precisa ser feito, ou nossa alma se perderá! E é aí que entra a expiação. A Bíblia não nos diz exatamente como o sacrifício faz a expiação, mas ele faz.

Expiação quer dizer algo realizado em que as duas partes passam a ter "uma só mente". Expiação é a forma como partes que estão afastadas se reconciliam. E ela é necessária porque nosso pecado trouxe ruptura entre nós e os outros e, o mais importante, entre nós e Deus. Nosso pecado é uma afronta pessoal a Ele! Como o salmista declara: "Contra ti, contra ti somente pequei" (Sl 51.4). O capítulo 3 de Gênesis enumera as maldições — dores no parto, na labuta e a morte — que nos lembram que rompemos nosso relacionamento com o Senhor. E apenas podemos nos reconciliar com Ele da maneira que Ele mesmo indicou, por meio do sacrifício e da expiação.

O Dia da Expiação. O capítulo 16 introduz o dia anual de jejum prescrito para a nação chamado de "Yom Kippur" ou Dia da Expiação. Nesse dia, toda a nação oferecia um sacrifício especial pelo pecado, e o fato de ser oferecido todos os anos lembrava-os que nenhum sacrifício levítico podia expiar totalmente o pecado. Nesse dia, e apenas nesse dia, o sumo sacerdote entrava, como representante de toda a nação, no Santo dos Santos. Ele leva consigo o sangue do novilho e do bode. Primeiro, oferecia o sangue do novilho para fazer expiação pelos próprios pecados — ele precisava se purificar antes — e, a seguir, oferecia o sangue do bode para fazer expiação pelos pecados de toda a nação.

É uma cerimônia estranha quando pensamos nela. Ele levava o sangue — primeiro de um novilho, depois de um bode — para uma sala sempre vazia. Ninguém estava lá, ninguém jamais estivera lá. Ele era o único que entrava e apenas uma vez por ano. Derramava o sangue sobre o propiciatório, que ficava em cima da Arca da Aliança. E quem via esse sangue? Ninguém. Ninguém além de Deus, contra quem o povo havia pecado.

No mesmo dia, o sumo sacerdote punha as mãos sobre a cabeça de um segundo bode e confessava os pecados de Israel. A seguir, esse bode, o emissário, era solto no deserto a fim de representar a remoção total do pecado pela pena da alienação e da malquerença:

> Havendo, pois, acabado de expiar o santuário, e a tenda da congregação, e o altar, então, fará chegar o bode vivo. E Arão porá ambas as mãos sobre a cabeça do bode vivo e sobre ele confessará todas as iniqüidades dos filhos de Israel e todas as suas transgressões, segundo todos os seus pecados; e os porá sobre a cabeça do bode e enviá-lo-á ao deserto, pela mão de um homem designado para isso. Assim, aquele bode levará sobre si todas as iniqüidades deles à terra solitária; e o homem enviará o bode ao deserto (16.20-22).

O Dia da Expiação não aconteceu apenas uma vez, era anual e perpétuo. Há outras religiões que têm seus próprios sacrifícios — às vezes, até sacrifícios humanos. Todavia, esses sacrifícios são feitos apenas quando as coisas não vão bem. No entanto, Deus deu a Israel um calendário regular de sacrifícios. Ele queria que soubessem que viviam em *estado* de pecado. As pessoas eram pecaminosas, e não havia sacrifício perfeito. Os sacrifícios eram feitos todos os anos, e todos os anos os israelitas eram separados de Deus por causa dos seus pecados.

Cristo. É óbvia a insuficiência da expiação do sumo sacerdote. Vemos isso no fato de ele primeiro fazer expiação por si mesmo, depois pelo povo, e na necessidade de esta ser repetida todos os anos. Vez após vez. Vez após vez. E mais uma vez. A carta aos hebreus ajuda-nos a entender o porquê disso:

> Porque, tendo a lei a sombra dos bens futuros e não a imagem exata das coisas, nunca, pelos mesmos sacrifícios que continuamente se oferecem cada ano, pode aperfeiçoar os que a eles se chegam. Doutra maneira, teriam deixado de se oferecer, porque, purificados uma vez os ministrantes, nunca mais teriam consciência de pecado. Nesses sacrifícios, porém, cada ano, se faz comemoração

dos pecados, porque é impossível que o sangue dos touros e dos bodes tire pecados (Hb 10.1-4).

E no capítulo antes desse:

E quase todas as coisas, segundo a lei, se purificam com sangue; e sem derramamento de sangue não há remissão. [...]
Agora, na consumação dos séculos, uma vez se manifestou [Cristo], para aniquilar o pecado pelo sacrifício de si mesmo. [...] assim também Cristo, oferecendo-se uma vez, para tirar os pecados de muitos (Hb 9.22,26,28).

Apenas no sacrifício expiatório de Jesus Cristo, no Cordeiro de Deus sem mancha, encontramos nossa pureza e justiça. Ele é a expiação de que você precisa quando peca. Ninguém mais compartilhou totalmente a natureza humana e permaneceu sem pecado. Ninguém mais foi capaz de consumir toda a ira de Deus e satisfazê-la totalmente. Apenas em Cristo, Deus, aquEle que foi profundamente ofendido pelo seu pecado e pelo meu, faz provisão para a salvação. Deus é o querelante que levanta acusação contra nossos pecados, e o Deus Filho é o castigado que satisfaz as exigências da justiça do Senhor. Que outro deus age como o querelante e o castigado?

Você se lembra o que João Batista disse quando Jesus se aproximou dele pela primeira vez? "Eis o Cordeiro de Deus [...]" (Jo 1.29a) Essa frase faz mais sentido para você depois de examinar Levítico?

Pedro também chamou Cristo de "cordeiro imaculado e incontaminado" (I Pe 1.19). É impressionante como as imagens do Novo Testamento tornam-se mais ricas depois de lermos e de estudarmos o Antigo Testamento!

Talvez Hebreus apresente uma imagem mais vívida: "Porque os corpos dos animais cujo sangue é, pelo pecado, trazido pelo sumo sacerdote para o Santuário, são queimados fora do arraial. E, por isso, também Jesus, para santificar o povo pelo seu próprio sangue, padeceu fora da porta" (Hb 13.11,12). Jesus se fez pecado. O Santo de Deus se fez pecado por nós.

E como Paulo escreveu aos coríntios: "Cristo, nossa páscoa, foi sacrificado por nós" (I Co 5.7). Confie apenas na justiça de Cristo. Ninguém mais pode expiar seus pecados. Você só encontrará misericórdia em Cristo, e em mais nenhum lugar.

Conclusão

Esse é o livro de Levítico. Nesse livro, você vê a marca de Deus sobre seu povo, tanto a positiva, por essas leis, como a negativa, por esses sacrifícios. O que aprendemos sobre Deus? Que Ele é decididamente, certo, justo, puro e santo.

E o que aprendemos a respeito do seu povo? Que também devemos ser santos, mas não somos.

O que devemos fazer hoje com todas essas leis do Antigo Testamento? Aplicá-las palavra por palavra? Não, de jeito nenhum. Devemos ignorá-las por não terem valor? Não, isso também não está certo. Como o Novo Testamento afirma, a lei ajuda-nos a ter consciência do pecado. Não saberíamos o que é o pecado se não fosse pela lei (Rm 3.20; 7.7). Assim, por um lado, a lei expõe nosso pecado. Por outro lado, a exigência de que se façam sacrifícios de expiação preparou o caminho para a solução do nosso pecado — Cristo! E o resultado é glorioso. É quase como se Levítico e o restante do Antigo Testamento construíssem um órgão poderoso para nós, um órgão, sobre o qual os escritores do Novo Testamento tocam os temas do próprio evangelho para que escutemos, aprendamos e, no fim, cantemos!

John Bunyan, autor de *O peregrino*, em sua biografia, reconta sua luta pessoal com a culpa pelo pecado. Ele fala a respeito de sua busca por uma justiça suficiente para assegurar sua salvação. Contudo, não conseguia encontrar tal justiça onde quer que a procurasse, até mesmo em suas melhores obras. Ele escreve: "Mas, um dia,

> à medida em que eu atravessa o campo, com algum desânimo em minha consciência e receando que nada estivesse certo, de repente, essa sentença assaltou minha alma: *Tua justiça está no céu*; e, além disso, pareceu-me que com os olhos da alma vi Jesus Cristo à direita de Deus, lá, disse eu, como minha Justiça; assim, onde quer que eu estivesse, o que quer que eu fizesse, Deus não poderia dizer de mim: *Ele carece [necessita] de minha justiça*, pois ela estava diante de mim. Eu vi outras coisas, vi que não era minha boa disposição de coração que me fazia mais justo, nem minha constituição má que tornava minha justiça pior; pois minha justiça é que "Jesus Cristo é o mesmo ontem, e hoje, e eternamente" (Hb 13.8).[23]

Tenho duas perguntas finais para você:
Você é perfeitamente santo?
Se não, que sacrifício expiará seus pecados?

Oremos

Ó Senhor santo, o Senhor conhece nosso coração e nossa vida. O Senhor conhece nossos pensamentos e nossos amores. O Senhor sabe como precisamos do Senhor. Revela-nos nossa pobreza e nossa abundância. Dê-nos os dons do arrependimento e da fé, oramos em nome do sacrifício suficiente único de Jesus Cristo. Amém.

Questões para Reflexão

1. Que qualidades de Cristo capacitaram-no para ser o Sumo Sacerdote perfeito? Certifique-se de louvá-lo por cada atributo à medida que pensa neles.
2. Examinamos o fato de que Deus se envolve em todos os aspectos de nossa vida. Ele não fica indiferente a nada. Isso significa que ser cristão afeta todos os aspectos de nossa vida. Existe alguma área de sua vida da qual você exclui Deus?
3. Já que Deus preocupa-se muito com a forma como é adorado, que medidas você tomará para ter certeza de que procurará adorá-lo da forma correta?
4. Que medidas os líderes da igreja devem garantir para que Deus seja adorado da forma correta nas reuniões coletivas da igreja?
5. Dissemos que se você se diz cristão, mas não se preocupa muito com a santidade, deve afastar-se do nome de cristão. Por que isso? Por que uma ordem tão radical?
6. Como vimos, Levítico enfatiza bastante a obediência. Todavia, os cristãos precisam se preocupar tanto com a obediência como os israelitas do Antigo Testamento? Afinal, não é verdade que vivemos sob a dispensação da graça, não de obras?
7. Vimos que a santidade da vida cristã deve ser confortante e inquietante para o não-cristão. O que isso significa? Como isso apareceria em um escritório? Entre os amigos? Com os membros da família que não são cristãos? Quem, mais do que ninguém na história, tinha uma presença confortante e inquietante para os que estavam a sua volta? Você se lembra de ocasiões em que as pessoas reagiram de uma das duas maneiras mencionadas acima?
8. Em vista da vontade de Deus de salvar os pecadores, por que Cristo teve de morrer?
9. Em tempos recentes, alguns escritores contestaram que o evangelho cristão não diz tanto respeito à justificação pela fé e ao perdão dos pecados como com a proclamação do Reino de Deus para as nações. Em outras palavras, o perdão dos pecados e o Reino de Deus opõem-se um ao outro. Como esses escritores fracassaram no reconhecimento da importância de Levítico?
10. Outros escritores atuais depreciam o que descrevem como uma ênfase exagerada na "verdade" e uma falta de ênfase na "experiência" entre os cristãos evangélicos. Como o autor de Levítico trataria essa afirmação?
11. Levítico ensina o evangelho? Como?

Notas

Capítulo 3

[1] A data de pregação original deste sermão foi em 3 de fevereiro de 2002, na Capitol Hill Baptist Church, em Washington, D. C.
[2] Ex.: Tiago 3.1 ou I Timóteo 3.
[3] I Pedro 2.9; Apocalipse 1.6; cf. Êxodo 19.6.
[4] 10.10; cf. 11.47; 15.31; 18.3,24-28,30; 19.19; 20.23-26.
[5] 4.21; 11.24-26; 13.46; 14.3,8,40,41,44,45; 16.27, etc.
[6] 17.7; 18;21; 19.4,26,31; 26.1.
[7] 19.35,36.
[8] 5.7,11; 19.10,15,33,34; 23.22,; 25.35-38; 27.8.
[9] 19.14.
[10] 19.32.
[11] 19.15; 24.22.
[12] Ex.: Mateus 5.43,44.
[13] Mateus 19.19; 22.39; Marcos 12.31,33; Lucas 10.27.
[14] 5.17; cf. 4.2,13,14,22,23,27,28; 5.2-4,15,17,18.
[15] "O Sacred Head, Now Wounded", escrito por Bernardo de Claraval, 1153, traduzido por James W. Alexander, 1º e 6º estrofes.
[16] 18.5; 25.18,19; 26.3-12.
[17] 9.4,23,24; 26.11,12.
[18] 19.14; 25.17,36,43.
[19] Cf. 24.8, 26.9,15,25,42,44,45.
[20] 11.44,45; 19.2; 20.7,8,26; 21.8,15; 22.31,32; cf. I Pedro 1.16.
[21] 1.3,10; 3.1,6; 4.3,23,28,32; 5.15,18; 6.6; 9.2,3; 14.10; 22.19-25; 23.12,18.
[22] Ex.: 1.4; 3.2,8,13; 8.14,22.
[23] John Bunyan, Grace Abounding to the Chief of Sinners, parágrafo 229.

A MENSAGEM DE NÚMEROS: "O QUE É, NÃO TEM VALOR; SÓ AO QUE FOI E HÁ DE SER SE VOTA AMOR!"

SEM FELICIDADE AGORA

INTRODUÇÃO A NÚMEROS

DEUS PREPARA O POVO (NO SINAI; CAPS. 1—10)
    Ao Instruí-los sobre a Pureza *(caps. 4—5; 6.1-21)*
    Ao Conceder-lhes Sacerdotes *(1—4; 7—8)*
    Ao Ensinar-lhes sua Presença *(6.22-27; 9—10)*

TODAVIA, O POVO NÃO CONFIOU EM DEUS (EM CADES, CAPS. 11—16)
    Ao Murmurar Constantemente (11—12)
        Eles Murmuravam das Dificuldades
        Eles Murmuravam do Alimento
        Miriã e Arão (Irmãos de Moisés) Murmuravam
    Ao Rebelar-se (13.1—14.10a)
    Resultado: Deus Pune o Povo (14.10b—16.50)

TODAVIA, DEUS PERSEVERA COM O POVO (EM MOABE, CAPS. 17—36)
    Ao Prover Instrução tanto para os Sacerdotes como para a Purificação
    Ao Permanecer Gracioso apesar do Pecado Contínuo (17; 20.9-12; 21.4-9; 25)
    Ao Conceder-lhes uma Segunda Chance
    Ao Capacitá-los a Alcançar a Terra Prometida!

CONCLUSÃO

CAPÍTULO 4

A Mensagem de Números: "O que É, não Tem Valor; só ao que Foi e Há de Ser se Vota Amor!"

SEM FELICIDADE AGORA[1]

"O que é, não tem valor; só ao que foi e há de ser se vota amor!" Na peça *A segunda parte de Henrique IV*, de William Shakespeare, Richard Scroop, arcebispo de York e conspirador, disse essa frase para seus parceiros de conspiração, lorde Mowbray e lorde Hastings quando planejavam a derrubada do rei. Na verdade, o arcebispo Scroop, personagem verídico, ajudou a derrubar um rei e também ajudou outro a tomar posse do trono. Agora, na versão shakespeariana, ele tenta liderar a rebelião que derruba o rei a quem ajudou a tomar posse do trono; e começa a ter segundas intenções. Ele não gosta da força favorável ao rei e sente-se inseguro da própria força. Suas esperanças, à medida que vê as coisas piores, se obscurecem. Ele fica incerto e descontente. Talvez desejasse jamais ter ajudado reis a tomar o trono e a depô-los. No fim, ele lamenta: "O que é, não tem valor; só ao que foi e há de ser se vota amor!".

É impressionante como ocorrem mudanças em nossos sentimentos e julgamentos à medida que, aos poucos, os fatos se revelam, quando a firmeza futura se faz presente, quando a terra distante se aproxima. O presente, para muitas pessoas, é uma sementeira de descontentamento. Um escritor puritano disse o seguinte a respeito do descontentamento: "O homem orgulhoso não tem Deus, o inquieto não tem próximo, o desconfiado não tem amigos, mas o descontente não tem a si mesmo".[2]

Introdução a Números

Em nosso estudo, ao longo do Pentateuco (os cinco primeiros livros da Bíblia) chegamos ao auge do descontentamento humano. Como você deve se lembrar, Gênesis descreve a Criação e a Queda e também as bênçãos e as promessas de Deus para Abraão e seus descendentes. Gênesis apresenta tudo que a Bíblia tem a dizer sobre a história humana até o nascimento de Moisés. Os capítulos 1 e 2 de Êxodo relatam desde o nascimento de Moisés até seus oitenta anos de vida. Do início de Êxodo 3, em todo o livro de Levítico e em boa parte de Números, o relato diminui o ritmo e cobre o período de apenas um ano. A seguir, no meio de Números, inicia-se um período de quarenta anos de peregrinação para o povo israelita, seguido de mais uma seção que cobre um ano e se estende por todo Deuteronômio. Em Números, o descontentamento do povo de Deus, mesmo em meio às bênçãos que o Senhor distribui para eles, atinge seu ponto máximo.

Números é um livro interessante. Ele tem trinta e seis capítulos e, com fundamento no cenário geográfico, podemos dividi-lo em três seções básicas: capítulos 1—10 passam-se em volta do monte Sinai. Os capítulos 11—16 registram os quarenta anos de peregrinação onde eles se localizam em Cades. A seguir, os capítulos 17—36 passam-se nas planícies de Moabe, do outro lado da Terra Prometida. Neste estudo, veremos as três seções do livro.

Deixe-me primeiro mencionar que esses sermões de visão geral não são usuais. Em geral, não prego sobre um livro inteiro da Bíblia, embora a extensão de meus sermões possa fazer parecer que sim. Normalmente, pego uma seção menor da Bíblia, como uma parábola de Jesus ou um capítulo de algumas das cartas de Paulo. Todavia, nesta série de cinco partes, estamos vendo os primeiros cinco livros da Bíblia com a finalidade de entender a mensagem básica de cada livro. Isso quer dizer que passearemos um pouco pelo livro de Números. Contudo, basicamente, tentarei fazer isso seguindo a ordem dessas três seções em que uma frase representa cada uma delas.

Deus Prepara o Povo (no Sinai; caps. 1—10)

Os primeiros dez capítulos de Números relatam como Deus prepara o povo. Essa é nossa primeira sentença. Ele os prepara especificamente para a jornada e a entrada deles em Canaã. Como já vimos, o livro inicia-se no Sinai, onde o povo ficou acampado desde sua chegada em Êxodo 19. Naquela época, Deus deu os Dez Mandamentos para o povo por intermédio de Moisés. O povo rebelou-se e foi perdoado. Também deu a planta do Tabernáculo para Moisés, o qual o povo construiu totalmente de acordo com as instruções recebidas. Ensinou ao povo a respeito do pecado deles e da provisão que fez para que pudessem expiá-los. Especificamente, os sacrifícios e as regulamentações de pureza prescritos. E na primeira parte de Números, ainda na base do monte Sinai, Deus continua a preparar seu povo.

Ao Instruí-los sobre a Pureza (caps. 4—5; 6.1-21)

Primeiro, Ele prepara o povo ao ensinar-lhes sobre a pureza. No capítulo 5, Deus ensina-lhes como o acampamento e o casamento devem ser puros. No capítulo 6, os versículos 1-21 apresentam um grupo de pessoas, os nazireus (não tem relação com os nazarenos nem com Nazaré) que escolhem viver de acordo com um padrão de pureza e de separação acima do normal. Os nazireus, em parte, funcionavam como um sinal móvel e um lembrete para os israelitas de que o Senhor separara toda a nação. Nesse sentido, por assim dizer, eles eram uma ceia do Senhor ambulante a fim de lembrar o povo de que eram especiais e separados para o serviço do Senhor.

Ao Conceder-lhes Sacerdotes (1—4; 7—8)

Na verdade, os primeiros quatro capítulos de Números determinaram o nome do livro. Se você o leu, sabe que apresentam muitos números! O capítulo 1 fornece o censo tribo a tribo. O capítulo 2 apresenta as instruções do local em que cada tribo devia acampar em relação à outra durante a migração para a Terra Prometida. Embora esses dois capítulos pareçam estabelecer os capítulos 3 e 4, que tratam apenas de uma tribo, os levitas. O Senhor provê uma tribo sacerdotal, os levitas, para os israelitas a fim de que essa tribo específica os prepare para ser o seu povo particular.

Os levitas ficavam localizados no meio do acampamento, em volta do Tabernáculo, onde os israelitas ofereciam os sacrifícios e Moisés encontrava-se com Deus, pois estavam encarregados de transportar o Tabernáculo e de manter seus utensílios limpos. A posição e a função especiais dos levitas, no centro do acampamento, refletem o fato de que a tribo gira em torno do Tabernáculo. Os capítulos 7—8 descrevem os sacrifícios e as ofertas que cada tribo leva para o Tabernáculo para sua consagração inaugural, como também para a consagração dos levitas.

Ao Ensinar-lhes a sua Presença (6.22-27; 9—10)

No entanto, a preparação mais especial que Deus fez para seu povo foi dar-lhes sua presença. Fundamentalmente, o Tabernáculo representa a presença de Deus em meio ao seu povo, e o serviço dos sacerdotes identifica-os como o seu povo particular. Assim, o Senhor ensinou Moisés, e este transmitiu aos sacerdotes — o que chamamos de bênção arônica — a promessa de a presença dEle habitar entre eles:

Fala a Arão e a seus filhos, dizendo: Assim abençoareis os filhos de Israel, dizendo-lhes: O Senhor te abençoe e te guarde; o Senhor faça resplandecer o seu rosto sobre ti e tenha misericórdia de ti; o Senhor sobre ti levante o seu rosto e te dê a paz. Assim, porão o meu nome sobre os filhos de Israel, e eu os abençoarei (6.22-27).

Os capítulos 9—10, em especial, centram-se na presença do Senhor no meio do seu povo. A primeira metade do capítulo 9 reconta a celebração da primeira Páscoa no deserto (9.1-14), celebração essa que, acima de tudo, lembra-lhes a presença do Senhor quando, de forma extraordinária, libertou-os do Egito. Na segunda metade do capítulo, Deus promete prover uma nuvem para guiar os viajantes e para lembrá-los de sua presença contínua:

E, no dia de levantar o tabernáculo, a nuvem cobriu o tabernáculo sobre a tenda do Testemunho; e, à tarde, estava sobre o tabernáculo como uma aparência de fogo até à manhã. Assim era de contínuo: a nuvem o cobria, e, de noite, *havia* aparência de fogo. Mas, sempre que a nuvem se alçava sobre a tenda, os filhos de Israel após ela partiam; e, no lugar onde a nuvem parava, ali os filhos de Israel assentavam o seu arraial. Segundo o dito do Senhor, os filhos de Israel partiam e segundo o dito do Senhor assentavam o arraial; todos os dias em que a nuvem parava sobre o tabernáculo, assentavam o arraial. E, quando a nuvem se detinha muitos dias sobre o tabernáculo, então, os filhos de Israel tinham cuidado da guarda do Senhor e não partiam. E era que, quando a nuvem poucos dias estava sobre o tabernáculo, segundo o dito do Senhor, se alojavam e, segundo o dito do Senhor, partiam. Porém era que, quando a nuvem desde a tarde até à manhã ficava *ali* e a nuvem se alçava pela manhã, então, partiam; quer de dia quer de noite, alçando-se a nuvem, partiam. Ou, quando a nuvem sobre o tabernáculo se detinha dois dias, ou um mês, ou um ano, ficando sobre ele, então, os filhos de Israel se alojavam e não partiam; e, alçando-se ela, partiam. Segundo o dito do Senhor, se alojavam e, segundo o dito do Senhor, partiam; da guarda do Senhor tinham cuidado, segundo o dito do Senhor pela mão de Moisés (Nm 9.15-23).

No início do capítulo 10, a finalidade de tocar as trombetas é para que Deus e o povo lembrem-se uns dos outros (10.9,10). E nos versículos seguintes, a nuvem move-se pela primeira vez:

E aconteceu, no segundo ano, no segundo mês, aos vinte do mês, que a nuvem se alçou de sobre o tabernáculo da congregação. E os filhos de Israel partiram, segundo as suas jornadas do deserto do Sinai; e a nuvem parou no deserto de Parã. Assim, partiram pela primeira vez, segundo o dito do Senhor, pela mão de Moisés (10.11-13).

A seguir, o capítulo 10 termina com essa afirmação que resume a questão:

Assim, partiram do monte do Senhor caminho de três dias; e a arca do concerto do Senhor caminhou diante deles caminho de três dias, para lhes buscar lugar de descanso. E a nuvem do Senhor ia sobre eles de dia, quando partiam do arraial. Era, pois, que, partindo a arca, Moisés dizia: Levanta-te, Senhor, e dissipados sejam os teus inimigos, e fujam diante de ti os aborrecedores. E, pousando ela, dizia: Volta, ó Senhor, para os muitos milhares de Israel (10.33-36).

Portanto, a primeira parte de Números é um resumo da forma especial como Deus preparou seu povo ao instruí-los sobre a pureza, ao conceder-lhes os sacerdotes e, acima de tudo, sua presença especial.

O Senhor preparou seu povo naquela época e o prepara hoje. Você já pensou nisso? Você já pensou na forma como o Senhor o prepara? Talvez tudo isso lhe pareça uma informação religiosa casual, todavia, Deus teve o cuidado em fazê-lo a sua imagem. Você foi projetado com a capacidade de compreender as palavras. Você tem a habilidade de pensar e de compreender. Na verdade, a Bíblia ensina que toda a natureza testifica Deus para você e para mim. Se o céu estrelado acima de nós não for prova suficiente, o Senhor deu-lhe a faculdade de discernir a verdade sobre Ele e sobre si mesmo: sua consciência. E sua consciência e natureza caída, não é sem falhas, mas fala do Senhor e foi feita por Ele a fim de preparar você para conhecê-lo. Se você é cristão, foi preparado para o Senhor de forma extremamente decisiva, porque ouviu as Boas Novas acerca de Jesus Cristo e creu: Ele morreu na cruz pelos seus pecados e tomou sobre si a ira do Senhor que você merecia! Você percebe o que o Senhor já fez em seu coração com a finalidade de prepará-lo para Ele?

Amigo cristão, Deus revelou-se para nós. Conhecê-lo envolve saber a respeito dEle e relacionar-se pessoalmente com Ele. Assim, alimentamos nossa mente com a Palavra e andamos pela fé com o seu Espírito. Às vezes, as pessoas perguntam-se o que nós, cristãos, queremos dizer com "ter um relacionamento pessoal com Deus". Nós queremos dizer o seguinte: primeiro, aprender sobre Ele e sua vontade para nossa vida por meio da Palavra. Por isso, Ele deu-nos sua Palavra e chamou pessoas para ensiná-la. Segundo, temos o Espírito dEle. O Espírito de Deus está em nós, ou melhor, seu Espírito nos tem! Ele habita em nós. Em um sentido, somos mais habitados pela presença do Senhor que o acampamento israelita o foi! Hoje, o Espírito do Senhor não está limitado a uma localização física específica, a uma tribo étnica ou a uma nação política. Não, Deus veio em Cristo. Ele é Emanuel! Ele é o Senhor conosco e está presente de forma especial em meio ao seu povo, não por meio do Tabernáculo ou do templo, mas por intermédio de seu Espírito. Ele mesmo, na forma de seu Espírito, habita conosco e fez-nos o seu povo.

Portanto, nós, como igreja, somos uma comunidade de pessoas que individual e (e até mais) corporativamente conhecemos a presença especial de Deus conosco. Ele deu-nos a sua Palavra. Deu-nos pais e sacerdotes que nos ensinam sua Palavra, e garante-nos seu Espírito que nos condena, nos inspira, nos anima e nos muda. Observe como o Senhor nos abençoou ricamente como indivíduos e como família, a da igreja! Ele não precisava nos dar, como igreja, ninguém que nos ensinasse a Palavra. Não precisava dar-me a habilidade para pregar. Não precisava dar a nossa igreja os presbíteros que temos ou qualquer dos membros que ensinam nos estudos bíblicos e na Escola Dominical, ou até mesmo que disciplinam os outros membros da igreja. Ele não precisava nos dar qualquer conhecimento ou compreensão de si mesmo. Podia ficar separado de nós por causa de nosso pecado, porém, veja como nos abençoou em abundância. Prepara-nos para tudo que temos de enfrentar como a igreja de Jesus Cristo. Você vê a mão provedora do Senhor em tudo isso? Oh, por favor, veja. Não veja apenas o trabalho de um indivíduo ou a ventura de alguma igreja. Veja a mão de Deus. Veja a preparação que Ele faz com seu povo.

TODAVIA, O POVO NÃO CONFIOU EM DEUS (EM CADES, CAPS. 11—16)

No Sinai, Deus preparou o povo. Essa foi nossa primeira sentença. A segunda é esta: todavia, o povo não confiou em Deus. Em todos os capítulos da Bíblia vemos isso, mas isso fica especialmente evidente em Números 11—16, quando o povo estava em Cades. Essa total falta de confiança é a tragédia de Números. O capítulo 10 apresenta uma bela imagem de Deus guiando seu povo como uma espécie de procissão litúrgica ou real. Tribo após tribo, todas elas marcham na ordem divinamente determinada e seguem o Senhor que guia o povo liberto do cativeiro em direção à terra que prometera a Abraão. Do chamado de Moisés às pragas do Egito e ao Êxodo, com o afogamento dos egípcios nas águas, e ao maná no deserto, Deus proveu para seu povo de forma fiel e milagrosa. Mas, por mais espantoso que isso possa parecer, depois de tudo, o povo não confiou no Senhor.

Ao Murmurar constantemente (11—12)

Como na jornada do Egito ao monte Sinai, o povo continua atemorizado e ansioso à medida que caminham para a Terra Prometida e murmuram contra

Moisés e até acusam ao Senhor. Lembre-se o que acabamos de dizer a respeito desse povo: Deus libertou-os do Egito com milagres tão incríveis que até hoje os conhecemos. Será que alguma outra geração já testemunhou uma obra mais espetacular de Deus? Talvez os que viram a ressurreição de Cristo? Ou qualquer um que testemunhou o dilúvio? Você tem alguns candidatos. Contudo, os atos públicos do Senhor contra o Egito foram sem precedentes.

E como o povo de Deus reagiu? Eles murmuravam e murmuravam constantemente. Eram o tipo de pessoa que reclamava da temperatura da água que jorrou de forma milagrosa da rocha no deserto ou da lama na sola da sandália enquanto atravessavam o leito do mar separado para a travessia deles.

Eles murmuravam das dificuldades. Os israelitas não eram mais escravos que construíam as pirâmides de Faraó. Estavam no deserto, providos e guiados pelo Senhor em uma rota direta à Terra Prometida. Contudo, reclamavam das dificuldades (11.1). No capítulo 10, como vimos, eles saíram do Sinai. E é espantoso que a primeira coisa que o autor nos conte após isso é que se queixavam das dificuldades.

Eles murmuravam do alimento. O restante do capítulo 11 relata a queixa deles por causa do alimento. "Quem nos dará carne a comer? Lembramo-nos dos peixes que, no Egito, comíamos de graça; e dos pepinos, e dos melões, e dos porros, e das cebolas, e dos alhos. Mas agora a nossa alma se seca; coisa nenhuma há senão este maná diante dos nossos olhos" (11.4b-6). "Dá-nos carne a comer" (11.13). "Quem nos dará carne a comer, pois bem nos ia no Egito" (11.18). "Por que saímos do Egito (11.20)?" Isso não é força de expressão, um recurso que o pregador utiliza para embelezar seu sermão, mas são citações diretas da Bíblia. Você ainda consegue ouvir os queixumes deles através dos séculos?

Miriã e Arão (irmãos de Moisés) murmuraram. Até mesmo Miriã e Arão, irmãos de Moisés, opuseram-se a ele: "E falaram Miriã e Arão contra Moisés, por causa da mulher cuxita, que tomara; porquanto tinha tomado a mulher cuxita. E disseram: Porventura, falou o Senhor somente por Moisés? Não falou também por nós?" (12.1,2a). Não acho que o ponto aqui fosse o fato de a esposa de Moisés ser cuxita. A questão parece ser o ciúme que Miriã e Arão sentiam da autoridade de Moisés.

Ao longo dos capítulos 11—12, Deus enfrenta com decisão todos esses desafios.

Ele providenciou cordonizes para o povo comer e enfatizou a autoridade de Moisés. Contudo, o povo não confiou nEle.

Ao Rebelar-se (13.1—14.10a)

Na verdade, eles rebelaram-se. Os capítulos 13—14 levam-nos ao meio do livro de Números, e essa é uma passagem triste. O capítulo 13 inicia-se muito carregado de esperança. Se você não sabe o que vem adiante, lê o capítulo com a mesma expectativa despreocupada com que a criança espera pela noite de Natal. Oh, as esperanças tão perto de serem cumpridas! Após todos os séculos de espera, após todos os milagres incríveis, o povo titubeia para entrar na Terra Prometida. Os espiões seguem na frente. Eles retornam. E, agora, iniciam o relatório do que viram: "E contaram-lhe e disseram: Fomos à terra a que nos enviaste; e, verdadeiramente, mana leite e mel, e este é o fruto" (13.27). Provavelmente, esse versículo seja o ponto culminante da expectativa. E, oh, se eles tivessem parado aqui! O que disseram a seguir era tudo, menos algo útil. Eles deixaram vir à tona todas suas dúvidas, preocupações e inquietações. O versículo seguinte inicia-se com: "O povo, porém [...]" Você está na direção errada sempre que responde a uma promessa de Deus com um "porém".

> O povo, porém, que habita nessa terra é poderoso, e as cidades, fortes e mui grandes; e também ali vimos os filhos de Anaque. Os amalequitas habitam na terra do Sul; e os heteus, e os jebuseus, e os amorreus habitam na montanha; e os cananeus habitam ao pé do mar e pela ribeira do Jordão. Então, Calebe fez calar o povo perante Moisés e disse: Subamos animosamente e possuamo-la em herança; porque, certamente, prevaleceremos contra ela. Porém os homens que com ele subiram disseram: Não poderemos subir contra aquele povo, porque é mais forte do que nós. E infamaram a terra, que tinham espiado, perante os filhos de Israel.

Quando você não pode fazer uma fofoca direta, apenas deixa escapar um pouco aqui, uma preocupação ali. Reconhece todas as coisas boas, mas a seguir, levanta suas dúvidas. Para continuar...

> ... dizendo: A terra, pelo meio da qual passamos a espiar, é terra que consome os seus moradores; e todo o povo que vimos no meio dela são homens de grande estatura. Também vimos ali gigantes, filhos de Anaque, descendentes dos gigantes; e éramos aos nossos olhos como gafanhotos e assim também éramos aos seus olhos (13.28-33).

Você consegue imaginar um retrato mais claro de como a liderança é importante? No início do capítulo, Deus disse a Moisés "de cada tribo de seus pais enviareis um homem, sendo cada qual maioral entre eles" para espiar a terra (13.2). Esses homens eram líderes, porém, em vez de pôr coragem no coração dos homens, puseram temor. Em vez de serem exemplos de confiança no Senhor, eles duvidaram e contradisseram o Senhor. Qual é o resultado desse tipo de liderança? Devastação total. Eles conduziram o povo, mas em rebelião aberta contra Deus!

Então, levantou-se toda a congregação, e alçaram a sua voz; e o povo chorou naquela mesma noite. E todos os filhos de Israel murmuraram contra Moisés e contra Arão; e toda a congregação lhe disse: Ah! Se morrêramos na terra do Egito! Ou, ah! Se morrêramos neste deserto! E por que nos traz o Senhor a esta terra, para cairmos à espada e para que nossas mulheres e nossas crianças sejam por presa? Não nos seria melhor voltarmos ao Egito? E diziam uns aos outros: Levantemos um capitão e voltemos ao Egito (14.1-4).

Josué e Calebe rogam para que eles "não seja[m] rebeldes contra o Senhor e não tema[m] o povo desta terra" (14.9). No entanto, nesse ponto, o povo de Israel estava tão tomado pelo medo e pela rebelião que "toda a congregação" falou em apedrejá-los (14.10a). Eles não admitiriam ouvir nada, pois o coração deles rejeitara a verdade de Deus. O Senhor preparou-os durante séculos, e eles se rebelaram contra Ele.

Resultado: Deus Pune o Povo (14.10b—16.50)

Deus puniu o povo em resposta à rebelião deles. O Senhor deu seu veredicto logo após a conversa sobre apedrejar Josué e Calebe:

> A glória do Senhor apareceu na tenda da congregação a todos os filhos de Israel. E disse o Senhor a Moisés: Até quando me provocará este povo? E até quando me não crerão por todos os sinais que fiz no meio deles? Com pestilência o ferirei, e o rejeitarei, e farei de ti povo maior e mais forte do que este (14.10b-12).

Mais uma vez, Moisés, como já fizera tantas vezes antes, intercede a favor do povo culpado, mesmo quando murmuram contra ele. Que ótimo líder!

> E disse Moisés ao Senhor: Assim, os egípcios o ouvirão; porquanto com a tua força fizeste subir este povo do meio deles. E o dirão aos moradores desta terra, que ouviram que tu, ó Senhor, estás no meio deste povo, que face a face, ó Senhor, lhes apareces, que tua nuvem está sobre eles e que vais adiante deles numa coluna de nuvem de dia e numa coluna de fogo de noite. E, se matares este povo como a um só homem, as nações, pois, que ouviram a tua fama, falarão, dizendo: Porquanto o Senhor não podia pôr este povo na terra que lhes tinha jurado; por isso, os matou no deserto. Agora, pois, rogo-te que a força do meu Senhor se engrandeça, como tens falado, dizendo: O Senhor é longânimo e grande em beneficência, que perdoa a iniqüidade e a transgressão, que o culpado não tem por inocente e visita a iniqüidade dos pais sobre os filhos até à terceira e quarta geração. Perdoa, pois, a iniqüidade deste povo, segundo

a grandeza da tua benignidade e como também perdoaste a este povo desde a terra do Egito até aqui (14.13-19).

O Senhor perdoa o povo: "E disse o Senhor: Conforme a tua palavra, lhe perdoei" (14.20). Ele não os varre da face do tempo e da eternidade de imediato, como o pecado deles merecia que Ele fizesse. Mesmo assim, eles arcaram com a conseqüência de seu pecado, e ela era mortal. A desobediência a Deus é sempre pecado capital. E nesse caso, o acusador, o querelante e a testemunha principal também são o juiz. O Senhor julga-os e, nos três capítulos seguintes, vemos o cumprimento da pena de morte imposta a eles.

> Porém, tão certamente como eu vivo e como a glória do Senhor encherá toda a terra, todos os homens que viram a minha glória e os meus sinais que fiz no Egito e no deserto, e me tentaram estas dez vezes, e não obedeceram à minha voz, não verão a terra de que a seus pais jurei, e até nenhum daqueles que me provocaram a verá (14.21-23).

Esses versículos mostram-nos como entender os quarenta anos no deserto. A jornada prolongada não é um tempo enorme "fora". Não, de forma alguma. É a sentença de morte de Deus sobre toda uma geração. Nenhuma pessoa que testemunhou os milagres ou que foi libertada do Egito verá a Terra Prometida, a não ser os dois espiões fiéis, Josué e Calebe. O povo desdenhara dos caminhos do Senhor e desprezara-o com sua insolência, desconfiança e desobediência. Por isso, Deus puniu-os. O deserto não é uma estrada secundária, mas um cemitério. Deus sentencia à morte de toda a geração descrente, mas executa com muito mais rapidez a sentença dos que fizeram o relato negativo a fim de enfatizar a seriedade do pecado deles:

> E os homens que Moisés mandara a espiar a terra e que, voltando, fizeram murmurar toda a congregação contra ele, infamando a terra, aqueles mesmos homens, que infamaram a terra, morreram de praga perante o Senhor (14.36,37).

A presunção de tentar entrar novamente na Terra Prometida com a força deles mesmos (cap. 14), junto com o descumprimento do sábado e a oposição a Moisés (caps. 15 e 16), entra na sentença de morte do Senhor por causa da rebelião contra Ele.

Você acha a punição de Deus muito dura? Seria útil voltar ao início da Bíblia e rememorar que Deus advertiu Adão e Eva de que a desobediência produz um fruto terrível. Todavia, eles desobedeceram, e a morte entrou no mundo. Paulo também advertiu a igreja de Roma que "o salário do pecado é a morte" (Rm 6.23). Esses episódios de Números deixam claro o que Deus já dissera no passado e o que repetirá no futuro. Agora, a pena de morte para o pecado não quer dizer que morremos assim que pecamos. Se esse fosse o caso, eu não estaria falando com vocês. Eu estaria morto! Nem vocês estariam me escutando. Todavia, ela quer dizer que transgredimos em nossa vida e em nosso relacionamento com Deus. O Senhor tem o direito de tirar-nos essas coisas, e Ele prometeu que esse confisco seria a pena normal para pecadores como você e eu. O que é pior, a morte física é apenas um retrato da morte espiritual, da separação que acontece entre nós e o Deus que nos fez a sua imagem. Quaisquer que sejam as distinções que haja entre os seres humanos — de idade ou de gênero, de raça ou de religião, de trabalho ou de local de origem —, todos nós temos isso em comum: merecemos morrer por causa de nossos pecados.

Como vimos diversas vezes nos livros anteriores da Bíblia, essa história é também um retrato da soberania de Deus. O Senhor aniquila nações inteiras. Ele levanta o Egito e, depois, o humilha. Ele humilha Israel e, a seguir, chama-o. Agora, Ele decide acabar com as esperanças de toda uma geração por causa da desobediência dela. O levantar e o cair de nações, o desenvolvimento e o minguar das pessoas, tudo está nas mãos do Senhor.

Essa foi a pior geração que já existiu? Não temos nenhuma razão teológica para pensar isso. A própria primeira geração lançou-nos na armadilha do pecado, e a geração que crucificou Cristo cometeu um ato terrível. Todavia, a grande desobediência é um ponto comum a todas as gerações. Cada filho de Adão foi tentado pelo pecado e sucumbiu a ele — todos, com exceção de um. Houve, "porém um que, como nós, em tudo foi tentado, mas sem pecado" permaneceu (Hb 4.15). E nossa esperança repousa nEle.

Oh, amigo, pense sobre a seriedade do pecado. Pense em todas as mortes que ocorrem no livro de Números. Dizemos que a punição é feita sob medida para o crime. E o resultado ou a recompensa adequada a todo pecado é a pena de morte, a punição mais séria. A rebelião contra o Autor da vida acaba com a vida, isso é extremamente perigoso. É suicídio espiritual. Não subestime a seriedade do pecado, nem brinque com ele, se realmente consegue perceber todas as conseqüências dele. Em Números, mais adiante, Moisés diz: "[...] sentireis o vosso pecado, quando [ele] vos achar" (32.23). Veja como o pecado é uma coisa séria na justa sentença de Deus por causa dele. E lembre-se de que nenhum pecado gosta de estar sozinho. Certa vez, Richard Steele, ministro puritano, observou: "Devemos fazer todo o possível para não dar qualquer chance, nem incentivo, para que o desejo vagueie fora de casa [ele adverte contra o adultério], pois se ele, ou ela, não está satisfeito com uma pessoa também não estará com outra, porque o pecado não tem limites, e nada consegue limitar os desejos do coração, a não ser a graça ou o túmulo".[3]

Pense também nas raízes do pecado. Ao meditar sobre Números, tive este vislumbre de sabedoria: observe a conexão entre a insatisfação e o pecado. O povo se queixa incessantemente e, depois, peca. Na verdade, pode-se dizer que eles pecam ao se queixar. Bem, nós não nos queixamos de algumas coisas? Sem dúvida, algumas críticas são justas. E deveríamos lutar para mudar as coisas: soluções ruins, leis injustas, ações perversas. Todavia, não devemos nunca nos queixar contra Deus e os seus caminhos, e os israelitas fizeram isso. A condição espiritual deles revela-se pelas próprias queixas contra as dificuldades, o alimento e os líderes, coisas que Deus lhes dera. Isso mostra-nos onde eles estavam. Você e eu, ao ler essas histórias, vemos que Deus os libertou de forma espetacular da escravidão sem pedir-lhes que lutassem nem votassem. Você e eu vemos que o Senhor os alimentou de forma sobrenatural no deserto sem pedir que trabalhassem para isso. Você e eu vemos que o Senhor lhes deu o líder mais humilde e fiel que se pode imaginar, o qual, vez após vez, escolheu o bem dos que estavam sob seu comando em vez do bem pessoal. Contudo, até mesmo o povo não enxergava nada disso. Eles eram cegos. Não estavam satisfeitos com Deus e as grandes dádivas que o Senhor lhes dera, por isso, murmuravam a respeito das coisas que não tinham. Eles imaginavam males que não existiam e ignoravam as bênçãos que tinham. No entanto, muitas vezes, deixamos de reconhecer em nossa vida o que vemos na deles. Muitas vezes, também na nossa vida, a insatisfação está na raiz do pecado. A insatisfação diz-nos mais a respeito de nossa alma que sobre nossas circunstâncias. Ela mostra que nossa alma se alimenta no lugar errado, que tenta se fartar na água da sarjeta, em vez de se banquetear na mesa do Senhor. E pecar contra a vontade dEle está apenas um passo adiante do se queixar de sua provisão. Todo pecado, mesmo que pareça não ter ligação alguma com a religião, é uma mensagem breve e cortante para Deus: "Eu não gosto do Senhor. Preferiria ter essas coisas a ter o Senhor. Elas me dão o que quero". Amigo, medite com atenção na raiz de pecado que há em sua insatisfação.

Por isso é que oro para que nós, como uma família da igreja, cultivemos o espírito de encorajamento uns para com os outros e obedeçamos à Palavra do Senhor. As duas coisas andam juntas. Deus usa a cultura do encorajamento para trazer bondade e santidade. Graças a Deus, pelos excelentes pregadores, e também pelas magníficas congregações que mostram essas coisas em sua vida conjunta, que por experiência pessoal, são exemplos notáveis do espírito de encorajamento de que falo.

Acima de tudo, o oposto também é verdade. A queixa e a desobediência também andam juntas, quer na igreja quer em casa. E sempre dão frutos amargos: fofoca e divisão, desconfiança e calúnia e, por fim, a morte espiritual.

O que você espera realizar com a queixa? Você espera surpreender-nos com a notícia de que fulano é pecador? É sim, nós sabemos. Somos uma igreja cheia de pecadores! Não precisamos pegar os bocados mais saborosos e espalhá-los. Estamos aqui porque sabemos que Cristo perdoa nossos pecados. Concentremo-nos nisso. Sim, deve haver a crítica construtiva. Todavia, também devemos saber reconhecer e até celebrar a boa provisão e as muitas bênçãos de Deus, até a liderança boa e devota que temos. Agradeço a Deus pelos líderes que deu para essa igreja. E oro para que nós, como igreja, não sejamos iguais aos queixosos israelitas. O Senhor merece nosso louvor e confiança totais, em especial, pela forma como proveu essa igreja local. Não quero que você passe outro ano, outra semana, outro dia sequer sem enxergar a bondade do Senhor com você e para você! Ele abençoou essa igreja, além do amor, da preocupação e do cuidado para com você. Veja e reconheça isso para a glória dEle.

Você aprendeu a história de Números? Deus preparou o povo de forma espetacular, cuidadosa e amorosa, porém, ele não confiou no Senhor. Creio que isso ficou claro para você. No entanto, você perde o ponto da história se parar por aí.

TODAVIA, DEUS PERSEVERA COM O POVO (EM MOABE, CAPS. 17—36)

É verdade, os israelitas não confiam no Senhor, e Ele os pune, em especial, a geração mais velha. Mas no final, Deus persevera com o povo da mesma forma como perseverou com Adão e Eva quando estes não confiaram nEle. O Senhor estaria em seu direito caso decidisse se livrar de todo o povo, mas Ele não faz isso. O Senhor, como prometera a Moisés, perdoa e persiste. Números é um livro de tragédia constante, porém, mais que isso, é de esperança permanente.

Ao Prover Instrução tanto para os Sacerdotes como para a Purificação

Deus persevera com seu povo ao prover instrução tanto para os sacerdotes como para a purificação. O capítulo 18 está repleto de muitas instruções do Senhor para as tarefas e as ofertas especiais dos sacerdotes, e isso depois da recusa desobediente da nação de entrar na Terra Prometida. No capítulo 19, o Senhor continua a instruir a nação a respeito da pureza. Nos capítulos 28—29, Ele revê as épocas que exigem ofertas e comemorações especiais. No capítulo 30, continua a ensinar aos líderes o sentido da fidelidade, especificamente, de como um homem é responsável por si mesmo, por suas palavras e por sua família.

Também não quero que você tenha uma noção errada a respeito do povo. Depois do capítulo 14, eles não se tornam, de repente, dóceis e obedientes, como se a recusa em entrar na Terra Prometida tivesse funcionado como uma espécie de catarse para a desobediência e, agora, que tinham tirado isso da frente, pudessem ser santos e felizes. Não é nada disso! O pecado nunca opera dessa maneira. A indulgência nunca derrota o pecado.

Ao Permanecer Gracioso apesar do Pecado Contínuo (17; 20.9-12; 21.4-9; 25)

Deus persevera com seu povo ao permanecer gracioso a despeito do pecado contínuo deles. No capítulo 17, o povo deturpa as palavras do Senhor: "Então, falaram os filhos de Israel a Moisés, dizendo: Eis aqui, nós expiramos, perecemos, nós perecemos todos. Todo aquele que se aproximar do tabernáculo do Senhor, morrerá; seremos, pois, todos consumidos?" (17.12,13) Claro que o Senhor nunca disse isso.

Isso é exatamente a mesma coisa que a serpente fez no jardim do Éden: pegou algo que o Senhor disse, mudou o sentido e convenceu a todos do novo significado que deu às palavras!

No capítulo 20, até mesmo Moisés mostra que é capaz de desonrar ao Senhor. Em um acesso de fúria, ele desobedeceu às instruções do Senhor para conseguir água e, em vez de apenas ordenar para que dela jorrasse água, acabou por feri-la "duas vezes" (20.8-12). Por isso, Deus diz-lhe que teria a mesma sentença que a geração que fugiu do Egito: ele não entraria na Terra Prometida. Isso lhe parece severo demais? Lembre-se, o julgamento dos líderes é mais rigoroso. Tenha certeza de que eu, como pastor, não me esqueço disso.

Contudo, Moisés é um homem de Deus, e, mais uma vez, no capítulo 21, o povo provoca a ira do Senhor ao murmurar contra Ele. De início, o Senhor reage a isso com o envio de "serpentes ardentes". No entanto, Ele, com a mesma rapidez, oferece salvação para o povo em uma demonstração de sua persistente benevolência (veja 21.4-9).

No capítulo 25, os homens israelitas cedem à idolatria e à imoralidade, ao que o Senhor responde com uma praga. Todavia, parece que isso é uma bênção, uma vez que elimina a geração que saiu do Egito e traz um fim aos quarenta anos de desacerto pelo deserto.

Ao Conceder-lhes uma Segunda Chance

Deus também persevera com seu povo ao dar-lhes uma segunda chance por intermédio da geração seguinte. A liberdade e a vida nova estão garantidas em meio a pecados lastimáveis. Como vimos, o capítulo 14 representa o ponto culminante da tragédia desse livro quando Deus ordena: "Ora, os amalequitas e os cananeus habitam no vale; tornai-vos, amanhã, e caminhai para o deserto pelo caminho do mar Vermelho" (14.25). Em outras palavras, voltem para o lugar de onde vieram! Nesse ponto, uma multidão de israelitas tenta, tardia e presunçosamente, entrar na Terra Prometida por sua própria força, apenas para ser surrada e rapidamente expulsa pelos cananeus. Todavia, a história não termina aí.

No capítulo 20, inicia-se uma nova jornada quando o povo parte de Cades (cf. cap. 33), onde estivera errando em círculos por quase quarenta anos. Houve novas batalhas, porém, dessa vez, os israelitas venceram. O capítulo 21 apresenta a primeira vitória dos israelitas sobre os cananeus (21.21-25) — precursora de outras vitórias por vir. Os capítulos 22—24 relatam a estranha história dos moabitas Balaque e Balaão, a fim de mostrar que o Senhor usa até os inimigos dos israelitas para abençoar a nação. Portanto, Deus é soberano para abençoar quem quer. O capítulo 26 apresenta outro censo feito após a morte da geração do Êxodo. No capítulo 27, Josué é designado para ser o novo líder da geração seguinte. A seguir, o capítulo 31 descreve a vitória israelita sobre os midianitas.

Ao Capacitá-los a Alcançar a Terra Prometida!

No final do livro, vemos que Deus persevera com seu povo quando, enfim, capacita-os a alcançar a Terra Prometida com sucesso! Eles são bem-sucedidos apesar da desobediência crônica. No capítulo 32, as primeiras tribos estabelecem-se no lado oriental da Terra Prometida. O capítulo 34 apresenta as instruções do Senhor para o assentamento das tribos na terra de Canaã. No capítulo 35, Ele instrui-os para que separem cidades especiais para certas finalidades. E o capítulo 36 registra as instruções especiais sobre a terra que cada tribo receberia. O livro de Números não anuncia formalmente a entrada dos israelitas na Terra Prometida, apenas a entrada em seus limites; Deus é exato em seus planos. Ele não se desvia de seus planos por causa da rebelião do povo, mas persiste em seus propósitos. Talvez você tenha notado duas frases interessantes registradas no capítulo 15: "Quando entrardes na terra das vossas habitações, que eu vos hei de dar" (15.2), e: "Quando entrardes na terra em que vos hei de meter" (15.18). Alguém pode pensar nesta divina afirmação: "Como eu dizia..." Os planos de Deus não são frustrados apesar da rebelião do povo.

Esse retrato de Deus o surpreende? Do Senhor como o poderoso e santo que prepara seu povo com cuidado? Como o castigador de toda rebeldia abominável contra Ele? Como aquEle que persevera em misericórdia? Temo que muitas pessoas não entendam a misericórdia do Senhor, porque é só isso que querem enxergar nEle. Todavia, sua misericórdia não quer dizer nada se não for acompanhada de sua justiça. Você não entende a misericórdia dEle se não olhar longa e firmemente para sua justiça. A Bíblia está repleta de ensinamentos sobre a justiça e a misericórdia do Senhor. Esse é o Deus da Bíblia e o que veio até nós em Cristo.

No capítulo 14 está um dos retratos mais pungentes que Números apresenta desse Deus de justiça e de misericórdia. Moisés invoca a descrição que o Senhor fez de si mesmo em Êxodo 34, ao interceder pelo povo: "O Senhor é longânimo e grande em beneficência, que perdoa a iniqüidade e a transgressão, que o culpado não tem por inocente e visita a iniqüidade dos pais sobre os filhos até à terceira e quarta geração" (Nm 14.18; cf. Êx 34.6,7). Em outros estudos, referimo-nos a essa passagem de Êxodo 34 como o enigma do Antigo Testamento. Como o Senhor pode perdoar a iniqüidade e a transgressão e não deixar impune o culpado? Ou você pode perguntar, como a justiça e a misericórdia do Senhor podem ser satisfeitas ao mesmo tempo? Claro que a resposta está em Cristo. Deus pune o pecador e perdoa os pecados dele por intermédio da obra de Cristo. Ao morrer na cruz, Jesus tomou sobre si a punição de todos que se arrependem e crêem e abriu o caminho para nossa reconciliação eterna com Deus.

Por isso, o apóstolo João declara: "Deus amou o mundo de tal maneira que deu o seu Filho unigênito, para que todo aquele que nele crê não pereça, mas tenha a vida eterna" (Jo 3.16). Quem acreditará? Jesus respondeu: "Na verdade, na verdade te digo que aquele que não nascer de novo não pode ver o Reino de Deus" (3.3). Oh, amigo, não são apenas os da geração que o Senhor livrou do Egito que precisam de um novo começo. Todos nós precisamos nascer de novo. E, com a graça do Senhor, alguns de nós já nasceram de novo! Se somos cristãos, nascemos de novo! Tornamo-nos uma nova criação! Tornamo-nos os futuros filhos da promessa, mais definidos por meio do "para onde vamos" que por intermédio do "de onde viemos". Talvez nossas palavras ainda conservam o sotaque do pecado, mas nossos olhos estão cheios da esperança do céu.

Oro para que a vontade do Senhor mude a orientação típica de nossa família da igreja. Nós, como igreja local, não estamos condenados a repetir eternamente os erros passados da mesma forma que, como cristãos individuais, não somos definidos por nossos pecados passados. Se você pensa que somos, é porque não entendeu o que está em operação aqui: é Deus quem está em operação aqui! Ele fez um povo para sua glória. A igreja local é criação e idéia de Deus. Ele assina essa criação e garante seu sucesso! Como mais poderíamos seguir em frente? Certamente, se tentarmos edificar uma igreja verdadeira se o Senhor não estiver conosco, seremos tão incapazes quanto os filhos de Israel em sua tentativa de alcançar a Terra Prometida com o esforço deles mesmos. Todavia, o sucesso está garantido, se Deus *estiver* conosco. O Senhor persevera com seu povo apesar de quaisquer obstáculos e de todos os nossos pecados.

Conclusão

Portanto, esta é a mensagem de Números: Deus prepara o povo, mas este se rebela contra Ele. Contudo, o Senhor, graciosamente, persevera com seu povo pecador.

A história de Números aparece, pelo menos, duas vezes no Novo Testamento, uma vez com não-cristãos e outra com cristãos. Na primeira vez, Jesus, em sua conversa com Nicodemos, menciona o episódio em que a murmuração do povo contra Moisés fez com que Deus enviasse as "serpentes ardentes". Como já vimos, o Senhor ofereceu abertamente uma forma de salvação: "E disse o Senhor a Moisés: Faze uma serpente ardente e põe-na sobre uma haste; e será que viverá todo mordido que olhar para ela. E Moisés fez uma serpente de metal e pô-la sobre uma haste; e era que, mordendo alguma serpente a alguém, olhava para a serpente de metal e ficava vivo" (21.8,9). Jesus usou essa história para mostrar a Nicodemos como sua morte na cruz proclamaria publicamente a forma de salvação para os que cressem: "E, como Moisés levantou a serpente no deserto, assim importa que o Filho do Homem seja levantado, para que todo aquele que nele crê não pereça, mas tenha a vida eterna" (Jo 3.14,15). Cristo é o remédio, fornecido por Deus, para os nossos pecados. Cristo foi levantado — crucificado — por nós, e tudo que precisamos fazer é olhá-lo e viver. É responder com fé à Palavra de promessa do Senhor. É nos arrepender de nossos pecados, crer em Cristo e confiar nEle.

Charles Haddon Spurgeon, o grande pregador, disse:

> De repente, vi o caminho da salvação. Não sei nada mais do que ele disse — não prestei muita atenção —, pois fora realmente tomado por esse pensamento. Aconteceu comigo o mesmo que aconteceu com o povo quando apenas olhava a serpente de metal e vivia. Eu esperava ter de fazer outras cinqüenta coisas, mas quando ouvi a palavra: "Veja!", ela me soou tão cativante. Oh! Eu olhei até ter de desviar os olhos. Nesse momento, foi-se a nuvem, acabou a escuridão e eu vi o sol; e eu poderia ter ascendido e ter cantado com o mais entusiasmado deles sobre o precioso sangue de Cristo e a mais simples fé que olha apenas para Ele. Oh, se alguém tivesse me dito antes: "Creia em Cristo e será salvo".[4]

Essa é a boa notícia. Arrependa-se de seus pecados e creia nas Boas Novas! "Àquele que não conheceu pecado" embora fosse tentado de todas as formas como também somos "o fez pecado por nós; para que, nele, fôssemos feitos justiça de Deus" (2 Co 5.21).

A segunda vez foi quando Paulo recontou a história de Números em sua carta aos cristãos em Corinto. Depois de recontar a história, ele adverte seus leitores a respeito da tentação e incita-os a ser cuidadosos. Acabamos de examinar a história de Números, portanto, se você for cristão medite a respeito do que Paulo fala nesta passagem:

> Ora, irmãos, não quero que ignoreis que nossos pais estiveram todos debaixo da nuvem; e todos passaram pelo mar, e todos foram batizados em Moisés, na nuvem e no mar, e todos comeram de um mesmo manjar espiritual, e beberam todos de uma mesma bebida espiritual, porque bebiam da pedra espiritual que os seguia; e a pedra era Cristo. Mas Deus não se agradou da maior parte deles, pelo que foram prostrados no deserto. E essas coisas foram-nos feitas em figura, para que não cobicemos as coisas más, como eles cobiçaram. Não vos façais, pois, idólatras, como alguns deles; conforme está escrito: O povo assentou-se a comer e a beber e levantou-se para folgar. E não nos prostituamos, como alguns deles fizeram e caíram num dia vinte e três mil. E não tentemos a Cristo, como alguns deles também tentaram e pereceram pelas serpentes. E não murmureis, como também alguns deles murmuraram e pereceram pelo destruidor. Ora, tudo isso lhes sobreveio como figuras, e estão escritas para aviso nosso, para quem já são chegados os fins dos séculos. Aquele, pois, que cuida estar em pé, olhe que não caia. Não veio sobre vós tentação, senão humana; mas fiel é Deus, que vos não deixará tentar acima do que podeis; antes, com a tentação dará também o escape, para que a possais suportar (I Co 10.1-13).

Meu irmão ou irmã em Cristo, aprenda com os exemplos negativos desse livro. Confie nos planos de Deus e não se rebele. Confie no tempo dEle. Ele está sempre certo e é sempre bom. Mesmo que nos surpreenda, Deus sempre cumpre as promessas que faz no tempo e da forma dEle. Em Números 11, Ele prometeu dar carne ao povo queixoso, uma promessa que quase fez Moisés ultrapassar os limites. Moisés, em uma falta de fé momentânea, perguntou-se em voz alta como o Senhor cumpriria essa promessa. A resposta do Senhor mostrou o ridículo da dúvida de Moisés: "Seria, pois, encurtada a mão do Senhor?" (11.23)

Amado irmão, você se pergunta se Deus pode cumprir as promessas que fez nas Escrituras para a sua vida e para a igreja? Você se pergunta se Ele já lhe deu tudo que pode? É isso? O cristianismo se resume ao que você vivencia neste momento? Você se pergunta se o Senhor pode usá-lo para construir seu Reino? Tire um momento para refletir sobre essas questões. Descubra, agora mesmo, a raiz de seu descontentamento com Deus. Você acha que Ele é incapaz de cumprir o que prometeu? Ou que, talvez, Ele não seja mesmo tão bom? O presente parece sempre pior que o passado?

Se você se pergunta essas coisas, confesse-as honestamente a Deus e, talvez, a um amigo cristão. Confesse seu descontentamento com o Senhor e com a maneira dEle agir e medite a respeito do Deus que encontramos no livro de Números. Creia na Palavra do Senhor, não siga o exemplo dos queixosos e descrentes filhos de Israel. Nossa única esperança é a mensagem desse livro. Estamos todos perdidos, se Deus não for perdoador, perseverante e salvador! Não temos nenhuma chance. Sim, às vezes, a vida se parece com uma caminhada pelo deserto, por isso, como cristãos, temos de lembrar uns aos outros que este mundo não é a nossa casa. Antes, estamos em uma jornada em direção a nossa casa. E essa esperança de chegar a nossa casa não é romantismo cego, é uma esperança clara para o futuro. Cremos no que o Senhor pode fazer por nosso futuro não-visível, porque sabemos o que fez com nosso passado de rebelião. Por isso, confiamos nEle hoje. Temos Emanuel, Deus conosco, o amigo do pecador, em meio aos inimigos, às tentações, ao coração partido, às tempestades e aos pecados. Portanto, temos esperança.

Oremos

Oh, Deus, o livro de Números é um espelho de nossa alma. Oramos para que o Senhor nos ajude a ver nosso descontentamento com o Senhor, para que o identifiquemos com clareza e para que o confessemos neste momento. O Senhor sabe o que nos inquieta, ou o que nos leva a enfrentar lutas para depositar nossa confiança no Senhor. Oh, Pai, perdoe-nos e mude-nos. Aumente nosso amor e nossa satisfação no Senhor. Exultamos com o seu perdão para nossos pecados e com sua perseverança para conosco. Oramos para que o Senhor nos ajude a, como indivíduos, conhecer sua perseverança e a exemplificá-la em nossas igrejas e em nossa comunidade. Pedimos tudo isso para a sua glória, em nome de nosso Salvador, Jesus. Amém.

Questões para Reflexão

1. Que frase o caracteriza mais: nostalgia pelo passado, contentamento pelo presente ou expectativa pelo futuro? Em outras palavras, onde você encontra mais alegria?
2. Como as igrejas deveriam se esforçar para viver unidas apenas no Senhor? Como as igrejas devem reagir quando seus membros escolhem, obstinada e impenitentemente, um estilo de vida caracterizado pela impureza?
3. Como vimos, o Tabernáculo ficava localizado no meio do acampamento israelita. Que importância isso tinha, se é que tinha, para as reuniões cristãs? Isso significa que deveríamos pôr uma cruz no meio da sala ou significa outra coisa?
4. Se você for cristão, como Deus o preparou para sua conversão?
5. Do que você reclama? O que sua queixa transmite a Deus a respeito da provisão dEle para você? O que isso afirma a respeito de sua crença na

sabedoria e na bondade dEle? Ou talvez devamos abordar a questão desta forma: suponha que uma pessoa pense que é mais sábia e mais bondosa que o Senhor. Como essa pessoa agiria? Você já agiu como essa pessoa?

6. Qual foi a última vez em que se sentiu genuinamente satisfeito? Por que você se sentiu satisfeito?
7. Como a reclamação leva a pecados piores. Que atitudes temos de adotar para lutar contra nosso coração queixoso?
8. O que todas as mortes de Números nos ensinam a respeito do pecado? Você vê o pecado como algo realmente sério? Sua igreja leva o pecado a sério? Como? Precisamos mesmo levar o pecado tão a sério já que, como cristãos, vivemos sob a graça?
9. Você acha a decisão de Deus de impedir a geração mais velha de entrar na Terra Prometida e de fazê-la morrer no deserto, muito dura? Esse é o mesmo Deus a respeito de quem o apóstolo João disse: "Porque Deus amou o mundo de tal maneira que deu o seu Filho unigênito, [...]"? Como o Senhor pode ser amoroso e sentir ira ao mesmo tempo?
10. Em continuação à pergunta 9, o Deus que você adora fica cheio de ira como o do livro de Números? Como sua vida e sua adoração mudariam para melhor se você o visse dessa maneira?
11. Em continuação à pergunta 10, você já louvou a Deus por sua santidade, por sua ira e por sua promessa de julgamento? Como cultivar um coração que louva a Deus por sua ira por vir o capacita a ser, na verdade, mais amoroso, paciente e promotor da paz entre os cristãos e os não-cristãos?
12. Suponha que um não-cristão lhe diga: "Não consigo acreditar na Bíblia. Afinal, Deus mandou Moisés apedrejar um homem que juntou madeira no sábado. Isso é loucura!" (veja Nm 15.32-36). Como você responderia a esse comentário?
13. Em que situação de sua vida, você observou a perseverança de Deus? Certifique-se de agradecer a Ele por isso.
14. Como vimos, Moisés levantou a serpente de bronze em um poste para que os israelitas mordidos pela serpente ardente a vissem e fossem curados. Jesus usou essa história como analogia para dizer algo a respeito de sua morte na cruz. O que a analogia explica? Que implicações ela tem com a pregação e o evangelismo?

Notas

Capítulo 4

[1] A data de pregação original deste sermão foi em 17 de fevereiro de 2001, na Capitol Hill Baptist Church, em Washington, D. C.

[2] Charles Herle, citado em James Reid, Memoirs of the Westminster Divines, 2 vols. (Paisley, UK: Stephen & Andrew Young, 1815), pp. 2-28.

[3] Richard Steele, "What Are the Duties of Husbands and Wives Towards Each Other?", em Puritan Sermons 1659-1689, 6 vols. (Wheaton, Ill.: Richard Owen Roberts, 1981), pp. 2-277.

[4] Charles Haddon Spurgeon, C. H. Spurgeon's Autobiography, 4 vols. (Londres: Passmore & Alabaster, 1897), pp. 1-106.

A MENSAGEM DE DEUTERONÔMIO: "O PASSADO É O PRÓLOGO"

PRÓLOGO OU PROFECIA?

INTRODUÇÃO A DEUTERONÔMIO

DEUS ESCOLHE SEU POVO
   Quem É esse Deus que Escolhe?
      O Único Deus Verdadeiro
      A Soberania de Deus
   Por que Ele Escolhe esse Povo?
   O que o Povo Escolhido por Ele Recebe (o que significa ser escolhido)?
      A Lei
      Os Descendentes
      A Terra
      A Presença de Deus

O POVO DE DEUS DEVE ESCOLHÊ-LO
   O que Representa Escolher a Deus?
   Que Tipo de Escolha É essa?
   Que Implicações sua Escolha Tem sobre Você mesmo?

CONCLUSÃO

CAPÍTULO 5

A Mensagem de Deuteronômio:
"O Passado É o Prólogo"

Prólogo ou Profecia?[1]

"O passado é o prólogo." Assim fala Antônio, o usurpador duque de Milão, para Sebastião, o irmão traidor de um rei, em uma das mais estranhas peças de William Shakespeare, *A tempestade*. Antônio tenta persuadir Sebastião a se apossar do trono de Veneza, ao qual este não tem direito. Antônio incita-o a não se sentir preso pelo passado, mas a vê-lo apenas como o prólogo do futuro que pode construir para si mesmo. Na verdade, as palavras de Antônio apresentam, de forma mais gentil, a definição de Henry Ford de que a história não passa de "bobagem". De forma semelhante, Leon Tolstoi definiu a história como "uma coleção de fábulas e insignificâncias inúteis".

Antônio era um patife, e seu conselho mostra um desprezo sinistro pela lei que Sebastião estava obrigado a honrar. Todavia, o menosprezo que demonstra pelo poder que o passado exerce na vida da pessoa levanta um tópico interessante. Sem dúvida, a história é interessante, mas ela controla tudo? Gostamos de ler biografias, em parte por que, com freqüência, percebemos na criança o esboço do adulto. Contudo, podemos sempre discernir o futuro no passado? A história é uma profecia? Ou, como Antônio quer que Sebastião acredite, ela é apenas um prólogo dispensável?

Essa é uma questão importante a considerar em nossa vida. Todos nós temos uma história. Você e eu temos um rastro de atitudes e de ações por trás de nós, tão longo quanto nossa vida. É a nossa história. É a história que temos e que nos

tem. Nossa história tornou-nos no que somos agora — e nós a fizemos.
Assim, o que você acha: seu passado tem um argumento que fundamenta sua expectativa de receber as bênçãos de Deus no futuro, ou ele aponta para algo menos auspicioso? Tenhamos tudo isso em mente ao nos voltarmos, mais uma vez, para o Pentateuco.

Introdução a Deuteronômio

O Pentateuco é o nome dos cinco primeiros livros da Bíblia. Esses livros iniciam a história da Bíblia. Eles fornecem o prólogo e o fundamento dela. E nos quatro últimos sermões, esses livros foram objeto de nosso estudo.

Iniciamos com Gênesis que apresenta a história da criação, da Queda e do início do plano redentor de Deus por intermédio de Abraão, de seu filho Isaque e de Jacó, filho de Isaque, também conhecido como Israel. Nos últimos capítulos de Gênesis, José, filho de Jacó, é levado para o Egito e, no fim, seu pai e irmãos o seguem. A seguir, vimos Êxodo que resume, no primeiro capítulo, quatrocentos anos da vida e da escravidão dos filhos de Israel no Egito. O segundo capítulo apresenta os primeiros oitenta anos da vida de Moisés. Depois, o relato de Êxodo 3, de Levítico até a metade de Números cobre um período de apenas um ano. Esse é um ano especial em que o Senhor chamou Moisés, um homem de oitenta anos, para retornar ao Egito e livrar os filhos de Israel da escravidão. Com a incrível ajuda de Deus, ele faz isso e leva o povo até o monte Sinai. No monte Sinai, o Senhor dá sua lei à nação, transforma-a em seu povo especial e os instrui nos seus caminhos, apesar de seus pecados contínuos. O livro de Levítico fornece mais instruções para o povo do Senhor, principalmente em relação ao pecado e à necessidade de expiá-los. Números inicia-se com ainda mais instruções e, a seguir, descreve a jornada do povo em direção à Terra Prometida. Todavia, Números 13 e 14 registram a maior tragédia que ocorre depois da Queda no jardim do Éden: o povo rebela-se contra o plano do Senhor ao se afastar da terra que lhes fora prometida. Por isso, Ele manda-os de volta em direção ao mar Vermelho. O resto de Números conta a história dos quase quarenta anos de peregrinação do povo em torno de Cades, como resultado de sua desobediência. No entanto, Deus persevera com o povo. Na última parte de Números, após a morte da geração mais velha, o povo segue em direção à Terra Prometida. E isso nos traz ao último livro do Pentateuco, Deuteronômio.

Basicamente, Deuteronômio é o registro dos três últimos discursos de Moisés para a nação de Israel enquanto estão do outro lado do Jordão, preparando-se para entrar na Terra Prometida. Os estudiosos dizem que o livro foi escrito em forma de tratado, ou de aliança: inicia-se com um prólogo histórico, depois, apresenta as instruções ou leis que o povo devia guardar e termina com uma lista de bênçãos que teriam se obedecessem e de maldições que sofreriam se desobedecessem. Pensei em estruturar este sermão em três partes — recapitulação, exposição e exortação: recapitulação é o que é o passado; exposição é o que é a Lei; e exortação é a necessidade de obedecer. Essa exposição dá a linha geral da disposição desse livro. É fácil de lembrar. E cria o esboço maravilhoso para um sermão. Todavia, não pregarei esse sermão, pois não acho que ensinaria tudo que precisamos aprender com Deuteronômio. Embora, por um lado, essa abordagem seja útil, Deuteronômio é muito mais estruturado do que essas três divisões sugerem.

Muitas pessoas perguntam: "Por que o livro se chama Deuteronômio?" A resposta a essa pergunta não é importante para o nosso propósito aqui. Todavia, caso você esteja curioso, o nome "Deuteronômio" vem de uma palavra do capítulo 17 da versão grega do livro. Deuteronômio 17.18 instrui o rei de Israel a fazer uma *segunda* cópia dessa *Lei*, ou um *deuteronomion* em que "deuter(o)" significa segundo, e *nomos*, lei. Claro que na época não existiam copiadoras ou impressoras. E o mais importante era que Deus queria que o rei conhecesse bem a Lei, e o fato de copiá-la à mão ajudaria esse processo. Por isso, ele teve de fazer isso letra a letra.

Deuteronômio é um belo livro. Não é de admirar que seja o mais citado por Jesus que qualquer outro do Antigo Testamento. Deuteronômio, claro, não registra muita ação. Talvez Deuteronômio pareça um pouco pacato depois dos dramas de Gênesis, Êxodo e Números. Contudo, ele tem algumas passagens muito conhecidas: o capítulo 5 repete os Dez Mandamentos para a geração que está para entrar na Terra Prometida. O capítulo 6 registra o famoso *shema*: "Ouve, Israel, o Senhor, nosso Deus, é o único Senhor. Amarás, pois, o Senhor, teu Deus, de todo o teu coração, e de toda a tua alma, e de todo o teu poder" (4.5,6).[2] Talvez você já tenha ouvido o dito do capítulo 29: "As coisas encobertas são para o Senhor, nosso Deus" (29.29). Depois, apresenta ainda a passagem em que os homens recém-casados ficam um ano inteiro sem encargos (24.5)!

Esse tipo de sermão, como digo sempre que faço sermões em que apresento um panorama geral, não é usual, pois vemos um livro inteiro da Bíblia em um único estudo, e essa não é minha forma de pregação normal. Em geral, prego passagens bem mais curtas das Escrituras, como alguns versículos ou um ou dois capítulos. Todavia, há alguns padrões e aspectos que apenas apreendemos quando temos uma visão mais panorâmica.

Creio que podemos resumir a mensagem de Deuteronômio em duas afirmações bem simples. Primeiro, Deus escolhe seu povo. Segundo, o povo do Senhor deve escolhê-lo. Oro para que conforme estudamos a mensagem de Deuteronômio tenhamos mais e mais compreensão de quem é Deus e de quem somos nós, como seu povo.

Deus Escolhe seu Povo

Deus escolhe seu povo. Essa frase parece bastante clara. Todavia, façamos algumas perguntas esclarecedoras a fim de entendermos realmente essa afirmação.

Quem É esse Deus que Escolhe?

Primeiro, quem é esse Deus que faz a escolha? Bem, poderíamos dizer muitas coisas a respeito dEle. Todavia, há duas coisas esmagadoramente óbvias sobre o Senhor — coisas essas esquecidas, com freqüência, hoje — que são particularmente importantes nesse relato. À medida que você lê Deuteronômio, essas duas coisas o surpreendem.

O Único Deus Verdadeiro. A primeira e bem simples é que esse Deus é o único Deus verdadeiro. Não há outro. Vez após vez, o livro afirma essa verdade. Moisés, no fim de sua primeira fala, lembra o povo que os grandes atos que o Senhor realizou entre eles durante o Êxodo mostram sua característica de único:

> Porque, pergunta agora aos tempos passados, que te precederam, desde o dia em que Deus criou o homem sobre a terra, desde uma extremidade do céu até à outra, se sucedeu jamais coisa tão grande como esta ou se se ouviu coisa como esta; ou se algum povo ouviu a voz de algum deus falando do meio do fogo, como tu a ouviste, ficando vivo; ou se um deus intentou ir tomar para si um povo do meio de outro povo, com provas, com sinais, e com milagres, e com peleja, e com mão forte, e com braço estendido, e com grandes espantos, conforme tudo quanto o Senhor, vosso Deus, vos fez no Egito, aos vossos olhos. A ti te foi mostrado para que soubesses que o Senhor é Deus; nenhum outro há, senão ele. Desde os céus te fez ouvir a sua voz, para te ensinar, e sobre a terra te mostrou o seu grande fogo, e ouviste as suas palavras do meio do fogo. Porquanto amava teus pais, e escolhera a sua semente depois deles, e te tirou do Egito diante de si, com a sua grande força, para lançar fora de diante de ti gentes maiores e mais poderosas do que tu, para te introduzir na terra e ta dar por herança, como neste dia se vê. Pelo que hoje saberás e refletirás no teu coração que só o Senhor é Deus em cima no céu e embaixo na terra; nenhum outro há (4.32-39).

O livro está repleto de referências à singularidade do Senhor: "O Senhor, teu Deus, está no meio de ti, Deus grande e terrível" (7.21). E mais adiante: "Vede, agora, que eu, eu o sou, e mais nenhum deus comigo; eu mato e eu faço viver; eu firo e eu saro; e ninguém há que escape da minha mão" (32.29). Deuteronômio faz brilhar a singularidade do Senhor. Esse livro é a respeito do único Deus que é.

A Soberania de Deus. Segundo, esse Deus que escolhe é único, em parte, por ser o Deus soberano. Deuteronômio revela a magnífica soberania total do Senhor sobre todas as coisas. Ele estabelece e liberta nações com a mesma facilidade com que você e eu levantamos uma folha de papel ou entregamos um livro a alguém.

Quando o povo se prepara para entrar na Terra Prometida e enfrentar ainda mais adversários do que encararam no deserto, Moisés não quer que eles se considerem grandes conquistadores militares, mas quer lembrá-los que apenas Deus salva. Nos capítulos 2 e 3, Moisés rememora como o Senhor lhes deu as nações de Hesbom e de Basã (3.2,3). Muitos capítulos adiante, ele pede:

> não deixes de te lembrar do que o Senhor, teu Deus, fez a Faraó e a todos os egípcios; das grandes provas que viram os teus olhos, e dos sinais, e maravilhas, e mão forte, e braço estendido, com que o Senhor, teu Deus, te tirou; assim fará o Senhor, teu Deus, com todos os povos, diante dos quais tu temes (7.18b-19; cf. 3.21,22).

Além disso, o povo devia ver a demonstração da soberania de Deus até no ritmo com que derrotam seus inimigos: "E o Senhor, teu Deus, lançará fora estas nações, pouco a pouco, de diante de ti; não poderás destruí-las todas de pronto, para que as feras do campo se não multipliquem contra ti" (7.22; cf. 9.3). O Senhor tem propósitos em tudo, até mesmo no tempo em que leva para cumprir suas promessas.

Moisés também aponta para a grandeza da tarefa e para a inadequação de Israel para dar conta dos desafios que tem à frente. Por quê? A fim de deixar clara a supremacia do Senhor: "O Senhor de diante de vós lançará fora todas estas nações, e possuireis nações maiores e mais poderosas do que vós".[3] O destino de Israel está diretamente nas mãos de Deus (28.15). Esse é o Senhor que endurece o coração de reis e de faraós (2.30). Ele reina sobre os lábios mentirosos de falsos profetas (13.3). Ele dá e tira a compreensão de seu povo (29.4). Esse Deus é soberano, e seu povo terá mais facilidade em confiar nEle se lembrar desse fato (31.6,8).

Amigo, pense a respeito da longa trilha de atitudes e de ações que você trouxe consigo para este estudo. Você pode sentir gratidão à medida que examina as coisas boas de seu passado. Você deve atribuir as coisas boas de sua vida a Deus. Todas as bênçãos vêm do Senhor soberano.

Por que Ele Escolhe esse Povo?

Mas por que Deus escolheu esse povo em particular? Ele deixa claro que considera Israel rebelde e desobediente e, de uma forma que quase parece estranha, diz isso muitas vezes para eles.[4] Ele é totalmente honesto: eles eram obstinados e não estavam dispostos a obedecer.[5] Outrossim, Moisés disse sem rodeios que o povo "nem por isso [creu] no Senhor" (1.32). E advertiu-os para que não enganassem a si mesmos exatamente quanto a esse ponto:

> Quando, pois, o Senhor, teu Deus, os lançar fora, de diante de ti, não fales no teu coração, dizendo: Por causa da minha justiça é que o Senhor me trouxe a esta terra para a possuir, porque, pela impiedade destas nações, é que o Senhor as lança fora, de diante de ti. Não é por causa da tua justiça, nem pela retidão do teu coração que entras a possuir a sua terra, mas, pela impiedade destas nações, o Senhor, teu Deus, as lança fora, de diante de ti; e para confirmar a palavra que o Senhor, teu Deus, jurou a teus pais, Abraão, Isaque e Jacó. Sabe, pois, que não é por causa da tua justiça que o Senhor, teu Deus, te dá esta boa terra para possuí-la, pois tu és povo obstinado (9.4-6).

Deuteronômio não é um livro que serve para alimentar o nosso orgulho, não é mesmo? Não é do tipo: "Deus ajuda a quem se ajuda", ou: "Primeiro, edifique sua auto-estima". Eu cheguei minha cópia de *The Positive Bible* (A Bíblia Positiva),[6] e os editores omitiram esses versículos do capítulo 9! Deus quis garantir ao povo que o abençoaria, mas não como resultado da justiça deles. Ele os abençoaria porque é bom.

Agora, sabemos quais *não* foram os motivos para Deus escolher Israel. Mas por que Ele os escolheu? Encontramos essa resposta em diversas passagens e, talvez, você se surpreenda já que se trata de um livro da Lei. O capítulo 4 afirma:

> Porquanto amava teus pais, e escolhera a sua semente depois deles, e te tirou do Egito diante de si, com a sua grande força, para lançar fora de diante de ti gentes maiores e mais poderosas do que tu, para te introduzir na terra e ta dar por herança, como neste dia se vê (4.37,38).

Ele escolheu-os por que os amava? Então, sem dúvida, havia algo de especial neles, certo? Aparentemente, não. O capítulo 7 apresenta essa mesma idéia surpreendente, apenas de uma forma um pouco mais extensa.

> Porque povo santo és ao Senhor, teu Deus; o Senhor, teu Deus, te escolheu, para que lhe fosses o seu povo próprio, de todos os povos que sobre a terra há. O Senhor não tomou prazer em vós, nem vos escolheu, porque a vossa multidão era mais do que a de todos os outros povos, pois vós éreis menos em número do que todos os povos, mas porque o Senhor vos amava; e, para guardar o

juramento que jurara a vossos pais, o Senhor vos tirou com mão forte e vos resgatou da casa da servidão, da mão de Faraó, rei do Egito (7.6-8).

Deus não escolheu esse povo pela justiça deles. Não os escolheu por sua força numérica. Eles eram obstinados e poucos, em número. Ele escolheu-os porque os amava![7] Esse Deus, grande e soberano, escolheu dar seu amor para esse povo não por algum motivo inerente a eles, mas apenas porque os amava.

O que o Povo Escolhido por Ele Recebe (O que Significa Ser Escolhido)?

Temos de fazer mais uma pergunta a fim de desdobrar a afirmação de que Deus escolhe seu povo. Está certo, Ele escolhe seu povo, mas o que significa ser escolhido? O que seu povo recebe?

A Lei. Bem, Deus deu uma quantidade de presentes aos israelitas quando os chamou para ser seu povo escolhido. Em Deuteronômio, o presente mais óbvio que o Senhor lhes deu foi sua Lei. Você se lembra que esse é o significado do nome do livro? A segunda lei. Os capítulos 4—6 apresentam um excelente resumo da Lei, e o capítulo 5 apresenta, pela segunda vez no Pentateuco, os Dez Mandamentos. Em um sentido, esse livro é a reapresentação da Lei ao povo logo antes de entrarem na Terra Prometida. Deus lembra *suas regras* ao *seu povo* antes de levá-los ao *seu lugar*. Assim, eles viram o livro com as regras antes de entrarem no jogo. Dessa forma, todos estavam no mesmo ponto.

Fica claro que a Lei de Deus devia ser crucial entre seu povo. Por isso, ordenou-se ao povo que escrevesse a Lei em pedras grandes, a fim de ser visualizada com facilidade, logo depois que atravessassem o Jordão em direção à Terra Prometida (27.8). O Senhor não quer que erijam uma estátua sua, mas que exponham em um lugar público sua Lei. O conjunto de leis descreve muito melhor o caráter do Senhor que qualquer forma que o homem possa talhar. Além disso, Deus quer que, a cada sete anos, se leia a lei em voz alta para o povo (31.10,11).

Deus chama seu povo para ser separado ao viver de acordo com a sua vontade. Assim, as leis funcionam para manter o povo puro e para ajudá-los a manter o respeito pela verdade do Senhor — na vida, na família, na fidelidade no casamento e na própria Lei. Esse livro apresenta leis que protegem a propriedade privada e se preocupa com os necessitados. De certa forma, a Lei inicia o cumprimento das promessas de Deus para Abraão, ao refinar o povo que Ele escolheu.

Os descendentes. Deus dá muitos descendentes ao seu povo especial, além da Lei. Em Gênesis, o Senhor disse a Abraão: "Então, o levou fora e disse: Olha, agora, para os céus e conta as estrelas, se as podes contar. [...] Assim será a tua semente" (Gn 15.5). Na época, essa promessa soou irreal. Abraão e sua esposa,

Sara, eram velhos e não tinham filhos. Mas Deuteronômio anuncia: "Agora, o Senhor, teu Deus, te pôs como as estrelas dos céus em multidão" (Dt 10.22). Deus cumpre sua promessa.

A terra. Deus também prometera uma terra para seu povo. Mais uma vez, Ele disse a Abraão: "À tua semente darei esta terra" (Gn 12.7). Aqui, em Deuteronômio, eles estão para ver o cumprimento dessa promessa. Na verdade, Deus descreve a terra como tão boa que poderia ser copiada para alguma propaganda!

> Porque a terra que entras a possuir não é como a terra do Egito, donde saíste, em que semeavas a tua semente e a regavas com o teu pé, como a uma horta. Mas a terra que passais a possuir é terra de montes e de vales; da chuva dos céus beberá as águas; terra de que o Senhor, teu Deus, tem cuidado; os olhos do Senhor, teu Deus, estão sobre ela continuamente, desde o princípio até ao fim do ano (11.10-12).

A presença de Deus. A Lei, os descendentes e a terra fazem parte do que o Senhor deu ao seu povo escolhido. Todavia, acima de tudo e o mais importante, Ele se deu ao seu povo.

Ao longo de Deuteronômio, vemos sacrifícios e comemorações feitos "perante o Senhor".[8] Como você deve se lembrar de nossos estudos anteriores, o Senhor também está presente com seu povo por intermédio do Tabernáculo, da coluna de nuvem à porta de onde ficava a arca da aliança. Essas lembravam o povo de que o Senhor estava, de uma forma especial, com eles. Mesmos as nações viam isso. Moisés disse ao povo:

> Vedes aqui vos tenho ensinado estatutos e juízos, como me mandou o Senhor, meu Deus, para que assim façais no meio da terra a qual ides a herdar. Guardai-os, pois, e fazei-os, porque esta será a vossa sabedoria e o vosso entendimento perante os olhos dos povos que ouvirão todos estes estatutos e dirão: Só este grande povo é gente sábia e inteligente. Porque, que gente há tão grande, que tenha deuses tão chegados como o Senhor, nosso Deus, todas as vezes que o chamamos? E que gente há tão grande, que tenha estatutos e juízos tão justos como toda esta lei que hoje dou perante vós (4.5-8)?

No capítulo 31, Moisés comissiona Josué publicamente para sucedê-lo e diz primeiro para o povo e, depois, para Josué: "O Senhor, vosso Deus, é o que vai convosco; não vos deixará nem vos desamparará" (31.6,8). Dois capítulos adiante, Moisés, depois de abençoar cada tribo, faz outra bela promessa: "O Deus eterno te seja por habitação, e por baixo de ti estejam os braços eternos" (33.27).

Acima de todas as coisas, Deus dá um povo para si mesmo quando o escolhe. Os filhos de Israel podiam estar à margem do Jordão, posicionados para entrar na Terra Prometida, porém, a promessa do Senhor de habitar com eles na terra era muito mais importante que a própria terra herdada. Você já pensou nisso em relação a sua vida? A dádiva mais preciosa de Deus para nós é a presença dEle? Todas as outras dádivas, todas as bênçãos que recebemos têm a finalidade de voltar seus olhos e seu coração para essa primeira dádiva — o próprio Doador. Sinto-me agradecido todas as vezes que vejo as pessoas agradecerem a Deus pela resposta de orações referentes às coisas que precisam, como dinheiro, emprego, saúde ou mesmo orientação. Essas são coisas excelentes para agradecer a Deus. Contudo, você já percebeu que, em última instância, nunca se pretendeu que o crente fosse agradecido por essas coisas, embora elas sejam boas? A finalidade dessas coisas é voltar a mente do crente para o Senhor à medida que reconhecemos que Ele nos dá tudo. É a Ele que, por fim, devemos amar e estimar. O povo de Deus é especial porque Ele se dá a eles, como a mãe se dá aos filhos, e o marido, à esposa. Acima de tudo, esse é o significado de ser escolhido.

Hoje, muitas pessoas não crêem que o ser humano seja muito especial. Todavia, eu penso que você é. Eu acho que você é especial como indivíduo. Talvez os chamados eticistas, como Peter Singer, de Princeton, digam que você não tem nenhum valor especial que o distinga de qualquer outro animal. Contudo, a Bíblia deixa claro que todo ser humano é feito à imagem de Deus, quer ele seja cristão, quer não. Você é especial, pois foi feito à imagem do Senhor.

Todavia, você não é soberano embora seja especial. Você não é Deus. A Bíblia mostra com clareza que a singularidade e a soberania de Deus subjugam a condição de "especial" da humanidade. Ele é o nosso Criador. Ele é infinitamente distinto de nós. Apenas Ele governa. Deus é quem escolhe um povo para si mesmo, para seu prazer.

Claro que o homem que Deus escolheu para ser pai da nação, Israel, mostrou-se infiel, como também seus filhos. No fim, o verdadeiro escolhido perfeitamente fiel é Jesus Cristo. E ser cristão significa ser escolhido *em* Cristo. Como Paulo escreveu para alguns cristãos antigos:

> Bendito o Deus e Pai de nosso Senhor Jesus Cristo, o qual nos abençoou com todas as bênçãos espirituais nos *lugares* celestiais em Cristo, como também nos elegeu nele antes da fundação do mundo, para que fôssemos santos e irrepreensíveis diante dele em caridade (Ef 1.3,4).

Como nos tornamos cristãos? À parte de qualquer coisa que você faça, o ser cristão inicia-se com o fato de que Deus nos escolhe. Cristãos, pensem a respeito disso. Se já se sentiu orgulhoso por ter feito a escolha certa, então medite a respeito do fato de que o Senhor o escolheu.

Quando você apreende a grande verdade desse livro, ou seja, que Deus escolhe o seu povo, começa a perceber que, como cristão, sua postura fundamental não deve ser de ansiedade ou de orgulho, mas de gratidão e de esperança. Talvez a ansiedade pareça mais humilde que o orgulho, porém, na verdade, é apenas o orgulho sem "maquiagem". O conhecimento firme de Deus e sua Palavra, mais que qualquer outra coisa, mata nosso orgulho e estimula nossa esperança. Isso era verdade para o povo do Senhor da época de Moisés e também o é para o seu povo de hoje. Estude e aprenda a Palavra do Senhor a fim de matar o orgulho e de estimular a esperança. Cresça em confiança nEle.

Hoje, em nossas igrejas, somos tão totalmente dependentes de Deus como eram os israelitas, os quais apenas podiam tomar posse da terra por intermédio da pessoa e da ação dEle. Talvez não estejamos interessados em conquistar qualquer propriedade real, mas, nas áreas em que o Senhor nos chamou a ser fiéis, dependemos apenas do poder gracioso dEle. Muitas vezes, ouvi as pessoas dizerem que Deus movia uma congregação de forma extraordinariamente poderosa. Isso não poderia deixar os líderes ou os membros orgulhosos, antes, deveria provocar ações de graças e louvor humildes. Sempre que Deus resolve usar uma igreja de forma especial, toda a glória é dEle. Você também deve praticar essa gratidão quando Ele opera em sua vida. Não deixe de agradecê-lo por suas bênçãos.

Fundamentalmente, é Deus quem escolhe seu povo, que o levanta e que o usa para os seus propósitos.

O Povo de Deus Deve Escolhê-lo

Nossa segunda sentença-resumo da mensagem de Deuteronômio é: o povo de Deus deve escolhê-lo. O livro não teria verbos imperativos se tratasse apenas das escolhas do Senhor. Todavia, esse livro apresenta muitos verbos imperativos: ele registra um comando após outro. E a ordem básica é esta: o povo deve escolher o Senhor. Isso é uma parte fundamental de ser o povo especial de Deus. Desdobremos essa segunda afirmação, como fizemos com a primeira, ao fazer algumas perguntas esclarecedoras.

O que Representa Escolher a Deus?

Primeira, o que representa escolher a Deus? Ao longo dos três discursos que compreendem esse último livro do Pentateuco, Moisés exorta o povo a guardar as palavras, ou mandamentos, do Senhor. Em outras palavras, a pessoa que guarda os mandamentos escolhe o Senhor. Todo o livro de Deuteronômio insiste nesse ponto. Por exemplo, no início do capítulo 4, encontramos a passagem que diz:

Agora, pois, ó Israel, ouve os estatutos e os juízos que eu vos ensino, para os cumprirdes, para que vivais, e entreis, e possuais a terra que o Senhor, Deus de vossos pais, vos dá. Nada acrescentareis à palavra que vos mando, nem diminuireis dela, para que guardeis os mandamentos do Senhor, vosso Deus, que eu vos mando (Dt 4.1,2).

Você observou todos os imperativos? "Ouve", "cumprirdes", "nada acrescentareis" "nem diminuireis", "guardeis" (cf. 12.32).

Hoje, muitos cristãos sentem-se confusos em como responder às ordens do Antigo Testamento. Alguns presumem que os comandos do Antigo Testamento são importantes na compreensão do Novo Testamento, mas que, de forma geral, são irrelevantes para nós. Outros pensam que devíamos restabelecer as leis do Antigo Testamento, e uns poucos acham, de forma bastante literal, que o Congresso deveria aprovar uma resolução: "R1: Fica estabelecido, de Êxodo a Deuteronômio"!

Na verdade, acho falsa a escolha entre essas duas opções. Não posso responder a todas as perguntas difíceis sobre como a Lei do Antigo Testamento se relaciona com o evangelho do Novo Testamento, porém, há dois fatos simples que devem ficar claros para nós. Primeiro, a nação de Israel foi chamada de forma especial com a finalidade de preparar um povo para a vinda do Messias. Além disso, Deus revelou suas leis para o povo com uma clareza incomum. Não é mero acidente o fato de eles sofrerem o castigo imediato por violar as leis do Senhor de uma forma que (até onde sabemos) nenhuma outra nação sofreu. Israel era única.

Segundo, cada lei do Antigo Testamento revela algo sobre o caráter de Deus, quem a deu ao povo. Sou rápido em admitir que é mais difícil imaginar o que algumas leis revelam sobre o seu caráter que outras. Mas é para isso que você tem as tardes de domingo! Podemos estar seguros de que o Senhor tinha um motivo para dar cada lei ao seu povo. E as verdades sobre Ele que essas leis revelam não se limitam a uma época ou a um povo. Por isso, as pessoas de hoje, como as da época, devem estudar e compreender essas ordens. Escolher amar ao Senhor e guardar seus mandamentos significa escolher o caminho da vida. Por isso, Moisés exorta o povo em seu último discurso: "Os céus e a terra tomo, hoje, por testemunhas contra ti, que te tenho proposto a vida e a morte, a bênção e a maldição; escolhe, pois, a vida" (30.19).

Amigo cristão, esse mesmo chamado ainda está diante de você. Somos chamados a escolher a vida. E escolher a vida requer ação. Por isso, Tiago afirma que a fé sem obras é morta. Não é a fé real. É um simulacro ou imitação de fé. Agora, nem por um momento, estou dizendo que suas obras o salvarão. Não salvarão! Antes, peço que examine suas obras à procura de evidências de que Deus, graciosamente, o salvou. Você entende a diferença? Como também o apóstolo Pedro ensinou, a pessoa salva pelo Senhor muda cada vez mais sua aparência. Pedro escreveu:

> Acrescentai à vossa fé a virtude, e à virtude, a ciência, e à ciência, a temperança, e à temperança, a paciência, e à paciência, a piedade, e à piedade, o amor fraternal, e ao amor fraternal, a caridade. Porque, se em vós houver e aumentarem estas coisas, não vos deixarão ociosos nem estéreis no conhecimento de nosso Senhor Jesus Cristo. Pois aquele em quem não há estas coisas é cego, nada vendo ao longe, havendo-se esquecido da purificação dos seus antigos pecados. Portanto, irmãos, procurai fazer cada vez mais firme a vossa vocação e eleição; porque, fazendo isto, nunca jamais tropeçareis (2 Pe 1.5-10a).

Ultimamente, você parou para examinar sua vida e assegurar seu chamado e sua eleição? Você se vê no que Pedro escreveu? Até mesmo em Efésios 2, a grande passagem sobre a graça, ensina com clareza que Deus pretende que seu povo especial aja de forma especial: "Porque pela graça sois salvos, por meio da fé; e isso não vem de vós; é dom de Deus. Não vem das obras, para que ninguém se glorie" (Ef 2.8,9). Agora, observe o versículo seguinte: "Porque somos feitura sua, criados em Cristo Jesus para as boas obras, as quais Deus preparou para que andássemos nelas" (2.10).

Deixe-me alertá-lo contra dois enganos para a melhor compreensão da Bíblia. Primeiro, não diminua a soberania de Deus. Não diga: "Oh, não entendo essas noções de predestinação, de eleição ou de o Senhor nos escolher". Você não precisa compreender essas coisas para sua total gratificação. Leia a respeito delas na Bíblia e creia.

Segundo, não diminua o que somos chamados a fazer. Não diga: "Oh, isso tudo se refere à graça. Não determina ordens para mim. Isso é legalismo". As ordens estão na Bíblia. O povo do Senhor é chamado a viver de uma determinada forma e devemos viver assim. Deus, por intermédio de seu Espírito Santo, entra em nossa vida e muda-nos de forma que tragamos glória e louvor para Ele. Que privilégio! Sim, Deus escolhe o seu povo, todavia, nós devemos escolher a Ele. Você não pode deixar de perceber isso quando lê a Bíblia e Deuteronômio.

Que Tipo de Escolha É essa?

Portanto, que tipo de escolha Deuteronômio afirma que temos de fazer? Temos de fazer uma escolha totalmente pessoal para nós, e em sua relevância em relação a Deus. Vejamos os dois lados dessa equação. Primeiro, a obrigação de fazer a escolha cabe a nós, como indivíduos. Deuteronômio, em todas suas páginas, apresenta o contraste muito claro entre bênção e maldição:

Vês aqui, hoje te tenho proposto a vida e o bem, a morte e o mal; porquanto te ordeno, hoje, que ames o Senhor, teu Deus, que andes nos seus caminhos e que guardes os seus mandamentos, e os seus estatutos, e os seus juízos, para que vivas e te multipliques, e o Senhor, teu Deus, te abençoe na terra, a qual passas a possuir. Porém, se o teu coração se desviar, e não quiseres dar ouvidos, e fores seduzido para te inclinares a outros deuses, e os servires, então, eu te denuncio, hoje, que, certamente, perecerás; não prolongarás os dias na terra a que vais, passando o Jordão, para que, entrando nela, a possuas. Os céus e a terra tomo, hoje, por testemunhas contra ti, que te tenho proposto a vida e a morte, a bênção e a maldição; escolhe, pois, a vida, para que vivas, tu e a tua semente, amando ao Senhor, teu Deus, dando ouvidos à sua voz e te achegando a ele (Dt 30.15-20a; cf. 11.26-32).

Basicamente, temos duas escolhas disponíveis em relação a nossa maneira de viver, embora o povo de Deus possa escolher errar de muitas formas — o pecado entra de muitas maneiras em nossa vida: podemos nos concentrar no único Deus verdadeiro ou em outros deuses ou ídolos.

Isso nos leva ao outro lado da equação. Nossa decisão de escolher a Deus não é apenas pessoal para nós, mas ela também é pessoalmente relevante em relação a Ele, pois encara nossas escolhas e nossos pecados de forma bastante pessoal. Quando pecamos, sejam quais forem as especificidades do pecado, servimos a um ídolo, a alguém ou a algo que não seja Deus. E isso é uma afronta pessoal a Ele. Além disso, Deuteronômio e o resto da Bíblia, às vezes, referem-se à desobediência como falta de crença no Senhor (e. g., 1.32; 9.23). Você já havia pensado nisso antes? Em essência, o pecado é basicamente não crer em Deus. E o foco dessa descrença são os ídolos. De certo modo, o Senhor tem rivais que disputam o coração de seu povo. A Bíblia refere-se à idolatria como infidelidade e adultério a fim de ser mais clara em relação a esse ponto. Isso também é uma doença espiritual, e das bem contagiosas. Por isso, Deus promete banir o povo, se este se voltar para a idolatria:

> [Se] vos corromperdes, e fizerdes alguma escultura, semelhança de alguma coisa, e fizerdes mal aos olhos do Senhor, para o provocar à ira, hoje, tomo por testemunhas contra vós o céu e a terra, que certamente perecereis depressa da terra, a qual, passado o Jordão, ides possuir; não prolongareis os vossos dias nela; antes, sereis de todo destruídos. E o Senhor vos espalhará entre os povos, e ficareis poucos em número entre as gentes às quais o Senhor vos conduzirá. E ali servireis a deuses que são obra de mãos de homens, madeira e pedra, que não vêem, nem ouvem, nem comem, nem cheiram (4.25b-28).

Deus proibiu o casamento entre israelitas e estrangeiros, porque a idolatria é contagiosa. O Senhor não é racista. A oposição dEle não tinha nada a ver com nossa noção moderna sobre raça. Ela diz respeito à idolatria e ao fato de sermos única e soberanamente ligados ao Senhor. O Senhor sabe que as esposas estrangeiras "fariam desviar teus filhos de mim, para que servissem a outros deuses" (7.4). A natureza abomina o vazio. Não se iluda com o pensamento de que você é neutro, não-alinhado e auto-suficiente. Você não é! No capítulo 8, o Senhor rememora isso ao seu povo de forma poderosa:

> E não digas no teu coração: A minha força e a fortaleza de meu braço me adquiriram este poder. Antes, te lembrarás do Senhor, teu Deus, que ele é o que te dá força para adquirires poder; para confirmar o seu concerto, que jurou a teus pais, como se vê neste dia. Será, porém, que, se, de qualquer sorte, te esqueceres do Senhor, teu Deus, e se ouvires outros deuses, e os servires, e te inclinares perante eles, hoje eu protesto contra vós que certamente perecereis. Como as gentes que o Senhor destruiu diante de vós, assim vós perecereis; porquanto não quisestes obedecer à voz do Senhor, vosso Deus (8.17-20).

Todo o capítulo 13 trata da idolatria no meio do povo do Senhor. O profeta que dissesse para o povo adorar outros deuses devia ser morto (13.1-5), como também qualquer membro de uma família israelita que dissesse isso (13.6-9). Se os cidadãos de uma cidade adorassem outros deuses, todos os habitantes do local deveriam ser mortos (13.12-15). Em suma, devia-se purgar a idolatria (cf. 17.2-7), da mesma forma como Deus fizera depois de as pessoas adorarem o bezerro de ouro e a Baal-Peor (Êx 32; Nm 25). É interessante lembrar de que Paulo menciona Deuteronômio 13 quando repreende o homem que dormia com a esposa do pai (1 Co 5.13). Esse tipo de pecado deve ser purgado do povo do Senhor.

O Senhor é severo com qualquer tipo de idolatria, porque ela é o pecado em sua forma mais pura: é crer em algo que não é Deus. É muito fácil a idolatria transformar-se em justificação para a imoralidade sexual, para matar seus filhos e filhas no fogo, ou para tirar a vida dos estrangeiros por causa dessa falsa adoração religiosa (Dt 18.9-13). Para algumas pessoas, essas coisas são adoração religiosa, porém, sem dúvida, não é aquela ao único Deus verdadeiro.

Às vezes, as pessoas lêem Deuteronômio e ficam confusas com a ordem para matar os cananeus da terra. Mas você deve entender a preocupação do Senhor em ser adorado com exclusividade, se quiser compreender esse livro e, acima de tudo, essas ordens. Por exemplo, no capítulo 20, Ele fala para os israelitas destruírem totalmente os cananeus e, a seguir, apresenta o motivo para essa ordem: "Para que vos não ensinem a fazer conforme todas as suas abominações, que fizeram a seus deuses, e pequeis contra o Senhor, vosso Deus" (20.18; cf. 29.16-21). No capítulo 12, a preocupação dEle com a idolatria estende-se às pessoas que afirmam adorar o Senhor, mas o fazem de formas não ordenadas por Ele (e.g., 12.4,13,14,31). Em outras palavras, Deus quer ser o único adorado e de uma forma totalmente consistente com seu caráter.

E se o povo de Deus escolher não segui-lo? Bem, observe o julgamento irônico do Senhor sobre a geração rebelde que deixou o Egito, porém, se recusou a entrar na terra do Senhor e justificou esse ato com a declaração: "Nossas mulheres e nossas crianças [não] sejam por presa" (Nm 14.3). Em Deuteronômio 1, Moisés lembra ao povo de Deus a resposta lamentável deles: "E vossos meninos, de que dissestes: Por presa serão; e vossos filhos, que hoje nem bem nem mal sabem, ali entrarão, e a eles a darei, e eles a possuirão" (1.39). Ouso dizer que há um tipo de beleza no julgamento do Senhor. Deus usa a própria desculpa do povo para mostrar sua grandeza, seu poder e sua força. É como se o Senhor dissesse: "Vocês pensam que sabem proteger seus filhos melhor que eu? São tão arrogantes que dispensarei vocês e seu coração rebelde e levantarei seus filhos para que façam o que vocês dizem que não consigo fazer. Por meu grande poder, eles entrarão na terra para que vocês e todas as nações do mundo vejam".

A desobediência a Deus é oposição à sua Pessoa. Ele não pode e não tolerará isso, não importa quem seja se o desobediente, se um indivíduo, uma cidade, uma geração ou toda uma nação (veja cap. 28). Deus poderia ser mais claro?

Contudo, o povo pode se arrepender e mudar seus caminhos. O Senhor estabelece os sacrifícios e as ofertas a fim de ensinar-lhes o significado do pecado e do perdão. Ele também lhes fez promessas eloqüentes de perdão e de restauração. Logo após ameaçar dispersá-los entre as nações por adorar ídolos, promete-lhes:

> Então, dali, buscarás ao Senhor, teu Deus, e o acharás, quando o buscares de todo o teu coração e de toda a tua alma. Quando *estiveres* em angústia, e todas estas coisas te alcançarem, então, no fim de dias, te virarás para o Senhor, teu Deus, e ouvirás a sua voz. Porquanto o Senhor, teu Deus, *é* Deus misericordioso; e não te desamparará, nem te destruirá, nem se esquecerá do concerto que jurou a teus pais (4.29-31).

Tudo isso nos mostra como o pecado é um assunto pessoal, tanto do ponto de vista de quem peca como de quem contra pecamos. Como dissemos em nosso estudo de Números, todo pecado é, na verdade, uma mensagem curta e clara para Deus, não importa o quanto isso pareça desconectado de assuntos religiosos: "Eu não gosto do Senhor. Antes, eu prefiro essas coisas ao Senhor. Elas me dão o que quero".

Amigo, oro para que ouça essas minhas palavras e compreenda que tem diante de si o encontro mais importante de sua vida. Você não o perderá, mesmo que perca sua agenda, você terá esse encontro no momento certo. Em um dia futuro, você estará diante do Deus mais amoroso, santo, justo e puro que você, ou do que pode imaginar. E você, feito tímida e maravilhosamente à imagem dEle, prestará contas a esse Deus Santo de tudo que fez e disse em sua vida ou deixou de dizer e de fazer. Nesse encontro, não terá a ajuda de suas ligações desta vida, de seu dinheiro, de suas boas obras ou de sua família. A longa linha de ações e de atitudes de seu passado, assunto que já examinamos, o acompanhará nesse encontro — quase como as correntes do *A Christmas Carol* (Um Conto de Natal), de Jacob Marley. Essa linha de ações e atitudes se reunirá na presença do Deus Todo-poderoso, e você terá de explicá-la, perfeitamente e além de qualquer dúvida, aqUele que tem pleno conhecimento de todos seus segredos e desejos, de todas suas ações e dos motivos de seu coração. Aproxima-se o dia em que terá esse encontro.

Se você ainda não estiver convencido de que a escolha de seguir Deus é pessoal, se você ainda pensa: "Oh, isso é o Antigo Testamento e diz respeito apenas à Lei, fria e impessoal", então examine mais uma característica notável desse livro: toda a linguagem sobre o Deus amoroso. Ela é profusa!

Deuteronômio está cheio de amor e de Lei, embora não costumemos associar as duas coisas. Afinal, em certo sentido, esse livro é o contrato de casamento entre Deus e seu povo. Já vimos o amor do Senhor pelo seu povo.[9] Todavia, observe que o povo também é chamado a escolher amá-lo! O shema explicita isso: "Ouve, Israel, o Senhor, nosso Deus, é o único Senhor. Amarás, pois, o Senhor, teu Deus, de todo o teu coração, e de toda a tua alma, e de todo o teu poder" (6.4,5). De forma semelhante, o capítulo 7 declara que Deus guarda sua aliança de amor com os "que o amam e guardam os seus mandamentos" (7.9). No capítulo 10, Moisés diz ao povo: "Agora, pois, ó Israel, que é o que o Senhor, teu Deus, pede de ti, senão que temas o Senhor, teu Deus, e que andes em todos os seus caminhos, e o ames, e sirvas ao Senhor, teu Deus, com todo o teu coração e com toda a tua alma" (10.12). E, mais uma vez, no capítulo 11: "Amarás, pois, o Senhor, teu Deus" (11.1). Deuteronômio apresenta muitas mais convocações de que amem o Senhor.[10] O livro menciona até que Deus testará o povo a fim de saber se ele "ama o Senhor, vosso Deus, com todo o vosso coração e com toda a vossa alma" (13.3).

Lembro-me de uma vez, no seminário, ter perguntado a um amigo se ele amava ao Senhor. Ele olhou-me de forma desconfortável e respondeu: "Na verdade, não uso essa linguagem. Não gosto dela". Lembro-me de outra vez em que participei de uma reunião de mulçumanos, em Cambridge, Inglaterra, em que Ahmed Deedat, o apologista mulçumano, deu uma palestra sobre as glórias do islamismo. Na palestra, ele minimizou o fato de os cristãos dizerem que "têm um relacionamento com Deus". Depois da palestra, eu disse a um casal mulçumano: "Eu tenho um relacionamento com o Senhor. Eu o conheço e o amo e sei que Ele me ama". Não sei se eles acreditaram ou não em mim, mas isso é o que Deuteronômio e toda a Bíblia ensinam.

Deixe-me perguntar-lhe: "Ao ser confrontado com a tentação do pecado, você apenas pede que Deus o proteja do pecado?" A proteção é uma boa coisa para se orar a respeito e gostaria que continuasse a orar por isso. Todavia, há mais coisas por que orar. Ore também para que o Senhor opere em seu coração a fim de que você o ame mais, em particular, que o ame mais que o pecado que o tenta. Devemos estar conscientes de nossa fraqueza e construir defesas contra o pecado. Mas de forma positiva se quisermos, mais que qualquer coisa, que nosso coração cresça em amor a Deus. Em seu discurso final, Moisés disse: "E o Senhor, teu Deus, circuncidará o teu coração e o coração de tua semente, para amares ao Senhor, teu Deus, com todo o coração e com toda a tua alma, para que vivas" (30.6). Nesse contexto, Moisés refere-se à promessa do Senhor de restaurar o povo à medida que este se arrependesse e se afastasse de seus pecados. Moisés sabia que Deus teria de agir para que o povo o amasse. Portanto, ore por isso. Ore para que Deus faça isso em seu coração. Nós o amamos, porque Ele nos amou antes.

Assim, Deuteronômio ensina com clareza que a escolha entre seguir os desejos idólatras ou a Deus é sua e que suas ações evidenciam sua decisão. E também que isso não é uma questão de responsabilidade religiosa sem vida, é uma escolha pessoal profunda tanto para você como para Deus. Os mandamentos do Senhor refletem o caráter dEle. Quando não cumprimos os mandamento do Senhor, desobedecemos a Deus, e não apenas a leis impessoais.

Que Implicações sua Escolha Tem sobre Você mesmo?

Devemos perguntar mais uma coisa a respeito de nossas escolhas: que implicações sua escolha tem além de em nós mesmos? Os propósitos de Deus envolvem mais que apenas você e eu! A decisão de seguir o Senhor é pessoal, mas não é isolada. O Senhor faz coisas incríveis em seu povo como um todo em meio às incontáveis decisões pessoais que tomamos.

Deuteronômio mostra que os resultados das escolhas da nação são enormes. O Senhor disse à nação que poria "um terror e um temor de ti diante dos povos", quando o povo seguiu os caminhos dEle, e que "os que ouvirem a tua fama tremerão diante de ti e se angustiarão" (2.25; cf. 11.25; 28.10). Ele também quer que as nações percebam a sabedoria que deu a Israel por meio da lei, assim elas proclamariam: "Só este grande povo é gente sábia e inteligente" (4.6). Em suma, o Senhor quer que Israel exiba suas bênçãos sobre o povo obediente para que todas as nações do mundo vejam isso.

Contudo, Deus também promete usar Israel como uma demonstração de seu caráter mesmo que o povo abandone a obediência e as bênçãos que ela traz. O capítulo 28 de Deuteronômio é um dos capítulos mais arrepiantes da Bíblia, eu hesitaria em ler em voz alta algumas partes dele se não estivesse pregando esse livro. Nesse capítulo, Deus resume as bênçãos e as maldições que cairão sobre o povo conforme a decisão deles de seguir, ou não, a Ele. Por exemplo, se o povo escolher não seguir ao Senhor:

> O Senhor te levará a ti e a teu rei, que tiveres posto sobre ti, a uma gente que não conheceste, nem tu nem teus pais; e ali servirás a outros deuses, feitos de madeira e de pedra. E serás por pasmo, por ditado e por fábula entre todos os povos a que o Senhor te levará (28.36,37).

E vários versículos adiante:

> E o Senhor vos espalhará entre todos os povos, desde uma extremidade da terra até à outra extremidade da terra; e ali servirás a outros deuses que não conheceste, nem tu nem teus pais; servirás à madeira e à pedra. E nem ainda entre as mesmas nações descansarás, nem a planta de teu pé terá repouso; porquanto o Senhor ali te dará coração tremente, e desfalecimento dos olhos, e desmaio da alma. E a tua vida como suspensa estará diante de ti; e estremecerás de noite e de dia e não crerás na tua própria vida. Pela manhã, dirás: Ah! Quem me dera ver a noite! E à tarde dirás: Ah! Quem me dera ver a manhã! Isso pelo pasmo de teu coração, com que pasmarás, e pelo que verás com os teus olhos. E o Senhor te fará voltar ao Egito em navios, pelo caminho de que te tenho dito: Nunca jamais o verás; e ali sereis vendidos por servos e por servas aos vossos inimigos; mas não haverá quem vos compre (28.64-68).

E qual será a conseqüência dessas maldições sobre a nação? "Todas as nações dirão: Por que fez o Senhor assim com esta terra? Qual foi a causa do furor desta tão grande ira" (29.24)? Você percebeu o ponto? Os resultados das escolhas da nação são imensos. Eles são o povo escolhido do Senhor e, de uma forma ou de outra, servem como revelação do Senhor para as nações. Eles exibem para o mundo inteiro a verdade a respeito de Deus, quer pelas bênçãos, quer pelo julgamento.

Deus opera dessa forma a fim de que Israel o conheça e de que as outras nações o conheçam por intermédio de Israel. Quando Ele chamou Abraão e prometeu abençoar a ele e aos seus descendentes, também prometeu que, por intermédio da linhagem de Abraão, seriam "benditas todas as famílias da terra" (Gn 12.3). O Senhor sempre planejou que todas as nações o conhecessem por intermédio de Israel (cf. Dt 9.28; 32.26,27). Você percebeu isso? Ele nunca os abençoou apenas por causa deles mesmos, mas para que fossem uma bênção para o mundo todo.

Isso também é verdade em relação a nós enquanto igreja. Temos a obrigação constante de nos submetermos à Palavra do Senhor por meio do ouvi-la, do obedecer a ela e do receber as bênçãos que ela transmite. E, à medida que fazemos isso, devemos ser uma bênção para os outros — tudo para a glória de Deus. Por mais que façamos isso de forma insuficiente e imperfeita, nossa igreja deve ser conhecida pelas bênçãos dEle para, a seguir, tornar-se uma bênção para os outros para a glória dEle.

Então, o que o povo de Deus do Antigo Testamento fez? Eles tomaram uma decisão pública de seguir a Deus. Eles o escolheram. No capítulo 29, Moisés anuncia oficialmente que essa geração é o povo de Deus (29.10-15; cf. 27.9). Eles aceitaram a obrigação de guardar a aliança de Deus e de obedecer ao Senhor. Da mesma forma, hoje, o povo de Deus é chamado a tomar a importantíssima decisão de seguir pessoalmente ao Senhor tanto por causa dele mesmo como pelos propósitos do Senhor entre as nações.

Conclusão

Assim, chegamos ao fim dessa série de sermões de visão geral do Pentateuco. Claro que a grande história do Antigo Testamento não termina aqui. Eu amaria dizer que a história acaba aqui e que o povo viveu feliz para sempre. É dessa forma que Shakespeare termina A tempestade. Mas não posso terminar a história dessa maneira. Em Deuteronômio 31, você encontra uma das coisas mais estranhas da Bíblia. O Senhor instrui Moisés a escrever um cântico que testifica o fato de que o Senhor sabe que o povo o desobedecerá: "Agora, pois, escrevei-vos este cântico e ensinai-o aos filhos de Israel; ponde-o na sua boca, para que este cântico me seja por testemunha contra os filhos de Israel" (31.19). O capítulo seguinte registra o cântico, e, certamente, o povo não deve ter gostado de entoar esse cântico! Ele, em sua totalidade, fala sobre como desobedecerão a Deus! Eis apenas uma parte do cântico:

> E, engordando-se Jesurum [outro nome de Israel], deu coices; engordaste-te, engrossaste-te e de gordura te cobriste; e deixou a Deus, que o fez, e desprezou a Rocha da sua salvação. Com deuses estranhos o provocaram a zelos; com abominações o irritaram. Sacrifícios ofereceram aos diabos, não a Deus; aos

deuses que não conheceram, novos deuses que vieram há pouco, dos quais não se estremeceram seus pais. Esqueceste-te da Rocha que te gerou; e em esquecimento puseste o Deus que te formou (32.15-18).

Ao longo desses primeiros cinco livros da Bíblia, o Senhor sabe que seu povo desertará e o trairá. Contudo, até mesmo a desobediência deles obedece a um propósito do Senhor: tornar conhecida sua justiça e — em última instância — seu perdão.

Nas profecias desse cântico, vemos um pouco do resto da história de Israel. Nos dias e anos vindouros, o povo toma a terra que Deus prometera a Abraão e floresce. Mas nos séculos seguintes, o povo abandona a Deus. Assim, Ele o abandona. Ele destrói dez das tribos de Israel com os exércitos da Assíria, e as duas tribos remanescentes são enviadas para o exílio na Babilônia. No fim, o remanescente dos exilados é restaurado. No Salmo 85 registra esse clamor por restauração:

> Torna-nos a trazer, ó Deus da nossa salvação, e retira de sobre nós a tua ira. Estarás para sempre irado contra nós? Estenderás a tua ira a todas as gerações? Não tornarás a vivificar-nos, para que o teu povo se alegre em ti? Mostra-nos, Senhor, a tua misericórdia e concede-nos a tua salvação. Escutarei o que Deus, o Senhor, disser; porque falará de paz ao seu povo e aos seus santos, contanto que não voltem à loucura. Certamente que a salvação está perto daqueles que o temem, para que a glória habite em nossa terra. A misericórdia e a verdade se encontraram; a justiça e a paz se beijaram (Sl 85.4-10).

Encontramos, nessa noção de que a justiça e a paz se beijam, o dilema em que os israelitas rebeldes se encontrariam vez após vez ou, na verdade, o dilema em que o Senhor se encontraria uma vez após outra em vista desse povo rebelde? Como o Senhor pode amar seu povo e, ao mesmo tempo, agir de acordo com sua santidade? A última linha do cântico, no capítulo 32, que o Senhor manda Moisés ensinar ao povo sugere uma resposta: o Senhor promete que "terá misericórdia da sua terra e do seu povo" (32.43). Como? Bem, o versículo não diz como. E perceba que não é Moisés quem proverá expiação para o povo. Ele não pode. Ele é um pecador. E várias passagens da Bíblia ensinam que essa expiação deve ser perfeita, sem mácula e sem pecado (Hb 4.15; 1 Jo 3.5). Deus tem de prover essa expiação. Apenas assim sua justiça e seu amor são satisfeitos.

Moisés era realmente um grande homem. Esses primeiros cinco livros da Bíblia são, com freqüência, chamados de os livros de Moisés, e, sem dúvida, ele é um personagem central do Pentateuco. Ele teve uma vida e tanto. Pense em tudo que ele ouviu e viu!

No entanto, é interessante observar que não sabemos quase nada de 119 anos dos 120 anos que ele viveu. Quase tudo que sabemos de Moisés aconteceu em seu octogésimo ano de vida, quando foi chamado, pela chama de fogo no meio da sarça, para tirar o povo do Egito e guiá-lo até a Terra Prometida. Além disso, conhecemos apenas a história a respeito de seu nascimento. Sabemos que cresceu na família do faraó, que aos quarenta anos matou um egípcio e, a seguir, passou quarenta anos como pastor. Não sabemos muita coisa a respeito dos últimos quarenta anos de sua vida guiando o povo no deserto. E sabemos apenas um pouco a respeito de seu fim: o povo estava acampado em frente à Terra Prometida, preparando-se para entrar nela. Moisés fez os três discursos que resumem Deuteronômio. Em algum momento, ele roga a Deus que o deixe entrar na Terra Prometida, mas o Senhor responde que não, e para que não mencione esse assunto de novo (3.24-27; cf. 32.51). (Se você acompanhou este estudo, lembra-se de que em um momento, no deserto, Moisés desonrou ao Senhor, por isso, Ele disse que Moisés não entraria na Terra Prometida.) No capítulo 31, o Senhor diz a Moisés que o dia de sua morte está próximo (31.14). Depois, o capítulo 34 relata: "Assim, morreu ali Moisés, servo do Senhor, na terra de Moabe, conforme o dito do Senhor. Este o sepultou num vale, na terra de Moabe, defronte de Bete-Peor; e ninguém tem sabido até hoje a sua sepultura" (34.5,6). E isso é tudo! Essa é a história de Moisés registrada na Bíblia.

Todavia, Moisés foi um personagem único na história de Israel. Deuteronômio encerra-se com o testemunho desse fato:

> E nunca mais se levantou em Israel profeta algum como Moisés, a quem o Senhor conhecera face a face; nem semelhante em todos os sinais e maravilhas, que o Senhor o enviou para fazer na terra do Egito, a Faraó, e a todos os seus servos, e a toda a sua terra; e em toda a mão forte e em todo o espanto grande que operou Moisés aos olhos de todo o Israel (34.10-12).

No entanto, essa constatação da grandiosidade única de Moisés não contradiz uma passagem anterior do livro? No capítulo 18, o Senhor disse que levantaria outro profeta como Moisés:

> O Senhor, teu Deus, te despertará um profeta do meio de ti, de teus irmãos, como eu; a ele ouvireis; conforme tudo o que pediste ao Senhor, teu Deus, em Horebe, no dia da congregação, dizendo: Não ouvirei mais a voz do Senhor, meu Deus, nem mais verei este grande fogo, para que não morra. Então, o Senhor me disse: Bem falaram naquilo que disseram. Eis que lhes suscitarei um profeta do meio de seus irmãos, como tu, e porei as minhas palavras na sua boca, e ele lhes

falará tudo o que eu lhe ordenar. E será que qualquer que não ouvir as minhas palavras, que ele falar em meu nome, eu o requererei dele (18.15-19).

Na época em que esse adendo foi acrescido ao final do livro não havia ainda nenhum profeta que cumprisse essa predição. Hoje, sabemos quem é esse profeta: Jesus Cristo. Jesus Cristo é aquEle que fala com perfeição as palavras do Senhor. O Senhor o enviou para que nos ensinasse seu caminho.

Uma objeção tradicional ao cumprimento dessa profecia de Deuteronômio 18 por intermédio de Cristo é o fato de ter morrido crucificado. O povo da época de Jesus não apenas o rejeitou, mas o fez de uma forma que o livro de Deuteronômio testificou como a forma que traria a maldição de Deus sobre esse povo. Em Deuteronômio 21.23 declara: "O pendurado é maldito de Deus". E a lógica conclui: com certeza, Ele não pode ser o servo especial do Senhor se está sob a maldição de Deus.
Isso é verdade? O profeta Isaías vê isso de outra forma:

> Verdadeiramente, ele tomou sobre si as nossas enfermidades e as nossas dores levou sobre si; e nós o reputamos por aflito, ferido de Deus e oprimido. Mas ele foi ferido pelas nossas transgressões e moído pelas nossas iniqüidades; o castigo que nos traz a paz estava sobre ele, e, pelas suas pisaduras, fomos sarados. Todos nós andamos desgarrados como ovelhas; cada um se desviava pelo seu caminho, mas o Senhor fez cair sobre ele a iniqüidade de nós todos (Is 53.4-6).

Se Jesus foi amaldiçoado, e era sem pecado, e não merecia a maldição, então a maldição de quem, foi posta sobre Ele? A resposta a isso leva-nos às Boas Novas do cristianismo: Ele recebeu a maldição que você e eu merecemos pelos nossos pecados, se tivéssemos apenas nos afastado desses pecados, escolhido a Deus e crido na promessa de perdão que Ele nos ofereceu em Cristo — não em Moisés, por maior que ele fosse. Moisés morreu por causa dos seus próprios pecados, lembra-se? Ele não pôde entrar na terra em razão de seus pecados. Mas por que Jesus morreu? Paulo, ao escrever aos coríntios a respeito disso, declara: "Àquele que não conheceu pecado, o fez pecado por nós; para que, nele, fôssemos feitos justiça de Deus" (2 Co 5.21). Meu amigo, essa é a boa notícia para os cristãos!

O passado era a profecia para os israelitas que leram Deuteronômio nos primeiros séculos após a morte de Moisés. A profecia do Senhor a respeito da desobediência deles provou estar certa. Graças a Deus, a Bíblia não acaba com os rebeldes israelitas. Hoje, a pergunta para nós é a seguinte: o passado provará ser uma profecia ou um prólogo dispensável? Nossa história de pecado e de desobediência a Deus nos condena. Ninguém que ouve essas minhas palavras pode, com honestidade, conhecendo seu passado — todo ele —, sentir-se bem em apresentá-lo ao Senhor. Ou nos iludimos e usufruímos de uma paz imaginária, ou reconhecemos a verdade a respeito de nossa vida e, por isso, nos desesperamos. Contudo, graças a Deus, nosso passado não é toda nossa história. Você está ouvindo as minhas palavras, portanto sua história ainda não acabou. Todavia, a única forma de quebrar de vez a maldição divina que seu passado lhe garante (sem falar no presente e no futuro) é reconhecer Cristo como o sacrifício pelo pecado, o Cordeiro da Páscoa que Deus proveu e foi morto em nosso favor a fim de nos dar vida agora e para todo o sempre.

Essa é a grande história de Deuteronômio e dos cinco primeiros livros da Bíblia, na verdade, essa é a história de toda a Bíblia. Oro para que também seja a grande e verdadeira história de sua vida.

Oremos:

Querido Deus, o Senhor tem nos guiado com muita clareza e ternura, com muita santidade e amor. Rogamos para que agora nos leve para casa com o Senhor, por intermédio de Jesus Cristo. Amém.

Questões para Reflexão

1. Quem, ou o que, são alguns dos deuses em que as pessoas crêem hoje?
2. Se você for cristão, o que Deuteronômio ensina a respeito do motivo de Deus escolhê-lo para a salvação? Como isso reflete na forma como você se compara aos outros? Qual o efeito disso no fato de você se sentir bem consigo mesmo e com o que faz com que você se vanglorie?
3. Se Deus nos escolheu para a salvação, que motivos temos para nos preocupar e ficar ansiosos? Se você luta com a ansiedade, que verdade e que versículos específicos de Deuteronômio você pode memorizar a fim de combater isso?
4. Vimos que Deus ordenou que o povo de Israel escrevesse a Lei em pedras, em um local visível, quando atravessassem o Jordão para entrar na Terra Prometida, em vez de fazer uma imagem dEle (27.8). Comentamos que, afinal, um conjunto de leis descreve muito melhor o caráter de Deus que qualquer imagem que o ser humano possa fazer. Deixemos bem claro o que isso significa: Deus quer que seu povo, ao tentar conhecê-lo e saber seus propósitos para a vida deles e como devem conviver uns com os outros, *centre-se* na Palavra, não na imagem. Há um tipo de imagem que *é* importante: a imagem de como o povo de Deus vive de acordo com sua Palavra. O que isso significa para a forma como *vivemos* a igreja? O que isso significa para o evangelismo? Para as missões? Você se lembra de alguma passagem do Novo Testamento que fale a respeito da mesma coisa?

5. Se você for pai ou mãe cristão, leia Deuteronômio 6.7-9 e 11.18-21. De acordo com esses versículos, o que você, como pai ou mãe cristão, deve ensinar a seus filhos? Com que freqüência você deve fazer isso? Atualmente, que medidas você tomou em relação a isso? O que você pode fazer a respeito disso?
6. Qual a vantagem que temos na compreensão exata da responsabilidade do ser humano — do fato de que temos de escolher seguir e obedecer a Deus?
7. Qual a vantagem que temos na compreensão exata da soberania divina — do fato de que Deus nos escolhe e planeja todos os nossos dias?
8. Pedro exalta-nos para que tornemos "mais firme a [nossa] vocação e eleição". Que tipo de evidência você deve procurar em sua vida para fazer isso? Que tipo de evidência você deveria encontrar em seu envolvimento na igreja local?
9. Os não-cristãos reconhecem que seus pecados são uma afronta contra Deus? De que forma você pode transmitir isso em suas conversas evangelísticas?
10. João Calvino disse que nosso coração é uma fábrica de ídolos. Você é capaz de nomear alguns ídolos que seu coração criou? Quais são eles?
11. Deuteronômio previu que o povo de Deus seria infiel à sua Palavra, e eles foram, e que isso faria com que o Senhor os espalhasse entre as nações, o que Ele fez. O que devemos esperar que o Senhor faça com as igrejas locais que forem infiéis a sua Palavra? Quais são as muitas formas em que a igreja pode ser infiel à Palavra do Senhor? Isso, necessariamente, quer dizer que a igreja contradiz isso?
12. Você está preparado para ficar diante do trono do julgamento de Deus? Como você defenderá a você mesmo e a seus pecados? Alguém intercede a seu favor?

Notas

Capítulo 5

[1] A data de pregação original deste sermão foi em 24 de fevereiro de 2002, na Capitol Hill Baptist Church, em Washington, D. C.
[2] Shema é o imperativo hebraico de ouvir.
[3] 11.23; cf. 20.1,4; 21.10; 31.3-8.
[4] 1.26,43; 9.7,23,24; 31.27.
[5] 9.6,13; 10.16; 31.27.
[6] Compilação de Kenneth Winston Caine, The Positive Bible From Genesis to Revelation: That Inspires, Nurtures, and Heals (Nova York: Avon, 1998).
[7] Também 10.14,15;14.2.
[8] 12.7,18; 14.23,26; 15.20; 27.7.
[9] E.g. 4.37; 5.10; 7.12,13; 10.15,18; 23.5; 33.3.
[10] Cf. 11.13,22; 19.9; 30.16,20.

PARTE 2

O outro Milênio

A MENSAGEM DE JOSUÉ: CONQUISTA

HÁ UMA RAZÃO?

INTRODUÇÃO A JOSUÉ

O QUE ACONTECE? O POVO ESCOLHE
 Conquistar a Terra e Destruir os Inimigos
 Dividir a Terra Tribo a Tribo
 A Promessa de Temer e Obedecer a Deus
  O Povo Cumpre sua Promessa
  O Povo também Peca

POR QUE ISSO ACONTECE? DEUS ASSIM ESCOLHE
 Lutar pelo povo e Conceder-lhes a Terra
 Orientar o Povo na Divisão da Terra
 Cumprir suas Promessas e Perseverar com o Povo
  Ele Cumpre suas Promessas
  Ele Persevera com seu Povo

CONCLUSÃO

CAPÍTULO 6

A Mensagem de Josué:
Conquista

Há uma Razão?[1]

As coisas acontecem por uma razão? Há alguma razão para esse exército ganhar, e esse comandante ser exaltado, enquanto o outro perde, e seus líderes políticos caem do poder? Sim, há razões imediatas, como esse exército ter mais tropas, ou aquele ter pouco apoio aéreo. Todavia, há razões maiores, mais grandiosas da razão pela qual as coisas acontecem? No esquema geral das coisas, há causas e significados supremos para os eventos da história?

A resposta a essa pergunta revela que, hoje, há uma grande divisão entre as pessoas. Muitas pessoas — a maioria? — não acreditam que a história tem um significado mais alto, maior ou mais profundo. Elas alegam que a história mostra que esse tipo de pensamento apenas põe em risco a liberdade. Na verdade, esse tipo de pensamento encoraja o fanatismo religioso, os ataques e as atividades terroristas, contra os quais, neste momento, muitos países do mundo se defendem.

Deixo por sua conta decidir se as últimas alianças políticas têm um propósito mais alto. Neste momento, quero voltar sua atenção especificamente para a nação de Israel. Não me refiro ao Estado moderno instituído em 1948, mas à nação concebida na promessa de Deus a Abraão e, a seguir, nascida no Êxodo do Egito, há mais de 3 mil anos. Nos próximos doze estudos, examinaremos o curso da história registrado no Antigo Testamento em relação à nação de Israel. Entenderemos melhor o sentido da vida — até de nossa vida —, se entendermos o sentido dessa história.

Introdução a Josué

Para iniciar, sugiro que você abra sua Bíblia no sumário. Talvez não saiba que a Bíblia tem sumário, mas ela tem. Ele fica no início do volume e são muito úteis, principalmente quando você manuseia a Bíblia pela primeira vez ou quando tenta encontrar uma passagem com a qual não está familiarizado. Nunca se sinta envergonhado em consultar o sumário da Bíblia.

Já examinamos os primeiros livros do sumário do Antigo Testamento: Gênesis, Êxodo, Levítico, Números e Deuteronômio. Esses cinco livros juntos são chamados de Torá, ou a Lei, e nós examinamos um livro por estudo. Agora, quero iniciar uma nova série, chamada "O outro milênio", que nos levará pelos próximos doze livros históricos do Antigo Testamento. Esses livros iniciam-se em Josué e chegam até Ester, permitindo que tracemos a história do povo de Deus do Antigo Testamento por, aproximadamente, mil anos, a partir do século XIV a.C. até o século I d.C. Basicamente, os doze livros estão em ordem cronológica, com algumas pequenas exceções, e são importantes porque mostram como Deus lida com o povo que separou para seus propósitos especiais. Iniciamos essa série com o livro de Josué, o primeiro dos livros históricos.

Deixe-me acrescentar que esse sermão não é usual em nossa igreja. Em geral, fazemos sermões sobre passagens mais curtas das Escrituras, mas esse é o que chamo de "sermão panorâmico" em que examinamos um livro inteiro da Bíblia por sermão. Se for a vontade do Senhor, farei apenas 66 sermões desse tipo na minha carreira na Capitol Hill Baptist Church.

É muito fácil fazer um esboço de todo o livro de Josué. Esse livro tem 24 capítulos. A primeira metade do livro, ou os primeiros doze capítulos, cobrem a conquista de Canaã, enquanto a maior parte da segunda metade cobre a divisão da terra conquistada entre as tribos de Israel. Os dois últimos capítulos registram as palavras finais de Josué.

Por que esse livro foi escrito? Bem, eu, como cristão, devo responder: "Porque Deus assim quis". Contudo, muitas coisas na antiga nação de Israel requerem uma explicação mais imediata, e você encontra essas explicações ao ler o livro. Ele apresenta o registro oficial. Aqui, enumerei as perguntas que um israelita poderia ter feito e para as quais o livro de Josué apresenta uma resposta explícita. Talvez as pessoas tenham se perguntado:

- Por que esse montão de pedras próximo ao Jordão? Encontre a resposta em Josué 4.9.
- Por que esse lugar se chama Gilgal? Veja em 5.9.
- Por que Raabe (e seus descendentes) vive entre nós; por que ela não

foi morta junto com todos os outros de Jericó? Verifique em 6.25.
- Por que há aquele montão de pedras no vale? Veja em 7.26.
- Por que aquele montão de pedras ao lado da porta da cidade? Verifique em 8.28,29.
- Por que os gibeonitas trabalham e vivem lá? Veja em 9.27.
- Por que tamparam a boca da cova com pedras? Verifique em 10.27.
- Por que ainda há gesureus e maacateus ao oriente do Jordão? Veja em 13.13.
- Por que os jebuseus vivem em Jerusalém, e os cananeus, em Gezer? Verifique em 15.63 e em 16.10.

O livro de Josué foi escrito para responder a essas e a outras perguntas.

Mas gostaria que encontrássemos a resposta para as duas perguntas principais que esse livro propõe, além dessas muitas perguntas menores e mais específicas, pois creio que, quando fizermos isso, realizaremos algo útil para nossa vida. Queremos saber, especificamente, o que aconteceu e, depois, por que essas coisas aconteceram.

Também quero, antes de nos lançarmos no assunto, dizer que esse sermão é incomum e pretendo aplicar a mensagem desse livro de forma especial. Deixarei Deus fazer isso, à medida que o Espírito dEle opera em você.

Assim, vejamos primeiro o que aconteceu, depois recapitularemos para ver por que isso aconteceu.

O QUE ACONTECE? O POVO ESCOLHE

O que acontece no livro de Josué? Em certo sentido, pode-se dizer que esse livro é sobre escolhas. A primeira metade do livro mostra Josué guiando o povo israelita na escolha que os pais falharam em fazer — invadir a terra de Canaã. Na segunda metade do livro, eles decidem dividir a terra que o Senhor lhes dera.

Conquistar a Terra e Destruir os Inimigos

Os capítulos de 1 a 12, a primeira metade do livro, relatam a conquista da terra e a destruição dos inimigos pelos israelitas. Nos primeiros cinco capítulos, o povo envia espiões à cidade fortificada de Jericó, atravessa o rio Jordão, consagra-se ao Senhor e, a seguir, prepara-se para seu primeiro movimento militar contra Jericó — uma cidade importante localizada na intercessão da principal rota comercial entre o norte e o sul e das estradas que levam do ocidente ao centro de Canaã. O capítulo 6 descreve a incrível história de como, sob o comando de Deus, o povo assinalou Jericó para a destruição ao rodear a cidade com gritos e buzinas de chifres de carneiro durante sete dias e, depois, viram os muros tombarem pelo poder do Senhor. Os capítulos 7—8 registram o ataque militar que fizeram na região central da terra e a queda de Ai, após um contratempo. Os capítulos 9—10 descrevem a campanha militar seguinte em que o povo derrota cidades-chave no sul de Canaã. No capítulo 11, eles voltam-se para a conquista das cidades do norte de Canaã, e lemos o seguinte: "Por muitos dias, Josué fez guerra contra todos esses reis. Não houve cidade que fizesse paz com os filhos de Israel, senão os heveus, moradores de Gibeão; por guerra as tomaram todas. [...] Assim, Josué tomou toda esta terra [...]" (11.18,19,23a)

A conquista de Canaã foi uma campanha pelo controle político como acontece na maioria das guerras atuais. Foi uma campanha para destruir totalmente os moradores da terra. Os capítulos 6—10 estão cheios de versículos como este: "E tudo quanto na cidade havia destruíram totalmente a fio de espada, desde o homem até à mulher, desde o menino até ao velho, até ao boi e gado miúdo e ao jumento".[2] O povo fez isso em Jericó e em Ai, na região central da terra (5.13—6.27; 8.1-29). Fizeram isso nas cidades do sul.[3] E também nas cidades do norte.[4] A seguir, lemos: "E a terra repousou da guerra".[5]

Honestamente, Josué é um dos livros da Bíblia mais difíceis de ser compreendido, quer você seja cristão, quer não. Se você for novo na fé cristã, talvez Josué não seja o ponto de partida ideal. Todavia, pela providência de Deus, você o examina neste estudo, e, talvez, o Senhor lhe dê algumas noções cruciais a respeito dEle mesmo e de você.

De início, precisa saber que o povo de Deus conquistou Canaã. Isso soa como um fato antigo muito longínquo no tempo e no espaço para ser relevante? Não é. Ele prefigura o que Deus faz hoje ao chamar seu povo para ocupar sua terra sob seu comando. Josué, ao liderar essa conquista, foi um tipo de Jesus Cristo, nosso grande capitão que não conquistou um reino terreno passageiro, mas sim, o pecado e seu terrível resultado, a morte. E Cristo chama-nos a entrar em seu trem. Todos os cristãos usufruem a vitória que Cristo conseguiu para nós. E os ministros da Palavra do Senhor são, especialmente, chamados a seguir nosso capitão como guardiões, protetores e guias do povo do Senhor.

Dividir a Terra Tribo a Tribo

A maior parte da segunda metade do livro de Josué descreve o processo de divisão da terra tribo a tribo. Os capítulos 13—22 enfatizam isso. No capítulo 13, o povo relembra que Moisés já designara a terra ao oriente do rio Jordão a duas tribos e meia. O capítulo também rememora que nenhuma região da terra foi designada para os levitas, já que "o Senhor, Deus de Israel, é a sua herança [dos levitas]" (13.33). Deram-se certas cidades espalhadas entre as doze tribos aos levitas para que toda a nação tivesse acesso ao ministério de ensino deles.

Depois, lemos no capítulo 14: "Assim fizeram os filhos de Israel e repartiram a terra" (14.5), essa passagem se refere à terra a ocidente do rio Jordão. A seguir, o capítulo apresenta uma história interessante sobre a distribuição da terra para Calebe (14.6-15). O capítulo 15 descreve o assentamento de Judá no sul, enquanto os capítulos 16—17 descrevem a terra do norte reservada para os filhos de José. Os capítulos 18—19 registram a distribuição da terra para as sete tribos remanescentes, e lemos: "E, assim, acabaram de repartir a terra" (19.51). O capítulo 20 designa as cidades de refúgio, e o 21 enumera as cidades reservadas para os levitas. A seguir, no capítulo 22, Josué despede-se e abençoa as duas tribos e meia que retornam para as terras do lado oriental do Jordão.

Assim, o povo divide a terra que conquistou.

A Promessa de Temer e Obedecer a Deus

Quase todo o relato de Josué é preenchido com a conquista e a divisão da terra pelos israelitas. Nesse sentido, isso é o assunto de que o livro trata. No entanto, encontramos um subtexto importante que precede essa atividade e continua ao longo dela. O povo fez isso porque prometeu temer e obedecer a Deus.

Pergunto-me se você notou isso ao ler Josué ou se apenas seguiu as histórias extraordinárias de espiões e de queda de muros. No capítulo 1, eles prometeram obedecer a Josué, o porta-voz do Senhor (1.16-18). No capítulo 5, eles, depois de atravessar o Jordão, mas antes de ir para Jericó, começam de novo a praticar a circuncisão e a comemorar a Páscoa (5.7-10). Na época do Êxodo, quarenta anos atrás, o Senhor dera essas duas práticas ao seu povo, todavia, desde essa época tinham negligenciado essas práticas. O povo prometeu ter o Senhor como seu Deus ao reinstituir essas práticas. Em certo sentido, eles voltavam a ser o povo do Senhor após o período de quarenta anos no deserto, quando viveram em um estado de verdadeira suspensão do entusiasmo. A seguir, no capítulo 8, o povo escuta Josué reler toda a Lei de Moisés (8.34,35) após a derrota de Jericó e de Ai que marcou o início da conquista da terra. Esse tempo incrível de ensino — restabelece as instruções que Deus deu ao povo no monte Sinai — é um símbolo poderoso de que, na verdade, eles são o povo do Senhor.

No final do livro, no registro de seus últimos atos públicos como líder deles, Josué leva o povo a renovar sua aliança com o Senhor. No que é uma das mais incomuns declarações da Bíblia, Josué soa como se incitasse o povo a não escolher seguir ao Senhor. Claro que não é esse o caso, ele tenta garantir que entendam a seriedade da escolha que estavam para fazer. Ele declara:

> Agora, pois, temei ao Senhor, e servi-o com sinceridade e com verdade, e deitai fora os deuses aos quais serviram vossos pais dalém do rio e no Egito, e servi

ao Senhor. Porém, se vos parece mal aos vossos olhos servir ao Senhor, escolhei hoje a quem sirvais: se os deuses a quem serviram vossos pais, que estavam dalém do rio, ou os deuses dos amorreus, em cuja terra habitais; porém eu e a minha casa serviremos ao Senhor. Então, respondeu o povo e disse: Nunca nos aconteça que deixemos o Senhor para servirmos a outros deuses; porque o Senhor é o nosso Deus; ele é o que nos fez subir, a nós e a nossos pais, da terra do Egito, da casa da servidão, e o que tem feito estes grandes sinais aos nossos olhos, e nos guardou por todo o caminho que andamos e entre todos os povos pelo meio dos quais passamos. E o Senhor expeliu de diante de nós a todas estas gentes, até ao amorreu, morador da terra; também nós serviremos ao Senhor, porquanto é nosso Deus. Então, Josué disse ao povo: Não podereis servir ao Senhor, porquanto é Deus santo, é Deus zeloso, que não perdoará a vossa transgressão nem os vossos pecados. Se deixardes o Senhor e servirdes a deuses estranhos, então, se tornará, e vos fará mal, e vos consumirá, depois de vos fazer bem. Então, disse o povo a Josué: Não; antes, ao Senhor serviremos. E Josué disse ao povo: Sois testemunhas contra vós mesmos de que vós escolhestes o Senhor, para o servir. E disseram: Somos testemunhas. Agora, pois, deitai fora os deuses estranhos que há no meio de vós: e inclinai o vosso coração ao Senhor, Deus de Israel. E disse o povo a Josué: Serviremos ao Senhor, nosso Deus, e obedeceremos à sua voz (24.14-24).

Os anos (ou mesmo décadas) narrados nesse livro, mostra-nos que é exatamente isso que o povo faz. Ele mantém sua promessa de servir ao Senhor como o Deus deles. Entretanto, ao mesmo tempo em que fazem isso, eles continuam a pecar.

O povo cumpre sua promessa. Os espiões que investigam Jericó não soam como os da geração dos pais deles, cujo relatório sobre o povo de Canaã revelou a descrença deles. Bem ao contrário disso, esses jovens espiões relatam que "todos os moradores [de Canaã] estão desmaiados diante de nós" (2.24b). E o povo, em resposta a esse relato, crê e obedece. No capítulo 5, o povo demonstra, mais uma vez, sua fé ao praticar a circuncisão e ao observar a Páscoa, e também no capítulo 8 quando ouvem a Lei do Senhor.

Os israelitas demonstram um desejo claro de temer a Deus. Talvez o estranho, mas importante, relato do capítulo 22 deixe isso mais claro. As tribos orientais construíram um altar, o que alarma muito as tribos ocidentais (22.10-12). Afinal, o único altar da nação deve ser mantido junto da Lei e da arca da aliança, simbolizando, dessa forma, que a Palavra do Senhor regulamenta a adoração a Ele. Todavia, as tribos ocidentais descobrem, ao investigar o assunto, que ele não é tão inquietante quanto pensavam. Na verdade, as tribos orientais construíram esse altar para ser uma réplica do outro e um lembrete de que adoravam apenas ao Senhor para o caso de um dia o povo da região ocidental dizer: "Não tendes parte no Senhor". Se isso acontecesse, a réplica do altar seria uma testemunha silenciosa de que adoravam ao Senhor, o único Deus deles (veja 22.21-30).

Claro que encontramos essa fidelidade suprema em Jesus Cristo, não nessas pessoas. Cristo prometeu fazer a vontade do Pai e a fez como ninguém mais fez. Nós, como cristãos, somos chamados a crer nEle e a seguir seu exemplo. Devemos confessar publicamente nossa fé em Cristo. Nós, como o povo desse livro, devemos fazer votos, por assim dizer, e viver para cumpri-los.

Essa é uma das razões por que nossa igreja, como congregação, faz uma promessa conjunta e, depois, a lê, em voz alta, com regularidade em nossas reuniões públicas. Como o povo de Deus, queremos confessar publicamente nossa aliança com o Senhor, da mesma forma que todos os cristãos o fazem por intermédio do batismo e da participação na ceia do Senhor.

E você, também o fará quando ficar diante de alguma congregação a fim de receber a confirmação dela. Você confessará publicamente sua fé em Cristo e alguns de seus compromissos com o Senhor.

O povo também peca. Gostaria de poder acabar a história com a escolha do povo de temer e de obedecer a Deus, mas não posso fazer isso. O povo continua a pecar com conseqüências desastrosas. Ao examinar todo o livro de Josué, encontrei apenas um pecado impressionante de apropriação, em que os israelitas fizeram algo errado. Encontrei muito mais exemplos de pecados de omissão, ou seja, não fazer o que deviam.

No capítulo 7, Acã, um israelita, cometeu o pecado de comissão. Deus ordenara que os israelitas eliminassem os habitantes de Jericó e as posses deles, pois não queria que sofressem influência das práticas corruptas dos antigos habitantes da cidade. Todavia, Acã roubou coisas de Jericó que deviam ser destruídas. E o Senhor ordenou que destruíssem essas coisas porque eram perigosas, não porque fossem inúteis. Mais tarde, Josué lembra esse incidente ao perguntar ao povo: "Não cometeu Acã, filho de Zerá, transgressão no tocante ao anátema? E não veio ira sobre toda a congregação de Israel? Assim que aquele homem não morreu só na sua iniqüidade" (22.20).

No entanto, o livro de Josué registra, além desse pecado, diversos outros pecados de omissão. No capítulo 9, por exemplo, os anciãos não oraram antes de fazer um pacto de paz com os gibeonitas. Os gibeonitas, que viviam nas vizinhanças, sabiam que logo seriam eliminados. Por isso, se aproximam dos israelitas, fingindo vir de longe, e pedem um pacto de paz. O que os israelitas fazem? "Então, aqueles homens israelitas tomaram da sua provisão e não pediram conselho à boca do Senhor. E Josué fez paz com eles e fez um concerto com eles, que lhes daria a vida; e os príncipes da congregação lhes prestaram juramento" (9.14,15). Os israelitas ficaram descontentes com seus líderes quando descobriram a verdade, mas já era tarde demais. Eles não oraram ao Senhor, e esse pecado trouxe problemas importantes para Israel.

No livro de Josué, os pecados de omissão mais freqüentes se referem ao fato de o povo não tomar posse de partes da terra como deveriam fazer. A certa altura, o Senhor disse a Josué que "ainda muitíssima terra ficou para possuir" (13.1). Contudo nos capítulos 15—19, o povo corta os cantos à medida que distribui a terra. As tribos dizem que não conseguem tomar a terra ou que são vítimas de circunstâncias adversas. Talvez eles apenas não estivessem dispostos a fazer isso. Por fim, Josué exclama: "Até quando sereis negligentes para passardes para possuir a terra que o Senhor, Deus de vossos pais, vos deu?" (18.3). No fim, o povo conquista a terra, mas peca de forma importante nesse processo.

Se você não for cristão e quiser entender esse livro, na verdade, se quiser compreender sua vida, tem de entender a noção de pecado. A Bíblia ensina que o Senhor o fez igual a Ele — à sua imagem —, porém, você se rebelou contra a autoridade dEle em sua vida. Como você se rebelou? Pense na última vez em que fez algo que sabia ser errado. De acordo com a Bíblia, a culpa que você sentiu na ocasião não dizia respeito a um superego freudiano em ação, mas ao testemunho da consciência que o Senhor lhe deu em relação ao pecado que cometeu, em essência, contra Deus, mesmo que tenha cometido o pecado contra outra pessoa ou contra si mesmo. Esse pecado explica os muitos problemas de nossa vida e os que causamos aos outros. No relato de Josué, esse pecado é que fornece o pano de fundo para os julgamentos dramáticos de Deus. É por esse pecado que precisamos, desesperada e eternamente, de perdão e de libertação. E foi esse pecado que Cristo, embora fosse totalmente homem como nós, não cometeu de forma alguma e, assim, pôde morrer como o sacrifício sem mácula e forneceu o perdão e a salvação que você e eu precisamos.

Oh, amigo, seja você quem for, examine a si mesmo. Ore para que o Senhor lhe dê olhos para enxergar a verdade a seu respeito. Ore para que Ele o ajude a ver e a confessar seus pecados de omissão — as coisas que deveria ter feito, e não fez. E ore para que Ele o ajude a enxergar e a confessar seus pecados de comissão — as coisas erradas que fez. E ore para que Ele, como declara Atos, lhe garanta "arrependimento para a vida" (At 11.18).

Quero incentivá-lo a examinar a descrição do pecado conforme retratado nesse livro. O povo continua a pecar de forma relevante apesar de alcançar um sucesso grande e visível. Enquanto você medita a respeito de seu papel como pastor, pense, especificamente, nos líderes israelitas que confiaram na própria habilidade analítica para discernir os motivos dos gibeonitas e, por isso, negligenciaram a oração. Meu brilhante irmão, que Deus nunca o deixe apenas com seu juízo para servir e para guiar a sua igreja. Que Ele sempre o oriente para a oração com a finalidade de pedir lhe direção quanto ao que fazer, ou não. Ore para que Ele lhe dê um coração sensível. Lembre-se de que seus pecados afetam sua família e a igreja. Você tem um motivo duplo para glorificar ao Senhor por intermédio da obediência e da santidade: isso conduz não apenas a sua edificação pessoal, mas também, a nossa. O pecado de nenhum membro melhora a saúde da igreja, porém, o pecado de ninguém fere mais a congregação que o do pastor. Paulo disse para os coríntios expulsar o impenitente quando a congregação coríntia tolerou o pecado de um membro. Eles fizeram isso, e, assim parece, a igreja e o homem se beneficiaram com isso. Contudo, Paulo escreveu, em termos duros, em defesa do próprio evangelho quando a congregação gálata tolerou o pecado dos ensinamentos enganosos dos falsos mestres. Talvez você e eu já estivemos envolvidos em, pelo menos, três congregações locais que foram seriamente feridas pelos pecados de seus pastores. Oremos e prometamos publicamente que, pela graça do Senhor, não seguiremos o mau exemplo deles.

Por que isso Acontece? Deus assim Escolhe

Se o livro de Josué trata de escolhas, é mais fundamentalmente ainda um livro das escolhas de Deus. Isso nos leva a perguntar por que tudo acontece da forma como acontece.

Lutar pelo Povo e Conceder-lhes a Terra

Lembre-se de que dissemos que os israelitas conquistaram a terra. Bem, eles fizeram isso, mas porque Deus os escolheu para herdá-la. Por isso, Ele lutou por eles e deu-lhes a terra. Veja como Josué exorta o povo enquanto se preparam para atravessar o rio Jordão: "Santificai-vos, porque amanhã fará o Senhor maravilhas no meio de vós" (Js 3.5). Ele não disse: "Vocês farão algo formidável amanhã", mas: "Fará o Senhor maravilhas no meio de vós".

Josué encontrou o que parecia ser um anjo de pé com uma "espada nua" na mão quando entraram na terra, mas antes de iniciarem a conquista dela. O anjo disse-lhe que viera como "príncipe do exército do Senhor" (5.14). A seguir, em um momento semelhante ao do encontro de Moisés com o Senhor na sarça que ardia, esse príncipe do exército do Senhor disse a Josué: "Descalça os sapatos de teus pés, porque o lugar em que estás é santo" (5.15). Depois disso, começou a conquista da terra. O Senhor Deus deixou cair a espada de sua justiça. Acabara o tempo da misericórdia do Senhor para os cananeus.

Por isso, não nos surpreendemos ao ler alguns capítulos adiante: "E de uma vez tomou Josué todos esses reis e as suas terras, porquanto o Senhor, Deus de

Israel, pelejava por Israel" (10.42). O texto não diz que Josué conquistou por ser um comandante militar muito capaz. Não, ele conquistou porque o Senhor lutou por Israel. Josué, em seu discurso de despedida, deu o crédito por todas as vitórias de Israel ao Senhor: "E vós já tendes visto tudo quanto o Senhor, vosso Deus, fez a todas estas nações por causa de vós, porque o Senhor, vosso Deus, é o que pelejou por vós" (23.3).

Todos os milagres que ocorreram nas conquistas de Israel também são uma evidência do envolvimento de Deus. Ele levou o exército israelita para Canaã, alimentou-os com maná no deserto (cf. 5.12). Agora, Ele luta por eles. Afinal, quem abriu o rio Jordão para que toda a nação o atravessasse? Quem fez os muros de Jericó caírem? Quem derrotou os próprios israelitas quando pecaram e, depois, identificou Acã como o principal culpado? Quem restaurou a prosperidade de Israel ao fazer chover granizo sobre os seus inimigos e até fez com que o sol parasse para que os exércitos israelitas pudessem vencer? Por maior que possa ser um líder como Josué, ele não fez nenhuma dessas coisas, nem poderia fazer. O Senhor Deus fez todas essas coisas! Era sobre isso que o Senhor falou quando disse que lutaria por eles. O Senhor "deu" os amorreus para Israel (10.12). E, vez após vez, deu cidades e exércitos para os israelitas.[6] Perto do fim do livro, lemos esta declaração resumida: "Desta sorte, deu o Senhor a Israel toda a terra que jurara dar a seus pais; e a possuíram e habitaram nela" (21.43; cf.1.2,3).

Esse é um dos principais problemas que as pessoas encontram para entender a Bíblia. Elas não compreendem que temos um Deus soberano que pode agir sem anular nossos atos e nossa responsabilidade. Agora, não posso responder a todas as perguntas que talvez você tenha sobre como isso funciona, mas sei que a Bíblia ensina que há dois fatos que são verdade: a soberania do Senhor e a nossa responsabilidade, e você terá problema se apreender apenas uma dessas verdades. Se achar que Deus não age além daquilo que você faz, tratará a Bíblia como um manual de instruções morais e não compreenderá quem é o Senhor. Todavia, se pensar que as decisões que toma não têm importância porque Deus é soberano, você também não entende o que a Bíblia diz. As Escrituras deixam claro que o Senhor age com soberania mesmo no coração dos inimigos de Israel. No que talvez seja o versículo mais duro do livro, lemos: "Porquanto do Senhor vinha que o seu coração endurecesse, para saírem ao encontro a Israel na guerra, para os destruir totalmente, para se não ter piedade deles, mas para os destruir a todos" (11.20). O Senhor agiu, depois, Israel agiu.

Você percebeu como Deus é fundamental nessa história? Sim, essa é a história da conquista da Terra Prometida pelos israelitas. Mas rememore nosso estudo sobre Êxodo. Vimos que Êxodo não é apenas a história da libertação de um povo, mas também a do Deus que o libertou. Portanto, aqui, "na outra metade do Êxodo" — Ele tirou-os da terra e, agora, leva-os para a terra —, vemos que essa história se refere principalmente ao Senhor que conquista.

Josué conhece essa verdade. Em uma de suas falas finais, ele, de uma perspectiva totalmente centrada no Senhor reconta a história do Antigo Testamento até a época deles. Veja quem é o ator principal do relato de Josué:

> Então, Josué disse a todo o povo: Assim diz o Senhor, Deus de Israel: Dalém do rio, antigamente, habitaram vossos pais, Tera, pai de Abraão e pai de Naor, e serviram a outros deuses. Eu, porém, *tomei* a Abraão, vosso pai, dalém do rio e o fiz andar por toda a terra de Canaã; também multipliquei a sua semente e dei-lhe Isaque. E a Isaque dei Jacó e Esaú; e a Esaú dei a montanha de Seir, para a possuir; porém Jacó e seus filhos desceram para o Egito. Então, *enviei* Moisés e Arão e feri ao Egito, como o fiz no meio dele; e depois vos tirei de lá. E, *tirando* eu vossos pais do Egito, viestes ao mar; e os egípcios *perseguiram* vossos pais, com carros e com cavaleiros, até ao mar Vermelho. E clamaram ao Senhor, que *pôs* uma escuridão entre vós e os egípcios, e *trouxe* o mar sobre eles, e os cobriu, e os vossos olhos viram o que eu *fiz* no Egito; depois, habitastes no deserto muitos dias. Então, eu vos *trouxe* à terra dos amorreus, que habitavam dalém do Jordão, os quais pelejaram contra vós; porém os dei na vossa mão, e possuístes a sua terra; e os *destruí* diante de vós. Levantou-se também Balaque, filho de Zipor, rei dos moabitas, e pelejou contra Israel; e enviou e chamou a Balaão, filho de Beor, para que vos amaldiçoasse. Porém *eu não quis ouvir* a Balaão, pelo que, abençoando-vos ele, vos abençoou; e *livrei-vos* da sua mão. E, passando vós o Jordão e vindo a Jericó, os habitantes de Jericó pelejaram contra vós, os amorreus, e os ferezeus, e os cananeus, e os heteus, e os girgaseus, e os heveus, e os jebuseus; porém os *dei* na vossa mão. E *enviei* vespões diante de vós, que os expeliram de diante de vós, como a ambos os reis dos amorreus, e isso não com a tua espada, nem com o teu arco. E eu vos *dei* a terra em que não trabalhastes e cidades que não edificastes, e habitais nelas; e comeis das vinhas e dos olivais que não plantastes (24.2-13; grifo do autor).

Toda a história da Bíblia é centrada em Deus, como, indubitavelmente, esse livro também. Temos de estar cientes desse fato se quisermos entender a Bíblia, ou a história, ou nossa vida. Deus está no centro de tudo! Josué liderou o povo na conquista da terra, mas o Senhor lutou pelo seu povo e deu-lhes a terra. O Senhor realiza soberanamente todos seus propósitos.

E Ele é soberano hoje sobre todas as nações e sobre a história da mesma forma que era na época de Josué.

Você, se for cristão, vivencia a boa soberania do Senhor de forma muito mais pessoal e milagrosa. Ele deu-lhe uma nova vida. Perdoou seus pecados.

Deu-lhe uma nova afeição por Ele. Você não pode fazer nenhuma dessas coisas por si mesmo.

Observe também a sua obediência: você não vê a mão de Deus nisso? Você tem certeza que não considera sua obediência como uma virtude sua? Você realmente obedece nessa ou naquela ocasião? Sim, você obedece! Mas por que obedece? Oh, seja paciente e humilde o bastante para meditar a respeito disso com cuidado. Veja a bondade soberana do Senhor mesmo no menor ato de obediência. Você foi, de fato, bem-sucedido nesse projeto ou naquela luta? Sim, você foi! Mas por que você foi bem-sucedido? Note, mais uma vez, a bondade soberana do Senhor para com você. Deus, em sua enorme e soberana bondade, atuou para impedir seu plano de pecar porque o ama muito!

Você não vê a mão poderosa do Senhor mesmo em suas desventuras? E mesmo quando não percebe isso, você não pode acreditar que ela está lá? Muitas vezes, o Senhor age por caminhos que são misteriosos para nós. Como Romanos 8.28 declara, Ele age de forma que todas as coisas cooperem para o bem dos que amam a Ele e que são chamados conforme o propósito dEle. Por isso, Ele operou o bem para os israelitas do pacto insensato que os líderes fizeram com os gibeonitas. No capítulo 10, o pacto de paz dos gibeonitas com Israel fez com que os reis mais poderosos do sul se unissem para atacar Gibeão. No fim, esse ataque representou uma grande vitória para os israelitas quando destruíram os reis do sul de uma só vez. Deus usou a desobediência dos israelitas, altera o curso dela e a redime. Isso quer dizer que o que os líderes gibeonitas e israelitas fizeram não foi ruim? Não, foi ruim, mas o Senhor é tão soberano que usou as más ações deles para fazer o bem. Agora, examine sua vida e, depois, diga-me se não vê essa mesma bondade soberana em seus momentos mais difíceis.

Meu irmão, você deve crer nessa bondade soberana do Senhor a fim de ser humilde no sucesso e sentir-se encorajado nas provações. Você deve trabalhar para ver a soberania dEle. Procure por ela em sua vida e em seu ministério. Se quisermos perseverar no serviço para o Senhor, todos nós devemos procurá-la.

Orientar o Povo na Divisão da Terra

O povo conquistou a terra, porém, foi Deus quem lutou por eles. Da mesma forma que foi Ele quem orientou o povo na divisão da terra entre as tribos. O capítulo 14 afirma: "Como o Senhor ordenara a Moisés, assim fizeram os filhos de Israel e repartiram a terra" (14.5). O Senhor também orientou Josué para instituir as cidades de refúgio a fim de que houvesse justiça e misericórdia na terra:

> Falou mais o Senhor a Josué, dizendo: Fala aos filhos de Israel, dizendo: Apartai para vós as cidades de refúgio, de que vos falei pelo ministério de Moisés;

para que fuja para ali o homicida que matar alguma pessoa por erro e não com intento; para que vos sejam refúgio do vingador do sangue (20.1-3).

Em vista da preocupação óbvia do Senhor para que houvesse justiça e misericórdia entre seu povo especial, como no caso dessas cidades de refúgio, muitas pessoas se espantam ao ver o tratamento aparentemente distinto que dá aos cananeus. Sem dúvida, um dos aspectos mais controversos desse livro, se não de todo o Antigo Testamento, é a ordem do Senhor para que os israelitas destruam o povo da terra. E é digno de nota o fato de que os israelitas destruíram totalmente seus inimigos, mas Deus ordenou que fizessem isso! Encontramos as ordens dEle nas passagens 6.17, 7.12, 8.2 e em outras.

Quando pesquisamos a destruição, resultante da vontade do Senhor, relatada nesse livro fica claro que o assassinato dos cananeus foi a maior destruição que a Bíblia registra entre o dilúvio, em Gênesis, e o fim do mundo, em Apocalipse. Claro que Israel já testemunhara exemplos incríveis do julgamento de Deus sobre os outros (como as pragas do Egito) e sobre eles mesmos (como a morte de toda a geração que saiu do Egito) antes de entrar em Canaã. E a destruição dos cananeus é apenas um prenúncio do grande julgamento final no fim do mundo, em Apocalipse, como o foi o dilúvio, em Gênesis, a destruição dos egípcios, da geração que deixou o Egito, e todos os outros atos de julgamento do Senhor registrados na Bíblia. Todos esses julgamentos não apenas prenunciam o grande julgamento por vir, mas também ecoam a Queda do homem no jardim, em que todos nós, por intermédio de Adão, nosso representante, erroneamente rejeitamos o Senhor e chamamos sua justa ira sobre nós. Desde essa época, todos os dias em que respiramos e desfrutamos de saúde devemos à misericórdia graciosa do Senhor conosco.

Embora, quando nos sentamos nos bancos da igreja para ouvir os sermões, possamos parecer respeitáveis e inocentes uns para os outros, Deus nos examina e vê a verdade. Ele vê nossos pecados clamando por julgamento, para que sua criação saiba que o juiz da terra fará o certo. Contudo, Ele contém-se. É paciente conosco, mesmo agora, Ele é paciente comigo enquanto falo estas palavras, e com vocês quando as ouvem. Ele é longânimo. Ele é misericordioso.

Contudo, no fim, Deus não aturará injustiça. Ele derramará a ira que tanto merecemos. Surpreendentemente, para todos aqueles que se arrependem de seus pecados e crêem nEle, a ira de Deus foi derramada em Cristo, nosso amoroso substituto que deu a vida na cruz do Calvário. Todavia, os que não se arrependeram e não creram receberão a ira do Senhor sobre si.

Como aconteceu com os cananeus. Vemos o fim da misericórdia do Senhor na destruição deles. Eles desperdiçavam a misericórdia do Senhor toda vez que ignoravam a própria consciência e desafiaram a imagem do Deus verdadeiro que havia neles. Cada vez que odiavam uns aos outros, que se embebedavam ou que adoraram Baal, o deus da fertilidade, por meio da prostituição cultual, eles gastavam um pouco mais dessa rica misericórdia. Cada vez que adoravam o deus Moloque, atravessando o coração de seus filhos com uma faca ou lançando-os nas chamas, eles desperdiçavam mais ainda essa misericórdia. Na verdade, todos os dias em que o povo de Canaã respirava e deixava de se arrepender, eles clamavam para que a misericórdia do Senhor terminasse e a justiça dEle se iniciasse. Por fim, o Senhor disse: "Chega!". Para usar a linguagem bíblica, a medida dos pecados deles transbordou.[7] Acabou-se a misericórdia do Senhor. Por isso, ele ordenou que Josué e os israelitas fossem ministros parciais do julgamento que toda a humanidade, que estiver afastada de Cristo, enfrentará um dia.

Precisamos justificar os atos que Deus praticou nesse livro? Quanto mais penso sobre isso, mais dificuldade tenho em justificar nossas questões. O Senhor ordenou que os israelitas realizassem seus propósitos bons e justos, mesmo quando lhes ordenou que lhe obedecessem em outros assuntos.

Cumprir suas Promessas e Perseverar com o Povo

O povo conquistou a terra porque o Senhor lutou por eles. Eles dividiram a terra porque Ele a aquinhoou. E eles prometeram temer e obedecer a Ele porque apenas Ele cumpre as promessas e persevera com eles apesar de seus pecados.

Ele cumpre suas promessas. Em Gênesis 17.8, o Senhor disse a Abraão: "E te darei a ti e à tua semente depois de ti a terra de tuas peregrinações, toda a terra de Canaã em perpétua possessão, e ser-lhes-ei o seu Deus" (17.8). No livro de Josué, Ele cumpre a promessa que fizera muitos séculos atrás. Perto do fim do livro, Josué testifica a fidelidade de Deus: "E eis aqui eu vou, hoje, pelo caminho de toda a terra; e vós bem sabeis, com todo o vosso coração e com toda a vossa alma que nem uma só palavra caiu de todas as boas palavras que falou de vós o Senhor, vosso Deus; todas vos sobrevieram, nem delas caiu uma só palavra" (23.14). Desde que prometeu a Abraão, o Senhor mostrou-se total e completamente fiel.

A obediência é a única resposta adequada ao Deus que cumpre suas promessas. Por isso, o Senhor exorta Josué no início do livro:

> Tão-somente esforça-te e tem mui bom ânimo para teres o cuidado de fazer conforme toda a lei que meu servo Moisés te ordenou; dela não te desvies, nem para a direita nem para a esquerda, para que prudentemente te conduzas por onde quer que andares. Não se aparte da tua boca o livro desta Lei; antes, medita nele dia e noite, para que tenhas cuidado de fazer conforme tudo

quanto nele está escrito; porque, então, farás prosperar o teu caminho e, então, prudentemente te conduzirás (1.7,8).

Às vezes, a promessa do Senhor de dar a terra de Canaã para Abraão foi mal compreendida. Algumas pessoas entenderam que essa promessa significava que a terra física de Canaã seria uma preocupação especial eterna para Deus. Contudo, se isso for verdade, o que fazemos com a promessa do Senhor de destruir este mundo com fogo e de substituí-lo por uma nova terra e um novo céu? Outros entenderam que essa promessa significava que os descendentes de Abraão — a nação judaica — tinha um direito inalienável à terra. Todavia, se isso for verdade, por que Jesus deu tão pouca ênfase aos descendentes de Abraão e até chamou alguns deles de filhos do demônio? E por que Paulo disse que os verdadeiros filhos de Abraão não são os da carne, mas os da promessa?[8] Poderíamos falar mais a respeito disso, mas, por ora, é suficiente dizer que nenhuma nação ou grupo étnico de hoje, nem mesmo o Estado de Israel moderno, possui uma aliança especial com o Senhor. O Israel do Antigo Testamento era o povo especial do Senhor apenas para preparar a vinda do Messias. O Messias já veio, e hoje o povo de Deus não está vinculado a nenhuma nação. Ele é um povo verdadeiramente internacional, de uma forma prenunciada no livro de Josué apenas pela misericórdia do Senhor com Raabe, nativa de Jericó, e, talvez, com os gibeonitas.

O que Deus promete a nós, cristãos, hoje? Ele promete adotar-nos como filhos e, no fim, dar-nos toda a terra como herança. Todavia, nossa ordem como cristãos não é defender nem tomar posse de um território específico. Para nós, não há "terra santa" como havia para Josué e os israelitas. Não há cruzadas nem guerras santas para os cristãos. "Do Senhor é a terra e a sua plenitude" (Sl 24.1). Deveríamos dizer que não existe terra que não seja santa! E, por isso, somos chamados a lutar contra "os principados, contra as potestades, contra os príncipes das trevas deste século", e não contra carne e sangue. Essa é a verdadeira batalha que travamos hoje como cristãos, e esse conflito se trava em terras que vivenciam derramamento de sangue e nas que vivem em paz. O combate espiritual com conseqüências eternas assola o globo terrestre. Cristo ordena que combatamos nossos inimigos espirituais amando a todas as pessoas — todas feitas à imagem do Senhor — e contando-lhes as boas-novas sobre Jesus Cristo: a promessa de perdão para os nossos pecados e a nova vida oferecida por Ele.

Meu amigo cristão, a preocupação central de sua vida são as promessas e as ordens de Deus? Essas coisas são as que mais prendem seu coração? Ou alguém ou alguma coisa usurpou o lugar de Cristo e tornou-se seu verdadeiro comandante, seu verdadeiro capitão? O grande mandamento de Cristo é que amemos o nosso próximo como a nós mesmos. A grande comissão de Cristo é que façamos discípulos de todas as nações.

As promessas e os mandamentos de Deus têm de comandar sua mente quando você assumir suas tarefas aqui. Existem outros mandamentos ou comissões que absorvam sua atenção? Querido irmão, ame ao Senhor seu Deus de todo o seu coração, de todo o seu entendimento, de toda a sua alma e de toda a sua força, e ame o seu próximo como a si mesmo. Depois, ensine a congregação a fazer a mesma coisa, e honrará os mandamentos e as comissões de nosso Senhor.

Ele persevera com seu povo. Precisamos observar mais uma coisa no livro de Josué. Deus persevera com seu povo, quando eles escolhem pecar. Você perceberá algumas pilhas de pedras ao ler o livro.⁹ Cada montão de pedra é um lembrete para o povo de uma ocasião em que o Senhor agiu com misericórdia e com graça para com eles. Cada pilha é um lembrete de que o arrependimento traz perdão e redenção. O Senhor tem um intuito semelhante ao instituir as cidades de refúgio, elas retratam a grande e profunda misericórdia que Ele oferece.

Em nosso estudo futuro do livro de Juízes, testemunharemos, muitas vezes, a misericórdia do Senhor quando o povo peca contra Ele e, depois, volta-se para Ele e busca refúgio nEle.

Alguma coisa neste sermão o ajudou a ver a necessidade que você tem da misericórdia de Deus? Você, de alguma forma, percebeu sua pobreza espiritual diante do Senhor? Nunca será um cristão até que perceba isso. É nesse ponto que todos devemos começar com Deus. Como Edward Payson, o grande bispo congregacional, disse: "Você não consegue fazer com que um homem rico implore como o pobre; você não consegue fazer com que um homem alimentado clame por alimento como o que está faminto: nem o homem que tem uma opinião boa de si mesmo pede misericórdia como o que se sente pobre e necessitado".¹⁰ As igrejas cristãs não são congregações dos justos, dos bem-sucedidos moralmente e dos totalmente obedientes. Esse tipo de pessoa não existe no mundo. As congregações cristãs fundamentam-se no reconhecimento da nossa pobreza, da nossa necessidade espiritual e da plenitude de Cristo. Cristo morreu para conseguir misericórdia, e Ele o chama a afastar-se de seu pecado e crer nEle. Oh, amigo, deixe seus pecados por Cristo!

Desenvolva com cuidado o senso de sua pobreza e necessidade a fim de servir bem. Você não tem um montão de pedras em seu quintal, mas pode memorizar momentos em que sentiu a perseverança benigna de Deus com você. Conte-os para sua esposa. Anote-os em seu computador. Trabalhe para tornar seu coração brando diante de Deus, para sentir a necessidade que tem dEle e para lembrar quando Ele mostrou sua misericórdia de forma mais clara para você. Compartilhe conosco os momentos em que o Senhor foi mais misericordioso com você, e não apenas os em que você foi mais misericordioso para com os outros.

Pois nosso Deus é um Deus perseverante, não é mesmo?

Conclusão

Essa é a mensagem de Josué. Por um lado, o povo escolheu obedecer a Deus e conquistar a terra que Ele lhes prometera. Por outro lado, Deus lutou por eles e deu-lhes a terra. Eles agiram de acordo com a promessa do Senhor quando lhe obedeceram. E o Senhor, quando eles pecaram, foi misericordioso para com eles e perseverou com eles.

Você se lembra as questões do início deste estudo? Por que a pilha de pedras próximo ao Jordão? Por que esse lugar se chama Gilgal? E assim por diante. Sem dúvida, todos esses "por quês" apontam para um grande "por quê" que permeia todo o livro e inclui todos os "por quês" menores: afinal, por que todas essas coisas acontecem?

O capítulo 4, na explicação de Josué para a razão de empilhar as pedras ao lado do rio Jordão, traz a resposta para o principal "por quê". Se você for memorizar um versículo do livro de Josué que seja este: "Porque o Senhor, vosso Deus, fez secar as águas do Jordão diante de vós, até que passásseis, como o Senhor, vosso Deus, fez ao mar Vermelho, que fez secar perante nós, até que passamos. Para que [...]" — é agora, eis aqui a resposta do livro para o grande "por quê" — "[...] Para que todos os povos da terra conheçam a mão do Senhor, que é forte, para que temais ao Senhor, vosso Deus, todos os dias" (4.23b,24; grifo do autor). Você percebeu como Josué dividiu a passagem? Ele diz "para que" duas vezes. Primeiro, ele diz que o Senhor fez essas coisas para que todos os povos saibam que o Senhor é, como foi chamado anteriormente, "o Senhor de toda a terra" (3.11,13; cf. 7.9). Ele não é apenas o Deus de uma tribo nômade, ou do deserto, ou do Êxodo. Nesse livro, Ele age dessa forma para que todos os povos saibam que Deus é o Senhor de toda a terra.

Segundo, Josué diz que Deus fez todas essas coisas para você e para si mesmo. Em outras palavras, Ele fez tudo isso para que o povo de Deus temesse ao Senhor. Apenas Ele pode ser temido, pois apenas Ele merece todo louvor e toda glória.

Deus, até mesmo, escolheu Josué como líder dos israelitas para sua glória. O Senhor disse a Josué: "Este dia começarei a engrandecer-te perante os olhos de todo o Israel". Por quê? "Para que saibam que assim como fui com Moisés assim serei contigo" (3.7). E Deus fez isso. O capítulo seguinte declara: "Naquele dia, o Senhor engrandeceu a Josué diante dos olhos de todo o Israel; e temeram-no, como haviam temido a Moisés, todos os dias da sua vida" (4.14). O nome de Josué, quando encontrou Moisés pela primeira vez, era Oséias, que significa "salvação" (Nm 13.16). Moisés mudou o nome dele para "Josué" que significa "o Senhor é salvação". O nome equivalente a esse no Novo Testamento é Jesus. Jesus, o Senhor, é salvação.

Escolher Josué exaltou ao Senhor a quem ele servia, já que Josué era um servo fiel de Deus. Esse sempre foi o propósito do Senhor ao levantar mensageiros ou líderes especiais. Hoje, acontece a mesma coisa com qualquer pessoa que ministre a Palavra do Senhor para o povo dEle. Se o Senhor abençoa um ministro da Palavra, se o levanta e o faz prosperar, tenha certeza de que o faz para sua glória, não para a do ministro, e isso acontece à medida que a glória dEle resplandece por intermédio do ministério fiel a quem Ele abençoou.

Meu querido irmão, que o Senhor possa torná-lo transparente a fim de que a glória de Deus resplandeça com luminosidade por seu intermédio, e que você seja tão abençoado que Deus possa ser exaltado por seu intermédio.

Oremos:

Senhor, consideramos muitas coisas a respeito de sua Palavra, mas todas resumem-se a isto: tudo o que o Senhor faz, o faz para sua glória, e o Senhor nos chama para ser seu povo a fim de que exultemos no Senhor e em sua glória. Oramos para que o Senhor possa levar essa mensagem ao nosso coração. Dê-nos um coração sensível ao Senhor, para que possa abençoar-nos por engrandecer e por exaltar ao Senhor. Oramos para sua glória por intermédio de nosso Senhor Jesus Cristo, o grande capitão de nossa salvação. Amém.

Questões para Reflexão

1. Todos os grandes eventos da história (guerras, presidências, depressões econômicas) têm um propósito eterno no plano de Deus? Os pequenos eventos de sua vida têm um propósito eterno no plano de Deus?
2. O que a destruição do povo de Canaã prenuncia? Por que a destruição deles é *extremamente* importante para a sua vida e a de todos que você ama?
3. A ordem de Deus para que Josué destrua os cananeus demonstra com clareza a ira dEle. Mas como isso demonstra a misericórdia e o amor dEle?
4. Jesus, como Josué, veio para conquistar. O que Jesus conquistou? Um dia, o que Ele conquistará totalmente? Se você é cristão, consegue ver em que aspectos de sua vida, Ele já afirmou seu papel de conquistador? Louve a Cristo como o conquistador de tudo com o que se deparar em sua vida!
5. Qual o papel da aliança da igreja na vida da igreja?
6. Qual a diferença entre o pecado de comissão e o de omissão? Você consegue lembrar dos diversos pecados de cada categoria que o tentam?
7. O povo de Canaã merecia morrer? Por quê? Você se vê como merecedor de qualquer coisa além do que eles receberam? Se você for cristão, aos olhos de Deus o que o separa dos cananeus? Seria *qualquer coisa* que você tenha feito?
8. Como a igreja local deve responder ao pecado flagrantemente público, não confesso de um membro que não se arrepende dele? Por que é tão importante

que a igreja lide com esse tipo de pecado? É uma demonstração de desamor agir contra esse tipo de pecado?

9. Colossenses 3 declara: "Mortificai, pois, os vossos membros que estão sobre a terra: a prostituição, a impureza, o apetite desordenado, a vil concupiscência e a avareza, que é idolatria; pelas quais coisas vem a ira de Deus" (Cl 3.5,6). Pode-se dizer que o cristão, do tipo de Josué, é chamado para guerrear nas diferentes cidades de pecado de seu próprio coração. Mate a cidade da concupiscência! Mate a cidade da avareza! Ponha fogo nas fábricas que produzem seus ídolos favoritos e acabe com os parques de diversões em que suas fantasias ilícitas brincam. Então, como está indo sua batalha? Com que força você conta para vencer? Qual o papel de sua igreja local em sua batalha?

10. Nós, os cristãos, devemos lutar contra o pecado, mas também temos de lembrar que a batalha mais importante já foi travada e vencida (veja a pergunta 4 acima). Como você pode, ao mesmo tempo, *lutar* e *repousar* na batalha já vencida por Cristo?

11. Qual a resposta para o maior "por quê" de todos: por que nós existimos? Por que Deus criou o universo? Por que acontecem as coisas ruins e as boas? A resposta para isso é uma declaração teológica transcendental ou pode ser a lição mais prática de todas?

Notas

Capítulo 6

[1] A data de pregação original deste sermão foi em 12 de maio de 2002, na Capitol Hill Baptist Church, em Washington, D. C., durante o mesmo culto em que o Dr. Michael Lawrence foi instituído como pastor associado. Mantivemos as mesmas exortações feitas para o Dr. Lawrence na ocasião com a esperança de que os líderes cristãos as apliquem de forma pertinente, quer em sua vida pessoal, quer em seu ministério.

[2] 6.21; cf. 6.24.

[3] 10.20,29,31,33,34,36,38,42.

[4] 11.7-9,10,12-15.

[5] 11.23; 14.15.

[6] Ex.: 8.7; 10.30; 11.8.

[7] Gn 15.16; Is 51.17,22; Jr 25.15.

[8] E.g. Mt 8.11,12; Jo 8.44; Rm 9.8ss; Gl 4.22-31.

[9] No rio Jordão (4.6,7); no local em que Acã foi apedrejado (7.26), sobre o corpo do rei de Ai (8.28,29), na cova dos cinco reis amorreus (10.27), em Siquém, na pedra posta debaixo do carvalho por Josué como testemunho contra o povo se pecassem (24.25-27).

[10] Citado em Iain H. Murray, *Revival and Revivalism: The Making and Marring of American Evangelicalism 1750-1858* (Carlisle, Pa.: Banner of Truth, 1994), p. 219.

A MENSAGEM DE JUÍZES: BECO SEM SAÍDA

A IMPORTÂNCIA DA LIDERANÇA

INTRODUÇÃO A JUÍZES

O POVO REAGE COM O PECADO À BÊNÇÃO DE DEUS
Deus Abençoa
Deus Adverte
Todavia, o Povo Peca

O POVO DE DEUS REAGE COM ARREPENDIMENTO À PUNIÇÃO
Deus Pune
E o Povo se Arrepende

DEUS LIBERTA O POVO TEMPORARIAMENTE POR INTERMÉDIO DE JUÍZES IMPERFEITOS
Deus Liberta por Intermédio de Juízes Imperfeitos
Deus Liberta Temporariamente

O POVO PRECISA DO QUE DEUS FINALMENTE LHE DARIA — O SALVADOR PERFEITO
O Povo Precisa de um Salvador
Deus lhes Concederá um Salvador

CONCLUSÃO

CAPÍTULO 7

A Mensagem de Juízes:
Beco sem Saída

A Importância da Liderança[1]

"Aprendemos da pior maneira que as cidades não precisam de desenhistas egotistas e de planejadores autoritários. As cidades precisam de caos, não de planejamento. A ordem emerge — não a ordem artificial e morta dos planejadores, mas a espontânea, a das pessoas reais coordenando suas atividades umas em volta das outras."

Assim falou Frank Buckley, professor da George Mason University, em uma edição recente da revista *The American Enterprise*.[2] Buckley acredita que a ordem emerge naturalmente. Ela não precisa ser imposta de cima para baixo. Ele está certo? Hoje, a Lower Manhattan Development Corporation (LMDC [Corporação de Desenvolvimento da Baixa Manhattan]) e a New York Port Authority (NYPA [Autoridade Portuária de Nova York]) estão envolvidas exatamente nesse tipo de debate enquanto examinam os diferentes projetos para decidir o que fazer com a região em que estavam localizadas as torres gêmeas do World Trade Center. Entre as incontáveis opções, algumas facções querem evitar as estruturas grandes e, em vez delas, reabrir algumas das ruas antigas e recriar a vizinhança da época anterior às torres gêmeas.

Aumenta a dificuldade em decidir sobre o que fazer com a região pelo fato de que a LMDC e a NYPA não concordam sobre quem está no comando da decisão. Na verdade, na última semana, as duas organizações discutiam quem tinha o direito de selecionar a equipe de urbanistas que apresentará seis propostas distintas para... bem, seja o que for que eles apresentem.

A autoridade é essencial, não é mesmo? E isso é apenas um exemplo. Ao olhar o jornal de ontem, encontrei muitos outros exemplos que reafirmam o mesmo ponto. Precisamos de uma boa liderança em todas as áreas de nossa vida. Sem uma direção clara, bloqueiam-se as melhores plantas e perdem-se os melhores projetos.

INTRODUÇÃO A JUÍZES

O livro de Juízes, como qualquer outro do Antigo Testamento, é sobre liderança. Juízes, o segundo dos doze livros históricos do Antigo Testamento, descreve doze líderes que Deus levantou em Israel.

Não sabemos exatamente quantos anos de história o período de Juízes cobre porque não sabemos a data exata do Êxodo do Egito. Ele cobre um período entre dois e quatro séculos e termina, aproximadamente, em 1050 a.C., época em que foi instituída a monarquia com Saul como rei. Podemos dividir o livro em três partes. Os capítulos 1—2 são introdutórios. Os capítulos 3—16 cobrem o período dos doze juízes, e os capítulos 17—21 mostram o declínio moral que caracterizou grande parte da nação.

Para nosso estudo, quero resumir o livro em quatro sentenças e ver o que podemos aprender, principalmente sobre o tipo de líder de que precisamos.

O POVO REAGE COM O PECADO À BÊNÇÃO DE DEUS

Primeiro, a leitura desse livro deixa claro que o povo reage com o pecado à bênção de Deus. Isso é triste, todavia, essa é a verdadeira mensagem de Juízes.

Deus Abençoa

Desde o início do livro, sabemos que Deus abençoou esse povo como prometera fazer. Ele os libertou da escravidão no Egito. Ele os guiou no deserto. Ele dividiu o rio Jordão para que pudessem atravessar. E deu-lhes vitória em toda Canaã sob o comando de Josué — o Norte e o Sul. No capítulo 2, o Senhor diz aos israelitas: "Do Egito vos fiz subir, e vos trouxe à terra que a vossos pais tinha jurado, e disse: Nunca invalidarei o meu concerto convosco" (2.1).

Deus Adverte

Deus prometeu não quebrar sua aliança com eles e, por isso, proibiu que fizessem outras alianças por conta própria. No versículo seguinte, o Senhor ordena: "Não fareis concerto com os moradores desta terra; antes, derrubareis os seus altares" (2.2).

Claro que lembramos que Deus advertiu o povo muitas vezes. Na primeira vez em que deu a Lei, Ele ordenou ao povo: "Não terás outros deuses diante de mim", e: "Não farás para ti imagem de escultura" (Êx 20.3,4).

Quando deu a Lei pela segunda vez, Deus disse ao povo, por intermédio do idoso Moisés, enquanto este preparava o povo para entrar na Terra Prometida, exatamente o que deveriam fazer a fim de guardar esses dois mandamentos:

> Quando o Senhor, teu Deus, te tiver introduzido na terra, a qual passas a possuir, e tiver lançado fora muitas nações de diante de ti, os heteus, e os girgaseus, e os amorreus, e os cananeus, e os ferezeus, e os heveus, e os jebuseus, sete nações mais numerosas e mais poderosas do que tu; e o Senhor, teu Deus, as tiver dado diante de ti, para as ferir, totalmente as destruirás; não farás com elas concerto, nem terás piedade delas; nem te aparentarás com elas; não darás tuas filhas a seus filhos e não tomarás suas filhas para teus filhos; pois elas fariam desviar teus filhos de mim, para que servissem a outros deuses; e a ira do Senhor se acenderia contra vós e depressa vos consumiria. Porém assim lhes fareis: derrubareis os seus altares, quebrareis as suas estátuas, cortareis os seus bosques e queimareis a fogo as suas imagens de escultura. Porque povo santo és ao Senhor, teu Deus; o Senhor, teu Deus, te escolheu, para que lhe fosses o seu povo próprio, de todos os povos que sobre a terra há (Dt 7.1-6).

Em outras palavras, destruir ou ser destruído. Na verdade, Deus diz exatamente isso alguns capítulos adiante: "Antes, destruí-las-ás totalmente: [...] para que vos não ensinem a fazer conforme todas as suas abominações, que fizeram a seus deuses, e pequeis contra o Senhor, vosso Deus" (Dt 20.17a,18). Muitas outras passagens da Lei dizem algo semelhante.

Josué, pouco antes de morrer, repete essas advertências, em algumas de suas últimas falas:

> Esforçai-vos, pois, muito para guardardes e para fazerdes tudo quanto está escrito no livro da Lei de Moisés, para que dela não vos aparteis, nem para a direita nem para a esquerda; para que não entreis a estas nações que ainda ficaram convosco; e dos nomes de seus deuses não façais menção, nem por eles façais jurar, nem os sirvais, nem a eles vos inclineis. Mas ao Senhor, vosso Deus, vos achegareis, como fizestes até ao dia de hoje; pois o Senhor expeliu de diante de vós grandes e numerosas nações; e, quanto a vós, ninguém ficou em pé diante de vós até ao dia de hoje. Um só homem dentre vós perseguirá a mil, pois é o mesmo Senhor, vosso Deus, o que peleja por vós, como já vos tem dito. Portanto, guardai muito a vossa alma, para amardes ao Senhor, vosso Deus. Porque, se dalguma maneira vos apartardes, e vos achegardes ao resto destas nações que ainda ficou convosco, e com elas vos aparentardes, e vós a elas entrardes, e elas a vós, sabei, certamente, que o Senhor, vosso

Deus, não continuará mais a expelir estas nações de diante de vós, mas vos serão por laço, e rede, e açoite às vossas costas, e espinhos aos vossos olhos (Js 23.6-13a).

Como o povo responde à rica bênção do Senhor? E o que fazem com essa advertência?

Todavia, o Povo Peca

Nos primeiros dezoito versículos de Juízes está tudo bem. A conquista do território de Canaã por Israel continua da mesma forma que foi durante a vida de Josué. A primeira metade do 19º versículo até resume: "E foi o SENHOR com Judá, e despovoou as montanhas" (Jz 1.19a).

Todavia, a segunda parte do versículo se inicia com uma palavra triste — "porém": "Porém não expeliu os moradores do vale, porquanto tinham carros de ferro" (1.19b). A seguir, o relato apresenta uma longa lista dos fracassos dos israelitas em tomar a terra que Deus lhes prometera:

Porém os filhos de Benjamim não expeliram os jebuseus (1.21).

Nem Manassés expeliu os habitantes de Bete-Seã, nem dos lugares da sua jurisdição; nem a Taanaque, com os lugares da sua jurisdição; nem aos moradores de Dor, com os lugares da sua jurisdição; nem aos moradores de Ibleão, com os lugares da sua jurisdição; nem aos moradores de Megido, com os lugares da sua jurisdição; e quiseram os cananeus habitar na mesma terra (1.27).

Tampouco expeliu Efraim os cananeus que habitavam em Gezer (1.29).

Tampouco expeliu Zebulom os moradores de Quitrom, nem aos moradores de Naalol (1.30).

Tampouco Aser expeliu os moradores de Aco, nem os moradores de Sidom, nem Alabe, nem Aczibe, nem Helba, nem Afeca, nem Reobe (1.31).

Tampouco Naftali expeliu os moradores de Bete-Semes, nem os moradores de Bete-Anate (1.33).

O povo peca e o faz exatamente da forma contra a qual Deus os advertira: eles obedecem apenas parte da ordem do Senhor, omitem uma etapa crucial da obediência: não exterminam totalmente os cananeus. E, sim, houve conseqüências.

De volta ao capítulo 2, lemos que o Senhor disse: "Mas vós não obedecestes à minha voz. Por que fizestes isso? Pelo que também eu disse: Não os expelirei de diante de vós; antes, estarão às vossas costas, e os seus deuses vos serão por laço" (2.2b,3). Os pecados de comissão dos israelitas seguem-se aos atos de omissão.³ Eles se juntam aos cananeus e a outros na idolatria. À medida que o capítulo 2 prossegue, a história recapitula essa inclinação ao pecado, conforme uma geração substitui a outra:

> E, havendo Josué despedido o povo, foram-se os filhos de Israel, cada um à sua herdade, para possuírem a terra. E serviu o povo ao Senhor todos os dias de Josué e todos os dias dos anciãos que prolongaram os seus dias depois de Josué e viram toda aquela grande obra do senhor, a qual ele fizera a Israel. Faleceu, porém, Josué, filho de Num, servo do Senhor, da idade de cento e dez anos. E sepultaram-no no termo da sua herdade, em Timnate-Heres, no monte de Efraim, para o norte do monte Gaás. E foi também congregada toda aquela geração a seus pais, e outra geração após eles se levantou, que não conhecia o Senhor, nem tampouco a obra que fizera a Israel. Então, fizeram os filhos de Israel o *que parecia* mal aos olhos do Senhor; e serviram aos baalins. E deixaram o Senhor, Deus de seus pais, que os tirara da terra do Egito, e foram-se após outros deuses, dentre os deuses das gentes que *havia* ao redor deles, e encurvaram-se a eles, e provocaram o Senhor à ira. Porquanto deixaram ao Senhor e serviram a Baal e a Astarote (2.6-13).

Deus os advertira! Por que eles não escutaram? O que começou apenas com pequenas omissões, logo se transformou nas mais graves violações: o abandono total de Deus. Quando rememoramos essas advertências — releia Deuteronômio 7 — sentimos uma triste ironia nas breves palavras de Juízes 3: "Habitando, pois, os filhos de Israel no meio dos cananeus, e heteus, e amorreus, e ferezeus, e heveus, e jebuseus, tomaram de suas filhas para si por mulheres e deram aos filhos deles as suas filhas; e serviram a seus deuses" (3.5,6).

Alguns pecados parecem piores que outros. Eles apenas são mais medonhos, até mais satânicos. Em outro sentido, nenhum pecado é pior que o outro. Todo pecado é um ato de rebelião contra um Deus perfeito, e todos quebram o relacionamento perfeito de amor e de comunhão para os quais fomos criados. E o que parece ser um pecado leve de omissão logo leva a pecados mais sérios — o tipo de pecado em que Israel caiu —, porque todo pecado quebra esse relacionamento com o Senhor.

Essa é a história de Juízes. Deus deu-lhes bênçãos magníficas. Ele os fez existir enquanto povo e os chamou para ser seu povo especial, aqueles que usariam o seu nome. E, agora, em troca do seu amor criativo, eles o rejeitam e adoram outros deuses.

E você? Você percebe que Deus o criou? Que o fez especificamente à sua própria imagem? O cristianismo ensina que o ser humano é uma mistura estranha. De um lado, somos muito especiais porque fomos feitos à imagem do Senhor e, por isso, temos uma criatividade maravilhosa. Nós temos filhos, fazemos música, iniciamos empresas, construímos prédios, formamos laços de amizades e usufruímos nossos amigos, cozinhamos e organizamos as coisas. Todas essas coisas criativas que fazemos mostram algo da imagem do Senhor que há em nós. Mas a verdade é esta: há mais nessa história. Ficamos perturbados com possibilidades mais negras, pois nossa criatividade pode ser usada para fins errados. Podemos criar tanto coisas boas como más. E nós queremos fazer isso! Tornamo-nos pecaminosos, conforme a Bíblia descreve esse tipo de atitude. Na verdade, a estrutura da compreensão da natureza humana e da condição humana no cristianismo é tão impressionante e tão claramente verdadeira que, com freqüência, mesmo os que não se dizem cristãos a acham instigadora.

Por alguma razão — acho que por nossa ingenuidade —, sempre temos a idéia de que podemos transformar este mundo em um paraíso. Alguns acham que concretizarão sua utopia por intermédio do governo, outros, por meio da prosperidade, outros ainda, pelos avanços da medicina ou por algo mais apocalíptico. Este mundo não foi privado do conhecimento de Deus, mas isso não nos impede de pensar que podemos fazer tudo por nós mesmos. Por maiores que tenham sido os dons de Deus para nós na criação e em nossa consciência, eles não possibilitam a redenção que necessitamos para nossos pecados, nosso auto-engano ou para a promessa do julgamento dEle. Nós precisamos de uma bênção ainda maior. Necessitamos da bênção que este mundo — de forma típica — rejeitou e até crucificou. Nós precisamos de Cristo.

Espero que você veja isso. Oro, principalmente se você for cristão, para que esteja atento às bênçãos do Senhor para você. Não seja esquecido como o povo descrito em Juízes. Você deve anotar as bênçãos de Deus: pegue uma caneta e um papel e escreva tudo que o Senhor tem feito por você a fim de não se esquecer de nada. Obedeça à sua Palavra. Tenha cuidado com os pecados de comissão. E não se esqueça dos pecados de omissão. Como vimos, a desobediência a Deus leva a coisas terríveis. Não devolva ao Senhor as bênçãos que Ele lhe deu.

Nós, como igreja, sem dúvida, conhecemos as bênçãos de Deus. Eler tem sido benigno conosco. Como temos reagido a isso? Com gratidão e com louvor a Deus? Ou ouvimos, de forma pecaminosa, as pessoas a nossa volta dizerem que a prosperidade do Senhor é resultado das coisas boas que fazemos? "Tenha confiança em si mesmo." "Conte com você mesmo." Hoje, o "povo da terra" diz essas coisas. Todavia, oremos para que, como igreja, evitemos a autoconfiança errônea.

O Povo de Deus Reage com Arrependimento à Punição

É verdade que o povo responde com pecado às bênçãos de Deus, porém, encontramos uma inferência estranha nessa segunda sentença que nos ajuda a desenvolver o sentido de Juízes: o povo de Deus reage com arrependimento à punição. No livro de Juízes, encontramos isso diversas vezes.

Deus Pune

Deus não fica indiferente ao pecado de seu povo. Ele age contra o pecado deles por causa de seu nome. O capítulo 2 descreve a punição que resume o que vemos em todo o livro:

> Pelo que a ira do Senhor se acendeu contra Israel, e os deu na mão dos roubadores, e os roubaram; e os entregou na mão dos seus inimigos ao redor; e não puderam mais estar em pé diante dos seus inimigos. Por onde quer que saíam, a mão do Senhor era contra eles para mal, como o Senhor tinha dito e como o Senhor lho tinha jurado; e estavam em grande aperto (2.14,15).

Parece que Deus se une aos inimigos de seu povo a fim de trazer desastres sobre eles. Contudo, os seus motivos são realmente muito distintos do que os dos seus inimigos, embora Ele se junte a eles. Os inimigos de Israel pecaminosamente e com ódio. Todavia, o Senhor quer punir e, como veremos a todo momento no relato, levar seu povo ao arrependimento.

Na verdade, o livro de Juízes é a repetição desse ciclo. O Senhor usa os arameus, da Mesopotâmia, para puni-los:

> E os filhos de Israel fizeram o *que parecia* mal aos olhos do Senhor, e se esqueceram do Senhor, seu Deus, e serviram aos baalins e a Astarote. Então, a ira do Senhor se acendeu contra Israel, e ele os vendeu em mão de Cusã-Risataim, rei da Mesopotâmia; e os filhos de Israel serviram a Cusã-Risataim durante oito anos (3.7,8).

Ele também usa os moabitas:

> Porém os filhos de Israel tornaram a fazer o que parecia mal aos olhos do Senhor; então, o Senhor esforçou a Eglom, rei dos moabitas, contra Israel, porquanto fizeram o que parecia mal aos olhos do Senhor. E ajuntou consigo

os filhos de Amom e os amalequitas, e foi, e feriu a Israel, e tomaram a cidade das Palmeiras. E os filhos de Israel serviram a Eglom, rei dos moabitas, dezoito anos (3.12-14).

No capítulo 4, Ele usa os cananeus:

Porém os filhos de Israel tornaram a fazer o que parecia mal aos olhos do Senhor, depois de falecer Eúde. E vendeu-os o senhor em mão de Jabim, rei de Canaã, que reinava em Hazor; e Sísera era o capitão do seu exército, o qual, então, habitava em Harosete-Hagoim. Então, os filhos de Israel clamaram ao Senhor, porquanto Jabim tinha novecentos carros de ferro e por vinte anos [...] (4.1-3a).

No capítulo 6, Deus usa os midianitas da mesma forma:

Porém os filhos de Israel fizeram o que parecia mal aos olhos do Senhor; e o Senhor os deu na mão dos midianitas por sete anos. E, prevalecendo a mão dos midianitas sobre Israel, fizeram os filhos de Israel para si, por causa dos midianitas, as covas que estão nos montes, e as cavernas, e as fortificações. Porque sucedia que, semeando Israel, subiam os midianitas e os amalequitas; e também os do Oriente contra ele subiam. E punham-se contra eles em campo, e destruíam a novidade da terra, até chegarem a Gaza, e não deixavam mantimento em Israel, nem ovelhas, nem bois, nem jumentos. Porque subiam com os seus gados e tendas; vinham como gafanhotos, em tanta multidão, que não se podiam contar, nem a eles nem aos seus camelos; e entravam na terra para a destruir. Assim, Israel empobreceu muito pela presença dos midianitas [...] (6.1-6a)

No capítulo 10, vemos que Ele também usa os amonitas:

Então, tornaram os filhos de Israel a fazer o que parecia mal aos olhos do Senhor e serviram aos baalins, e a Astarote, e aos deuses da Síria, e aos deuses de Sidom, e aos deuses de Moabe, e aos deuses dos filhos de Amom, e aos deuses dos filisteus; e deixaram o Senhor e não o serviram. E a ira do Senhor se acendeu contra Israel, e vendeu-o em mão dos filisteus e em mão dos filhos de Amom. E, naquele mesmo ano, oprimiram e vexaram aos filhos de Israel; dezoito anos oprimiram todos os filhos de Israel que estavam dalém do Jordão, na terra dos amorreus, que está em Gileade. Até os filhos de Amom passaram o Jordão, para pelejar também contra Judá, e contra Benjamim, e contra a casa de Efraim; de maneira que Israel ficou mui angustiado (10.6-9).

Depois, no capítulo 13, o Senhor usa os filisteus: "E os filhos de Israel tornaram a fazer o que parecia mal aos olhos do Senhor, e o Senhor os entregou na mão dos filisteus por quarenta anos" (13.1).

Você percebe o que realmente acontece aqui? Deus usa os atos dos inimigos de Israel para seus propósitos. Claro que os motivos do Senhor e os dos inimigos de Israel eram distintos. Por exemplo, ao atacar o povo do Senhor, os filiteus não pensavam consigo mesmos: "Ah, gostaríamos de ser o instrumento do Senhor para oprimir os israelitas e levá-los ao arrependimento". Não, eles agiram com maldade totalmente egoísta. Na Bíblia, a noção da soberania de Deus é fundamental. Há, pelo menos, dois conjuntos de razões envolvidas em cada conjunto de ações do ser humano: um humano (pois somos responsáveis e temos liberdade de escolher o que mais queremos) e um divino (pois o Senhor reina sobre todas as coisas). O Senhor é tão soberano que, embora não entendamos as especificidades, usa até os atos mais maldosos do ser humano para alcançar seus propósitos. Ele é magnífico!

E o Povo se Arrepende

Considere o que acontece quando Deus pune seu povo: eles se arrependem. Após oito anos sob o domínio dos arameus, "os filhos de Israel clamaram ao Senhor" (3.9a).

Após dezoito anos sob o domínio dos moabitas, mais uma vez, "os filhos de Israel clamaram ao Senhor" (3.15a).

Depois de vinte anos de governo cananeu, "os filhos de Israel clamaram ao Senhor" (4.3a).

Após sete anos de governo, "Israel empobreceu muito pela presença dos midianitas; então, os filhos de Israel clamaram ao Senhor" (6.6).

E depois de dezoito anos sob o domínio dos amonitas:

> Então, os filhos de Israel clamaram ao Senhor, dizendo: Contra ti havemos pecado, porque deixamos o nosso Deus e servimos aos baalins. Porém o Senhor disse aos filhos de Israel: Porventura, dos egípcios, e dos amorreus, e dos filhos de Amom, e dos filisteus, e dos sidônios, e dos amalequitas, e dos maonitas, que vos oprimiam, quando a mim clamastes, não vos livrei eu então da sua mão? Contudo, vós me deixastes a mim e servistes a outros deuses; pelo que não vos livrarei mais. Andai e clamai aos deuses que escolhestes; que vos livrem eles no tempo do vosso aperto. Mas os filhos de Israel disseram ao Senhor: Pecamos; faze-nos conforme tudo quanto te parecer bem aos teus olhos; tão-somente te rogamos que nos livres neste dia. E tiraram os deuses alheios do meio de si e serviram ao Senhor (10.10-16a).

O padrão é consistente: Deus abençoa o povo; eles respondem com o pecado; o Senhor os pune; eles se arrependem.

Pergunto-me se você iniciou este estudo com o sentimento de estar sob o peso de julgamentos. Talvez seus julgamentos não venham por intermédio do manejar da espada dos amonitas ou dos filisteus; não obstante, eles o oprimem. Deus usa as circunstâncias como teste para fazer com que examinemos a nós mesmos e a nossa sujeição e para nos ensinar que precisamos mudar da mesma forma que fazia com os israelitas da antiguidade. Na linguagem da Bíblia, cada um de nós precisa se arrepender. Você descobriu essa necessidade em sua vida?

As pessoas mais sábias sempre usam os momentos de desafio e de provação para fazer um balanço de sua vida. Um dia, no início da Revolução Americana, John Adams e Benjamin Rush estavam sentados no Congresso, e Rush inclinou-se e perguntou baixinho a Adams se ele achava que os Estados Unidos seriam bem-sucedidos em sua guerra contra os ingleses. Adams respondeu: "Sim, se temermos a Deus e nos arrependermos de nossos pecados".[4] Quer o arrependimento dos pecados e o temor ao Senhor por parte dos Estados Unidos tenham tido um papel relevante na decisão de Deus dar à nação a vitória naquela batalha, quer não, a verdade é que os cristãos de todas as nações certamente deveriam orar para que o Senhor disciplinasse seu país por meio do julgamento. Deveríamos orar para que nosso país se arrependa de não fazer o que o Senhor mandou e de fazer o que Ele mandou que não fizesse. Quem se opõe às orações por arrependimento?

A pessoa que procura uma religião que apenas a afirme ficará desapontada com o cristianismo. O cristianismo diz respeito ao arrependimento. Agora, se você acredita que nunca pecou, talvez pense que não precisa se arrepender. O cristianismo é para todo aquele que tiver pecados dos quais necessita se arrepender. O cristianismo é a religião dos pecadores. Todas as outras religiões do planeta explicam o que você deve fazer para ficar bem com Deus. Apenas o cristianismo explica que você já fracassou nisso, que você, de forma egoísta, voltou-se para si mesmo e rebelou-se contra Ele, embora tenha sido majestosamente feito à imagem do Senhor, e que sua única esperança está no reconhecimento de seu pecado e em pedir ao Senhor que, por causa de Cristo, o perdoe por todas suas falhas. Amigo, de acordo com a Bíblia, há apenas uma pessoa que não tem pecados dos quais se arrepender. Há apenas um que a justiça de Deus não reivindica. No entanto, Ele é o único que suportou a punição pelo pecado de quem se arrepende e se volta para Ele.

Se você se arrependeu de seus pecados e creu em Cristo, espero que perceba que esse relato de Juízes aponta para a forma como, normalmente, Deus lida com seus filhos. Por exemplo, o capítulo 3, logo em seu início, informa por que Deus permitiu que os cananeus permanecessem na Terra Prometida: "Estes, pois, ficaram, para por eles o Senhor provar a Israel, para saber se dariam ouvidos aos seus mandamentos que tinha ordenado a seus pais pelo ministério de Moisés" (3.4). Esse é um bom versículo para meditação. Sim, os cananeus permaneceram na Terra por causa da própria desobediência de Israel. Todavia, a surpreendente soberania de Deus fez também com que eles permanecessem por causa de seus propósitos e desígnios. Quando enfrentar sua próxima provação, lembre-se de que Deus tem um propósito para ela. E virão mais provações, quer você as inflija a si mesmo, quer outros o façam. De qualquer forma, tenha certeza de que o Senhor está por trás delas, e que o seu propósito é bom. Essa é a forma como Deus lida com seu povo.

Essa semana, quando li Juízes, pensei em Hebreus 12. O capítulo anterior, Hebreus 11, apresenta os "grandes heróis da fé" — muitos exemplos de pessoas fiéis do Antigo Testamento. A seguir, no capítulo 12, o autor encoraja os cristãos em luta com instruções sobre o que fazer com os sofrimentos deste mundo:

> Portanto, nós também, pois, que estamos rodeados de uma tão grande nuvem de testemunhas, deixemos todo embaraço e o pecado que tão de perto nos rodeia e corramos, com paciência, a carreira que nos está proposta, olhando para Jesus, autor e consumador da fé, o qual, pelo gozo que lhe estava proposto, suportou a cruz, desprezando a afronta, e assentou-se à destra do trono de Deus. Considerai, pois, aquele que suportou tais contradições dos pecadores contra si mesmo, para que não enfraqueçais, desfalecendo em vossos ânimos. Ainda não resististes até ao sangue, combatendo contra o pecado. E já vos esquecestes da exortação que argumenta convosco como filhos: Filho meu, não desprezes a correção do Senhor e não desmaies quando, por ele, fores repreendido; porque o Senhor corrige o que ama e açoita a qualquer que recebe por filho. Se suportais a correção, Deus vos trata como filhos; porque que filho há a quem o pai não corrija? Mas, se estais sem disciplina (e todos sofrem disciplina), da qual todos são feitos participantes, sois, então, bastardos e não filhos. Além do que, tivemos nossos pais segundo a carne, para nos corrigirem, e nós os reverenciamos; não nos sujeitaremos muito mais ao Pai dos espíritos, para vivermos? Porque aqueles, na verdade, por um pouco de tempo, nos corrigiam como bem lhes parecia; mas este, para nosso proveito, para sermos participantes da sua santidade. E, na verdade, toda correção, ao presente, não parece ser de gozo, senão de tristeza, mas, depois, produz um fruto pacífico de justiça nos exercitados por ela (Hb 12.1-11).

Esse capítulo de Hebreus parece um pequeno sermão sobre o livro de Juízes. E ele nos diz exatamente de que forma, como cristãos, devemos perceber as provações de nossa vida. Portanto, preste muita atenção às provações que enfrenta, não deixe que elas o afastem de Deus. Em vez disso, deixe-as levá-lo para mais perto dEle, a forma adequada de reagir ao que Ele lhe ensina é confiar nEle e pedir sua ajuda.

Você terá provações neste mundo se seguir a Cristo! Quer dizer, somos pecadores e devemos crer no perdão? Somos miseráveis e devemos crer na glória eterna? Nosso corpo se deteriora e devemos crer na vida eterna? Sabemos que a morte nos espera e devemos crer na ressurreição? Não devemos nos surpreender com o fato de o mundo opor-se a nós e a nossa mensagem, tendo em vista de que o evangelho é loucura para o mundo. Todavia, podemos confiar na mão orientadora de Deus em meio à oposição que encontramos. Ele usa tais cosias para nos testar e nos aperfeiçoar para os seus bons propósitos. Nesse sentido, vemos nossas provações como aliadas valiosas. Elas ensinam-nos o que não aprenderíamos de nenhuma outra forma. Portanto, tenha cuidado para não desprezá-las. Elas nos lembram o que é mais importante. Devemos mesmo dizer que, às vezes, Deus, em seu amor, frustra-nos até que reconheçamos que precisamos do seu poder, e para isso acaba com todas as nossas soluções do tipo: "Eu faço do meu jeito". Você não vê o amor do Senhor nisso? Nada do que você tem nesta vida durará para sempre, não importa o quão estreitamente você se agarre a isso. Deus sabe o que faz, e devemos confiar nEle.

Sem dúvida, nossa congregação tem visto a fidelidade de Deus. Sim, Ele permitiu que enfrentássemos momentos difíceis. Nos últimos cinquenta anos, vimos pessoas deixarem essa região e observamos o declínio do número de membros. Enfrentamos piquetes no lado de fora do edifício e preconceito racial no interior do prédio. Somos culpados de preferir diversão, em vez de exposição, e decisões, em vez de disciplina. Tivemos pastores que falharam e nos dividiram. E tivemos membros que se rebelaram, de forma pecaminosa, contra a Palavra do Senhor. Mas, mesmo em meio a tudo isso, Deus, fielmente, manteve o testemunho de si mesmo entre os membros remanescentes, embora permitisse que seu testemunho se extinguisse em tantas outras igrejas do Distrito de Colúmbia. Isso não é motivo para agradecer ao Senhor? Até por sua disciplina? E saiba que Ele não manteve nosso testemunho por qualquer virtude que tenhamos, mas por causa do seu amor. Fica claro que devemos orar para que Ele continue a nos mudar por intermédio de sua Palavra e de seu Espírito. Ele sabe como precisamos conhecê-lo ainda melhor, amá-lo ainda mais, esperar nEle ainda com mais fidelidade. Ao meditarmos sobre o livro de Juízes, esses são bons motivos pelos quais orarmos, pois o povo do Senhor — naquela época e hoje — responde com arrependimento à punição. É assim que sabemos que somos o povo de Deus.

DEUS LIBERTA O POVO TEMPORARIAMENTE POR INTERMÉDIO DE JUÍZES IMPERFEITOS

Há um terceiro assunto no centro de Juízes. E talvez seja isso o que mais confunde as pessoas em relação ao livro. Deus liberta o povo temporariamente por intermédio de juízes imperfeitos, indivíduos chamados para libertar o povo de seus opressores e para resolver as disputas entre os próprios israelitas. No capítulo 2, mais uma vez, muitos versículos resumem bem esse terceiro ponto:

> E levantou o Senhor juízes, que os livraram da mão dos que os roubaram. Porém tampouco [os israelitas] ouviram aos juízes; antes, se prostituíram após outros deuses e encurvaram-se a eles; depressa se desviaram do caminho por onde andaram seus pais ouvindo os mandamentos do Senhor; mas eles não fizeram assim. E, quando o Senhor lhes levantava juízes, o Senhor era com o juiz e os livrava da mão dos seus inimigos, todos os dias daquele juiz; porquanto o Senhor se arrependia pelo seu gemido, por causa dos que os apertavam e oprimiam. Porém sucedia que, falecendo o juiz, tornavam e se corrompiam mais do que seus pais, andando após outros deuses, servindo-os e encurvando-se a eles; nada deixavam das suas obras, nem do seu duro caminho (2.16-19).

Deus Liberta por Intermédio de Juízes Imperfeitos

Realmente, o livro de Juízes se estrutura em torno desses juízes imperfeitos levantados por Deus. Como já dissemos, o livro tem 21 capítulos. Os dois primeiros são introdutórios, os capítulos 3—16 apresentam o relato sobre doze juízes, e os cinco últimos capítulos mostram, de forma extensa e deprimente, quão baixo o povo caiu.

Se você foi criado na igreja, ao folhear os capítulos de 3 a 16 de sua Bíblia e ler os títulos dessas seções — se sua Bíblia tiver títulos—, certamente se lembrará dos nomes das histórias que ouviu na Escola Dominical. Esses são os juízes que deram nome ao livro. Houve doze juízes. Débora, Gideão, Jefté e Sansão recebem um tratamento mais extenso, e você deve ter ouvido a história deles. Os capítulos 4—5 apresentam a história da única mulher levantada para ser juiz do povo, Débora, da tribo de Efraim. Os capítulos 6—8 tratam da história de Gideão, da tribo de Manassés. A história de Jefté, da tribo de Manassés, ocupa os capítulos 10 e 11. E os capítulos de 13 a 16 apresentam o relato sobre Sansão, da tribo de Dã. Relatos menores sobre os juízes Otniel, Eúde, Sangar, Tola, Jair, Ibsã, Elom e Abdom estão intercalados entre esses quatro. Esses juízes eram oriundos de várias tribos, trabalhavam regionalmente e libertaram Israel de vários inimigos. Por exemplo, Débora era do norte; Gideão, do centro; Jefté, do lado oriental do Jordão; e Sansão, do sudoeste. Nenhum deles teve um papel central em toda a nação. Não havia um cargo centralizador para o corpo de juízes. Deus faz isso. À medida que há necessidade, Ele levanta libertadores para o povo.

Algumas pessoas se surpreendem quando lêem essas histórias. Acham estranho o fato de Débora ser levantada para ser juiza da nação, já que, como mulher, não podia exercer a função de sacerdote. Gideão, filho de idólatras, é visto como alguém insolente com Deus, além do fato de o objeto religioso que ele fez (um éfode) levar o povo a idolatrar esse objeto que confeccionara. E seu filho, Abimeleque, é uma das pessoas com pior caráter do livro. Jefté, filho de uma prostituta, faz um voto terrível que ficou famoso e que, em última instância, lhe custou a filha. E Sansão. Bem, Sansão é a confusão total, pois ele se casa com uma estrangeira, é violento, enganador e vingativo, além de falhar fragorosamente no cumprimento de seus compromissos. Há uma introdução ao Antigo Testamento que caracteriza cinco dos juízes mais proeminentes como "um lavrador relutante, uma profetisa, um assassino canhoto, um bandido bastardo, um nazireu viciado em sexo e outros".[5] E eles são exatamente isso! Essa é uma descrição precisa.

Mas essa não é toda a história. Esses juízes, a despeito de suas faltas, criam na Palavra do Senhor e agiram heroicamente pela fé. Deus chamou-os para libertar seu povo dos opressores, e eles creram e obedeceram. Na geração seguinte, Samuel, o grande profeta, lembra em suas palavras de despedida como Deus libertou seu povo por intermédio de Gideão, de Baraque (que ajudou Débora) e de Jefté (1 Sm 12.11). E na lista dos heróis da fé do Novo Testamento, citada anteriormente, o escritor se refere a Gideão, a Baraque, a Sansão e a Jefté. Essas pessoas, apesar de suas falhas e faltas, agiram pela fé, e Deus libertou seu povo por intermédio deles.

Deus Liberta temporariamente

Contudo, Deus usa os juízes para libertar o povo apenas parcial e temporariamente. Cada um desses juízes liberta apenas uma parte da nação — a parte que vivencia a opressão. Parece que alguns deles até trabalhavam ao mesmo tempo em diferentes regiões de Israel. Se você ler o texto com atenção, verá que parece que Jefté atua como juiz na região ao oriente do Jordão, ao mesmo tempo em que Sansão luta contra os filisteus na região sudoeste do país. E cada juiz liberta o povo apenas pelo tempo que vive. Como já vimos, "porém sucedia que, falecendo o juiz, tornavam e se corrompiam mais do que seus pais, andando após outros deuses, servindo-os e encurvando-se a eles" (2.19).

Portanto, o que isso nos ensina? Bem, os juízes, embora fiéis e úteis, não eram suficientes em si mesmos e por si mesmos. Amigo, espero que você perceba que todas as dádivas boas do Senhor para sua vida não podem substituir a Deus. Se o Senhor o fez nascer em uma terra de liberdade e de prosperidade, com um bom sistema de saúde e oportunidades educacionais, então, com certeza, Ele o abençoou. Mas nenhuma dessas coisas pode responder aos seus problemas mais profundos. Você percebe isso? Todas essas dádivas são apenas reflexos obscuros do grande bem que Deus pretende, em Cristo, para aqueles que se arrependem de seus pecados e crêem nEle.

Cristão, você deve agradecer a Deus seja qual for a forma que Ele usou para abençoá-lo. Todavia, também deve perceber que todos os meios deste mundo que Ele usa são imperfeitos — todos eles. No fim, contamos apenas com o Senhor, e não com qualquer instrumento humano que Ele use. Esse escritor de hino ou aquele autor, esse pregador ou aquela igreja têm sido particularmente úteis a você? Louve a Deus! Mas nunca confunda as semelhanças de um pregador, como eu, por exemplo, com aqUele que, na verdade, lhe dá vida por meio de seu Espírito e de sua Palavra. Na melhor das hipóteses, sou um mordomo na casa do Senhor. Não sou o chefe. Eu apenas lhe trago a refeição que outro preparou. Apenas Deus cria todo o bem de que você e eu usufruímos, seja qual for o meio que Ele use para nos trazer esse bem.

Por isso, nós como igreja, devemos sempre lembrar de que até mesmo os melhores pastores e presbíteros, os melhores diáconos, os melhores modelos de fé, da mesma forma que os melhores juízes desse livro, sempre têm falhas e pecados. As coisas são assim! Nenhuma congregação é perfeita, mesmo que Deus a use para ser uma grande bênção para os outros. Nenhuma igreja é perfeita, e não há exceção para essa regra. Espero que Deus use suas considerações a respeito das imperfeições dos líderes da igreja para lembrá-lo de que ainda não estamos em casa.

Este mundo não é nossa moradia definitiva. Nossa última moradia é muito melhor que isso. Lá, Deus estará com seu povo para sempre. Não existirá liderança marcada pelo pecado. Toda liderança será perfeita e contrabalançará o amor e o conhecimento perfeitos.

O Povo Precisa do que Deus finalmente lhe Daria — O Salvador Perfeito

Isso nos traz a nossa quarta declaração: o povo precisa do que Deus finalmente lhes daria — o Salvador perfeito. Esse povo estava desesperado. Isso fica evidente à medida que lemos o livro e, em especial, nos capítulos finais. A situação na terra estava evidentemente desoladora.

O Povo Precisa de um Salvador

O povo precisava de um Salvador. Talvez, hoje, algumas pessoas achem que os israelitas apenas precisavam ser salvos de sua intolerância em relação a outras deidades, que precisavam deixar de ser tão totalitários e exclusivistas. Mas Deus não queria livrá-los da intolerância em relação a outros deuses, mas da tolerância a eles! O povo precisa libertar-se da falsa adoração, e foi isso que fez com que a nação degenerasse.

Apenas um mentiroso diabólico de primeira linha poderia cunhar a frase: "Religião é um assunto particular". É verdade, a religião é um assunto pessoal, mas não quer dizer que seja particular. Leia os últimos cinco capítulos de Juízes para ver um exemplo do dramático impacto público que a religião tem. Os pecados "particulares" de alguns indivíduos afetam de forma dramática toda a nação e até levam Israel a uma guerra civil. Mudar suas crenças mais profundas sobre Deus e o universo, sobre a vida e a moralidade — para não falar, de fato, na mudança da natureza de seu relacionamento com o Senhor — causa o mais profundo imimaginável impacto em sua vida. Sei que a propaganda tenta nos convencer que outras coisas têm um impacto profundo em nossa vida — você sabe, a aspirina que você toma ou o carro que dirige. Mas nada disso é verdade. Nós sabemos isso. Todavia, isto é verdade: o que você crê a respeito de Deus e dos seus propósitos tem um tremendo efeito em você e em todos a sua volta. Você muda a nação quando muda a religião do povo.

O povo torna-se semelhante ao Deus que adora. James Montgomery Boice, falecido pastor da Tenth Presbyterian Church, da Filadélfia, disse em um sermão sobre Salmos:

> Nenhum povo já se levantou mais alto que sua idéia de Deus e, de modo inverso, a perda do senso do alto e impressionante caráter dEle sempre envolve a perda dos valores morais do povo e até do que chamamos de humanidade. Ficamos chocados com a grande desconsideração pela vida humana que tomou conta de grande parte do mundo ocidental, mas o que esperamos que aconteça quando países, como o nosso, dão as costas a Deus? Deploramos o colapso dos padrões morais, mas o que podemos esperar quando centralizamos nosso culto de adoração em nós mesmos e, com freqüência, em nossas necessidades comuns, em vez de em Deus? Nossa visão de Deus afeta o que somos e o que fazemos [...].[6]

O povo de Israel ficou igual aos cananeus quando deixou de adorar ao Senhor, o único Deus verdadeiro, e começou a adorar os Baals e os Asterotes dos cananeus. Um comentarista bíblico até se referiu à história de Juízes como um longo e doloroso relato da "cananeulização" de Israel. Sim, o povo entrou na Terra e conquistou-a, porém, a Terra acaba por conquistá-los. No capítulo 9, os israelitas têm um rei sanguinário — Abimeleque, filho de Gideão. Nos capítulos finais, de 17 a 21, eles afundam em novas ondas de covardia, de infidelidade, de idolatria, de estupros e de assassinatos. A falsa religião levou-os a imoralidades exorbitantes, marcadas por extrema discórdia, desrespeito e irreverência.

Se você ler todo o livro, verá que esses capítulos finais não registram arrependimento. Vimos diversos versículos sobre o arrependimento de Israel e seu clamor pelo Senhor. Na verdade, vimos todas as sentenças de arrependimento de Juízes. Conforme estudamos, os capítulos intermediários — de 3 a 16 — apresentam o ciclo em que o povo peca, se arrepende, Deus levanta um juiz para salvá-lo, o juiz morre, eles pecam de novo, e assim por diante. No entanto, após a morte de Sansão, no capítulo 16, esse ciclo se acaba e não há mais relato de arrependimento por parte do povo. O pecado apenas piora, e piora, e piora. No final de Juízes, a história simplesmente termina, e a condição de Israel parece tudo, menos auspiciosa. O último versículo do livro repete o refrão desesperador que resume a história: "Naqueles dias, não havia rei em Israel, porém cada um fazia o que parecia reto aos seus olhos".[7]

Nos livros seguintes, I e 2 Samuel, Reis e Crônicas, Israel ganha um rei. No fim, o rei não consegue resolver o problema do povo com o pecado. Mas ele aponta o caminho para um rei que fará isso — Cristo. Você percebe onde quero chegar?

É bom saber isso quando estiver em uma condição realmente desesperadora. Assim, quando Adão e Eva pecaram e foram alcançados pela ira de Deus, era imperativo que percebessem isso. Por isso, na verdade, quando Deus expulsou-os do jardim do Éden, Ele, misericordiosamente, deu-lhes a oportunidade de ver que não podiam salvar a si mesmos. E eles, à medida que viam seus descendentes morrer, começaram a perceber que a situação difícil deles afetava toda sua descendência.

A seguir, Deus chamou Abraão para lhe mostrar e a seus descendentes que é um Deus que faz promessas e as cumpre. Contudo, a fé de Abraão poderia salvar todos seus descendentes? Não, todos os grandes patriarcas morreram.

Depois, Deus concedeu ao povo de Israel as leis e os sacerdotes. Ele fez isso a fim de salvá-los por meio da Lei ou dos sacerdotes? Não, porém, com isso lhes ensinou mais a respeito de seu caráter santo e a respeito do pecado deles. E ensinou-lhes também que nem a Lei, nem sacerdotes humanos, nem os sacrifícios de animais poderiam salvá-los.

Então, Deus concedeu-lhes juízes. Ele fez isso para que esses juízes os salvassem? Não, mas esses juízes ensinaram a eles mais a respeito do poder e da autoridade de Deus. Eles também ensinaram ao povo que um juiz humano não podia salvá-los.

Depois dos juízes, o Senhor concede ao povo o que eles começam a pedir em I Samuel: um rei. Ele lhes daria uma linhagem de reis para que estes os salvassem?

Não, contudo, os reis ensinam mais ainda ao povo sobre Deus ao prefigurarem o tipo de governo que no fim, Deus assume com seu povo. E os reis ensinam-lhes que um mero rei humano nunca os salvará.

Deus também dá profetas para seu povo. Ele faz isso para que os profetas os salvem? Não, mas os profetas ensinam mais ainda sobre o Senhor e sua Palavra. E também ensinam que meros profetas humanos não podem salvá-los.

O Senhor deixa esse povo pecador, determinado a não confiar nEle, apoiar-se em todos os outros meios possíveis até exaurir todas as possibilidades existentes. No fim, eles aprenderão que o único que pode salvá-los é o Senhor e se voltarão para Ele. O livro de Juízes também tem a intenção de fazer isso conosco. Supõe-se que também estaremos exaustos moral e emocionalmente quando terminarmos de lê-lo. E supõe-se que não confiaremos em nenhum outro juiz para nos salvar.

Deus lhes Concederá um Salvador

A boa notícia é que o povo não apenas *precisa* de um Salvador, mas que Deus lhes *concedará* um. O capítulo 2 informa que o Senhor levanta esses juízes "que os livraram da mão dos que os roubaram" (2.16). Todavia, os juízes podiam apenas salvar algumas pessoas de alguns agressores por algum tempo. Eles — como nós também — precisavam de algo muito mais poderoso. E Deus proveu isso em Cristo.

Deus não lhe dará apenas um novo chefe, um novo guru, um novo modelo ou um novo presidente; Ele lhe dará uma nova identidade, uma nova visão, um novo início com o Senhor. Você precisa apenas do que Jesus Cristo pode lhe dar. Apenas Jesus é totalmente homem e Deus. Apenas Ele é o perfeito Sacerdote, Defensor da Lei, Juiz, Rei e Profeta de que precisamos. Apenas Ele levou uma vida perfeita e, depois morreu na cruz pela punição que você merecia pelo seu pecado você apenas precisa se afastar do pecado e crer nEle. Você percebe que está tão desesperado e necessitado quanto esses israelitas da Antiguidade? Enxergar isso é o início do tornar-se cristão.

Não se deixe enganar pela importância que dá a sua obra. Você sobreviverá a sua obra. Você sobreviverá ao papel mais relevante que já teve, quer seja o de pai quer seja o de pastor, quer seja o de professor, quer seja o de presidente. Seja lá quem você for, precisa de alguém para salvá-lo da ira de Deus contra você. Precisa de perdão, porque pecou. E ninguém mais além de nosso Senhor Jesus Cristo pode lhe dar perdão. Deus proveu em Cristo o que precisamos: o Salvador perfeito.

Espero que nós, como igreja, apenas ajudemos uns aos outros a ver com clareza nossa necessidade e que vejamos em Cristo a provisão plena de Deus para nós.

Conclusão

James Bradley, em sua poderosa obra Flags of Our Fathers (As Bandeiras de nossos Pais), relata a escassez de certos bens nos Estados Unidos durante a Segunda Guerra Mundial. (Certa vez, minha avó mostrou-me algumas provas de sua ração para alimento e outros bens.) Bradley diz que toda a nação se uniu em resposta a escassez:

> Toda a nação [...], de um dia para o outro, parecia ter despertado da letargia da depressão. Todos tentavam ajudar. O esforço de guerra precisava de borracha, de gasolina e de metal. Na Universidade de Northwester, interrompeu-se um jogo de basquete feminino para que o juiz e as dez jogadoras pudessem encontrar um grampo de cabelo perdido no chão. Os norte-americanos começaram a trabalhar intensamente para apoiar o rígido programa de racionamento, e os meninos se inscreveram como voluntários em vários "esforços" de arrecadação. Logo houve racionamento de manteiga e de leite, bem como de conservas e de carnes. Os sapatos, o papel e a seda ficaram escassos. O povo cultivava "jardins da vitória" e guiava na "velocidade da vitória", 56 km/hora, para economizar gasolina. A frase: "Use isso de novo, vista até acabar, faça funcionar ou passe sem isso", tornou-se um lema popular. Obedecia-se conscienciosamente às sirenes de ataque aéreo e aos blecautes. Os Estados Unidos sacrificaram-se.[8]

Por que os norte-americanos agiram dessa forma? Porque perceberam a necessidade.

Eu me pergunto do que você mais acha que precisa.

De acordo com o livro de Juízes, fica claro que somos pecadores, e que Deus é misericordioso. Precisamos da misericórdia que Deus nos deu em Cristo. E é isso que nossa igreja quer mostrar para você. Se você não for cristão, aceite essa misericórdia arrependendo-se de seus pecados e crendo em Cristo.

Meu irmão ou irmã em Cristo, creia nEle, e apenas nEle. Você pode perceber que Ele é o que você mais precisa? O que lhe tem causado grande ansiedade? Ou alegre entusiasmo? A Bíblia diz que, sem Cristo, ficamos tão perdidos como as pessoas da época dos juízes. Na verdade, a Bíblia, reiteradas vezes, descreve-nos como ovelhas — e ovelhas perdidas —, porque temos essa tendência a nos desviar. E a coisa de que a ovelha perdida mais precisa é de um pastor.

Pastores, como eu, são enviados para lhes dizer coisas como essas. Todavia, somos apenas pastores inferiores, pois o Pastor supremo é Cristo. Os profetas do Antigo Testamento não apontam para meros juízes ou reis humanos. Afinal, tentou-se esses dois tipos de liderança, e os dois falharam. Não, eles apontam para o Senhor. E como o Senhor diz em Jeremias 23:

E eu mesmo recolherei o resto das minhas ovelhas, de todas as terras para onde as tiver afugentado, e as farei voltar aos seus apriscos; [...] Eis que vêm dias, diz o Senhor, em que levantarei a Davi um Renovo justo; *sendo* rei, reinará, e prosperará, e praticará o juízo e a justiça na terra (Jr 23.3a,5).

E vários capítulos adiante, o Senhor diz: "guiá-los-ei aos ribeiros de águas, por caminho direito, em que não tropeçarão; [...] Aquele que espalhou a Israel o congregará e o guardará, como o pastor, ao seu rebanho" (Jr 31.9b,10b). Séculos antes, Davi escrevera: "O Senhor *é* o meu pastor" (Sl 23.1). E séculos depois, Jesus declarou aos seus discípulos que seria o Salvador, o Líder, o Juiz que eles precisavam:

Eu sou o bom Pastor, e conheço as minhas ovelhas, e das minhas sou conhecido. [...] e dou a minha vida pelas ovelhas. As minhas ovelhas ouvem a minha voz, e eu conheço-as, e elas me seguem; e dou-lhes a vida eterna, e nunca hão de perecer, e ninguém as arrebatará das minhas mãos (Jo 10.14,15b,27,28).

Oremos:

Oh, Deus, perdoe-nos por todas as formas que utilizamos para substituir o Senhor em nossa vida. Isso é totalmente inadequado. Oramos para que o Senhor seja nosso Líder e Guia, nosso Salvador e Juiz. Em nome de Cristo. Amém.

Questões para Reflexão

1. Hoje, como as pessoas de nossa cultura tendem a ver a liderança e a autoridade? Como você vê a liderança e a autoridade?
2. Ralph Waldo Emerson disse: "No fim, nada é sagrado a não ser a integridade de sua mente". No mesmo sentido, ele disse em outra ocasião: "Nenhuma lei é sagrada para mim a não ser minha natureza". O que você acha disso? Ele está certo?
3. Você se lembra de alguma vez em que a autoridade de alguém sobre você claramente o beneficiou e contribuiu para o seu bem? Que qualidades de liderança a pessoa que tem autoridade deve ter para fazer com que isso aconteça?
4. Como ignoramos as bênçãos de Deus? Quando você respondeu com pecado às bênçãos do Senhor?
5. Que coisas práticas você pode fazer para ficar mais atento às bênçãos do Senhor em sua vida? Como você cultiva um espírito de gratidão?
6. Você consegue explicar a diferença entre o pecado de omissão e o de comissão? Enumere os diversos pecados de cada uma dessas categorias

que o tentam. Por que costumamos não nos preocupar muito com os pecados de omissão?
7. A punição de Deus contra seu povo foi produto da ira ou da misericórdia dEle? Explique como?
8. Quando a punição de Deus levou-o ao arrependimento? Como a igreja local pode aplicar o princípio em operação aqui em sua vida comunitária (pense a respeito da disciplina da igreja — tanto a formativa como a corretiva)?
9. Como vimos, Deus usa situações de teste em nossa vida a fim de nos fazer parar e examinar a nós mesmos. Quando você "parou"? Você parou? Ou Satanás o manteve muito ocupado? Quanto tempo regular e sem interrupção você separou em sua rotina para refletir e fazer um auto-exame com calma?
10. No sermão, examinamos o fato de que o cristianismo diz respeito ao arrependimento. Se você tem pecados dos quais se arrepende, então o cristianismo é para você. Agora, descreva como é a igreja que *compreende isso*. Descreva como é a igreja que não compreende isso.
11. Podemos esperar que Deus use pessoas imperfeitas em nossa vida pessoal e congregacional para libertar-nos e realizar nosso bem da mesma forma que usou juízes muito imperfeitos para libertar o povo de Israel, certo? Como essa afirmação afeta sua capacidade de perdoar, de amar e de ser paciente com os outros? Pense em duas pessoas "imperfeitas" em sua vida, tanto de fora da igreja como de seu interior, que Deus poderia usar para alcançar o seu bem. Bem, como você estenderá a paciência mais perfeita a essas pessoas imperfeitas? Como você — pense de forma prática — cultivará gratidão em relação a elas?
12. Que "necessidade" Cristo pode satisfazer?

NOTAS

Capítulo 7

[1] A data de pregação original deste sermão foi em 19 de maio de 2002, na Capitol Hill Baptist Church, em Washington, D. C.

[2] Frank Buckley, "Modern Architecture's Nasty Authoritarianism", *The American Enterprise*, janeiro/fevereiro de 2002, p. 31.

[3] O pecado de omissão é falhar em fazer o que foi ordenado (pense em "omitir"), e o pecado de comissão é fazer algo que não se deve (pense em "cometer").

[4] Em David McCullough, *John Adams* (Nova York: Simon & Schuster, 2001), p. 160.

[5] Raymond B. Dillard e Tremper Lngman III, *An Introduction to the Old Testament*.

[6] James Montgomery Boice, *Psalms, Volume 3: Psalms 107—150* (Grand Rapids, Mich.: Baker, 1998), p. 912.

[7] 21.25; cf. 17.6; 18.1; 19.1.

[8] James Bradley, *Flags of Our Fathers* (Nova York: Bantam, 2000), p. 62.

A MENSAGEM DE RUTE: SURPRESA

MATERIAL PARA BOAS HISTÓRIAS

INTRODUÇÃO À RUTE

DEMONSTRAÇÃO DA BENIGNIDADE HUMANA
Em Orfa
Em Noemi
Em Rute
O Desafio: As Pessoas São mais Benignas que Deus?

DEMONSTRAÇÃO DA BENIGNIDADE DE DEUS
Na Provisão de Alimento
Na Provisão de um Marido
Na Provisão de um Filho
Na Provisão de um Rei — Davi!

CONCLUSÃO

CAPÍTULO 8

A Mensagem de Rute:
Surpresa

MATERIAL PARA BOAS HISTÓRIAS[1]

"Nenhum temor pode suplantar a fome, não há paciência que consuma, simplesmente não há fastio onde existe fome, e a superstição, as crenças e o que talvez você chame de princípios são menos que pó ao vento."

Este trecho refere-se a *Heart of Darkness* (Coração das Trevas),[2] uma pequena história que Joseph Conrad escreveu em 1902, em que descreve sua experiência em uma viagem fluvial em um barco a vapor no coração da África, o Congo. Ele viajou para a África com o propósito deliberado de vivenciar a fome, a depravação e outros males a fim de encontrar o que chamou de "as trevas" em si mesmo. E ele escreve que a encontrou como nunca antes fora capaz de fazê-lo.

Muitos tipos de provações — tantas quanto o número existente de pessoas — podem expor a inclinação da maldade em nós. Sem dúvida, há fome e pobreza, mas também há famílias solitárias, desesperançadas, vacilantes e sociedades desagregadas. Nós, os cristãos, sabemos que a maior provação de todas é nossa luta contra o pecado. Podemos dizer que amamos e adoramos a Deus e ainda viver em contradição com os mandamentos dEle.

Ironicamente, temos de admitir que esses problemas são material para boas histórias. Quem quer ler uma história sobre como Sally levantou de manhã e teve um ótimo dia! Nós apenas não queremos ler a respeito disso! Tem de haver um pouco de ameaça, um pouco de perigo, um pouco de ambiguidade moral e de tensão, mesmo que gostemos que todas as tensões se resolvam no fim. Muitas vezes, os escritores dizem que é mais fácil descrever o mal que o bem, dar vida a um personagem mau que a um bom. Os personagens maus são mais compreensíveis, mais explicáveis e mais *reais*. Eles têm uma profundidade e textura que falta aos personagens bons. Afinal, todos nós vivenciamos problemas e provações, dificuldades e derrotas. Essas experiências são o material de que se formam as melhores histórias.

Introdução à Rute

No Antigo Testamento, o livro de Rute é uma história extraordinária. Ela é breve, tem apenas quatro capítulos. Esse é um dos dois livros da Bíblia que têm o nome de uma mulher, e o único do Antigo Testamento que tem o nome de uma não-judia. Ele se passa em um período difícil. Contudo, é digno de nota que ele não tem personagens ruins — isto é, a menos que Deus seja o camarada ruim. A todo momento, veremos que essa é a questão que o livro de Rute apresenta.

As pessoas apresentam muitas razões para a existência do livro de Rute. Alguns o vêem como um apelo pela tolerância racial. Afinal, Rute era moabita. Outros o vêem como um chamado à responsabilidade familiar. Alguns sugerem que ele mostra a importância da fidelidade individual em tempos de muita imoralidade, ao mesmo tempo em que outros sustentam que ele mostra que Deus recompensa a sabedoria. Alguns vêem na história uma demonstração da influência de mulheres bondosas, e outros ainda dizem que Rute é uma bela história com nenhum outro propósito além da própria história. É apenas uma bela história para se contar! Acho que todas essas propostas contemplam alguns aspectos sobre o que é o livro. Talvez haja outras formas de dizer isso, mas essa história é fundamentalmente sobre benignidade e misericórdia.

Veja-a comigo. Como eu disse, a história se passa em uma época muito difícil:

> E sucedeu que, nos dias em que os juízes julgavam, houve uma fome na terra; pelo que um homem de Belém de Judá saiu a peregrinar nos campos de Moabe, ele, e sua mulher, e seus dois filhos. E era o nome deste homem Elimeleque, e o nome de sua mulher, Noemi, e os nomes de seus dois filhos, Malom e Quiliom, efrateus, de Belém de Judá; e vieram aos campos de Moabe e ficaram ali. E morreu Elimeleque, marido de Noemi; e ficou ela com os seus dois filhos, os quais tomaram para si mulheres moabitas; e era o nome de uma Orfa, e o nome da outra, Rute; e ficaram ali quase dez anos. E morreram também ambos, Malom e Quiliom, ficando assim esta mulher desamparada dos seus dois filhos e de seu marido (1.1-5).

Como você observa na frase inicial, a história aconteceu "nos dias em que os juízes julgavam". Por isso, muitas pessoas tratam Rute como a última parte do livro de Juízes. Quer ele se inicie onde termina Juízes, quer não, sabemos pelo nosso estudo de Juízes que esses foram dias desoladores. E, nesse cenário desolador, a história mostra-nos duas coisas que queremos mencionar: primeiro, as muitas demonstrações de benignidade humana, e, segundo, o argumento desse livro promove a benignidade de Deus. Quem sabe as surpresas que Deus prepara para nós à medida que examinamos essa curta e bem conhecida história?!

Demonstração da Benignidade Humana

Primeiro, devemos mencionar que essa história é uma demonstração da benignidade humana. Os principais personagens do livro vivem em meio a uma situação de provação, de uma forma caracterizada, pelo menos em parte, pela benignidade. Você verá isso à medida que continuamos a leitura:

> Então, se levantou ela [Noemi] com as suas noras e voltou dos campos de Moabe, porquanto, na terra de Moabe, ouviu que o Senhor tinha visitado o seu povo, dando-lhe pão. Pelo que saiu do lugar onde estivera, e as suas duas noras, com ela. E, indo elas caminhando, para voltarem para a terra de Judá, disse Noemi às suas duas noras: Ide, voltai cada uma à casa de sua mãe; e o Senhor use convosco de benevolência, como vós usastes com os falecidos e comigo. O Senhor vos dê que acheis descanso cada uma em casa de seu marido. E, beijando-as ela, levantaram a sua voz, e choraram, e disseram-lhe: Certamente, voltaremos contigo ao teu povo. Porém Noemi disse: Tornai, minhas filhas, por que iríeis comigo? Tenho eu ainda no meu ventre mais filhos, para que vos fossem por maridos? Tornai, filhas minhas, ide-vos embora, que já mui velha sou para ter marido; ainda quando eu dissesse: Tenho esperança, ou ainda que esta noite tivesse marido, e ainda tivesse filhos, esperá-los-íeis até que viessem a ser grandes? Deter-vos-íeis por eles, sem tomardes marido? Não, filhas minhas, que mais amargo é a mim do que a vós mesmas; porquanto a mão do Senhor se descarregou contra mim. Então, levantaram a sua voz e tornaram a chorar (1.6-14a).

Em Orfa

Orfa chora por Noemi junto com Rute e oferece-se para retornar com ela para sua terra natal. Noemi descreve esse apoio como benignidade. Orfa mostrou sua benignidade na provação de Noemi.

Em Noemi

Noemi também é boa. Ela ora pelas duas noras e pede que Deus demonstre com elas a mesma benevolência que demonstrara para com ela. Ela também ora para que as noras encontrem descanso na casa de outro marido. No fim, vemos que Deus respondeu a essa oração — pelo menos, em relação a Rute —, e não da forma que Noemi esperava!

Em Rute

Portanto, Orfa foi benigna e incentivadora. Noemi é benigna e procura o bem de suas noras. Todavia, Rute demonstra uma benignidade ainda maior. Talvez por isso o livro recebe o nome dela. Veja de novo:

> Orfa beijou a sua sogra; porém Rute se apegou a ela. Pelo que disse: Eis que voltou tua cunhada ao seu povo e aos seus deuses; volta tu também após a tua cunhada. Disse, porém, Rute: Não me instes para que te deixe e me afaste de ti; porque, aonde quer que tu fores, irei eu e, onde quer que pousares à noite, ali pousarei eu; o teu povo é o meu povo, o teu Deus é o meu Deus. Onde quer que morreres, morrerei eu e ali serei sepultada; me faça assim o Senhor e outro tanto, se outra coisa que não seja a morte me separar de ti. Vendo ela, pois, que de todo estava resolvida para ir com ela, deixou de lhe falar nisso. Assim, pois, foram-se ambas, até que chegaram a Belém (1.14b-19a).

Primeiro, Rute tem de vencer o que soa como o "antievangelismo" de Noemi. Você percebeu isso? Noemi insiste que Rute preceisa voltar para os moabitas e "aos seus deuses" com Orfa. Não sei muito bem o que Noemi quis dizer com isso. Rabis judeus têm dito que, nesses versículos, Noemi representa um exemplo de como lidar com prosélitos (aqueles que querem se converter ao judaísmo). Os rabis dizem que o exemplo de Noemi nos ensina a rejeitar o prosélito três vezes a fim de ver se ele é sincero e de lhe mostrar como é difícil ser judeu! Pense se você concorda com a sugestão dos rabis. Eu, pessoalmente, não estou convencido de que Noemi quisesse ensinar, evangelizar ou "desevangelizar" Rute. Acho que ela tenta ser ponderada. Provavelmente, ela teme não ser capaz de se sustentar, e muito menos a Rute, quando voltar a Judá.

Assim, as duas noras estão em uma encruzilhada, com uma decisão a tomar. Noemi é bem-sucedida em fazer com que uma delas desista de segui-la, mas não consegue dissuadir a outra. Orfa volta para servir aos deuses dos pais, mas Rute continua com Noemi. Fica claro que nenhuma das noras foi forçada a decidir. As duas decidiram livremente seu caminho. A jornada para Israel é voluntária. Rute até teve de enfrentar alguma oposição em sua escolha. Isso até nos lembra um antigo comentário a respeito dos dois ladrões no Calvário: "Um foi salvo, para que ninguém se desespere, mas apenas um, para que ninguém abuse".

Provavelmente, a jornada de Noemi e de Rute, de Moabe a Judá, foi de apenas oitenta quilômetros. Todavia, a jornada foi muito mais importante do que sugere a curta distância. Rute, ao deixar seu povo e ir para Belém com Noemi, mostra grande benignidade para com a sogra, como depois mostrará a Boaz, que, por todos os indícios, é bem mais velho que ela.

Como veremos, Boaz também mostra benignidade. Esse livro está absolutamente repleto de benignidade humana.

Nossa vida também é cheia de experiências de benignidade. Apesar de todas as coisas terríveis que acontecem por intermédio dos terroristas e das guerras, do desemprego e das doenças, da decadência cultural e da provação pessoal, mentiríamos se disséssemos que não reconhecemos toda a benignidade que recebemos: nem sempre de todos, mas, com freqüência, de muitas pessoas. Como cristão, não me surpreendo com toda benignidade que testemunhamos e vivenciamos. Somos todos — cristãos e não-cristãos — feitos à imagem de Deus, independentemente de nossa religião, idade, educação ou nacionalidade. Às vezes, a imagem de Deus se mostra em nós! As pessoas fazem coisas maravilhosas. As pessoas são benignas. As pessoas se importam. Sem dúvida, o ser humano é depravado, todavia, ainda espero que as pessoas ajam de forma benigna, mesmo as que, em outras ocasiões, atuem de forma horrenda. Somos pecadores e caídos, porém, ainda somos feitos à imagem de Deus e temos a capacidade de refletir alguma coisa do caráter dEle.

Por outro lado, você não sabe como lidar com isso se não for cristão: como o mesmo indivíduo pode praticar grandes atos de benignidade e de terror?

Se você estiver no serviço público espero que perceba que a necessidade de se abraçar o evangelho, de forma alguma, não implica negar a importância de seu trabalho de se dedicar às necessidades de outro ser humano — no local de trabalho, na escola, na economia e no governo. Promover boas leis e uma sociedade mais civilizada nunca substituirá a proclamação do evangelho, porém, é uma atividade que tem valor para pessoas que acreditam nele. Temos de agradecer a Deus por cada pessoa que trabalha para o bem da sociedade como um todo.

Como igreja temos de encorajar o cuidado com nossos membros mais vulneráveis, pessoas como Noemi e Rute devem ter sido. Orem pelo ministério de cuidado com as pessoas de nossos diáconos, à medida que cuidam dos membros mais velhos de nossa congregação que precisam de ajuda. Ore para nosso programa para filhos de prisioneiros e envolva-se nesse ministério importantíssimo. Ore pelo relacionamento que pode ter com pessoas em necessidade. Ore para que, como igreja, nós nos tornemos mais obedientes nessas áreas.

Amigo, espero que você perceba como a benignidade é importante. Não deixe essa virtude de fora da lista de todas as virtudes cristãs. A benignidade é uma grande virtude e é fruto do Espírito de Deus, plantado na personalidade de seus filhos (Gl 5.22). Como um escritor disse: "Ser benigno é vestir-se com o próprio caráter de Deus".[3]

Isso nos traz ao ponto em questão nesse livro.

O Desafio: As Pessoas São mais Benignas que Deus?

À medida que na última semana, lia e relia esse livro cheguei à conclusão de que ele, basicamente, lança um desafio: as pessoas são mais benignas que Deus? Noemi vivencia grande amor e cuidado por intermédio de Orfa e de Rute. Mas o que ela recebe das mãos de Deus? Voltemos ao ponto da história em que Noemi e Rute chegam a Belém:

> Sucedeu que, entrando elas em Belém, toda a cidade se comoveu por causa delas, e diziam: Não é esta Noemi? Porém ela lhes dizia: Não me chameis Noemi; chamai-me Mara, porque grande amargura me tem dado o Todo-poderoso. Cheia parti, porém vazia o Senhor me fez tornar; por que, pois, me chamareis Noemi? Pois o Senhor testifica contra mim, e o Todo-poderoso me tem afligido tanto. Assim, Noemi voltou, e com ela, Rute, a moabita, sua nora, que voltava dos campos de Moabe; e chegaram a Belém no princípio da sega das cevadas (1.19b-22).

Noemi diz que o Senhor a trouxe de volta "vazia". Claro que ela tem Rute, e esta será a chave de todas as bênçãos da história. Contudo, Noemi ainda não enxerga isso. Seus olhos estão voltados para tudo do que pode se queixar. E lembre-se, ela tem alguns motivos reais de queixa. Ela e o marido passaram fome. (Poucos de nós, se é que há alguém entre nós aqui hoje, que passou fome. Como deve ser terrível uma pessoa ter de se perguntar se terá o alimento para seus filhos ou para si mesmo.) A fome foi tão ruim que Elimeleque pegou a esposa e os dois filhos e deixou Israel. De certa forma, ele se exilou para viver com os moabitas, que não eram exatamente os melhores amigos de Israel. Como ele devia estar desesperado! Noemi, também! Como deve ter sido criar dois jovens entre os moabitas em uma terra estranha? E, depois, ver o marido morrer? Pergunto-me como ela se sentiu vulnerável. A seguir, seus filhos se casam com mulheres do lugar. Ela sabia que o casamento com mulheres estrangeiras era contra a Lei de Deus? Se ela não sabia, tenha pena da ignorância dela. Se sabia, lamente o pecado que cometeu. De qualquer forma, isso não era bom. Depois, um filho morre antes de ter filhos. A seguir, o segundo filho morre, também antes de ter filhos. Agora, Noemi sofre a morte dos dois filhos, e, com a morte deles, o nome do marido se desvanecerá no esquecimento. Parece que todo o trabalho da vida dela foi em vão. Nesse sentido, ela é a própria definição de fracasso.

Esses são alguns dos motivos que conhecemos para a queixa de Noemi. Contudo, bendito seja Deus! Ele já iniciara sua obra de abençoar os seus, mesmo em meio às queixas dela! Você percebeu isso? No versículo 21, o narrador deixa que ouçamos as queixas de Noemi ao mesmo tempo em que, no versículo 22, volta nossos olhos para o quê? Rute e o início da colheita da cevada.

Devemos parar um pouco e pensar a respeito da história antes de seguir adiante: como você responde aos eventos que devastam a sua vida ou a dos outros? Eu percebi que, nos momentos trágicos, as pessoas têm um reflexo incontrolável de perguntar: "Por quê?" Você percebeu que mesmo os não-crentes fazem isso? Pessoas que nunca vão à igreja, que afirmam não ter fé religiosa, que talvez, até afirmem ser ateístas, perguntam: "Por quê?", quando algo devastador acontece com elas. É como se elas presumissem que, em algum ponto por trás dos eventos terríveis, houvesse um propósito. Não deveríamos nos surpreender com isso. Nossa suposição de propósito é algo natural, faz parte da imagem de Deus em nós. Se você não for cristão, encorajo-o a ver essa suposição de propósito como um testemunho de que o que os cristãos dizem é verdade.

William Cowper lembra-nos, em todos os versos de seu hino "Deus se move de formas misteriosas", a fim de não julgarmos os caminhos de Deus apenas pelo que podemos ver com nossos olhos:

> *Deus age com mistérios*
> *Para realizar suas maravilhas.*
> *Deixa sua marca no mar*
> *E sobre a tempestade caminha.*
>
> *Em insondáveis jazidas*
> *Com infalível destreza*
> *Entesoura seus esplendorosos desígnios*
> *E opera sua vontade soberana.*
>
> *Vós santos tementes, tomem nova confiança;*
> *As nuvens que tanto temeis*
> *São grandes em misericórdia e rebentarão*
> *Em bênçãos sobre as vossas cabeças*
>
> *Não o julgue da sua pequenez,*
> *Confia na sua graça infinita;*
> *Para cada dificuldade*
> *Ele reserva uma vitória bendita.*
>
> *Seu propósito se revelará*
> *A cada hora o vemos se desenrolar*

> *Talvez no início seja duro,*
> *Mas o descanso Ele dará.*
>
> *Incredulidade pura é errada,*
> *Não adianta questionar;*
> *Deus conhece seus motivos*
> *E claramente os revelará.*[4]

Deus caminha sobre a tempestade. Vêm as nuvens temíveis, sim, mas na verdade, elas trazem misericórdia para o povo de Deus. "Para cada dificuldade" Deus "reserva uma vitória bendita". O ímpio não pode ver tudo isso. Ele é cego. Todavia, podemos esperar que Deus torne seu propósito claro no momento certo e nesse meio tempo, Ele nos dará tudo de que precisamos para crer em sua bondade. Conhecemos isso, em parte, porque lemos a respeito da providência de Deus para Noemi e Rute. O Senhor deixou esse relato inspirado, em que Ele mesmo interpretou os fatos para nós, para que possamos aprender.

Assim, como você se comporta em momentos de dificuldade e de teste? Essa é uma pergunta muito prática. Tiago, escritor do Novo Testamento, ensina:

> Meus irmãos, tende grande gozo quando cairdes em várias tentações, sabendo que a prova da vossa fé produz a paciência. Tenha, porém, a paciência a sua obra perfeita, para que sejais perfeitos e completos, sem faltar em coisa alguma (Tg 1.2-4).

Você realmente pensa em meio às provações que enfrenta no momento, que Deus não tem planos ou propósitos para você? Acha de verdade que Ele completou tudo que pretende fazer em sua vida? Não sabe que o trabalho dEle apenas começou? Ele ainda não acabou, e, talvez, a colheita esteja para começar. Portanto, não culpe os outros como se o Senhor não fosse mais trabalhar por você, e você estivesse encalhado, sem poder se mover. Não, Deus sabe o que faz.

Uma das delícias de caminhar com o Senhor há anos é ver muitas vezes, Ele provar sua fidelidade, mesmo quando me preocupo ou me perturbo. Nosso Deus é muito cuidadoso em ter propósito em todas suas ações! Como Ele usa todas as dores de seus filhos para um fim bom! Muitas vezes, vi a verdade do provérbio: "A aflição é o momento em que o homem bom pode brilhar". É fácil ficar calmo quando a vida está boa. Ah, mas deixe vir a desgraça e, nesse momento, veremos a quem realmente servimos. Na verdade, servimos nossas boas circunstâncias ou ao nosso Senhor amoroso, soberano, fiel e imutável?

Que Deus possa ensinar a cada um de nós essa fé, e que possamos como igreja, permanecer nela independentemente das dificuldades que enfrentemos.

Demonstração da Benignidade de Deus

Na verdade, a história de Rute é mais que um simples relato da benignidade humana. Em sua essência, ela é um argumento para a benignidade de Deus. Todavia, apresenta muitos exemplos da benignidade humana. Mas acima de tudo, o livro apresenta de forma mais marcante a benignidade do Senhor. Ele é um relato, pequeno e dramático, similar ao de Jó, com a diferença de que o livro inicia e termina com as bênçãos de Jó, e suas provações repercutem ao longo do livro; e Rute inicia com provações e, a seguir, apresenta uma história graciosa das bênçãos do Senhor. Pondere também que em Jó, a vindicação do Senhor recai apenas na família de Jó, e em Rute, ela afeta a todos nós.

Na fome de anos antes, Noemi deixou Belém e foi para Moabe. Agora, a questão diante dela era se ela, como viúva sem filhos para sustentá-la, passaria fome de novo em Belém. Pela forma como ela fala no final do capítulo 1, pensaríamos que sim. Todavia, aqui temos Rute e a colheita de cevada. Leiamos o capítulo 2:

> E tinha Noemi um parente de seu marido, homem valente e poderoso, da geração de Elimeleque; e era o seu nome Boaz. E Rute, a moabita, disse a Noemi: Deixa-me ir ao campo, e apanharei espigas atrás daquele em cujos olhos eu achar graça. E ela lhe disse: Vai, minha filha. Foi, pois, e chegou, e apanhava espigas no campo após os segadores; e caiu-lhe em sorte uma parte do campo de Boaz, que era da geração de Elimeleque. E eis que Boaz veio de Belém e disse aos segadores: O Senhor seja convosco. E disseram-lhe eles: O Senhor te abençoe. Depois, disse Boaz a seu moço que estava posto sobre os segadores: De quem é esta moça? E respondeu o moço que estava posto sobre os segadores e disse: Esta é a moça moabita que voltou com Noemi dos campos de Moabe. Disse-me ela: Deixa-me colher espigas e ajuntá-las entre as gavelas após os segadores. Assim, ela veio e, desde pela manhã, está aqui até agora, a não ser um pouco que esteve sentada em casa. Então, disse Boaz a Rute: Não ouves, filha minha? Não vás colher a outro campo, nem tampouco passes daqui; porém aqui te ajuntarás com as minhas moças. Os teus olhos estarão atentos no campo que segarem, e irás após elas; não dei ordem aos moços, que te não toquem? Tendo tu sede, vai aos vasos e bebe do que os moços tirarem. Então, ela caiu sobre o seu rosto, e se inclinou à terra, e disse-lhe: Por que achei graça em teus olhos, para que faças caso de mim, sendo eu uma estrangeira? E respondeu Boaz e disse-lhe: Bem se me contou quanto fizeste à tua sogra, depois da morte de teu marido, e deixaste a teu pai, e a tua mãe, e a terra onde nasceste, e vieste para um povo que, dantes, não conheceste. O Senhor galardoe o teu feito, e seja cumprido o teu galardão do Senhor, Deus de Israel, sob cujas asas te vieste abrigar. E disse ela: Ache eu

graça em teus olhos, senhor meu, pois me consolaste e falaste ao coração da tua serva, não sendo eu nem ainda como uma das tuas criadas. E, sendo já hora de comer, disse-lhe Boaz: Achega-te aqui, e come do pão, e molha o teu bocado no vinagre. E ela se assentou ao lado dos segadores, e ele lhe deu do trigo tostado, e comeu e se fartou, e ainda lhe sobejou. E, levantando-se ela a colher, Boaz deu ordem aos seus moços, dizendo: Até entre as gavelas deixai-a colher e não lhe embaraceis. E deixai cair alguns punhados, e deixai-os ficar, para que os colha, e não a repreendais. E esteve ela apanhando naquele campo até à tarde e debulhou o que apanhou, e foi quase um efa de cevada. E tomou-o e veio à cidade; e viu sua sogra o que tinha apanhado; também tirou e deu-lhe o que lhe sobejara depois de fartar-se. Então, disse-lhe sua sogra: Onde colheste hoje e onde trabalhaste? Bendito seja aquele que te reconheceu. E relatou à sua sogra com quem tinha trabalhado e disse: O nome do homem com quem hoje trabalhei é Boaz. Então, Noemi disse à sua nora: Bendito seja do Senhor, que ainda não tem deixado a sua beneficência nem para com os vivos nem para com os mortos. Disse-lhe mais Noemi: Este homem é nosso parente chegado e um dentre os nossos remidores. E disse Rute, a moabita: Também ainda me disse: Com os moços que tenho te ajuntarás, até que acabem toda a sega que tenho. E disse Noemi à sua nora, Rute: Melhor é, filha minha, que saias com as suas moças, para que noutro campo não te encontrem. Assim, ajuntou-se com as moças de Boaz, para colher, até que a sega das cevadas e dos trigos se acabou; e ficou com a sua sogra (cap. 2).

Na Provisão de Alimento

Desde o início, Boaz mostrou uma preocupação bondosa para com Rute. E aqui, fica claro que Deus operou por intermédio de Boaz para prover alimento para Rute e Noemi. No versículo 8, Boaz vê Rute e, de imediato, dirige-se a ela de forma paternal e convida-a a se alimentar com a colheita dele. E ela colheu no campo de Boaz "até que a sega das cevadas e dos trigos se acabou" (2.23), devem ter sido dois meses com bastante alimento — provavelmente, do fim de abril a junho. Nunca sabemos os resultados futuros de nossos atos atuais de fidelidade, mesmo que pareçam pequenos.

Assim, Rute e Noemi tinham alimento! No capítulo 1, Noemi lamenta seu vazio. Todavia, no capítulo 2, Boaz certifica-se de que ela tenha uma provisão abundante. No capítulo 3, ele até diz a Rute que não quer que ela retorne "vazia" para a casa de Noemi (3.17).

O trabalho duro de Rute também garante que Noemi tenha alguma coisa para comer. No capítulo 2, ela colhe até o anoitecer. No capítulo 3, ela traz para Noemi a provisão abundante de Boaz. Contudo, também vemos o plano de Deus por trás da generosidade de Boaz e do trabalho duro de Rute. O Senhor se defende da acusação de Noemi de que Ele não se preocupa com a fome dela. A Lei do Senhor está em operação. Deus determinara que uma parte da colheita devia ser deixada para o pobre recolher ou colher, depois de alguém cortá-la.[5] A lei ordena até mesmo que os ceifadores não colham até o limite do campo para que os órfãos, os estrangeiros e as viúvas tenham alguma coisa para recolher. Deus também está em operação no tempo e na colheita. Como vimos, o capítulo I termina com esta nota de esperança: Noemi e Rute chegam "a Belém no princípio da sega das cevadas" (1.22). O Senhor trouxe Noemi de volta para casa no momento certo.

Claro que a fome que houvera na década anterior tivera um sentido espiritual. Presumimos que Elimeleque evitava arrepender-se diante do Senhor quando lemos, no capítulo I, que ele foi para Moabe, com a família, em busca de alimento. Em Levítico e em Deuteronômio, o Senhor prometera que enviaria fome para seu povo, se ele fosse desobediente.[6] Portanto, Elimeleque devia ter levado sua família e Belém a se arrepender e a confiar na provisão de Deus. A resposta certa para a fome era o arrependimento, não a fuga. Em vez de fazer isso, Elimeleque ao cuidar apenas do problema físico, tentou se esquivar do arrependimento.

Agora, Noemi tem alguma compreensão desse aspecto espiritual. Deuteronômio também promete que Deus quando o povo se arrependesse, os restauraria e os garantiria alimento.[7] Deus quer que o povo saiba que, em última instância, Ele é quem fornece alimento. Noemi decidiu retornar à terra do Senhor e viver entre o povo dEle e sob a Lei de Deus quando, em Moabe, "ouviu que o Senhor tinha visitado o seu povo, dando-lhe pão" (1.6). Todavia, ela chamou a si mesma de "Mara" e disse que o Todo-poderoso lhe mandou grande amargura (1.20,21). Contudo, Noemi louva o Senhor por sua benignidade, e Rute, quando chega em casa, conta-lhe que colheu no campo de Boaz, uma evidência de que seu coração começa a alcançar a decisão de sua mente de retornar: "[O] Senhor, que ainda não tem deixado a sua beneficência nem para com os vivos nem para com os mortos" (2.20).

Noemi reconhece que Deus está por trás da decisão de Boaz. Talvez seja uma percepção silenciosa, mas essa história é sobre a provisão de Deus para os seus. Ele é bom e dá alimento para seu povo! No livro de Rute, o Senhor não assume o papel principal com a realização de obras milagrosas nem com o envio de profetas. Não acontece nada parecido com isso. Em vez disso, tiramos o exemplo dos próprios personagens à medida que olham para o Senhor e vêem seu cuidado amoroso e fiel.

Na Provisão de um Marido

Sem dúvida, as provações de Noemi não dizem respeito apenas a alimento. Ela também está destinada a ficar sozinha, portanto, a ruína e o desamparo são uma ameaça constante para ela. Aí entra a necessidade de procurar um marido para Rute. Na verdade, esse é o centro da história. No início do capítulo 3, percebemos a linha da história:

> E disse-lhe Noemi, sua sogra: Minha filha, não hei de eu buscar descanso, para que fiques bem? Ora, pois, não é Boaz, com cujas moças estiveste, de nossa parentela? Eis que esta noite padejará a cevada na eira. Lava-te, pois, e unge-te, e veste as tuas vestes, e desce à eira; porém não te dês a conhecer ao homem, até que tenha acabado de comer e beber. E há de ser que, quando ele se deitar, notarás o lugar em que se deitar; então, entra, e descobrir-lhe-ás os pés, e te deitarás, e ele te fará saber o que deves fazer. E ela lhe disse: Tudo quanto me disseres farei. Então, foi para a eira e fez conforme tudo quanto sua sogra lhe tinha ordenado. Havendo, pois, Boaz comido e bebido, e estando já o seu coração alegre, veio deitar-se ao pé de um monte de cereais; então, veio ela de mansinho, e lhe descobriu os pés, e se deitou. E sucedeu que, pela meia-noite, o homem estremeceu e se voltou; e eis que uma mulher jazia a seus pés. E disse ele: Quem és tu? E ela disse: Sou Rute, tua serva; estende, pois, tua aba sobre a tua serva, porque tu és o remidor. E disse ele: Bendita sejas tu do Senhor, minha filha; melhor fizeste esta tua última beneficência do que a primeira, pois após nenhuns jovens foste, quer pobres quer ricos. Agora, pois, minha filha, não temas; tudo quanto disseste te farei, pois toda a cidade do meu povo sabe que és mulher virtuosa. Porém, agora, é muito verdade que eu sou remidor; mas ainda outro remidor há mais chegado do que eu. Fica-te aqui esta noite, e será que, pela manhã, se ele te redimir, bem está, ele te redima; porém, se te não quiser redimir, vive o Senhor, que eu te redimirei; deita-te aqui até à manhã. Ficou-se, pois, deitada a seus pés até pela manhã e levantou-se antes que pudesse um conhecer a outro, porquanto disse: Não se saiba que alguma mulher veio à eira. Disse mais: Dá cá o roupão que tens sobre ti e segura-o. E ela segurou-o; e ele mediu seis medidas de cevada e lhas pôs em cima; então, entrou na cidade. E veio à sua sogra, a qual disse: Como se te passaram as coisas, minha filha? E ela lhe contou tudo quanto aquele homem lhe fizera. Disse mais: Estas seis medidas de cevada me deu, porque me disse: Não vás vazia à tua sogra. Então, disse ela: Sossega, minha filha, até que saibas como irá o caso, porque aquele homem não descansará até que conclua hoje este negócio. E Boaz subiu à porta e assentou-se ali; e eis que o remidor de que Boaz tinha falado ia passando e disse-lhe: Ó fulano, desvia-te para cá e assenta-te aqui. E desviou-se para ali e assentou-se. Então, tomou dez homens dos anciãos da cidade e disse: Assentai-vos aqui. E assentaram-se. Então, disse ao remidor: Aquela parte da terra que foi de Elimeleque, nosso irmão, Noemi, que tornou

da terra dos moabitas, a vendeu. E disse eu: Manifestá-lo-ei em teus ouvidos, dizendo: Toma-a diante dos habitantes e diante dos anciãos do meu povo; se a hás de redimir, redime-a e, se não se houver de redimir, declara-mo, para que o saiba, pois outro não há, senão tu, que a redima, e eu depois de ti. Então, disse ele: Eu a redimirei. Disse, porém, Boaz: No dia em que tomares a terra da mão de Noemi, também a tomarás da mão de Rute, a moabita, mulher do falecido, para suscitar o nome do falecido sobre a sua herdade. Então, disse o remidor: Para mim não a poderei redimir, para que não cause dano à minha herdade; redime tu a minha remissão para ti, porque eu não a poderei redimir. Havia, pois, já de muito tempo este costume em Israel, quanto à remissão e contrato, para confirmar todo negócio, que o homem descalçava o sapato e o dava ao seu próximo; e isto era por testemunho em Israel. Disse, pois, o remidor a Boaz: Toma-a para ti. E descalçou o sapato. Então, Boaz disse aos anciãos e a todo o povo: Sois, hoje, testemunhas de que tomei tudo quanto foi de Elimeleque, e de Quiliom, e de Malom da mão de Noemi; e de que também tomo por mulher a Rute, a moabita, que foi mulher de Malom, para suscitar o nome do falecido sobre a sua herdade, para que o nome do falecido não seja desarraigado dentre seus irmãos e da porta do seu lugar; disto sois hoje testemunhas. E todo o povo que estava na porta e os anciãos disseram: Somos testemunhas; o Senhor faça a esta mulher, que entra na tua casa, como a Raquel e como a Léia, que ambas edificaram a casa de Israel; e há-te já valorosamente em Efrata e faze-te nome afamado em Belém. E seja a tua casa como a casa de Perez (que Tamar teve de Judá), da semente que o Senhor te der desta moça (3.1—4.13a).

Essa é a história de Rute. Se o capítulo 1 apresenta a introdução, e o final do capítulo 4 fornece a conclusão da história, o resto do livro é sobre dois dias-chave na vida de Rute: o dia em que ela é alimentada (cap. 2) e o dia em que se casa (caps. 3—4).

Sem dúvida, Noemi deu uma mão para que esse casamento acontecesse. Na verdade, provavelmente, essa sugestão foi suavizada. Alguns se perguntam se ela não manipulou a situação um pouco demais. Não acho que tenha feito isso, acho que devemos defender Noemi. Ela tinha a responsabilidade de perpetuar o nome do marido, providenciando um herdeiro para ele, e de sustentar sua nora. Todos os "sábios conselhos" que ela dá a Rute têm o objetivo de cumprir essas obrigações. Por isso, ela instruiu Rute a agir de acordo com a proteção garantida pela lei da terra. Na Antiguidade, em Israel, isso não era o mesmo que apelar para uma repartição municipal, para a Assistência Social ou para a corte, mas ir direto a um indivíduo que pudesse realmente ajudar. Foi isso que Noemi, sabiamente, aconselhou Rute a fazer.

E foi isso que Rute fez. Rute também tinha um motivo para conseguir um marido. Afinal, ela foi para Belém com a sogra a fim de garantir que Noemi não ficasse sozinha. Ela escolheu em que campo trabalharia. No capítulo 2, ela se conduziu com honra quando encontrou Boaz pela primeira vez. No capítulo 3, ela seguiu a instrução da sogra ao aproximar-se de mansinho de Boaz, descobrir os pés dele e deitar-se (3.7). Algumas pessoas se perguntam se talvez o escritor tenha sido pudico nessa passagem, e se, na verdade, Rute não seduziu Boaz. Mas a história não dá margem para essa especulação. Boaz entende de imediato a atitude dela, pois ela age com honra ao apelar a ele para que seja seu marido ou, pelo menos, seu protetor. Ela é uma viúva sem filhos que não tem ninguém para protegê-la. De acordo com a lei judaica dada a Moisés por Deus, ela tem o direito de pedir a ele, como parente próximo, para protegê-la. Faz isso aconselhada por sua sogra. Por um lado, aqui, Rute realmente toma a iniciativa no relacionamento com um homem! Não há dúvida em relação a isso. Por outro lado, ela "segue a cartilha" para lidar com sua situação incomum e especial.

Boaz também tem participação nisso. Desde o primeiro momento em que viu Rute, ele se mostrou interessado por ela. No capítulo 3, ele concorda em estender a aba da roupa sobre ela (3.9ss), não para esconder qualquer imoralidade sexual, como um leitor moderno poderia pensar, mas para aceitar o pedido para ser o protetor dela. É interessante que a palavra usada nessa passagem para "aba" é a mesma usada por Boaz no capítulo 2 e traduzida por "asas". Boaz disse para Rute: "O Senhor galardoe o teu feito, e seja cumprido o teu galardão do Senhor, Deus de Israel, sob cujas asas te vieste abrigar" (2.12). O próprio Boaz se torna a resposta para essa oração. Ele, como a galinha que põe as asas protetoras sobre os pintinhos, espalha sua veste, ou "asas", sobre Rute, um símbolo de seu compromisso com ela. Nessa história, isso significa o compromisso de perseguir o casamento, o que ele faz no dia seguinte.

O Antigo Testamento usa muito a imagem de asas protetoras. Salmos 104 descreve os oceanos como as vestes de Deus espalhadas sobre a terra, o que indica que Ele protege a terra e é responsável por ela (Sl 104.6). Em Ezequiel, o Senhor diz para seu povo: "E estendi sobre ti a ourela do meu manto e cobri a tua nudez; e dei-te juramento e entrei em concerto contigo, diz o Senhor JEOVÁ, e tu ficaste sendo minha" (Ez 16.8).

Rute, ao dizer para Boaz que ele era seu remidor, aponta para algo como o casamento levítico, um tipo de casamento do Antigo Testamento que tinha o intuito de preservar a descendência familiar e também de suprir as necessidades do pobre e do sem-terra. Em Deuteronômio, Deus diz aos israelitas que se um homem casado morre e deixa a viúva sem filhos, um irmão desse homem tem o dever de casar com a viúva e ter descendentes com ela a fim de preservar a linhagem do irmão morto (Dt 25.5,6). Malom, o marido morto de Rute, não tem irmãos vivos para casar com ela, contudo seu pai, Elimeleque, tem outros parentes em Belém, sendo Boaz um deles. Em certo sentido, Boaz, ao se casar com Rute, cumpre esse papel.

Em certo sentido, ele também atua como remidor dela. Em Israel, na Antiguidade, quando uma pessoa pobre tinha de vender sua propriedade para ter dinheiro para viver, o parente mais próximo, ou remidor, tinha de resgatar o que a família vendeu (Lv 25.25). Essa lei garantia que ninguém ficasse sem terra e fosse condenado a um ciclo de pobreza. Era um sistema de Assistência Social do clã em que um membro da família pagava as dívidas e as obrigações do membro pobre da família, a fim de que este fosse libertado ou restaurado. De forma semelhante, no chão da eira, Boaz, depois de questionado, oferece-se para ser o remidor de Rute.

Claro que esse é o tipo de Redentor que o Senhor será para Israel. Um dia, Ele dirá por intermédio de Isaías: "E saberás que eu sou o Senhor, o teu Salvador, e o teu Redentor, e o Possante de Jacó" (Is 60.16).

Na manhã seguinte, na praça da cidade, Boaz agiu exatamente como Noemi previu, ele logo cumpriria sua obrigação familiar. Boaz, com um movimento honesto, porém astuto, consegue afastar o remidor com grau de parentesco mais próximo de Rute. Primeiro, com muita sabedoria ele menciona a parte atraente: "Eis um pedaço de terra à venda!" O outro remidor demonstra algum interesse. Então, Boaz aponta para o lado negativo da transação: "Mas tem apenas um "senão" — você tem de se casar com uma moabita". O outro remidor decide não comprar a propriedade, e Boaz pode anunciar publicamente sua intenção de se casar com Rute. A seguir, lemos: "Assim, tomou Boaz a Rute, e ela lhe foi por mulher" (4.13).

Nessa história, apesar de Boaz, Rute e Noemi agirem de forma astuta, você percebe que Deus está por trás de tudo, não é mesmo? Noemi consegue ver isso. Lembre-se de que, no capítulo 1, ela orou para que o Senhor desse descanso para Rute na casa de outro marido. Agora, Deus fez isso! Isso não quer dizer que Noemi pense que deva ser passiva. Não, ela é muito ativa. Mas também sabe que os resultados dependem do Senhor, por isso, a primeira coisa que fez foi orar.

Na Provisão de um Filho

Noemi e Rute também lutam com a desesperança, como também com a fome e a solidão. Deus também providenciará filhos e um futuro para a família? Continuemos a leitura:

> E ele [Boaz] entrou a ela, e o Senhor lhe deu conceição, e ela teve um filho. Então, as mulheres disseram a Noemi: Bendito seja o Senhor, que não deixou,

hoje, de te dar remidor, e seja o seu nome afamado em Israel. Ele te será recriador da alma e conservará a tua velhice, pois tua nora, que te ama, o teve, e ela te é melhor do que sete filhos. E Noemi tomou o filho, e o pôs no seu regaço, e foi sua ama. E as vizinhas lhe deram um nome, dizendo: A Noemi nasceu um filho. E chamaram o seu nome Obede (4.13b-17a).

Esse deve ter sido o ponto máximo da história para Noemi: o pequeno Obede deitado em seu regaço. Ela pôs suas esperanças em Deus e, agora, vê suas esperanças no pequeno Obede. As mulheres do lugar vêem isso e dizem: "A Noemi nasceu um filho".

Mais uma vez, é digno de nota o fato de que Noemi planejou o nascimento dessa criança, e que Rute e Boaz, sem dúvida, se deixaram envolver nisso — Deus usou meios humanos! —, o livro de Rute revela que mesmo essa provisão final vem do Senhor. O versículo 13 afirma: "E o Senhor lhe deu conceição". Deus, que é bom e constante em benignidade amorosa, proveu uma família para Noemi e Rute, não apenas alimento e casa.

Todavia, essas provisões são apenas ilhas de bênçãos individuais em um mar de caos? Um casamento, uma criança e dois estômagos cheios realmente têm tanta importância em um momento em que a sociedade, como o livro de Juízes mostrou, desintegra-se e afunda em um pântano de imoralidade?

Na Provisão de um Rei — Davi!

Bem, veja quem é essa criança. O nome dela é Obede. E quem é Obede? As linhas finais do livro fornecem essa informação:

> E chamaram o seu nome Obede. Este é o pai de Jessé, pai de Davi. Estas são, pois, as gerações de Perez: Perez gerou a Esrom, e Esrom gerou a Arão, e Arão gerou a Aminadabe, e Aminadabe gerou a Naassom, e Naassom gerou a Salmom, e Salmom gerou a Boaz, e Boaz gerou a Obede, e Obede gerou a Jessé, e Jessé gerou a Davi (4.17b-22).

Rute, Noemi e Boaz viveram na época dos juízes, mas Deus usa essa pequena família para preparar a nação para ter um rei, um rei segundo o coração de Deus — Davi!

E não esqueça que Rute, a avó do futuro rei, é moabita. Quem eram os moabitas? Os moabitas eram um povo terrível. Na época em que Israel se preparava para entrar na Terra Prometida, eles enviaram Balaão para profetizar a destruição de Israel (Nm 22—24). Eles foram os primeiros a seduzir o povo de Israel a adorar falsos deuses (Nm 25.1-3). Por que, agora, Deus abençoa uma moabita dessa forma? Na melhor das hipóteses, a decisão de Elimeleque de levar sua família para Moabe é questionável. Contudo, a permissão para que seus filhos casassem com moabitas foi uma clara transgressão da Lei do Senhor.[8] Todavia, devemos levar em consideração mais fatores já que, em nossa história, Boaz casa-se com Rute. Ela não é apenas uma moabita, mas a viúva de um israelita, e Deus tem uma preocupação especial com as viúvas. Ela também é uma estrangeira sem-terra em Belém, e a Lei do Senhor faz provisão especial para estrangeiros. Portanto, enquanto uma lei diz uma coisa, outras duas leis trazem à luz outros fatores. Como sempre acontece em relação às leis, deve-se ponderar, com critério, todas as variáveis. Talvez o mais importante de tudo seja o fato de Rute ser uma mulher que tem o desejo sincero de seguir a Jeová, o Senhor, e de se refugiar nEle. Ela, como Raabe, a cananéia, antes dela, parece genuinamente convertida ao povo de Deus e incorporada nele. Ela deixa tudo que conhece em Moabe para seguir um caminho que parece infrutífero. Por quê? As palavras claras do texto sugerem que ela faz isso por amor a Noemi e pelo Deus desta! Em 1.16, Rute declara sua escolha pelo Deus de Israel. Pouco depois disso, Boaz reconhece essa decisão dela (2.12).

Noemi também escolhe voltar para a terra e para o povo de Deus. No capítulo 1, encontramos diversas vezes a palavra para "retorno", também traduzida por "arrependimento" ao longo do Antigo Testamento (vv. 6, 11, 12 e 22). Noemi, como Rute, escolhe afastar-se do mal e aproximar-se do povo, das leis e da provisão de Deus e, em tudo isso, do próprio Senhor.

Sem dúvida, no Antigo Testamento, o plano de Deus está centrado nos israelitas, porém, com a finalidade de preparar o caminho para a salvação de todas as nações — para os moabitas, como Rute, e para os cananeus, como Raabe, e para os judeus e os gentios, para você e para mim. A história de Rute deixa claro que Deus deseja que os gentios compartilhem as bênçãos da aliança com Abraão. Ele transforma uma jovem moabita na avó do rei Davi. Desde essa época, o versículo 17 do capítulo 4 cita o nome de Davi como neto de Boaz e Rute, e isso tem sido o ponto máximo do livro para os leitores.

Portanto, as pessoas são mais benignas que Deus? Como dissemos, esse é o desafio que o livro, em geral, propõe, e que Noemi lança contra Deus em seu retorno a Belém, sua terra natal. E a resposta é um retumbante não! Deus não é apenas benigno, Ele é supremamente benigno. Os mesmos olhos que se levantam para Noemi, como avó, um dia, baixarão sobre seu neto, Davi. E talvez os ouvidos dessa mesma criança, Obede, ouvirão, um dia, cânticos sobre a benignidade do Senhor como nunca foram entoados antes. Talvez ele ouça os cânticos compostos por seu neto sobre a hesed do Senhor — seu "amor eterno", como alguns traduzem a palavra hebraica, sua "beneficência" como é traduzida no livro de Rute. E talvez Davi, por conhecer a história do nascimento de seu avô Obede, cante a benignidade amorosa de Deus com tanta convicção! Em Salmos 36, Davi entoa: "Quão preciosa é, ó Deus, a tua benignidade! E por isso os filhos dos homens se abrigam à sombra das tuas asas" (Sl 36.7). A palavra traduzida aqui por "benignidade", em Rute é traduzida por "benevolência".[9] A benevolência pela qual Noemi louva o Senhor é um amor que não falha. Essa é a benignidade do Senhor.

Jesus ensina que Deus "faz que o seu sol se levante sobre maus e bons e a chuva desça sobre justos e injustos" (Mt 5.45). Independentemente de como o vemos, o Senhor tem dado muitas bênçãos para todos nós. Você é agradecido a Deus por essas bênçãos? Você agradece a Ele? Meu amigo cristão, reconheça a benignidade do Senhor para com você em relação a tudo. Perceba que "todas as coisas contribuem juntamente para o bem daqueles que amam a Deus, daqueles que são chamados por seu decreto" (Rm 8.28).

Deus provê em abundância para nós, não é mesmo? Ele nos abençoou, como igreja, de tantas formas. Uma bênção do livro de Rute me faz pensar em quantos membros de nossa congregação são de outros países. Louve o Senhor pela pequena prévia do paraíso que temos nessa pequena igreja local à medida que vemos cristãos de todos os continentes! A benignidade do Senhor para conosco é muito evidente.

Em cuidadosa meditação, Deus é isentado das acusações que Noemi, em amargura, lança contra Ele. Ele sempre trabalha fielmente pelo bem dos seus, até mesmo quando aos olhos de Noemi, Ele trabalha de forma silenciosa e invisível. Lembre-se, até mesmo enquanto reclamava, ela tinha Rute ao seu lado e o início da colheita da cevada. E acima delas duas estava nosso Deus soberano e benigno.

Conclusão

Agora, você tem a história de Rute. O livro inicia-se muito para baixo e termina muito bem. Vamos da morte para a vida, da esterilidade para a fertilidade, do vazio para a plenitude, da maldição para a bênção, da amargura para a doçura, da vida no exílio para a concepção do avô de um rei!

O próprio fato da curta história de Rute acontecer em Belém é cheio de significado. A cidade deixa de ser um lugar de fome para tornar-se um local de fertilidade. Belém foi o local de sepultamento da amada Raquel de Jacó. Agora, é o local de nascimento de Obede, de seu filho Jessé, e de Davi, filho de Jessé. E poucos séculos depois, o Senhor declara por intermédio de Miquéias: "E tu, Belém Efrata, posto que pequena entre milhares de Judá, de ti me sairá o que será Senhor em Israel, e cujas origens são desde os tempos antigos, desde os dias da eternidade" (Mq 5.2).

Assim, após muitas centenas de anos, ainda se cita essa passagem de Miquéias, quando Herodes pergunta onde nasceria o Messias (Mt 2.4-6; cf. Jo 7.42). Quando a plenitude do tempo chegou, Deus usou os governantes do poderoso Império Romano para fazer um censo a fim de que as pessoas voltassem para sua cidade natal. Assim, José e Maria, sua esposa contratada, que viviam na Galiléia, no norte de Israel, tiveram de viajar para Belém, no sul. E Jesus nasceu em Belém.

Em Mateus capítulo 1 é a única passagem do Novo Testamento que menciona o nome de Rute. Na genealogia apresentada por Mateus, o nome de Rute, junto com outros mencionados nos últimos versículos do livro de Rute, aparecem na linha de descendência de Cristo (Mt 1.5,6; Rt 4.18-22). E é no Evangelho de Mateus que Deus mostra sua benignidade para com as nações. Afinal, Mateus inicia com o nascimento de Jesus, como filho de Davi e de Abraão, e termina com a ordem de Jesus de que façam discípulos de todas as nações (Mt 1.1; 28.19)! Realmente, é assim que a história de Rute termina — no ministério de Jesus Cristo. Por intermédio de Boaz, Deus trabalhou não apenas para redimir Rute e Noemi, mas para trazer o grande Redentor Jesus Cristo!

Jesus não nos redime apenas de nossas preocupações terrenas, mas da maior preocupação que temos — ficarmos perdidos em nosso pecado. Como já disse, somos feitos à imagem de Deus, mas somos falhos e pecamos contra Ele. Contudo, o Senhor não nos deixa na escravidão do pecado para sempre. Em seu grande amor, Ele envia Jesus Cristo, que teve uma vida perfeita e sem pecado para morrer na cruz por todos que se arrependerem de seus pecados e crerem. A despeito de quaisquer deuses a quem tenhamos servido, Ele morreu por nós, contudo precisamos nos afastar de nossos pecados e crermos nEle. E quando fazemos isso, Ele nos garante o perdão dos pecados e uma nova vida em Cristo. Jesus Cristo será nosso Redentor.

Se você é um irmão ou irmã em Cristo, com certeza, já viu a benignidade de Deus, não é mesmo? Ele é bom.

Veja o que Paulo disse em sua epístola aos Efésios: "[Deus] nos ressuscitou juntamente com ele, e nos fez assentar nos lugares celestiais, em Cristo Jesus; para mostrar nos séculos vindouros as abundantes riquezas da sua graça, pela sua benignidade para conosco em Cristo Jesus" (Ef 2.6,7; cf. Tt 3.3-7).

Ou o que ele disse em sua epístola aos Romanos: "Que diremos, pois, a estas coisas? Se Deus é por nós, quem será contra nós? Aquele que nem mesmo a seu próprio Filho poupou, antes, o entregou por todos nós, como nos não dará também com ele todas as coisas?" (Rm 8.31,32).

Por natureza, somos detestáveis diante de Deus como qualquer moabita sempre o foi! Se você olhar para nossa vida e para a forma como vivemos, certamente perceberá que não merecemos a graça do Senhor. E, ainda assim,

Ele é bom conosco. Ele é benigno conosco. Continua a nos abençoar em meio a nossas queixas. Ele nos deu uma Rute e uma colheita de cevada. Nosso Senhor soberano e amoroso provê. Lembre-se de que Deus provê quando você, como Noemi, sentir-se tentado a duvidar dEle nos momentos difíceis.

Deus deixa que atravessemos provações a fim de expor nossas necessidades mais profundas e de nos mostrar como sua provisão é plena. O Senhor cava fundo quando planeja fazer um edifício alto. Sabemos isso por intermédio de nossa vida e da Palavra.

Portanto, ouça essa fantástica notícia do Redentor de que todos nós precisamos! Pedro escreveu: "Sabendo que não foi com coisas corruptíveis, como prata ou ouro, que fostes resgatados da vossa vã maneira de viver que, por tradição, recebestes dos vossos pais, mas com o precioso sangue de Cristo, como de um cordeiro imaculado e incontaminado" (I Pe 1.18,19).

Oremos:

Oh, Deus, confessamos a insensatez de nossa dúvida em relação a sua benignidade. Nossas experiências, sua Palavra e, até mesmo, nossa vida testificam contra nossas dúvidas e a favor do Senhor. Cremos no Senhor. Ajude-nos em nossa luta com a descrença. Em nome de Jesus. Amém.

Questões para Reflexão

1. Qual é seu tipo favorito de história? Romance? Comédia? História do mundo? Tragédia? Você já percebeu que todo tipo de história, quer comédia, quer tragédia, tem algum tipo de tensão que precisa ser resolvida? Você já pensou que talvez Deus use a tensão em nossa vida da mesma forma?
2. Suponha que um ímpio lhe diga: "Por que eu deveria me tornar cristão? Conheço incrédulos que são gentis, e cristãos absolutamente rudes!". Como você responderia?
3. Pense em três pessoas da sua vida que passam por necessidade material ou social: primeiro, ore por elas. Segundo, qual é sua estratégia para cuidar delas em um padrão semelhante ao de Deus?
4. O que seus cinco amigos mais íntimos responderiam se perguntasse a eles se você é benigno? E se perguntasse isso a cinco familiares? E aos atendentes dos cinco últimos restaurantes em que esteve?
5. O que faz com que uma igreja seja conhecida pela benignidade e outra não?
6. Em 1755, depois de um terremoto maciço matar milhares de pessoas em Lisboa, Portugal, Voltaire, filósofo iluminista, escreveu um curto poema dos quais os versos a seguir fazem parte:

> *Ó infelizes mortais! Ó deplorável terra!*
> *Ó agregado horrendo que a todos os mortais encerra!*
> *Exercício eterno que inúteis dores mantém!*
> *[...]*
> *Direis vós: "Eis das eternas leis o cumprimento,*
> *Que de um Deus livre e bom requer o discernimento?"*
> *Direis vós, perante tal amontoado de vítimas:*
> *"Deus vingou-se, a morte deles é o preço de seus crimes?"*
> *Que crime, que falta cometeram estes infantes*
> *Sobre o seio materno esmagados e sangrantes?*
> *Lisboa, que não é mais, teve ela mais vícios*
> *Que Londres, que Paris, mergulhadas nas delícias?*
> *Lisboa está arruinada, e dança-se em Paris.*[10]

Agora, rememore o poema "Deus se move de formas misteriosas", de William Cowper.[11] Como a visão dos dois homens sobre a humanidade diferem? Parece apenas que Cowper estava menos familiarizado com o sofrimento? Como a visão dos dois difere em relação a Deus?

7. Em vista da resposta de Jesus ao sofrimento, o que você acha que Ele sabia, mas que Voltaire não compreendia? Como a obra de Cristo na cruz nos dá tanta esperança em meio a um sofrimento muito real?

8. Como o fato de essa história se passar no período dos juízes — uma época marcada pela rebelião moral e pelo caos de Israel — destaca, de forma especial, a benignidade de Deus?

9. Como sua igreja recebe as pessoas de minorias raciais e os estrangeiros? Como vimos no livro de Rute, Deus abençoa de forma especial uma estrangeira, Rute, a moabita, a fim de trazer bênção para Israel e para todas as nações. Qual a importância disso para a forma como vivemos juntos como cristãos?

10. Leia de novo a passagem de I Pedro 1.18,19 mencionada no fim do sermão. Do que precisamos ser redimidos? Como o sangue de Cristo nos redime? Em outras palavras, é fácil ver como o ouro, ou a prata, redime algo: o ouro é valioso para as pessoas, e, portanto, você o dá em troca de alguma coisa que queira. Mas, e sangue? Como isso funciona?

11. Você tem um Redentor? Você acha que precisa de um?

Notas

Capítulo 8

[1] A data de pregação original deste sermão foi em 26 de maio de 2002, na Capitol Hill Baptist Church, em Washington, D. C.
[2] Joseph Conrad, Heart of Darkness: An Authoritative Text, Backgrounds and Sources, Criticism, ed. Robert Kimbrough, 3ª ed. (Nova York: Norton, 1988), p. 43.
[3] Barry webb, Five Festal Garments: Christian Reflections on the Song of Songs, Ruth, Lamentations, Ecclesiastes, and Esther, New Studies em Biblical Theology, D. A., Carson, gen. ed. (Downers Grove, Ill.: InterVarsity Pess, 2000), p. 57.
[4] "God Moves in a Mysterious Way", verso de William Cowper, 1774.
[5] Levítico 19.9; 23.22; Deuteronômio 24.19,22.
[6] Levítico 26.26; Deuteronômio 28.17,18,22-24.
[7] Deuteronômio 30.1-3,8-10; 32.24.
[8] Veja Deuteronômio 7.3; 23.3-6.
[9] Rute 1.8; 2.20; 3.10.
[10] Voltaire, 1755, "Poema sobre o desastre de Lisboa, ou: uma análise do axioma 'Está tudo bem'".
[11] Poeta e compositor de hinos da Inglaterra (1731-1800).

A MENSAGEM DE 1 SAMUEL: FÉ EM MOMENTOS DE TRANSGRESSÕES

COMO SER UM LÍDER EFICAZ

INTRODUÇÃO A I SAMUEL

O PRIMEIRO RETRATO DE UM LÍDER: SAMUEL, UM HOMEM DA PALAVRA DE DEUS MARCADO PELA OBEDIÊNCIA

O SEGUNDO RETRATO DE UM LÍDER: SAUL, UM HOMEM IMPRESSIONANTE MARCADO PELA AUTOCONFIANÇA

O TERCEIRO RETRATO DE UM LÍDER: DAVI, UM HOMEM IMPRESSIONADO MARCADO PELA FÉ

CONCLUSÃO: DEUS, NOSSO LÍDER IMPRESCINDÍVEL

CAPÍTULO 9

A Mensagem de I Samuel: Fé em Momentos de Transgressões

Como ser um líder eficaz[1]

Liderança é uma questão muito importante. Como Aristóteles disse, somos seres sociais. A liderança é importante onde quer que as pessoas se reúnam.

Até mesmo nos locais mais improváveis — como comitês — surgem líderes. Como, certa vez, Joseph Chamberlain, pai do primeiro-ministro inglês Neville Chamberlain, do século XX, afirmou: "Em todo comitê de trinta pessoas, doze vão ao encontro sem pensar no assunto e estão sempre prontos para receber instruções. Um vai com a mente feita para dar essas instruções. A minha tarefa na vida, conforme decisão pessoal, é ser esse último tipo de pessoa".[2]

O que você considera como a essência da boa liderança? Você acha que esse é um tópico importante a ser considerado em uma igreja cristã?

Introdução a 1 Samuel

Sem dúvida, a Bíblia trata de liderança, e poucas passagens tratam do assunto de forma mais clara que I Samuel. Veremos o retrato de três tipos distintos de líderes para verificar isso: Samuel, o homem da Palavra de Deus marcado pela obediência; Saul, o homem impressionante marcado pela autoconfiança; e Davi, o homem impressionado marcado pela fé.

Nós folhearemos o livro de I Samuel à medida que o estudarmos. Esse é um livro longo, com 31 capítulos. No entanto, na Bíblia os capítulos não são longos, portanto, na maioria das Bíblias, eles ocupam apenas de dez a quinze folhas. Na última semana, precisei de apenas duas horas e meia para ler todo o livro. Primeiro Samuel apresenta algumas das histórias mais famosas da Bíblia.

Assim, vejamos o que podemos aprender sobre liderança e sobre a nossa vida com a história do povo de Deus.

O Primeiro Retrato de um Líder: Samuel, um Homem da Palavra de Deus Marcado pela Obediência

O primeiro líder notável que encontramos em I Samuel é aquele cujo nascimento o livro se inicia e de quem recebe o nome. Samuel fornece o retrato de um líder que é um homem da Palavra de Deus. Samuel foi o último juiz de Israel. Ele foi um dos maiores profetas do Antigo Testamento, e esse livro narra sua história.

No capítulo 1, Ana, uma mulher estéril, pede um filho a Deus. O Senhor, de forma milagrosa, permite que ela tenha Samuel. A seguir, Ana entrega-o para o serviço do Senhor, e Samuel é criado nos recintos do Templo (na época, em Siló), em que Eli servia como sacerdote.

Na primeira metade do capítulo 2, encontramos a bela oração de ação de graças que Ana oferece ao Senhor, a qual estudaremos mais adiante. A segunda metade do capítulo 2 apresenta o triste relato dos perversos filhos de Eli. No fim do capítulo, um "homem de Deus" anônimo profetiza contra a casa de Eli e lhe diz que seus filhos morrerão logo.

Logo depois dessa profecia, o capítulo 3 narra a famosa história da conversa do Senhor com o menino Samuel. Provavelmente, você conhece a história se freqüentou a Escola Dominical quando criança:

> O Senhor chamou a Samuel, E disse ele: Eis-me *aqui*. E correu a Eli e disse: Eis-me *aqui*, porque tu me chamaste. Mas ele disse: Não *te* chamei eu, torna a deitar-te. E foi e se deitou. E o Senhor tornou a chamar outra vez a Samuel. Samuel se levantou, e foi a Eli, e disse: Eis-me *aqui*, porque tu me chamaste. Mas ele disse: Não *te* chamei eu, filho meu, torna a deitar-te. Porém Samuel ainda não conhecia o Senhor, e ainda não lhe tinha sido manifestada a palavra do Senhor. O Senhor, pois, tornou a chamar a Samuel, terceira vez, e ele se levantou, e foi a Eli, e disse: Eis-me *aqui*, porque tu me chamaste. Então, entendeu Eli que o Senhor chamava o jovem. Pelo que Eli disse a Samuel: Vai-te deitar, e há de ser que, se te chamar, dirás: Fala, Senhor, porque o teu servo ouve. Então, Samuel foi e se deitou no seu lugar. Então, veio o Senhor, e ali esteve, e chamou como das outras vezes: Samuel, Samuel. E disse Samuel: Fala, porque o teu servo ouve (I Sm 3.4-10).

Essa ansiedade em escutar caracteriza a vida de Samuel. O seu ministério aconteceu em dias muito difíceis para Israel. Talvez você se lembre do declínio moral da nação que vimos em nosso estudo de Juízes. E I Samuel inicia-se, mais ou menos, no ponto em que Juízes termina, no momento em que Israel estava para enfrentar sua maior desgraça — a destruição da adoração do Senhor. No capítulo 4, os filisteus pegam a arca da aliança, que não só simboliza a presença e o poder de Deus com o povo, como também é o centro da adoração dos israelitas. Nesse mesmo dia, Eli e seus dois filhos morrem. É quase como se o Senhor saísse dessa nação corrupta!

No capítulo 6, a arca retorna a Israel.

O capítulo 7 apresenta Samuel levando Israel ao arrependimento nacional para longe da idolatria e, ao mesmo tempo, obtendo uma grande vitória contra os filisteus. É aqui que Samuel estabelece Ebenézer, história que cantamos no hino "Ebenézer". Talvez você se lembre da segunda estrofe que começa assim: "Ao Ebenézer eu agradeço, pois Jesus me socorreu",[3] mas, nesse hino, no original, temos a citação de I Samuel 7.12: "Até aqui nos ajudou o Senhor". Você já se perguntou o que isso significa? Em hebraico, "Ebenézer" significa "pedra de ajuda", e Samuel pôs essa pedra para lembrar aos israelitas a ajuda que o Senhor lhes deu nesse local contra os filisteus.

Ironicamente, no capítulo 8, Samuel recebe, nesse mesmo local, o que, provavelmente, foi uma de suas atribuições mais difícil: Israel pede um rei. Após esse pedido, Samuel volta-se, no mesmo momento, para o Senhor e pede sabedoria, e o Senhor lhe diz: "Não te tem rejeitado a ti; antes, a mim me tem rejeitado, para eu não reinar sobre ele" (8.7). A seguir, Samuel adverte a nação sobre o perigo de ter um rei como as nações ao redor deles. Contudo, o povo persiste em seu pedido, e, depois, o Senhor diz a Samuel: "Dá ouvidos à sua voz, constitui-lhes rei" (8.22).

Pense nisso por um minuto. Você já pensou que, às vezes, Deus atende a nosso pedido como parte de sua punição para nós?

Bem, Samuel obedece ao Senhor e, no capítulo 9, encontra Saul. No capítulo 10, ele unge Saul, o próximo líder que veremos.

Em relação ao pedido por um rei, é interessante observar como a política da nossa igreja reflete nossa doutrina humana.[4] Se a igreja tiver uma visão mais elevada ou mais sólida da autoridade, você observará que a autoridade é atribuída a várias pessoas. Você não pode confiar na política que concentra a autoridade nas mãos de um pecador, independentemente de quão rico ou instruído ele seja, ou de quem sejam seus pais. Por outro lado, se tiver uma visão mais pobre ou mais débil da depravação e não acreditar que a queda afete tanto a humanidade, ou que até seja um mito, e que as pessoas sejam naturalmente boas, então você basicamente, tende a se sentir mais confortável com uma política que concentra o poder nas mãos de poucas pessoas. Isso se aplica à política e às igrejas. Deixarei que você resolva isso durante o almoço. O que tornou Samuel um líder tão bom foi o fato de que ele não cria na bondade do homem, mas na de Deus.

Samuel foi um líder marcado pela obediência a Deus, mesmo quando o Senhor o chamava para fazer coisas incomuns, como ungir outro rei, aparentemente, menos impressionante (16.1-13). A vida de Samuel personifica as palavras que disse para Saul, no capítulo 15: "Eis que o obedecer é melhor do que o sacrificar" (15.22). Ele ouve a voz do Senhor e transmite-a aos outros. O nome dele significa "Deus ouve", porque o Senhor ouviu a oração de sua mãe. Ele é um homem de oração e da Palavra do Senhor. Ele obedece ao Senhor e exorta os outros a fazer o mesmo. Em algumas de suas últimas palavras, Samuel, de forma típica, exorta o povo de Israel à obediência:

> Então, disse Samuel ao povo: Não temais; vós tendes cometido todo este mal; porém não vos desvieis de seguir ao Senhor, mas servi ao Senhor com todo o vosso coração. E não vos desvieis; pois seguiríeis as vaidades, que nada aproveitam e tampouco vos livrarão, porque vaidades são. Pois o Senhor não desamparará o seu povo, por causa do seu grande nome, porque aprouve ao Senhor fazer-vos o seu povo. E, quanto a mim, longe de mim que eu peque contra o Senhor, deixando de orar por vós; antes, vos ensinarei o caminho bom e direito. Tão-somente temei ao Senhor e servi-o fielmente com todo o vosso coração, porque vede quão grandiosas coisas vos fez. Porém, se perseverardes em fazer o mal, perecereis, assim vós como o vosso rei (12.20-25).

Samuel é a culminação da série de julgamentos que Deus iniciou com Moisés e Josué e continua por intermédio de Gideão, Sansão e os outros (7.15). E embora Samuel não seja o personagem principal de 1 e 2 Samuel (o livro recebe seu nome porque se iniciou com o nascimento dele), ele caracteriza algumas das melhores coisas da liderança piedosa. O ministério dele centra-se no escutar, no falar e no obedecer à Palavra do Senhor. Pergunto-me se isso é importante para você.

Talvez se não for cristão, esteja dizendo consigo mesmo: "Isso não tem nada que ver comigo". Mas isso não é verdade. O cristianismo não ensina que todos nós somos obrigados a obedecer aos mandamentos de seja qual for a religião que professamos ou que podemos simplesmente ser verdadeiros para nós mesmos. Não, entendemos que Deus revelou em sua Palavra que toda pessoa deste planeta foi feita pelo Senhor e está obrigada a conhecer a vontade dEle e a obedecer a ela. Não há exceções ou isenções para essa obrigação! Você, meu amigo, está obrigado a conhecer a vontade do Senhor e a obedecer a ela, independentemente da religião que professa seguir em alguma pesquisa de opinião pública! E Ele o chamará a prestar contas de si mesmo, de sua vida, de seus atos e de seus pensamentos. Você está preparado para fazer isso?

Cristão, siga o exemplo de Samuel. Ele é um exemplo magnífico para nós. Dedique-se a orar por intermédio da Palavra do Senhor e a estudá-la. Pode haver uma vida mais frutífera? E deixe-me dar-lhe algumas sugestões práticas: inicie com o cancelamento de sua assinatura de televisão a cabo. Não quero pôr isso em votação na igreja, mas repito: cancele sua assinatura de televisão a cabo. Acerte o despertador para um pouco mais cedo. Todas as manhãs, leia a passagem que será pregada na igreja no domingo seguinte. Medite sobre ela. Ore para que Deus o ajude a entender o que Ele diz. Leia o que Salmos 119 diz sobre a Palavra do Senhor. Leia todo esse estudo sobre as orações de Paulo no Novo Testamento e aprenda a orar como ele. Torne-se uma pessoa modelada pela Palavra de Deus. Sim, você diz acreditar que a Bíblia seja a Palavra do Senhor, mas como vive à luz dessa crença?

No ano passado, um estudo descobriu que "é mais provável que os mórmons leiam a mais Bíblia durante uma semana do que os protestantes".[5] Minha avó era cientista cristã que acordava todo dia por volta das 5 horas da manhã para ler a Bíblia e o livro Science and Health with Key to the Scripture (A Ciência e a Saúde como Chaves para as Escrituras), de Mary Baker Eddy. Ela nunca pulou um dia de leitura! Essas pessoas que não conhecem a Cristo são mais devotadas à Palavra do Senhor que nós? Pais e mães, vocês sempre lêem a Bíblia para seus filhos em voz alta? Cristãos, reservamos um tempo para a leitura em voz alta da Bíblia em nossas igrejas evangélicas, ou precisamos ir a uma igreja grega ortodoxa ou católica romana para ouvir a Bíblia?

Nossa igreja centra-se na Palavra do Senhor, porque precisamos ouvi-la. O púlpito fica no centro do cenário, e o sermão é o centro de nossa reunião semanal mais importante nos domingos de manhã. Todo o culto é planejado para que nós, como Samuel, ouçamos a Palavra do Senhor. Depois, usamos hinos e orações para meditar a respeito da Palavra. (Todavia, lembre-se de que não o adoramos apenas quando somos movidos por meio de cânticos — por mais que isso seja bom —, mas quando a Palavra do Senhor nos move a viver durante a semana de uma forma que traga louvor para Deus.) Nossa necessidade de ouvir a Palavra do Senhor também é o motivo por que em nosso culto de domingo à noite ouvimos uma porção da Palavra sobre o mesmo tema do culto matinal, porém, do outro Testamento. Depois, nas noites de quarta-feira, nós nos encontramos de novo, toda a congregação, para o estudo indutivo da Bíblia, mesmo que isso signifique levar três anos para estudar I Tessalonicenses ou três meses para ver a genealogia de Mateus. Cremos na centralidade da Palavra de Deus!

Como cristãos, aprendemos que vamos para o inferno, embora não tão rápido como mereceríamos. A única coisa que impede uma condenação mais rápida é o fato de o Senhor falar suas Palavras salvadoras para nós uma Palavra que de início, nos surpreende e vai contra nossa inclinação, mas, depois, nos condena e nos salva. E assim, nós, como Samuel, construímos nossa vida congregada para ouvir a Palavra do Senhor, para orar sobre ela, para obedecer e para transmiti-la aos outros.

O Segundo Retrato de um Líder: Saul, um Homem impressionante marcado pela Autoconfiança

Todavia, Samuel não é o único líder de I Samuel. Na verdade, o livro trata mais de Saul, o primeiro rei a governar Israel. Não fica claro que planos estavam em ação para que o povo quisesse um rei, mas eles queriam um rei. Assim, Deus ordenou que Samuel atendesse ao pedido deles e ungisse Saul como rei. Esse livro, não só relata a vida de Samuel, mas também apresenta toda a vida de Saul.

Contudo, Saul está em boa forma e parece um pretendente promissor por apenas dois capítulos — o 10 e o 11. No capítulo 10, ele é escolhido e ungido como rei. No capítulo 11, consegue uma grande vitória sobre os amonitas, o que leva à confirmação nacional de Saul e seu reinado.

Saul fornece o retrato de um líder como um homem impressionante. Ele impressiona os outros com muita naturalidade. Como o narrador declara, Saul é "jovem e tão belo, que entre os filhos de Israel não havia outro homem mais belo do que ele; desde os ombros para cima, sobressaía a todo o povo" (9.2).

Você sabe que a altura pode ser importante. George Washington, primeiro presidente norte-americano, era alto. A esposa de John Adam, Abigail, depois de encontrar-se pela primeira vez com George Washington, no saguão de um hotel em Cambridge, Massachusetts, contumaz julgadora de caráter, sagaz e crítica contundente, achou que seu marido não teceu nem a metade dos elogios que deveria a Washington. Bem, Saul, como Washington, parecia ser um escolhido. Ele tinha um ombro mais alto que os outros e era um homem impressionante de se ver. Até mesmo Samuel diz o seguinte a respeito dele: "Vedes já a quem o Senhor tem elegido? Pois em todo o povo não há nenhum semelhante a ele" (10.24). Saul era uma pessoa impressionante!

Entretanto, depois do ponto alto no capítulo 11, nos vinte capítulos seguintes — ou nos quarenta anos seguintes —, a vida e a carreira de Saul caem ladeira abaixo. Quando li e meditei a respeito desses capítulos, ficou claro que Saul não parecia impressionante apenas para os outros, o que em si mesmo e por si mesmo não é um problema. Ele se achava impressionante. E isso é um problema. Ele tinha a tendência de modelar as palavras de Deus para que dissessem o que ele queria ouvir. Samuel transmitia as ordens do Senhor para ele. Em certo sentido, ele entendia, ouvia, apreendia e reconhecia as palavras do Senhor. Contudo, a seguir, reformulava as ordens até que se tornassem mais ajustadas a ele, ao contrário de Samuel que era apenas um homem sinceramente obediente.

Saul fez isso várias vezes. No capítulo 13, ele desobedece à ordem de Samuel para esperá-lo chegar antes de oferecer sacrifício. A espera mostraria confiança no Senhor para dar proteção; seguir em frente e oferecer o sacrifício ele mesmo foi uma atitude que demonstrou mais confiança no próprio julgamento. Assim, Samuel o repreende e diz que Deus escolherá outra pessoa para estabelecer no trono de Israel.

No capítulo 14, Jônatas, filho de Saul, ataca os filisteus, e Deus espalhou pânico em meio ao exército filisteu para que Israel pudesse expulsá-lo. Todavia, o destino de Saul fora selado. No capítulo 15, Saul desobedece, mais uma vez, às ordens claras do Senhor. Quando Samuel o confronta, Saul, basicamente, reconhece sua desobediência e, a seguir, diz: "Honra-me, porém, agora diante dos anciãos do meu povo e diante de Israel" (15.30). Fica claro para onde estão voltados os olhos de Saul: O que o povo pensará de mim? Na verdade, vemos que Saul, logo depois de ser confrontado por Samuel, erige um monumento em sua própria honra (15.12)!

Assim, esse episódio com Samuel fornece o palco para todas as dificuldades que Saul enfrenta na segunda metade do livro. Saul é atormentado pelo ciúme à medida que seu reinado é eclipsado de forma crescente pelo verdadeiro personagem principal de 1 e 2 Samuel: Davi. À medida que cresce a fama de Davi, cresce o ressentimento de Saul, e este tenta matá-lo diversas vezes. Na verdade, ele fica tão obsessivo em sua perseguição a Davi que, a certa altura, manda um edomita matar 85 sacerdotes israelitas, porque um deles ajudou Davi (22.18)! Em outras palavras, Saul, o líder do povo de Deus, torna-se o oponente da vontade do Senhor: ele faz com que um estrangeiro mate os sacerdotes do Senhor. Depois, ele consulta uma feiticeira, não a Deus (28.7ss). Por fim, se mata quando a nação é derrotada pelos filisteus (cap. 31).

Nisso tudo, Saul personifica os reis de Israel. Nos séculos seguintes, eles levam a nação a uma maior desobediência a Deus, em vez de a uma maior obediência. Eles não libertam o povo das nações circunvizinhas, como Deus fizera por intermédio dos juízes, mas levam a ser oprimido por elas. Todavia, em 1 Samuel, o povo queria "um rei [...], como o têm todas as nações" (veja 8.5,20), e esse desejo de ser como as outras nações, acrescida da falta de confiança em Deus, leva à idolatria, às atrocidades e à autodestruição, como vemos acontecer na vida de Saul. O povo, ao seguir seus reis, começa a casar com estrangeiras, a adorar deuses estrangeiros e, por fim, é governado por reis estrangeiros. Que ironia: o povo que Josué levou a Canaã para ser um testemunho para as outras nações transforma-se em uma mera imitação delas!

No meio do século XIX, floresceu na Nova Inglaterra e, depois, por todos os Estados Unidos, por intermédio dos escritos de Henry David Thoreau e do ex-ministro unitarista Ralph Waldo Emerson, uma filosofia popular chamada transcendentalismo. Esses escritores anunciavam a *autoconfiança* como a virtude suprema. Eles proclamam que marchar ao ritmo de sua própria batida, independente da multidão, é heróico. Emerson escreveu: "O domínio de si mesmo é a graça suprema". Em outra passagem, ele declarou: "Chamo-o a viver para si mesmo". Não que essa autoconfiança seja algo novo. Esopo (não a Bíblia) ensinou: "Deus ajuda a quem se ajuda". E nós dizemos: "Se quer algo bem feito, faça você mesmo".

Eu me pergunto se você percebe que muitos desses sentimentos tão americanizados não são realmente verdadeiros. Meu amigo, você não é capaz de fazer tudo por si mesmo, e entender isso é de seu interesse, pois diz respeito à eternidade. A Bíblia ensina que você, por natureza, está perdido em seus pecados e em sua inimizade com Deus. E o que é pior, o Senhor tem aversão ao seu pecado! Nossas virtudes não anulam nossos vícios. Nossas boas obras não escondem nossos pecados dos olhos justos de Deus que tudo vê. Nesse sentido, em uma passagem anterior do livro, o sacerdote Eli faz uma boa pergunta: "Pecando homem contra homem, os juízes o julgarão; pecando, porém, o homem contra o Senhor, quem rogará por ele?" (2.25) Os homens da cidade de Bete-Semes entenderam muito bem esse ponto ao observar a morte de alguns cidadãos quando trouxeram a arca da aliança para a cidade: "Quem poderia estar em pé perante o Senhor, este Deus santo?" (6.20)

Devemos confessar que somos pecadores. Por isso, nossas igrejas reservam, com freqüência, um tempo para confissão dos pecados nos cultos. Queremos deixar claro que somos pessoas que pecaram contra Deus. Temos de saber isso a respeito de nós mesmos e dos outros, de nossa esposa e das autoridades eleitas, de nosso chefe e de nossos filhos. Nós, cristãos, diferentemente dos transcendalistas e de muitas pessoas em geral, devemos confiar em Deus, e não em nós mesmos.

Como nação, também precisamos estar conscientes de nossos pecados para que não dependamos de nossa economia, de nossa força militar e política de forma errônea. Sim, devemos ser fiéis ao nosso trabalho. Devemos apoiar nosso governo e seu papel de executor e julgador de nossas leis. Todavia, nós, cristãos, acima de todas as pessoas, temos de saber que o tempo está nas mãos de Deus e que apenas a força humana não é uma proteção segura neste mundo. Portanto, não devemos agir como se fosse!

Cristão, você quer saber como pode testemunhar para seus amigos no trabalho? Mostre o fato de que entende que nossos dias estão nas mãos de Deus e de que confia nEle — principalmente, em momentos em que o mundo está preocupado e enfrenta problemas.

Ore também para que o Senhor o ajude a ver como você depende erroneamente de si mesmo e também da percepção que os outros têm de você. Não seja como Saul que rejeita um relacionamento com o Senhor, mas pede que Samuel aja de forma a dar a impressão de que ele tenha esse relacionamento. Não seja tão hipócrita. A hipocrisia fere muito mais quem a pratica que aos outros, e isso é verdade em relação aos hipócritas nas salas de reunião e nas cadeias, nos púlpitos e nos bancos da igreja, na prosperidade terrena e no inferno eterno.

Como você pode se proteger do tipo de hipocrisia cultivada por Saul? Bem, eis alguns conselhos bem práticos: torne-se membro de uma igreja local. Deixe a congregação de cristãos se tornar o centro de sua vida cristã. Deixe que outros cristãos o conheçam.[6]

Comece também a dividir suas fraquezas com os outros — não todas com todo mundo —, mas partilhe várias fraquezas suas — e algumas embaraçosas — com umas duas pessoas, principalmente, com irmãs ou irmãos cristãos que você sentiu a necessidade de impressionar. Inicie pondo por terra sua reputação e seu amor pelo que os outros pensam de você. Tenha cuidado com as pessoas que quer impressionar.

Em vez disso, procure um serviço humilde e obscuro. Agradeço a Deus pelos membros da nossa congregação que, nesse verão, irão para o estrangeiro cuidar dos filhos dos trabalhadores da International Mission Board [Conselho Internacional de Missão]. O serviço humilde e discreto deles é excelente.

O Terceiro Retrato de um Líder: Davi, um Homem Impressionado Marcado pela Fé

No entanto, além de Saul, há um terceiro líder que vem à luz nos livros de I e 2 Samuel: Davi. Se Saul foi um homem impressionante, Davi é um homem impressionado. Ele não foi tomado por si mesmo nem pelo que os outros pensavam dele. Foi um homem marcado, dominado pelo seu respeito e estima pelo Senhor. Era impressionado — impressionado! — por Deus. Ele vive em temor e respeito ao Senhor e demonstra grande confiança nEle. Algumas pessoas querem impressionar você, em especial, em Washington, D. C. Outras o deixam impressionado com o Deus delas.

Em I Samuel, Davi não consegue viver sem o Senhor! Parece que ele vê tudo sob a perspectiva de Deus. Ele é subjugado pela preocupação com a honra e as prerrogativas, com as atividades e os propósitos, com o nome e a glória de Deus. Nessa semana à medida que li e reli esse livro, eis o que vi, todas as vezes nas palavras de Davi: as atividades, os propósitos, o nome, a glória de Deus! E a percepção dele é precisa! Isso é o que a Bíblia chama de "fé": ver que a criação se refere única e exclusivamente a Deus, e não a nós.

A fé de Davi fornece um retrato do que deveria caracterizar a nação de Israel. Deus chamou-os a ser uma nação que reconhece o Senhor como Deus e que serve apenas a Ele. Ordenou que confiassem no poder dEle, cressem em sua bondade e obedecessem a sua vontade. Assim, eles desfrutariam os resultados desse tipo de fé. Davi é um exemplo radiante disso. Ele é como se espera que seja o povo de Deus.

A confrontação de Davi com Golias é a passagem em que isso fica mais evidente. Talvez você conheça a história, mesmo que não tenha crescido na igreja. Usa-se essa passagem como analogia para qualquer tipo de situação. Vejamos a passagem por um momento. Davi, o mais novo de diversos irmãos e pastor, levou alimento para seus irmãos que estavam com o exército de Israel diante de um inimigo invencível, Golias:

> E, estando ele ainda falando com eles, eis que vinha subindo do exército dos filisteus o homem guerreiro, cujo nome era Golias, o filisteu de Gate, e falou conforme aquelas palavras, e Davi as ouviu. Porém todos os homens de Israel, vendo aquele homem, fugiam de diante dele, e temiam grandemente, e diziam os homens de Israel: Vistes aquele homem que subiu? Pois subiu para afrontar a Israel. Há de ser, pois, que ao homem que o ferir o rei o enriquecerá de grandes riquezas, e lhe dará a sua filha, e fará isenta de impostos a casa de seu pai em Israel. Então, falou Davi aos homens que estavam com ele, dizendo: Que farão àquele homem que ferir a este filisteu e tirar a afronta de sobre Israel? Quem é, pois, este incircunciso filisteu, para afrontar os exércitos do Deus vivo? E o povo lhe tornou a falar conforme aquela palavra, dizendo: Assim farão ao homem que o ferir (17.23-27).

Então, Davi diz a Saul, o rei, que lutaria com Golias, ao que Saul responde: "Contra este filisteu não poderás ir para pelejar com ele; pois tu ainda és moço, e ele, homem de guerra desde a sua mocidade" (17.33).

Assim, Davi conta por que sabe que pode lutar com Golias:

> Assim, feria o teu servo o leão como o urso; assim será este incircunciso filisteu como um deles; porquanto afrontou os exércitos do Deus vivo. Disse mais Davi: O Senhor me livrou da mão do leão e da do urso; ele me livrará da mão deste filisteu.
> Então, disse Saul a Davi: Vai-te embora, e o Senhor seja contigo (17.36,37).

Vários versículos adiante acontece: Davi vai para o campo de batalha, o que, de início, provoca a zombaria de Golias. Sem dúvida, o filisteu nem imaginava o que aconteceria com ele:

> Disse, pois, o filisteu a Davi: Sou eu algum cão, para tu vires a mim com paus? E o filisteu amaldiçoou a Davi, pelos seus deuses. Disse mais o filisteu a Davi: Vem a mim, e darei a tua carne às aves do céu e às bestas do campo. Davi, porém, disse ao filisteu: Tu vens a mim com espada, e com lança, e com escudo; porém eu vou a ti em nome do Senhor dos Exércitos, o Deus dos exércitos de Israel, a quem tens afrontado. Hoje mesmo o Senhor te entregará na minha mão; e ferir-te-ei, e te tirarei a cabeça, e os corpos do arraial dos filisteus darei hoje mesmo às aves do céu e às bestas da terra; e toda a terra saberá que há Deus em Israel. E saberá toda esta congregação que o Senhor salva, não com espada, nem com lança; porque do Senhor é a guerra, e ele vos entregará na nossa mão. E sucedeu que, levantando-se o filisteu e indo encontrar-se com Davi, apressou-se Davi e correu ao combate, a encontrar-se com o filisteu. E Davi meteu a mão no alforje, e tomou dali uma pedra, e com a funda lha atirou, e feriu o filisteu na testa; e a pedra se lhe cravou na testa, e caiu sobre o seu rosto em terra. Assim, Davi prevaleceu contra o filisteu, com uma funda e com uma pedra, e feriu o filisteu, e o matou sem que Davi tivesse uma espada na mão (17.43-50).

Você percebeu que Davi ficou enfurecido por causa do descrédito que o inimigo demonstrou por Deus? Ele fala: "Eu vou a ti em nome do Senhor dos Exércitos [...] a quem tens afrontado". E você percebeu que a confiança que ele tinha e que mataria Golias não repousava em sua habilidade, mas no Senhor? "O Senhor te entregará na minha mão [...]. E ele vos entregará na nossa mão." Nessa passagem, encontramos o que é bom e certo em Davi. O ponto não é que Davi seja apenas verdadeiro consigo mesmo ou corajoso. Na verdade, se você pensa que essa é uma história apenas sobre a coragem de Davi, está totalmente errado quanto a isso! Volte e diga às crianças da sua classe da Escola Dominical: "De fato, crianças, não era o que eu disse". O ponto não é a coragem de Davi. Não é sua virtude e sua força que permitem que enfrente esse gigante. O que é bom e certo em Davi é o fato de que ele tem fé e confiança no Deus que serve! Ele sabe que o ponto é Deus e que Ele proverá!

Em uma passagem posterior do livro, acontece a mesma coisa. Nos capítulos 18—19, Saul fica com ciúmes do sucesso de Davi e tenta matá-lo. No capítulo 20, Davi faz amizade com Jônatas, filho de Saul e, nos capítulos 21—22, com vários sacerdotes. (Esses são os sacerdotes que, no capítulo 22, Saul manda o endomita matar.) Nos capítulos 23—24 continua a perseguição de Saul a Davi.

Entretanto, no capítulo 24, Davi tem a oportunidade de matar Saul, o homem que tentava matá-lo. Contudo, ele não o mata. Por quê? Afinal, ele não poderia alegar autodefesa para matar Saul? Ou aplicar a teoria da guerra justa? Com certeza, os homens de Davi o pressionaram para que matasse Saul. E, no capítulo 16, Samuel ungira Davi como rei. Nada o impedia de matar Saul! Por que ele não fez isso?

Em resumo, Davi foi guiado por outra consideração: o temor ao Senhor. Como o próprio Davi disse: "O Senhor me guarde de que eu faça tal coisa ao meu senhor, ao ungido do Senhor, estendendo eu a minha mão contra ele, pois é o ungido do Senhor" (24.6). E em alguns versículos adiante, ele diz isso de novo: "Não estenderei a minha mão contra o meu senhor, pois é o ungido do Senhor" (24.10). Davi não é insensato a ponto de pensar que Saul não fez nada errado. Contudo, ele deixa que o julgamento permaneça nas mãos do Senhor. Ele disse a Saul:

> Olha, pois, meu pai, vê aqui a orla do teu manto na minha mão; porque, cortando-te eu a orla do manto, te não matei. Adverte, pois, e vê que não há na minha mão nem mal nem prevaricação nenhuma, e não pequei contra ti; porém tu andas à caça da minha vida, para ma tirares. Julgue o Senhor entre mim e ti e vingue-me o Senhor de ti; porém a minha mão não será contra ti (24.11,12).

No capítulo 26, tudo isso acontece de novo: Saul persegue Davi, este tem oportunidade de matar o rei, mas ele, em vez de fazer isso, repreende Saul. Supostamente, Saul arrepende-se depois da repreensão de Davi, como no capítulo 24. Todavia, ele continua a perseguir Davi de todas as formas possíveis. Por isso, Davi levava uma vida de retirante nômade.

Nos últimos cinco capítulos de 1 Samuel, Davi vive entre os filisteus. Ironicamente, o único lugar seguro para ele é entre os inimigos de Israel. O livro termina com a morte de Jônatas e de Saul, no mesmo dia, na batalha de Gilboa em que os filisteus conseguem uma grande vitória e ocupam mais a terra israelita. Em 2 Samuel, veremos mais sobre a história de Davi.

Vejamos o retrato de Davi fornecido aqui. O relato apresenta-o da forma como deve ser um rei. Na verdade, ele foi o maior rei de Israel. Davi é o retrato do homem que não é consumido por si mesmo, mas pelo Senhor. Davi recebe sua sabedoria e força pela compreensão e pela dependência do Senhor.

Talvez você não esteja acostumado a ouvir tanta "conversa sobre Deus" em um sermão. Talvez esteja mais habituado a ouvir sobre os seis passos para ser um grande pai, ou três pontos-chave para a vida de oração, ou até mesmo as nove características de uma igreja saudável! No entanto, amigo, não preciso saber nada sobre suas circunstâncias — exceto que você é um ser humano — para lhe dizer que Deus é sua única esperança. Deus faz por você o que você nunca seria capaz de fazer por si mesmo. Muitos anos depois de Davi, nasceu alguém de sua linhagem que foi chamado de "o mais magnífico Filho do grande Davi".[7] Ele era Jesus de Nazaré. Em Jesus, Deus tornou-se homem e teve uma vida perfeita, sem erros. Não obstante, Ele morreu na cruz para levar sobre si a punição que eu merecia por meus pecados. Não fez isso apenas para mim, mas para todos que se arrependem de seus pecados e crêem nEle. A pergunta que você precisa se fazer é esta: eu sou esse? Você se arrependeu de seus pecados e aprendeu o que significa não confiar em si mesmo, mas em Deus e no que Ele realizou por intermédio de Cristo?

Se quiser saber mais a respeito disso, fale com um amigo cristão ou um pastor. Qualquer cristão ficará feliz em ajudá-lo a entender mais do que quer dizer ser cristão.

Davi é um exemplo magnífico, não é mesmo? Quando você aprende que os episódios da vida dele não são apenas um monte de histórias da Escola Dominical, mas que, na verdade, ele personificou o que significa crer no Senhor, ele se torna o modelo de líder que sabe que não lidera por causa de si mesmo, mas dos outros. Davi, ao contrário de Saul, sabe que ele não é o ponto. Talvez Saul tivesse uma aparência impressionante. E, pelo menos, um dos irmãos mais velhos de Davi também era impressionante de se olhar. Contudo, os olhos de Deus fixam-se em algo distinto. Aprendemos isso quando Samuel, conforme as instruções do Senhor, unge um dos filhos de Jessé para substituir Saul. Antes de ver Davi, ele

> viu a Eliabe e disse: Certamente, está perante o Senhor o seu ungido. Porém o Senhor disse a Samuel: Não atentes para a sua aparência, nem para a altura da sua estatura, porque o tenho rejeitado; porque o Senhor não vê como vê o homem. Pois o homem vê o que está diante dos olhos, porém o Senhor olha para o coração (16.6,7).

Qual é o alvo de seu coração? Ninguém pode responder isso por você. Qual é o alvo de seu coração? Concentre-se em Cristo. Ore para que Deus o impressione — tanto quanto impressionou a Davi —, a fim de que seus desejos se modelem por Ele. Ore para que você encontre mais e mais satisfação nEle. A vida cristã é satisfatória porque Deus nos criou para conhecê-lo. Portanto, não se surpreenda por encontrar a verdadeira alegria ao entregar-se a Ele.

E você, assim como Davi fez quando foi contra Golias, se dá com alegria para o serviço dEle quando tem um coração que ama a Deus. O coração que se satisfaz em Deus é pleno. Nada mais o satisfaz, e ele não precisa de mais nada. Ele se dá livremente! Esse tipo de coração é perigoso para o maligno e suas mentiras diabólicas. Meu amigo, que você tenha um coração assim.

Por isso, nossa igreja trabalha tão duro para afastar o foco de nós mesmos e apontar para Cristo em tudo que fazemos juntos no dia do Senhor. E por essa razão, entoamos:

> *Quando o inimigo quer tentar,*
> *de toda culpa me acusar,*
> *eu ergo o olhar e posso ver*
> *a quem levou o meu pecar.*
> *Porque morreu o santo Rei,*
> *minha alma pode livre estar.*
> *Tenho o perdão do justo Deus,*
> *com base em Cristo, que morreu.*[8]

A perspectiva de Davi é a verdade. Que possamos ser pessoas de fé igual.

Conclusão: Deus, nosso Líder Imprescindível

Claro que nenhum rei humano, nem mesmo Davi, poderia ser a bênção que o povo de Deus precisava. Em uma geração, o povo, com poucas exceções, afundou em idolatria e permaneceu nesse estado até que fossem levados para o exílio na Babilônia. Era necessário um nascimento especial — o nascimento de alguém que levaria a linhagem de Davi à realização máxima, o nascimento daquEle que era e é Deus.

Em I Samuel, inicia-se a história que levará ao nascimento desse ser especial, com a fiel mãe do menino, Ana. Ela parece entender que a segurança dela e da nação não repousa nas mãos de juízes ou de reis terrenos, mas apenas nas de Deus. Veja a oração, ou cântico, no início do livro e observe a sua compreensão da fé:

> *O meu coração exulta no Senhor,*
> *o meu poder está exaltado no Senhor;*
> *a minha boca se dilatou sobre os meus inimigos,*
> *porquanto me alegro na tua salvação.*
>
> *Não há santo como é o Senhor;*
> *porque não há outro fora de ti;*
> *e rocha nenhuma há como o nosso Deus.*

> *Não multipliqueis palavras de altíssimas altivezas,*
> *nem saiam coisas árduas da vossa boca;*
> *porque o Senhor é o Deus da sabedoria,*
> *e por ele são as obras pesadas na balança.*
>
> *O arco dos fortes foi quebrado,*
> *e os que tropeçavam foram cingidos de força.*
> *Os que antes eram fartos se alugaram por pão,*
> *mas agora cessaram os que eram famintos;*
> *até a estéril teve sete filhos,*
> *e a que tinha muitos filhos enfraqueceu.*
>
> *O Senhor é o que tira a vida e a dá;*
> *faz descer à sepultura e faz tornar a subir dela.*
> *O Senhor empobrece e enriquece;*
> *abaixa e também exalta.*
> *Levanta o pobre do pó*
> *e, desde o esterco, exalta o necessitado,*
> *para o fazer assentar entre os príncipes,*
> *para o fazer herdar o trono de glória;*
>
> *porque do Senhor são os alicerces da terra,*
> *e assentou sobre eles o mundo.*
> *Os pés dos seus santos guardará,*
> *porém os ímpios ficarão mudos nas trevas;*
>
> *porque o homem não prevalecerá pela força.*
> *Os que contendem com o Senhor serão quebrantados;*
> *desde os céus, trovejará sobre eles;*
> *o Senhor julgará as extremidades da terra,*
>
> *e dará força ao seu rei,*
> *e exaltará o poder do seu ungido (2.1-10).*

Que bela forma de iniciar esse livro! Toda a Bíblia é sobre isso. Mais especificamente, esses livros de história — Josué e Juízes, os livros de Samuel e de Reis — são sobre isso. Apenas Deus é o Senhor. Devemos crer nEle, e apenas nEle!

Não sabemos quando foram escritos 1 e 2 Samuel. Talvez, como 1 e 2 Reis, tenham sido escritos durante o exílio na Babilônia. Independente disso, parece que foram escritos, em parte pelo menos, para mostrar por que o povo foi levado para fora da terra. O motivo foi que eles, no fim, abandonaram o único Deus, aquEle que devia ser o Senhor deles. O povo de Deus o abandonou.

Entretanto, Ana sabia em quem devia crer. Ela vira de perto as mãos poderosas do Senhor. Afinal, I Samuel inicia-se quando Deus abre o ventre dessa mulher estéril, e ela dá à luz Samuel. Isso se parece bem com a forma de agir do Senhor, não é mesmo? Deixar claro em quem devemos confiar. Pegar uma situação sem esperança (do ponto de vista da sabedoria mundana) e criar glória para si mesmo. Eliminar qualquer outro participante a fim de que apenas Ele receba todo o crédito. Tornar sua vitória inquestionável. Assim, Deus inicia essa seção da grande história com uma mulher sem filhos.

Deus salienta o mesmo ponto — de que podemos confiar apenas nEle —, quase com humor, quando os filisteus pegam a arca da aliança e a põem no templo do seu deus falso, Dagom. O roubo da arca significa que Deus foi vencido por esse outro deus? Dificilmente! Na verdade, acho que Deus permite que isso aconteça e assegura que seja registrado para seu povo ler a fim de esclarecer seu ponto. Você conhece a história?

> E tomaram os filisteus a arca de Deus, e a meteram na casa de Dagom, e a puseram junto a Dagom. Levantando-se, porém, de madrugada os de Asdode, no dia seguinte, eis que Dagom estava caído com o rosto em terra, diante da arca do Senhor; e tomaram a Dagom e tornaram a pô-lo no seu lugar. E, levantando-se de madrugada no dia seguinte, pela manhã, eis que Dagom jazia caído com o rosto em terra, diante da arca do Senhor; e a cabeça de Dagom e ambas as palmas das suas mãos, cortadas sobre o limiar; somente o tronco ficou a Dagom (5.2-4).

Esse falso deus é tão impotente que o povo que o adora tem de devolver aquele a quem adoram ao seu lugar! Nesse episódio, Deus ensina não apenas que um mero ídolo, como Dagom, não pode derrotá-lo, como também de que Ele não precisa de nenhum soldado israelita para obter uma vitória admirável. Apenas o Senhor é Deus! Ele é supremo! A derrota de seu povo não indica imperfeição no poder dEle. Na verdade, isso mostra que o propósito de Deus estava por trás dessa derrota, pois Ele se move de forma misteriosa.

Os livros de I e 2 Samuel e de I e 2 Reis relatam a história do pedido urgente do povo por um rei, "como o *têm* todas as nações", e os resultados trágicos acarretados por esse pedido. Contudo, esses resultados eram inevitáveis. Em Gênesis 17, o Senhor prometeu a Abraão que dele viriam reis. E, em Deuteronômio, o Senhor fez provisão para um rei (Dt 17.14-20). Se você pensar no assunto, verá que, na época, era muito estranho estabelecer uma nação sem rei. Eles devem ter sido a nação mais estranha da terra! Mais uma vez, esse era o ponto, não é mesmo? Eles deixaram o Egito, sobreviveram no deserto, conquistaram Canaã, durante séculos mantiveram sua independência de outras nações, tudo com uma religião unificada, e eles fizeram tudo isso *sem rei!* Como aconteceu isso? Bem, a própria ausência de rei aponta para a presença de Deus. Esse é o ponto desses livros. Por que os livros de Samuel e de Reis estão na Bíblia? Para ensinar que Deus é o Rei de seu povo. No fim, nenhum outro rei pode prometer a libertação que o povo de Deus precisa.

Por sua vez, essa é a razão por que o pedido do povo por um rei é uma rejeição a Deus. Por isso, como já vimos, o Senhor diz a Samuel: "Ouve a voz do povo em tudo quanto te disser, pois não te tem rejeitado a ti; antes, a mim me tem rejeitado, para eu não reinar sobre ele. Conforme todas as obras que fez desde o dia em que o tirei do Egito até ao dia de hoje, pois a mim me deixou, e a outros deuses serviu, assim também te fez a ti" (8.7,8). Todo o exercício do reinado em Israel foi uma longa lição de que, afinal, ninguém, a não ser Deus, pode lidar com o povo do Senhor.

Na fala de despedida de Samuel, ele reconta a história de Israel ao povo para que vejam como a história deles é cheia da fidelidade do Senhor:

> Então, disse Samuel ao povo: O Senhor é o que escolheu a Moisés e a Arão e tirou vossos pais da terra do Egito. Agora, pois, ponde-vos aqui em pé, e contenderei convosco perante o Senhor, sobre todas as justiças do Senhor, que fez a vós e a vossos pais. Havendo entrado Jacó no Egito, vossos pais clamaram ao Senhor, e o Senhor enviou a Moisés e Arão, que tiraram a vossos pais do Egito e os fizeram habitar neste lugar. Porém esqueceram-se do Senhor, seu Deus; então, os entregou na mão de Sísera, cabeça do exército de Hazor, e na mão dos filisteus, e na mão do rei dos moabitas, que pelejaram contra eles. E clamaram ao Senhor e disseram: Pecamos, pois deixamos o Senhor e servimos aos baalins e astarotes; agora, pois, livra-nos da mão de nossos inimigos, e te serviremos. E o Senhor enviou a Jerubaal, e a Bedã, e a Jefté, e a Samuel; e livrou-vos da mão de vossos inimigos em redor, e habitastes seguros. E, vendo vós que Naás, rei dos filhos de Amom, vinha contra vós, me dissestes: Não, mas reinará sobre nós um rei; sendo, porém, o Senhor, vosso Deus, o vosso Rei. Agora, pois, vedes aí o rei que elegestes e que pedistes; e eis que o Senhor tem posto sobre vós um rei. Se temerdes ao Senhor, e o servirdes, e derdes ouvidos à sua voz, e não fordes rebeldes ao dito do Senhor, assim vós, como o rei que reina sobre vós, seguireis o senhor, vosso Deus. Mas, se não derdes ouvidos à voz do Senhor, mas, antes, fordes rebeldes ao dito do Senhor, a mão do Senhor será contra vós, como era contra vossos pais (12.6-15).

Samuel diz ao povo que nem mesmo os reis podem protegê-los e salvá-los.

Acho também que é por isso que em 13.19-22, o autor conta que Israel não tinha armas. Apenas Deus dá vitórias a Israel. Você percebe que os israelitas eram os "matutos" da vez, não é mesmo? Eles viviam na colina e não tinham tecnologia para forjar o aço e, talvez, o bronze. Os filisteus eram os cosmopolitas da época — avançados, no que diz respeito à inteligência e à tecnologia. Todavia, a própria força dos filisteus tornou-os instrumentos inadequados para Deus usar a fim de ensinar a respeito de si mesmo ao mundo. As desvantagens aparentes de Israel — não ter rei nem armas — eram sinais de que dependiam de Deus! Isso os tornou exatamente o povo que Deus queria para demonstrar seu poder e força.

Portanto, meu amigo, não rejeite a Deus. Isso não traz bem algum e apenas produz frutos amargos. Você foi feito para ser guiado por Deus, por isso, assuma-o como seu Senhor. Ponha o foco de sua vida nEle. Deposite todas suas esperanças e afetos nEle. Desista de sua rebelião solitária. Arrependa-se de seus pecados, creia nEle e encontre a vida para a qual foi criado.

Pare um momento e reflita a respeito da necessidade que tem de Deus. Ore para que o Senhor o ajude a perceber que seus pecados são pesados demais para ser carregados por sua própria justiça. A libertação é o trabalho de Deus. É mais fácil uma teia de aranha agüentar uma pedra que a sua ou a minha justiça agüentar nossos pecados.

Nada temos a temer se somos cristãos genuínos. Nosso Líder — aquEle por trás de todos os líderes de I Samuel — não falhará conosco nem nos esquecerá. Em várias situações Ele provou sua fidelidade para conosco. Nem nós, como igreja, precisamos temer o futuro. Podemos confiar na força de Deus, porque Ele prometeu que completará a boa obra que iniciou em nós (Fp 1.6).

Algum dia, Ele nos chamará àquele local de total confiança. Se somos o povo de Deus, podemos olhar na direção que John Bunyan descreveu de forma criativa, em sua obra *O peregrino*, por intermédio de seu personagem, o Sr. Cristão que, perto do final da obra clássica de Bunyan, recebe uma mensagem que o informa que "deve se preparar para uma mudança de vida, pois seu mestre não estava mais disposto a tê-lo tão longe de si". O Sr.Cristão, face a face com a morte, medita e mostra a mesma fé em face das provações que Davi exemplificou diante de Golias e de Saul. Ele está prestes a entrar no Rio da Morte, e reflete:

> Esse rio é um terror para muitos; de fato, muitas vezes, os pensamentos a respeito dele me assustam. [...] Na verdade, suas águas são amargas ao paladar, e frias ao estômago, contudo, o pensamento de que estou para [...] arde como um carvão incandescente em meu coração. Agora, percebo que já estou no fim de minha

jornada, meus dias penosos são findos. Agora, verei aquela cabeça coroada com espinhos, e aquela face que foi desprezada por mim. Outrora, vivi pelo que ouvia e pela fé: mas, agora, vou para onde devo viver pela visão; e estarei com aquEle em cuja companhia me deleito. Eu amava ouvir falar sobre meu Senhor [...]. O nome dEle é para mim [...] mais doce que todos os perfumes. Sua voz, para mim, é a mais doce, e eu desejo seu semblante mais do que eles desejaram a luz do sol.

Bunyan continua da perspectiva dos que observam o Sr. Cristão:

Agora, enquanto ele meditava, seu semblante mudou [...], e ele deixou de ser visto por eles. Contudo, era glorioso ver como a região de cima se encheu de cavalos e de charretes, de tocadores de trombeta e de gaita de fole, com cantores e tocadores de instrumentos de cordas para dar as boas-vindas aos peregrinos que subiam, e seguiam um ao outro até o belo portão da Cidade Celestial.[9]

Esta é a mensagem de I Samuel: nossa vida deve ser marcada não pela confiança em nossa sabedoria, mas na de Deus. Devemos ser marcados não por sermos impressionantes, mas por sermos impressionados por Deus — totalmente capturados por Ele e confiando apenas nEle. Que tenhamos líderes desse tipo. Que possamos ter vida como essas.

Oremos:
Oh, Deus, examina nosso coração. Liberta-nos graciosamente à medida que permanecemos comprometidos em servir a nós mesmos. Faça com que nosso pecado pareça muito pesado para carregarmos. Ajude-nos a olhar para Cristo. Oh, Senhor, ensina-nos a desistir das coisas que usamos como substitutos para o Senhor. Dê-nos coração e a esperança centrados no Senhor, e apenas no Senhor, oramos em antecipação da grande alegria de sua presença. Amém.

Questões para Reflexão
1. Quais são os atributos de um bom líder? Que atributos são necessários para o líder da igreja, os quais talvez não sejam os mesmos necessários a um líder nos negócios ou em alguma outra organização?
2. Como os indivíduos percebem se Deus os chamou ou não para uma posição de liderança na igreja?
3. A vida de Samuel foi permeada pela ânsia de ouvir. A sua também é? Sua esposa diria que você é um bom ouvinte? E seus filhos? E seu chefe? Ou as pessoas que trabalham para você? E seu pastor? E os amigos com quem tem um relacionamento do tipo que você tem de prestar contas? Sua vida mostra a prática de escutar a Deus? Se sua resposta for afirmativa, como?

4. O profeta Isaías, ao ensinar a respeito de Deus, escreveu: "O Senhor JEOVÁ me deu uma língua erudita, para que eu saiba dizer, a seu tempo, uma boa palavra ao que está cansado. Ele desperta-me todas as manhãs, desperta-me o ouvido para que ouça como aqueles que aprendem. O Senhor JEOVÁ me abriu os ouvidos, e eu não fui rebelde; não me retiro para trás" (Is 50.4,5). E o Evangelho de Lucas conta a respeito do jovem Jesus: "E o menino crescia e se fortalecia em espírito, cheio de sabedoria; e a graça de Deus estava sobre ele" (Lc 2.40). Você consegue pensar em episódios da vida de Jesus onde Ele demonstra uma perfeita submissão ao ouvir seu Pai celestial? Em vista de quem é Jesus, por que isso é notável? Em relação a isso, o que Jesus nos ensina sobre a boa liderança?

5. Onde você acha que o Senhor Jesus ia todas as manhãs para escutar enquanto ensinavam alguém? Onde você iria?

6. Após a pergunta 5, há qualquer serventia em ler longas seções da Bíblia (digamos, um ou dois capítulos) em um sermão ou durante o culto da igreja? Como podemos incorporar mais as Escrituras nas orações da reunião da igreja?

7. Como vimos, Saul era equivocadamente autoconfiante. E você? Eis algumas perguntas adicionais que, com um simples sim ou não, podem ajudar nessa resposta:

   - Você fica contente em pedir ajuda às pessoas ou resiste a isso?
   - Alguém que está abaixo de você (profissional, social ou intelectualmente) pode instruí-lo ou dizer alguma coisa que você já não saiba?
   - Quanto tempo você dedica à oração? E faz isso de forma consistente?
   - Você estuda a Palavra de Deus de forma constante e consistente?
   - Você tem relacionamentos em sua vida nos quais tem de prestar contas de suas atitudes?
   - Qual foi a última vez em que aprendeu alguma coisa em um sermão?
   - Qual foi a última vez em que aprendeu alguma coisa com seu cônjuge? Com um amigo?
   - Você responde às pessoas sentadas no banco de trás com um aceno de cabeça ou com um: "Obrigado"?

8. Nós, os cristãos, não cremos que o narcisismo seja apenas uma "desordem psicanalítica", como muitos o definem. Ele é pecado. Contudo, a definição da Associação Americana de Psicanálise de "Desordem de Personalidade Narcisista" fornece um perfil adequado de Saul, como também uma boa lista de itens para checar nosso coração! Eles dizem que uma pessoa é "narcisista" quando tem "um padrão generalizado de grandiosidade (em fantasias ou

em comportamento), necessidade de admiração e falta de empatia". Mais especificamente, uma pessoa narcisista demonstra *algumas* das seguintes características:
- Um grande senso de auto-importância: a pessoa tende a exagerar as realizações e os talentos, espera ser reconhecida como superior sem mensurar suas realizações.
- Preocupação com fantasias de sucesso, poder, brilhantismo, beleza ou amor ideal ilimitados: na verdade, a pessoa sente que merece essas coisas.
- Essa pessoa vê-se como "especial" ou única: a pessoa se sente compreendida — ou prefere se associar — com alguém especial ou de posição alta.
- Desejo de ter a admiração dos outros.
- Um sentimento de direito: a pessoa espera que os outros (parentes, cônjuge, empregador, atendentes de restaurante, qualquer pessoa por trás de um guichê) lhe dê um tratamento especial ou concorde imediatamente com os desejos ou as expectativas dela.
- Exploração interpessoal: a pessoa, de forma sutil e subrretícia, tira vantagem dos outros para seus próprios fins.
- Falta de empatia: a pessoa não tem disposição para reconhecer ou se identificar com os sentimentos e as necessidades dos outros.
- Sentimento de inveja: a pessoa tende a invejar os outros e a pensar que eles a invejam.
- Arrogância: muitas vezes, a pessoa é arrogante em seu comportamento e em suas atitudes.[10]

9. Como vimos, um líder impressionado com Deus, um líder como Davi, vê tudo em termos da perspectiva do Senhor: a honra, as prerrogativas, as atividades e os propósitos do Senhor. Que líder exemplificou tudo isso com perfeição na vida dele? Se ser impressionado com Deus é a "chave" para a liderança bem-sucedida, e se Davi e esse outro são nossos modelos, que coisas um manual sobre a liderança bem-sucedida deveria dizer?

10. É verdade que os líderes serão julgados com mais severidade (Tg 3.1). No entanto, ironicamente, também é verdade que Deus vê a justiça de Cristo, em vez da liderança imperfeita em casa, no trabalho ou na igreja. Como cristãos, toda nossa vida se cobre da justiça de Cristo, mesmo a forma como lideramos. Isso não significa que não somos responsáveis, mas sim que somos livres para liderar os outros a fim de provar ou de ganhar alguma coisa (temos tudo que precisamos em Cristo). Somos, genuinamente, livres para liderar para o bem dos outros e para a glória de Cristo. Tudo isso leva

a uma conclusão: no cerne de toda boa liderança há uma profunda e intensa compreensão de uma coisa fundamental. O que é? (Pista: a resposta rima com "evangelho".)

Notas

Capítulo 9

1. A data de pregação original deste sermão foi em 28 de julho de 2002, na Capitol Hill Baptist Church, em Washington, D. C.
2. Citado em A. G. Gardiner, Pillars of Society (Londres: J. M. Dent & Sons, 1916), p. 48.
3. Robert Robinson, "Come, Thou Fount of Every Blessing", 1758; Hino 132, Cantor Cristão, Rio de Janeiro: Casa Publicadora Batista, 1995, 8ª edição.
4. A "política" da igreja refere-se à estrutura de autoridade e às regras para tomar decisões.
5. The Barna Update, 9 de julho de 2001 (online no site www.barna.org).
6. Talvez você queira ler meu livro Nine Marks of a Healthy Church (Wheaton, Ill.: Crossway, 2004), ou o livro de Paul Alexander, The Deliberate Church (Wheaton, Ill.: Crossway, 2005), ou Polity: Biblical Arguments on How To Conduct Church Life (Washington, D. C.: 9Marks, 2000), livro editado por mim e com o qual contribui, para uma visão prática da vida da igreja.
7. "Hail to the Lord's Anointed", palavras de James Montgomery, 1821.
8. "Before the Throne of God Above", letra de Charitie Lees Brancroft, 1863.
9. John Bunyan, The Pilgrim's Progress (1678; reimp., Chicago: John C. Winston, 1930), pp. 329,330.
10. Veja o Diagnostic and Statistical Manual of Mental Disorders da Associação Americana de Psicanálise, 4ª. Ed. (Washington, D. C.: APA, 2000), p. 717.

A MENSAGEM DE 2 SAMUEL: ARREPENDIMENTO

PODER: UM EQUILÍBRIO DELICADO

INTRODUÇÃO A 2 SAMUEL

DAVI RECEBE A BÊNÇÃO DE DEUS

DAVI PECA
Censo do Povo
Adultério e Assassinato
Conseqüências

DAVI SE ARREPENDE
Repreensão
Confissão
Arrependimento
Responsabilização pelas Conseqüências do Pecado
Perdão

CONCLUSÃO

CAPÍTULO 10

A Mensagem de 2 Samuel:
Arrependimento

Poder: Um Equilíbrio Delicado[1]

Nos últimos anos, tive a oportunidade de ler livros sobre a revolução americana. Às vezes, esses livros enfatizam, vez após vez, que a revolução não foi importante apenas porque os colonizadores foram bem-sucedidos em rejeitar o governo britânico pelo poder militar. Muito mais importante e defensável foi a tentativa deles de construir um novo tipo de governo que fosse mais responsável por muito mais cidadãos da nação do que jamais foi o caso na história, pelo menos em um país desse tamanho.

Em 11 de setembro de 2001, os Estados Unidos vivenciaram uma trágica perda de vidas. Naquele dia, aconteceu algo que foi além da perda de vidas e de prédios que caíram. Perdeu-se também a certeza inabalável de que os Estados Unidos eram invencíveis; de que o amanhã é nosso; de que o futuro significa progresso; e de que progresso significa Estados Unidos. Jamais, desde a guerra de 1812, os símbolos da nossa nação foram destruídos por poderes estrangeiros em nossa própria terra e nunca tivemos tal perda de vidas. Esse evento trágico trouxe a esse país algo que estava esquecido havia mais de cem anos — o sentimento de nossa fragilidade nacional e a compreensão de que a nação dos Estados Unidos não é inexpugnável.

Ironicamente, esse sentimento era comum entre os fundadores da nossa nação. Eles se referiam ao novo governo constitucional que legaram como um "experimento". E eles queriam dizer isso. Talvez você tenha presumido alegremente que, exceto por uns poucos terroristas ferozes, ninguém mais questionou seriamente a continuidade da existência dos Estados Unidos. Todavia, se você ler as cartas dos fundadores que estavam vivos no início do século XIX, verá que quase todos eles se tornaram pessimistas em relação à perspectiva do experimento deles. Na verdade, pareciam bastante certos de que o governo norte-americano fracassaria. Benjamin Franklin, o delegado mais velho da Convenção Constitucional, foi a um banquete de celebração do término da convenção. Uma senhora importante da Filadélfia perguntou-lhe: "Oh! Sr. Franklin, a que os senhores chegaram após essas muitas semanas de segredo por trás dessas grossas portas?" Dizem que Franklin ajustou os óculos e, a seguir, deu sua famosa resposta: "A uma república, madame. Se a senhora puder guardar esse segredo".[2] Franklin e os outros entendiam a dificuldade do que tentavam realizar: a criação de um governo federal suficientemente poderoso, mas poderoso na medida exata para poder proteger os direitos de cada um dos estados e as liberdades individuais. Garantir tanto poder ao governo deixou muitas pessoas nervosas, pois, havia pouco, eles se rebelaram contra um governo central forte. Contudo, a força desse novo tipo de governo central, pelo menos para muitos dos cidadãos, destinava-se a servir à liberdade. A história dos Estados Unidos foi muito marcada pela dificuldade em atingir o equilíbrio certo entre autoridade governamental e liberdade.

Sempre se reconheceu que o poder é uma coisa perigosa. Todavia, a autoridade é necessária em nossa vida. Isso é verdade em nossa casa e no trabalho, em nossas cidades e em nossas igrejas. Poder — a capacidade de executar sua vontade — é necessário. Mas o que dizer de quando se usa o poder da forma errada? Ou para se alcançar fins errados? O que acontece nesse caso? E quando você usa o poder de forma errada — quando você peca?

INTRODUÇÃO A 2 SAMUEL

Neste sermão, queremos examinar todo o livro de 2 Samuel, um livro que relata uma das histórias de vida mais bem conhecidas, mais amadas e mais vívidas de toda a Bíblia: a vida de Davi, um homem bastante familiarizado com o poder e a autoridade, como também com as limitações e as tentações inerentes a eles.

A história de Davi fornece a peça central de 1 e 2 Samuel e de 1 e 2 Reis. Não sabemos a época em que esses quatro livros foram escritos, mas é provável que isso tenha ocorrido quando Israel estava no exílio, na Babilônia. Vistos em conjunto, a tese dos quatro livros é irônica: a nação que Josué levou a Canaã foi chamada para ser a testemunha especial de Deus para outras nações; mas ela se rebelou e tornou-se uma imitação das nações que tirou da terra. Assim, para os primeiros leitores desses livros, esses eram um chamado ao arrependimento. Eles apresentam a história do povo de Deus o rejeitando e sugerem que essa história é um chamado para que rejeitem sua rejeição. Voltem-se para o Senhor! Arrependam-se!

Embora isso possa surpreendê-lo, adivinhe quem foi o primeiro exemplo de arrependimento piedoso na história de Israel? A resposta é Davi, que provavelmente, foi o melhor rei que Israel já teve. O líder mais culto. O rei mais conhecido por ser justo. E o homem que adorava de maneira mais intensa. Em 2 Samuel, Davi torna-se o retrato mais claro do que significa arrepender-se do pecado.

Ele representa o auge da monarquia de Israel. Primeiro Samuel, que examinamos em nosso último estudo, conta a primeira metade da vida de Davi. O primeiro livro cobre a infância dele e o princípio de sua notoriedade com a unção de Samuel e o fim de Saul. O segundo livro de Samuel, objeto deste estudo, cobre o restante da vida de Davi. Se você ainda não leu esse livro, encorajo-o a fazê-lo esta semana. A leitura leva cerca de uma hora e quinze minutos. Com certeza, esse livro é bem melhor do que aquilo que você assistiria na televisão. Leia-o em voz alta para sua família ou para um grupo de amigos. É uma história maravilhosa da graça de Deus na vida de Davi.

Bem, por tratar-se de um sermão panorâmico, nós folhearemos o texto. Nesta série de sermões, estamos examinando os livros históricos do Antigo Testamento, de Josué a Ester. Em Josué e em Juízes, vimos como, originariamente, Deus levou seu povo à Terra Prometida e como o povo trouxe vários séculos de tempos tumultuosos sobre si mesmos. A seguir, em I Samuel vimos o estabelecimento da monarquia. Em nossos estudos subseqüentes, quando nos voltarmos para I e 2 Reis, I e 2 Crônicas, Esdras, Neemias e Ester, veremos Israel cair das alturas de suas experiências com Davi e seu filho Salomão para chegar até as profundezas do exílio e depois, de alguma forma, voltar a ser restaurado. Nessa série, os livros cobrem um período de cerca de setecentos anos. Em 2 Samuel, como já disse, vemos a nação de Israel em seu auge, no reinado de Davi.

A estrutura do livro é bastante simples: os dez primeiros capítulos (1—10) apresentam as coisas boas, e os dez seguintes (11—20), as ruins. E os quatro últimos capítulos são um pouco heterogêneos. No capítulo 21, Davi resolve um pecado antigo, do reinado de Saul, e suas implicações. No capítulo 22, entoa um salmo de louvor a Deus (que também aparece no Salmo 18). O capítulo 23 apresenta as últimas palavras de Davi, e o capítulo 24 relata uma última história do pecado cometido por Davi ao fazer o censo das tropas. Com honestidade, o capítulo 24 pode parecer como algo do tipo: "Oh, sim, e queremos incluir essa história do reinado de Davi". Aí está — 2 Samuel.

Neste estudo, veremos a história de Davi em três partes: primeiro, na primeira metade do livro, examinaremos a bênção de Deus e a virtude de Davi. Segundo, na metade posterior do livro, voltar-nos-emos para o pecado de Davi. Terceiro, examinaremos o arrependimento de Davi.

Espero que o exame desse livro o ajude a entender o que fazer com o poder e as oportunidades que Deus lhe dá, como também o que fazer quando você cai e peca. Com isso em mente, voltemo-nos para Davi. Compare a vida dele com a sua e veja o que acha.

Davi Recebe a Bênção de Deus

Primeiro, Davi recebe a bênção de Deus. Para entender isso, vejamos algumas das últimas palavras de Davi:

> *Disse o Deus de Israel,*
> *a Rocha de Israel a mim me falou:*
> *Haverá um justo que domine sobre os homens,*
> *que domine no temor de Deus.*
> *E será como a luz da manhã,*
> *quando sai o sol, da manhã sem nuvens,*
> *quando, pelo seu resplendor e pela chuva,*
> *a erva brota da terra.*
> (2 Sm 23.3,4)

É uma bela imagem, não é mesmo? Apenas uma breve descrição. Imagine a voz de um homem velho falando essas palavras depois de reinar por quarenta anos. Essa foi a última profecia que o rei-profeta Davi recebeu do Senhor. Ele, no caminho para o fim de seu reinado, fornece uma imagem incrível de governo — isto é, governo "justo" e "no temor de Deus". Como Davi caracteriza esse tipo de governante? Com duas imagens notáveis. Esse tipo de governante *é a luz da manhã quando sai o sol, da manhã sem nuvens*, como também é esta imagem: *quando pelo seu resplendor e pela chuva, a erva brota da terra.*

Pense nessas duas imagens. Primeiro, esse governante é como a luz da manhã quando sai o sol da manhã sem nuvens. Você consegue imaginar isso? A própria vida nos atrai. Somos feitos para ser atraídos por ela. Mas, aqui, Davi não nos atrai apenas para a luz, mas para a luz da manhã. A luz quente da tarde e a luz adocicada das noites de verão também são prazerosas. Todavia, há algo único na luz da manhã. Todos nós sabemos isso. Ela parece particularmente clara e direta, ou se parece com o período depois do descanso renovador. De alguma forma, ela acaba com qualquer resquício de sonolência e, por isso, tranqüiliza-nos e dá ânimo e esperança para outro dia. Afinal, não é apenas a luz da manhã, mas a primeira e mais fresca luz matinal — a luz da manhã de quando nasce o sol, e o nascer do sol em uma manhã sem nuvens! Você consegue visualizar um nascer de sol desse tipo em sua mente? Pare um momento e encontre um em sua memória...

É exatamente esse tipo de luz que esse rei, em seu leito de morte, diz que se parece com a autoridade bem usada. A palpitação, o frescor, o sentimento de admiração que você sente nessa imagem é o mesmo que fica quando governamos com justiça e no temor a Deus.

Isso é verdade, não é mesmo? Como é *maravilhoso* observar esse tipo de liderança! Semelhante à de Deus!

Amigo, você já pensou no testemunho poderoso que pode dar ao exercitar bem a autoridade? Se você é pai, compreende a chance de usar a autoridade para mostrar a seus filhos como Deus é pela forma como usa sua autoridade? Você pode ensinar-lhes que na verdade, podemos confiar na autoridade —, em especial, na autoridade de Deus, e que Ele a usa para o nosso bem! Os maridos no lar, os amigos no trabalho, os pastores e os presbíteros nas igrejas, aqueles que têm posição de autoridade política — vocês percebem a oportunidade que têm de testemunhar por Deus? Quando você governa os homens com justiça, quando governa no temor a Deus, é como a luz do nascer do sol em uma manhã sem nuvens! Meus amigos políticos, Deus os estabeleceu em uma posição em que por suas vidas e pela forma como executam as responsabilidades que Ele lhes deu, vocês mostram de forma poderosa o caráter de Deus a todos que conseguem enxergar! Louvemos ao Senhor pelo privilégio que todos nós temos quando exercemos qualquer tipo de autoridade que nos tenha sido confiada.

Depois, Davi usa uma segunda imagem: esse tipo de governante é como o resplendor após a chuva que faz brotar a erva da terra. Você sabe o que ele quer dizer? Isso é uma outra imagem de um "resplendor" maravilhosamente atraente. Nós gostamos de resplendor. Por isso, falamos de forma positiva quando observamos que alguém "faz resplandecer uma sala". Então, ele intensifica esse resplendor com o realce — é o resplendor de depois da chuva. A seguir, ele acrescenta mais uma descrição: é pelo resplendor de depois da chuva que "a erva brota da terra". Essa última frase é que, na verdade, distingue a segunda imagem da primeira. Como se diz, a câmera gira do céu para o chão. Não olhamos mais o esplendor das coisas em si mesmas, olhamos seu brilho nos brotos verdes que rebentam por causa do resplendor de depois da chuva. Em outras palavras, o bom governante produz o bem nos outros. Ele é benéfico. Ele dá frutos.

Assim, o homem que governa com justiça e no temor a Deus é esplêndido em si mesmo e é benéfico, benévolo, uma bênção para as pessoas sobre quem governa.

Lembro-me de quando me hospedei em um hotel em São Petesburgo, Rússia, no mesmo quarto que nosso guia turístico, Sasha. A certa altura, nós dois líamos quietos, quando ele me olhou, interrompeu o silêncio e perguntou: "Ouvi dizer que as pessoas têm o governo que merecem. Você acha que isso é verdade?" Bem, seguiu-se uma longa conversa, mas aqui, em 2 Samuel, fica muito claro que Israel recebeu um governante melhor do que merecia. Em toda essa série sobre as histórias do Antigo Testamento, temos visto que, na melhor das hipóteses, o povo de Israel relutava em obedecer a Deus. A idolatria e a injustiça eram comuns entre eles. Com freqüência, eles zombavam da Lei e das regras de Deus. Contudo, o Senhor lhes deu um bom governante em Davi.

Os capítulos 1 a 10 apresentam as vitórias militares de Davi, e o exercício imparcial que fez da justiça entre o povo. E nesses capítulos, descobrimos que o governo de Davi, como a imagem do bom líder que ele formulou registrada no capítulo 23, foi esplêndido e benéfico de muitas formas. Mesmo os 3 mil anos que nos separam dele não obscurecem totalmente a grandiosidade de suas vitórias ou a notável justiça de algumas de suas decisões.

Claro que não temos tempo para observar tudo na primeira metade do livro; portanto, deixe-me levá-lo rapidamente pelo livro. Talvez você se lembre de que 1 Samuel terminou com Israel derrotado pelos filisteus e também com a morte do rei Saul e de seu filho Jônatas. O capítulo 1 de 2 Samuel inicia-se com Davi tomando conhecimento desses fatos. Ele não fica alegre com a queda de Saul, como talvez pudéssemos esperar que acontecesse. Afinal, Saul perseguira-o e ficara em seu caminho para o trono. Não, na verdade, Davi executou o amalequita que matou Saul e, a seguir, liderou o povo israelita no pesar pela morte de Saul e de Jônatas.

O capítulo 2 relata como um dos filhos de Saul foi ungido rei e, depois, descreve a disputa resultante disso entre a casa de Saul e os seguidores de Davi.

O capítulo 3 conta a história da notável deserção de um líder da casa de Saul. A seguir, um dos homens de Davi mata esse líder por motivos pessoais.

O capítulo 4 apresenta o trágico fim da casa de Saul e, como conseqüência, o fim de sua resistência ao governo de Davi.

O capítulo 5 registra duas vitórias importantes de Davi: a primeira sobre os jebuseus, a qual lhe deu Jerusalém (por isso chamada de cidade de Davi); e a segunda sobre os filisteus, velhos inimigos de Israel. Dessa forma, consolida-se o poder de Davi, e ele consegue proteger a nação de ataques externos.

O capítulo 6 mostra Davi trazendo a arca da aliança para Jerusalém.

O capítulo 7 registra a grande promessa de Deus para Davi de estabelecer sua linhagem real para sempre.

O capítulo 8 parece ser o apogeu da grandiosidade de Davi com o relato de suas vitórias consecutivas contra os filisteus, os moabitas, os edomitas e outros. Todos são derrotados e sujeitados às leis de Israel.

O capítulo 9 descreve a bondade de Davi com um neto de Saul e filho de Jônatas — Mefibosete.

O capítulo 10 relata a derrota que Davi infligiu aos arameus e aos amonitas.

Todas essas passagens apresentam Davi como um grande governante: ele governa com justiça e "no temor de Deus" e, por isso, "[é] como a luz da manhã, quando sai o sol, da manhã sem nuvens, quando, pelo seu resplendor e pela chuva, a erva brota da terra". Observamos seu esplendor nas vitórias sobre: a casa de Saul (caps. 2—5), os jebuseus (5.6,7), os filisteus (5.20-25), os arameus e os amonitas (cap. 10). E vemos sua beneficência quando abençoa seu povo com bondade, com benignidade e com justiça. Ele faz justiça contra o matador de Saul (cap. 1), embora este tenha tentado matá-lo. Fez o mesmo contra os assassinos do filho de Saul, apesar de ele ter tentado ser rival de Davi como rei de Israel (cap. 4). Ele iniciou o luto público após a morte de Abner, líder militar de Saul (3.31-37). Ele abençoou o povo em nome do Senhor quando trouxe a arca para Jerusalém (6.17,18). No capítulo 9, demonstrou bondade com Mefibosete, descendente de Saul, bem como, no início do capítulo 10, com a família de um rei estrangeiro. No capítulo 21, ele até resolveu as conseqüências de um pecado anterior, da época de Saul. E buscava a orientação do Senhor com regularidade a fim de conhecer e fazer a vontade dEle (2.1; 5.19,23; 21.1). Davi governou com justiça e no temor de Deus. Ele foi um bom governante.

O capítulo 8 tem dois versículos que resumem bem essa primeira metade de 2 Samuel ao apresentar declarações concisas a respeito das vitórias e da bondade de Davi. O versículo 6 declara em relação a essas vitórias: "O Senhor guardou a Davi por onde quer que ia" (cf. v. 14). O versículo 15 afirma sobre sua bondade: "Reinou, pois, Davi sobre todo o Israel; e Davi julgava e fazia justiça a todo o seu povo". Davi foi o maior rei de Israel. Ele liderou-os em mais vitórias militares, em controle político e em adoração mais intensa ao Senhor que qualquer outro governante que tiveram ou teriam. Por que ele foi um bom rei? Porque Deus o abençoou. Porque Deus escolheu esse pastor e usou-o.

Do ponto de vista do homem, Davi foi um bom rei porque percebeu que não era a autoridade máxima. Conforme o registro bíblico, foi mais devoto do que qualquer outro rei de Israel. Ele percebeu que seu poder era secundário, tinha limites. De novo, Davi reinou com justiça e no temor de Deus.

O que significa governar no temor de Deus? Significa que você, como governante, não esquece que prestará contas a Deus da forma como tratou os mais fracos ou os que dependiam de você. Além disso, usar qualquer autoridade que Deus lhe deu para governar ou liderar da forma que Ele aprova. Como bem percebe, o uso cuidadoso que você faz da autoridade reflete o caráter e a autoridade do Senhor. Portanto, sua autoridade não pode ser nada menos que esplêndida! Gloriosa! Resplandecente! E uma bênção para todos a sua volta! Quando lidera bem no trabalho, em casa, no governo, na escola, entre os amigos ou na igreja, você abençoa todos que estão sob os seus cuidados.

Pergunto-me que bênçãos você recebeu de Deus ou das pessoas que têm autoridade sobre você. Nos últimos tempos, você pensou nessas bênçãos? Entre os prazos e as incertezas de trabalho, seus problemas de saúde e suas dificuldades familiares, você tirou um tempo para pensar nas coisas boas que Deus tem lhe dado? Reserve um momento e tente pensar em algumas bênçãos especiais que Deus lhe deu nos últimos meses. Diga-me, apenas essas bênçãos já não são motivo suficiente para você louvar e agradecer a Deus?

Estamos nas mãos de Deus, e estas são mãos boas para se estar! Seus talentos são dons, e seus dons são bênçãos dadas por Deus. Cristão, oro para que o Senhor o liberte de qualquer orgulho que tenha por causa de seus dons. O Senhor nos concede dons a fim de que os usemos para servir aos outros, para cuidar de nossa família, para edificar a igreja, para abençoar nossa cidade. Eles nunca devem ser vistos como ornamentos que têm a finalidade de chamar a atenção para nós mesmos. Eles não são para exibição, mas para o trabalho. Por conseguinte, use seus dons com o propósito de trazer glória para Deus, use a si mesmo para o bem do Senhor. Isso significa que devemos orar para que o Senhor cultive em nós uma atitude de humildade e de gratidão por cada coisa boa que Ele confia ao nosso cuidado.

Sem dúvida, nossa igreja tem experimentado a bondade de Deus. Eu poderia apresentar uma lista tão longa quanto meu braço de coisas que caminham bem. Isso acontece por que a congregação é excelente? Não, esse não é o motivo. A congregação está cheia de pecadores. A igreja tem recebido a bondade do Senhor por que eu sou magnífico? Não, sou apenas mais um pecador. Nossa igreja vai bem por que Deus é magnífico? Não, apenas porque Ele deseja glorificar a si mesmo em um grupo de pessoas como você e eu. E Ele sabe que, se usar pessoas como você e eu, conseguirá mais glória do que se usar algumas outras pessoas. Mais uma vez, as bênçãos que recebemos não são motivo para nos sentirmos orgulhosos. São coisas que devemos observar, ponderar e pelas quais devemos agradecer a Deus, pois permitem que vejamos sua bondade. *Ao contrário do que esperaríamos, tomar nossos dons por certo encoraja o orgulho em nós, mas fazer uma pausa e enumerá-los faz com que nosso coração seja agradecido ao Senhor e sinta-se humilde diante dEle.*

O Senhor abençoou a você e a mim, e, sem dúvida, Ele nos tem abençoado como abençoou Davi.

Davi Peca

Fica claro que Davi, embora tenha sido abençoado, está longe de ser um governante perfeito. E isso nos leva ao segundo aspecto da vida de Davi que devemos observar: Davi peca.

Bem, se você for um estudante de Bíblia e estiver bem avançado em seus estudos, talvez se pergunte por que Davi fala de sua própria justiça se está longe de ser um homem perfeito? Afinal, no capítulo 22, ele declara: "Porém fui sincero perante ele e guardei-me da minha iniqüidade" (22.24; cf. Sl 18.20-24). E, em Salmos, vemos isso vez após vez. Por exemplo, o Salmo 26 afirma: "Mas eu ando na minha sinceridade; livra-me e tem piedade de mim" (Sl 26.11).

Observe a primeira frase: "Mas eu ando na minha sinceridade". Essa declaração significa que Davi pensava que não havia qualquer pecado em toda sua vida? Acho que não. Os outros conheciam os pecados de Davi, e ele também reconhece seus pecados. No Salmo 51, Davi faz uma das mais comoventes confissões de pecado de toda a Bíblia. Na verdade, no Salmo 26, logo depois da declaração: "Mas eu ando na minha sinceridade", ele pede: "Livra-me e tem piedade de mim". Quem precisa de livramento? Quem precisa de misericórdia? Não alguém que tenha uma vida totalmente sem pecado. Davi sabia que não era sem pecado. Acredito que ele não quis dizer que era inocente de qualquer acusação, mas que agiu com sinceridade (conforme tradução da ARC), andou pelos caminhos de Deus e fez o que era certo; e ele fez essas coisas na forma como tratou Saul e sua família, embora Saul fosse um oponente implacável dele. Davi foi bom, justo e complacente com Saul. Foi correto em relação ao assunto presente, não em termos de tudo em toda a sua vida.

Claramente, Davi não foi justo em todos os atos de toda a sua vida. Como ele confessou, precisava da libertação e da misericórdia de Deus.

Censo do Povo

No final do livro, Davi ordena um censo — contagem do povo. Ele ordena a Joabe, chefe do exército: "Agora, rodeia por todas as tribos de Israel, desde Dã até Berseba, e numera o povo, para que eu saiba o número do povo" (24.2). Por que ele fez o censo? Aparentemente, para seu próprio conhecimento. Todavia, Joabe compreendeu que era uma ordem péssima: "Mas por que deseja o rei, meu senhor, este negócio?" (24.3b) Bem, nós vemos a ordem de Davi e pensamos que ele queria apenas um pequeno trabalho de censo. Dizemos que não há nada de errado nisso. Se houvesse, algumas pessoas da nossa igreja teriam de deixar o emprego! Mesmo que a história não nos contasse o que havia de errado na ordem de Davi, fica claro e óbvio que para as pessoas que rodeavam Davi havia alguma coisa errada nessa ordem. Será que era o orgulho de Davi, como se dissesse: "Vejam como sou poderoso, eis a prova"? Será que esse era o tipo de confiança em si mesmo, como a do homem rico que conta constantemente o dinheiro para ter certeza de que está seguro? Nesse sentido, seria até uma declaração de independência de Deus, como se ele dissesse: "Não preciso perguntar ao Senhor; tudo que tenho a fazer é contar o povo e verificar até onde posso estender meu poder"? Nós não sabemos, e a história não revela isso. Fosse o que fosse, era uma coisa ruim, e as pessoas sabiam que era ruim.

Adultério e Assassinato

Mas além desse episódio do capítulo 24, os capítulos 11—20 deixam dolorosamente cl0go está errado, e sabemos que o pecado é enganador; mas não conseguimos ver nosso futuro com tanta precisão, então mergulhamos nesse pecado flagrantemente. Por isso, temos a Palavra de Deus. Você pode voltar a ela, pode lê-la e saber isso; você pode guardá-la em seu coração, ver o que Deus faz, e como as pessoas pecam.

O capítulo 11 relata essa trágica história, bem conhecida, do pecado de Davi contra o Senhor por cobiçar a bela Bate-Seba, procurá-la e dormir com ela e, depois, fazer com que o marido dela fosse morto de forma sub-reptícia em batalha a fim de casar-se com ela quando ficou grávida.

Em resposta aos pecados de Davi, o Senhor diz-lhe, por intermédio do profeta Natã: "Desprezaste a palavra do Senhor" (12.9). Davi quebrou a Lei de Deus ao tomar sua decisão pecaminosa. Ele desprezou a autoridade do Senhor. Traiu o preceito do Senhor. E quando você despreza as palavras que saem da boca do Senhor, as palavras que expressam o caráter dEle, você despreza a pessoa dEle, despreza a Ele. No versículo seguinte, além de apontar as conseqüências dos pecados de Davi, Deus diz exatamente isto: "Agora, pois, não se apartará a espada jamais da tua casa, porquanto *me desprezaste* e tomaste a mulher de Urias, o heteu, para que te seja por mulher" (12.10; grifo do autor). Sem dúvida, Davi pecara contra Bate-Seba e contra Urias. Contudo, ao fazer isso, desprezou a Deus.

Amigo, quero que você observe esse último ponto. Talvez você ache que a conseqüência mais séria de seu pecado seja ferir outra pessoa — um colega, a esposa, um filho, um amigo, um de seus pais, ou uma pessoa a quem você caluniou. Bem, isso não é bem verdade. A ferida contra outra pessoa é real e séria, mas não é a ferida mais importante que acontece com seu pecado. Ou talvez, em seu narcisismo, você ache que a ferida mais importante que causou com seu pecado seja em si mesmo. Você lamenta o fato de seu pecado impedir ou atrapalhar seu desenvolvimento pessoal. Mas não, essa também não é a pior conseqüência do pecado. O mais importante em relação ao pecado é que você, quando o comete, despreza ao Senhor.

Não se engane com a natureza pessoal do pecado. O pecado é uma afronta pessoal às pessoas afetadas, direta ou indiretamente, por ele. E ele é a afronta pessoal, a mais completa e total, contra o Deus que o criou e tem mais direitos sobre você que qualquer outra pessoa — pais, esposa, empregador, amigos, ou você mesmo. Em essência, Ele é a pessoa que você ofende quando peca.

Conseqüências

Pelo restante do livro, a espada não se afasta da família de Davi. No capítulo 12, o filho de Davi e Bate-Seba nasce e morre logo depois.

No capítulo 13, Amnom, filho mais velho de Davi, repete o pecado do pai, mas com uma diferença: a mulher que Amnom força ilicitamente é sua meia-irmã, Tamar. Ele estuprou-a, e Davi não fez nada em relação a isso; porém, Absalão, outro filho de Davi, irmão de Tamar por parte de pai e mãe, esperou dois anos e, depois, agiu. Provavelmente, Absalão, perturbado pela frustração da injustiça passiva do pai, aproveitou a brecha. Traiçoeiramente, ele matou Amnom e fugiu de Jerusalém. Mais uma vez, Davi não fez nada — a não ser externar sua dor pela morte do filho.

No capítulo 14, persuadem Davi a trazer Absalão de volta para Jerusalém depois de três anos de exílio. Ele reivindica o trono, e Davi, ainda passivo, abandona Jerusalém!

No capítulo 16, Davi viaja para o leste com seus seguidores, enquanto Absalão consolida seu poder em Jerusalém.

No capítulo 17, Absalão persegue Davi, mas foi aí que exagerou. Afinal, o pai era um homem de guerra experiente.

No capítulo 18, Joabe e seus escudeiros capturam e matam Absalão, embora Davi tivesse recomendado que tratassem seu filho "brandamente" (18.5). Davi reagiu com dor sincera: "Meu filho Absalão, meu filho, meu filho Absalão! Quem me dera que eu morrera por ti, Absalão, meu filho, meu filho!" (18.33)

No capítulo 19, Davi retorna a Jerusalém. Contudo, seu retorno levanta discórdia entre os homens de Judá e os de Israel (as tribos do Norte) em relação ao retorno do rei.

No capítulo 20, um homem chamado Seba lidera as tribos do Norte em uma rebelião contra Davi. Essa rebelião termina quando as forças de Joabe cercam a cidade em que Seba se refugiara, e os cidadãos, a fim de evitar a destruição da cidade, "cortaram a cabeça de Seba, filho de Bicri, e a lançaram a Joabe" (20.22a).

Eis o que parece ser a conclusão terrena que conhecemos das conseqüências dos pecados de Davi. O povo lançou a cabeça do líder da rebelião contra Davi quando este voltou do exílio; exílio esse provocado por uma rebelião anterior que se seguiu à falha em fazer justiça a um assassinato; assassinato esse que ocorreu em conseqüência de um estupro, que se seguiu a um primeiro assassinato, que foi resultado de um caso romântico, após um simples olhar, mas cheio de luxúria. Agora, Joabe "tocou este a buzina, e se retiraram da cidade, cada um para as suas tendas. E Joabe voltou a Jerusalém, ao rei" (20.22b). Então, cai a cortina da saga dos pecados de Davi e suas conseqüências sobre sua vida, sua família e sua nação — pelo menos, as conseqüências ocorridas durante sua vida.

Davi cometeu pecados pesados de omissão: aqueles tipos de pecados que, com freqüência, fogem à nossa observação porque são passivos; no caso de Davi, esses pecados incluíam indiferença, injustiça e egoísmo.

E Davi cometeu os pecados claros de comissão: pecados mais fáceis de reconhecer, porque são cometidos de forma ativa. No caso de Davi, eles incluíam orgulho, adultério e assassinato.

Todavia, todos os pecados de Davi eram visíveis para Deus. Ele cobiçou a esposa do próximo. Roubou a esposa do próximo ao cometer adultério. Enganou o próximo e matou-o e, assim, trouxe vergonha para sua própria casa. Em tudo isso, Davi desapontou ao Senhor e desprezou sua Palavra. Davi, esse rei-poeta segundo o coração de Deus, está realmente entre os maiores pecadores da Bíblia. Você já havia pensado nisso? Davi recebeu todas as bênçãos do Senhor e, depois, desprezou ao Senhor ao rejeitar seus preceitos!

Se você não for cristão, quero que dê uma atenção especial a duas coisas em relação aos pecados de Davi. Primeiro, veja o próprio relato realista que a Bíblia apresenta. O relato bíblico apresenta os personagens que são as estrelas ou protagonistas da história, as pessoas por quem você deveria torcer, como realmente eram. A descrição deles não é retocada nem perfeita, pois são pessoas cheias de pecados e de defeitos. A Bíblia é verdadeira. A historicidade, a veracidade e a exatidão da Bíblia refletem-se na honestidade com que retrata as falhas de seus personagens principais. Segundo, a vida de Davi é um bom exemplo a ser considerado. A religiosidade exterior não anula o pecado interior. Você não apaga um assassinato lendo muito a Bíblia, não consegue dar dinheiro bastante para a igreja a fim de ultrapassar o peso do adultério ou do roubo; o seu envolvimento na igreja não é suficiente para que seu pecado permaneça escondido da visão e do veredicto de Deus.

Deixe-me fazer um apelo a quem tem algum poder: seja cuidadoso com ele. O poder corrompe não apenas nas histórias de ficção, como os donos do anel no livro O Senhor dos Anéis, de J. R. R. Tolkien. O poder corrompe hoje da mesma forma que o fez ao longo da história. Das monarquias absolutas de ontem aos governos e governantes corruptos de hoje, o poder dá à corrupção que temos na alma a oportunidade para se exercitar e se fortalecer. Tenha muito cuidado com o poder. Um antigo provérbio grego diz que o oposto de um amigo não é o inimigo, mas o bajulador (cf. Pv 27.6). Tenha cuidado para não se tornar incorrigível — incapaz de se emendar. Você quer ser tão inflexível, tão firme, tão imutável apenas quando for aperfeiçoado no céu, nem um momento antes disso. Nesse meio tempo, você deve almejar a capacidade de se corrigir e de ser instruído com humildade. De todos os filhos de Adão, apenas Cristo é perfeito.

Meu irmão ou irmã em Cristo, preste atenção! Certifique-se para que as virtudes que vê em si mesmo não lhe dêem liberdade para esconder vícios. Não abuse de sua autoridade sendo indulgente quer com pecados de comissão (coisas que você faz), quer com os de omissão (coisas que deveria fazer e não faz).

Tenha sempre em mente a onisciência de Deus. Um dia, você prestará contas àquEle que sabe todas as coisas, e não há recurso nem apelação no tribunal de justiça dEle.

E oremos para que nós, como Igreja, dependamos dos ensinamentos da Palavra do Senhor. Oremos para que desenvolvamos uma cultura caracterizada pelo discipulado. Oremos para que o Senhor nos proteja do pecado e desenvolva em nós uma santidade cativante. Oremos também pela religiosidade da minha vida como pastor de vocês. Orem especificamente para que Deus me guarde do pecado.

Podemos aprender muito com o exame dos pecados de Davi, mas temos de seguir adiante.

DAVI SE ARREPENDE

Davi, como todos nós, recebeu bênçãos de Deus. Como todos nós, cometeu pecados sérios. E seria triste se isso fosse toda a história. No entanto, a vida de Davi apresenta um terceiro componente que faz toda a diferença: ele se arrepende. Nesse sentido, ele não é como todos nós.

Todos nós fomos abençoados, e todos pecamos. Digo essas duas coisas sem medo de me contradizer. Mas não acho que todos nós nos arrependemos. Se você não for cristão ou for um novo convertido razoável, quero me certificar de que entenda que o Novo Testamento esclarece muito mais toda a questão da redenção que o Antigo Testamento. Este estabelece padrões e apresenta as promessas; ele narra as ações de Deus e conta-nos sobre Ele. Contudo, o Novo Testamento realiza tudo isso em Jesus Cristo.

Dito isso, provavelmente, a vida de Davi é a vida registrada de forma mais completa na Bíblia, com exceção da vida de Jesus Cristo. Abraão, Moisés, Salomão — filho de Davi — e Paulo também são personagens importantes. Contudo, Davi nos fornece todas as viradas e reviravoltas que o tornam esse personagem tão imensamente empático, como Pedro, no Novo Testamento. Davi nos dá esperança porque, no fim, pela graça de Deus, suas fraquezas e defeitos não o destroem. Por isso, temos esperança ao ler sobre ele.

Em meio a essa terrível segunda metade do livro, o relato dos pecados de Davi é pontuado por alguns dos mais claros exemplos da Bíblia de um indivíduo em luta contra seus pecados. Não temos o quadro geral com qualquer dos incidentes isolados, mas, juntando-os todos, conseguimos um quadro composto bastante completo. De acordo com 2 Samuel, encontramos, pelo menos, cinco passos para lidar com o pecado na vida de Davi. Talvez você encontre mais passos em sua leitura do livro, mas, agora, observemos juntos esses cinco passos:

1. Repreensão

Primeiro, há uma repreensão. O capítulo 12 apresenta a repreensão mais famosa que Davi recebe de Natã, depois de cometer adultério com Bate-Seba e de matar Urias. É uma história comovente, minha esposa e eu demos o nome desse profeta ao nosso filho:

> E o Senhor enviou Natã a Davi; e, entrando ele a Davi, disse-lhe: Havia numa cidade dois homens, um rico e outro pobre. O rico tinha muitíssimas ovelhas e vacas; mas o pobre não tinha coisa nenhuma, senão uma pequena cordeira que comprara e criara; e ela havia crescido com ele e com seus filhos igualmente; do seu bocado comia, e do seu copo bebia, e dormia em seu regaço, e a tinha como filha.
> E, vindo um viajante ao homem rico, deixou este de tomar das suas ovelhas e das suas vacas para guisar para o viajante que viera a ele; e tomou a cordeira do homem pobre e a preparou para o homem que viera a ele.
> Então, o furor de Davi se acendeu em grande maneira contra aquele homem, e disse a Natã: Vive o Senhor, que digno de morte é o homem que fez isso. E pela cordeira tornará a dar o quadruplicado, porque fez tal coisa e porque não se compadeceu.
> Então, disse Natã a Davi: Tu és este homem. Assim diz o Senhor, Deus de Israel: Eu te ungi rei sobre Israel e eu te livrei das mãos de Saul; e te dei a casa de teu senhor e as mulheres de teu senhor em teu seio e também te dei a casa de Israel e de Judá; e, se isto é pouco, mais te acrescentaria tais e tais coisas. Por que, pois, desprezaste a palavra do Senhor, fazendo o mal diante de seus olhos? A Urias, o heteu, feriste à espada, e a sua mulher tomaste por tua mulher; e a ele mataste com a espada dos filhos de Amom. Agora, pois, não se apartará a espada jamais da tua casa, porquanto me desprezaste e tomaste a mulher de Urias, o heteu, para que te seja por mulher (12.1-10).

Natã falou ao seu rei de forma clara, direta e cuidadosa sobre os pecados do rei. É preciso amor e coragem para fazer isso. Amor por Davi.

Na verdade, em 2 Samuel, a pessoa que repreendeu Davi mais que qualquer outra não foi Natã, embora a história de Natã seja a mais famosa —, e sim Joabe. Em três ocasiões distintas, Joabe confronta Davi com seu pecado: em relação à recusa de Davi de perdoar e de restaurar Absalão (cap. 14); ao censo do povo (24.3); e ao pranto inadequado de Davi por seu filho Absalão. Na verdade, essa última repreensão é a mais direta e severa que encontramos. Eis a cena: o exército de Davi acabara de arriscar a vida para deter a revolta de Absalão. Eles venceram. Eles voltam para a cidade e encontram Davi, seu rei, em prantos pelo inimigo que haviam acabado de matar. Joabe fica totalmente enfurecido:

E disseram a Joabe: Eis que o rei anda chorando e lastima-se por Absalão. Então, a vitória se tornou, naquele mesmo dia, em tristeza para todo o povo; porque, naquele mesmo dia, o povo ouvira dizer: Mui triste está o rei por causa de seu filho. E, naquele mesmo dia, o povo entrou às furtadelas na cidade, como o povo de vergonha se escoa quando foge da peleja. Estava, pois, o rei com o rosto coberto; e o rei gritava a alta voz: Meu filho Absalão, Absalão, meu filho, meu filho! Então, entrou Joabe ao rei, em casa, e disse: Hoje, envergonhaste a face de todos os teus servos, que livraram hoje a tua vida, e a vida de teus filhos, e de tuas filhas, e a vida de tuas mulheres, e a vida de tuas concubinas, amando tu aos que te aborrecem e aborrecendo aos que te amam; porque, hoje, dás a entender que nada valem para contigo capitães e servos; porque entendo, hoje, que, se Absalão vivesse, e todos nós, hoje, fôssemos mortos, então, bem te parecera aos teus olhos. Levanta-te, pois, agora; sai e fala conforme o coração de teus servos; porque, pelo Senhor, te juro que, se não saíres, nem um só homem ficará contigo esta noite; e maior mal te será isso do que todo o mal que tem vindo sobre ti desde a tua mocidade até agora (19.1-7).

Isso é que é repreensão, ainda mais quando dirigida a um rei!

Amigo, muitas vezes, a repreensão é o primeiro passo para lidar com o pecado. Tem-se que acender as luzes. Você não pode lidar com um pecado que não vê, por isso, tem de cultivar bons relacionamentos agora mesmo, embora não ache que precise deles. Você quer amigos que falem de forma clara com você quando mais precisar que façam isso.

Agora, acender as luzes nem sempre envolve outras pessoas. Às vezes, o Senhor nos condena diretamente. Ele nos traz à lembrança alguma coisa que lemos nas Escrituras ou que alguém disse no passado. No capítulo 24, por exemplo, a repreensão de Joabe, no versículo 3, não faz com que Davi mude sua decisão de contar o povo. Apenas depois da contagem, o versículo 10 registra: "E o coração doeu a Davi" (24.10). O Senhor é capaz de alcançar seus filhos. Como Provérbios afirma: "Porque o Senhor repreende aquele a quem ama, [...]" (Pv 3.12).

Você se sente amado por Deus? Ele disciplina a quem ama. Não confunda a disciplina dEle com punição. Agradeça a Deus por sua disciplina, como Davi fez muitas vezes.

2. Confissão

O segundo passo para lidar com o pecado mostrado pela vida de Davi é a confissão. Davi nega seu pecado com Bate-Seba quando Natã o confronta? Ele pede que Natã prove seu pecado, fica com raiva ou mata Natã? Não, ele imediatamente se humilha e declara: "Pequei contra o Senhor" (12.13). E Davi, quando se sente condenado por contar o povo, diz: "Muito pequei no que fiz" (24.10). É fundamental para a mudança reconhecer seu pecado e descrever seus atos da mesma forma que Deus faz. Não acontece nenhuma mudança até que você "admita" o que fez. O diagnóstico bem feito é metade da cura. Assim, Davi vê seus pecados do ponto de vista de Deus e os confessa.

3. Arrependimento

Todavia, é necessário mais que palavras boas. Davi corrobora suas palavras com atos. E isso se chama arrependimento. Esse é o terceiro — e vital — aspecto da forma como lidar com o pecado. Quando Joabe confronta Davi em relação à necessidade de restaurar Absalão, Davi apenas afirma: "Eis que fiz isto" (14.21). Davi, confrontado e condenado, submete-se à pessoa que o repreendeu. Ele muda sua mente e, por isso, muda de direção. Ele se arrepende. No capítulo 19, isso acontece de novo quando Joabe confronta Davi a respeito de seu pranto inadequado em relação a Absalão. Joabe falou com Davi, e, a seguir, "o rei se levantou" (19.8). De novo, isso é arrependimento.

Às vezes, as pessoas confundem tristeza com arrependimento, mas a tristeza precede o arrependimento. Em 2 Coríntios 7.10, Paulo diz que se a tristeza leva a uma mudança de vida, então é a "tristeza segundo Deus", e esse é o início do arrependimento. Contudo, a "tristeza do mundo" é apenas tristeza. É apenas pesar calado, deteriorado. Não traz mudança nem vida. Pela graça de Deus, Davi arrepende-se de seus pecados. Ele sofre e muda!

4. Responsabilização pelas Conseqüências do Pecado

Outro passo no lidar com o pecado demonstrado por Davi é assumir a responsabilidade pelas conseqüências do pecado. Esse quarto passo mostra a sinceridade da confissão e a maturidade do arrependimento. No capítulo 24, Davi assume a responsabilidade pelas conseqüências de seus atos quando se arrepende de fazer o censo do povo. Ele ora a Deus: "Seja, pois, a tua mão contra mim e contra a casa de meu pai" (24.17; cf. 1 Cr 21.17; Jó 42.1-6). Ele sabe que o pecado é apenas seu, e seu coração avivado anseia pela punição que pertence apenas a ele.

5. Perdão

No fim, há perdão. Davi, no caso do censo do povo, uma ação que parece almejar, em especial, a Deus, pede perdão: "E o coração doeu a Davi, depois de haver numerado o povo, e disse Davi ao Senhor: Muito pequei no que fiz; porém agora, ó Senhor, peço-te que traspasses a iniqüidade do teu servo; porque tenho procedido mui loucamente" (24.10). Assim, o profeta de Deus apresenta várias opções de punições para Davi escolher, e ele escolhe a que deixa de fora qualquer intermediário humano;

ele quer a punição que vem diretamente de Deus porque, como ele diz, "muitas são as suas misericórdias" (24.14). Davi sabe que Deus não é tolerante nem negligente, mas também sabe que o Senhor não é impiedoso e desamoroso. Davi sabe que o único Deus verdadeiro é santo, amoroso e cheio de misericórdia.

Todo o relato bíblico sobre a santidade de Deus soa estranho para a nossa cultura, mas nunca se esqueça do fato de que a santidade do Senhor apenas enfatiza a misericórdia dEle. Deus é mais misericordioso que qualquer pessoa que você conheça. Você tem consciência da misericórdia e da terna bondade de Deus? O que encontramos no último versículo de 2 Samuel? "E edificou ali Davi ao Senhor um altar e ofereceu holocaustos e ofertas pacíficas. Assim, o Senhor se aplacou para com a terra [...]" (24.25). Deus perdoou a Davi.

Davi conheceu e vivenciou o perdão do Senhor. Ele aprendeu isso com Natã. O mesmo profeta que confrontou Davi a respeito de seu pecado com Bate-Seba falou-lhe sobre o perdão do Senhor: "Também o Senhor traspassou o teu pecado" (12.13b). Claro que o perdão do Senhor fundamenta-se na misericórdia dEle, não na virtude de Davi. Essa é a natureza do perdão do Senhor. Esse perdão baseia-se no caráter e na promessa dEle de ser misericordioso para com os seus. No capítulo 7, Deus, por intermédio de Natã, falou a Davi sobre Salomão:

> Eu lhe serei por pai, e ele me será por filho; e, se vier a transgredir, castigá-lo-ei com vara de homens e com açoites de filhos de homens. Mas a minha benignidade se não apartará dele, como a tirei de Saul, a quem tirei de diante de ti. Porém a tua casa e o teu reino serão firmados para sempre diante de ti; teu trono será firme para sempre (7.14-16).

Davi baseou seu pedido de perdão na promessa de amor fiel feita por Deus.

O que você está fazendo em relação ao seu pecado hoje? Sem dúvida, semana após semana, você freqüenta a igreja com algum pecado em sua mente. É provável que você seja tão pecador que compareça à igreja com o pecado de outras pessoas em sua mente — talvez pecados cometidos contra você. Claro, é muito duro vermos os nossos pecados. Eles movem-se nas sombras e escondem-se nos cantos. Contudo, estamos quase no fim deste sermão, e, talvez, o Espírito de Deus tenha usado a luz da sua Palavra para começar a expor alguns dos pecados que você ama esconder de si mesmo. Não os de alguma outra pessoa, mas os seus. Segundo Samuel ensina-nos a lidar com esses pecados.

Você tem relacionamento que permite que a pessoa o repreenda? Especialmente, você, em uma posição influente, tem por perto pessoas como Natã e Joabe que podem lhe falar a verdade? Não pense jamais que está acima desse tipo de prestação de contas. Na última semana, alguém me disse o seguinte a respeito de Washington,

D. C.: "Os cemitérios desta cidade estão cheios de pessoas indispensáveis". Talvez você sinta como se a vida fosse eterna, mas perceba que chegará o dia em que terá de prestar contas a Deus; e você quer ouvir o que o Senhor tem a dizer antes que Ele o diga nesse dia. Esteja disposto a ouvir a verdade a seu respeito hoje a fim de viver à luz dessa verdade e de estar preparado para aquele dia.

Muitas vezes, dizemos aos novos membros desta igreja que uma das coisas mais importantes é que deixem os outros conhecê-los. Depois, trabalhamos juntos para desenvolver uma cultura que cultive o perdão e a mudança. Isso significa que devemos manter o foco central na Palavra de Deus, que devemos aprender a ouvir a crítica piedosa com humildade e que devemos aprender a ser honestos com as outras pessoas. Se você não for membro de uma igreja, deixe-me, antes de tudo, implorar-lhe: torne-se um!

De acordo com a Palavra de Deus, não devemos pecar nunca. Todavia, como Davi, sempre devemos nos arrepender quando pecamos.

Conclusão

Na passagem do capítulo 7, que lemos há pouco, parece que uma promessa de Deus não se tornou uma verdade na história de Israel. Você percebeu isso? Deus disse a Davi: "Porém a tua casa e o teu reino serão firmados para sempre diante de ti; teu trono será firme para sempre" (7.16). Segundo Reis informa-nos que poucos séculos depois, em 587 a. C., Jerusalém foi saqueada e destruída. Os babilônios levaram a maior parte dos líderes em cativeiro. Os descendentes de Davi continuaram a existir, porém, não reconquistaram o trono nem mesmo quando voltaram para Jerusalém na época de Esdras e de Neemias. Então, o que aconteceu? O Senhor cumpriu a promessa que fez a Davi, contudo, provavelmente, de forma distinta da esperada por Davi.

Voltemos às últimas palavras de Davi, as palavras com que iniciamos este sermão:

> *Disse o Deus de Israel, a Rocha de Israel a mim me falou:*
>   *Haverá um justo que domine sobre os homens,*
> *que domine no temor de Deus.*
>   *E será como a luz da manhã, quando sai o sol,*
> *da manhã sem nuvens, quando, pelo seu resplendor e pela chuva,*
>   *a erva brota da terra.*
> (2 Sm 23.3,4)

Quem já governou com tanta justiça? No fim do dia, temos de admitir que Davi foi apenas o governante mais próximo possível do descrito nessa passagem.

No fim, o único reinado tão esplêndido, benevolente e benéfico é o de Deus. Apenas o de Deus.

E Davi sabia disso. Como ele canta neste belo salmo do capítulo 22:

> *O caminho de Deus é perfeito,*
> *e a palavra do Senhor, refinada;*
> *ele é o escudo de todos os que nele confiam.*
> *Porque, quem é Deus, senão o Senhor?*
> *E quem é rochedo, senão o nosso Deus?*
> (22.31,32)

À medida que estudamos o reinado de Davi nesse livro, fica óbvio que, no fim, as bênçãos de Davi nunca apontaram para ele, mas para Deus. Elas deviam engrandecer o nome de Deus! Ao voltar às bênçãos prometidas no capítulo 7, vemos que o Senhor fez o que fez com a finalidade de "fazer [...] um povo para ti mesmo, e assim [tornar] o teu nome famoso" (7.23; NVI). Como Davi orou: "Agora, pois, ó Senhor Jeová, esta palavra que falaste acerca de teu servo e acerca da sua casa, confirma-a para sempre e faze como tens falado. E engrandeça-se o teu nome para sempre, para que se diga: O Senhor dos Exércitos é Deus sobre Israel" (7.25,26).

Deus governa o povo com justiça perfeita. O reinado dEle é "como a luz da manhã, quando sai o sol, da manhã sem nuvens, quando, pelo seu resplendor e pela chuva, a erva brota da terra".

Um dia, "nascerá o sol da justiça" (Ml 4.2) por intermédio do mistério da encarnação. O reinado pecaminoso e transitório de Davi seria obscurecido e eclipsado pelas glórias de "grandeza do mais excelente Filho de Davi" e seu reino — pelo governo eterno e perfeito do Senhor Jesus Cristo. Em Cristo, cumprem-se as promessas feitas a Davi.

Deus sempre é fiel em cumprir sua Palavra. Fomos criados para conhecê-lo como nosso Senhor e Rei, porém, como Davi, pecamos contra Ele. Por isso, o Senhor pôs sobre si a carne e tornou-se homem, viveu uma vida perfeita e morreu como sacrifício substitutivo pelos pecados de todos os que se afastarem de seus pecados e crerem nEle. E hoje, Ele nos chama para fazer exatamente isso — arrependermo-nos e crermos em Cristo. Por favor, converse com um amigo cristão se quiser saber mais respeito desse assunto.

Com certeza, nossa esperança não está no próprio Davi. Apenas em Cristo há esperança para nós. Nossos pecados não são punidos? Sim, são, mas nossa punição cai sobre Cristo se cremos nEle! E a Bíblia usa alguns dos pecadores mais terríveis como seus principais personagens apenas para deixar esse ponto extremamente claro. Pense a respeito: Moisés, Davi e Paulo? Esses homens, de uma forma ou de outra, foram assassinos. Que grupo estranho para Deus usar. Parece que Ele quer apenas deixar claro a nossa insuficiência e toda a suficiência dEle!

Amigo, não sei que pecados estão em sua mente, mas sei que Jesus pode lhe dar uma vida nova. Ele é aquEle que pode perdoar seus pecados e, depois, guiá-lo e orientá-lo com perfeição. O governo dEle é esplendoroso e benevolente. Posso dizer-lhe isso a partir de minha experiência pessoal, e esse é o testemunho das Escrituras.

Então, Deus cumpriu sua promessa a Davi de que sempre haveria um descendente de seu reinado? Observe as últimas palavras de Jesus no último capítulo da Bíblia:

> E eis que cedo venho, e o meu galardão está comigo para dar a cada um segundo a sua obra. Eu sou o Alfa e o Ômega, o Princípio e o Fim, o Primeiro e o Derradeiro. [...] Eu sou a Raiz e a Geração de Davi, a resplandecente Estrela da manhã. Certamente, cedo venho (Ap 22.12,13,16b,20b).

Davi assumiu a responsabilidade por seus pecados ao confessá-los e arrepender-se deles. Mas Jesus —, bem, Jesus, apesar de ser perfeito, assumiu, como disse que faria, a responsabilidade pelos pecados de muitos.[3]

Creia nEle. Nossa esperança não está no presidente ou no diretor do Departamento de Segurança Nacional. Nossa confiança não está no pastor ou no patrão. Nossa esperança é Cristo. Apenas Cristo pode salvar-nos do que um hino denomina de "a culpa interior".

Entregue sua rebeldia e receba o governo maravilhoso dEle.

Oremos:

Oh, Deus, o Senhor conhece as coisas que consomem nossos pensamentos. Deus, o Senhor conhece os pecados que toldam nossa mente e fazem-nos esquecer a prestação de contas final que faremos ao Senhor. Oh, Senhor, ensina-nos que nosso maior problema não é um possível ato terrorista, mas que o problema muito mais aterrador é o de aparecer como pecadores diante do Senhor, um Deus justo. E, em sua grande misericórdia, mostra-nos como permanecer sob o governo e o reinado de nosso Deus justo, e amoroso, e misericordioso, da mesma forma que o Senhor se revelou a nós no Senhor Jesus Cristo. Oramos em nome dEle. Amém.

Questões para Reflexão

1. Por que a liderança boa é "como a luz da manhã, quando sai o sol, da manhã sem nuvens"? Você já conheceu um líder assim? Por que é boa a liderança por cujo "resplendor e pela chuva, a erva brota da terra"? Você conhece líderes assim?

2. Em continuidade à pergunta 1, as pessoas que estão sob seu cuidado o descreveriam dessa forma na posição de liderança que ocupa, quer em casa, quer no trabalho, quer na comunidade?
3. O que significa liderar com justiça? O que significa governar "no temor de Deus"?
4. Como os membros de uma congregação podem ajudar os presbíteros a liderar no temor de Deus, e não do homem?
5. Como vimos, "tomar nossos dons por certo encoraja o orgulho em nós, mas fazer uma pausa e enumerá-los faz com que nosso coração seja agradecido ao Senhor e se sinta humilde diante dEle". Reserve uns minutos para enumerar os dons que Deus lhe deu. Agora, enumere alguns dons que Ele deu a sua igreja. Com esses dons em mente, ore para que Deus lhe dê um coração de gratidão por eles e o desejo de usá-los para os propósitos e o ganho dEle. Talvez também seja útil meditar, por alguns momentos, nas palavras de Paulo aos crentes coríntios: "Pois, quem torna você diferente de qualquer outra pessoa? O que você tem que não tenha recebido? E se o recebeu, por que se orgulha, como se assim não fosse?" (1 Co 4.7; NVI)
6. Vimos que, fundamentalmente, todo pecado é contra Deus, não contra os outros ou nós mesmos. Como cristãos, como podemos usar isso em nosso evangelismo entre os não-cristãos? Você tem o cuidado de deixar isso claro em suas conversas evangelísticas?
7. O pecado de Davi com Bate-Seba, que desencadeou destruição em sua vida e em sua nação, começou com um olhar de luxúria — com um momento em que baixou a guarda. Se partirmos do pressuposto de que nem todos nós temos a mesma suscetibilidade ao mesmo tipo de pecado, devemos nos perguntar: "Em que área, em especial, sou suscetível?" Que pecados em sua vida, de início, parecem pequenos, mas podem aumentar como uma bola de neve?
8. O que é arrependimento? Você tem de se arrepender para ser salvo? Suponha que um amigo muito próximo ou um parente se diga cristão, mas não dê nenhum sinal de ter se arrependido de seus pecados. Você ficaria descansado com o fato de ele se dizer "cristão" e até de se lembrar muito bem do momento em que passou a "crer em Cristo"? Qual é a coisa mais amorosa que você poderia dizer a esse amigo ou parente?
9. Vejamos um passo para o arrependimento de cada vez:
    - Você é capaz de receber a repreensão de outros — mesmo de pessoas que não são dignas de fazer isso? Você está disposto, em nome do amor, a repreender um irmão ou irmã que está em pecado?
    - Qual foi a última vez que confessou um pecado a Deus? A outra pessoa? Você está disposto a se sentir embaraçado diante das pes-

soas que quer impressionar com o reconhecimento sincero de seus pecados? (Claro que, ao fazer isso, você deve ter cuidado para que nenhum cristão mais fraco ou mais jovem se sinta atraído pelo pecado que confessa.)

- Quando é confrontado com seu pecado, quer por outra pessoa, quer por um lampejo da sua consciência, você dá os passos para arrepender-se, ou seja, parar e desistir de pecar? Ou, diga com honestidade, você facilita as coisas para si mesmo? Você é rápido em apontar para as circunstâncias em que as coisas aconteceram? Você se lembra de uma ocasião recente em que facilitou as coisas para si mesmo?
- Você fica com raiva quando os outros pedem que você assuma as conseqüências por seus pecados, uma vez que você já confessou e assumiu a responsabilidade por seu pecado? Qual foi a última vez em que fez isso?
- Com que rapidez seu cônjuge (ou pais, ou irmão, ou amigo, ou companheiro de trabalho) o perdoa? Ou eles dizem que você tende a deixar uma ferida amarga? Ou pense nisto: Jesus disse que devemos orar: "Perdoa-nos as nossas dívidas, assim como nós perdoamos aos nossos devedores" (Mt 6.12). Você quer, de verdade, que Deus responda a essa oração?

10. Como a igreja local pode favorecer esses cinco passos do arrependimento em seu relacionamento de discipulado? O que você faz para favorecer essas coisas em sua igreja?

11. As coisas boas e ruins sobre Davi apontam para Cristo. O fato de ele ser o rei escolhido pelo Senhor para reinar sobre o povo do Senhor (o que é bom) aponta para o reinado de Cristo sobre o povo de Deus. Contudo, o fato de Davi ter cometido pecados horríveis (o que é ruim) também aponta para Cristo, pois apenas Cristo não tem pecado. (Davi não é a pessoa em quem você deve depositar sua esperança!) Portanto, o que há de errado em um estudo bíblico, em uma lição da Escola Dominical ou em um sermão sobre 2 Samuel que apenas ensina sobre Davi e só se refere a ele? Como cristãos, como deveríamos ensinar a respeito de Davi?

NOTAS

Capítulo 10

[1] A data da pregação original deste sermão foi em 8 de setembro de 2002, na Capitol Hill Baptist Church, em Washington, D.C.
[2] Em Michael Novak, On Two Humble Faith and Common Sense at the American Founding (San Francisco: Encounter, 2002), p. 73.
[3] Mateus 20.28; 26.28; Marcos 10.45.

A MENSAGEM DE 1 REIS: DECLÍNIO

AS PEQUENAS MUDANÇAS NA TRAJETÓRIA PODEM SER TRÁGICAS

INTRODUÇÃO A I REIS

AS SEMENTES DO DECLÍNIO: A HISTÓRIA DE SALOMÃO (CAPS. I—II)
As Bênçãos de Salomão (caps. 1—10)
O Pecado e a Idolatria de Salomão (cap. 11)

DOIS RETRATOS DO DECLÍNIO: A DIVISÃO DO REINO (CAPS. 12—14)

O FRUTO DO DECLÍNIO: A QUEDA DE ISRAEL (CAPS. 15—16)

O FIM DO DECLÍNIO: A HISTÓRIA DE ELIAS E DE ACABE (CAPS. 17—22)

CONCLUSÃO

CAPÍTULO 11

A Mensagem de I Reis:
Declínio

As Pequenas Mudanças na Trajetória Podem Ser Trágicas[1]

Uma pequena mudança no trajeto pode fazer uma grande diferença no destino final. Você sabe do que falo se já atravessou a ponte interestadual 395 em Washington, D. C. Se virar à esquerda na bifurcação da ponte na Rua Fourteenth, depois de atravessar o rio Potomac, você chega ao seu destino no Distrito Federal em minutos. Se não estiver prestando atenção e, com dois segundos de atraso, lembrar-se que queria virar na bifurcação à esquerda, precisará cancelar o próximo compromisso. Uma pequena mudança no trajeto pode fazer uma grande diferença no destino final.

Há poucos meses, meu filho Natã e eu retornávamos para o Hotel Weehauken, em Nova Jersey, de um passeio noturno em Manhattan e, de alguma forma, logo depois de sair do túnel Lincoln, terminei na pista errada. Ainda não tenho muita certeza de como isso aconteceu. Eu podia ver a pista em que queria estar, mas não conseguia pegá-la do local em que estávamos. Após quinze minutos, depois de ceder à propensão masculina de resistir a pedir informação — e de vaguear pelos subúrbios perto de Nova Jersey —, por fim, parei o carro e pedi informações. Estávamos de volta ao nosso hotel em questão de minutos. Uma pequena mudança no trajeto pode fazer uma grande diferença no destino final.

Muitas vezes, o pecado começa com o que parece ser uma concessão menor — talvez a permissão para essa falta ou uma pequena indulgência por aquele desejo. Mas essa pequena mudança de trajetória pode colocá-lo no rumo de um destino mortal.

Às vezes, as pessoas falam de "conseqüências involuntárias" de um ato para se referir a um conjunto de efeitos inesperados e incomuns subseqüentes ao ato. Não sei quanto a você, mas a maioria das conseqüências de meus atos é involuntária. Se você pegar praticamente todos os atos em que pensei com cuidado antes de agir, sem dúvida, encontrará resultados desses atos que eu não pretendia nem previ.

Talvez você não seja cristão e esteja preocupado que sua vida esteja na direção errada. Talvez esteja preocupado com o fato de seu país estar em declínio. Talvez seja um cristão que percebeu que seu coração está ficando frio. Talvez esteja preocupado com o caminho que a igreja segue.

Introdução a 1 Reis

Se você tiver qualquer uma dessas preocupações, então os livros 1 e 2 Samuel e 1 e 2 Reis deverão despertar mais seu interesse, em vez de ser uma mera peça de antiquário. Se você os ler com atenção, eles falarão de forma vital à pessoa que você é e às preocupações que tem. E isso deveria ser do interesse de todos nós.

Nesses livros, a nação de Israel faz algumas mudanças de trajeto cruciais. Ironicamente, a nação que Josué levou do deserto para a Terra Prometida fez uma série de escolhas que a transformou em uma mera imitação das nações para as quais devia testemunhar. Assim, esses livros, vistos em conjunto, são um chamado ao arrependimento, ao retorno, à mudança. Eles contam a história da rejeição de Deus por seu povo, e do chamado do Senhor para que rejeitem essa rejeição.

Os livros de 1 e 2 Reis apresentam a segunda metade dessa história, que se inicia com um reino unido e estável sob o comando de Salomão e termina, quase quatro séculos depois, com a queda de Jerusalém e a deportação maciça dos israelitas para a Babilônia.

Aqui, nosso estudo se concentra em 1 Reis, que se divide em quatro seções básicas: a história de Salomão (caps. 1—11); a divisão do reino (caps. 12—14); o declínio de Israel (o Reino do Norte [caps. 15—16]); e a história de Elias e Acabe (caps. 17—22). Essas quatro divisões também fornecem a estrutura para nossa investigação à medida que observamos as sementes do declínio, dois retratos do declínio, o fruto do declínio e o fim do declínio. Oro para que este estudo o alerte para o declínio espiritual e o arme contra isso.

As Sementes do Declínio: A História de Salomão (caps. 1—11)

Primeiro, encontramos as sementes do declínio na história do reinado de Salomão (caps. 1—11). Aprendemos, especificamente, que *o declínio religioso pode começar em lugares surpreendentes.*

As Bênçãos de Salomão (caps. 1—10)

Os primeiros dez capítulos de I Reis apresentam as bênçãos abundantes que Salomão recebeu e toda a esperança do seu reinado. No capítulo 1, Salomão ganha a disputa pela sucessão de Davi. No capítulo 2, Davi passa o comando para Salomão e, depois, morre. No capítulo 3, Salomão ora por sabedoria, e Deus lhe garante isso. Nesse contexto, acontece a primeira aparição do Senhor para Salomão. Depois, Salomão mostra a sabedoria que Deus lhe deu na famosa história das duas mulheres que disputam um bebê. No capítulo 4, a administração cuidadosa de Salomão deixa ainda mais evidente sua sabedoria. No capítulo 5, ele se prepara para construir o Templo do Senhor, o que realiza no capítulo 6. No capítulo 7, dedica-se a construir seu palácio e, depois, a mobiliar o Templo. No capítulo 8, a glória do Senhor enche o Templo, e Salomão consagra o Templo por meio da oração e da adoração do Senhor. No capítulo 9, o Senhor aparece pela segunda vez para Salomão a fim de adverti-lo contra a idolatria. É estranho pensar que Salomão precisou ser advertido contra a idolatria logo depois de construir o Templo. O final do capítulo 9 reconta alguns negócios de Salomão. E o capítulo 10 apresenta um resumo da sabedoria e da riqueza de Salomão:

> Também todos os vasos de beber do rei Salomão eram de ouro, e todos os objetos da casa do bosque do Líbano eram de ouro puro; não havia neles prata, porque nos dias de Salomão não tinha estimação alguma. Assim o rei Salomão excedeu a todos os reis da terra, tanto em riquezas como em sabedoria. E toda a terra buscava a face de Salomão, para ouvir a sabedoria que Deus tinha posto no seu coração (I Rs 10.21,23,24).

Salomão, de muitas formas, soa como a personificação das belas palavras finais de Davi que vimos em nosso estudo de 2 Samuel.

> Disse o Deus de Israel, a Rocha de Israel a mim me falou: Haverá um justo que domine sobre os homens, que domine no temor de Deus. E será como a luz da manhã, quando sai o sol, da manhã sem nuvens, quando, pelo seu resplendor e pela chuva, a erva brota da terra (2 Sm 23.3,4).

Deus abençoou Salomão de forma notável, e este, por sua vez, abençoou notavelmente a nação.

Claro, Salomão era famoso por sua sabedoria. Nós a vemos em suas primeiras palavras (I Rs 1.52). Nós a vemos em sua política quando, no capítulo 2, ele consolida seu poder com astúcia. Nós a vemos, no capítulo 9, em suas práticas de comércio internacional. E vemos os efeitos de sua sabedoria na paz e na prosperidade da nação sob sua liderança: "Porque dominava sobre tudo quanto havia da banda de cá do rio Eufrates, de Tifsa até Gaza, sobre todos os reis da banda de cá do rio; e tinha paz de todas as bandas em roda dele. Judá e Israel habitavam seguros, cada um debaixo da sua videira e debaixo da sua figueira, desde Dã até Berseba, todos os dias de Salomão" (4.24,25). E depois, após a consagração do Templo: "E, no oitavo dia, despediu o povo, e eles abençoaram o rei; então, se foram às suas tendas, alegres e contentes de coração, por causa de todo o bem que o Senhor fizera a Davi, seu servo, e a Israel, seu povo" (8.66). A nação prosperou com o reinado de Salomão.

No ponto central de todas as bênçãos que Salomão recebeu estava seu relacionamento com o Senhor. O capítulo 3 registra o amor que ele sentia pelo Senhor: "E Salomão amava ao Senhor, andando nos estatutos de Davi, seu pai" (3.3a). Caso você pense, como alguns amigos mulçumanos meus, que falar sobre o relacionamento amoroso com Deus não passe de uma forma contemporânea e casual do modo como os norte-americanos evangélicos se expressam, observe que encontramos essa noção também no Antigo Testamento, e não apenas no Novo. De acordo com a Bíblia, podemos ter um relacionamento com Deus, uma experiência com ele e, na verdade, podemos, como Salomão fez nessa passagem, falar sobre amar ao Senhor.

Em última instância, Salomão fez o tipo de pedido registrado no capítulo 3 porque seu coração tinha uma disposição correta em relação a Deus. Quando o Senhor lhe diz: "Pede o que quiseres que te dê" (3.5), Salomão não pede algo que beneficiasse apenas a ele, mas alguma coisa que beneficiasse os outros por seu intermédio — sabedoria. E penso que ele fez isso por causa do relacionamento que tinha com o Senhor. Observe como Deus responde ao seu pedido: "E esta palavra pareceu boa aos olhos do Senhor, que Salomão pedisse esta coisa" (3.10).

Poderíamos falar muito mais a respeito do esplendor e das bênçãos do reino de Salomão.

O Pecado e a Idolatria de Salomão (cap. 11)

Gostaria de poder parar no capítulo 10, mas devemos passar para o capítulo 11. Nele, encontramos o pecado, a idolatria e o fim de Salomão. As esposas não-israelitas de Salomão levaram-no à adoração de falsos deuses, exatamente como o Senhor, por intermédio de Moisés, alertara que aconteceria se os israelitas se casassem com estrangeiras que adorassem falsos deuses: "E tomes mulheres das suas filhas para os teus filhos, e suas filhas, prostituindo-se após os seus deuses, façam que também teus filhos se prostituam após os seus deuses" (Êx 34.16). Por isso, não nos espanta que esse capítulo relate o surgimento de adversários e que a paz acabe no reino. Samuel profetizara isso: "Se temerdes ao Senhor, e o servirdes, e derdes ouvidos à sua voz, e não fordes rebeldes ao dito do Senhor, assim vós, como o rei que reina sobre vós, seguireis o Senhor, vosso Deus. Mas, se não derdes ouvidos à voz do Senhor, mas, antes, fordes rebeldes ao dito do Senhor, a mão do Senhor será contra vós, como era contra vossos pais" (I Sm 12.14,15). O capítulo 11 também registra a morte de Salomão.

Então, o que aconteceu? De acordo com o versículo 9, Salomão "desviara o coração do Senhor" (11.9). Mais uma vez, isso não é apenas a fala subjetiva e relacional de evangélicos contemporâneos. É a fala do Antigo Testamento. O coração de Salomão desviara-se do Senhor! O tipo de cristianismo que aprendemos na Bíblia e que vivenciamos em nossa vida conjunta na igreja não é apenas uma penca de conhecimentos racionais. Não é apenas um conjunto de doutrinas em que cremos. Ele envolve a tendência do nosso coração: quem amamos, em quem cremos, com quem vivemos em relacionamento. Infelizmente, Salomão, com toda a sua sabedoria humana maravilhosa, desviou seu coração do Senhor e entregou-o a outros deuses (11.8,10). O livro não deixa dúvida de que ele amara o Senhor de forma perfeita antes (3.3b). Todavia, ele desviou o amor que tinha pelo Senhor a fim de adorar ídolos.

Deus advertira Salomão em relação à idolatria (9.6-9). Contudo, agora o Senhor promete-lhe como resultado de sua idolatria: "[...] da mão de teu filho o rasgarei [o reino]" (11.12). Que legado terrível a deixar para seus filhos — a desobediência e suas muitas conseqüências. Todo o dinheiro que Salomão deixou para o filho não representava nada. Seu legado mais importante foi a desobediência. Essa herança excedia toda prosperidade material que Salomão deixou para ele. Assim, o Deus que tirou seu povo do Egito e trouxe-o para a Terra Prometida, o Deus que deu sabedoria a Salomão, prometeu tirar o reino das mãos de seus descendentes, porque Salomão e seu povo "me deixaram, e se encurvaram a Astarote, deusa dos sidônios, a Quemos, deus dos moabitas, e a Milcom, deus dos filhos de Amom, e não andaram pelos meus caminhos, para fazerem o que parece reto aos meus olhos, a saber, os meus estatutos e os meus juízos, como Davi, seu pai" (11.33).

Salomão foi muito abençoado, mas também pecou muito. Grandes dons não desculpam grandes pecados! Espero que você, se não for cristão, medite sobre isso. Em nosso país, muitas pessoas têm uma boa formação religiosa. Mas nem todo conhecimento e prática religiosa no mundo compensam o fato de ter um *coração* desviado de Deus e de seus caminhos. De acordo com a Bíblia, esse é o estado natural do coração do homem. Nosso coração está mais unido ao pecado, às coisas criadas e a nós mesmos que a Deus. Em outras palavras, o pecado começa com a terrível desgraça de amarmos mais criar coisas que amarmos ao nosso Criador. Assim, todos os atos que chamamos de "pecado" apenas fluem de nosso coração erroneamente orientado.

Portanto, pergunte-se: "Eu amo ao Senhor?", e a verdade de sua resposta importa mais a você que a qualquer pessoa. O que quer dizer quando você diz que ama ao Senhor?

Bem, não há lei que possamos aprovar para sanar a condição pecaminosa do coração. O governo não pode fornecer o que mais precisamos. O coração humano está além do poder do tribunal mais minucioso, do exército mais poderoso e da legislatura mais eficaz do mundo. Devemos orar se quisermos que haja mudança no coração das pessoas. A mudança de coração é trabalho de Deus. O Senhor veio habitar conosco de uma forma mais íntima que quando habitava no grande Templo construído por Salomão. E encontramos a resposta para o pecado por meio desse lugar supremo de habitação de Deus com o homem — o Senhor Jesus Cristo.

No entanto, é nosso trabalho, como cristãos, compartilhar e viver as Boas Novas. Também temos a responsabilidade de alertar as pessoas de seus pecados. Essa não é a responsabilidade original do Congresso e das cortes! Nossa terra pode ser sólida sob o aspecto financeiro e, contudo, falida moralmente, como aconteceu com Israel de Salomão. No apogeu do comércio exterior deles, o câncer da idolatria já se espalhara pela terra.

Cristão, espero que perceba que nunca, nesta vida, você experimentará tantas bênçãos, materiais ou espirituais, a ponto de estar além das garras do pecado ou do chamado à obediência. Não siga o exemplo que Salomão dá nessa passagem. Não retribua com pecado, as bênçãos do Senhor para você. Mesmo os melhores entre nós lutam com o pecado que deve ser perdoado por Cristo e abandonado por meio do poder de Deus.

Ore por seus pastores, presbíteros e outros líderes da igreja para que possamos ser "despenseiros" fiéis de todos os bens que Deus entregou em nossas mãos, para que não respondamos às grandes bênçãos do Senhor para a igreja com pecados contumazes. Ore para que sejamos modelos de zelo espiritual, mesmo em momentos de bênção espiritual. Ore para que, como igreja, não tomemos nossas bênçãos como certas, e para que nossas bênçãos não nos embalem em indiferença espiritual em relação às coisas que ainda precisam mudar.

O declínio religioso pode começar em lugares surpreendentes.

DOIS RETRATOS DO DECLÍNIO: A DIVISÃO DO REINO (CAPS. 12—14)

Temos de nos mover das sementes do declínio plantadas no reinado de Salomão para os dois retratos do declínio que emergem nos capítulos 12—14. Esses capítulos falam sobre Roboão, filho e sucessor de Salomão, e Jeroboão, o homem que lidera uma rebelião contra Roboão. Como resultado dessa rebelião, o reino divide-se entre as tribos do sul de Judá e de Benjamim (chamadas de Judá) e as dez tribos do norte (chamadas, em conjunto, de Israel). A sede do Reino do Sul é em Jerusalém e mantém descendentes de Davi no trono, enquanto a sede do Reino do Norte é em Samaria. Nesses dois retratos, aprendemos que o *declínio religioso pode ter aparências distintas.*

Podemos resumir rapidamente esses três capítulos. No capítulo 12, Roboão sucede seu recém-falecido pai, Salomão. Ele faz exigências irracionais ao povo atestadas por sua jactância ridícula: "Meu dedo mínimo é mais grosso do que os lombos de meu pai" (12.10). Ele não quer dizer que é um gigante sob o aspecto físico. Essa declaração é apenas uma resposta à queixa do povo por causa do excesso de trabalho — trabalho recrutado — que tinham de fazer sob o comando de Salomão. Basicamente, a resposta de Roboão à queixa é: "Vocês ainda não viram nada. Eu exigirei ainda mais". Por isso, Jeroboão leva as tribos do norte a revoltar-se e, depois, à idolatria. O capítulo 13 apresenta um sinal incrível do julgamento de Deus sobre a idolatria de Jeroboão que envolve dois profetas. E o capítulo 14 relata o fim de Jeroboão. Ele também resume o reinado de Roboão em Jerusalém.

À primeira vista, Roboão e Jeroboão parecem pessoas bem diferentes, com exceção dos nomes. Roboão, neto do rei Davi e filho do rei Salomão, foi paramentado e preparado para o trono. E Jeroboão, quem era ele? Ele cresceu sem pai e não tinha nada que se assemelhasse ao sangue real (veja 11.26). Evidentemente, Roboão, apesar de sua criação real, não sabia como lidar com o povo. Ele era insolente. Por outro lado, Jeroboão tinha astúcia para lidar com o povo. Anos antes, Salomão notara seu talento: "E o homem Jeroboão era varão valente; e, vendo Salomão a esse jovem, que era laborioso, o pôs sobre todo o cargo da casa de José" (11.28).

Contudo, o Senhor usaria Jeroboão para disciplinar a casa de Davi por causa dos pecados de Salomão. Aías, um profeta do Senhor, vai até Jeroboão e diz-lhe:

> Toma para ti os dez pedaços, porque assim diz o Senhor, Deus de Israel: Eis que rasgarei o reino da mão de Salomão e a ti darei as dez tribos. Porém ele terá uma tribo, por amor de Davi, meu servo, e por amor de Jerusalém, a cidade que elegi de todas as tribos de Israel (11.31,32).

Como era de esperar, Salomão, ao ouvir essa profecia (em uma repetição sinistra do papel de Saul na vida de seu pai, Davi) tenta matar Jeroboão. Ele parece temer que Jeroboão seja o novo ungido do Senhor. Por isso, Jeroboão foge para o Egito, onde vive até a morte de Salomão (11.40). Mandam buscar Jeroboão quando Salomão morre, e muitos começam a vê-lo como um forte candidato à sucessão. Roboão, nascido para o trono, demonstra, desde o início, tanta falta de tato para lidar com seu povo que Jeroboão tem sua oportunidade. Ele leva as dez tribos do norte a se rebelar, e a nação de Israel divide-se em dois reinos.

Mas apesar de todas as diferenças, Roboão e Jeroboão tinham uma grande e esmagadora semelhança: os dois eram idólatras. O filho de Salomão recebeu mais que o trono e os genes do pai: também herdou os pecados. Sob a liderança de Roboão, Judá, o Reino do Sul

> fez [...] o que era mau aos olhos do Senhor; e o provocaram a zelo, mais do que todos os seus pais fizeram com os seus pecados que cometeram. Porque também eles edificaram altos, e estátuas, e imagens do bosque sobre todo alto outeiro e debaixo de toda árvore verde. Havia também rapazes escandalosos na terra; fizeram conforme todas as abominações das nações que o Senhor tinha expulsado de diante dos filhos de Israel (14.22-24).

De novo, observe a ironia: Judá imita as nações que substituiu.

Jeroboão, com todos os seus talentos e habilidades, também levou o povo do Reino do Norte à idolatria. Não sabemos se as tribos do norte seguiram o mesmo caminho de paganismo descarado dos cananeus sob o domínio de Roboão, em Judá, mas a religião sincrética que se desenvolveu no norte era mais ligada pessoalmente ao próprio rei. Veja como o autor associa de perto o rei à idolatria de Israel:

> Pelo que o rei tomou conselho, e fez dois bezerros de ouro, e lhes disse: Muito trabalho vos será o subir a Jerusalém; vês aqui teus deuses, ó Israel, que te fizeram subir da terra do Egito. E pôs um em Betel e colocou o outro em Dã. E este feito se tornou em pecado, pois que o povo ia até Dã, cada um a adorar. Também fez casa dos altos e fez sacerdotes dos mais baixos do povo, que não eram dos filhos de Levi. E fez Jeroboão uma festa no oitavo mês, no dia décimo quinto do mês, como a festa que se fazia em Judá, e sacrificou no altar; semelhantemente, fez em Betel, sacrificando aos bezerros que fizera; também em Betel estabeleceu sacerdotes dos altos que fizera. E sacrificou no altar que fizera em Betel, no dia décimo quinto do oitavo mês, do mês que ele tinha imaginado no seu coração, assim fez a festa aos filhos de Israel e sacrificou no altar, queimando incenso (12.28-33).

Você percebe como Jeroboão está pessoalmente envolvido em tudo isso? Aías, o profeta, quando prometeu a Jeroboão as dez tribos do norte, também (falando em nome do Senhor) garantiu que Jeroboão seria abençoado com uma dinastia tão duradoura como a de Davi "se [ouvir] tudo o que eu te mandar, e andar[...] pelos meus caminhos, e fizer [...] o que é reto aos meus olhos, guardando os meus estatutos e os meus mandamentos" (11.38). Todavia, Jeroboão não fez isso. Ele comportou-se como os israelitas no deserto e fez bezerros de ouro e todas aquelas coisas de novo! Sem dúvida, se resolvesse trilhar a estrada da idolatria em Israel, você escolheria uma imagem diferente daquela que trouxe tantos problemas no deserto não é mesmo? No entanto, Jeroboão, um gênio brilhante do pecado, fez não um, mas dois bezerros de ouro. Depois, colocou-os nos dois extremos da nação para que o povo tivesse acesso à idolatria. E o autor deixa extremamente claro a responsabilidade de Jeroboão: *ele* fez, *ele* falou, *ele* estabeleceu e assim por diante. Essa era uma religião feita pelo homem, não a verdadeira feita por Deus! Esse é o problema com o tipo de dons que Jeroboão tinha — a competência e o poder; às vezes, essas pessoas começam a pensar que podem fazer qualquer coisa, até fazer uma religião sob medida para elas.

No capítulo 13, um homem de Deus, cujo nome não é citado, criticou publicamente a idolatria de Jeroboão e fez com que sua mão secasse. A seguir, o homem do Senhor, após desobedecer à Palavra de Deus, é morto. Qual é o ponto dessa passagem? O Senhor julgará a idolatria e a desobediência a sua Palavra, não importa quem tenha cometido a transgressão. Infelizmente, Jeroboão não aprendeu a lição:

> Depois dessas coisas, Jeroboão não deixou o seu mau caminho; antes, dos mais baixos do povo tornou a fazer sacerdotes dos lugares altos; a quem queria, lhe enchia a mão, e assim era um dos sacerdotes dos lugares altos. E isso foi causa de pecado à casa de Jeroboão, para destruí-la e extingui-la da terra (13.33,34).

No capítulo 14, o profeta Aías retorna à cena para, em nome do Senhor, denunciar, com violência, Jeroboão: "Tu fizeste o mal, pior do que todos os que foram antes de ti, e foste, e fizeste outros deuses e imagens de fundição, para provocar-me à ira, e me lançaste para trás das tuas costas" (14.9). A seguir, Aías promete que Israel será expulso e espalhado "por causa dos pecados de Jeroboão, o qual pecou e fez pecar a Israel" (14.16). Os líderes têm grande responsabilidade aos olhos de Deus!

Jeroboão, Roboão e suas nações deviam ter prestado atenção à Palavra do Senhor. Talvez Roboão fosse inepto, e Jeroboão, astuto, mas estavam unidos na iniqüidade. Juntos, eles dividiram a nação e, separados, levaram o povo à idolatria.

Talvez você seja cético por natureza. Talvez pense que isso tudo seja, como a religião de Jeroboão, feito pelo homem. Alguém inventa um esquema para dar esperança às massas e, no processo, aproveita para ganhar algum dinheiro. Tudo é artificial. Quanto a essa pessoa, bem, ela não é muito religiosa.

Se você for assim, eu apenas o incito a reconsiderar sua auto-avaliação. Talvez você, como todos nós, *seja* profundamente religioso. Vemos isso no que você crê, no que faz, em como gasta seu dinheiro e tempo, no que tem esperança e no que lhe causa desespero. Todas essas coisas expõem sua verdadeira religião. Provavelmente, se refletir bastante, você verá, dependendo de como responder a essas perguntas, que elas não perguntam *se* você é um adorador, mas a *quem* ou *o que* você adora.

Tanto Jeroboão como Roboão eram confusos em relação a quem adoravam, e isso feriu os países que lideravam. Afinal, a coisa mais importante é como uma cultura responde a Deus e a suas leis. Noções falsas sobre Deus, a vida por vir, o julgamento, o bem ou o propósito da vida envenenam qualquer nação.[2]

Nenhuma religião feita pelo homem, como a de Jeroboão, responde à necessidade que temos do Deus verdadeiro. Somos criaturas feitas à imagem do único Deus que existe. E precisamos do Sumo Sacerdote que o Senhor nomeou — Jesus Cristo. Como o livro de Hebreus diz:

> Mas, vindo Cristo, o sumo sacerdote dos bens futuros, por um maior e mais perfeito tabernáculo, não feito por mãos, isto é, não desta criação, nem por sangue de bodes e bezerros, mas por seu próprio sangue, entrou uma vez no santuário, havendo efetuado uma eterna redenção (Hb 9.11,12).

O Senhor Jesus Cristo é nossa esperança. Meu amigo cristão, em que, ou em quem, você se apóia? No que você crê? Espero que você perceba que suas muitas virtudes naufragam em comparação com seus pecados. A coisa ruim, quer seja bem feita, quer seja mal feita, continua a ser errada. Nenhum conjunto de talentos ou de virtudes pode compensar a rebelião contra Deus. Elas não compensaram para Jeroboão — que recebeu pessoalmente as promessas de Deus — e não compensarão para você. Apenas Cristo fará o que você precisa.

Nós, como igreja, sem levarmos em conta nossos pontos fortes e fracos, devemos nos perguntar: "Nós seguimos a Deus?" Nós, os líderes da igreja, devemos sempre dirigir nosso foco para a pergunta: "Fazemos com que a igreja siga a Deus?" Talvez surjam outras questões e responsabilidades no curso da liderança, e devemos ser bons "despenseiros" dessas outras coisas. Mas acima de tudo, temos de continuamente manter nossa atenção no fato de levarmos a igreja a seguir a Deus.

Qualquer coisa menos que isso é perigoso — até desastroso —, independentemente de quão boa possa parecer.

O declínio religioso pode ter aparências distintas.

O Fruto do Declínio: A Queda de Israel (caps. 15—16)

Isso é tudo que se pode dizer das sementes e dos dois retratos do declínio. Bem, voltemo-nos para o fruto do declínio, patentes, em especial, nos capítulos 15—16. Esses dois capítulos cobrem muitas décadas e descrevem a rápida queda de Israel, o Reino do Norte.

Em última instância, aprendemos que *o declínio religioso causa outros tipos de declínio.*

Deixe-me resumir os dois capítulos para você. O capítulo 15 relata que Abias, filho de Roboão, reinou por pouco tempo sobre Judá, o Reino do Sul. Ele foi seguido pelo longo reinado do justo Asa, seu filho.

Entrementes, em Israel, Nabade, filho de Jeroboão, é seu único descendente para ocupar no trono. Um israelita chamado Baasa matou Nabade e o restante de sua família e, depois, assumiu o trono. No capítulo 16, o filho de Baasa, Elá, o substitui no trono, e é morto e substituído por Zinri, chefe do exército. Zinri, por sua vez, foi perseguido pelo comandante do exército, Onri. No fim, Zinri suicidou-se, e Onri tornou-se rei. A seguir, Acabe, que estudaremos na próxima seção, substituiu Onri, seu pai. Tudo isso aconteceu no correr de várias décadas.

Você percebeu que muitos desses reis de Israel foram substituídos pela pessoa que os matou? Na verdade, no espaço de algumas décadas, houve três assassinatos! Isso lhe dá uma idéia do caráter desses reis.

Lemos sobre Nabade: "E fez o que era mau aos olhos do Senhor e andou nos caminhos de seu pai [Jeroboão] e no seu pecado com que tinha feito pecar a Israel" (I Rs 15.26).

Sobre Baasa, lemos: "E fez o que era mau aos olhos do Senhor e andou no caminho de Jeroboão e no seu pecado com que tinha feito pecar a Israel" (15.34).

A Bíblia registra o seguinte a respeito de Baasa e seu filho, Elá: "por todos os pecados de Baasa, e os pecados de Elá, seu filho, com que pecaram e com que fizeram pecar a Israel, irritando ao Senhor, Deus de Israel com as suas vaidades" (16.13).

E declara a respeito de Zinri: "Por causa dos seus pecados que cometera, fazendo o que era mal aos olhos do Senhor, andando no caminho de Jeroboão e no seu pecado que fizera, fazendo pecar a Israel" (16.19).

E a respeito de Onri: "E fez Onri o que era mal aos olhos do Senhor; e fez pior do que todos quantos foram antes dele" (16.25). E não foi um grupo pequeno de pecadores que o precedeu!

A respeito de Acabe lemos:

E fez Acabe, filho de Onri, o que era mal aos olhos do Senhor, mais do que todos os que foram antes dele. E sucedeu que (como se fora coisa leve andar nos pecados de Jeroboão, filho de Nebate), ainda tomou por mulher a Jezabel, filha de Etbaal, rei dos sidônios; e foi, e serviu a Baal, e se encurvou diante dele. E levantou um altar a Baal, na casa de Baal que edificara em Samaria. Também Acabe fez um bosque, de maneira que Acabe fez muito mais para irritar ao Senhor, Deus de Israel, do que todos os reis de Israel que foram antes dele (16.30-33).

E a coisa apenas piora! O Reino do Norte logo se deteriora e faz repetidas revoltas ilegais contra o rei, o que, é claro, apenas reflete e simboliza o abandono da Lei de Deus. E a morte violenta e prematura de seus reis era um lembrete trágico e irônico do que o Senhor preparava para eles por causa de sua rebelião contra Ele.

Pergunto-me se você vê qualquer sinal de rebelião contra Deus em sua vida. Talvez você ache que a questão de sua rebelião contra o Senhor é um assunto particular, algo que deve ser mantido entre você e o Senhor, que está sob o autocontrole (assim esperamos) e totalmente lacrado, como resíduo nuclear. Você acha que a rebelião não pode explodir e não há motivo para crer que os efeitos dela possam atingir outras partes da sua vida.

Mas você acha mesmo que desprezar a Lei de Deus não tem conseqüências? Com certeza, muitas coisas ruins que nos acontecem não são resultado direto de nossa desobediência a Deus. No livro de Jó, o homem mais justo da Terra passa por muitos sofrimentos. Dito isso, é errado concluir, para seu conforto psicológico, que o pecado não terá nenhum efeito terrível sobre sua vida. Ele tem, e você já viu isso várias vezes se conhece bem sua vida e a de seus amigos. Em 2 Samuel, em nosso estudo sobre Davi, vimos as conseqüências do olhar, da luxúria e dos atos de Davi — uma família foi dividida, e uma nação entrou em guerra consigo mesma!

A incredulidade afeta muito mais coisas que apenas sua religião. Ela afeta toda sua vida, seu trabalho, sua vizinhança. Talvez afete até mais coisas. Como teria acontecido se Mohammed Atta, o seqüestrador de 11 de setembro que ajudou a jogar um avião de passageiros no World Trade Center, em Nova York, acreditasse que é errado tirar vidas humanas? O que aconteceria se ele tivesse sido treinado para apreciar a inocência do não-combatente e até a amar o próximo como a si mesmo? A moral pessoal é importante.

A moralidade "pública" também é importante. As breves palavras acima, a respeito dos reis de Israel e de Judá, lembram-nos a importância de nossos líderes públicos. Como vimos em nosso estudo de 2 Samuel, governar bem traz glória para o Senhor e benefício para a nação. Se você for um servidor público, permita-me encorajá-lo: perseguir a piedade em sua vida pessoal e no desempenho de suas tarefas é bom para a comunidade. Você tem a oportunidade de promover a educação, de melhorar o teor moral da comunidade, de aumentar a prosperidade da sua cidade e de aprovar leis e orçamentos que protejam a vida, a propriedade e preservem a ordem. Em grande parte, é seu trabalho no serviço público que traz esses benefícios para nossas cidades e para nossa nação. Obrigado por isso. Faça bem seu trabalho para a glória de Deus e o bem público.

Ao mesmo tempo, lembro-me de um antigo presidente referir-se a sua campanha vitoriosa com as seguintes palavras: "Você pôs suas esperanças em nós". E lembro-me de pensar: "Senhor presidente, eu votei no senhor, mas, com certeza, nunca coloquei minhas esperanças no senhor!" Decidi meu voto com base em um conhecimento limitado, fundamentado em razões e objetivos importantes, porém limitados. Todavia, jamais poria minhas esperanças em qualquer político. Jamais porei minha esperança na congregação ou em qualquer um de seus membros. E, com certeza, jamais porei minhas esperanças em mim mesmo. Não, eu ponho minhas esperanças apenas em Cristo, o "REI DOS REIS E SENHOR DOS SENHORES" (Ap 19.16).

Servidores públicos, vocês têm um papel importante e uma chance maravilhosa de demonstrar o caráter de Deus, mas, queira o Senhor, que tenham papéis limitados. Nossa esperança está apenas em Deus.

Quanto a você, cristão, espero que seja sensível a como o Senhor o disciplina pelo seu pecado. Diz-se que Richard Sibbes, puritano do século XVII justamente celebrado, declarou: "Você pode ver o pecado na cruz". Ele quis dizer que, com freqüência, podemos determinar o pecado que cometemos pelo sofrimento, pelo problema ou pela provação (ao que ele se refere como "cruz") que passamos. Por exemplo, Sibbes correspondia-se com um homem que ficou sozinho e, por isso, regrediu em seu crescimento espiritual e se tornou insensível e frio na fé. Em sua resposta, Sibbes apontou o pecado do homem que se separava do povo de Deus quando se reuniam. O pecado da separação trouxe a solidão, a regressão no crescimento espiritual, bem como a frieza e a insensibilidade. Em suma, Sibbes viu o pecado na cruz. Nem sempre conseguimos fazer isso, mas, com freqüência, conseguimos.

Amigo, veja os problemas da sua vida. Tenha certeza de que eles, pelo menos alguns deles, têm origem em sua desatenção às boas provisões que Deus lhe deu em Cristo. *O declínio religioso causa outros tipos de declínio.*

Seja qual for a dificuldade que seu pecado lhe traz neste momento, sejam quais forem as cruzes que ele traz, arrependa-se dele e confie em Deus de novo.

Devemos fazer isso como indivíduos e como igreja. Se tirarmos nosso foco do seguir ao Senhor, perdemos o propósito da nossa existência como igreja e como indivíduos cristãos.

O Fim do Declínio: A História de Elias e de Acabe (caps. 17—22)

Por fim, observamos, nos capítulos 17—22, o fim do declínio na famosa história de Elias e do rei Acabe, de Israel. Aqui, aprendemos que o *declínio religioso termina com o arrependimento ou com o julgamento de Deus.*

Na verdade, essa seção final do livro inicia-se na passagem 16.29 com o resumo do reinado de Acabe que inclui seus pecados. A seguir, o capítulo 17 reconta dois milagres ligados a Elias que confirmam que ele era o porta-voz de Deus. O Senhor alimenta milagrosamente Elias por intermédio de corvos e, depois, usa-o para alimentar uma viúva gentia em Sarepta de Sidom. Em relação à ressurreição, o Senhor dá poder a Elias para ressuscitar o filho morto da mulher.

O capítulo 18 apresenta a famosa história de Elias e dos profetas de Baal. Em um sentido, esse episódio atua como uma breve recapitulação de Êxodo, em que o Senhor demonstrou de forma espetacular seu poder sobre os deuses egípcios. Aqui, a história inicia-se quando Elias acusa Acabe de abandonar os mandamentos do Senhor e o desafia a encontrá-lo no monte Carmelo com os profetas de Baal (Baal é o deus da natureza e do tempo, e o Reino de Israel, havia algum tempo, vivenciava a seca e, portanto, muita fome):

> Então, enviou Acabe os mensageiros a todos os filhos de Israel e ajuntou os profetas no monte Carmelo. Então, Elias se chegou a todo o povo e disse: Até quando coxeareis entre dois pensamentos? Se o Senhor é Deus, segui-o; e, se Baal, segui-o. Porém o povo lhe não respondeu nada. Então, disse Elias ao povo: Só eu fiquei por profeta do Senhor, e os profetas de Baal são quatrocentos e cinquenta homens. Dêem-se-nos, pois, dois bezerros, e eles escolham para si um dos bezerros, e o dividam em pedaços, e o ponham sobre a lenha, porém não lhe metam fogo, e eu prepararei o outro bezerro, e o porei sobre a lenha, e não lhe meterei fogo. Então, invocai o nome do vosso deus, e eu invocarei o nome do Senhor; e há de ser que o deus que responder por fogo esse será Deus. E todo o povo respondeu e disse: É boa esta palavra. E disse Elias aos profetas de Baal: Escolhei para vós um dos bezerros, e preparai-o primeiro, porque sois muitos, e invocai o nome do vosso deus, e não lhe metais fogo. E tomaram o bezerro que lhes dera e o prepararam; e invocaram o nome de Baal, desde a manhã até ao meio-dia, dizendo: Ah! Baal, responde-nos! Porém nem havia voz, nem quem respondesse; e saltavam sobre o altar que se tinha feito. E sucedeu que, ao meio-dia, Elias zombava deles e dizia:

> Clamai em altas vozes, porque ele é um deus; pode ser que esteja falando, ou que tenha alguma coisa que fazer, ou que intente alguma viagem; porventura, dorme e despertará. E eles clamavam a grandes vozes e se retalhavam com facas e com lancetas, conforme o seu costume, até derramarem sangue sobre si. E sucedeu que, passado o meio-dia, profetizaram eles, até que a oferta de manjares se oferecesse; porém não houve voz, nem resposta, nem atenção alguma. Então, Elias disse a todo o povo: Chegai-vos a mim. E todo o povo se chegou a ele; e reparou o altar do Senhor, que estava quebrado. E Elias tomou doze pedras, conforme o número das tribos dos filhos de Jacó, ao qual veio a palavra do Senhor, dizendo: Israel será o teu nome. E com aquelas pedras edificou o altar em nome do Senhor; depois, fez um rego em redor do altar, segundo a largura de duas medidas de semente. Então, armou a lenha, e dividiu o bezerro em pedaços, e o pôs sobre a lenha, e disse: Enchei de água quatro cântaros e derramai-a sobre o holocausto e sobre a lenha. E disse: Fazei-o segunda vez; e o fizeram segunda vez. Disse ainda: Fazei-o terceira vez; e o fizeram terceira vez, de maneira que a água corria ao redor do altar, e ainda até o rego encheu de água. Sucedeu, pois, que, oferecendo-se a oferta de manjares, o profeta Elias se chegou e disse: Ó Senhor, Deus de Abraão, de Isaque e de Israel, manifeste-se hoje que tu és Deus em Israel, e que eu sou teu servo, e que conforme a tua palavra fiz todas estas coisas. Responde-me, Senhor, responde-me, para que este povo conheça que tu, Senhor, és Deus e que tu fizeste tornar o seu coração para trás. Então, caiu fogo do Senhor, e consumiu o holocausto, e a lenha, e as pedras, e o pó, e ainda lambeu a água que estava no rego (18.20-38).

Como vemos nos versículos seguintes, o povo, após a demonstração espetacular que Elias fez do poder de Deus, arrependeu-se e foi abençoado. Isso também é um pequeno retrato do que o Senhor lhes fez no Êxodo:

> O que vendo todo o povo, caiu sobre os seus rostos e disse: Só o Senhor é Deus! Só o Senhor é Deus! E Elias lhes disse: Lançai mão dos profetas de Baal, que nenhum deles escape. E lançaram mão deles; e Elias os fez descer ao ribeiro de Quisom e ali os matou. Então, disse Elias a Acabe: Sobe, come e bebe, porque ruído há de uma abundante chuva. E Acabe subiu a comer e a beber; mas Elias subiu ao cume do Carmelo, e se inclinou por terra, e meteu o seu rosto entre os seus joelhos. E disse ao seu moço: Sobe agora e olha para a banda do mar. E subiu, e olhou, e disse: Não há nada. Então, disse ele: Torna lá sete vezes. E sucedeu que, à sétima vez, disse: Eis aqui uma pequena nuvem, como a mão de um homem, subindo do mar. Então, disse ele: Sobe e dize a Acabe: Aparelha o

teu carro e desce, para que a chuva te não apanhe. E sucedeu que, entretanto, os céus se enegreceram com nuvens e vento, e veio uma grande chuva; e Acabe subiu ao carro e foi para Jezreel (18.39-45).

Os capítulos 19—22 continuam a destacar esses dois personagens, Elias e Acabe. No capítulo 19, Elias foge para Judá, o Senhor fala com ele, e Elias unge Eliseu como seu sucessor. O capítulo 20 relata a vitória de Acabe sobre os arameus e sua condenação pelo profeta do Senhor. No capítulo 21, Jezabel, esposa de Acabe, ajuda-o a conspirar e a matar Nabote a fim de roubar a vinha deste. O Senhor envia Elias para condená-los. O capítulo 22 apresenta a derrota e a morte de Acabe, o reinado de Josafá sobre Judá e o de Acazias, filho de Acabe, sobre Israel.

Ao longo desses capítulos finais, continua o declínio de Israel. Contudo, Deus, do início ao fim desse declínio, permaneceu atravessado no caminho de Israel, confrontando-os quando tentavam se desviar dEle. O Senhor, não Baal, trouxe a seca. E, depois, o Senhor, não Baal, trouxe a chuva.

Deus também levantou Elias — o maior profeta antes de João Batista — para chamar o povo ao arrependimento. O Senhor, por intermédio desse profeta que alimentou a viúva gentia e ressuscitou o filho dela, ensinou aos israelitas que a vida vem dEle e que usa seus mensageiros para trazer vida novamente a seu povo. E lembre-se, a viúva era uma estrangeira. O Senhor é o Deus real e verdadeiro não apenas de Israel, mas do mundo inteiro. Apenas Ele é o Autor da vida.

Elias foi o instrumento escolhido por Deus para esse trabalho de confrontar Israel. Seu próprio nome significa "meu Deus é Jeová". *El* significa "Deus", e o *i* transforma-o em possessivo — "meu Deus" — e *as* é abreviação de "Jeová". Portanto, Eli-as significa "meu Deus é Jeová". Seu nome era a comprovação de seu chamado. Isso também permitia que as pessoas soubessem quem ele era. Elias conhecia o Senhor e fora comissionado para reintegrar o Senhor ao seu povo, o que significa ensinar a Palavra do Senhor.

No capítulo 19, informa-nos que após a fuga de Elias para Judá:

> E ele lhe disse: Sai para fora e põe-te neste monte perante a face do Senhor. E eis que passava o Senhor, como também um grande e forte vento, que fendia os montes e quebrava as penhas diante da face do Senhor; porém o Senhor não estava no vento; e, depois do vento, um terremoto; também o Senhor não estava no terremoto; e, depois do terremoto, um fogo; porém também o Senhor não estava no fogo; e, depois do fogo, uma voz mansa e delicada. E sucedeu que, ouvindo-a Elias, envolveu o seu rosto na sua capa, e saiu para fora, e pôs-se

à entrada da caverna; e eis que veio a ele uma voz, que dizia: Que fazes aqui, Elias? (19.11-13)

Observe que o Senhor resolveu revelar-se oralmente, em vez de apenas por atos de poder. A Palavra de Deus era o fundamento da capacidade de Elias de conhecer o Senhor e de reconduzir seu povo ao conhecimento dEle. O Senhor chama seu povo ao arrependimento por meio da sua Palavra. Ele revela-se quando fala.

Deus também chamou Acabe para ser o rei que levaria a nação ao arrependimento. Por isso, Ele envia seu profeta para repreender Acabe e, assim, iniciar o processo. Você se lembra com que humildade e amabilidade o rei Davi recebeu a repreensão do profeta Natã por seu pecado com Bate-Seba? Bem, essa não foi a reação do rei Acabe com a repreensão de Elias. Quando se encontra com Elias na estrada, Acabe pergunta mordazmente: "És tu o perturbador de Israel?" (18.17). Esse líder estava tão cego que não conseguia ver que ele mesmo era o perturbador de Israel? Era ele quem trazia problemas para a nação. O escritor resume tudo isso ao dizer: "Porém ninguém fora como Acabe, que se vendera para fazer o que era mau aos olhos do Senhor, porque Jezabel, sua mulher, o incitava. E fez grandes abominações, seguindo os ídolos, conforme tudo o que fizeram os amorreus, os quais o Senhor lançou fora da sua possessão, de diante dos filhos de Israel" (21.25,26).

O rei Davi pecou, porém se arrependeu. Primeiro Reis apresenta diversos reis que pecaram, mas não se arrependeram. As nações começaram a ter governantes que refletiam o caráter da nação. Israel tinha o coração endurecido em relação a Deus e sua Palavra, por isso, o Senhor lhes deu reis que também tinham o coração endurecido no que dizia respeito a Deus e sua Palavra.
No entanto, temos de dizer, Acabe se arrependeu! Quem imaginaria! Elias confronta Acabe, depois de este matar Nabote e roubar sua vinha, e promete que Deus o destruirá e cortará seus descendentes:

> Sucedeu, pois, que Acabe, ouvindo estas palavras, rasgou as suas vestes, e cobriu a sua carne de pano de saco, e jejuou; e dormia em cima de sacos e andava mansamente. Então, veio a palavra do Senhor a Elias, o tisbita, dizendo: Não viste que Acabe se humilha perante mim? Porquanto, pois, se humilha perante mim, não trarei este mal nos seus dias, mas nos dias de seu filho trarei este mal sobre a sua casa (21.27-29).

Não sabemos o que aconteceu a Acabe após esse ato de arrependimento. A Bíblia não nos relata esse fato. Sei que toda a trajetória de sua vida não foi boa, e vemos que todo arrependimento da nação, como um todo, foi limitado e temporário. Veja como se encerra o livro de I Reis:

> E Acazias, filho de Acabe, começou a reinar em Samaria, no ano dezessete de Josafá, rei de Judá; e reinou dois anos sobre Israel. (22.52)
> E fez o que era mau aos olhos do Senhor; porque andou nos caminhos de seu pai, como também nos caminhos de sua mãe, e nos caminhos de Jeroboão, filho de Nebate, que fez pecar a Israel. (22.54)
> E serviu a Baal, e se inclinou diante dele, e indignou ao Senhor, Deus de Israel, conforme tudo quanto fizera seu pai (22.51-53).

É triste dizer que o parágrafo final parece resumir bem o livro, não é mesmo? A Palavra do Senhor veio por intermédio de Elias e levou Israel ao arrependimento por um tempo. Todavia, o arrependimento temporário não é o verdadeiro.

Você sabe a diferença entre o arrependimento temporário e o verdadeiro? Para determinar se sabe a diferença, pergunte-se se tem consciência de seu pecado e de sua necessidade de ser perdoado não por outra pessoa ou por você mesmo, mas por Deus. Foi por isso que Ele enviou a Cristo. Cristo tomou sobre si a punição pelos pecados dos que se arrependem de verdade e crêem nEle. Você responde em arrependimento e fé verdadeiros no trabalho de Cristo?

Alguns cristãos lêem o livro de I Reis e perguntam-se o que ele nos diz como nação. Espera-se que você execute fisicamente todas as pessoas que discordam de você? Dificilmente, esperar-se-ia isso. Por favor, perceba que esse livro não nos chama a estabelecer a verdadeira religião pela lei. A vinda de Cristo e o estabelecimento da sua igreja universal marcaram o fim do tempo da teocracia — a nação governada pela lei revelada por Deus. Virá o dia em que o Rei Jesus reinará visível, e nós vivemos na esperança desse dia. Todavia, não realizamos isso por nós mesmos.

Erastianismo é o nome da doutrina política que afirma que o Estado é responsável pelo trabalho da igreja cristã e representa uma corrupção do ensinamento bíblico. O Estado não é responsável pela pregação da Palavra, pela administração do batismo e da ceia do Senhor e pela prática da disciplina da igreja. Antes, o Estado é responsável por garantir a liberdade e o desimpedimento das igrejas para fazer esses trabalhos. Não somos chamados para legislar cristianismo, mas, antes, para legislar a liberdade para a prática do cristianismo. Isso significa trabalhar contra o secularismo agressivo que, sinceramente, é contrário à liberdade. Se quisermos conquistar a liberdade, devemos trabalhar pela liberdade por intermédio da prática religiosa. E a função das pessoas na vida pública e no governo é garantir e promover a liberdade para a prática religiosa.

Logo após a Revolução Americana, nossos zelosos amigos presbiterianos tiveram de reescrever uma parte da sua confissão de fé porque incluía a ordem instituída, ou erastianismo, uma visão da Igreja e do Estado. O capítulo 23 da Confissão de Fé de Westminster original dizia que era responsabilidade do Estado prover para a religião verdadeira. John Witherspoon, um dos teólogos presbiterianos líderes nos Estados Unidos e também um dos principais proponentes da Revolução Americana, sabia que tinha de repensar essa idéia biblicamente. Na verdade, seu trabalho, anterior à revolução, para reformular o relacionamento da Igreja e do Estado foi uma de suas causas. Eis uma parte da revisão da Confissão de Westminster, feita em 1787, sobre o papel do governo e da religião:

> Como Jesus Cristo constituiu em sua Igreja um governo regular e uma disciplina, nenhuma lei de qualquer Estado deve proibir, impedir ou embaraçar o seu devido exercício entre os membros voluntários de qualquer denominação cristã, segundo a profissão e a crença de cada um. E é dever dos magistrados civis proteger a pessoa e o bom nome de cada um dos seus jurisdicionados, de modo que a ninguém seja permitido, sob pretexto de religião ou de incredulidade, ofender, perseguir, maltratar ou injuriar qualquer outra pessoa; e bem assim providenciar para que todas as assembléias religiosas e eclesiásticas possam reunir-se sem ser perturbadas ou molestadas (cap. 23, artigo 3).

Por fim, por maior que Elias fosse não lhe competia estabelecer o Reino de Deus. Isso tinha de ser feito pelo maior profeta de todos, por aquEle para quem todos os profetas apontavam, Jesus Cristo — o Verbo feito carne. Por fim, nem competia a qualquer dos reis (mesmo os bons) estabelecer o Reino de Deus. De novo, esses reis apenas apontavam para a vinda do grande Rei, Cristo. O que isso significa para você pessoalmente? Isso significa que você precisa assumir a responsabilidade pela forma como rejeita a Deus. Você precisa parar de se afastar dEle e de fugir de sua Palavra. Você precisa se arrepender de seus pecados e ver Cristo como a Palavra de Deus e como Rei.

Se você for cristão, isso significa que deve continuar a se arrepender em todos os dias de vida que Deus lhe der.

Que a sua igreja possa se caracterizar pelo arrependimento sincero e pelo seguimento da Palavra do Senhor. Que nos lembremos sempre que o *declínio religioso termina com o arrependimento ou com o julgamento de Deus*.

CONCLUSÃO

Em um determinado ponto da história, Elias, totalmente triste, disse: "E eu fiquei só", achando que era o único israelita que se arrependeu, que creu e que conheceu o perdão de Deus (19.14). O Senhor repreende-o e afirma: "Também eu fiz ficar em Israel sete mil: todos os joelhos que se não dobraram a Baal" (19.18). Em sua Epístola aos Romanos, Paulo cita essa história, com a queixa de Elias e a repreensão do Senhor, e acrescenta logo depois: "Assim, pois, também agora neste tempo ficou um resto, segundo a eleição da graça" (Rm 11.5).

Por que Deus é tão gracioso que nos escolhe? Porque Ele quer um nome para si mesmo. Na consagração do Templo, Salomão ora para que Deus abençoe seu povo: "Para que todos os povos da terra saibam que o Senhor é Deus e que não há outro" (I Rs 8.60).

Vez após vez, I Reis registra que Deus age de forma que as nações saibam que Ele é o Senhor. Em um ponto da história, os siros planejam atacar Israel, e parecia que Deus usaria os siros para punir a desobediência de Israel. Contudo, os siros são orgulhosos e insensatos, e o conselheiro do rei siro disse-lhes: "Seus deuses [dos israelitas] são deuses dos montes; [...] pelejemos com eles em campo raso *e* por certo veremos se não somos mais fortes do que eles!" (20.23) Bem, os israelitas mereciam a derrota e a disciplina do Senhor, porém, Deus decidiu usar os israelitas para destruir o exército siro a fim de fazer um ponto: "Assim diz o Senhor: Porquanto os siros disseram: O Senhor é Deus dos montes e não Deus dos vales, toda esta grande multidão entregarei nas tuas mãos, para que saibas que eu sou o Senhor" (20.28). Ele é o Deus dos montes e dos vales, na verdade, de todo o mundo.

Você sabe que Ele é o Senhor de toda a terra? Você sabe que ele afirma ser o Senhor de sua vida?

Deus chama um povo para ser seu para a sua glória. Ouvir a esse chamado e aceitá-lo é a estrada para frente e para cima. Recusar esse chamado, por menor que se inicie a recusa, leva apenas ao declínio. E o fim não é bom. Oro para que seu fim seja bom e para que suas escolhas, mesmo hoje, caminhem nessa direção.

Oremos:

Oh, Deus, nesse livro temos retratos de Salomão e de Roboão, de Jeroboão e de Acabe, de pessoas que fizeram escolhas ruins, cujo coração estava contra o Senhor. E ao examinar nossa vida, vemos que, com freqüência, nosso coração está empenhado em servir primeiro a nós mesmos. Deus, oramos para que o Senhor traga clareza para a confusão de nossa mente e nosso coração, para que o Senhor nos ensine sua Palavra por intermédio do seu Espírito e, assim, possamos conhecer a verdade sobre nós mesmos e sobre o Senhor. Faça com que nos afastemos de nossos pecados e creiamos no Senhor.

Deus, sabemos que não conseguimos viver com a justiça necessária para merecer um lugar em sua família. Mas também conhecemos seu amor por nós, porque o Senhor não nos enviou apenas o profeta Elias, mas também o Senhor Jesus Cristo para levar sobre si nossos pecados. Oh, Deus, ouça nosso pedido por perdão e vida nova por intermédio de nosso Senhor Jesus Cristo. Oramos com grande confiança em seu nome. Amém.

Questões para Reflexão

1. É difícil fazer uma prescrição sem procurar sintomas e fazer um diagnóstico. Assim, reserve alguns minutos para meditar: há alguma área de sua vida em que você segue a direção errada? Talvez sua trajetória esteja apenas alguns passos fora do curso. Preste atenção ao pecado agora, antes de ir mais adiante.
2. Se você for líder ou algum tipo de professor em uma igreja local, está liderando ou ensinando na direção certa? Você tem algum mau hábito que deixou supurar e pode influenciar as outras pessoas? Há coisas que não faz, embora saiba que deveria fazer? Quanto sua vida de oração está envolvida no estabelecimento da trajetória da sua liderança?
3. Como vimos, o Reino do Sul, Judá, fez "conforme todas as abominações das nações que o Senhor tinha expulsado de diante dos filhos de Israel" (14.22-24). Por que isso é um problema? O tempo todo, as pessoas não agem como seus predecessores? Que importância isso tem para a igreja de hoje?
4. Salomão deixou um legado de pecado e de idolatria para seus filhos. Que legado você deixará para os seus filhos?
5. Como vimos, Salomão conheceu muitas bênçãos. Mas as bênçãos que recebeu o levaram à complacência, depois à frieza de coração em relação a Deus e, a seguir, à idolatria. Em que você experimentou as bênçãos do Senhor? Como seria se a complacência começasse a se estabelecer nessas áreas da sua vida?
6. Você já procurou o governo em busca de remédios que apenas a igreja está capacitada a oferecer — por meio do Espírito Santo e da Palavra? Quando?
7. Se um colega de trabalho lhe disser que todas as religiões foram feitas pelo homem, como você responderia?
8. Hoje, as igrejas sentem-se tentadas a seguir que deuses falsos?
9. Exortei-o a ver os problemas em sua vida e, depois, relacioná-los, se conseguir, à sua desatenção com alguma provisão que Deus lhe deu em Cristo. Tentemos fazer isso, especialmente em relação ao seu envolvimento com sua igreja local. Cite alguma frustração ou problema que esteja tendo com sua igreja. Bem, se possível, ligue sua frustração com algum pecado de negligência, de falta de caridade, de sua falha em se envolver mais na vida dos outros, falha em confortar os outros, determinação em se manter amargo ou qualquer outro pecado.
10. Em continuidade à pergunta 9, se for casado, cite algumas frustrações do seu casamento. Agora, usando a frase de Sibbes, como você vê *seu* pecado na cruz?
11. Qual a diferença entre o arrependimento temporário e o verdadeiro? Que fruto o verdadeiro arrependimento faz brotar em sua vida?

12. Perto do final do sermão, você, como cristão, foi desafiado a "continuar a se arrepender em todos os dias de vida que Deus lhe der". O que isso significa? Nós não nos tornamos cristão de uma vez por todas? Como se arrepender todos os dias?

13. Se for professor de um estudo bíblico ou da Escola Dominical, como usaria a lição de 1 Reis a fim de apontar para Jesus Cristo?

Notas

Capítulo 11

[1] A data de pregação original deste sermão foi em 15 de setembro de 2002, na Capitol Hill Baptist Church, em Washington, D.C.

[2] Se quiser saber mais a respeito disso na história dos Estados Unidos veja o livro de Michael Novak, *On Two Wings: Humble Faith and Common Sense at the American Fouding* (San Francisco: Encounter, 2002), em que apresenta citações dos fundadores dos Estados Unidos. Embora nem todos adotassem a mesma declaração teológica, eles compartilharam algumas idéias religiosas básicas que acharam necessárias para a experiência de trabalho norte-americana.

A MENSAGEM DE 2 REIS: QUEDA

UMA DERROTA INEVITÁVEL?

INTRODUÇÃO A 2 REIS

BÊNÇÃOS: DEUS ABENÇOOU SEU POVO

FRACASSO: OS LÍDERES DO POVO DE DEUS LEVARAM O POVO A PECAR

PUNIÇÃO: DEUS PUNE SEU POVO

ESPERANÇA: O POVO DE DEUS AINDA TEM ESPERANÇA
Se eles se Arrependerem
Por Causa das Promessas de Deus

CONCLUSÃO: DEPOIS DA QUEDA

CAPÍTULO 12

A Mensagem de 2 Reis: Queda

Uma Derrota Inevitável?[1]

"Senhor, abra os olhos do rei da Inglaterra." Em 6 de outubro de 1536, há 466 anos, essa oração foi proferida. William Tyndale gritou essas palavras em público, e, naquela época, essa foi uma oração pública notavelmente corajosa. Claro, ela afirmava que os olhos do rei precisavam ser abertos. Contudo, naquele momento, Tyndale tinha pouco a perder. Essas foram suas últimas palavras. Logo após sua oração, o executor estrangulou-o até a morte e, depois, queimou seu corpo.

Tyndale ficou por mais de dez anos como fugitivo no continente europeu, traduzindo a Bíblia para o inglês para que seus compatriotas britânicos pudessem lê-la. Por esse motivo, ele foi caçado, traído por um falso amigo, preso durante um ano e meio e executado. Na época, a igreja instituída proibia que os leigos lessem a Bíblia na língua materna. Portanto, traduzir a Bíblia era um crime capital.

Boa parte da versão King James e de todas as outras versões inglesas da Bíblia fundamentam-se bastante na tradução de Tyndale.

Provavelmente, o final da vida de Tyndale, esse episódio dramático da traição e da prisão, seja o mais lembrado por todos. Ele deu um testemunho tão bom nesse um ano e meio na prisão que alguns de seus captores se converteram. A seguir, ele foi morto.

Neste mundo, o povo de Deus, com freqüência, enfrentou provações. Isso não é novidade para os que se chamam cristãos. Algumas provações são externas, trazidas por estranhos, outras, são internas. Sejam quais forem as particularidades, parece que o povo de Deus é, com freqüência, derrotado.

Introdução a 2 Reis

Na Bíblia, o livro de 2 Reis, objeto deste estudo, apresenta um dos retratos mais claros disso — com certeza, o retrato de proporções mais épicas. Este estudo faz parte de uma série sobre os livros históricos do Antigo Testamento, em que examinamos a história do povo de Deus desde a época em que Josué levou os israelitas à Terra Prometida até o retorno do exílio babilônico, mil anos depois. Chamei esta série de estudos de "O outro Milênio".

Segundo Reis é o último da série de livros que parecem ter sido escritos na mesma época de — 1 e 2 Samuel e 1 e 2 Reis. Mas 2 Reis é um pouco diferente dos três anteriores. Cada um dos três livros anteriores apresenta personagens dominantes. Primeiro Samuel conta as histórias de Samuel e de Saul. O rei Davi domina o relato de 2 Samuel. E cerca de metade de 1 Reis concentra-se em Salomão e seu grande reinado. Entretanto, 2 Reis não é assim, pois não apresenta um personagem dominante, e todas as figuras que fazem parte da história formam mais uma montagem que um retrato único. Ou você pode dizer que apresentar 2 Reis é menos parecido com pintar o ápice claramente esboçado de Davi, ou de Salomão, e é mais parecido com pintar a obscuridade de uma avalanche em que as linhas claras se perdem em meio à queda das pedras. Segundo Reis, de várias formas, é semelhante ao livro de Juízes: cobre um período de tempo similar —, aproximadamente, trezentos anos — e apresenta muitos personagens. Na verdade, ao mesmo tempo em que Juízes apresenta apenas doze juízes, em 2 Reis há menção a 29 reis, de Israel e de Judá, isso sem mencionar os reis da Síria, de Moabe, da Assíria, da Babilônia e do Egito, como também os profetas Eliseu e Isaías! Agora, ao contrário do que você esperaria se acompanhou alguns de meus sermões, não falarei de cada uma dessas pessoas. Em vez disso, discutirei a mensagem global do livro.

Como sugeri, o movimento de todo o livro é claro — tão claro como uma avalanche! É um movimento descendente. Segundo Reis conta a história da queda do povo de Deus. Em 722 a.C. (cap. 17), o Reino do Norte, Israel, caiu e, mais de um século depois, em 587 a.C., o Reino do Sul, Judá, também caiu (nos dois últimos capítulos, 24—25).

A tese global de 1 e 2 Samuel e de 1 e 2 Reis, quando vistas juntas, é irônica, mas clara: a nação que Josué guiou até Canaã a fim de ser um testemunho para as nações circunvizinhas tornou-se, em vez disso, uma imitação dessas nações. Israel fez exatamente o oposto do que lhe foi ensinado a fazer, e o povo de Deus rejeitou ao Senhor. E como o povo transformou-se apenas em outra nação, a história termina com Judá no exílio e dispersada entre as nações. E ironia das ironias! Alguns habitantes de Judá até fugiram de volta para o Egito — seus captores originais. Vistos do fim, esses quatro livros chamam o povo de Deus ao arrependimento. Portanto, 2 Reis era, originalmente, um chamado para que o povo rejeitasse sua rejeição e voltasse à fé em Deus, o que explica a destruição e o exílio do povo.

A linha histórica desse livro vai dos reis de Israel (o Reino do Norte) para os de Judá (o Reino do Sul), e destes para aqueles. Lembre-se, depois do reinado de Salomão, a nação dividiu-se nesses dois reinos (veja 1 Rs 12.16-24). Se, na última semana, você leu 2 Reis, talvez, tenha achado esses vai-e-vem entre os dois reinos um tanto confusos. Contudo, o narrador, em essência, segue um reino por um tempo, em geral até a morte do rei, depois, ele vai para o outro reino e traça a história de outro rei até que morra, ou seja morto, e assim por diante. Às vezes, há interação entre as duas nações, e, em geral, o livro move-se em ordem cronológica.

O capítulo 17 apresenta o ponto central básico do livro, a queda do Reino do Norte. Por fim, a nação de Israel é derrotada e dispersada. Quero que leiamos o relato, porém, voltaremos ao capítulo 16 apenas para saber o que acontece no Reino do Sul, Judá:

> No ano dezessete de Peca, filho de Remalias, começou a reinar Acaz, filho de Jotão, rei de Judá. Tinha Acaz vinte anos de idade quando começou a reinar, e reinou dezesseis anos em Jerusalém, e não fez o que era reto aos olhos do Senhor, seu Deus, como Davi, seu pai. Porque andou no caminho dos reis de Israel e até a seu filho fez passar pelo fogo, segundo as abominações dos gentios, que o Senhor lançara fora de diante dos filhos de Israel. Também sacrificou e queimou incenso nos altos e nos outeiros, como também debaixo de todo arvoredo (16.1-4).

No sul, Judá, sob o governo de Acaz, certamente alcançou um ponto baixo. Todavia, vemos uma situação ainda pior ao olhar para o norte:

> No ano duodécimo de Acaz, rei de Judá, começou a reinar Oséias, filho de Elá, e reinou sobre Israel, em Samaria, nove anos. E fez o que era mal aos olhos do Senhor; contudo, não como os reis de Israel que foram antes dele. Contra ele subiu Salmaneser, rei da Assíria; e Oséias ficou sendo servo dele e dava-lhe presentes. Porém o rei da Assíria achou em Oséias conspiração, porque enviara mensageiros a Sô, rei do Egito, e não pagava presentes ao rei da Assíria cada ano, como dantes; então, o rei da Assíria o encerrou e aprisionou na casa do

cárcere. Porque o rei da Assíria subiu por toda a terra, e veio até Samaria, e a cercou três anos. No ano nono de Oséias, o rei da Assíria tomou a Samaria, e transportou Israel para a Assíria, e fê-los habitar em Hala e em Habor, junto ao rio Gozã, e nas cidades dos medos. E sucedeu assim por os filhos de Israel pecarem contra o Senhor, seu Deus, que os fizera subir da terra do Egito, de debaixo da mão de Faraó, rei do Egito; e temeram a outros deuses. E andaram nos estatutos das nações que o Senhor lançara fora de diante dos filhos de Israel e nos costumes dos reis de Israel. E os filhos de Israel fizeram secretamente coisas que não eram retas, contra o Senhor, seu Deus; e edificaram altos em todas as suas cidades, desde a torre dos atalaias até à cidade forte. E levantaram estátuas e imagens do bosque, em todos os altos outeiros e debaixo de todas as árvores verdes. E queimaram ali incenso em todos os altos, como as nações que o Senhor transportara de diante deles; e fizeram coisas ruins, para provocarem à ira o Senhor. E serviram os ídolos, dos quais o Senhor lhes dissera: Não fareis estas coisas. E o Senhor protestou a Israel e a Judá, pelo ministério de todos os profetas e de todos os videntes, dizendo: Convertei-vos de vossos maus caminhos e guardai os meus mandamentos e os meus estatutos, conforme toda a Lei que ordenei a vossos pais e que eu vos enviei pelo ministério de meus servos, os profetas. Porém não deram ouvidos; antes, endureceram a sua cerviz, como a cerviz de seus pais, que não creram no Senhor, seu Deus. E rejeitaram os estatutos e o concerto que fizera com seus pais, como também os testemunhos com que protestara contra eles; e andaram após a vaidade e ficaram vãos, como também após as nações que estavam em roda deles, das quais o Senhor lhes tinha dito que não fizessem como elas. E deixaram todos os mandamentos do Senhor, seu Deus (17.1-16a).

Nesse ponto, o autor enumera os pecados específicos do povo do norte, mas apenas com a finalidade de confirmar que a história de Israel chega ao fim. Então, no capítulo 18, quando nos voltamos para o sul, vemos que o poderoso rei assírio, agora, volta seus olhos para Judá. Se ele foi capaz de conquistar Israel com tanta facilidade, o que acontecerá a Judá?

E sucedeu que, no terceiro ano de Oséias, filho de Elá, rei de Israel, começou a reinar Ezequias, filho de Acaz, rei de Judá. Tinha vinte e cinco anos de idade quando começou a reinar e vinte e nove anos reinou em Jerusalém; e era o nome de sua mãe Abi, filha de Zacarias. E fez o que era reto aos olhos do Senhor, conforme tudo o que fizera Davi, seu pai. Este tirou os altos, e quebrou as estátuas, e deitou abaixo os bosques, e fez em pedaços a serpente de metal que Moisés fizera, porquanto até àquele dia os filhos de Israel lhe queimavam incenso e lhe chamavam Neustã. No Senhor, Deus de Israel, confiou, de maneira que, depois dele, não houve seu semelhante entre todos os reis de Judá, nem entre os que foram antes dele. Porque se chegou ao Senhor, não se apartou de após ele e guardou os mandamentos que o Senhor tinha dado a Moisés. Assim, foi o Senhor com ele; para onde quer que saía, se conduzia com prudência; e se revoltou contra o rei da Assíria e não o serviu. Ele feriu os filisteus até Gaza, como também os termos dela, desde a torre dos atalaias até à cidade forte (18.1-8).

O narrador interrompe um pouco seu relato sobre Ezequias e retorna ao Reino do Norte; a seguir, vários versículos adiante, resumem:

Porém, no ano décimo quarto do rei Ezequias subiu Senaqueribe, rei da Assíria, contra todas as cidades fortes de Judá e as tomou. Então, Ezequias, rei de Judá, enviou ao rei da Assíria, a Laquis, dizendo: Pequei; retira-te de mim; tudo o que me impuseres levarei. Então, o rei da Assíria impôs a Ezequias, rei de Judá, trezentos talentos de prata e trinta talentos de ouro. Assim, deu Ezequias toda a prata que se achou na Casa do Senhor e nos tesouros da casa do rei. Naquele tempo, cortou Ezequias o ouro das portas do templo do Senhor e das ombreiras, de que Ezequias, rei de Judá, as cobrira, e o deu ao rei da Assíria (18.13-16).

Não fica claro por que Ezequias achou que poderia pagar o rei da Assíria com um pouco de ouro. Temos a tentação de pensar que ele apenas aguçou o apetite do rei estrangeiro. E este, certamente, enviou seu exército ao ataque com todas as suas forças:

Contudo, enviou o rei da Assíria a Tartã, e a Rabe-Saris, e a Rabsaqué, de Laquis, com um grande exército, ao rei Ezequias, a Jerusalém; e subiram, e vieram a Jerusalém; e, subindo e vindo eles, pararam ao pé do aqueduto da piscina superior, que está junto ao caminho do campo do lavandeiro. E chamaram o rei, e saiu a eles Eliaquim, filho de Hilquias, o mordomo, e Sebna, o escrivão, e Joá, filho de Asafe, o chanceler. E Rabsaqué lhes disse: Ora, dizei a Ezequias: Assim diz o grande rei, o rei da Assíria: Que confiança é esta em que confias? Dizes tu (porém palavra de lábios é): Há conselho e poder para a guerra. Em que, pois, agora, confias, que contra mim te revoltas? Eis que, agora, tu confias naquele bordão de cana quebrada, no Egito, no qual, se alguém se encostar, entrar-lhe-á pela mão e lha furará; assim é Faraó, rei do Egito, para com todos os que nele confiam. Se, porém, me disserdes: No Senhor, nosso Deus, confiamos, porventura, não é este aquele cujos altos e cujos altares Ezequias tirou, dizendo a Judá e a Jerusalém: Perante este altar vos inclinareis em Jerusalém? (18.17-22)

Está claro que o rei assírio e seu emissário estão confusos. Sim, Ezequias, como afirmam os assírios, derrubou os altos e os ídolos de Jerusalém e de Judá, mas ele estava certo em fazer isso. Esses ídolos e altos eram dedicados a deuses estranhos, não ao único Deus verdadeiro de Israel. Todavia, os assírios não entendem isso. Portanto, o emissário continua:

> Ora, pois, dá agora reféns ao meu senhor, o rei da Assíria, e dar-te-ei dois mil cavalos, se tu puderes dar cavaleiros para eles. Como, pois, farias virar o rosto de um só príncipe dos menores servos de meu senhor? Porém tu confias no Egito, por causa dos carros e cavaleiros. Agora, pois, subi eu, porventura, sem o Senhor contra este lugar, para o destruir? O Senhor me disse: Sobe contra esta terra e destrói-a (18.23-25).

Não, não sei se o Senhor disse a ele alguma dessas coisas. Talvez o comandante pensasse: "Ei, esse povo é supersticioso. Posso apelar para o temor deles". Ou talvez Deus, realmente, tenha dito aos assírios: "Sobe contra esta terra e destrói-a". Realmente, não sei:

> Então, disseram Eliaquim, filho de Hilquias, e Sebna, e Joá, a Rabsaqué: Rogamos-te que fales aos teus servos em siríaco, porque bem o entendemos; e não nos fales em judaico, aos ouvidos do povo que está em cima do muro. Porém Rabsaqué lhes disse: Porventura, mandou-me meu senhor só a teu senhor e a ti, para falar estas palavras? E não, antes, aos homens que estão sentados em cima do muro, para que juntamente convosco comam o seu esterco e bebam a sua urina? Rabsaqué, pois, se pôs em pé, e clamou em alta voz em judaico, e falou, e disse: Ouvi a palavra do grande rei, do rei da Assíria. Assim diz o rei: Não vos engane Ezequias; porque não vos poderá livrar da sua mão; nem tampouco vos faça Ezequias confiar no Senhor, dizendo: Certamente nos livrará o Senhor, e esta cidade não será entregue na mão do rei da Assíria (18.26-30).

Nesse ponto, quase me pergunto se Deus deixaria os assírios pegarem Judá, já que o povo judeu se tornara tão pecador, mas, em vez disso, Ele garantiu a derrota dos assírios por serem blasfemos e ridicularizarem ao Senhor. Ao ler esse relato, pegamo-nos com o pensamento: "Hã! Ele não devia ter dito isso! Ele ultrapassou os limites!" Mas o assírio continua:

Não deis ouvidos a Ezequias; porque assim diz o rei da Assíria: Contratai comigo por presentes e saí a mim; e coma cada um da sua vide e da sua figueira e beba cada um a água da sua cisterna. Até que eu venha e vos leve para uma terra como a vossa, terra de trigo e de mosto, terra de pão e vinhas, terra de oliveiras, de azeite e de mel; e assim vivereis e não morrereis; não deis ouvidos a Ezequias, porque vos incita, dizendo: O Senhor nos livrará. Porventura, os deuses das nações puderam livrar, cada um a sua terra, das mãos do rei da Assíria? Que é feito dos deuses de Hamate e de Arpade? Que é feito dos deuses de Sefarvaim, Hena e Iva? Porventura, livraram a Samaria da minha mão? Quais são eles dentre todos os deuses das terras, os que livraram a sua terra da minha mão, para que o Senhor livrasse a Jerusalém da minha mão? Porém calou-se o povo e não lhe respondeu uma só palavra; porque mandado do rei havia, dizendo: Não lhe respondereis. Então, Eliaquim, filho de Hilquias, o mordomo, e Sebna, o escrivão, e Joá, filho de Asafe, o chanceler, vieram a Ezequias com as vestes rasgadas e lhe fizeram saber as palavras de Rabsaqué. E aconteceu que Ezequias, tendo-o ouvido, rasgou as suas vestes, e se cobriu de pano de saco, e entrou na Casa do Senhor. Então, enviou a Eliaquim, o mordomo, e a Sebna, o escrivão, e aos anciãos dos sacerdotes cobertos de pano de saco, ao profeta Isaías, filho de Amoz; os quais disseram-lhe: Assim diz Ezequias: Este dia é dia de angústia, e de vituperação, e de blasfêmia; porque os filhos chegaram ao parto, e não há força para os ter. Bem pode ser que o Senhor, teu Deus, ouça todas as palavras de Rabsaqué, a quem enviou o seu senhor, o rei da Assíria, para afrontar o Deus vivo e para vituperá-lo com as palavras que o Senhor, teu Deus, tem ouvido; faze, pois, oração pelo resto que se acha. E os servos do rei Ezequias vieram a Isaías. E Isaías lhes disse: Assim direis a vosso senhor: Assim diz o Senhor: Não temas as palavras que ouviste, com as quais os servos do rei da Assíria me blasfemaram. Eis que meterei nele um espírito e ele ouvirá um ruído e voltará para a sua terra; à espada o farei cair na sua terra. Voltou, pois, Rabsaqué e achou o rei da Assíria pelejando contra Libna, porque tinha ouvido que se havia partido de Laquis. E, ouvindo ele dizer de Tiraca, rei de Cuxe: Eis que há saído para te fazer guerra; tornou a enviar mensageiros a Ezequias, dizendo: Assim falareis a Ezequias, rei de Judá, dizendo: Não te engane o teu Deus, em quem confias, dizendo: Jerusalém não será entregue na mão do rei da Assíria. Eis que já tens ouvido o que fizeram os reis da Assíria a todas as terras, destruindo-as totalmente; e tu te livrarás? Porventura, as livraram os deuses das nações, a quem destruíram, como a Gozã e a Harã, e a Rezefe, e aos filhos de Éden, que estavam em Telassar? Que é feito do rei de Hamate, e do rei de Arpade, e do rei da cidade de Sefarvaim, de Hena e de Iva? Recebendo, pois, Ezequias as cartas das mãos dos mensageiros e lendo-as, subiu à Casa do

Senhor; e Ezequias as estendeu perante o Senhor. E orou Ezequias perante o Senhor e disse: Ó Senhor, Deus de Israel, que habitas entre os querubins, tu mesmo, só tu és Deus de todos os reinos da terra; tu fizeste os céus e a terra. Inclina, Senhor, o teu ouvido e ouve; abre, Senhor, os teus olhos e olha: e ouve as palavras de Senaqueribe, que ele enviou para afrontar o Deus vivo. Verdade é, ó Senhor, que os reis da Assíria assolaram as nações e as suas terras. E lançaram os seus deuses no fogo, porquanto deuses não eram, mas obra de mãos de homens, madeira e pedra; por isso, os destruíram. Agora, pois, ó Senhor, nosso Deus, sê servido de nos livrar da sua mão; e, assim, saberão todos os reinos da terra que só tu és o Senhor Deus (18.31—19.19).

Judá livrou-se das mãos dos assírios. Todavia, depois de Ezequias, o reino retomou o declínio até também, no último capítulo do livro (25), ser destruído por um exército invasor — dessa vez, os babilônios.

Bem, esse é o resumo de 2 Reis, com exame mais detalhado dos capítulos intermediários que descrevem o fim de Israel e o arrependimento de Ezequiel (18—20), o que parece retardar o fim de Judá.

Quero que observemos quatro aspectos da história a fim de que não deixemos de entender a mensagem global de 2 Reis: as bênçãos, o fracasso, a punição e a esperança.

BÊNÇÃOS: DEUS ABENÇOOU SEU POVO

Primeiro, perceba que Deus abençoou seu povo.

O pano de fundo dessas histórias é que Deus abençoou muito o povo de Israel. Ele deu-lhes um Templo, em que Ele estabeleceu seu nome. Ele deu-lhes um rei, como queriam. E deu-lhes a terra. Como você deve se lembrar, Ele tirou-os de sob o jugo do faraó, no Egito, expulsou as nações que ocupavam a terra e deu-lhes a terra que prometera a seus antepassados.[2]

E o mais importante, Deus lhes deu, especialmente, sua Palavra, como também grandes profetas, como Samuel, Elias e (em 2 Reis) Eliseu e Isaías para ensinar e honrar a Lei da sua Palavra. Por intermédio dessa Lei, Deus fez dos israelitas seu povo especial, o da aliança, e prometeu dar-lhes sua presença entre eles.

Em 2 Reis, nossas considerações a respeito do povo de Deus devem se iniciar nesse ponto. Sim, essa é uma história sobre queda, e antes temos de nos perguntar: "Que queda foi essa?" E a resposta é que eles caíram de todas essas bênçãos.

Portanto, amigo, você também deve iniciar a partir desse ponto quando se aproxima das Escrituras e de seu significado. Inicie com as bênçãos que Deus lhe deu, quer seja cristão, quer não. Fomos todos criados à imagem de Deus, e todos recebemos bênçãos dEle. Jesus disse que Deus faz a chuva cair sobre o justo e o injusto (Mt 5.45). Jamais haverá alguém que ouça essas palavras que não tenha recebido muitas, muitas bênçãos do Senhor.

Claro que, como cristãos, percebemos que a maior bênção de Deus para nós é Cristo. Assim, irmãos em Cristo, agradeçam a Deus por nos ter dado Cristo! Agradeçam a Deus por seu amor salvador e conciliador. Seu ponto inicial deve ser o reconhecimento dos dons indescritíveis que o Senhor lhe deu em Cristo, independentemente das questões ou das provações que esteja atravessando.

Nosso ponto inicial, como igreja, deve ser o reconhecimento da nossa grande dívida para com Deus e nosso mais profundo agradecimento a Ele. Ele nos deu seu Espírito e sua Palavra. Deu-nos professores da sua Palavra e deu-nos uns aos outros. Deus abençoou seu povo naquela época; e abençoa-nos hoje.

Tudo neste sermão pressupõe as muitas bênçãos de Deus para todos nós, quer sejamos cristãos, quer não.

Fracasso: Os Líderes do Povo de Deus Levaram o Povo a Pecar

Infelizmente, essa história inicia-se apenas com as bênçãos de Deus. Essas bênçãos são seguidas por um tremendo fracasso. Esse livro menciona 29 governantes (doze de Israel e dezenove de Judá), e quase todos eles se caracterizam por ter feito o mal. No capítulo 16, já lemos a respeito de um dos piores deles: Acaz, rei de Judá.

No entanto, o pior de todos foi outro rei de Judá, Manassés. O capítulo 21 descreve-o: "E fez o *que era* mal aos olhos do Senhor, conforme as abominações dos gentios que o Senhor desterrara de *suas* possessões de diante dos filhos de Israel" (21.2). Quando os leva a seguir as práticas dos povos que viviam na terra antes deles, Manasses confisca a própria razão por que Deus trouxe o povo para a terra — ser uma nação distinta das outras. O narrador continua:

> Porque tornou a edificar os altos que Ezequias, seu pai, tinha destruído, e levantou altares a Baal, e fez um bosque como o que fizera Acabe, rei de Israel, e se inclinou diante de todo o exército dos céus, e os serviu. E edificou altares na Casa do Senhor, de que o Senhor tinha dito: Em Jerusalém, porei o meu nome. Também edificou altares a todo o exército dos céus em ambos os átrios da Casa do Senhor. E até fez passar a seu filho pelo fogo, e adivinhava pelas nuvens, e era agoureiro, e instituiu adivinhos e feiticeiros, e prosseguiu em fazer mal aos olhos do Senhor, para o provocar à ira (21.3-6).

E a lista continua.

Manassés, Acaz, a maioria dos reis de Judá e todos os de Israel levam o povo a pecar, até ao pecado da idolatria que nega diretamente ao Senhor. Agora, quando digo "nega", não quero dizer supressão total à adoração ao Deus verdadeiro. Não, se você perguntasse a algum desses reis, provavelmente ele responderia que apenas "suplementa" a adoração a Deus com a adoração a outros deuses, e não a está substituindo. Assim, não os vemos opor-se, direta e publicamente, à adoração ao verdadeiro Deus. Não, a oposição deles é muito mais sutil que isso. Todavia, as Escrituras nos dizem que quem tenta adorar qualquer outro deus ao mesmo tempo em que adora ao Senhor mostra que, de fato, não conhece o único e verdadeiro Deus. Conhecê-lo significa saber que não há outro deus.

Por isso, os pecados desses reis são expostos claramente, preto no branco. O escritor não quer deixar dúvida em relação ao quanto eles eram pecaminosos.

Devemos perceber, ao ler sobre Israel, que, hoje, nenhuma nação é uma teocracia. As pessoas, depois de ler esses livros, perguntam-se vez após vez: "Então, realmente devemos derrubar as igrejas das outras denominações e os templos de outras religiões?" A resposta é não. Nenhuma nação de hoje é governada pela lei divina como Israel o foi. Nós, os cristãos, não temos interesse em tentar usar o poder coercitivo —, quer por intermédio do Estado, quer por métodos de manipulação a fim de persuadir o indivíduo — com a finalidade de suprimir qualquer adoração que consideramos falsa. Deus usou a nação de Israel, de forma única, a fim de preparar o caminho para Cristo, e sua vinda acaba com a era de se usar uma nação dessa forma. A igreja de Cristo é internacional e não deve se identificar totalmente com qualquer país.

Entretanto, dito isso, não quero dizer que o Estado não tenha mais o papel de fazer justiça. Claro que ele tem esse papel. Os líderes ainda têm a responsabilidade de exercer seu poder com cuidado e para o bem de seus liderados. Todos nós somos responsáveis diante de Deus pelo bom exercício do poder e das oportunidades que nos foram confiados. (Para saber mais a respeito desse assunto, veja o sermão panorâmico sobre 2 Samuel, em que estudamos o governo do rei Davi e como glorificamos a Deus quando exercemos bem a autoridade terrena.)

Os reis de Israel e de Judá falharam muitíssimo no cumprimento de sua incumbência. Eles foram chamados com a finalidade de proteger o povo e de prenunciar o reino perfeito e justo de Jesus Cristo. Todavia, eles pecaram e levaram o povo a pecar! Que diferença do Rei dos reis, nosso Senhor Jesus Cristo, que nunca pecou nem levou seu povo a pecar.

Nós, os cristãos, podemos, entre nós, discordar a respeito de muitas coisas, mas nenhum de nós pode negar seu pecado. Por isso, reconhecemos que as pessoas que liam esses relatos de pecados, deprimentes e repetitivos, não eram muito diferentes de nós. Como cristãos, sabemos que não somos justos, mas injustos. Percebemos, como o grande rei Davi, que nosso pecado é fundamentalmente contra Deus. Ao contrário desses reis, percebemos também quão sério e idólatra é o nosso pecado.

Em certo sentido, os presbíteros da igreja têm uma posição paralela à desses reis israelitas. Eles são chamados a assumir a responsabilidade especial de proteger o nome de Deus e de abençoar seu povo. Portanto, por essa mesma razão, o Novo Testamento diz aos líderes da igreja que nós, "mestres", "receberemos mais duro juízo" (Tg 3.1). Nós, presbíteros, devemos ser motivados a evitar as ciladas dos líderes ruins, como também a imitar as virtudes dos grandes líderes.

Portanto, como congregação, devemos exigir que os presbíteros entre nós nos protejam fielmente por intermédio do ministério da Palavra de Deus. Como uma congregação se mantém fiel à Palavra do Senhor ao longo das décadas? Ao alimentar-se com a Palavra do Senhor. Ao aprender a verdade. A congregação mais bem instruída provará ser a mais perseverante em fidelidade. Os líderes e o povo devem se reger pela Palavra de Deus, por isso, quando os líderes, como os reis israelitas, não fazem isso, eles levam o povo do Senhor ao pecado. Que o Senhor impeça que nós, líderes dessa igreja, fracassemos como esses reis.

Punição: Deus Pune seu Povo

Deus pune seu povo após o fracasso dos reis e da nação. Esse é o terceiro item que queremos observar em 2 Reis. A paz e a prosperidade que, certa vez, caracterizaram a nação parecem abandonar o povo à medida que a nação declina espiritual e moralmente. Por exemplo, já no primeiro versículo, vemos que Moabe se rebela contra ser governada por Israel (1.1; 3.4ss). Ao longo dos capítulos, encontramos muitos desses tipos de distúrbios. A certa altura, o narrador descreve o que acontece em termos teológicos: "Naqueles dias, começou o Senhor a diminuir os termos de Israel" (10.32)!

Por fim, isso acontece. O capítulo 17 relata que o Reino do Norte alcança o nadir, a sarjeta, o ponto mais baixo de sua história quando as dez tribos do norte são tragadas pelo Império Assírio, em expansão. As cidades caem, e a população é exilada, deportada e espalhada para nunca retornar e perder-se para sempre na história.

Por que tudo isso aconteceu? O capítulo 17 afirma com clareza: "E sucedeu assim *por* os filhos de Israel pecarem contra o Senhor, seu Deus, que os fizera subir da terra do Egito, de debaixo da mão de Faraó, rei do Egito" (grifo do autor). E também o capítulo 18: "*Porquanto* não obedeceram à voz do Senhor, seu Deus; antes, traspassaram o seu concerto *e* tudo quanto Moisés, servo do Senhor, tinha ordenado" (grifo do autor).[3]

Após o que aconteceu ao Reino do Norte, torna-se inevitável a pergunta: Judá receberá a mesma punição que Israel? Eles bem que mereciam. Eles são tão pecadores quanto Israel. No capítulo 21, Deus conta o que fará com Judá:

> Então, o Senhor falou pelo ministério de seus servos, os profetas, dizendo: Porquanto Manassés, rei de Judá, fez estas abominações, fazendo pior do que quanto fizeram

os amorreus que antes dele foram e até também a Judá fez pecar com os seus ídolos, por isso, assim diz o Senhor, Deus de Israel: Eis que hei de trazer tal mal sobre Jerusalém e Judá, que qualquer que ouvir, lhe ficarão retinindo ambas as orelhas. E estenderei sobre Jerusalém o cordel de Samaria e o prumo da casa de Acabe; e limparei Jerusalém, como quem limpa a escudela a limpa e a vira sobre a sua face. E desampararei o resto da minha herança, entregá-los-ei na mão de seus inimigos; e far-se-ão roubo e despojo para todos os seus inimigos. Porquanto fizeram o que era mal aos meus olhos e me provocaram à ira, desde o dia em que seus pais saíram do Egito até hoje (21.10-15).

Agora, essa passagem apresenta um retrato de Deus, do qual as pessoas, hoje, não gostam muito. Como pecadores, temos interesse em acreditar que o Senhor não pune o pecado. Apresenta-se a definição do caráter do Senhor de tal forma que não sejamos responsáveis por nossos erros, e essa concepção é vantajosa para os nossos propósitos. No entanto, aqui, no capítulo 21, a promessa do Senhor para Judá está em total contradição com esse nosso desejo.

É interessante o fato de o Senhor não aplicar esse julgamento de imediato. De acordo com seus propósitos, Ele espera diversas gerações e, até mesmo, permite um rei bom, Josias, neto de Manassés, ascender temporariamente ao trono e restabelecer, em parte, a adoração em Judá, antes de executar seu julgamento. Contudo, o julgamento fora prometido, e, no capítulo 24, cai sobre Judá. Ele usa o Império Babilônio para punir Judá da mesma forma que usou a poderosa nação assíria para humilhar Israel:

> Nos dias de Jeoaquim, subiu Nabucodonosor, rei de Babilônia, contra ele, e Jeoaquim ficou três anos seu servo; depois, se virou e se revoltou contra ele. E Deus enviou contra Jeoaquim as tropas dos caldeus, e as tropas dos siros, e as tropas dos moabitas, e as tropas dos filhos de Amom; e as enviou contra Judá, para o destruir, conforme a palavra que o Senhor falara pelo ministério de seus servos, os profetas. E, na verdade, conforme o mandado do Senhor, assim sucedeu a Judá, que o tirou de diante da sua face, por causa dos pecados de Manassés, conforme tudo quanto fizera, como também por causa do sangue inocente que derramou, enchendo a Jerusalém de sangue inocente; por isso, o Senhor não o quis perdoar (24.1-4).

Então, alguns versículos adiante, encontramos o veredicto mais terrível de todos: "Até [Deus] os rejeitar de diante da sua face" (24.20).

Às vezes, perguntam-me se Deus ainda julga as nações hoje, e, com certeza, a resposta deve ser afirmativa. Não conheço esse assunto muito bem, e as Escrituras não tratam da questão de forma direta. Todavia, sabemos que o Senhor é responsável pelo crescimento e pela queda de nações (ex.: Is 33.3). E sabemos, por intermédio dos profetas, que o Senhor julgou as nações circunvizinhas de Israel e de Judá. De acordo com o padrão universal da justiça de Deus, elas foram responsabilizadas. Por exemplo, o Senhor enviou Jonas à cidade de Nínive com a finalidade de adverti-los de que, em quarenta dias, a ira do Senhor os subverteria (Jn 3.4). Contudo, dito isso, não podemos presumir, por reciprocidade, que toda nação próspera segue firmemente ao Senhor. Às vezes, Deus, segundo seus propósitos, permite que nações injustas desfrutem de prosperidade temporária — o caso claro da Assíria e da Babilônia, às quais permitiu prosperidade por um período. Como também não podemos presumir que a queda de todas as nações seja por causa de sua injustiça. Na verdade, a história de Jó, homem justo, e a vida de nosso perfeitamente justo Jesus ensinam outra coisa. Portanto, devemos nos lembrar de que, neste mundo caído, nem sempre existe uma simples correlação entre a prosperidade *terrena* e a aprovação de Deus.

Como indivíduos, devemos observar no julgamento do Senhor, sobre Israel e Judá, sua ira por ver outras coisas — os ídolos feitos de madeira ou os que são fruto do desejo egoísta, os males grandes ou pequenos — tomarem seu lugar. Apenas Ele deve ser reverenciado e adorado como Deus. Ele é o único Deus verdadeiro e santo. Portanto, faz parte de sua própria natureza opor-se a tudo que é profano. Fazer com que *você* se responsabilize por qualquer erro que cometa faz parte dessa oposição.

Bem, não conheço você ou todos os membros da igreja da mesma forma. Mas duvido que qualquer um de nós já tenha levado nações inteiras à idolatria. Assim, se em certo sentido você não se sentir condenado pelos pecados desses reis, não discutiria com você. Todavia, eu o desafiaria a se perguntar se tem participado de idolatria. Talvez você tenha se tornado um idólatra cordato pela forma como deixou que outras coisas, além do único e verdadeiro Deus, se transformassem na parte mais importante da sua vida? Sem dúvida, você pode encontrar áreas de sua vida em que dedica a afeição primordial e a obediência de seu coração a algo mais além do Deus justo? Meu amigo, esse é seu ídolo. Seu pecado vem desse amor errado. E você será julgado por causa de seus pecados.

Todos nós enfrentamos a seguinte pergunta: Quem sofrerá a punição, um dado indubitável, por nossos pecados quando estivermos diante do julgamento justo do Senhor? Alguém sofrerá! Nenhum dos reis israelitas sofrerá a punição pelos *seus* pecados, nem o pior, nem o melhor deles. Não será o líder da nossa nação. Não serão seus pais, e não serei eu. Você deve sofrer a punição pelos seus pecados. A menos! A menos que você tenha um substituto para carregar seus pecados por você. E o único substituto que existe, ou já existiu, é o Senhor Jesus. Na cruz, *Ele* sofreu a punição pelos pecados de seu povo. Ele veio ao mundo e levou uma vida perfeita que não precisava de punição. A justiça de Deus não precisava enviá-lo para a morte, porém, Cristo, de boa-vontade, tomou sobre si a justiça do Senhor pelos pecados de todos que se afastarem de seus pecados e crerem nEle. Essa é a boa nova que os cristãos proclamam. Jesus, o Rei dos reis, tirou seu povo do pecado ao suportar a justa punição do Senhor por seus pecados e possibilitar-lhes escapar do poder do pecado.

Cristão, você pensa com freqüência a respeito da punição que merece? Podemos ler a imoralidade registrada em 2 Reis e recuar em horror — a idolatria, o derramamento de sangue inocente, o sacrifício de filhos no fogo — e, bem, devemos ficar horrorizados! Todavia, você já pensou em como seus pecados parecem horríveis aos olhos de nosso Deus santo? Ele é nosso Criador santo. Ele nos deu tudo que temos. Merecemos mais castigo do que poderíamos sequer imaginar por nossos pecados contra Ele.

Na época, Ele puniu seu povo com o exílio. Contudo, por mais incrível que pareça, Ele faz com que a punição de seu povo de hoje caia sobre Cristo, *se* nos arrependermos de nossos pecados e crermos nEle.

Esperança: O Povo de Deus ainda Tem Esperança

Há uma última coisa que devemos perceber. Vimos as bênçãos de Deus, como também o fracasso e a punição do povo. Não obstante, não devemos deixar de ver a esperança deles.

Se eles se Arrependerem

Nesse livro, há muito pecado, mas também muito arrependimento. No Reino do Norte, há um avivamento temporário quando o rei Jeú destrói a adoração a Baal (10.28). Por volta da mesma época, o sacerdote Joiada destrói a adoração a Baal no Reino do Sul (11.17,18).

Na verdade, o Senhor dá à nação de Judá, no sul, três reis especiais que levam a nação ao arrependimento com, aproximadamente, um intervalo de cem anos: Joás, Ezequias e Josias.

O rei Joás, que reinou no fim do século IX a.C., fez "o que era reto aos olhos do senhor todos os dias em que o sacerdote Joiada o dirigia" (12.2), até mesmo a restauração do Templo.

Deus usou o rei Ezequias, que reinou no fim do século VIII a.C., para reviver o Reino do Sul após o reinado especialmente mau de Acaz. Conforme o capítulo 18 fala sobre ele: "E fez o que era reto aos olhos do Senhor, conforme tudo o que fizera Davi, seu pai" (18.3).

O rei Josias, que reinou no final do século VII a.C. e pouco antes da queda de Judá, parece ser o sinal da contínua misericórdia de Deus com seu povo. Ele é retratado com muitas das qualidades de Ezequias: "E fez o que era reto aos olhos do Senhor; e andou em todo o caminho de Davi, seu pai, e não se apartou dele nem para a direita nem para a esquerda" (22.2). Durante seu reinado, Josias recuperou o livro da Lei, que havia muito tempo estava perdido e esquecido, e levou a nação ao arrependimento nacional e à renovação da aliança com Deus. Josias é tão perfeito em seu arrependimento que tenta anular os pecados que seu povo cometera desde a época de Salomão, trezentos anos antes! (23.13)

Com certeza, vivemos em um mundo falido, e, com freqüência, povos e nações injustos parecem prosperar por um tempo. Mas, sem dúvida, é bom que os líderes levem suas nações, suas cidades, suas empresas, suas famílias a rejeitar o pecado e a abraçar a religiosidade. Com certeza, eles beneficiarão todos sob seus cuidados com isso. Que Deus sempre nos dê líderes que levem nossa nação a se arrepender de seus pecados. Que Ele também abençoe outras nações dessa forma.

Eu encorajaria você, como indivíduo, principalmente se não for cristão, a confessar seu pecado e a afastar-se dele. Você fez alguma coisa a respeito da qual se sente inseguro? Converse com um amigo ou amiga cristã. Pergunte o que a Bíblia diz a respeito dessas coisas. No momento, você faz coisas que sabe serem erradas? Abandone-as. Desista delas. Você já notou que o pecado nunca traz o que promete? O pecado é mentiroso. Ele promete coisas boas, mas nunca cumpre suas promessas. Troque as promessas torpes e falsas que o pecado oferece pelas promessas verdadeiras que tem em Cristo! Essas promessas são o caminho de vida para você e para aqueles que Deus pôs sob seu cuidado.

Nós, cristãos, quando praticamos o batismo e fazemos essa confissão visível de nossa necessidade de ser purificados, lembramos de como Jesus se identificava com os pecadores. Jesus era perfeito. Ele não tinha pecados dos quais se arrepender. Contudo, em seu batismo, Ele começou a adotar a postura de alguém que ofendera a Deus, postura essa que assumiu, final e totalmente, em sua morte na cruz, ocasião em que se identificou mais completamente conosco, como pecadores. Se você se arrepender de seus pecados e crer em Cristo, essa morte foi por você.

Jesus ensinou que veio ao mundo para dar sua vida pela redenção de muitos (Mc 10.45). De quem? Dos que se arrependerem. Algumas pessoas tentam vender um tipo de "graça barata", uma imitação aguada de cristianismo em que há fé, mas não arrependimento. Quando se levanta a questão do arrependimento, eles respondem: "Isso é o mesmo que obras, isso é legalismo, isso não é graça nem cristianismo". Bem, a Bíblia define fé como algo que inclui arrependimento. A fé salvadora envolve afastarmo-nos de nossos pecados e voltarmo-nos para Deus. Fazemos isso apenas pelo poder do Senhor, mas devemos fazer isso quando queremos verdadeiramente adorar a Deus. De alguma forma, a fé sem arrependimento é como a falsa adoração dos reis que afirmavam adorar o único e verdadeiro Deus e seus outros deuses. Isso é adorar ao Senhor nos nossos termos.

Meu amigo, não há salvação sem arrependimento. A única vida perfeita e verdadeira foi a de Cristo. Mas isso não é desculpa para que continuemos impenitentes, em pecado. O evangelho sustenta a esperança do perdão derradeiro, mas também afirma que a mudança começa *agora!* Por intermédio do Espírito de Deus, podemos mudar e libertar-nos do cativeiro do pecado! O Catecismo Menor de Westminster lida com essa esperança em sua definição de santificação: santificação é "a obra da livre graça de Deus, pela qual somos renovados em todo o nosso ser, segundo a imagem de Deus, e habilitados a morrer cada vez mais para o pecado e a viver para a retidão" (P. 35). Se você é cristão, sabe alguma coisa do poder redentor do Senhor. Ele perdoa seus pecados, mas muda sua vida mesmo agora.

Oro para que lembremos disso como indivíduos e como igreja. Não somos, por fim, cativos de quaisquer de nossas falhas e defeitos atuais. Deus promete-nos e dá-nos grandes coisas, se nos arrependermos.

Por Causa das Promessas de Deus

Todavia, em última instância, nossa esperança não repousa em nosso arrependimento. Ela repousa nas promessas de Deus. Afinal, o arrependimento não pode apagar nem trazer justiça para nossos pecados passados. É isso que separa o cristianismo de qualquer tipo de aperfeiçoamento moral da sociedade. O aperfeiçoamento moral da sociedade pode recomendar que você compense o passado fazendo melhor no futuro. Mas essa é uma orientação errônea. Sempre é bom fazer melhor, mas isso não compensa o mal feito. O cristianismo é uma coisa totalmente diferente. O cristianismo diz que você pecou contra Deus, e que seu pecado é muito mais sério do que imagina. Apenas o sacrifício infinito de Cristo pode mitigar completamente a ira do Senhor por nossos pecados. Por isso, você deve crer no sacrifício dEle.

Apenas as promessas de Deus nos dão esperança. No fim, do começo ao fim de 2 Reis, o que ganha o coração do Senhor não é a atratividade de seu povo, mas sua determinação em ser fiel às promessas do Senhor e a Ele mesmo. Aprendemos que o rei Acabe fez mal, "porém o Senhor não quis destruir a Judá por amor de Davi, seu servo" (8.19). Quando o rei da Síria oprimiu Israel, o Senhor mostrou graça com Israel "por amor do seu concerto com Abraão, Isaque e Jacó" (13.23). Quando Ezequias viu a si mesmo e à cidade em dificuldade extrema, o Senhor prometeu-lhe: "E acrescentarei aos teus dias quinze anos e das mãos do rei da Assíria te livrarei, a ti e a esta cidade; e ampararei esta cidade por amor de mim e por amor de Davi, meu servo" (20.6).

Ezequias parece entender tudo isso. Ele sabe que Israel tem esperança por causa das promessas que Deus fez a Davi, a Israel e a Abraão, e por trás de tudo isso está o desejo do Senhor de exaltar seu próprio nome. Ezequias, quando o representante do rei assírio difama o nome do Senhor, roga ao Senhor desta forma:

> E orou Ezequias perante o Senhor e disse: Ó Senhor, Deus de Israel, que habitas entre os querubins, tu mesmo, só tu és Deus de todos os reinos da terra; tu fizeste os céus e a terra. Inclina, Senhor, o teu ouvido e ouve; abre, Senhor, os teus olhos e olha: e ouve as palavras de Senaqueribe, que ele enviou para afrontar o Deus vivo. Verdade é, ó Senhor, que os reis da Assíria assolaram as nações e as suas terras. E lançaram os seus deuses no fogo, porquanto deuses não eram, mas obra de mãos de homens, madeira e pedra; por isso, os destruíram. Agora, pois, ó Senhor, nosso Deus, sê servido de nos livrar da sua mão; e, assim, saberão todos os reinos da terra que só tu és o Senhor Deus (19.15-19).

Você entende a passagem? Por trás de todas as promessas do Senhor e de tudo que Ele faz está seu desejo de exaltar a si mesmo como Deus.

Você deve fazer essa oração de Ezequias para sua vida. Pelo menos, em um aspecto, o motivo para você estar vivo é o mesmo por que Deus chamou o povo de Israel para si: ser o palco em que Deus mostra para a criação sua glória. Por esse motivo é que você, como criatura feita à imagem do Senhor, está vivo. É por isso que Ele lhe dá a chance de se arrepender e de crer. É por isso que Ele o chama a crer nEle. O Senhor quer que a verdade a respeito de si mesmo seja conhecida. Espero que você enxergue isso.

Meu amigo não-cristão, oro para que você aprenda que apenas o Senhor é Deus. Para que aprenda as promessas dEle. Para que o aceite por sua Palavra. A única esperança que nós, cristãos, temos para partilhar com você são as promessas do Senhor. Agarramo-nos apenas às promessas dEle, pois Ele prometeu livrar-nos de nossos pecados.

Por causa dessa esperança nas promessas de Deus, nossa igreja estrutura as reuniões de domingo de manhã dessa forma. Centramos nosso culto no estudo cuidadoso e devoto da Palavra do Senhor. E nós a estudamos no Antigo e no Novo Testamentos. Nossas reuniões não são encontros desinteressantes de estudiosos bem-educados. Não, nós vimos famintos. Vimos em busca de pão para a alma porque sabemos que estamos perdidos e separados dos atos do Senhor. E procuramos nossos recursos na Palavra, na igreja, uns nos outros, na oração, na dependência do Espírito do Senhor para que tudo isso nos diga em que devemos crer e, depois, para crer nisso.

Não temos esperança sem as palavras de promessa de Deus. Sem elas, não temos, como igreja, motivo para estar aqui. Com as promessas do Senhor temos esperança, independentemente de quão desanimadora sejam as circunstâncias.

Conclusão: Depois da Queda

Um ano após a morte de Tyndale, Deus respondeu à sua oração: "Senhor, abra os olhos do rei da Inglaterra". A tradução da Bíblia em que ele trabalhara com John Rogers e Miles Coverdale foi publicada legalmente na Inglaterra com a aprovação do rei. Deus realmente tem em suas mãos o coração dos soberanos despóticos.

Quantas gerações se alimentaram com a Palavra do Senhor por causa do trabalho de Tyndale? William Tyndale não está vivo, mas isso não quer dizer que ele não foi uma pessoa real. Ele viveu, e sangrou, e morreu. O povo de Deus do Antigo Testamento teve de aprender que Deus realizaria seus propósitos nem que fosse apesar deles, em vez de ser por intermédio deles.

O povo de Deus leu 2 Reis — e os três livros anteriores a ele — no exílio, e o livro explicou-lhes por que estavam exilados. Os livros deram-lhes esperança não para que pudessem olhar o passado e ver a justiça deles, mas para que pudessem ver que Deus é fiel em suas promessas. As promessas do Senhor deram-lhes esperanças mesmo após a grande queda deles.

"E agora, na virada da maré, eu volto para você." Na versão cinematográfica de *As Duas Torres*, a segunda história da trilogia *O Senhor dos Anéis*, de J. R. R. Tolkien, Gandalf fala isso para Aragorn. Fica claro que o retorno de Gandalf reflete a ressurreição de Cristo, embora Tolkien negue isso.

E mais ainda, a história do povo de Deus no Antigo Testamento antecipa a morte e a ressurreição de Cristo. Da mesma forma que o remanescente de Israel é exilado e, depois, volta à terra, Cristo entrega-se à morte e, depois de três dias, ressuscita. A esperança do cristão não termina no mesmo ponto em que acaba a esperança deste mundo. A Bíblia inteira foi estruturada para nos mostrar isso! Você se pergunta sobre o que são todos esses livros do Antigo Testamento que você lê e o deixam confuso? A história básica deles é a seguinte: Deus chama um povo para seu nome. Eles rebelam-se contra Ele. Ele julga-os e manda-os para o exílio. Você poderia pensar que a história termina nesse ponto, se Deus não estivesse realmente vivo. Contudo, para mostrar que está vivo e que quer perdoar e redimir seu povo, Ele traz a nação de volta do exílio preparada para sua esperança real, a vinda do Senhor Jesus, o Messias. Essa é toda a história do Antigo Testamento. É a história de Deus que dá esperança a seu povo, embora eles tenham gasto, desperdiçado e descartado completamente toda e qualquer esperança que pudessem ter por si mesmos.

E quanto a você? Você tem esperança? Você tem *essa* esperança?

Talvez, neste momento, você enfrente circunstâncias muito difíceis. Talvez enfrente desemprego ou doença. Talvez tenha uma situação familiar deteriorada ou problemas financeiros que não terminam. Todas essas questões são importantes, e Deus preocupa-se com todas elas. Ele declara que até sabe o número de fios de cabelo que você tem na cabeça. Ele diz que nenhum passarinho cai no chão sem que Ele saiba.

E a Palavra do Senhor nos transmite uma mensagem ainda mais profunda. Algo que nos ajuda a suportar as situações de teste, algo que responde aos seus próprios pecados.

Se você sabe que tornou alguém ou alguma coisa, que não Deus, o centro de sua vida, se você sabe que participou do tipo de idolatria em que sua preocupação máxima repousa não em ídolos esculpidos, mas em coisas que não são Deus, rejeitando e até ridicularizando as reivindicações dEle sobre sua vida, então eu lhe digo que há esperança para você em Cristo. Todo cristão pode dar esse testemunho, porque Deus gosta de mostrar misericórdia, gosta de salvar e de mostrar seu caráter santo e amoroso, sua justiça e graça, seu poder e glória.

Cristo é nossa única esperança qualquer que seja o inimigo ou a aflição, a dor ou o sofrimento, a tempestade ou as trevas. Arrependa-se de seus pecados e creia nEle. Se não fizer isso, você cai e não se levanta mais.

Oremos:

Oh, Senhor Deus, oramos para que não sejamos como Israel, o Reino do Norte, que pecou, foi espalhado para sempre e perdeu-se para a história. Oramos para que vejamos na história de Judá um relato de esperança, à medida que seu povo recebeu nova vida mesmo depois de ser punido por seus pecados. Oh, Deus, todos nós já vivenciamos a separação do Senhor por causa de nossos pecados. Oramos para que conheçamos a verdadeira fé no Senhor e em sua obra em Cristo, que restaurou nosso relacionamento com o Senhor. Oh, Deus, sejam quais forem as circunstâncias de nossa vida, restaure-nos ao Senhor para a sua glória, para que o mundo inteiro saiba que o Senhor é o Deus vivo e verdadeiro. Oramos em nome de Jesus e para a glória dEle. Amém.

Questões para Reflexão

1. Você se lembra de alguma história bíblica em que o povo de Deus (ou uma pessoa do Senhor) parece que está para ser derrotado, mas Deus lhe dá a vitória? Por que você acha que Deus põe seu povo nessa situação com tanta freqüência?
2. Iniciamos nosso estudo de 2 Reis com o pano de fundo das muitas bênçãos de Deus. Também nos foi dito que devemos lembrar constantemente das

muitas bênçãos do Senhor na nossa vida. Por que é importante lembrar-nos das bênçãos? Suponha que você tenha duas pessoas, uma caracteriza-se pela atitude de gratidão a Deus, e a outra, não. Provavelmente, que crenças básicas a primeira pessoa tem por certo quando comparada com a segunda? (O que há por trás das cenas?) Uma vez que todas as outras coisas na vida dessas duas pessoas é igual, como é provável que o fruto da vida delas difira? (O que acontece no palco?) Você é qual dessas duas pessoas?

3. Por que é importante, se somos cristãos, lembrar *todos os dias* o que recebemos no evangelho? Você já ouviu algum cristão falar sobre "pregar o evangelho diariamente para si mesmo"? Mesmo que não tenha ouvido isso, o que você acha que significa? Como você faz isso?

4. Como os cidadãos de uma nação atual podem se identificar *erroneamente* com o povo de Israel do Antigo Testamento? Como os membros de uma igreja de hoje identificam-se de forma errônea com o povo de Israel? Como deveríamos nos relacionar com o povo de Israel?

5. Se você é líder de uma igreja, ou família, que hábitos e características ruins e pecados *seus* podem ser copiados pelos indivíduos que lidera, quando eles liderarem outras pessoas? Você já perguntou aos liderados por você que pecados eles duplicaram como resultado de você ser a pessoa que lhes ensinou a liderança? Você pediu que o Espírito de Deus lhe mostre isso?

6. Por que a falibilidade e a pecaminosidade dos líderes são um forte argumento para deixar a autoridade final da igreja com a congregação? O que a congregação deve ter a fim de, *proveitosa* e *corretamente*, pegar e refrear instruções e atividades não-bíblicas entre seus presbíteros?

7. Quais são algumas formas práticas de o pastor levar a igreja ao arrependimento corporativo? Ao arrependimento individual? Ele não pode mais destruir os ídolos e postes do bosque. O que ele faz? Você é capaz de segui-lo?

8. Neste sermão, o arrependimento caracterizou-se pela troca de promessas desprezíveis e falsas que seu pecado lhe faz pelas promessas que tem em Cristo. Essas promessas são a forma de vida para você e para aqueles que Deus entregou aos seus cuidados. Que falsas promessas, talvez, você se sinta tentado a seguir como líder, quer na igreja, quer no trabalho, quer na família? Quais são as promessas verdadeiras que Cristo oferece em lugar das falsas?

9. A coisa mais importante para o líder conhecer é o evangelho de Jesus Cristo. Apenas o líder que aborda sua liderança com a compreensão de que foi crucificado com Cristo não será tentado a se evidenciar ou a alcançar seus objetivos por meio de sua posição. Apenas o líder que aborda sua liderança com o conhecimento de que ressuscitou com Cristo sabe que consegue todas as vitórias, ganhos e sucessos de sua liderança por intermédio do poder de

Cristo e para a glória dEle. Infelizmente, muitos livros sobre liderança falam pouca coisa sobre o evangelho. Como você pode aplicar essa perspectiva centrada no evangelho em sua liderança em casa, no trabalho ou na igreja?
10. Você repousa sua esperança em qualquer outra coisa que não Cristo? O quê?

NOTAS

Capítulo 12

[1] A data de pregação original deste sermão foi em 6 de outubro de 2002, na Capitol Hill Baptist Church, em Washington, D.C.
[2] 2 Reis 17.7,8,11,36; 21.8.
[3] 17.7a; 18.12; cf. 17.17-23.

A MENSAGEM DE 1 CRÔNICAS: ALTURAS

O HOMEM É A MEDIDA DE TODAS AS COISAS

INTRODUÇÃO A I CRÔNICAS

DEUS É SOBERANO
Sobre as Nações
Sobre os Indivíduos

DEUS É CENTRAL
Para seu Povo
Para si Mesmo
Para Você
   Davi
   Os Descendentes de Davi
   Jesus Cristo, o Filho de Davi

CONCLUSÃO: UM EXEMPLO DE CENTRALIDADE EM DEUS

CAPÍTULO 13

A Mensagem de I Crônicas:
Alturas

O Homem É a Medida de todas as Coisas[1]

"Aqui, morre um grande artista!"

Essas foram as últimas palavras de um dos maiores egoístas de todos os tempos — Nero, o imperador romano, quando viu a pira funerária que seus servos preparavam para ele. Nero foi expulso de Roma por causa de um golpe militar contra seu reinado tirânico. E ele, como o rei Saul na batalha contra os filisteus, decidiu que seria mais honrável tirar a própria vida que cair nas mãos de seus inimigos. Assim, ele levantou os olhos para a pira, chorou e disse de si mesmo: "Aqui, morre um grande artista!"

No entanto, podemos dizer com honestidade que o egocentrismo de Nero é incomum? Talvez suas palavras sejam muito audaciosas, mas seu coração era único? Deixe-me apresentar uma ilustração concreta: quando alguém fala durante muito tempo comigo e fico impaciente, quando me sento em uma cadeira de reunião desconfortável e fico frustrado, quando alguém da família me pede para fazer uma tarefa simples e fico aborrecido — infelizmente, eu poderia continuar com exemplos desse tipo ininterruptamente —, então, *eu* manifesto meu egocentrismo.

Bem, a questão com que nos deparamos hoje é esta: Esse egocentrismo é bom ou ruim? Afinal, a nossa era é muito favorável ao egocentrismo. Nós o cultivamos nas incontáveis escolhas que temos em todas as coisas em nossas navegações pelos *sites* da Internet. E esse excesso de escolhas reflete algo mais profundo sobre a nossa sociedade. Hoje, tratamos o egocentrismo como o núcleo e a fundação justos da nossa vida — da nossa economia a nossa religião; da nossa história a nossa psicologia; da nossa biologia a nossa arte. Poucas dessas áreas são menos disputadas que este conceito: "Procure o número um". E todos nós sabemos quem é o "número um". O número é "você"! Líderes intelectuais tão distintos como Richard Dawkins e Ayn Rand, Jean-Paul Sartre e Adam Smith argumentaram que o egoísmo é a essência da virtude. O problema surge apenas quando a outra pessoa não está centrada no mesmo "eu" em que estou centrado.

Isso não é verdade, na íntegra, apenas em relação a nossa cultura. Alguns líderes cristãos encorajam-nos a pensar que controlamos este mundo — eles chamam isso de "fé avassaladora"! Certa vez, quando dividi um quarto de hotel com um bom amigo meu, lembro-me de observar o que ele gostava de assistir na televisão. Você já fez isso? É divertido adivinhar o que alguém com quem divide um quarto quer assistir enquanto você não deixa o controle remoto em paz e move-se rapidamente de um canal de televisão para o outro. Seria o documentário sobre escavação de múmias no Egito? O programa de animais selvagens sobre tubarões? De qualquer forma, eu passeava pelos canais e notei um teleevangelista aparecer na tela, eu estava para mudar de canal, quando meu amigo disse:

— Não, espere, eu gosto dele.

— Você gosta dele? — perguntei.

Meu amigo respondeu:

— Sim, ele é muito bom. Não é como todos os outros.

— O que você quer dizer: Ele ensina que a fé é para conseguir tudo que você quer?

— Não, ele não ensina nada disso.

Mal essas palavras saíram da boca do meu amigo, o programa fez um intervalo para passar um comercial do próprio programa que dizia: "Adquira o novo vídeo do pregador _____, *Dominar*. O vídeo mostra como você, um cristão, pode usar sua fé para controlar as circunstâncias da sua vida!"

E não são apenas os teleevangelistas que são levados por pensamentos falsos. Como membro de uma igreja, você considera-se o centro da igreja? Provavelmente, você esteja pensando neste momento: "Não, não eu. Eu nunca estou no púlpito. Claro que eu não penso que sou o centro da igreja". De verdade? Com que rapidez você assume que a forma como *você* se sente sobre alguma coisa é como a maioria da igreja se sente a respeito dessa mesma questão — como, por exemplo, a temperatura da sala, a extensão do sermão, a seleção de música, a escolha dos professores?

Recentemente, quando o pastor John Piper pregou em nossa igreja, ele afirmou de forma incansável que a maior preocupação do Senhor em todo o universo é com Ele mesmo! Você se sentiu ofendido por essa idéia? Soou-lhe estranho a declaração de que a maior preocupação de Deus não é você, nem qualquer ser humano, nem mesmo toda a humanidade, mas Ele mesmo? A estranha verdade é que somos tão egocêntricos que naturalmente pensamos em nós mesmos somos centrais para Deus! Por isso, dizemos coisas como: "Ele *tinha* de nos criar ou ficaria solitário!", ou: "Ele *tinha* de nos dar a escolha entre o bem e o mal ou seríamos apenas bonecos!", ou: "Ele *tinha* de nos salvar, afinal, foi Ele quem nos criou!" Em suma, você se vê como algo essencial para Deus.

E, sem dúvida, vemo-nos como essenciais para nós mesmos. No que pensaríamos se não pensássemos em nós mesmos? O narcisismo não é natural? Escutamos de todos os lados que é. Contudo, a ironia é que a própria preocupação que, hoje, temos com o "eu" faz com que o "eu" desapareça. E isso se torna cada vez mais estranho à medida que fixamos nosso olhar mais longamente nesse ponto. O que é o "eu"? Ninguém mais sabe. Protágoras, filósofo grego da antiguidade, disse: "O homem é a medida de todas as coisas". Ele estava certo?

INTRODUÇÃO A 1 CRÔNICAS

Por volta da mesma época em que Protágoras disse essas palavras, na Ásia, poucas centenas de quilômetros a leste de onde ele vivia, propôs-se uma tese alternativa que seguia uma forma de pensamento oposta. Voltamo-nos para o livro de I Crônicas, do Antigo Testamento, para considerar essa alternativa.

Não sabemos quem escreveu I Crônicas. Os escritores tendem a se referir ao autor como "o cronista". Muitos acham que é mais provável que Esdras tenha escrito os livros de I e 2 Crônicas, como também, às vezes, no século V a.C., Esdras e Neemias foram candidatos prováveis.

Primeiro Crônicas é um grande livro da história do Antigo Testamento e cobre mais tempo que qualquer outro livro de nossa série atual. Ele inicia em Adão e termina com a morte de Davi. Inclui cenas dramáticas como a conquista de Canaã e os grandes sacrifícios oferecidos, quando Salomão subiu ao trono de Israel. Deixe-me apresentar-lhe um esboço simples do livro em duas partes. Os capítulos I—9 apresentam a genealogia das tribos de Israel (que alude à história do povo). Os capítulos 10—29 são sobre o herói do povo, Davi. E ele realmente o foi. O capítulo 10 é de transição, menciona a morte de Saul como uma espécie de prelúdio para Davi. A seguir, os capítulos I 1—29 apresentam o relato do reinado de Davi.

Os primeiros nove capítulos de genealogia são um pouco mal-afamados. As pessoas indicam esses capítulos quando querem acusar a Bíblia de não ser importante. Talvez eles queiram abrir a Bíblia ao acaso, contudo, com bastante segurança, abrem nessas listas de genealogias, esse verdadeiro deserto do Saara de nomes em que perecem as melhores intenções de tantos leitores ávidos por ler a Bíblia do começo ao fim. Essas listas estão cheias de nomes conhecidos como Davi, Jessé, Abigail e Calebe. Contudo, muitos nomes são menos familiares. Por exemplo, há uma efraimita construtora de muros, Seerá (7.24)! E, talvez, quaisquer pais que estejam à espera de um filho queiram dar uma olhada especial neste versículo do capítulo 2: "E a mulher de Saafe, pai de Madmana, teve a Seva, pai de Macbena e pai de Gibeá; e foi a filha de Calebe Acsa" (2.49). De qualquer forma, no capítulo 3, encontramos os filhos de Davi junto com a lista dos reis de Judá, o centro da história de 2 Crônicas. Os capítulos 2—7 fornecem, de forma geral, listas dos descendentes das doze tribos de Israel.

Na verdade, em 1 Crônicas, essas listas têm um propósito importante nas histórias em geral. Elas lembram-nos de que esses livros não são meras filosofias. Eles não recontam apenas a forma de alguém ver o mundo. Não, esses livros apresentam a si mesmos como história, e história é muito mais "estimulante" que filosofia. A filosofia diz: "Eis uma forma de ser mais coerente em sua observação do mundo a sua volta. Você pode explicar mais coisas". A história diz: "Veja, quer seja o caso quer não, isso foi o que aconteceu. Isso é realidade". Esses livros fazem isso.

Primeiro Crônicas cobre, aproximadamente, o mesmo território que 2 Samuel, enquanto 2 Crônicas cobre, aproximadamente, o mesmo período de tempo que 1 e 2 Reis. A maior distinção entre eles é que 2 Crônicas não inclui o relato do Reino do Norte. Seu foco está totalmente em Judá. É interessante notar que a primeira tradução grega do Antigo Testamento chamou esses livros de *Paraleipomenon*, cuja tradução é "assuntos omitidos", ou "coisas deixadas de fora". Crônicas deixa de fora mais que o relato do Reino do Norte. Em 1 Crônicas, por exemplo, a reapresentação da vida do rei Davi não conta nada de sua vida pessoal, nem os episódios relacionados com Bate-Seba nem os que dizem respeito a Absalão. Por outro lado, 1 Crônicas inclui coisas que não encontramos em outros livros, como as listas genealógicas que compreendem os capítulos de 1—9.

Contudo, por que há essa aparente repetição nas Escrituras? Por que a Bíblia inclui um terceiro par de livros que reconta o material histórico já tratado nos livros de Samuel e de Reis? Hoje, à hora do almoço, você pode conceber suas próprias idéias para isso, mas deixe-me lhe dizer o que aprendi quando estudei e meditei a respeito dessas questões. Os livros de Samuel e os de Reis, escritos logo após a queda dos dois reinos, funcionam como uma história de bolso para as tribos do norte, de Israel, e as do sul, de Judá. Eles tentam apresentar um registro mais completo do passado e também responder às perguntas: O que aconteceu?! Como terminamos no exílio? Primeiro e Segundo Crônicas também lidam com essas questões, mas têm um propósito geral distinto em mente. Eles parecem ter surgido no fim do exílio, ou logo após o fim dele, e ter sido escritos para estar nas mãos dos exilados no caminho de volta, ou logo após o retorno a Judá. Esses exilados que retornavam precisavam de uma ligação com seu passado a fim de orientá-los em seu retorno à terra. Por isso, 1 e 2 Crônicas não fornecem uma história abrangente de Israel. Antes, o material escolhido é mais seletivo, pois visa a orientá-los na recolonização da terra e na reconstrução do Templo, a encorajá-los com a fidelidade de Deus às promessas feitas a Abraão, e a Jacó, e a Davi e a lembrá-los de que as bênçãos do Senhor exigem obediência aos caminhos dEle.

Dito isso, a história apresentada por 1 Crônicas é ambiciosa. Observe o primeiro versículo: "Adão, Sete, Enos" (1.1). O cronista inicia com o primeiro homem! Se você prosseguir na lista verá que o cronista sempre segue a linha da promessa — de Abraão para Isaque, para Jacó, e assim por diante. Assim, os versículos de 5 a 16, do capítulo 1, concentram-se nos descendentes dos dois filhos de Noé, que *não* são antepassados de Abraão. Depois, no versículo 17, o relato muda para a linhagem de Sem, o filho de Noé que leva a Abraão. A partir desse ponto, tudo o mais nas listas parte dessa linhagem, enquanto não dá continuidade às linhagens dos dois outros filhos de Noé por mais de três gerações. Afinal, o cronista não está interessado em registrar a terra toda. Ele apresenta apenas uma geração da linhagem do filho de Abraão, Ismael (1.29-31). Todavia, a linhagem de Isaque continua indefinidamente (1.34ss). Ela inicia-se com seus dois filhos, Esaú e Israel (originalmente, chamado de Jacó). Primeiro, enumera os descendentes de Esaú, como os de Ismael. Contudo, segue os descendentes de Israel por um longo tempo, como os de Isaque. Esse é o padrão básico do cronista. Ele menciona todos os filhos de um homem com a finalidade de completar a tarefa e de mencionar a linhagem de descendentes que, eventualmente, levem a alguns dos inimigos da nação — como os filhos de Esaú, que se tornaram os edomitas. Depois, ele retorna à linhagem da promessa e a apresenta de forma mais detalhada. Fica claro que o foco é a linhagem da promessa e onde ela lidera.

Nesses capítulos iniciais do livro, o registro amplia-se para incorporar toda a raça humana como descendente de Adão e, depois, de Noé. Todavia, ele estreita-se em Abraão e segue com seu descendente, Israel, e os doze filhos de Israel. O registro amplia-se, mais uma vez, com os descendentes de Judá, filho de Israel, que é notoriamente apresentado em primeiro lugar, embora não seja o mais velho dos doze filhos (2.3ss). Por que Judá é o primeiro? Porque a linha de Judá aponta para a vinda do rei Davi, e para além de Davi, em um futuro ainda bem distante, indica a vinda de outro dessa linha real de descendentes — o Senhor Jesus.

Assim, a história termina com multidões de filhos de Adão na presença do Senhor, deleitando-se com seu Rei — esse descendente de Abraão, de Judá, de Davi segundo a carne — e o glorificando.

Mas, bem, passamos muito além do cronista! Antes de alcançarmos o novo céu e a nova terra, precisamos ver mais do que Deus fez aqui, em I Crônicas. Ao considerar I Crônicas, quero salientar dois pontos: Deus é *soberano* e *central*.

Deus É Soberano

Primeiro, Deus é *soberano*. Você e eu temos a ilusão de que podemos controlar tudo, e cultivamos essa ilusão com muito cuidado. Todavia, as circunstâncias de nossa vida desafiam constantemente essa ilusão: por meio da impotência e da pobreza, da idade e da doença e, por fim, da morte. Às vezes, Deus usa lembretes contundentes — como as recentes tragédias que ocorreram em Washington, D. C., de terrorismo, de antraz e de um franco atirador — para nos lembrar que nosso poder é limitado. Todavia, Ele sempre usa os livros da Bíblia, como I Crônicas, para apresentar o poder ilimitado de sua soberania.

Deus é soberano. Nesses primeiros capítulos, por que Abraão foi escolhido para liderar a linhagem da promessa? Por que Isaque, e não Ismael? Por que Jacó, e não Esaú? Por que Judá, e não Rúben? Por que Davi, e não Saul? Deus é a resposta para todas essas perguntas. Nesses primeiros capítulos de genealogias, vemos o autor seguir os servos de Deus pelos corredores da história.

Sobre as Nações

Primeiro Crônicas, do começo ao fim, apresenta Deus como soberano sobre todas as nações. Bem, essa é uma admissão humilhante para o povo no exílio. Imagine, seu país foi conquistado, seus opressores o tiraram de sua família e de sua casa, e você é levado à força para uma terra estranha. E, depois, dizem-lhe que Deus é soberano! Sim, esse livro diz exatamente isso. Observe o resumo do capítulo 5 sobre o Reino do Norte, Israel: "Porém transgrediram contra o Deus de seus pais e foram após os deuses dos povos da terra, os quais Deus destruíra de diante deles. Pelo que o Deus de Israel suscitou o espírito de Pul, rei da Assíria, e o espírito de Tiglate-Pileser, rei da Assíria, que os levaram presos, a saber: os rubenitas, e os gaditas, e a meia tribo de Manassés; e os trouxeram a Hala, e a Habor, e a Hara, e ao rio Gozã, até ao dia de hoje" (5.25,26). A história não é acidental e sem propósito. A desobediência de Israel levou aos atos soberanos do Senhor.

Claro que só podemos falar sobre a história ter um propósito se houver um propositor — um Criador que a dirige e é soberano sobre ela. E I Crônicas, como os outros livros históricos que estudamos, fala com clareza desse governante com propósito. Você e eu não somos esse governante com propósito, pois Ele é o Senhor Deus Todo-poderoso, Jeová, o Deus de Abraão, de Isaque e de Jacó. Ele não é apenas um Deus entre muitos deuses, Ele é o único Deus verdadeiro. Seus planos e propósitos são executados, e Ele até usa os poderosos reis, o assírio e o babilônio, para seus fins. No capítulo 6, o cronista declara em relação ao reino de Judá: "... o Senhor levou presos a Judá e a Jerusalém pela mão de Nabucodonosor" (6.15). O *Senhor* levou! Tanto a destruição do Reino do Norte como a derrota, a dispersão e o exílio do Reino do Sul foram atos de Deus, independentemente do líder mundial que tenha usado para executar seus propósitos. O Senhor agiu contra o Reino do Sul, como fez com o Reino do Norte, não por capricho, mas porque o povo foi infiel: "... os de Judá foram transportados à Babilônia, por causa da sua transgressão" (9.1).

Primeiro Crônicas, do começo ao fim, apresenta a soberania de Deus sobre os reis e as nações. No capítulo 10, a morte do rei Saul e a ascensão ao trono do rei Davi demonstram o domínio soberano de Deus sobre todos os soberanos terrenos. "Assim, morreu Saul por causa da sua transgressão com que transgrediu contra o Senhor, [...] pelo que o matou e transferiu o reino a Davi, filho de Jessé" (10.13,14).

O capítulo 11 relata que o rei Davi prosperou em seu reinado. Por quê? "E ia Davi cada vez mais aumentando e crescendo, porque o Senhor dos Exércitos era com ele" (11.9).

No capítulo 12, o Espírito Santo do Senhor conta a Davi que este foi bem-sucedido em suas campanhas militares pelo mesmo motivo. O Espírito diz a Davi, por intermédio de um de seus homens: "Paz, paz seja contigo! E paz com quem te ajuda! Pois que teu Deus te ajuda" (12.18). O Espírito não disse a Davi que ele seria bem-sucedido por esta razão: "Porque você é muito poderoso", ou: "Porque o treinei muito bem", ou tampouco: "Porque você é tão esperto e bem relacionado". Ele disse: "Paz seja contigo, [...] pois que teu Deus te ajuda"!

No capítulo 14, o Senhor assegura a Davi que ele terá sucesso contra os filisteus. Ele até promete sair à frente de Israel para ferir os filisteus (14.10,15). Na verdade, "e o Senhor fez com que todas as nações o [a Davi] temessem" (14.17; NVI).

No capítulo 17, o Senhor declara a Davi: "E estive contigo por toda parte por onde foste, e de diante de ti exterminei todos os teus inimigos" (17.8).

No capítulo 18, lemos duas vezes o refrão: "O Senhor guardava a Davi, por onde quer que ia" (18.6,13).

No capítulo 19, Joabe reúne as tropas e encoraja-as a lutar com bravura com a seguinte promessa: "E faça o Senhor o que parecer bem aos seus olhos" (19.13). Amigo, as Escrituras precisam ser mais claras para que você creia no governo soberano sobre as nações e os acontecimentos? Essa não é uma idéia que Abraham Lincoln imaginou para o discurso de início de seu segundo mandato.[2]

Essa é uma noção profundamente bíblica. E em épocas de incerteza e de guerra não é reconfortante saber disso? Existe um Deus bom que é soberano sobre as nações e os povos.

Sobre os Indivíduos

Todavia, a soberania de Deus não se limita apenas às coisas exteriores, como a vitória ou a derrota de um exército no campo de batalha. Não, até o coração das pessoas está nas mãos do Senhor. Por isso, no último capítulo desse livro, Davi ora: "Senhor, Deus de nossos pais Abraão, Isaque e Israel, conserva isso para sempre no intento dos pensamentos do coração de teu povo; e encaminha o seu coração para ti. E a Salomão, meu filho, dá um coração perfeito para guardar os teus mandamentos, os teus testemunhos e os teus estatutos; e para fazer tudo, e para edificar este palácio que tenho preparado" (29.18,19). Davi sabia que mesmo o coração do ser humano — o cerne de nossas motivações e de nossos desejos — está nas mãos de Deus.

Muitas vezes, as pessoas, quando as Escrituras as confrontam com a doutrina da soberania do Senhor, logo perguntam: "Por quê?", especialmente quando pensam nas tragédias e nas injustiças da vida. Se Deus é soberano, *por que* os assassinos e os terroristas estão soltos pelo mundo? *Por que* há tanto sofrimento? *Por que* algumas pessoas nascem com tantas vantagens, e outras, com nenhuma? Você já notou isso? Parece que as pessoas têm o reflexo de perguntar: "Por quê?", quando as coisas vão mal. Algo em nosso âmago assume que tem de haver algo, ou alguém, responsável por esses eventos.

Talvez esse reflexo, como dizem os psiquiatras, seja apenas resquícios da infância. Mas não penso dessa forma. Acho que ele aponta para um Deus bom que nos criou para algo muito distinto do que encontramos neste mundo caído. Como sabemos que esse Deus, de fato, é bom em vista de tanto mal? Nossa fé centra-se em um Deus que sofreu o mal mais horroroso de todos — a morte do Filho de Deus, sem culpas, na cruz. Nós, cristãos, ao meditar sobre esse fato aumentamos nossa confiança no Senhor. Nossas *dúvidas* crescem apenas quando nos concentramos em outras coisas que não a cruz de Cristo. Os cristãos não afirmam que respondem aos "por quês" de forma que satisfaça totalmente a todos, mas cremos que esse Deus, que sofreu e venceu o sofrimento, o pecado e a morte em sua ressurreição, realizará seus propósitos, e que esses propósitos são bons e serão vistos como bons.

Se você não for cristão e quiser conversar sobre essas coisas, encorajo-o a procurar um amigo cristão e perguntar-lhe a respeito daquilo que os cristãos chamam de o evangelho. Encontre uma igreja que pregue esse evangelho e comece a escutar com atenção os sermões.

Se você é cristão, deixe-me encorajá-lo especialmente a abraçar essa idéia do poder supremo do Senhor. Essa é uma das doutrinas mais úteis para o cristão. Ela não é apenas básica para I Crônicas, mas para toda a Bíblia. E é básica para a vida cristã. O Deus para quem oramos é aquEle que responde às orações. Por isso, nós oramos. O Deus que conhecemos é aquEle que age. Nada pode confundi-lo nem pará-lo. Nada pode macular seu caráter nem exceder a compreensão dEle. Nada pode mudá-lo nem resistir à vontade dEle!

Também precisamos, como igreja, de ter essa crença na soberania de Deus. Um ministro perguntou por que eu escolhera a igreja Capitol Hill Baptist quando comecei a pastorear aqui. Na época, o envelhecimento demográfico da igreja e seu posicionamento geográfico bastante difícil não eram bons prognósticos para seu futuro. A vizinhança parecia decadente, e os pastores anteriores ficaram preocupados. Ele perguntou-me qual era minha visão. Qual era meu plano para salvar a igreja e fazê-la crescer e prosperar? Depois de ele perguntar, fiquei quieto por um momento e, a seguir, respondi: "Na verdade, acho que alguém que venha a uma igreja como essa precisa, antes de tudo, saber em seu âmago que a igreja de Jesus Cristo é vitoriosa! Ela não depende de nada para sobreviver. Cristo fundou sua igreja e a *fará* frutificar. O destino da igreja não repousa sobre qualquer pequena congregação. A igreja de Jesus Cristo ao redor do mundo é vitoriosa e marchará de vitória em vitória até que Deus a leve à consumação. Em relação à Capitol Hill Baptist, a vontade soberana e o bom favor do Senhor decidirão se Ele quer que eu pastoreie esses poucos santos pelos poucos anos que têm antes de o Senhor os chamar para casa, ou se quer que eles se mudem e, assim, a congregação feche, ou ainda se quer reacender o testemunho dessa congregação. Isso está nas mãos dEle. De minha parte, preciso apenas lembrar que o destino do Reino de Deus não tem a mesma duração que o dessa congregação. Preciso apenas ser ativo no negócio de pregar fielmente a Palavra". Temos um Deus soberano bom, e seus planos não correm risco. Não temos que nos preocupar por Ele. Não temos de defendê-lo como um partido para que Ele não perca a disputa. Ele vai muito bem. E não apenas isso, Ele convida-nos a participar de sua vitória em relação ao que está fazendo na história.

DEUS É CENTRAL

Em I Crônicas, a primeira coisa que aprendemos é que Deus é *soberano*. A segunda, é que Ele é *central*.

Para seu Povo

Deus é central para o seu povo. Vemos isso no papel central que a arca da aliança e o Templo têm na adoração de Israel. Ao ler I Crônicas, vemos que

Davi devotou muito de sua energia em trazer de volta a Israel a arca da aliança e, depois, especificamente, a Jerusalém. Ele até pediu permissão a Deus para construir o Templo a fim de que a arca da aliança tivesse moradia.

A arca da aliança era o recipiente móvel em que ficavam as duas tábuas de pedra onde foram escritos os Dez Mandamentos. Ela foi ignorada no reinado de Saul (13.3), e não prestar atenção a ela significava ignorar a Deus. Veja, ela era chamada "a arca de Deus, o Senhor" (13.6).

Em essência, a arca era o sinal visível da presença de Deus na terra! Ao transportá-la, os israelitas tinham de se manter a certa distância da arca. Tinham de passar varas pelas argolas sobre a arca para que fosse transportada com reverência e sem ser tocada. A história mal-afamada de Uzá e da arca ilustra esse ponto:

> E, chegando à eira de Quidom, estendeu Uzá a mão, para segurar a arca, porque os bois tropeçavam. Então, se acendeu a ira do Senhor contra Uzá e o feriu, por ter estendido a mão à arca; e morreu ali perante Deus (13.9,10).

Esse incidente, em parte, realça a falha de Davi como líder, pois ele usou um carro puxado por bois para levar a arca, em vez de fazer com que fosse carregada por meio de varas pelos homens como Deus instruíra em Êxodo (Êx 25.12-14). O Senhor queria que a arca, como um símbolo divinamente ordenado, também simbolizasse sua majestade e poder, um tipo de trono ocupado e tocado apenas por Ele.

Após o incidente com Uzá, deixaram a arca, durante meses, na casa de Obede-Edom, e veja o que aconteceu: "O Senhor abençoou a casa de Obede-Edom e tudo quanto tinha" (13.14).

Por fim, quando a arca vai para Jerusalém é carregada com varas "como Moisés tinha ordenado, conforme a palavra do Senhor" (15.15). Davi aprendeu com seus erros anteriores.

Em I Crônicas, Davi, além de levar a arca para Jerusalém, em sua "opressão [preparou] para a Casa do Senhor" (22.14). Você deve se lembrar do pecado de Davi, em nosso estudo de 2 Samuel, em que contou as tropas e fez cair uma grande praga sobre o povo. Em I Crônicas, vemos que Davi reservou o pedaço de terra em que Deus fez parar a praga para a construção do Templo. Ele dedicou o próprio local em que o Senhor mostrou misericórdia para com ele apesar de seu pecado. A seguir, o Senhor informa a Davi que não seria ele quem construiria o Templo, mas seu filho Salomão (22.8-10). Contudo, os oito capítulos finais dedicam-se à preparação para a construção do Templo (caps. 22—29).

Portanto, certifiquemo-nos de que entendemos isso. Por que Jerusalém é central no Antigo Testamento e, em particular, em I Crônicas? Jerusalém é central porque o Templo está localizado lá. Por que o Templo é central? O Templo é central porque a arca da aliança está nele. Por que a arca da aliança é central? A arca é central porque simboliza a presença de Deus. E Deus é o centro de todas as coisas. Em suma, em I Crônicas, a arca da aliança e o Templo são centrais, porque Deus é central.

Por essa razão, a arca da aliança funciona como um lembrete de que a santa presença de Deus é o centro da identidade nacional de Judá. Nesse sentido, ironicamente, o povo era definido mais por seu relacionamento com Ele que com a arca, ou com o Templo, ou com suas fronteiras. O relacionamento com Deus era o cerne da nação! O Senhor deu uma visão de si mesmo para o profeta Ezequiel mesmo quando o povo foi para o exílio na Babilônia, longe da terra e do Templo. Eles estavam em um local diferente e sem Templo, mas ainda eram seu povo. E agora, esse livro, que lembra tantas gerações de israelitas e guia-os em direção ao futuro, chega às mãos deles. A mensagem clara é: Vocês ainda são o meu povo.

De nosso ponto de vista atual, e vantajoso, em que temos o Antigo e o Novo Testamentos, vemos que 1 e 2 Crônicas foram escritos com a finalidade de encorajar a reconstrução do Templo, mas também percebemos que o verdadeiro Templo não é esse prédio terreno. Em conclusão, Deus não precisa que os israelitas construam um prédio terreno para Ele. Por fim, Ele planejava criar outro templo — no ventre da virgem Maria.

O Templo terreno de Israel apenas prenunciava a plenitude da presença de Deus que haveria em Jesus Cristo. Como Jesus disse no Evangelho de João: "Derribai este templo, e em três dias o levantarei. [...] Mas ele falava do templo do seu corpo" (Jo 2.19,21). Por isso, João inicia seu Evangelho com a declaração: "E o Verbo se fez carne e habitou entre nós, e vimos a sua glória, como a glória do Unigênito do Pai, cheio de graça e de verdade" (Jo 1.14). Depois, em sua visão final da cidade celestial, João anuncia: "E ouvi uma grande voz do céu, que dizia: Eis aqui o tabernáculo de Deus com os homens, pois com eles habitará, e eles serão o seu povo, e o mesmo Deus estará com eles e será o seu Deus" (Ap 21.3). Contudo, ao olhar para o templo nessa cidade celestial, ele "não [viu] templo, porque o seu templo é o Senhor, Deus Todo-poderoso, e o Cordeiro" (Ap 21.22).

Amigo, você recebeu a vida a fim de conhecer esse Deus e regozijar-se nEle. Você faz isso? É por isso que, neste momento, você respira. É por isso que a igreja existe. Os cristãos verdadeiros entre nós, basicamente, são cristãos porque conheceram a Deus e se regozijam nEle como o centro de sua vida. O centro da vida do povo de Deus é Ele.

Para si Mesmo

Nesse livro, não vemos apenas que Deus é central para seu povo, mas também que Ele é central para si mesmo. Quero estender esse ponto até sua origem, para que você não pense que é apenas uma idéia novelesca que algum teólogo pregador, como John Piper ou Jonathan Edwards, trouxe à baila!

No fim, Deus chama um povo para si mesmo para sua glória. No contexto de I Crônicas, vemos isso em três orações distintas de Davi. O capítulo 16 apresenta o belo salmo de ação de graças de Davi (também reproduzido, em parte, nos Salmos 96 e 105):

> Louvai ao SENHOR, invocai o seu nome, fazei conhecidos entre os povos os *seus* feitos. Cantai-*lhe*, salmodiai-*lhe*, atentamente falai de todas as *suas* maravilhas. Gloriai-vos *no seu santo nome*; alegre-se o coração dos que buscam o Senhor. Buscai o Senhor e a sua força; buscai a sua face continuamente. Lembrai-vos das *suas* maravilhas que tem feito, dos *seus* prodígios, e dos juízos da *sua* boca. Vós, semente de Israel, seus servos, vós, filhos de Jacó, seus eleitos. Ele é o Senhor, nosso Deus; em toda a terra estão os *seus* juízos. Lembrai-vos perpetuamente do *seu* concerto e da palavra que *prescreveu* para mil gerações; do concerto que *fez* com Abraão e do *seu* juramento a Isaque; o qual também a Jacó *ratificou* por estatuto, e a Israel, por concerto eterno, dizendo: A ti te darei a terra de Canaã, quinhão da vossa herança. Sendo vós em pequeno número, poucos homens, e estrangeiros nela; andavam de nação em nação e de um reino para outro povo. A ninguém *permitiu* que os oprimisse e, por amor deles, *repreendeu* reis, dizendo: Não toqueis os meus ungidos e aos meus profetas não façais mal. Cantai *ao Senhor* em toda a terra; anunciai de dia em dia a *sua* salvação. Contai entre as nações a *sua* glória, entre todos os povos as *suas* maravilhas. Porque grande *é o Senhor*, e mui digno de ser louvado, e mais tremendo é do que todos os deuses. Porque todos os deuses das nações são vaidades; porém *o Senhor* fez os céus. Majestade e esplendor há diante *dele*, força e alegria, no *seu* lugar. Dai *ao Senhor*, ó famílias das nações, dai *ao Senhor* glória e força. Dai *ao Senhor* a glória de *seu nome*; trazei presentes e vinde perante *ele*; adorai *ao Senhor* na beleza da *sua* santidade. Trema perante *ele*, trema toda a terra; pois o mundo se firmará, para que se não abale. Alegrem-se os céus, e regozije-se a terra; e diga-se entre as nações: O *Senhor* reina. Brama o mar com a sua plenitude; exulte o campo com tudo o que há nele. Então, jubilarão as árvores dos bosques perante *o Senhor*; porquanto *vem* a julgar a terra. Louvai *ao Senhor*, porque é bom; pois a *sua* benignidade dura perpetuamente. E dizei: Salva-nos, *ó Deus* da nossa salvação, e ajunta-nos, e livra-nos das nações; para que louvemos *o teu santo nome* e nos gloriemos no *teu louvor*. Louvado seja *o*

Senhor, Deus de Israel, de século em século. E todo o povo disse: Amém! E louvou *ao Senhor*. (16.8-36; grifos do autor)

A seguir, o capítulo 17 apresenta a oração de Davi em resposta à promessa de Deus de abençoá-lo:

> Quem sou eu, Senhor Deus? E qual é a minha casa, que me trouxeste até aqui? E ainda isso, ó Deus, foi pouco aos teus olhos; pelo que falaste da casa de teu servo para tempos distantes; e proveste-me, segundo o costume dos homens, com esta exaltação, ó Senhor Deus. Que mais te dirá Davi, acerca da honra feita a teu servo? Porém tu bem conheces o teu servo. Ó Senhor, por amor de teu servo e *segundo o teu coração*, fizeste todas essas grandezas, para fazer notórias todas estas grandes coisas! *Senhor, ninguém há como tu*, e não há Deus além de ti, conforme tudo quanto ouvimos com os nossos ouvidos. E quem há como o teu povo de Israel, única nação na terra, a quem Deus foi remir *para seu povo, fazendo-te nome* com coisas grandes e temerosas, lançando as nações de diante do teu povo, que remiste do Egito? E tomaste o teu povo de Israel para ser teu povo para sempre; e tu, Senhor, lhe foste por Deus. Agora, pois, Senhor, a palavra que falaste de teu servo e acerca da sua casa, seja certa para sempre; e faze como falaste. Confirme-se com efeito, e que *o teu nome se engrandeça para sempre, e* diga-se: O Senhor dos Exércitos é o Deus de Israel, é Deus para Israel; e fique firme diante de ti a casa de Davi, teu servo (17.16-24; grifos do autor).

Por fim, passemos para o último capítulo do livro em que encontramos esta bela oração de Davi:

> Pelo que Davi louvou ao Senhor perante os olhos de toda a congregação e disse: Bendito *és tu*, Senhor, Deus de nosso pai Israel, de eternidade em eternidade. *Tua é*, Senhor, a magnificência, e o poder, e a honra, e a vitória, e a majestade; porque teu é tudo quanto há nos céus e na terra; *teu é*, Senhor, o reino, e *tu* te exaltaste sobre todos como chefe. E riquezas e glória vêm de diante de *ti*, e *tu* dominas sobre tudo, e na *tua* mão há força e poder; e na tua mão está o engrandecer e dar força a tudo. Agora, pois, ó Deus nosso, graças *te* damos e louvamos *o nome da tua glória* (29.10-13; grifos do autor).

Você vê a centralidade de Deus em tudo isso? E poderíamos continuar. Esse é o quadro apresentado na Bíblia toda! Mas perdemos de vista esse quadro, porque nosso egocentrismo obscurece o que Deus pretende revelar de si mesmo. Com muita freqüência, lemos a Bíblia de forma seletiva. Nós apenas examinamos com cuidado as passagens que parecem prometer o que desejamos para nós mesmos.

Todavia, como cristãos, somos chamados a tornar o nome do Senhor conhecido entre as nações, a contar seus atos maravilhosos e a dar "a glória de seu nome". Você pode imaginar um chamado melhor? O que significa dar *a glória de seu nome*? Significa apreciar a Deus, deleitar-se com seu caráter.

De acordo com I Crônicas, por que o Senhor fez tudo que fez? Para o louvor de seu nome glorioso!

Como você pode vencer seu pecado? Como pode se libertar das coisas que o oprimem e o mantêm escravizado? Vendo Deus como central. Conhecendo-o como alguém mais fascinante e desejável que seu pecado mais sedutor. Centre sua afeição *nEle*. Realmente, esse é meu último ponto.

Para Você

Deus é central para seu povo, para si mesmo e para você. Podemos ver isso, se, mais uma vez, voltarmos e perguntarmos por que Davi é tão central para I Crônicas.

Davi. Fica claro que o reinado de Davi é central na história. O livro é sobre seu reinado! Após nove capítulos de genealogia e, no capítulo 10, uma breve menção à morte de Saul — na verdade, apenas para fazer transição da subida de Davi ao trono —, o restante do livro é sobre o reinado de Davi. O capítulo 11 descreve a ascensão de Davi ao trono e, também, como ele derrotou os jebuseus e apoderou-se de Jerusalém. A última parte do capítulo 11 e todo o capítulo 12 falam dos muitos guerreiros que se juntaram a Davi. Os capítulos 13, 15 e 16 relatam como ele trouxe a arca para Jerusalém. O capítulo 14, fala mais sobre a casa, a família e as vitórias de Davi. Pulando para o capítulo 21, encontramos a história de como Davi, de forma pecaminosa, contou os guerreiros de Israel. O capítulo 22 discute os preparativos para a construção do Templo. Os capítulos 23—26 estão cheios de listas de pessoas a serem usadas na construção do Templo. No capítulo 28, Davi apresenta as plantas do Templo. O capítulo 29, o último, apresenta o cálculo das doações de Davi para a construção do Templo, a indicação divina de Salomão como sucessor de Davi no trono e a morte de Davi.

Os descendentes de Davi. Além do reinado de Davi, I Crônicas destaca também o reinado de seus descendentes. Como já disse, I e 2 Crônicas pretendiam encorajar o povo a reconstruir o Templo e a restabelecer o trono de Davi. E, talvez, os que retornaram do exílio reconstruiriam o Templo enquanto esse livro era escrito. Todavia, ainda não havia rei, mesmo com o Templo reconstruído. Nenhum descendente de Davi ocupou o trono.

No capítulo 17 (ecoando 2 Sm 7), Deus promete a Davi que um descendente seu ocuparia o trono para sempre. Na época, essa foi uma promessa irônica, pois Davi tinha em mente a construção da Casa do Senhor. Mas o que o Senhor diz a Davi? *Na verdade, Davi, eu estou construindo uma casa para você.* Natã, o profeta inspirado pelo Senhor, foi a Davi e apresentou-lhe estas palavras em nome do Senhor:

> Te fiz saber que o Senhor te edificaria uma casa. Há de ser que, quando forem cumpridos os teus dias, para ires a teus pais, suscitarei a tua semente depois de ti, a qual será dos teus filhos, e confirmarei o seu reino. Este me edificará casa; e eu confirmarei o seu trono para sempre. Eu lhe serei por pai, e ele me será por filho; e a minha benignidade não desviarei dele, como a tirei daquele que foi antes de ti. Mas o confirmarei na minha casa e no meu reino para sempre, e o seu trono será firme para sempre.[3]

Muitos capítulos depois, Davi ora a Deus e exorta seu filho, Salomão, fundamentado na promessa do Senhor:

> O Senhor te dê tão-somente prudência e entendimento e te instrua acerca de Israel; e isso para guardar a Lei do Senhor, teu Deus. Então, prosperarás, se tiveres cuidado de fazer os estatutos e os juízos, que o Senhor mandou a Moisés acerca de Israel; esforça-te, e tem bom ânimo, e não temas, nem tenhas pavor (22.12,13).

Perto do fim do livro, Davi faz a promessa de novo e, mais uma vez, exorta seu filho Salomão. Deus declara: "E estabelecerei o seu reino para sempre, se perseverar em cumprir os meus mandamentos e os meus juízos" (28.7a). Assim, Davi exorta:

> E tu, meu filho Salomão, conhece o Deus de teu pai e serve-o com um coração perfeito e com uma alma voluntária; porque esquadrinha o Senhor todos os corações e entende todas as imaginações dos pensamentos; se o buscares, será achado de ti; porém, se o deixares, rejeitar-te-á para sempre (28.9).

Salomão seguiu o conselho do pai? Como lemos no capítulo final, sem dúvida, o Senhor abençoou-o muitíssimo: "E o Senhor magnificou a Salomão grandissimamente perante os olhos de todo o Israel; e deu-lhe majestade real, qual antes dele não teve nenhum rei em Israel" (29.25). Todavia, Salomão permaneceu firme na execução das ordens do Senhor? Além disso, a promessa de

Deus para Davi cumpriu-se em Salomão? Bem, não mesmo, pelo menos, não completamente. Salomão não permaneceu totalmente firme, e a promessa do Senhor não se cumpriu totalmente nele.

Está bem, mas a promessa de Deus a Davi em relação a seus descendentes *nunca* foi cumprida?

Jesus Cristo, o Filho de Davi. Sim, a promessa cumpriu-se em Cristo. Como afirmam as genealogias apresentadas em Mateus e em Lucas. Como afirmam os louvores das crianças e dos jovens quando Ele entrou em Jerusalém. Como afirmam incontáveis passagens dos Evangelhos e das Epístolas do Novo Testamento. Jesus é o Filho de Davi! As promessas de Deus para Davi cumpriram-se em Jesus Cristo.

E é isso que nos traz a esse quadro (após nosso leve desvio). A promessa de Deus a Davi, de séculos atrás, também nos envolve! Como?

Deus sempre pretendeu exaltar seu nome ao tomar um povo para si mesmo. Por isso, o Senhor levantou e exaltou Davi. Por quê? Conforme a declaração do capítulo 14: "O Senhor o tinha confirmado rei sobre Israel; [...] seu reino se tinha muito exaltado *por amor do seu povo Israel*" (14.2; grifo do autor). O Senhor sempre pretendeu que os reis de Israel fossem uma bênção para seu povo. Contudo, Ele nunca pretendeu limitar suas bênçãos e promessas ao povo de Israel. Quando prometeu que haveria para sempre um filho (descendente) de Davi no trono, Ele *não* se referia ao trono terreno de Israel. Um dos filhos de Davi seria chamado de o Rei dos reis e o Senhor dos senhores. E esse Rei dos reis, Jesus Cristo, Filho de Davi veio por causa de todo o povo de Deus — para *nossa* bênção e benefício, se somos cristãos! Primeiro Crônicas, acima de tudo, aponta para Cristo, para a vinda de Deus, em glória, como Emanuel, como "Deus conosco" para habitar em forma humana.

Nós pecamos. Nós nos rebelamos contra Deus. Mas Ele veio em Cristo e viveu uma vida perfeita. O espírito de Cristo, em sua morte na cruz — algo incompreensível para nós —, separou-se do Pai, e Ele tomou sobre seu corpo o sofrimento devido como punição pelos pecados de todos que se afastarem de seus pecados e crerem nEle. E Ele chama-nos a fazer isso agora: afastar-nos de nossos pecados e crer nEle.

Essa semana é o 485º aniversário da Reforma Protestante. Durante a Reforma, recuperou-se a grande verdade de Romanos 4.5 de que Deus "justifica o ímpio". A Igreja Católica Romana ensinava — e, oficialmente, ainda ensina — que o Senhor precisava tornar-nos santos antes de poder nos amar para a salvação. Martinho Lutero, pela graça de Deus, entendeu com acerto que as Escrituras não ensinavam isso. Ao contrário, elas ensinam que o Deus santo decidiu misteriosa, poderosa e soberanamente alcançar em amor, com a finalidade de salvar, aqueles que estavam em pecado, aqueles que estavam alienados e afastados dEle, aqueles que, na verdade, estavam mortos em seus pecados. O amor de Deus é grande assim! Não conhecemos ao Senhor por causa de qualquer coisa boa em nós que faz com que cooperemos com os sacramentos da igreja, mas porque apenas Ele é bom e glorioso e dá vida espiritual. Por isso, arrependemo-nos de nossos pecados e cremos nEle. Somos perdoados de nossos pecados e restaurados à comunhão com Deus só pela fé apenas em Cristo.

Em 2 Samuel 7 e em I Crônicas 17, a promessa do Senhor a Davi de estabelecer um trono eterno para seus descendentes nunca foi apenas para o reino terreno, pois esse reino nunca aconteceu. A promessa sempre se referiu ao trono eterno. E ela diz respeito a uma promessa para nós — a promessa de restaurar a comunhão com Deus por intermédio de Jesus Cristo, o Filho de Davi, a promessa de nos abençoar para a glória dEle.

Portanto, Deus é soberano sobre as nações e sobre os indivíduos. Deus é central para seu povo e para si mesmo. E Ele também é central para sua vida.

No que você centraliza sua vida? Você a centraliza em alguma coisa? Em sua família? Seu emprego? Sua segurança financeira? Seu esporte? Na estima dos outros? Neste momento, você está no processo de fazer com que tudo mais em sua vida se ajuste em torno de um ponto central. Que ponto é esse? Amigo, apenas o Senhor pode estar no centro da sua vida. Apenas Ele pode ser o centro do seu coração e do seu amor. Você deve ter amizade com Ele. Construa sua vida em volta dEle.

Se você fizer isso, fará toda a diferença. A diferença surge quando construímos nossa vida em torno do Senhor. Ore por mim como pastor e por nossa igreja, para que sejamos centrados em Deus.

Conclusão: Um Exemplo de Centralidade em Deus

Adoniram Judson tinha muitas vantagens. No início do século XIX, na Nova Inglaterra, ele usufruía de todos os benefícios que acompanhavam o fato de ser um homem branco. Ele era o filho mais velho de um pastor. E recebeu uma educação privilegiada, graduou-se na Brown University com as mais altas honras de sua turma e também no Andover Theological Institution.

Contudo, Judson percebeu qual era o centro da fé cristã que aceitara e, por isso, sentiu-se compelido a deixar os Estados Unidos e levar as Boas Novas de Jesus Cristo para algum lugar que nunca as ouvira. Ele reorganizou toda sua vida em torno desse desejo, embora não lhe tenha rendido o favor nem a ajuda imediatos de muitas pessoas. Mesmos seus amigos cristãos e sua família temente a Deus estavam céticos a respeito de levar o evangelho para além-mar, para um povo que não expressara vontade de ouvi-lo. Judson não recebera, como o apóstolo Paulo, nenhum pedido de ajuda de algum macedônio. Todavia, estava tão consumido pela paixão da glória de Deus entre as nações — a mesma paixão que está no cerne de I Crônicas — que liderou o primeiro movimento missionário entre os cristãos norte-americanos. Ele sacrificou o sucesso garantido e a estima social pelo Deus cuja Palavra era preciosa para ele.

Milhares de vezes, as pessoas perguntaram a Judson, em tom cínico, sobre sua expectativa de sucesso em seu intento. Por que desperdiçar essa jovem e promissora vida? Certa vez, ele respondeu a um amigo: "Se perguntarem de novo: 'Qual a perspectiva de um supremo sucesso?', diga-lhes que tanto quanto a de que existe um Deus Todo-poderoso e fiel que cumprirá suas promessas, e não diga nada mais que isso".[4]

Assim, Judson perseguiu sua obsessão juvenil. Ele embarcou em um navio para a Inglaterra, onde planejava ligar-se e cooperar com outra sociedade de envio de missionários. Todavia, na viagem, foi capturado por um navio francês e ficou preso na França por algum tempo. Depois de retornar aos Estados Unidos, ele deixou a Nova Inglaterra pela segunda vez, com a esposa, e sobreviveu a uma viagem marítima difícil que durou muitos meses; aportou, primeiro, na Índia, mas, por fim, chegou à Birmânia. Aparentemente, na Birmânia, ele enfrentou uma interminável oposição comercial, social e política ao seu trabalho. E lutou para encontrar um local em que pudesse falar publicamente sobre o cristianismo de forma legal.

Após diversos meses, Judson ainda não ganhara ninguém para a fé. Nem ganhou no primeiro ou no segundo ano de trabalho. Como deve ter sido doloroso enviar um relatório para seus supervisores! Passou-se o terceiro ano sem haver conversões. Com certeza, a essa altura, o pessoal dele dizia coisas como: "Tirem esse homem de lá. Vamos enviá-lo para um lugar em que as pessoas respondam ao evangelho". Contudo, Judson ficou lá. Após quatro anos, os frutos visíveis de seu trabalho permaneciam indefiníveis. Após cinco anos, nada mudara. Durante todo esse tempo, Judson trabalhou incessantemente para aprender e traduzir a Bíblia para o birmanês, embora ninguém solicitasse isso. Passaram-se seis anos, e nada de conversões. Por fim, no sétimo ano de Judson na Birmânia, ele batizou o primeiro birmanês que confessou a Cristo como Senhor.

No entanto, as provações nunca têm fim. Declararam o trabalho de Judson ilegal. Sua casa foi invadida e confiscaram tudo de valor. Ele foi confundido com um espião britânico e ficou preso, em condições terríveis, durante dezenove meses. Na verdade, as condições na prisão eram tão ruins que outros prisioneiros morriam em conseqüência dessa precariedade. Judson ficou preso em uma pequena sala com quase cem prisioneiros por um bom número de meses, incluindo-se o verão. As pessoas estavam tão espremidas na sala que não era possível deitar e não tinha janela para deixar entrar ar fresco. Enquanto ele estava na prisão, sua esposa e filhos não tinham ninguém para protegê-los ou prover para eles, e a esposa e uma filha ficaram gravemente doentes. Judson foi setenciado à morte, embora a sentença ainda não tivesse sido executada. Logo depois disso, sua esposa morreu. E a filha também. Nos anos seguintes, Judson casou-se de novo e, outra vez, ficou viúvo por causa de uma doença devastadora. Ele também enterrou alguns filhos na Birmânia.

Perto do fim de sua vida, Judson escreveu a um indivíduo dos Estados Unidos que lhe perguntara como e por que ele conseguiu perseverar em suas tarefas em meio a tais provações. Ele escreveu

> Oh, sinto-me como se estivesse apenas começando a ficar preparado para ser útil. Não é porque retrocedi diante da morte que quero viver. Nem é por causa dos laços que me prendem aqui, embora alguns deles sejam bastante doces, semelhantes, às vezes, com a atração que sinto em direção ao céu; porém, não sentirei saudades de uns poucos anos em minha eternidade de bênçãos, e eu bem posso muito bem gastá-los tanto por sua causa como por causa dos pobres birmaneses. Não estou cansado do meu trabalho, nem cansado do mundo, contudo, quando Cristo me chamar para casa, irei com a alegria de um menino prestes a deixar a escola.[5]

Em I Crônicas, Davi demonstra o mesmo sentimento palpável de alegria em servir e conhecer a Deus que Judson demonstra nessa carta.

> Cantai ao Senhor em toda a terra; anunciai de dia em dia a sua salvação. Contai entre as nações a sua glória, entre todos os povos as suas maravilhas. Porque grande é o Senhor, e mui digno de ser louvado, e mais tremendo é do que todos os deuses. Porque todos os deuses das nações são vaidades; porém o Senhor fez os céus. Majestade e esplendor há diante dele, força e alegria, no seu lugar. Dai ao Senhor, ó famílias das nações, dai ao Senhor glória e força. Dai ao Senhor a glória de seu nome; trazei presentes e vinde perante ele; adorai ao Senhor na beleza da sua santidade (16.23-29).

Em Jesus, Adoniram Judson encontrou seu verdadeiro rei e seu verdadeiro templo — seu Salvador e seu Senhor.

Deixe-me fazer-lhe algumas perguntas extremamente inadequadas, e que espero que sejam ainda mais inadequadas em sua alma:

O que você considerou mais valioso que Cristo?
Você crê na soberania de Deus?
Você centra sua vida em Cristo?

Você deveria. Você foi feito para isso. E, pela graça de Deus, você pode fazer isso.

Oremos:

Oh, Deus, confessamos que quando vemos um amor avassalador pelo Senhor (como o de Davi ou o de Judson), esse tipo de amor que toca todas as áreas da vida, sentimo-nos frios e mortos. Oh, Deus, acende nosso coração e lembre-nos de que nossa paixão não nos salva, mas apenas a paixão de nosso Senhor Jesus Cristo é que nos salva — a justiça dEle aplicada a nós pela fé. Oh, Deus, ajude-nos a deixar de lado nossas desculpas e a nos voltarmos totalmente para o Senhor, pedimos isso por causa de Jesus e para a glória de seu grande nome. Amém.

Questões para Reflexão

1. Como membro de uma igreja local, você acha, de alguma forma, que seus sentimentos sobre alguns aspectos da igreja deveriam ser implementados, de imediato, como política da igreja? Esse sentimento diz mais sobre você ou sobre a igreja? Por quê?
2. O que você diria se alguém lhe perguntasse por que I e 2 Crônicas repetem muitas das histórias dos livros de Samuel e Reis?
3. O que você diria se essa pessoa lhe perguntasse por que I Crônicas se inicia com essa longa lista cansativa de nomes?
4. Como vimos, "Você e eu temos a ilusão de que podemos controlar tudo, e cultivamos essa ilusão com muito cuidado. Todavia, as circunstâncias de nossa vida desafiam constantemente essa ilusão: por meio da impotência e da pobreza, da idade e da doença e, por fim, da morte". Isso significa que, na verdade, talvez Deus use a tragédia e até as desgraças em nossa vida para bons propósitos?
5. Por que o fato de Deus ser soberano sobre as nações e as pessoas é reconfortante em épocas de guerra e de revolta nacional?
6. Devemos nos preocupar em votar já que Deus é soberano para levantar e derrubar reis e presidentes? Por quê?
7. Como vimos, Davi orou por seu filho: "E a Salomão, meu filho, dá um coração perfeito para guardar os teus mandamentos" (29.19). O que isso sugere sobre a capacidade de Deus em influenciar o coração do homem? Você ora pelo que Deus pode fazer em seu coração? Pelo que Ele faz no coração dos outros?

8. Crer na soberania de Deus sobre as nações e os indivíduos exige a crença de que Cristo é vitorioso, mesmo quando o mundo a sua volta não lhe dá essa impressão. Claro, a palavra "crença" sugere isso, não é mesmo? Se você não é líder de igreja, como pode edificar sua igreja sobre a idéia de que Cristo é vitorioso? Como pai ou mãe cristão, como você pode criar seus filhos, cuja salvação ainda está para ser revelada, sobre o fundamento da vitória certa de Cristo?
9. Por que a noção de que Deus é central para o universo, para o propósito de nossa vida, para os sentimentos dEle mesmo e para tudo é tão ofensiva para nosso coração pecador?
10. Qual a diferença entre a reunião de uma igreja em que Deus é o centro e a de uma em que Ele não o é?
11. Por que a igreja que é centrada em servir e em louvar a Deus tem, genuinamente, algo a oferecer a sua vizinhança e comunidade, enquanto, ironicamente, a igreja que existe apenas para servir às vontades e às necessidades do homem não tem nada a oferecer?
12. Houve um homem na história que foi totalmente centrado em Deus e que confiou com mais perfeição na soberania dEle. Contudo, esse homem apanhou brutalmente e foi morto, embora cresse no Deus mais poderoso. Isso mostra que ele pôs sua crença no lugar errado? As circunstâncias difíceis, até insuperáveis de nossa vida mostram que nossa crença no poder supremo de Deus está posta no lugar errado? Onde nós, como Jesus, encontramos a força para crer em Deus?
13. Em continuidade à pergunta 12, as Boas Novas do cristianismo é que Deus vê aqueles de nós que se arrependem e crêem como se *fôssemos* aquele homem especial, Jesus Cristo; como se tivéssemos centrado, com perfeição, nossa vida no Senhor e crido em sua soberania. Ele atribui a justiça de Cristo a nós! Bem, como a lembrança desse fato capacita-nos a perseguir com disposição o tipo de trabalho de proclamação do evangelho (quer por vocação, quer não) que pode resultar, como na vida de Adoniram Judson, em mais sofrimento e provações? Em outras palavras, como o conhecimento do evangelho capacita-nos a perseverar em meio às provações que impulsionam o cristão obediente à Grande Comissão?

Notas

Capítulo 13

[1] A data de pregação original deste sermão foi em 27 de outubro de 2002, na Capitol Hill Baptist Church, em Washington, D.C.
[2] Abraham Lincoln, no contexto de sua discussão sobre se Deus permitiria ou não a continuidade da escravatura após a guerra que assolou os Estados Unidos, afirmou: "O Todo-poderoso tem seus próprios propósitos".
[3] 17.10b-14; cf. 2 Samuel 7.12-16.
[4] Citado em Edward B. Pollard e Daniel Gurden Stevens, Luther Rice: Pioneer in Missions and Education (Filadélfia: Judson, 1928), p. 39.
[5] John Allen Moore, Baptist Mission Portraits (Macon, Ga.: Smyth & Helwys, 1994), p. 106.

A MENSAGEM DE 2 CRÔNICAS: PROFUNDEZAS

HONESTIDADE *VERSUS* ESPERANÇA

INTRODUÇÃO A 2 CRÔNICAS

A GLÓRIA DE DEUS: O SENHOR PLANEJA REVELAR SEU CARÁTER
   Em sua Grandeza (Atributos Intransmissíveis)
      Apenas Ele É único
      Apenas Ele É soberano
      Apenas Ele Merece Ser Adorado
   Em sua Bondade (Atributos Transmissíveis)
      Deus É fiel
      Deus É justo
      Deus É benigno

NOSSO PECADO: RESPONDEMOS COM REBELIÃO AO PLANO DE DEUS
   Com Governo Ruim
   Com Idolatria
   Amar o que não É Deus como se Fosse Ele

O JULGAMENTO DE DEUS: ELE JULGA-NOS POR NOSSA REBELDIA
   Por meio da Guerra
   Por meio do Exílio

A RESOLUÇÃO: O POVO DE DEUS SE ARREPENDE, E ELE LIBERTA-OS
   O Padrão do Arrependimento
   Os Diversos Exemplos de Arrependimento
   O Papel do Templo
   O Ensino da Palavra
   A Advertência Final: Sem Esposas Idólatras! Sem Amores Divididos!

CONCLUSÃO

CAPÍTULO 14

A Mensagem de 2 Crônicas:
Profundezas

Honestidade *versus* Esperança[1]

No início do século XX, o filósofo Bertrand Russell disse: "A vida do homem é uma longa marcha através da noite, em que ele se encontra rodeado de inimigos invisíveis, torturado pelo cansaço e pela dor, caminhando em direção a um objetivo que poucos esperam alcançar, e no qual ninguém permanece muito tempo".[2] Sem dúvida, Russell era honesto em relação à falta de sentido do sofrimento da vida. Na verdade, em seu ensaio "A Free Man's Worship" ["A Adoração do Homem Livre"], ele insistiu que também devemos reconhecer a ausência de sentido de toda a vida antes de sermos capazes de *adorar*.

Talvez o cinismo do tipo de Russell seja honesto, mas deixa pouco espaço para a esperança.

Outros vêem a vida através de lentes muito mais esperançosas. Eles quase parecem ter nascido com uma atitude otimista em relação à vida. Gordon Wood, ao descrever a Guerra Revolucionária da era patriótica de Benjamin Rush, escreveu: "Até a invenção da bomba de água para navios levou Benjamin Rush a exaltações sobre a esperança que o invento prometia, 'pois, falando comparativamente, chegará o dia em que não haverá mal sobre a face da Terra'".[3] Esse tipo de otimismo sempre parece projetar aumento de lucros ou crescimento incessante. Eles são tão otimistas quanto às criancinhas. Mas esse tipo de otimismo é culpado por pensamentos cheios de anseios? Parece que a bomba de água para navios não acabou com o mal no globo terrestre, pelo menos, ainda não. Que valor esse tipo de esperança pode ter se não houver uma honestidade rigorosa que ligue essa atitude de esperança à realidade?

A pergunta para nós é: Podemos ter as duas coisas? Podemos ter honestidade e esperança? Essas duas coisas podem andar juntas em um mundo caído? Não podemos ter a honestidade e esperança em um mundo ateísta. A compreensão ateísta de mundo tem de mitigar a honestidade para conseguir a esperança. Ela tem de diminuir certos fatos a fim de não eclipsar sua esperança frágil e fabricada.

Em contraste, a história da conduta do Deus santo com seu povo mostra que *podemos* ter honestidade e esperança. Podemos ter honestidade total e esperança real *por causa de Deus*. Ele é a razão para podermos ter as duas coisas.

Introdução a 2 Crônicas

Essa é a história de 2 Crônicas, o livro a que chegamos em nossa série de sermões panorâmicos sobre os livros históricos do Antigo Testamento.

Segundo Crônicas é o mais longo dos doze livros históricos. Ele compõe-se de 36 capítulos, e sua leitura, de uma vez só, leva cerca de duas horas e meia. Eu amaria ter um esboço de sermão que seguisse paralelo, e de modo claro, a estrutura do livro. Todavia, na verdade, não posso fazer isso aqui. Eis um esboço do livro. Os capítulos 1—9 relatam o reinado de Salomão. Esses capítulos centram-se, principalmente, na consagração do Templo por Salomão. Os capítulos 10—36 são um relato sobre os demais reis de Judá nos 350 anos anteriores à conquista e à deportação da nação pela Babilônia. E não há um esboço mais claro e mais útil que esse. O livro, cobre a história de vinte reis.

Esse livro parece ter sido escrito perto do fim do exílio judeu na Babilônia, se não, talvez por volta de 500 a.C., ou pouco depois, logo após do início do restabelecimento de Jerusalém e de Judá. E parece que havia duas razões básicas para ser escrito: primeiro, apresentar a razão por que houve o exílio; segundo, orientar o povo em como recomeçar e reconstruir. Por isso, as tribos do norte são deixadas de fora de 2 Crônicas. Elas foram dispersadas *definitivamente* e não faziam parte do remanescente que retornou do exílio. Por essa razão, esse livro não tem em mente nenhum propósito para elas. Talvez também seja por isso que o historiador, sob a influência do Espírito Santo, selecionou o material dessa forma. Ele não enumerou todos os pecados de todos os reis como vemos em 1 e 2 Reis. Esses livros já serviram ao propósito de tornar conhecidos esses pecados. Em vez disso, ele destaca especificamente o Templo e o pecado de idolatria.

Leiamos duas passagens a fim de determinar nosso ponto de apoio nesse livro: uma é do início do livro e se passa durante o reinado de Salomão, e a outra é do final do livro e ocorre quatro séculos mais tarde. Na primeira passagem, vemos a resposta do Senhor à oração de Salomão na consagração do Templo:

Assim, Salomão acabou a Casa do Senhor e a casa do rei; e tudo quanto Salomão intentou fazer na Casa do Senhor e na sua casa, prosperamente o efetuou. E o Senhor apareceu de noite a Salomão e disse-lhe: Ouvi tua oração e escolhi para mim este lugar para casa de sacrifício. Se eu cerrar os céus, e não houver chuva, ou se ordenar aos gafanhotos que consumam a terra, ou se enviar a peste entre o meu povo; e *se* o meu povo, que se chama pelo meu nome, se humilhar, e orar, e buscar a minha face, e se converter dos seus maus caminhos, então, eu ouvirei dos céus, e perdoarei os seus pecados, e sararei a sua terra. Agora, estarão abertos os meus olhos e atentos os meus ouvidos à oração deste lugar. Porque, agora, escolhi e santifiquei esta casa, para que o meu nome esteja nela perpetuamente; e nela estarão fixos os meus olhos e o meu coração todos os dias. Quanto a ti, se andares diante de mim, como andou Davi, teu pai, e fizeres conforme tudo o que te ordenei, e guardares os meus estatutos e os meus juízos, também confirmarei o trono do teu reino, conforme o concerto que fiz com Davi, teu pai, dizendo: Não te faltará varão que domine em Israel. Porém, se vós vos desviardes, e deixardes os meus estatutos e os meus mandamentos, que vos tenho proposto, e fordes, e servirdes a outros deuses, e vos prostrardes a eles, então, os arrancarei da minha terra que lhes dei, e lançarei da minha presença esta casa que consagrei ao meu nome, e farei com que seja por provérbio e mote entre todas as gentes. E, desta casa, que fora tão exaltada, qualquer que passar por ela se espantará e dirá: Por que fez o Senhor assim com esta terra e com esta casa? E dirão: Porquanto deixaram o Senhor, Deus de seus pais, que os tirou da terra do Egito, e se deram a outros deuses, e se prostraram a eles, e os serviram; por isso, ele trouxe sobre eles todo este mal (2 Cr 7.11-22).

Foi isso que o Senhor disse a Salomão. E o que aconteceu? Salomão e seus herdeiros obedeceram às ordens do Senhor ou as abandonaram? Passemos para o último capítulo do livro, em que encontramos um bom resumo do que ocorreu:

E o Senhor, Deus de seus pais, lhes enviou a sua palavra pelos seus mensageiros, madrugando e enviando-lhos, porque se compadeceu do seu povo e da sua habitação. Porém zombaram dos mensageiros de Deus, e desprezaram as suas palavras, e escarneceram dos seus profetas, até que o furor do Senhor subiu tanto, contra o seu povo, que mais nenhum remédio houve. Porque fez subir contra eles o rei dos caldeus, o qual matou os seus jovens à espada, na casa do seu santuário; e não teve piedade nem dos jovens, nem das moças, nem dos velhos, nem dos decrépitos; a todos os deu nas suas mãos. E todos os utensílios da Casa de Deus, grandes e pequenos, e os tesouros da Casa do Senhor, e os tesouros do rei e dos seus príncipes, tudo levou para a Babilônia. E queimaram a Casa de Deus, e derribaram os muros de Jerusalém, e todos os seus palácios queimaram, destruindo também todos os seus preciosos objetos. E os que escaparam da espada levou para a Babilônia; e fizeram-se servos dele e de seus filhos (36.15-20a).

Essa é uma passagem muitíssimo triste, não é mesmo? Na verdade, vemos um contraste total entre tudo que Deus fez para esse povo, e a forma como eles responderam. É chocante. E lembre-se, essa não é uma história ficcional. Isso é a história: essas são vidas reais, pessoas de carne e osso. Bem, não posso ler o livro todo para você. Espero que você faça isso esta tarde ou noite. Há muitas formas piores para passar algumas horas que gastá-las com a leitura de trechos da Palavra de Deus que acabou de ouvir um sermão.

Quero observar quatro tópicos nesse livro, e esse será o esboço do nosso sermão:

- Primeiro, a glória de Deus;
- Segundo, o pecado do povo;
- Terceiro, o julgamento de Deus; e
- Quarto, a resolução.

Isso resumirá o que aconteceu nos quatro séculos cobertos por 2 Crônicas. E espero que esses quatro aspectos do livro o ajudem a pensar mais como você, da mesma forma que o povo de Deus do Antigo Testamento, pode viver em honestidade e em esperança.

A Glória de Deus: O Senhor Planeja Revelar seu Caráter

Primeiro, precisamos ver que o livro de 2 Crônicas ensina sobre a glória de Deus. Algumas pessoas acham que toda a história humana diz respeito ao homem e que o velho ditado permanece verdadeiro: o objeto apropriado para o estudo do homem é o homem. No entanto, 2 Crônicas opõe-se a essa compreensão da vida neste planeta centrada no homem. Hoje, esse não seria um livro de história bem recebido em muitas universidades. Não, todo capítulo e toda página desse livro levam-nos a pensar em quem é esse Deus.

Quando eu era criança, nas escolas públicas do Kentucky, toda a classe fazia fila na sala de aula e orava pela refeição antes de descer para o almoço. A breve oração sempre terminava com as palavras: "Agradeçamos a Ele por esse alimento, amém". E iniciava-se com a simples afirmação: "Deus é grande e bom". À medida que pensava em 2 Crônicas, ocorreu-me que, na verdade, essa oração infantil resume bem os atributos transmissíveis e intransmissíveis de Deus apresentados nesse livro.

Talvez os termos "intransmissíveis" e "transmissíveis" pareçam técnicos e inquietantes, mas é provável que você os conheça como termos relacionados às doenças! Se dissermos que uma doença é transmissível, quer dizer que ela pode ser passada de uma pessoa para outra. Da mesma forma, as características (ou atributos) transmissíveis de Deus são aquelas que nós, seres humanos, podemos compartilhar e imitar, tal como a misericórdia. Por outro lado, seus atributos intransmissíveis são suas características únicas, como a onisciência. Segundo Crônicas apresenta os dois tipos de características.

Em sua Grandeza (Atributos Intransmissíveis)

Para iniciar, Deus é grande de uma forma que você e eu, como criaturas, jamais poderemos ser. Isso transforma a grandeza do Senhor em um atributo intransmissível. Segundo Crônicas apresenta essa grandeza dEle de, pelo menos, três formas:

Apenas Ele é único. Primeiro, apenas Deus é totalmente único. Como o rei Salomão declarou: "Ó Senhor, Deus de Israel, não há Deus semelhante a ti, nem nos céus nem na terra" (6.14). Esse foi o Deus para quem Salomão construiu um Templo — embora ele admitisse que nenhum prédio pudesse conter o Senhor!

> E a casa que estou para edificar há de ser grande, porque o nosso Deus é maior do que todos os deuses. Porém quem teria força para lhe edificar uma casa, visto que os céus e até os céus dos céus o não podem conter? E quem sou eu, que lhe edificasse casa, salvo para queimar incenso perante ele? (2.5,6)

A glória do Senhor encheu o Templo, quando Salomão terminou a construção. Na verdade, lemos que "os sacerdotes não podiam entrar na Casa do Senhor, porque a glória do Senhor tinha enchido a Casa do Senhor" (7.2; cf. 5.13,14). Deus é único. Ele é o único Deus.

Apenas Ele é soberano. Segundo, esse Deus, como vimos em nosso estudo de 1 Crônicas, é soberano. Quem mais levanta e depõe reis conforme sua vontade? Quem mais controla o futuro das pessoas e das nações? De acordo com 2 Crônicas, apenas Jeová (citado como "Senhor" na maior parte das versões bíblicas) faz essas coisas. Foi o Senhor quem, como declara a primeira sentença do livro, "magnificou grandemente" Salomão (1.1). E foi o Senhor quem "despertou [...] contra Jeorão", um rei mau de Israel, "o espírito dos filisteus e dos arábios" (21.16; cf. 25.20). Quando Deus exerce sua soberania sobre as nações, o livro apresenta, vez após vez, afirmações como essas.

No que diz respeito a toda a Bíblia, uma das imagens mais interessantes da soberania de Deus no livro é o relato de como o Senhor realizou a morte de outro rei mau do Reino do Norte, o rei Acabe. Você encontra a história no capítulo 18. Em suma, o profeta do Senhor profetiza que Acabe morrerá na batalha que se aproximava. Acabe tenta frustrar o plano de Deus ao persuadir Josafá, rei de Judá, o Reino do Sul, a aceitar o perigo de vestir-se como rei na batalha que travavam juntos contra os sírios. Veja, Josafá era um rei bom, porém, não era incrivelmente brilhante. Muitas vezes, como nessa ocasião, ele não fez escolhas sábias. Bem, você pode descobrir o que aconteceu: Josafá, vestido como rei, é perseguido, mas escapa com vida. Acabe veste-se como um soldado comum para a batalha, e ninguém o persegue, "então, um homem, na sua simplicidade, armou o arco, e feriu o rei de Israel entre as junturas e a couraça" (18.33). E exatamente como Deus determinara, Acabe morre.

Nesse livro, uma vez após a outra, Deus demonstra que apenas Ele é soberano. Ele liberta uma nação das mãos de outra (por exemplo, em 13.16). Como um levita disse a Josafá: "Não temais, nem vos assusteis por causa desta grande multidão, pois a peleja não é vossa, senão de Deus".[4]

Esse aspecto do caráter do Senhor é tão básico que faz parte da própria definição de Deus. Em 2 Crônicas, não apenas os israelitas reconhecem o governo soberano de Deus sobre o mundo, mas, até mesmo, os monarcas estrangeiros — da rainha de Sabá a Hirão, de Tiro, e a Ciro, da Pérsia — entendem que a autoridade deles vem de Deus.[5] Essa não era uma noção surpreendente! Advirto-os, as pessoas que se dizem cristãs, mas limitam o poder do Criador a fim de preservar alguma noção do poder da criatura escorregam para o paganismo, com as imitações dos deuses e dos pretensos poderes do paganismo. Essa não é a história de 2 Crônicas. A história aqui, bem como toda a história de Israel, é de um Deus soberano e Todo-poderoso que governa toda a criação que fez.

Apenas Ele merece ser adorado. Por fim, não é de surpreender que 2 Crônicas chame para o mesmo tipo de centralidade em Deus que vimos em 1 Crônicas, já que o Senhor é tão grande. Apenas esse Deus merece ser adorado.

Nesse livro, vezes sem-fim, as tribos do sul tentam trazer as tribos do norte, que caíram na idolatria, de volta para a adoração do Senhor. Quando Jeroboão liderou as tribos do norte na separação das do sul e de Jerusalém, muitos levitas deixaram suas tribos e se reuniram em Jerusalém (11.13-17). Eles sabiam que a lealdade religiosa é mais importante que a política. Depois, quando Jeroboão alinha o exército do norte contra o do sul, o rei Abias, do sul, roga a Jeroboão e a todos os soldados do norte: "Ó filhos de Israel; não pelejeis contra o Senhor, Deus de vossos pais, porque não prosperareis" (13.12). Mesmo três séculos depois, décadas após a destruição do Reino do Norte pelo Império Assírio, o rei Ezequias, do sul, envia mensageiros a todas as cidades de Israel, no norte, convidando-os a voltar à adoração do verdadeiro Deus: "Filhos de Israel, convertei-vos ao Senhor, Deus de Abraão, de Isaque e de Israel, para que ele se volte para aqueles de vós que escaparam e escaparam das mãos dos reis da Assíria" (30.6).

Contudo, 2 Crônicas não chama apenas as dez tribos do norte para adorar a esse Deus. Todas as pessoas da Terra devem adorá-lo! Por isso, Salomão ora especificamente pelos estrangeiros na consagração do Templo:

> Assim também ao estrangeiro que não for do teu povo de Israel, mas vier de terras remotas por amor do teu grande nome, e da tua poderosa mão, e do teu braço estendido, vindo ele e orando nesta casa, então, ouve tu desde os céus, do assento da tua habitação, e faze conforme tudo o que o estrangeiro te suplicar, a fim de que todos os povos da terra conheçam o teu nome e te temam, como o teu povo de Israel, e a fim de saberem que pelo teu nome é chamada esta casa que edifiquei (6.32,33).

Salomão quer que todas as pessoas da terra temam ao Senhor.

Com certeza, um século depois, no reinado do rei Josafá, o Senhor dá outra vitória a seu povo, "e veio o temor de Deus sobre todos os reinos daquelas terras, ouvindo eles que o Senhor havia pelejado contra os inimigos de Israel" (20.29). O Senhor demonstra seu poder a fim de mostrar que é o foco apropriado para a adoração e a submissão de todos os homens, quer de Israel, quer de qualquer outra nação da terra.

Amigo cristão, nosso trabalho de evangelismo e missionário dá continuidade a esse ministério — de chamar a criação de volta ao seu Criador; de contar ao mundo por que Deus criou o ser humano; de trabalhar para trazer todos os povos ao conhecimento e à adoração do Senhor!

Deus é grande!

Em sua Bondade (Atributos Transmissíveis)

Segundo Crônicas, em acréscimo aos atributos intransmissíveis de Deus, apresenta vários de seus atributos transmissíveis, dentre os quais podemos incluir o item de sua bondade. Somos chamados a imitar esses atributos, e, mais uma vez, deixe-me apontar apenas três deles:

Deus é fiel. Primeiro, Deus é fiel. Ele foi fiel ao cumprir as promessas que fez a Abraão e a Jacó de tornar seus descendentes tão numerosos quanto o pó da terra.[6] E, nesse livro, Ele mostra sua fidelidade ao cumprir a promessa feita a Davi ao estabelecer um de seus descendentes sobre o povo de Israel.[7]

Salomão sabia que Deus é fiel, por isso, orara fundamentado nas promessas dEle. No capítulo 6, observe como ele termina uma de suas orações: "Lembra-te da fidelidade prometida a teu servo Davi" (6.42; NVI). Salomão pede que Deus se lembre de algo que Ele já sabe! Não é interessante? Claro, nós fazemos isso sempre que oramos, pois Deus sabe todas as coisas. Deveríamos seguir o padrão específico de Salomão em nossas orações e citar a própria Palavra do Senhor. Por quê? Porque Ele mostrou que cumpre o que promete! O Senhor não se sente insultado quando citamos suas promessas para Ele. Antes, Ele convida-nos a "apoiar-nos" em sua fidelidade. Como o hino declama: "Quem crê totalmente nEle, encontra-o totalmente verdadeiro".[8]

Por isso, nós oramos. Uma forma de explorar esse livro seria trabalhar devagar suas orações maravilhosas: as orações de Salomão dos capítulos 1 e 6, ou as sobre a dependência de Deus de Josafá, no capítulo 20, ou as pela misericórdia de Deus, feitas por Ezequias, no capítulo 30. Esse livro apresenta um Deus fiel e conhecido por sua fidelidade. Como povo de Deus, podemos invocá-lo em oração, pois nossa oração realça suas promessas e dá-lhe a oportunidade de mostrar sua fidelidade. E a fidelidade dEle move-*nos* a ser fiéis a fim de refletirmos seu caráter. Deus é fiel. Nós também podemos ser fiéis.

Deus é justo. Segundo, vemos que Deus é justo. Esse livro deixa isso evidente em muitas passagens, até mesmo em algumas das orações que acabamos de mencionar (por exemplo, em 6.23). Todavia, o capítulo 19 apresenta sua justiça de forma mais explícita, na passagem em que o rei Josafá designa juízes para servir por toda a terra:

> E [Josafá] estabeleceu juízes na terra, em todas as cidades fortes, de cidade em cidade. E disse aos juízes: Vede o que fazeis, porque não julgais da parte do homem, senão da parte do Senhor, e ele está convosco no negócio do juízo. Agora, pois, seja o temor do Senhor convosco; guardai-o e fazei-o, porque não há no Senhor, nosso Deus, iniquidade, nem acepção de pessoas, nem aceitação de presentes (19.5-7).

Essas poucas sentenças englobam muitas coisas! Poderia fazer um sermão apenas sobre essas sentenças! Entre outras coisas, vemos que o caráter de Deus tem implicações muito práticas. Os juízes designados são chamados a julgar com cuidado *porque* o Senhor é justo. Nisso, vemos um pouco da importância que os juízes e o sistema judicial têm em nossa terra hoje. Se você for advogado, deixe-me encorajá-lo a reservar um tempo para ler o capítulo 19. Deus é justo. Ele quer justiça na sua criação. Por isso, nós também temos de tentar promover a justiça e orar por ela em nosso país e no mundo.

Deus é benigno. Terceiro, Deus é benigno. Em grande medida, esse livro é um relato de pecado e de declínio, porém, retrata de muitas formas a benignidade do Senhor. Vemos sua benignidade nas bênçãos de bem-estar, de sabedoria e de prosperidade que Ele deu a Salomão (1.15; 9.20-27). Vemos sua benignidade nos grandes momentos de adoração e de celebração que dá ao seu povo e que deixa o coração deles alegre.[9] Também vemos a benignidade dEle em sua longanimidade, apesar do pecado do povo. Ele até retarda o julgamento sobre uma nação merecedora por causa do arrependimento de um homem, o rei Josias (34.26-28). Deus é benigno. Nós também devemos ser benignos.

Deus é bom, certo? Deus é grande e é bom. Segundo Crônicas é um relato da glória de Deus demonstrada na história. O plano dEle é revelar, por intermédio da história de Israel, seu caráter em sua grandeza e bondade.

Nosso Pecado: Respondemos com Rebelião ao Plano de Deus

Contudo, se esse livro é um relato da glória de Deus, também é um registro do nosso pecado. Respondemos com rebeldia ao plano de Deus.

Hoje, muitas pessoas pensam que, basicamente, o ser humano é bom. Temos a tendência de desculpar o pecado como "erro". Tentamos trocar a responsabilidade pelo pecado com a alegação de termos uma educação deficiente ou falta de compreensão. Contudo, 2 Crônicas, para não falar no restante da Bíblia, põe um ponto de interrogação com quatro séculos de altura contra essas conclusões! Ele fornece a imagem de um povo que cede ao pecado e mantém todos nós inexoravelmente responsáveis por nossos pecados.

Quem está à frente dessa rebelião de 2 Crônicas? Eis o que é chocante nesse livro: são os governantes! Os camaradas que têm o poder! Os que estão no comando!

Com Governo Ruim

Um dos piores pecados registrados nesse livro, e que os que retornam do exílio são chamados a evitar mais que qualquer coisa, é o pecado do governo ruim — o uso do poder político para fins ruins. Rei após rei foi posto no trono de Israel para ser uma bênção para o povo de Deus. Em vez disso, muitos desses reis tornaram-se uma armadilha para o povo.

Roboão ouve conselheiros arrogantes e oprime o próprio povo.[10]

Jeroboão enfraquece sua nação ao expulsar os sacerdotes verdadeiros e criar falsos sacerdotes (11.14,15).

Jeorão mata seus irmãos (21.4).

Acazias ouve os conselheiros maus de seu pai, Jeorão (22.4,5).

Josafá, em grande parte um bom rei, fere sua nação ao ligar-se a aliados ruins — povos com quem deveria saber que não podia fazer acordos.[11]

Uzias e Ezequias, também, no geral, bons reis, tornaram-se orgulhosos (26.16; 32.25).

A seguir, temos Acaz, cujos pecados veremos em seguida. Na verdade, Acaz torna-se pior em meio às provações. Talvez você ache que as provações ajudem a esclarecer as lealdades da pessoa, a mostrar o que é real e o que não é, a guiar um indivíduo para Deus. Mas isso não aconteceu com Acaz. A certa altura, ele estava sendo derrotado pelo exército de Damasco e, por isso, leva a nação à idolatria em busca de uma solução. Ele seguia um tipo de pragmatismo pagão: "Humm, parece que esses deuses funcionam para nossos inimigos, vejamos o que podem fazer por mim" (veja 28.23). Ele nunca pensou na possibilidade de que talvez a causa da derrota não fosse os deuses das outras nações, mas *os seus próprios pecados* é que levaram a nação à derrota!

Na igreja cristã, percebemos que os professores devem seguir padrões mais rígidos (Tg 3.1). Assim, também temos de perceber em nossa vida pública por que os maus governantes são tão prejudiciais: eles afetam os outros! Aumento de influência significa maior responsabilidade. E, nesse livro, ao longo dos séculos, à medida que vemos a degeneração da linhagem de Davi, compreendemos por que, em qualquer ponto da história, foram raras as vezes que Deus permitiu que uma família exercesse o poder por muitas gerações. Como o lorde Acton, de forma notável, declarou: "O poder tende a corromper". Contudo, quando temos a oportunidade de votar, temos de levar a sério essa responsabilidade e votar. E não devemos votar em líderes que ferirão a pátria ao levar o povo à descrença. Isso é errado. Isso é pecado.

Com Idolatria

Como vimos, o governo ruim é um dos piores pecados, pois leva o povo governado aos piores atos. Segundo Crônicas apresenta isso na triste visão da idolatria.

Como lemos antes, no capítulo 7, o Senhor adverte Salomão contra abandoná-lo para servir a outros deuses. Mas foi exatamente isso que aconteceu. Os líderes — os que mantinham sua posição por causa da fidelidade de Deus a sua promessa para Davi — levaram o povo a terríveis pecados de idolatria.

Assim fez Jeorão, em meados do século IX a.C., Amazias, no início do século VIII a.C., Acaz, no fim do século VIII a.C., e Manassés, em meados do século VII a.C., todos eles introduziram ou encorajaram a idolatria entre o povo confiado aos seus cuidados. Jeorão "fez com que se corrompessem os moradores de Jerusalém" (21.11). Amazias "trouxe consigo os deuses dos filhos de Seir, tomou-os por seus deuses, e prostrou-se diante deles, e queimou-lhes incenso" (25.14). Esses são os descendentes de Davi! E Acaz "queimou incenso no vale do Filho de Hinom, e queimou os seus filhos, conforme as abominações dos gentios que o Senhor tinha desterrado de diante dos filhos de Israel" (28.3).

Desde o primeiro livro, ou seja, Josué, nessa nossa série sobre as histórias do Antigo Testamento, encontramos, vez após vez, a mesma coisa. Deus tirou os cananeus de Canaã por causa das práticas detestáveis deles e pôs seu povo na terra para ser diferente, para ser luz, para ser um reflexo do caráter do Senhor para o mundo. Todavia, seu povo ficou como as outras nações que Ele expulsou. Claramente, essa é a pior condenação que o povo pode receber, pois todo o projeto se tornou fútil e vão. A decisão de Acaz após sua derrota em Damasco, a qual vimos antes, é apenas um exemplo patente e terrível de como o povo de Deus começa a espelhar as nações, em vez de refletir o Senhor: "Porque sacrificou aos deuses de Damasco, que o feriram, e disse: Visto que os deuses dos reis da Síria os ajudam, eu lhes sacrificarei, para que me ajudem" (28.23a). Infelizmente, os efeitos de seu pecado não param nele:

> Porém eles foram a sua ruína e de todo o Israel. E ajuntou Acaz os utensílios da Casa de Deus, e os fez em pedaços, e fechou as portas da Casa do Senhor, e fez para si altares em todos os cantos de Jerusalém. Também em cada cidade de Judá fez altos para queimar incenso a outros deuses; assim provocou à ira o Senhor, Deus de seus pais (28.23b-25).

No entanto, a pior idolatria na história de Judá foi a de Manassés. Ele levou o povo a um mal maior do que o que caracterizava as nações que Deus tirou da terra. Vejamos o capítulo 33:

> E fez o que era mal aos olhos do Senhor, conforme as abominações dos gentios que o Senhor lançara de diante dos filhos de Israel. Porque tornou a edificar os altos que Ezequias, seu pai, tinha derribado, e levantou altares a baalins, e fez bosques, e prostrou-se diante de todo o exército dos céus, e o serviu. E edificou altares na Casa do Senhor, da qual o Senhor tinha dito: Em Jerusalém estará o meu nome eternamente. Edificou altares a todo o exército dos céus, em ambos os pátios da Casa do Senhor. Fez ele também passar os seus filhos pelo fogo no vale do Filho de Hinom, e usou de adivinhações, e de agouros, e de feitiçarias, e consultou adivinhos e encantadores, e fez muitíssimo mal aos olhos do Senhor, para o provocar à ira. Também pôs uma imagem esculpida, o ídolo que tinha feito, na Casa de Deus, da qual Deus tinha dito a Davi e a Salomão, seu filho: Nesta casa, em Jerusalém, que escolhi dentre todas as tribos de Israel, porei eu o meu nome para sempre; e nunca mais removerei o pé de Israel da terra que destinei a vossos pais, contanto que tenham cuidado de fazer tudo o que eu lhes ordenei, conforme toda a lei, e estatutos, e juízos dados pelas mãos de Moisés. E Manassés tanto fez errar a Judá e aos moradores de

Jerusalém, *que fizeram pior do que as nações que o Senhor tinha destruído de diante dos filhos de Israel* (33.2-9; grifo do autor).

Ao longo do livro, encontramos vários ataques à idolatria pelos reis e pelo povo.[12] Mas nenhum desses ataques levou a uma mudança duradoura. Rei após rei e movimento após movimento tentaram e fracassaram em erradicar o mal da idolatria da terra. Na semana passada, ao ler o livro, fiquei perplexo ao ver o número de indivíduos envolvidos na tentativa de limpar o que uns poucos líderes ruins levaram o povo a fazer! Tantas mãos tentaram reparar o estrago, mas não conseguiram.

Amar o que não É Deus como se Fosse Ele

Esse livro ensina algo sobre a natureza do pecado, em especial, a respeito de sua extensão e raiz. Em 2 Crônicas, a natureza abominável e espetacular da idolatria não esconde de nós a extensão *universal* da pecaminosidade humana. Como Salomão diz em uma de suas orações: "Pois não há homem que não peque" (6.36). Amigo, não sei o que você pensa quando lê essas passagens sobre idolatria. Você pode não ter sacrificado seu filho no fogo, mas com seus pecados você sacrificou o Filho de Deus na cruz!

Também devemos observar o que 2 Crônicas nos ensina sobre a *raiz* do pecado — qual a própria natureza do pecado. E essa natureza não é algo estranho como a estátua para a qual o povo orava. Nesse livro, em umas duas passagens fica clara a essência do pecado. Primeiro, no reinado de Josafá, um profeta do Senhor critica o rei por, como ele diz, "ajudar ao ímpio e amar aqueles que ao Senhor aborrecem" (19.2). Aparentemente, amar e odiar de forma distinta da que Deus ama e odeia é algo que está próximo do cerne do pecado. Claro, o que ou quem deveríamos amar acima de tudo? O Senhor! E isso nos leva ao segundo exemplo: Por que o cronista diz que Roboão, filho de Salomão, fez o mal? (É bom memorizar esse versículo.) "E fez o que era mau, porquanto não preparou o coração para buscar o Senhor" (12.14). Sempre podemos traçar o caminho dos pecados das mãos e dos pés até a cabeça e o coração. Nosso corpo peca quando nossa cabeça e nosso coração não estão assentados no Senhor.

O cerne do pecado está em amar o que não é Deus como se fosse Ele. Esse era o cerne do pecado naquela época, e hoje também. Por natureza, nossa resposta ao plano de Deus, como a dos israelitas da Antiguidade, é: "Não!"

O JULGAMENTO DE DEUS: ELE JULGA-NOS POR NOSSA REBELDIA

Então, o que acontece? Isso nos traz à mente o terceiro ponto: Deus julga-nos por nossa rebeldia. Hoje, parece que muitas pessoas acham que Ele, por ter nos criado, aceita-nos da maneira que somos, e que nossos pecados não acarretam conseqüências. Todavia, 2 Crônicas não apresenta essa mensagem. Segundo

Crônicas opõe-se a qualquer noção de que Deus é indiferente em relação ao nosso pecado.

Nesse livro, o Senhor pune o pecado de muitas formas distintas, tais como doença e morte. Em alguns casos, sua permissão para que o pecador persista em seu pecado é um tipo diferente de punição. Talvez a permissão para que você continue a adorar algo menor que você mesmo não seja punição suficiente para o pecado, mas, com certeza, é apropriada.

Por meio da Guerra

Em 2 Crônicas, um dos meios mais utilizados por Deus para punir seu povo pelos pecados é a guerra. Hoje, não pensamos muito na guerra como uma punição pelos pecados, embora, no passado, as pessoas pensassem assim.

Certamente, 2 Crônicas apresenta a guerra como um instrumento de punição e disciplina divinas. Na época de Roboão, Deus usou outras nações para punir seu povo pela desobediência a Ele: "Pelo que sucedeu, no ano quinto do rei Roboão, que Sisaque, rei do Egito, subiu contra Jerusalém (porque tinham transgredido contra o Senhor). [...] Então, se humilharam os príncipes de Israel e o rei e disseram: O Senhor é justo" (12.2,6). Um século depois, o Senhor fez a mesma coisa no reinado de Joás: "Porque, ainda que o exército dos siros viera com poucos homens, contudo, o Senhor deu nas suas mãos um exército de grande multidão, porquanto deixaram ao Senhor, Deus de seus pais. Assim executaram os juízos de Deus contra Joás".[13] O livro apresenta muitos outros exemplos desse tipo.

Você já pensou na guerra como um julgamento de Deus? Nossos antepassados norte-americanos entendiam-na dessa forma, tanto os que se denominavam cristãos como os que não! Há cinco quadras de nossa igreja, de frente para a East Capitol Street, Abraham Lindoln fez o discurso inicial de seu segundo mandato em que afirmou: "O Todo-Poderoso tem seus próprios propósitos". Agora, essas palavras estão gravadas na parede do Memorial Lincoln. Você já as leu? E isso não foi tudo que ele disse nesse discurso:

> Se supomos que a escravatura norte-americana é uma das ofensas que, na providência de Deus, precisa ocorrer, mas que tendo continuado pelo tempo designado por Ele, o Senhor, agora, a quer remover e dá ao norte e ao sul essa terrível guerra e a aflição por causa daqueles por meio de quem veio a ofensa, discernirmos nisso qualquer afastamento daqueles atributos divinos com que os crentes em um Deus vivo sempre atribuem a Ele? Esperamos com fé — e oramos com fervor — que esse castigo poderoso da guerra acabe logo. Contudo, se Deus quiser que ela continue até que toda riqueza, amealhada pelos

escravos nesses 250 anos de labuta não reconhecida, vá a pique e até que toda gota de sangue tirada pelo açoite seja paga por outra derramada pela espada, ainda devo dizer, como foi dito três mil anos atrás: "... os juízos do Senhor são verdadeiros e justos juntamente".

Esse homem era comandante-em-chefe das Forças Armadas dos Estados Unidos, e não fala traiçoeiramente! Reconhecer a soberania de Deus no controle do início e do fim de guerras não é de forma alguma traição. E você pode verificar que afirmações como a de Lincoln eram típicas na história dos Estados Unidos. Um Deus soberano tem seus propósitos na guerra e na paz.

Claro que o Senhor teve propósitos para a guerra não apenas no antigo Israel e nos Estados Unidos. D. Martyn Lloyd-Jones, ao pregar, em Londres, no início da Segunda Guerra Mundial, afirmou:

> Então, em setembro de 1938, houve uma crise. Homens e mulheres enchiam os locais de adoração e oravam pela paz. Mais tarde, eles reuniram-se para agradecer a Deus pela paz. Mas isso aconteceu por que eles decidiram usar a paz para um propósito único e verdadeiro, a saber, levar "uma vida quieta e sossegada, em toda a piedade e honestidade"? Fizeram isso a fim de que pudessem andar "no temor do Senhor e na consolação do Espírito Santo"? Os fatos falam por si mesmo. Portanto, eu pergunto: temos direito à paz? Merecemos a paz? Temos justificativa para pedir que Deus preserve e garanta a paz? E se a guerra veio, foi por que não estamos preparados para paz, por que não a merecemos, ou por que nós — por nossa desobediência, e irreligiosidade, e pecaminosidade — abusamos tão completamente das bênçãos da paz? Temos o direito de esperar que Deus preserve o estado de paz apenas para permitir que homens e mulheres continuem a levar uma vida que insulta seu santo nome?[14]

Ainda está para ser revelado o que Deus pode decidir a respeito de hoje. Isso permanece no futuro, invisível para nós. Contudo, o que Ele fez no passado está claro. No último capítulo de 2 Crônicas, aprendemos que o Senhor usou os impérios mais poderosos da época para punir seu povo pelos pecados. Ele usou os egípcios para tirar o rei Joacaz (36.3). E usou os babilônios, primeiro, para tirar Jeoaquim e, depois, Joaquim (36.5-10). Deus decidia quando e como viria o fim.

Por meio do Exílio

Isso nos leva ao último tipo de julgamento que Deus usou para punir os pecados do seu povo: o exílio. O povo do Senhor foi levado ao cativeiro na Babilônia. Uma das últimas imagens do livro leva-nos ao Templo, o grande Templo que Salomão construíra quatro séculos antes, em que o povo experimentara tanto ruína como avivamento, idolatria e purificação, adoração e celebração. Lemos essa passagem no início desta mensagem, mas leia-a de novo:

> E queimaram a Casa de Deus, e derribaram os muros de Jerusalém, e todos os seus palácios queimaram, destruindo também todos os seus preciosos objetos. E os que escaparam da espada levou para a Babilônia; e fizeram-se servos dele e de seus filhos [...]" (36.19,20a).

A história (quase) acaba com Deus julgando seu povo pelos pecados.

A Resolução: O Povo de Deus se Arrepende, e Ele Liberta-os

No início deste sermão, consideramos a possibilidade de a honestidade tratar nossa situação desesperadora e ainda manter a esperança real. Essa tensão entre honestidade e esperança, como também o dilema proposto pela justa ira de Deus e pelo nosso pecado resolve-se apenas quando o povo do Senhor se arrepende de seus pecados, e o Senhor liberta-os.

Uma boa parte dos pensamentos e dos escritos de hoje argumentam que as pessoas não conseguem mudar. Nós dizemos: "Eu sou o que sou", e, depois, tiramos a responsabilidade de sobre os nossos ombros. Dizemos que nossa pessoa e nosso comportamento são resultados dos nossos genes, ou da nossa criação, ou dos nossos pais, ou do nosso divórcio. Por outro lado, 2 Crônicas apresenta uma situação mais dinâmica. O livro ensina que nossa situação pode mudar, porque *nós* podemos mudar. E podemos mudar porque existe um Deus que fala conosco e nos dá vida! Por isso, podemos ter esperança.

O Padrão do Arrependimento

É provável que seja no mais famoso versículo de 2 Crônicas que encontremos esse padrão de arrependimento e de libertação. Depois de Salomão consagrar o Templo, o Senhor lhe responde: "Se o meu povo, que se chama pelo meu nome, se humilhar, e orar, e buscar a minha face, e se converter dos seus maus caminhos, então, eu ouvirei dos céus, e perdoarei os seus pecados, e sararei a sua terra" (7.14).

Está certo, então, talvez esse versículo aplique-se a nós como igreja. Com certeza, a igreja pode ser corretamente chamada de "meu povo" por Deus! Sim, os membros da igreja são o povo do Senhor, mas a igreja não tem "terra" para ser sarada. Em 7.13, o versículo anterior ao que acabamos de ler, o Senhor adverte que se "cerrar os céus, e não houver chuva, ou se ordenar aos gafanhotos que consumam a terra, ou se enviar a peste entre o meu povo", para prosseguir no versículo 14: "então, eu ouvirei dos céus, e perdoarei os seus pecados, e sararei a sua terra". Portanto, no versículo 14, a promessa de cura significa que Ele dará um fim à seca, à peste ou à praga física. Entretanto, como igreja, não temos fazendas. Não somos uma nação!

Deus conclui o trabalho de seu povo especial na terra deles com a vinda do Messias. O povo do Senhor, entre a Primeira e Segunda Vinda do Messias, *não* é identificado por uma localização física específica como o era em 2 Crônicas e em toda a história de Israel. Bem, o povo do Senhor, entre as duas vindas do Messias, é verdadeiramente internacional! Apocalipse, no Novo Testamento, deixa isso claro na passagem em que revela que 144.000 pessoas de Israel são "de todas as nações, e tribos, e povos, e línguas" (Ap 7.9). Assim, ao mesmo tempo em que essa promessa não se aplica diretamente à igreja nem ao Estado, o padrão do arrependimento e da bênção é o repetido ao longo de 2 Crônicas e, na verdade, em todas as Escrituras.

Os Diversos Exemplos de Arrependimento

Por exemplo, lemos que: "humilhando-se ele [rei Roboão], a ira do Senhor se desviou dele, para que o não destruísse de todo" (12.12; cf. vv. 7,8). O bom rei Ezequias também deve se arrepender quando cai em soberba. E ele se arrepende: "Ezequias, porém, se humilhou pela soberba do seu coração, ele e os habitantes de Jerusalém; e a grande indignação do Senhor não veio sobre eles, nos dias de Ezequias" (32.26). Segundo Crônicas apresenta até o pior rei de Judá como um exemplo da misericórdia de Deus. Manassés, a respeito de quem lemos há pouco, se arrepende!

> E falou o Senhor a Manassés e ao seu povo, porém não deram ouvidos. Pelo que o Senhor trouxe sobre eles os príncipes do exército do rei da Assíria, os quais prenderam Manassés entre os espinhais, e o amarraram com cadeias, e o levaram à Babilônia. E ele, angustiado, orou deveras ao Senhor, seu Deus, e humilhou-se muito perante o Deus de seus pais, e lhe fez oração, e Deus se aplacou para com ele, e ouviu a sua súplica, e o tornou a trazer a Jerusalém, ao seu reino; então, reconheceu Manassés que o Senhor é Deus. [...] E tirou da Casa do Senhor os deuses estranhos e o ídolo, como também todos os altares que tinha edificado no monte da Casa do Senhor e em Jerusalém e os lançou fora da cidade. E reparou o altar do Senhor, e ofereceu sobre ele ofertas pacíficas e de louvor, e mandou a Judá que servisse ao Senhor, Deus de Israel (33.10-13,15,16).

O Senhor é assim! Ele inclui entre os que leva ao arrependimento até mesmo o pior dos pecadores, para que tenhamos certeza de não cometer o erro de confundir o arrependimento com algo que brota da nossa virtude. Deus, em sua bondade, levou pessoas como Manassés ao arrependimento — *e pessoas como você e eu!*

O Papel do Templo

Segundo Crônicas foi escrito com a finalidade de encorajar os exilados que retornavam para dar essa resposta a Deus: arrependimento e fé. Por isso, à medida que recolonizavam a terra, foram chamados a reconstruir o Templo.

Como dissemos em nosso estudo de 1 Crônicas, o Templo era central para o povo israelita, porque Deus é central. Lembre-se, o Templo era grande porque Deus é grande (2 Cr 2.5-9). Até a localização do Templo falava da misericórdia do Senhor, uma vez que estava situado no local em que o Senhor julgou o pecado de Davi (3.1; 1 Cr 22.1). Agora, ele seria o local em que Deus daria seu veredicto (6.14-42).

Havia apenas um Templo, pois simbolizava o fato de que há apenas um Deus, e de que apenas Ele deve ser adorado, e apenas nEle devemos confiar. Esse livro está cheio de histórias de pessoas que confiaram no Senhor. Os reis Asa, Josafá, Jotão e Ezequias confiaram.[15] O Templo era um símbolo e um lembrete da centralidade de Deus e de seu chamado ao arrependimento.

O Ensino da Palavra

Como o povo de Deus foi chamado ao arrependimento? A resposta leva-nos a um dos aspectos notáveis desse livro, aspecto esse que, com freqüência, é negligenciado: o povo do Senhor é chamado ao arrependimento pelo ensino da Palavra de Deus. A Palavra do Senhor revela o ser de Deus e seu chamado para nossa vida. De novo, lembre-se de que em nosso estudo de 1 Crônicas aprendemos que a arca da aliança estava no Templo. Você se lembra o que tinha dentro da arca? "Na arca, não havia senão somente as duas tábuas que Moisés tinha posto junto a Horebe, quando o Senhor fez concerto com os filhos de Israel, saindo eles do Egito" (5.10; cf. 6.11).

Em suma, a arca continha a Palavra de Deus.

O que Josafá fez quando quis levar seu povo a mudar? Ele enviou seus príncipes "para ensinarem nas cidades de Judá" (17.7). O que aconteceu? Continue a leitura:

> E ensinaram em Judá, e tinham consigo o livro da Lei do Senhor, e rodearam todas as cidades de Judá, e ensinaram entre o povo. E veio o temor do Senhor sobre todos os reinos das terras que estavam em roda de Judá e não guerrearam contra Josafá (17.9,10; cf. 20.4).

As bênçãos do Senhor vêm após o ensino da sua Palavra. Sempre foi assim. Faça a pregação fiel da Palavra do Senhor no meio de algum lugar e veja a vida surgir! Não por que alguma propriedade mecânica produza vida, mas porque

Deus recebe glória quando seu nome é exaltado, quando seu caráter é levantado, quando sua verdade é explicada e exposta, e, assim, Ele dá vida.

Por isso, o rei Acabe, do Reino do Norte, aparenta ser tão ridículo quando o rei Josafá, do Reino do Sul, visita-o e pergunta por um profeta do Senhor, em vez de por um de Baal a quem Acabe consulta. Acabe responde ao pedido de Josafá: "Ainda há um homem por quem podemos consultar o Senhor; porém eu o aborreço, porque nunca profetiza de mim bem, senão sempre mal" (18.7). Como é estúpido rejeitar alguma coisa, independentemente de ser verdadeira, apenas porque você não gosta dela! Você já imaginou devolver um extrato bancário baixo, ou conta alta do cartão de crédito, ou uma radiografia apenas por que não gostou do que diz? Bem, nessa passagem, Acabe faz isso. A Palavra de Deus instrui-nos. Ela apresenta-nos a realidade.

Em 2 Crônicas, também vemos o efeito da *ausência* da Palavra. Após a morte do sacerdote Joiada (Joiada renovou a aliança de Israel com o Senhor e guiou o povo de acordo com a Palavra), o rei Joás torna-se muito mau (24.17-22). O rei Uzias também permanece justo apenas enquanto foi instruído (26.4,5,16). E o rei Josias se arrepende quando ouve a Palavra do Senhor e, depois, manda ler a Bíblia para todo o povo (34.19,30).

Hoje, precisamos saber que a mudança e a vida sempre vêm da Palavra de Deus. Por isso nossa igreja é paciente, e senta-se, e escuta-me pregar, explicar e expor a Palavra do Senhor, às vezes, por uma hora. Se você é cristão, sabe que Deus deu vida a sua alma por intermédio de sua Palavra! Ele revelou-se a você na Palavra! Depois, o Espírito assume e usa essa Palavra, que é o que desejamos e ansiamos e para o que oramos.

Amigo, precisamos ouvir o *evangelho* — a mensagem de Cristo para nossa alma. Sim, precisamos ouvir, como 2 Crônicas diz, que somos pecadores, mas que Deus nos ama tanto que se fez carne, veio em Cristo e morreu na cruz pelos pecados de todos que se voltam para Ele e crêem nEle. Precisamos ouvir isso! Precisamos ouvir isso para que nos arrependamos de nossos pecados, afastemo-nos deles e confiemos apenas em Deus e em suas promessas. E Ele chama-nos, neste momento, a nos voltarmos e crer nEle!

A Advertência Final: Sem Esposas Idólatras! Sem Amores Divididos!

Segundo Crônicas apresenta uma advertência final que precisamos observar. O arrependimento inclui não ter esposa idólatra, porque ela dividirá seu coração.

Muitos estudiosos argumentam que Esdras escreveu 1 e 2 Crônicas e também os livros de Esdras e de Neemias. Todavia, um comentarista importante argumenta que, provavelmente, esse livro não foi escrito por Esdras, pois a preocupação com o casamento inter-racial tão proeminente no livro de Esdras não está presente em Crônicas. Eu não poderia discordar mais desse ponto de vista.

O cronista não gasta muito tempo com a discussão da esposa do rei, mas, quando o faz, a discussão é importante. Em Israel, muito da idolatria foi resultado do casamento com mulheres idólatras. Como o caso do rei Jeorão, um dos reis maus, que se casou com uma filha de Acabe, outro rei mau, e parece que ela teve um papel na maldade dele: "E andou nos caminhos dos reis de Israel, como fazia a casa de Acabe; porque tinha a filha de Acabe por mulher e fazia o que era mau aos olhos do Senhor" (21.6). O bom rei Josafá — de novo, não tão esperto — casou-se com alguém da família de Acabe (18.1). Segundo Crônicas informa-nos que o rei Asa, durante seu reinado, teve de depor sua avó, Maaca, porque ela levou o povo ao pecado (15.16). Quem era Maaca? Ela era esposa do rei Roboão, filho de Salomão, que reinava na época da divisão do reino. E o cronista nos conta, especificamente, que o próprio Roboão era filho de uma das esposas amonitas de Salomão (12.13)! Tudo isso volta para o próprio Salomão. Casar-se com alguém — ligar sua vida a alguém — que não é totalmente aliado a Deus sempre produz dor e, talvez, até muito mal.

A mensagem clara para os que retornavam para Jerusalém era: Não façam casamentos inter-raciais! Primeiro, porque o casamento inter-racial teve um papel importante na ruína de Jerusalém, embora o Senhor tivesse advertido os israelitas contra isso antes que entrassem na terra (Dt 7.3). Eles não escutaram, e isso levou à ruína deles.

Não estamos tentando estabelecer uma nação nos mesmos moldes, mas 2 Crônicas instrui-nos a não nos juntarmos com incrédulos (2 Co 6.14-18). Por quê? Bem, você, que se diz extremamente atraído por Cristo, pode achar atraente alguém que não se sente atraído por Cristo! Quanto essa pessoa pode ser atraente? Bem, se você vem para Cristo depois de casado, Deus pode, de forma maravilhosa, ajudá-lo em um relacionamento amoroso com seu cônjuge mesmo se ele ou ela não for crente. Mas se você é solteiro e livre e, biblicamente, apto a casar, então a Bíblia diz que procure um cônjuge que ame o Senhor tanto ou mais que você. Ele ou ela, como Deus quer, ajudará a influenciá-lo. Isso é o que desejamos como cristãos, para que tenhamos uma submissão exclusiva a Deus e, assim, tornemo-nos pessoas que anunciam o caráter dEle.

Conclusão

Segundo Crônicas termina com uma nota surpreendente de esperança. Já li para você o sumário terrível do último capítulo sobre a destruição do Templo e o exílio do povo (36.15-20). Mas veja o que segue após o ponto em que paramos:

> E os que escaparam da espada levou para a Babilônia; e fizeram-se servos dele e de seus filhos, até ao tempo do reino da Pérsia, para que se cumprisse a palavra do Senhor, pela boca de Jeremias, até que a terra se agradasse dos seus sábados; todos os dias da desolação repousou, até que os setenta anos se cumpriram. Porém, no primeiro ano de Ciro, rei da Pérsia (para que se cumprisse a palavra do Senhor, pela boca de Jeremias), despertou o Senhor o espírito de Ciro, rei da Pérsia, o qual fez passar pregão por todo o seu reino, como também por escrito, dizendo: Assim diz Ciro, rei da Pérsia: O Senhor, Deus dos céus, me deu todos os reinos da terra e me encarregou de lhe edificar uma casa em Jerusalém, que está em Judá; quem, dentre vós é de todo o seu povo, que suba, e o Senhor, seu Deus, seja com ele (36.20-23).

Quem imaginaria que o rei da Pérsia seria usado para libertar o povo de Deus! Mas lembre-se, Deus é soberano. O livro inicia-se com uma ordem para construir o Templo. E termina com uma ordem para reconstruir o Templo.

Esse livro, 2 Crônicas, essa história do povo de Deus, adverte-nos contra a desonestidade e a esperança superficial, tão populares hoje. O Senhor é bom. Cristo suportou a terrível punição pelos pecados de todos que acreditariam nEle. E hoje, Cristo vem a nós por meio de sua Palavra e oferece a mesma promessa a qualquer pessoa que sabe que está no exílio — longe de Deus —, e que tomará o Senhor pela sua palavra.

Muitas pessoas antes de você tomaram Deus por sua palavra, como John Newton, o traficante de escravos que se tornou cristão e, entre outras coisas, encorajou William Wilberforce em sua luta contra a escravatura. Ou como Saulo de Tarso, cujo trabalho era perseguir cristãos antes de se tornar o maior missionário dos gentios.

Essa notícia é para as pessoas que pecaram e estão perdidas.

Essa notícia é para o franco atirador de Washington, onde quer que esteja preso neste momento.

E essa notícia é para você.

Oremos:

Senhor Deus, seus caminhos para seu povo são misteriosos. No entanto, vemos como sua Palavra justifica tão claramente seu caráter — sua glória e santidade, sua justiça e bondade, e sua misericórdia. Oh, Deus, mesmo sua misericórdia revela seu caráter de justiça. Verdadeiramente, vemos justiça e misericórdia no Senhor Jesus Cristo. Oramos para que o Senhor pegue qualquer idolatria de nosso coração e, em amor, destrua-a. Liberte-nos de nossas ilusões, das coisas em que depositamos nossa confiança, mas que não são Deus. E, Deus, oramos para que o Senhor dê grande glória a si mesmo à medida que traz cada um de nós de volta do nosso exílio no pecado para o Senhor. Oramos por causa de Jesus. Amém.

Questões para Reflexão

1. No início deste sermão, consideramos o fato de que algumas visões mundanas enfatizam a *honestidade* brutal, e outras, a *esperança*. Entretanto, assumimos que temos as duas coisas na vida diária da maioria das pessoas: vivemos de acordo com alguma *esperança* e assumindo que somos honestos conosco mesmos. Por que assumimos naturalmente essas coisas? Por que quando, como cristãos, compartilhamos o evangelho com não-cristãos é insuficiente apenas apontar para a *esperança* que temos em Cristo? (Dica: pense no papel da *honestidade*.)
2. Qual era o plano de Deus para a história de Israel? Qual é o plano dEle para história de toda a humanidade?
3. O que se quer dizer com "soberania" de Deus? Como a soberania de Deus sobre as nações afeta nossa visão de presidentes e de primeiros-ministros de quem não somos a favor? Como podemos conciliar a soberania de Deus sobre as nações com governos maus, como o regime nazista de Hitler? A soberania de Deus sobre as nações significa que os cristãos estão livres para se retirar da esfera política?
4. Onde vemos mais totalmente a fidelidade, a justiça e a bondade de Deus?
5. Qual o valor de orar por intermédio das Escrituras? Em especial, de orar as promessas de Deus para Ele?
6. Por que, às vezes, é tão difícil crer na bondade de Deus? O que em nossa vida parece argumentar contra a bondade dEle? Por que pode ser tão difícil acreditar na grandiosidade de Deus? O que em nossa vida parece argumentar contra a grandiosidade dEle? A Bíblia parece estar ciente do que os desafios da vida diário podem representar na nossa capacidade de crer na bondade e na grandeza de Deus? Em outras palavras, ela apresenta uma imagem feliz e ingênua da fé? Que respostas a Bíblia oferece a esses dilemas?
7. Espelhando-se no exemplo de Israel, por que a má liderança é tão prejudicial para a igreja do Novo Testamento? O que a Bíblia dá à igreja como proteção contra a má liderança?
8. Como você responderia a um amigo não-cristão que admitisse que "todos cometem erros", mas que também dissesse que a idéia de "pecado" está "fora de moda"?
9. Consideramos o fato de que fracassar em amar e em odiar o que Deus ama e odeia estão, respectivamente, na raiz do pecado. O que Deus odeia que você não consegue odiar? O que Ele ama que você não ama?
10. Hoje, Deus manda punição para a vida do cristão como fez no Israel do Antigo Testamento? Hoje, Deus envia punição para as nações como fez com o Israel do Antigo Testamento e seus vizinhos?

11. O que acontecerá em uma igreja que enfatiza outras coisas em vez da pregação da Palavra de Deus?
12. Arrepender-se de um pecado é a mesma coisa que confessá-lo? Se não, o que mais está envolvido? O arrependimento é necessário para a salvação?

Notas

Capítulo 14

[1] A data de pregação original deste sermão foi em 3 de novembro de 2002, na Capitol Hill Baptist Church, em Washington, D.C.

[2] Bertrand Russell, "The Free Man's Worship", em Contemplation and Action, 1902-14, editado por Richard A. Rempel, Andrew Brink e Margaret Moran (Londres e Boston: Allen & Unwin, 1985), p. 71.

[3] Gordon Wood, The Radicalismo f the American Revolution (Nova York: Vintage, 1991), p. 191.

[4] 20.15; cf. 20.17; Êxodo 14.13,14.

[5] 2.11,12; 9.8; 36.23.

[6] 1.9; Gênesis 13.16; 28.14.

[7] 1.9; 6.4,10,15; 21.7; 23.3.

[8] "Like a River Glorious", letra de Frances R. Havergal, 1874.

[9] Na consagração do Templo na época de Salomão (7.10); no tempo de Ezequias (30.26); nos dias de Josias (35.18).

[10] 10.14,15; contra as últimas palavras de Davi em 2 Samuel 23.3,4.

[11] 19.2,3; 20.35-37; em 18.1 observe também o histórico do casamento dele.

[12] Por Abias (13.9ss); por Asa (14.3-5; 15.8), por Josafá (17.3-6; 19.2,3); pelo povo (23.17; 30.14; cf. 2 Rs 11.18); por Ezequias e pelo povo (31.1); por Josias (34.3-7,33).

[13] 24.24; cf. durante o tempo de Amazias (25.14-20); no reinado de Acaz (28.5-8,19); sobre os assírios (32.10-21).

[14] Citado em H. Murray, David Martyn Lloyd-Jones: The Fight of Faith, 1939-1981 (Carlisle, Pa.: Banner of truth, 1990), p. 25.

[15] 13.18; 14.11; 20.3,6-13; 27.6; 32.7,8.

A MENSAGEM DE ESDRAS: RENOVAÇÃO

A IGREJA ESTÁ SE TORNANDO INVISÍVEL?

INTRODUÇÃO A ESDRAS

A MÃO RESTAURADORA DE DEUS (CAPS. 1—6)
  O Retorno
  A Restauração dos Sacrifícios
  A Reconstrução do Templo
    Fundação
    Oposição
    Conclusão
    A Mão Soberana de Deus
    Oração

A PALAVRA REVELADORA DE DEUS (CAPS. 7—9)
  A Palavra Restaura o Povo
  A Palavra Expõe o Pecado do Povo

O POVO DE DEUS SE ARREPENDE (CAP. 10)
  Confissão e Arrependimento pelo Pecado
  Arrependimento e Mudança

CONCLUSÃO: A IGREJA SE TORNARÁ VISÍVEL?

CAPÍTULO 15

A Mensagem de Esdras:
Renovação

A Igreja Está se Tornando Invisível?[1]

"Houve um tempo em que os evangelistas norte-americanos valorizavam e cultivavam o pensamento cristão biblicamente puro e a análise incisiva da cultura de uma perspectiva separada dela. Contudo, as últimas décadas viram uma erosão das antigas distinções, uma descida gradual ao movimento do "eu", um psicologismo da fé e uma adaptação da crença cristã à cultura terapêutica. Distraídos pelas lisonjas da cultura moderna, perdemos o foco na verdade bíblica transcendental. Deixamo-nos iludir pela eficiência técnica da nossa cultura, pela absoluta efetividade de suas estratégias e começamos a jogar por essas regras. Agora, falamos, de forma jovial e despreocupada, sobre a aplicação de estratégias de mercado ao evangelho como fazemos em relação a qualquer outra mercadoria, cegos para o fato de que essa retórica trai uma grande intrusão da mundanidade na igreja."[2]

Assim disse David Wells, um de meus professores no Gordon-Conwell Seminary, em seu livro *God in the Wasteland* (Deus na Terra Devastada), de 1994. Nesse livro, Wells sugere que nós, os cristãos, capitulamos ante o visto de moradia e assumimos a cidadania plena no mundo. Acabou-se aquela idéia de "apenas estarmos de passagem" pelas coisas! Em vez disso, nós nos instalamos, compramos casas, investimos dinheiro na aposentadoria e trabalhamos com afinco para a longa corrida. Em suma, tornamo-nos como o mundo a nossa volta. Como nossos pais ou avós diriam, tornamo-nos mundanos. É isso que acontece, hoje, com o cristão evangélico.

Há inúmeros problemas com essa situação. Um deles é termos de admitir que o mundo pratica mundanismo melhor que a igreja, não importa o quão duramente tentemos fazer o mesmo. Se queremos agradar o mundo sendo igual a ele, nós perdemos. Assim, a missão distintiva da igreja enfraquece, e, com isso, a membresia cai. Por que as pessoas continuam divulgando histórias sobre a diminuição da membresia da igreja como se isso fosse uma surpresa? Quando vivi na Grã-Bretanha, lembro-me de ouvir o arcebispo da Cantuária declarar que a década de 1990 seria a "década do evangelismo". Todavia, entre 1989 e 1998, a freqüência nas escolas dominicais da Grã-Bretanha caiu de 4,7 milhões para 3,7 milhões entre os cristãos de todas as denominações juntas, um declínio de 22% em uma década.[3] Se aquela era a década da evangelização, espero que parem rápido com ela, ou não restará nenhuma igreja!

Do nosso lado do Atlântico, a situação não é muito melhor entre a maior das principais denominações. No mesmo período — 1989 a 1998 —, houve um crescimento substancial da população nacional, mas o número absoluto de luteranos caiu cerca de 2%; de episcopalianos, cerca 5%; de metodistas, cerca de 7%; de presbiterianos, quase cerca de 12%; e de congregacionais, quase cerca de 15%.[4] Não tenho certeza, mas tenho um palpite de que a única coisa que manteve a Igreja Católica Romana dos Estados Unidos fora dessa categoria foi a imigração maciça. Os Batistas do Sul também não sofreram declínio, mas é provável que estejamos cobertos estatisticamente pela nossa pouco atraente combinação de manutenção medíocre de registros e nossa crescente disposição para batizar pessoas cada vez mais novas! Entrementes, quase dobrou o número de norte-americanos que declaram não ter religião, foi de 8% da população para 14%.

Nossas igrejas parecem não seguir o Evangelho de Marcos nem a sabedoria irônica de Mark Twain, que zombeteiramente advertiu: "Ser bom é nobre, mas mostrar aos outros como ser bom é mais nobre e não causa nenhum transtorno". Os estudos sugerem que, hoje, as igrejas que fracassam são, em tudo — desde a quantidade de dinheiro ofertado ao número de casamentos —, mais semelhantes com o mundo a volta delas que com o que Deus chama seu povo a ser, conforme nos revelou na Bíblia.

O que pode ser feito? Em nossos dias, não há dúvida de que a missão da igreja precisa ser *renovada*!

Introdução a Esdras

Poucos livros da Bíblia são mais voltados ao chamado para a renovação da igreja que o livro de Esdras, o próximo livro em nossa série de sermões panorâmicos sobre os livros históricos do Antigo Testamento. Em um sermão panorâmico, tento pregar toda a mensagem de um livro da Bíblia em um único sermão.

Comparativamente, Esdras é um livro curto. Ele tem apenas dez capítulos e pode ser lido em menos de uma hora.

Originalmente, no cânon hebraico, Esdras e Neemias estavam reunidos em um livro. No final do século IV d.C., a Bíblia cristã separou-os por causa dos personagens principais que conduzem a linha histórica em cada um deles. Juntos, os dois livros cobrem cerca de um século de história — de 539 a 433 a.C. O livro de Esdras descreve a primeira leva de exilados que retorna a Judá sob o reinado de Zorobabel para reconstruir o Templo nos anos de 539-516 a.C.,[5] como também a segunda leva que retorna com Esdras mais de cinqüenta anos depois (por volta de 458 a.C.). Neemias, que veremos em nosso próximo estudo, reconstrói os muros mais de dez anos depois (445-433 a.C.).[6]

Daremos uma rápida caminhada pelo livro de Esdras a fim de nos familiarizarmos com ele. Lembre-se, o povo de Judá foi exilado em 586 a.C., quando o Império Babilônio esmagou Jerusalém. Os babilônios, literalmente, derrubaram os muros e levaram milhares de judeus para a Babilônia. Cerca de cinqüenta anos depois, período durante o qual, na verdade, o Império Babilônio desintegrou-se, quase que a partir de seu interior, o Império Persa engoliu-o. Nessa época, Daniel ainda estaria vivo, embora pareça que ele morreu logo após o fim do exílio. No início de Esdras, Ciro é o grande rei da Pérsia, e os cativos de Israel estão entre seus súditos. Os primeiros versículos apresentam o decreto que Ciro emitiu em 539 a.C., libertando os cativos para retornar a Judá.

Os capítulos 1—2 continuam a descrever os primeiros exilados que retornaram e alguns dos bens que eles trouxeram consigo para a reconstrução do Templo.

Os capítulos 3—6 descrevem a reconstrução do Templo. No início do capítulo 3, o altar é reconstruído, e o povo começa a oferecer sacrifícios de novo. A seguir, fazem a fundação do Templo. Nos versículos 1-5 do capítulo 4, levanta-se alguma oposição ao trabalho, e o trabalho pára. Não sabemos exatamente por quanto tempo ele ficou parado, mas é provável que por cerca de cinqüenta anos. A seguir, no capítulo 5, os dois profetas Ageu e Zacarias começam a pregar, e o povo recomeça a reconstrução. Isso acontece em algum momento por volta de 520 a.C. Tatenai, o governador da região geográfica que incluía Judá, envia uma carta para o imperador Dario perguntando se, de fato, os judeus tinham permissão para reconstruir o Templo. No capítulo 6, Dario responde com a confirmação de que tinham sua permissão. Então, conclui-se o Templo e faz-se uma celebração. Isso acontece por volta de 516 a.C.

E esses são os primeiros seis capítulos de Esdras.

Segue-se um intervalo de cinqüenta anos, período em que achamos que acontecem os eventos do livro de Ester. Voltando para Esdras, no capítulo 7, o imperador persa Artaxerxes, que reina em meados do século V a.C., emite um decreto em que envia Esdras, o sacerdote, de volta a Jerusalém. O capítulo 8 relaciona o nome de algumas pessoas que voltam com Esdras. Nos capítulos 9—10, Esdras descobre que o povo já iniciou o casamento inter-racial com o povo da terra, e lamenta o pecado deles.

Parece que o último evento, em ordem cronológica, do livro de Esdras aparece no capítulo 4. O autor de Esdras, depois de falar sobre a oposição à obra nos primeiros cinco versículos do capítulo 4, decidiu inserir duas cartas que devem ter sido escritas muitos anos depois, uma do imperador Artaxerxes e outra para ele, em relação à oposição à reconstrução dos muros em volta de Jerusalém. Talvez essas cartas posteriores tenham sido inseridas apenas para mostrar que o tipo de oposição que começou a respeito do Templo continuaria por anos.

Essa foi uma caminhada rápida pelo livro. Neste sermão, estudaremos a história de Esdras em três estágios:

> Primeiro, o povo de Deus retorna à terra (caps. 1—6).
> Segundo, revela-se o pecado do povo de Deus (caps. 7—9).
> Terceiro, o povo de Deus arrepende-se de seu pecado (cap. 10).

Ou podemos dizer desta maneira: a mão restauradora de Deus, a Palavra reveladora de Deus e o arrependimento do povo de Deus. Essa é a história de Esdras, oro para que hoje você se encontre com Deus através das escrituras, e que ele faça uma obra em sua vida.

A Mão Restauradora de Deus (caps. 1—6)

Nos primeiros seis capítulos de Esdras, encontramos a história do retorno do povo de Deus para a terra. A mão de Deus restaura-os à terra.

O Retorno

Os dois primeiros capítulos são o próprio retorno, conforme decretado pelo imperador Ciro:

> No primeiro ano de Ciro, rei da Pérsia (para que se cumprisse a palavra do Senhor, por boca de Jeremias), despertou o Senhor o espírito de Ciro, rei da Pérsia, o qual fez passar pregão por todo o seu reino, como também por escrito, dizendo: Assim diz Ciro, rei da Pérsia: O Senhor, Deus dos céus, me deu todos os reinos da terra; e ele me encarregou de lhe edificar uma casa em Jerusalém, que é em Judá. Quem há entre vós, de todo o seu povo, seja seu Deus com ele, e suba a Jerusalém, que é em Judá, e edifique a Casa do Senhor, Deus de

Israel; ele é o Deus que habita em Jerusalém. E todo aquele que ficar em alguns lugares em que andar peregrinando, os homens do seu lugar o ajudarão com prata, e com ouro, e com fazenda, e com gados, afora as dádivas voluntárias para a Casa de Deus, que habita em Jerusalém. Então, se levantaram os chefes dos pais de Judá e Benjamim, e os sacerdotes, e os levitas, com todos aqueles cujo espírito Deus despertou, para subirem a edificar a Casa do Senhor, que está em Jerusalém. E todos os que habitavam nos arredores lhes confortaram as mãos com objetos de prata, e com ouro, e com fazenda, e com gados, e com coisas preciosas, afora tudo o que voluntariamente se deu. Também o rei Ciro tirou os utensílios da Casa do Senhor, que Nabucodonosor tinha trazido de Jerusalém e que tinha posto na casa de seus deuses (1.1-7).

A seguir, o restante do capítulo fornece um inventário desses artigos seguido, no capítulo 2, pela lista das famílias que retornavam. Depois, perto do final do capítulo 2, lemos: "E alguns dos chefes dos pais, vindo à Casa do Senhor, que habita em Jerusalém, deram voluntárias ofertas para a Casa de Deus, para a fundarem no seu lugar" (2.68).

A Restauração dos Sacrifícios

Assim, saiu o decreto. O povo fez as malas e partiu. Eles chegaram em casa. A obra começou. E depois, no início do capítulo 3, acontece a segunda grande coisa. Eles restauram os sacrifícios:

Chegando, pois, o sétimo mês e estando os filhos de Israel já nas cidades, se ajuntou o povo, como um só homem, em Jerusalém. E levantou-se Jesua, filho de Jozadaque, e seus irmãos, os sacerdotes, e Zorobabel, filho de Sealtiel, e seus irmãos e edificaram o altar do Deus de Israel, para oferecerem sobre ele holocaustos, como está escrito na Lei de Moisés, o homem de Deus. E firmaram o altar sobre as suas bases, porque o terror estava sobre eles, por causa dos povos das terras; e ofereceram sobre ele holocaustos ao Senhor, holocaustos de manhã e de tarde (3.1-3).

A Reconstrução do Templo

O povo, após reiniciar os sacrifícios, está pronto para reconstruir o Templo, o que ocupa o restante do capítulo 3.

Fundação. Eles iniciam o trabalho de reconstrução ao lançar os alicerces do Templo:

E, no segundo ano da sua vinda à Casa de Deus, em Jerusalém, no segundo mês, começaram Zorobabel, filho de Sealtiel, e Jesua, filho de Jozadaque, e os outros seus irmãos, os sacerdotes e os levitas, e todos os que vieram do cativeiro a Jerusalém e constituíram levitas da idade de vinte anos e daí para cima, para que aviassem a obra da Casa do Senhor. Então, se levantou Jesua, seus filhos e seus irmãos, Cadmiel e seus filhos, os filhos de Judá, como um só homem, para vigiarem os que faziam a obra na Casa de Deus, os filhos de Henadade, seus filhos e seus irmãos, os levitas. Quando, pois, os edificadores lançaram os alicerces do templo do Senhor, então, apresentaram-se os sacerdotes, já paramentados e com trombetas, e os levitas, filhos de Asafe, com saltérios, para louvarem ao Senhor, conforme a instituição de Davi, rei de Israel. E cantavam a revezes, louvando e celebrando ao Senhor, porque é bom; porque a sua benignidade dura para sempre sobre Israel (3.8-11a).

Se voltar a 1 e 2 Crônicas, você verificará que o povo entoava as mesmas palavras — "Louvai ao Senhor, porque é bom; pois a sua benignidade dura perpetuamente" — quando a arca foi levada pela primeira vez para Jerusalém, por Davi, e posta no Tabernáculo, como também na consagração do Templo por Salomão.[7] Mas continuemos:

E todo o povo jubilou com grande júbilo, quando louvou o Senhor, pela fundação da Casa do Senhor. Porém muitos dos sacerdotes, e levitas, e chefes dos pais, já velhos, que viram a primeira casa sobre o seu fundamento, vendo perante os seus olhos esta casa, choraram em altas vozes; mas muitos levantaram as vozes com júbilo e com alegria. De maneira que não discernia o povo as vozes de alegria das vozes do choro do povo; porque o povo jubilava com tão grande júbilo, que as vozes se ouviam de mui longe (3.11b-13).

Esse não é um grande relato de como o momento foi emocionante — alguns chorando, e outros rindo? Com certeza, conseguimos captar a emoção do evento.

Oposição. Contudo, a oposição logo estraga essa imagem de alegria. No início do capítulo 3, vemos que, na verdade, os exilados que retornaram prosseguem em seu programa de reconstruir o altar apesar do "terror [que] estava sobre eles, por causa dos povos das terras" (3.3). Por que eles temiam os povos da terra? Porque esses povos, chamados de "inimigos" no início do capítulo 4, estavam "interessados" no retorno dos israelitas e até ofereceram "ajuda" (veja 4.1,2). Havia uma longa história de antagonismo entre os judeus e os povos da terra — mesmo entre os que haviam adotado parcialmente as práticas judaicas —, e eles sabiam que seus inimigos não queriam ajudar de verdade.[8] Eles queriam desencorajar os judeus e deixá-los com medo. Na verdade, por muitos anos, eles até conseguiram ser bem-sucedidos em frustrar os esforços de construção dos judeus:

> Todavia, o povo da terra debilitava as mãos do povo de Judá e inquietava-os no edificar. E alugaram contra eles conselheiros para frustrarem o seu plano, todos os dias de Ciro, rei da Pérsia, até ao reinado de Dario, rei da Pérsia (4.4,5).

Foi um período de cerca de cinqüenta anos!

Incidentalmente, foi logo depois desses versículos que o autor decidiu mencionar os dois episódios posteriores de oposição ao trabalho dos judeus que mencionamos antes, primeiro durante o reinado de Assuero (4.6), e, segundo, no reinado de Artaxerxes e perto do período em que o livro de Esdras foi escrito (4.7-23). A oposição, mencionada nos versículos 4 e 5 acima, refere-se à reconstrução do Templo nos anos finais de Ciro, que caminhavam em direção ao tempo de Dario. A oposição mencionada durante o reinado de Artaxerxes refere-se à reconstrução do muro, que ocorreu nos anos 440 a.C., sob o comando de Neemias. De novo, parece que o autor quer apenas salientar que a oposição continuou por quase um século. Portanto, não fique confuso com esse desvio dos versículos 6-23.

O versículo 24 parece retomar de onde o versículo 5 deixou a narrativa, de volta aos anos 530 a.C. em que a reconstrução do Templo foi frustrada por esses conselheiros. No segundo ano de Dario, retoma-se a reconstrução do Templo. No versículo 24, observe a palavra "até": "Então, cessou a obra da Casa de Deus, que estava em Jerusalém, e cessou até ao ano segundo do reinado de Dario, rei da Pérsia" (4.24).

Para os judeus, a oposição era algo sério, e o livro de Esdras lhe dá destaque. Amigo, se você estiver incerto sobre a verdade do cristianismo, por favor, ouça esse conselho: não tente determinar *o que é verdade* pelo *que é popular*. Outras religiões, como o islamismo, talvez igualem o sucesso mundano com o sucesso aos olhos de Deus. Todavia, nós, cristãos, não seguimos conquistadores como os mulçumanos, nós seguimos ao Cristo que foi crucificado. Entendemos que a disposição de todas as pessoas — mesmo você e eu — é opor-se a Deus e assumir perversamente que nossos melhores interesses estão em desacordo com o compromisso do Senhor consigo mesmo. Por isso, opomo-nos ao Senhor e odiamos sua verdade. Portanto, deveríamos determinar o que é verdade pelo que é popular? Em um mundo que odeia a Deus? Bem, talvez o termo "um mundo que odeia a Deus" pareça um tanto exagerado para você. Se parece, apenas lhe pergunto o que fizemos à Verdade Encarnada, quando Ele veio e viveu entre nós. Nós o matamos. Nós o rejeitamos totalmente. Nós o crucificamos! Cristão, ou não-cristão, temos de saber que os votos não determinam o que é verdade, nem o que é certo e bom. Nunca será dessa maneira em um mundo caído.

Se você é cristão, deixe-me pedir-lhe para refletir sobre esse povo antigo que enfrentou perseguição e perseverou. Tenha coragem. Quando achar que tem oponentes pela única razão de ser cristão, pegue o exemplo deles para encorajá-lo. Afinal, nós enfrentaremos perseguição. Como o apóstolo Paulo disse a seu discípulo, Timóteo: "Todos os que piamente querem viver em Cristo Jesus padecerão perseguições" (2 Tm 3.12). De onde Paulo tirou essa idéia? Ele apenas era paranóico por causa de sua história de perseguição aos cristãos? Não, ele tirou essa idéia de Jesus. Jesus declarou: "Se a mim me perseguiram, também vos perseguirão a vós" (Jo 15.20).

Sei que, hoje, para muitos de nós essas palavras podem soar estranhas, mas garanto que não soam estranhas para nossos amigos cristãos da África, em especial, da Nigéria e do Sudão. Elas também não soam irreais para um membro da igreja da Indonésia. Milhares de pessoas foram mortas na Indonésia por confessar a fé cristã. Talvez as perseguições que você enfrenta sejam menos violentas, como o descorajamento que, aqui em Esdras, os exilados enfrentaram. Mas não se surpreenda se enfrentar perseguição de seus vizinhos e colegas de trabalho, mesmo de sua família e dos amigos por seguir a Cristo. Ore para que nós, como igreja, sejamos fiéis para perseverar e não aferir nosso sucesso pelo quão popular nos tornamos com a comunidade a nossa volta. Essa não é a forma correta de uma igreja cristã se comportar. Não me entenda mal — queremos ser bons vizinhos de toda forma possível. Todavia, não devemos nos surpreender se alguns de nossos vizinhos da Capitol Hill nos virem com desconfiança e até com hostilidade pelo que cremos a respeito de Deus Pai, de Cristo, o Senhor, e do Espírito Santo, pelo que Deus ensina em sua Palavra, ou por como Ele nos chama a viver. Se somos o povo de Deus, enfrentamos oposição. Em João 15, Cristo nos avisou a respeito disso.

Espero que você considere esse ponto como motivo de encorajamento. Enfrentaremos oposição nesta vida, e não me refiro à oposição que você enfrenta por causa de sua estupidez e pecado. Às vezes, sentimos pena de nós mesmos quando vemos a situação em que nos encontramos por causa de nossos erros. Contudo, Jesus refere-se ao tipo de oposição que enfrentamos por segui-lo com fidelidade, exatamente como os judeus nos dias de Esdras.

Conclusão. No entanto, ao continuar a leitura de Esdras, vemos que, no fim, a oposição contra os judeus não foi bem-sucedida. O Templo foi concluído!

> Então, Tatenai, o governador de além do rio, Setar-Bozenai e os seus companheiros assim fizeram apressuradamente, conforme o que decretara o rei Dario. E os anciãos dos judeus iam edificando e prosperando pela profecia do profeta Ageu e de Zacarias, filho de Ido; e edificaram a casa e a aperfeiçoaram

conforme o mandado do Deus de Israel, e conforme o mandado de Ciro, e de Dario, e de Artaxerxes, rei da Pérsia. E acabou-se esta casa no dia terceiro do mês de Adar, que era o sexto ano do reinado do rei Dario. E os filhos de Israel, e os sacerdotes, e os levitas, e o resto dos filhos do cativeiro fizeram a consagração desta Casa de Deus com alegria. E ofereceram para a consagração desta Casa de Deus cem novilhos, duzentos carneiros, quatrocentos cordeiros e doze cabritos, por expiação do pecado de todo o Israel, segundo o número das tribos de Israel. E puseram os sacerdotes nas suas turmas e os levitas nas suas divisões, para o ministério de Deus, que está em Jerusalém, conforme o escrito do livro de Moisés. E os que vieram do cativeiro celebraram a Páscoa no dia catorze do primeiro mês; porque os sacerdotes e levitas se tinham purificado como se fossem um só homem, e todos estavam limpos; e mataram o cordeiro da Páscoa para todos os filhos do cativeiro, e para seus irmãos, os sacerdotes, e para si mesmos. Assim, comeram a Páscoa os filhos de Israel que tinham voltado do cativeiro, com todos os que a eles se apartavam da imundícia das nações da terra, para buscarem o Senhor, Deus de Israel. E celebraram a Festa dos Pães Asmos os sete dias com alegria, porque o Senhor os tinha alegrado e tinha mudado o coração do rei da Assíria a favor deles, para lhes fortalecer as mãos na obra da Casa de Deus, o Deus de Israel (6.13-22).

Assim, observamos a conclusão do Templo, o que talvez seja o evento mais importante desse livro. Segue-se uma grande celebração, seguida de uma alegre celebração da Páscoa.

A mão soberana de Deus. Bem, se a oposição aos judeus foi tão séria — a oposição que começou com o exílio e continuou nesses eventos registrados em Esdras — como eles conseguiram ter sucesso na reconstrução do Templo? A resposta breve a essa pergunta é a seguinte: porque a mão de Deus moveu-se de forma soberana. Ao ler esse livro, vemos com clareza que o Senhor muda o coração e as atitudes. Mesmo no primeiro versículo, o Senhor age de modo soberano na vida do rei persa, Ciro: "Despertou o Senhor o espírito de Ciro" (1.1). E o Senhor não tocou apenas o coração de Ciro, Ele também tocou o coração de todos os judeus que retornaram para recolonizar Jerusalém — "todos aqueles cujo espírito Deus despertou" (1.5). Mais adiante no livro, Deus muda a atitude do rei da Assíria (6.22). E ainda mais adiante, pôs no coração do rei Artaxerxes para trazer honra para a casa de Jeová (7.27,28). Na verdade, Ciro e Artaxerxes, reis estrangeiros, reconhecem, de forma explícita, a soberania do Senhor! (1.2; 7.23) Também somos informados de que uma campanha de oposição aos judeus foi malsucedida porque os olhos do Senhor estavam sobre os anciãos e os construtores (5.5).

Do começo ao fim do livro de Esdras, encontramos uma frase recorrente sobre *a boa mão* do Senhor estar *sobre* os que pretende proteger. No capítulo 7, a boa mão do Senhor está sobre Esdras (7.9). No capítulo 8, a boa mão do Senhor está sobre o grupo que prepara o retorno para Jerusalém (8.18). Esdras também disse para o rei Artaxerxes: "A mão do nosso Deus é sobre todos os que o buscam para o bem" (8.22). Depois, após Esdras e sua comitiva chegarem a salvo em Jerusalém depois de quatro meses de jornada, Esdras escreve que "a boa mão do nosso Deus estava sobre nós e livrou-nos da mão dos inimigos e dos que nos armavam ciladas no caminho" (8.31).

Portanto, como o povo do Senhor sobreviveu a toda oposição que enfrentou? *Deus*. Eles sobreviveram porque o Senhor, soberana e graciosamente, trouxe seu povo de volta para a terra e capacitou-os a reconstruir o Templo. A história de Esdras é sobre isso.

Pergunto-me como isso soa a você. Espero que perceba que nós, os cristãos, entendemos o Senhor em termos totalmente sobrenaturais! O Deus que adoramos não é uma deidade tribal. Ele não é uma invenção da nossa mente. Antes, Ele é aquEle que existe na eternidade passada e tem todo o poder em si mesmo. DEle vêm todas as coisas criadas. O Deus que adoramos também é totalmente bom. Não há mal nEle, e Ele é todo justo e certo em todas as coisas.

Cristo disse que Deus é assim. Quando ficou diante de Pilatos, o governador romano, Cristo disse-lhe: "Nenhum poder terias contra mim, se de cima te não fosse dado" (Jo 19.11). Pense em quem, na verdade, prendeu quem! Como Jesus dissera antes: "Por isso, o Pai me ama, porque dou a minha vida para tornar a tomá-la. Ninguém ma tira de mim, mas eu de mim mesmo a dou; tenho poder para a dar e poder para tornar a tomá-la" (Jo 10.17,18).

Nossas autoridades públicas e as forças armadas têm e devem ter a responsabilidade de garantir a segurança da nação. Contudo, eu nunca confiaria, basicamente, em qualquer instrumento humano para prover essa segurança. Apenas Deus pode fazer isso. Como Paulo afirma em Atos: "De um só [Deus] fez toda a geração dos homens para habitar sobre toda a face da terra, determinando os tempos já dantes ordenados e os limites da sua habitação" (At 17.26).

Oração. Meu amigo cristão, se esse é realmente o Deus em que cremos, por que não fazemos mais do que Esdras fazia — jejuar, humilharmo-nos e orar para que esse grande Deus opere? Essa é a pergunta que me deixa perplexo quando reflito sobre esse livro e medito sobre minha vida como cristão. Assim, deixe-me perguntar-lhe:

- Por que você não ora mais se acredita que Deus é Todo-poderoso e capaz?
- Por que você não ora mais com sua família, em vez de discutir, brigar, preocupar-se ou planejar?

- Por que você não se junta a nós com mais fidelidade a fim de orarmos juntos, como igreja?

Não tenho uma retórica floreada mais talentosa para adicionar a todas essas perguntas. Eu apenas as apresento a você como um companheiro pecador salvo e como pastor. Se Deus realmente é o Criador de todas as coisas e o Senhor Todo-poderoso do universo, e não apenas uma idéia reconfortante para quando você se sente por baixo, por que não se junta a nós com mais fidelidade a fim de orarmos juntos, como igreja? Se *realmente* pensasse que Deus é soberano, você não deveria fazer isso?

Mostra-se a crença em um Deus soberano no compromisso de orar (por exemplo, em 8.21-23).

Agradeço ao Senhor por algumas grandes figuras da história cristã orarem melhor do que a teologia deles lhes teria permitido. Talvez eles discutissem a soberania de Deus, mas quando estavam de joelhos, alguma coisa inerente ao coração cristão deles sabia que aquEle que habita no céu reina! Assim, eles oravam com coragem, fervor e humildade!

Como igreja, não podemos dar desculpas em relação à afirmação de que o Senhor é nossa única esperança, fazendo isso ao longo da vida. Nossa esperança reside apenas nesse grande e soberano Deus. E deveríamos nos comprometer em demonstrar nossa crença na soberania do Senhor em nossas orações como igreja. Sejamos bíblicos e corajosos em relação ao que pedimos do Senhor.

Se você é um membro da igreja que não se junta a nós com regularidade para nossa reunião de oração nas noites de domingo, deixe-me pedir-lhe que reconsidere essa sua prática. Você colhe os benefícios de todos os seus irmãos e irmãs que fazem questão de se reunir com regularidade, nesse local, para orar por você, pelo ministro da igreja e pela glória do Senhor. Você também devia comparecer fielmente às reuniões da congregação para votar assuntos da igreja. Mas orar com regularidade com toda a igreja, modelando sua crença na soberania do Senhor e edificando sua família em volta da vida dessa congregação à medida que seus filhos crescem seria mais importante que vir às reuniões dos membros dessa congregação? Pense no ensino pelo exemplo e junte-se a nós à noite a fim de orar. Essa seria a coisa certa a ensinar aos jovens cristãos a sua volta, e isso é o que tento, de forma ativa, ensinar a toda a congregação. Agradeço a Deus pelas jovens mães e pelos estudantes reivindicadores, pelos membros mais velhos e pelas famílias que vivem longe, pelos ocupados e pelos destruídos — todos que ensinam a sua família e amigos que orar com o povo do Senhor é uma prioridade. E agradeço ao Senhor pelo privilégio de pastorear uma igreja em que tantos membros se juntam a nós com regularidade nas noites de domingo para orar. Mais uma vez, resolvamos ir ao nosso grande Deus em oração, porque Ele pode nos responder!

Aqui, em Esdras, vimos que o Senhor restaurou seu povo. Eles não restauraram a si mesmos com seu bom planejamento nem com seus impulsos de boa administração. Entretanto, eles oraram, e o Senhor agiu com soberania para responder à oração deles.

A Palavra Reveladora de Deus (caps. 7—9)

No livro de Esdras, também vemos que a Palavra de Deus revela. Os capítulos 7—9, em especial, mostram que a Palavra do Senhor revela os pecados do seu povo.

A Palavra Restaura o Povo

Como dissemos antes, entre os capítulos 6 e 7, há um lapso de tempo de mais de cinqüenta anos. No início do capítulo 7, Esdras é enviado, para a Judéia, com a finalidade de restaurar a Palavra do Senhor para o povo de Deus. Os capítulos 7—8, em particular, tratam desse assunto. No início da história, Esdras ainda está no exílio com outros judeus:

> E, passadas essas coisas, no reinado de Artaxerxes, rei da Pérsia, Esdras, filho de Seraías, filho de Azarias, filho de Hilquias, filho de Salum, filho de Zadoque, filho de Aitube, filho de Amarias, filho de Azarias, filho de Meraiote, filho de Zeraías, filho de Uzi, filho de Buqui, filho de Abisua, filho de Finéias, filho de Eleazar, filho de Arão, o sumo sacerdote, este Esdras subiu de Babilônia; e era escriba hábil na Lei de Moisés, dada pelo Senhor, Deus de Israel; e, segundo a mão do Senhor, seu Deus, que estava sobre ele, o rei lhe deu tudo quanto lhe pedira. Também subiram a Jerusalém alguns dos filhos de Israel, e dos sacerdotes, e dos levitas, e dos cantores, e dos porteiros, e dos netineus, no ano sétimo do rei Artaxerxes. E, no mês quinto, veio ele a Jerusalém; e era o sétimo ano desse rei; porque, no primeiro dia do primeiro mês, foi o princípio da sua subida de Babilônia; e, no primeiro dia do quinto mês, chegou a Jerusalém, segundo a boa mão do seu Deus sobre ele. Porque Esdras tinha preparado o seu coração para buscar a Lei do Senhor, e para a cumprir, e para ensinar em Israel os seus estatutos e os seus direitos. Esta é, pois, a cópia da carta que o rei Artaxerxes deu ao sacerdote Esdras, o escriba das palavras, dos mandamentos do Senhor e dos seus estatutos sobre Israel: Artaxerxes, rei dos reis, Ao sacerdote Esdras, escriba da Lei do Deus do céu, paz perfeita! Por mim se decreta que, no meu reino, todo aquele do povo de Israel e dos seus sacerdotes e levitas que quiser ir contigo a Jerusalém, vá. Porquanto da parte do rei e dos seus sete conselheiros

és mandado, para fazeres inquirição em Judá e em Jerusalém, conforme a Lei do teu Deus, que está na tua mão; e para levares a prata e o ouro que o rei e os seus conselheiros voluntariamente deram ao Deus de Israel, cuja habitação está em Jerusalém; e toda a prata e o ouro que achares em toda a província de Babilônia, com as ofertas voluntárias do povo e dos sacerdotes, que voluntariamente oferecerem, para a Casa de seu Deus, que está em Jerusalém. Portanto, comprarás com este dinheiro novilhos, carneiros, cordeiros, com as suas ofertas de manjares e as suas libações e oferece-as sobre o altar da Casa do vosso Deus, que está em Jerusalém. Também o que a ti e a teus irmãos bem parecer fazerdes do resto da prata e do ouro, o fareis conforme a vontade do vosso Deus. E os utensílios que te foram dados para o serviço da Casa de teu Deus, restitui-os perante o Deus de Jerusalém. E o resto do que for necessário para a Casa de teu Deus, que te convenha dar, o darás da casa dos tesouros do rei. E por mim mesmo, o rei Artaxerxes, se decreta a todos os tesoureiros que estão dalém do rio que tudo quanto vos pedir o sacerdote Esdras, escriba da Lei do Deus dos céus, apressuradamente se faça. Até cem talentos de prata, e até cem coros de trigo, e até cem batos de vinho, e até cem batos de azeite, e sal sem conta. Tudo quanto se ordenar, segundo o mandado do Deus do céu, prontamente se faça para a Casa do Deus dos céus, porque para que haveria grande ira sobre o reino do rei e de seus filhos? Também vos fazemos saber acerca de todos os sacerdotes, levitas, cantores, porteiros, netineus e ministros desta Casa de Deus que se lhes não possa impor nem direito, nem antigo tributo, nem renda. E tu, Esdras, conforme a sabedoria do teu Deus, que está na tua mão, põe regedores e juízes que julguem a todo o povo que está dalém do rio, a todos os que sabem as leis de teu Deus, e ao que as não sabe as fareis saber. E todo aquele que não observar a lei do teu Deus e a lei do rei, logo se faça justiça dele, quer seja morte, quer degredo, quer multa sobre os seus bens, quer prisão. Bendito seja o Senhor, Deus de nossos pais, que tal inspirou ao coração do rei, para ornarmos a Casa do Senhor, que está em Jerusalém; e que estendeu para mim a sua beneficência perante o rei, e os seus conselheiros, e todos os príncipes poderosos do rei. Assim, me esforcei, segundo a mão do Senhor sobre mim, e ajuntei dentre Israel alguns chefes para subirem comigo (7.1-28).

O início do capítulo 8 apresenta uma lista desses chefes, como também alguns dos passos preparatórios de Esdras na organização de sua jornada de retorno à terra. Particularmente notável é a forma como ele preparou a si mesmo e aos exilados que retornavam ao entregá-los nas mãos do Senhor:

> Então, apregoei ali um jejum junto ao rio Aava, para nos humilharmos diante da face de nosso Deus, para lhe pedirmos caminho direito para nós, e para nossos filhos, e para

toda a nossa fazenda. Porque me envergonhei de pedir ao rei exército e cavaleiros para nos defenderem do inimigo no caminho, porquanto tínhamos falado ao rei, dizendo: A mão do nosso Deus é sobre todos os que o buscam para o bem, mas a sua força e a sua ira, sobre todos os que o deixam. Nós, pois, jejuamos e pedimos isso ao nosso Deus, e moveu-se pelas nossas orações (8.21-23).

Depois, alguns versículos adiante, lemos sobre a chegada deles em Jerusalém:

E partimos do rio de Aava, no dia doze do primeiro mês, para irmos para Jerusalém; e a boa mão do nosso Deus estava sobre nós e livrou-nos da mão dos inimigos e dos que *nos* armavam ciladas no caminho. E viemos a Jerusalém e repousamos ali três dias. E no dia quatro se pesou a prata, e o ouro, e os vasos, na Casa do nosso Deus, por mão de Meremote, filho do sacerdote Urias; e com ele estava Eleazar, filho de Finéias, e com eles, Jozabade, filho de Jesua, e Noadias, filho de Binui, levitas; conforme o número *e* conforme o peso de tudo aquilo; e todo o peso se descreveu no mesmo tempo. E os transportados que vieram do cativeiro ofereceram holocaustos ao Deus de Israel: doze novilhos por todo o Israel, noventa e seis carneiros, setenta e sete cordeiros *e* doze bodes *em sacrifício* pelo pecado; tudo *em* holocausto ao Senhor. Então, deram as ordens do rei aos sátrapas do rei e aos governadores de aquém do rio; e ajudaram o povo e a Casa de Deus (8.31-36).

Portanto, quem poderia trazer a Palavra de Deus para seu povo? O homem que, com clareza, o Senhor preparara para trazê-la: Esdras. Vemos o currículo de Esdras nos primeiros versículos do capítulo 7. Ele descende de Arão (7.5) e "era escriba hábil na Lei de Moisés" (7.6). O rei Artaxerxes, em sua carta, refere-se a ele como "o sacerdote Esdras, escriba da Lei do Deus dos céus" e como aquele que possui "sabedoria" (7.21,25).

A fim de que você não entenda mal, observe que, nesse contexto, "sabedoria" não significa que Esdras conheça muito matemática, engenharia ou história, ou que fosse rápido de pensamento em um debate. Antes, significa que ele conhecia a Palavra de Deus e que era bem versado na Lei. Afinal, "Esdras tinha preparado o seu coração para buscar a Lei do Senhor, e para a cumprir, e para ensinar em Israel os seus estatutos e os seus direitos" (7.10). (Talvez você queira marcar esse versículo para meditar a respeito dele depois!) Ao ler o livro de Esdras, observamos que, com freqüência, o povo faz o que está de acordo com o que "está escrito na Lei de Moisés" (3.2), "como está escrito" (3.4), "conforme a instituição de Davi, rei de Israel" (3.10), "conforme o mandado do Deus de Israel" (6.14), ou "conforme o escrito do livro de Moisés" (6.18). Por isso, era importante para Esdras ser um "escriba hábil na Lei de Moisés" (7.6).

Em suma, Esdras dedicou-se a: (1) estudar a Palavra do Senhor; (2) seguir a Palavra; e (3) ensinar a Palavra.[9] Sua missão era ensinar, em Judá e em Jerusalém, os "mandamentos do Senhor e [os] seus estatutos".[10] De forma soberana, o Senhor enviou Esdras — por intermédio do edito de Artaxerxes — a Jerusalém para ensinar sua Palavra.

Como uma pequena nota secundária, talvez você se surpreenda ao ler que o imperador Artaxerxes, da Pérsia, promoveu o retorno de Esdras a Jerusalém a fim de que ele ensinasse. Artaxerxes não era judeu. Por que ele se preocupava com o que ensinavam aos judeus? E por que queria que Esdras fosse para Jerusalém e ensinasse? Bem, isso não deve nos surpreender muito. Muitos dos impérios do mundo cujos habitantes casaram-se com pessoas de religiões diferentes — com sabedoria — instituíram políticas para a tolerância da diversidade religiosa. Não há nada de novo nessa idéia. Respeitar as crenças religiosas dos outros — mesmo quando se sabe que as crenças são erradas — é necessário para a coexistência e, até mesmo, para a prosperidade de uma sociedade com pessoas que são diferentes de nós. Na época de Esdras, Deus usou essa tolerância para realizar seus propósitos para seu povo. Sem dúvida, Ele faz uso das mesmas liberdades que desfrutamos neste país.

Portanto, perceba que no livro de Esdras a Palavra do Senhor prova ser muito poderosa. Por exemplo, no capítulo 4, a oposição manobra para impedir a reconstrução do Templo. O que faz com que ela se reinicie? Foi a carta de Dario, apresentada no capítulo 6? Bem, a carta deu permissão aos judeus para prosseguir a reconstrução. Mas o que iniciou todo o processo foi a pregação da Palavra do Senhor pelos profetas Ageu e Zacarias, registrada no capítulo 5 (5.1,2; 6.14). A pregação deles satisfez a oposição, acabou com o desencorajamento do povo do Senhor e reiniciou tudo! No capítulo 9, o povo de Deus responde com pesar quando seu pecado é exposto. Descrevem muitas pessoas como aquelas "que tremiam das palavras do Deus de Israel" (9.4).

Não subestime o poder da Palavra do Senhor! É assim que, vez após vez, Deus traz sua vida a este mundo caído.

Você se pergunta como pode conhecer a verdade? Como saber se vale a pena continuar a viver? Vire-se para a Palavra do Senhor. Leia-a e ouça-a ser pregada. Entregue-se em oração ao Deus revelado na Bíblia. Se você não for cristão, aconselho-o, em especial, a ler os Evangelhos. Os quatro Evangelhos estão no início do Novo Testamento e falam da vida de Jesus Cristo. Ele, mais do que Esdras jamais poderia, personifica a Palavra do Senhor. Na verdade, Ele é a Palavra do Senhor. O Evangelho de João inicia-se com estas palavras maravilhosas: "No princípio, era o Verbo, e o Verbo estava com Deus, e o Verbo era Deus. [...] E o Verbo se fez carne e habitou entre nós" (Jo 1.1,14).

Cristão, resolva *estudar* a *Bíblia* para sua própria vida. Resolva *obedecer à Bíblia*. Resolva *ensinar a Bíblia*, quando Deus lhe der oportunidade para isso.

Que nós, como igreja, continuemos a manter a Bíblia como o centro de nossa vida em comunhão. Que sejamos uma igreja em que o amor à Palavra do Senhor, o conhecimento dela e a capacidade de ensiná-la sejam vistos como as qualificações mais importantes para o culto entre nós, e que nossos momentos juntos sejam marcados pela atenção cuidadosa a ela.

A Palavra Expõe o Pecado do Povo

Qual o efeito da Palavra de Deus quando, mais uma vez, é ensinada com clareza em Jerusalém? Ela expõe o pecado do povo. Vejamos o que acontece no capítulo 9, após a chegada de Esdras a Jerusalém:

> Acabadas, pois, essas coisas, chegaram-se a mim os príncipes, dizendo: O povo de Israel, e os sacerdotes, e os levitas não se têm separado dos povos destas terras, seguindo as abominações dos cananeus, dos heteus, dos ferezeus, dos jebuseus, dos amonitas, dos moabitas, dos egípcios e dos amorreus, porque tomaram das suas filhas para si e para seus filhos, e assim se misturou a semente santa com os povos destas terras, e até a mão dos príncipes e magistrados foi a primeira nesta transgressão. E, ouvindo eu tal coisa, rasguei a minha veste e o meu manto, e arranquei os cabelos da minha cabeça e da minha barba, e me assentei atônito. Então, se ajuntaram a mim todos os que tremiam das palavras do Deus de Israel, por causa da transgressão dos do cativeiro; porém eu me fiquei assentado atônito até ao sacrifício da tarde. E, perto do sacrifício da tarde, me levantei da minha aflição, havendo já rasgado a minha veste e o meu manto, e me pus de joelhos, e estendi as minhas mãos para o Senhor, meu Deus. E disse: Meu Deus! Estou confuso e envergonhado, para levantar a ti a minha face, meu Deus, porque as nossas iniqüidades se multiplicaram sobre a nossa cabeça, e a nossa culpa tem crescido até aos céus. Desde os dias de nossos pais até ao dia de hoje, estamos em grande culpa e, por causa das nossas iniqüidades, fomos entregues, nós, os nossos reis e os nossos sacerdotes, nas mãos dos reis das terras, à espada, ao cativeiro, ao roubo e à confusão do rosto, como hoje se vê. E, agora, como por um pequeno momento, se nos fez graça da parte do Senhor, nosso Deus, para nos deixar alguns que escapem e para dar-nos uma estabilidade no seu santo lugar; para nos alumiar os olhos; ó Deus nosso, e para nos dar um pouco de vida na nossa servidão; porque servos somos, porém na nossa servidão não nos desamparou o nosso Deus; antes, estendeu sobre nós beneficência perante os reis da Pérsia, para revivermos, e para levantarmos a Casa do nosso Deus, e para restaurarmos as suas assolações, e para que nos desse uma parede em

Judá e em Jerusalém. Agora, pois, ó nosso Deus, que diremos depois disso? Pois deixamos os teus mandamentos, os quais mandaste pelo ministério de teus servos, os profetas, dizendo: A terra em que entrais para a possuir terra imunda é pelas imundícias dos seus povos, pelas abominações com que, na sua corrupção, a encheram de uma extremidade à outra. Agora, pois, vossas filhas não dareis a seus filhos, e suas filhas não tomareis para vossos filhos, e nunca procurareis a sua paz e o seu bem; para que vos fortaleçais, e comais o bem da terra, e a façais possuir a vossos filhos para sempre. E, depois de tudo o que nos tem sucedido por causa das nossas más obras e da nossa grande culpa, ainda assim tu, ó nosso Deus, estorvaste que fôssemos destruídos, por causa da nossa iniqüidade, e ainda nos deste livramento como este, tornaremos, pois, agora a violar os teus mandamentos e a aparentar-nos com os povos destas abominações? Não te indignarias tu, assim, contra nós até de todo nos consumires, até que não ficasse resto nem quem escapasse? Ah! Senhor, Deus de Israel, justo és, pois ficamos escapos, como hoje se vê; eis que estamos diante de ti no nosso delito, porque ninguém há que possa estar na tua presença por causa disso (9.1-15).

Aqui, no capítulo 9, encontramos a mesma coisa que vemos ao longo do livro de Esdras (na verdade, do começo ao fim de todos os livros históricos do Antigo Testamento que estudamos): um exemplo da pecaminosidade desse povo e um testemunho de por que eles foram exilados. Voltemos ao capítulo 4, em que dois personagens do governo persa, Reum e Sinsai, enviam uma carta a Artaxerxes advertindo sobre o perigo de deixar os judeus reconstruírem os muros de Jerusalém, uma vez que a cidade tinha um histórico de rebelião e de maldade (4.12). Ironicamente, eles falaram mais bem deles do que imaginavam, eles não sabiam de metade das coisas! E no capítulo 5, os próprios anciãos judeus apresentam um resumo interessante sobre a história de seu povo: "Mas, depois que nossos pais provocaram à ira o Deus dos céus, ele os entregou nas mãos de Nabucodonosor, rei de Babilônia, o caldeu, o qual destruiu esta casa e transportou o seu povo para Babilônia" (5.12).

Os testemunhos dos persas e dos anciãos judeus alinham-se com o que lemos em Deuteronômio e em Josué, como também com o que os livros de Reis e de Crônicas declaram sobre a queda de Israel. O capítulo 9 apresenta o resumo de toda essa história em uma sentença do início da oração de Esdras. Você percebeu? Ele ora: "Desde os dias de nossos pais até ao dia de hoje, estamos em grande culpa e, por causa das nossas iniqüidades, fomos entregues, nós, os nossos reis e os nossos sacerdotes, nas mãos dos reis das terras, à espada, ao cativeiro, ao roubo e à confusão do rosto, como hoje se vê" (9.7).

Assim, aqui, no capítulo 9, qual é o grande pecado exposto pela Palavra do Senhor? Esdras determina a resposta com clareza: "Pois deixamos os teus mandamentos" (9.10). Que mandamentos? "Vossas filhas não dareis a seus filhos, e suas filhas não tomareis para vossos filhos" (9.12). Diversas vezes, os judeus receberam esse mandamento. Por exemplo, em Deuteronômio, Moisés instruiu-os: "Nem te aparentarás com elas; não darás tuas filhas a seus filhos e não tomarás suas filhas para teus filhos; pois elas fariam desviar teus filhos de mim, para que servissem a outros deuses; e a ira do Senhor se acenderia contra vós e depressa vos consumiria" (Dt 7.3,4). Todavia, mais uma vez, o povo de Israel não se manteve separado. Tão logo voltaram à terra prometida, eles começaram a se misturar com os não-israelitas que amavam, adoravam e serviam a outros deuses. E foram infiéis a Deus nesse fracasso em se manter separados.

Em passagens como essa, muitas pessoas entendem mal aquilo a que Deus se refere como pecado. De forma alguma, Ele chamou o casamento inter-racial de pecado. Aqui, o foco da preocupação não é a cor da pele nem a pureza racial. Os mandamentos dEle não eram xenofóbicos nem racistas. Em lugar disso, o objetivo dos mandantes leva-nos, na verdade, ao cerne teológico do Antigo Testamento: Deus sempre quis que seu povo — até mesmo seu povo pós-exílio — fosse preservado da idolatria, do adultério espiritual, do enganar a Deus a fim de que todos se mantivessem fiéis ao Senhor. Por isso, Ele disse-lhes para não se casar com pessoas que não o adorassem. Agora, em Deuteronômio, vemos claras indulgências com os não-israelitas que queriam se juntar a Israel, como Rute, que decidiu aceitar o Deus de Israel como seu Deus. Contudo, esse é outro assunto. Situações como a de Rute não apresentam o problema de haver um casamento e dois deuses.

Todavia, Esdras, ali, de pé, recém-chegado do exílio, ao observar o pecado a sua volta, sabia muito bem o que a Bíblia ensinava a ponto de comentar: "Apesar de nos teres punido menos do que os nossos pecados mereciam, ó Deus" (9.13; NVI). Que declaração incrível, principalmente em vista da ruína que os judeus encontraram no exílio. Vezes sem conta, Deus advertiu seu povo de que os dispersaria entre as nações se não se mantivessem separados das nações idólatras que havia ao redor deles. Afinal, qual o propósito em ter um povo especial que não seja especial? Um povo separado que não seja separado? Se o povo de Deus tinha a intenção de viver como o mundo, então não devia ser chamado de o povo especial do Senhor! Eles eram uma fraude. Portanto, disperse-os, mande-os de volta para o mundo.

A função da Palavra do Senhor é chamar seu povo a se separar do pecado, e, por isso, Deus enviou Esdras. É por isso também que, no capítulo 4, Zorobabel desencoraja os não-israelitas a ajudar os israelitas na reconstrução do Templo (4.3). A fidelidade à Palavra do Senhor significa manter-se separado.

Hoje, meu amigo cristão, não somos chamados a nos separar geograficamente das nações (veja, em Jo 4.21, o que Jesus disse sobre onde devemos adorar). Contudo, somos chamados a levar uma vida *distinta* pelas mesmas razões que os judeus foram chamados a se separar na terra deles. Assim, estude a Bíblia e verá que ela, como no livro de Esdras, terá um efeito enorme em sua vida. Ela lhe mostrará como é uma vida distinta. Todas as manhãs, eu estudo a Bíblia, porque ela expõe o pecado em meu coração, da mesma forma que a Palavra do Senhor expôs o pecado do casamento inter-racial entre o povo de Deus do Antigo Testamento. Um dos motivos por que volto a ela é porque, nesse sentido, é uma amiga fiel. À medida que me entrego à leitura e ao estudo de sua Palavra, Deus, bondosa e (pode parecer) generosamente, usa-a por intermédio de seu Espírito. Ele a usará em sua vida também, se você reservar um tempo para estudá-la.

Você percebe que quando comparece à igreja não engana ninguém, não é? Sabemos que você é pecador, quer seja membro da igreja há cinqüenta anos, quer a tenha visitado apenas uma vez. Estamos bem conscientes do fato de que todos somos pecadores. Por isso, por favor, perceba que seu comparecimento não engana ninguém. Sabemos que você se rebelou contra Deus, não porque sabemos tudo sobre sua vida, mas porque compartilhamos a mesma natureza humana caída. O único homem que nunca teve pecado foi Jesus Cristo. O escritor do livro de Hebreus, do Novo Testamento, diz que apenas "nos convinha tal sumo sacerdote [Jesus], santo, inocente, imaculado, separado dos pecadores e feito mais sublime do que os céus" (Hb 7.26).

Deus usa a Bíblia para expor nosso pecado. E Ele usa a Bíblia para nos guiar para a santidade — para uma vida distinta do mundo que nos rodeia. Essa é sua experiência como cristão? Se for, fale aos irmãos cristãos sobre isso. Encoraje-os a encontrar consolo, direção, conforto e desafio na Palavra do Senhor. E, sim, sinta-se livre para recomendar outros livros. Mas, por favor, nunca tenha qualquer outro livro em tão alta consideração quanto a Bíblia, o livro que o Espírito de Deus inspirou de forma especial.

Como igreja, devemos sempre nos deixar ser reformados, remodelados e reorganizados pela Palavra do Senhor. Queremos cultos que ponham a Palavra do Senhor no centro de nosso tempo juntos, como também queremos orações que exponham a Bíblia. Sabemos como precisamos muito disso.

A Palavra de Deus revela nosso pecado, e, por seu intermédio dela, conhecemos o Senhor e o amamos de todo nosso coração.

O Povo de Deus se Arrepende (cap. 10)

Chegamos ao último capítulo de Esdras, em que o povo de Deus se arrepende. Vejamos o capítulo 10:

E orando Esdras assim, e fazendo esta confissão, e chorando, e prostrando-se diante da Casa de Deus, ajuntou-se a ele de Israel uma mui grande congregação de homens e mulheres e de crianças, porque o povo chorava com grande choro. Então, respondeu Secanias, filho de Jeiel, um dos filhos de Elão, e disse a Esdras: Nós temos transgredido contra o nosso Deus e casamos com mulheres estranhas do povo da terra, mas, no tocante a isso, ainda há esperança para Israel. Agora, pois, façamos concerto com o nosso Deus, de que despediremos todas as mulheres e tudo o que é nascido delas, conforme o conselho do Senhor e dos que tremem no mandado do nosso Deus; e faça-se conforme a Lei. Levanta-te, pois, porque te pertence este negócio, e nós seremos contigo; esforça-te e faze assim. Então, Esdras se levantou e ajuramentou os maiorais dos sacerdotes e dos levitas e todo o Israel, de que fariam conforme esta palavra; e eles juraram. E Esdras se levantou de diante da Casa de Deus, e entrou na câmara de Jeoanã, filho de Eliasibe, e, vindo lá, pão não comeu, e água não bebeu, porque estava angustiado pela transgressão dos do cativeiro. E fizeram passar pregão, por Judá e Jerusalém, a todos os que vieram do cativeiro, para que se ajuntassem em Jerusalém; e que todo aquele que, em três dias, não viesse, segundo o conselho dos príncipes e dos anciãos, toda a sua fazenda se poria em interdito, e ele seria separado da congregação dos do cativeiro. Então, todos os homens de Judá e Benjamim, em três dias, se ajuntaram em Jerusalém; era o nono mês, no dia vinte do mês; e todo o povo se assentou na praça da Casa de Deus, tremendo por este negócio e por causa das grandes chuvas. Então, se levantou Esdras, o sacerdote, e disse-lhes: Vós tendes transgredido e casastes com mulheres estranhas, multiplicando o delito de Israel. Agora, pois, fazei confissão ao Senhor, Deus de vossos pais, e fazei a sua vontade; apartai-vos dos povos das terras e das mulheres estranhas. E respondeu toda a congregação e disse em altas vozes: Assim seja; conforme as tuas palavras, nos convém fazer. Porém o povo é muito, e também é tempo de grandes chuvas, e não se pode estar aqui fora; nem é obra de um dia nem de dois, porque somos muitos os que transgredimos neste negócio. Ora, ponham-se os nossos príncipes, por toda a congregação, sobre este negócio; e todos os que, em nossas cidades, casaram com mulheres estranhas venham em tempos apontados, e com eles os anciãos de cada cidade, e os seus juízes, até que desviemos de nós o ardor da ira do nosso Deus, por esta causa. Porém somente Jônatas, filho de Asael, e Jazeías, filho de Ticva, se puseram sobre este negócio; e Mesulão e Sabetai, levita, os ajudaram. E assim o fizeram os que tornaram do cativeiro; e apartaram-se o sacerdote Esdras e os homens, cabeças dos pais segundo a casa de seus pais, e todos pelos seus nomes; e assentaram-se no primeiro dia do décimo mês, para inquirirem neste negócio. E acabaram de tratar com todos os homens que casaram com mulheres estranhas, até ao primeiro dia do primeiro mês (10.1-17).

Depois dessa passagem, os versículos finais do livro apresentam uma lista de todos os descendentes de sacerdotes que se casaram com mulheres estrangeiras (10.18-44). Contudo, esses primeiros dezessete versículos são uma passagem vívida! Toda a congregação respondeu em voz alta debaixo de chuva. Embora o mais relevante tenha sido a resposta deles à exposição de seus pecados.

Confissão e Arrependimento pelo Pecado

Eles expressam arrependimento por seus pecados e os confessam quando os pecados são expostos.

No capítulo 9, vimos que Esdras estava assustado e atônito. Como um estudioso observou: "Nossa maior garantia contra o pecado é ficar chocado com ele".[11] E a passagem deixa claro a profundeza do choque e da aflição de Esdras. Ele se humilha (9.5) e, depois, o sofrimento do seu coração cresce e o compele a orar: "Meu Deus! Estou confuso e envergonhado, para levantar a ti a minha face, meu Deus, porque as nossas iniqüidades se multiplicaram sobre a nossa cabeça, e a nossa culpa tem crescido até aos céus" (9.6).

Um aparte interessante: Em 1995, quando a Convenção Batista do Sul fez um pedido de desculpa formal para a escravidão, talvez você tenha ouvido cristãos debaterem a noção de responsabilidade corporativa pelo pecado. Outras denominações tomaram atitudes semelhantes. Todavia, um indivíduo ou um grupo pode realmente assumir responsabilidade corporativa pelo pecado? Não estou totalmente convencido disso, mas vale a pena observar que Esdras ora pelas "nossas iniqüidades". E ele não se refere apenas ao pecado genérico, e sim ao pecado recente do casamento inter-racial, embora ele não tenha participado do mesmo. Isso é interessante, não é mesmo? Você pode pensar mais a respeito disso depois do almoço.

De qualquer forma, estende-se pelo capítulo 10 o sofrimento de Esdras por causa do pecado. No versículo 1, uma grande multidão rodeia Esdras e se junta a ele em "grande choro". No versículo 2, alguém da multidão lidera uma confissão pública de pecado. A seguir, Esdras chama "todos os homens de Judá e Benjamim" para fazer "confissão ao Senhor" (10.9,11). E eles fazem! Toda a congregação responde em voz alta: "Somos muitos os que transgredimos neste negócio" (10.13). Deus leva Esdras e o povo ao arrependimento por seus pecados e a confessá-los. Mais uma vez, a luz das Escrituras expõe o pecado.

O que é pecado? É rejeitar a vontade do Senhor. É seguir nossa vontade em vez da de Deus. É amar outra pessoa ou outras coisas mais que a Ele. Nós fazemos tudo isso. E todos nós devemos prestar contas a Ele. Amigo, se você se lembra de seu pecado apenas com fria indiferença, ore para que Deus mude seu coração. Ore para que Ele, de forma soberana, mude a indiferença de seu coração em pesar. Ore para que você comece a entender como seu pecado o deixa, moralmente, arruinado.

Que esperança resta a você? Como mencionei, sua única esperança está naquEle que não tem pecados de que se arrepender — o Senhor Jesus Cristo. A única dor pelos pecados que Ele conheceu foi a dor pelos meus pecados e pelos de vocês, e, em especial, pelos pecados que suportou em sua morte na cruz. Como Pedro afirmou: "Levando ele mesmo em seu corpo os nossos pecados sobre o madeiro" (I Pe 2.24).

Sei que hoje não pensamos muito em dor e em confissão. A *modéstia* parece fora de moda, e a *humildade*, uma coisa antiga. *Circunspeção* é uma palavra desconhecida, e *vergonha* é uma mercadoria rara, pelo menos, a vergonha pelas coisas certas. Oremos para que Deus nos use para ajudar a ressuscitar esses conceitos tão importantes para nossa cultura. Você consegue imaginar uma cultura sem modéstia ou humildade, sem senso de vergonha ou de responsabilidade? No Ocidente, talvez cheguemos logo a esse ponto. Façamos nossa parte para resistir a esse movimento. No trabalho, exiba modéstia. Modele a humildade ao falar de si mesmo. Em sua casa, encoraje seu cônjuge e treine seus filhos a serem cuidadosos e circunspetos. Pergunte-se se alguém que o conhece o descreveria como humilde. Advogados, encontrem uma boa linguagem para expressar vergonha. Equipe da Capitol Hill, observe a presunção em seu próprio coração e, gentilmente, oponha-se a ela quando a vir em seus amigos. Você, homem de negócios, é bem-sucedido? Perceba que mesmo sua recompensa perseguida com grande diligência chega às suas mãos pela graça do Senhor.

Hoje, se você quer se preocupar com nosso país, tome cuidado para que nós, como cultura, não fiquemos anestesiados para qualquer emoção desagradável causada pela consciência ultrajada. Como cristãos, ajamos em conjunto para fazer o nosso melhor, por nós, por nossos filhos e, por fim, pela glória do Senhor, na manutenção do vocabulário moral vivo.

Em relação ao seu coração, meu amigo cristão, cultive o pesar piedoso por seus pecados. Contemple a graça do Senhor ao meditar sobre o que você *merece* por seu pecado e, depois, contraste isso com o que Deus lhe deu! Quando você percebe, como Esdras declara em sua oração, que o Senhor lhe deu muito mais do que merece é difícil defender seus direitos com orgulho.

Pratique, de forma constante, a confissão de seus pecados a Deus. Você não surpreenderá o Senhor quando reconhecer o que, na verdade, Ele já sabe. Mas você informa a si mesmo e, com a graça do Senhor, torna-se humilde. Uma forma de ajudá-lo a confessar seus pecados ao Senhor é confessá-los a outra pessoa. Você está impaciente? Confesse isso a alguém com quem foi impaciente. E falando de maneira genérica, encontre alguém de quem teria vergonha de confessar seu pecado, e, depois, confesse-o a essa pessoa. Você e eu temos de aprender a ser vulneráveis e transparentes porque não somos bons, nem sábios e, tampouco, honestos o bastante para cuidar de nossa alma por conta própria.

Depois, ore para que nós, como igreja, sejamos capazes de ensinar sobre a santidade de Deus com clareza e constância. Temos o propósito de fazer a santidade dEle um tema importante em nossas reuniões. Ore também para que pratiquemos a confissão mútua. E ore para que cultivemos relacionamentos e amizades marcados pela humildade e honestidade propositais. Queremos fazer todas essas coisas, pois elas nos ajudam a entender o que Deus pensa dos nossos pecados.

Arrependimento e Mudança

No entanto, todo esse pesar e subseqüente confissão devem levar-nos para além deles, ou seja, devem nos conduzir ao arrependimento e à mudança. Aqui, no capítulo 10, Esdras não diz apenas: "Fazei confissão ao Senhor", mas acrescenta: "e fazei a sua vontade" (10.11). E, nesse caso, qual era a vontade de Deus? Veja o restante do versículo: "Apartai-vos dos povos das terras e das mulheres estranhas".[12]

Sem dúvida, essa é uma resposta radical, e sei que não posso responder a todas as perguntas que, talvez, você tenha a respeito do assunto. Não consigo responder nem mesmo a todas as perguntas que tenho em relação ao assunto tal como: De que forma essas esposas e filhos se sustentavam? Sei que a Bíblia pode dizer coisas radicais. Por exemplo, embora em hipérbole, Jesus ensinou: "Se a tua mão ou o teu pé te escandalizar, corta-o e atira-o para longe de ti", e: "Se o teu olho te escandalizar, arranca-o, e atira-o para longe de ti" (Mt 18.8,9). Os familiares dos exilados não foram mortos, mas deviam ser "cortados" de seus cônjuges judeus.

Isso significa que o arrependimento exige que o cristão casado com cônjuge não-cristão tem de se divorciar? De forma alguma. Paulo e Pedro, apóstolos de Cristo, falam do casamento entre cristão e não-cristão, e nenhum deles diz que esse indivíduo deve se divorciar (1 Co 7.12-16; 1 Pe 3.1,2). Desde a vinda de Cristo no século I, o povo de Deus não está mais ligado a uma nação, ou etnia, específica como acontecia na época do Antigo Testamento.

Por outro lado, Israel devia manter sua posição de nação separada, marcada e, especialmente, formada pela Palavra do Senhor a fim de se preparar para a vinda do Messias de Deus. Em certo sentido, tirar os israelitas desses casamentos com mulheres estrangeiras era a mesma coisa que tirá-los do exílio. O povo permaneceria no exílio pelo tempo em que mantivesse a divisão de suas famílias. Assim, esses casamentos, como a geografia, eram apenas ilustrativos, pedagógicos e preparatórios. Jerusalém existia para lembrá-los da fidelidade de Deus, do pecado deles e da misericórdia do Senhor. A verdadeira restauração deles foi o arrependimento.

O povo se arrependeu de verdade? No capítulo 9, Esdras faz essa pergunta no final de sua oração:

> Tornaremos, pois, agora a violar os teus mandamentos e a aparentar-nos com os povos destas abominações? Não te indignarias tu, assim, contra nós até de todo nos consumires, até que não ficasse resto nem quem escapasse? Ah! Senhor, Deus de Israel, justo és, pois ficamos escapos, como hoje se vê; eis que estamos diante de ti no nosso delito, porque ninguém há que possa estar na tua presença por causa disso (9.14,15).

Bem, meu amigo não-cristão, no futuro, o que lhe acontecerá? Você manterá seu pecado como seu, ou desistirá dele e, pela fé, receberá o dom do perdão de Deus pelos seus pecados e um crédito de justiça para você? O Senhor proveu para o perdão por intermédio da morte do Senhor Jesus na cruz. Jesus, em sua morte, pagou o preço pelos pecados de todos que se arrependem e crêem nEle. Você se arrependeu e creu? Oh, você deveria fazer isso. Nenhum pecado vale o preço de perder a Cristo. Mais ainda, essa é a decisão que você tem diante de si neste momento. Creia na Bíblia e no que ela diz a respeito de Cristo! Acredite nessas Boas Novas! Separe-se de seu pecado e, pela fé, agarre-se firmemente em Cristo. Creia na Bíblia quando declara o seguinte sobre Cristo: "Àquele que não conheceu pecado, o fez pecado por nós; para que, nele, fôssemos feitos justiça de Deus" (2 Co 5.21).

Hoje, podemos nos encontrar livremente para falar sobre essas coisas. Mas não posso prometer que amanhã poderemos nos reunir. Não sei a respeito do futuro de nossa liberdade. Não sei o futuro de nossa riqueza ou de nossas minas. Por tudo que sei, esse pode ser o último sermão que você ouve. Essa semana, em meu momento de calmaria, eu lia um livrinho interessante de Thomas Watson, *Heaven Taken by Storm* (O Céu Conquistado Abruptamente), quando a certa altura, ele desafia o leitor com esta idéia:

> Talvez esta seja a última vez que Deus fale conosco por meio de sua Palavra, talvez este seja o último sermão que ouvimos, talvez passemos da posição de

ouvintes para a de juízes. Se as pessoas, quando vão à casa do Senhor, pensassem: *Talvez esta seja a última vez que Deus nos aconselha sobre nossa alma, a última vez que vemos a face do nosso ministro*, com que devoção elas iriam à igreja!¹³

Você já pensou que essa pode ser a última vez que ouve a pregação da Palavra do Senhor? Ocupe-se com Deus. Ocupe-se com Ele quando ouvir a pregação da sua Palavra. Creia nas Boas Novas de Jesus Cristo!

Bem, meu amigo cristão, nesse último capítulo de Esdras, a que arrependimento o Senhor o chama com essa imagem de separação de esposas estrangeiras? Tenho algumas sugestões. Se você estiver noivo de uma moça não-cristã, desmanche o noivado. Deixe-me repetir isso a fim de não ser mal compreendido: se você estiver noivo de uma moça não-cristã, desmanche o noivado. Não é pecado desmanchar o noivado, e, em última instância, essa é a coisa mais amorosa a ser feita. É melhor perder o dinheiro dado como garantia para a recepção e os convites que perder sua alma. "Você está dizendo que posso perder minha salvação por casar com uma moça não-cristã?" Não, digo apenas que seus atos revelam o que você ama de verdade. Se você estiver em condição de escolher livremente, não deveria escolher, de livre e espontânea vontade, entrar em uma vida de submissão dilacerante, ao prometer amar alguém que você sabe que — de acordo com as Escrituras — odeia aquEle que você mais ama. Com certeza, você não deveria dar esse passo.

Cristão, a que arrependimento Deus o chama? Deixe-me dar-lhe outra possibilidade. Desmanche com sua namorada, ou namorado, se ela, ou ele, não trabalha com você para crescer em Cristo. Talvez você concorde, com alegria, em não se casar com uma não-cristã, mas acha que não tem problema namorar uma. Então, por que você a namora? Para estimular o afeto de um pelo outro quando você diz que está resolvido a não levar essa afeição à alegria do casamento? Que tipo estranho e egoísta de crueldade é esse? Sua satisfação egoísta de agora quer dizer que você partirá mais fundo o coração dela depois. Meu amigo cristão, se a pessoa que você namora não é, ou não pode ser, membro da mesma igreja que você, é preciso parar e pensar: A questão que a impede de fazer isso é importante? Deus tem um plano maravilhoso para nós no casamento, e parte dele inclui encontrarmos alguém com quem possamos estabelecer uma união pacífica em que um reforce o outro, não uma em que discordamos e nos desgastamos em assuntos que afirmamos ser os que tocam nosso coração mais de perto.

Cristão, a que arrependimento Deus o chama? Tenho apenas mais uma sugestão. Abandone sua abordagem passiva nas amizades. Perceba que você deve procurar ativamente e cultivar amizades que o tragam para mais perto do Senhor. Não preciso ser profeta para lhe dizer como você estará daqui um ano. Tudo que preciso saber é com quem você anda, com quem você passa seu tempo, por quem você sente afeto, de quem você gosta.

Em um mundo caído, tantas coisas que vêm facilmente não são certas, e tantas coisas que são certas não vêm facilmente. Portanto, oremos uns pelos outros. Ore para que nossa igreja seja uma comunidade tão forte e amorosa que possamos nos ajudar a ser contracultural nesses assuntos. Não, nós não nos salvamos por sermos distintos e contraculturais. Mas digo-lhe isto: no mundo de hoje, não nos salvamos sem ser distintos e contraculturais.

O povo de Deus é separado dos outros pelo arrependimento, nós nos afastamos do nosso pecado. Quando você é confrontado com seu pecado, apega-se ainda mais a ele e fica ressentido com a pessoa que o confrontou? Essa é a marca de uma pessoa que vai para o inferno. O coração ganho pela graça de Cristo liberta-se dessa atitude defensiva e desse orgulho, afirmando: "Sim, eu sou um pecador. Eu preciso de ajuda. Entre em minha vida". O povo de Deus distingue-se por esse tipo de arrependimento.

Conclusão: A Igreja se Tornará Visível?

No livro de Esdras, aprendemos que o povo separado de Deus testemunha a distinção do Senhor e, por essa razão, retêm a esperança para os outros por meio das próprias coisas que o tornam separados.

Hoje, muitas pessoas que andam pelas ruas estão desesperançadas, até desesperadas. Você sabe por que elas estão assim? Estão assim porque não sabem como Deus realmente é! Se elas soubessem como Deus realmente é, teriam a esperança de que precisam para viver.

O livro de Esdras afirma que Deus é *bom*. Nesse livro, descobrimos que Ele é *gracioso* e *benigno* (9.8,9). Que Ele é *misericordioso* (9.13). No capítulo 10, encontramos estas palavras abençoadas: "Mas, apesar disso, ainda há esperança para Israel" (10.2; NVI).

Hoje, como o mundo encontra esperança na verdade de quem Deus é? Bem, poderiam ler Esdras. Isso é verdade. Todavia, é provável que não leiam Esdras. Então, como eles descobrirão? É muito provável que encontrem esperança ao ler *você*. Se você é cristão, está aqui como testemunha de Deus no mundo. Espera-se que as pessoas olhem para você e para mim a fim de encontrar a resposta para a pergunta: "Como Deus é?"

Elas podem fazer isso? Bem, se nos denominamos cristão, as pessoas *estão* olhando para nós. Suponho que a pergunta mais apropriada seja esta: Elas terão a resposta correta ao olhar para nós?

Oremos:

Oh, Deus, oramos para que o Senhor crucifique nosso egoísmo na cruz do seu amor. Oramos para que o Senhor, em seu amor, torne-nos humildes. Oramos para que ponha sua Palavra no fundo do nosso coração e cure-nos. Faça sua obra em nosso coração por causa de Jesus e para sua glória por meio de seu povo. Amém.

Questões para Reflexão

1. Por que o *cristão mundano* é a pior combinação de duas coisas? Por que Jesus promete vomitar esse tipo de pessoa (Ap 3.15-17)?
2. Por um momento, pense em sua igreja. Se um amigo seu não-cristão passasse um tempo com os membros da sua igreja em reuniões formais e informais, ele diria: "Opa! Essas pessoas são diferentes de todas as outras que conheço no trabalho" (ou "na escola", ou em qualquer outro lugar)? Se a resposta for positiva, que diferenças seu amigo notaria? Se for não, o que *você* espera fazer para mudar isso?
3. No livro de Esdras, "aprendemos que o povo separado de Deus testemunha a distinção do Senhor e, por essa razão, retêm a esperança para os outros por meio das próprias coisas que o tornam separados". Com base nessa linha de raciocínio e no que lemos em Esdras, qual a coisa mais importante que uma igreja pode fazer para ter esse alcance evangelístico?
4. Deus opunha-se ao casamento inter-racial entre seu povo especial do Antigo Testamento porque sabia que isso os desviaria para outros deuses, e, assim, destruiria o testemunho deles para as outras nações. Esdras *expôs* o pecado do povo com a *Palavra de Deus* quando, ao voltar, descobriu que os exilados que haviam retornado antes dele haviam se casado com mulheres estrangeiras. O que isso significa para nossa igreja hoje? Em outras palavras, o que os pastores, em particular, devem fazer, antes de tudo, se quiserem fortalecer o alcance evangelístico de sua igreja?
5. Neste sermão, fomos instruídos a não tentar determinar *o que é certo pelo que é popular*. Em que área de sua vida pessoal você fica tentado a cometer esse tipo de engano? Em que aspecto você se sente tentado a determinar o que é verdade pelo que vem facilmente, ou pelo que parece bom? Se você é pastor, ou outro tipo de líder da igreja, em que aspectos você se sente tentado a padronizar seu ministério pelo que é popular, em vez de pelo que é verdade? Se você é membro da igreja, em que aspectos você se sente tentado a criticar sua igreja de acordo com suas preferências, em vez de se basear no que a Bíblia ensina?
6. As pessoas da igreja sabem que você é um pecador? Você lhes contou isso? O que você contou a eles? A quem você contou? Ou você prefere que eles

pensem que sua alma é bem moldada como sua camiseta e bem polida como seus sapatos?
7. O que é o arrependimento? Há algum pecado em sua vida do qual você se nega a se arrepender (a se afastar)? Por que o destino eterno de sua alma depende de sua resposta a essas duas perguntas?
8. Há alguém em sua vida que você ama muito e que se diz cristão, porém, não se arrepende de seu pecado? Você já o confrontou direta, específica e gentilmente a respeito de sua falta de arrependimento? Por que você acha que ama essa pessoa?
9. Você crê que Deus é o Criador Todo-poderoso e o Senhor do universo? Então, por que você não ora com mais assiduidade? Você tem certeza de que acredita no que afirma crer?
10. Como Esdras — tanto a pessoa que foi como o que fez — aponta para Jesus Cristo? Pense especificamente nisto: 1) por que, no capítulo 7, Artaxerxes mandou-o de volta a Judá; 2) no capítulo 9, qual foi o papel dele em favor de seu povo e na confissão deste; e 3) no capítulo 10, a exortação que faz ao povo.

NOTAS

Capítulo 15

[1] A data de pregação original deste sermão foi em 17 de novembro de 2002, na Capitol Hill Baptist Church, em Washington, D.C.
[2] David Wells, God in the Wasteland: The Reality of Truth in a World of Fading Dreams (Grand Rapids, Mich.: Eerdmans, 1994), p. 58.
[3] Philip Jenkins, The Next Christendom: The Coming of Global Christianity (Nova York: Oxford University Press, 2002), p. 95.
[4] Se fosse mensurado pelo percentual da população, o declínio seria ainda maior.
[5] Zorobabel é neto de Joaquim, que foi rei de Judá na terceira e última onda de conquistas babilônias, em 586.
[6] Como estamos antes de Cristo, os anos funcionam em sentido inverso. Quanto mais vamos para o passado, maiores são os números, o que pode ser confuso se você não estiver habituado a trabalhar com história antiga!
[7] 1 Crônicas 16.34; 2 Crônicas 5.13; 7.3.
[8] Cf. 2 Reis 17.24-41.
[9] Cf. 7.25,26; Mateus 28.19,20.
[10] 7.11; cf. 7.12,14; 9.10,11.
[11] Edward Musgrave Blaiklock em um sermão intitulado "Temptation", que pregou na Keswick Convention, em 1959. Disponível online em: http//rgwtty.com/kesserout.html.
[12] Cf. 10.3-5,11,12,16,17,19.
[13] Thomas Watson, Heaven Taken by Storm: Showing the Holy Violence a Christian Is to Put Forth in the Pursuit After Glory (Ligonier, Pa.: Soli Deo Gloria, 1992), pp. 17,18.

A MENSAGEM DE NEEMIAS: RECONSTRUÇÃO

AFIRME-SE

INTRODUÇÃO A NEEMIAS

1. UM LÍDER PIEDOSO ORA

2. UM LÍDER PIEDOSO AGE

3. UM LÍDER PIEDOSO ENFRENTA OPOSIÇÃO

4. UM LÍDER PIEDOSO SE IMPORTA

5. UM LÍDER PIEDOSO DIRECIONA O POVO PARA A PALAVRA DE DEUS

6. UM LÍDER PIEDOSO CONFESSA OS PECADOS

7. UM LÍDER PIEDOSO LEVA O POVO A ASSUMIR COMPROMISSOS ESPECÍFICOS

8. UM LÍDER PIEDOSO PERSISTE NA LIDERANÇA

CONCLUSÃO

CAPÍTULO 16

A Mensagem de Neemias:
Reconstrução

AFIRME-SE[1]

Bem, eu recebi esta carta de novo:

Caro Sr. Dever,
Sua carreira não é impulsionada apenas pelo dinheiro, não é mesmo?
Acho que não. Envolve algo mais profundo.
Alguma coisa mais central para sua essência, algo que faz seu coração bater mais forte, e você não consegue imaginar-se vivendo sem isso.
É sobre liderança. Ter a palavra. Fazer as coisas acontecerem. Deixar sua marca no futuro.

A *Harvard Business Review* enviou-me duas vezes essa carta. Devo estar agendado para receber essa carta em meados do verão de todo ano par. À parte desse fato inusitado de eles me enviarem duas vezes a mesma carta-padrão, a carta em si mesma é bastante instrutiva. Encontramos, com freqüência, as conclusões mais pesquisadas e concisas sobre onde está nossa sociedade hoje nas campanhas de propaganda com apelos imediatos e instantâneos. Esses apelos fornecem-nos a forma crucial de como as pessoas pensam. Com certeza, a *Harvard Business Review* deve oferecer-nos um reflexo acurado do que as pessoas pensam a respeito de liderança hoje. Aparentemente, gostamos de pensar em nós mesmos como líderes, e um líder é alguém que, como dizem na carta, tem a palavra, faz as coisas acontecerem e deixa *sua* marca no futuro. A liderança é a auto-afirmação. É autoconfiança. Realmente, é centrar-se em si mesmo.

Isso está certo? Essas coisas são a essência da liderança?

Introdução a Neemias

Poucos livros falam com mais clareza sobre a natureza da liderança que o livro de Neemias, do Antigo Testamento, que, originalmente, era a segunda metade do livro de Esdras. (Veja o sermão sobre Esdras para saber mais a respeito disso.) Chegamos a Neemias em nossa atual série de sermões panorâmicos sobre os livros históricos do Antigo Testamento. Nossa série iniciou-se com o livro de Josué, que começa mil anos antes de Neemias. Josué descreve a conquista de Israel e o estabelecimento inicial da Terra Prometida para nós. A seguir, vem Juízes, que reconta três séculos de líderes, alguns bons, outros maus. Depois, Rute, um pequeno camafeu precioso do cuidado providencial de Deus para seu povo em momentos de desespero. Após Rute, temos I e 2 Samuel, I e 2 Reis e I e 2 Crônicas que contam e recontam a história de como Deus lidava com seu povo por intermédio de Samuel, Saul, Davi, Salomão e todos os reis de Israel e de Judá até o Reino do Norte ser destruído, e, em 586 a.C., o Reino do Sul ser exilado na Babilônia. Depois, temos Esdras, o retorno dos exilados, da Babilônia para Jerusalém, e a reconstrução do Templo, concluída em 516 a.C., setenta anos após a destruição do Templo original. E agora, em Neemias, o local em que, por volta de 440 a.C., a história do Antigo Testamento termina com a reconstrução do muro de Jerusalém pelo povo de Deus.

Em Neemias, vemos o povo de Deus recolonizar a terra, reconstruir os muros de Jerusalém e preparar-se para lutar. Eles realizam muitas coisas, e o nome de muitos deles têm destaque nas listas espalhadas pelo livro. Entretanto, os líderes estão no primeiro plano do desdobramento da história: os sacerdotes que trabalham no Templo e ensinam a lei de Deus — chefes entre os quais se encontra Esdras — e o próprio governador, Neemias.

À medida que vemos os quadros apresentados nos livros de Esdras e de Neemias queremos fazer uma pergunta bastante crucial: que tipo de liderança a Bíblia apresenta como exemplar? De forma ainda mais concisa: o que é liderança piedosa? Essa pergunta ajudará a nos guiar pelo livro de Neemias, em que veremos *oito* aspectos da liderança piedosa.

Ore para que Deus, durante esse tempo, lhe dê mais entendimento sobre o que ele o chama a ser, como também de como o chama a usar seu tempo, a influência e as oportunidades que Ele lhe dá.

1. Um Líder Piedoso Ora

Primeiro, vemos que um líder piedoso ora. O livro inicia-se com Neemias recebendo algumas notícias ruins, na Babilônia. Neemias reconta a história:

Veio Hanani, um de meus irmãos, ele e alguns de Judá; e perguntei-lhes pelos judeus que escaparam e que restaram do cativeiro e acerca de Jerusalém. E disseram-me: Os restantes, que não foram levados para o cativeiro, lá na província estão em grande miséria e desprezo, e o muro de Jerusalém, fendido, e as suas portas, queimadas a fogo. E sucedeu que, ouvindo eu essas palavras, assentei-me, e chorei, e lamentei por alguns dias; e estive jejuando e orando perante o Deus dos céus (1.2-4).

Hoje, não pensamos muito em muros de cidades, por isso, talvez a notícia que Neemias recebeu sobre o triste estado dos muros de Jerusalém não pareça muito importante. Contudo, na verdade, os muros das cidades eram mais importantes para a defesa que os exércitos. Sem os muros, a cidade ficava à mercê de qualquer bando de saqueadores que passasse. A cidade não poderia controlar os próprios negócios. Por isso, existe o provérbio: "Como a cidade derribada, que não tem muros, assim é o homem que não pode conter o seu espírito" (Pv 25.28). Esse homem é destruído por qualquer tentação passageira ou influência exterior.

No início desse livro, Jerusalém estava nesse estado. Neemias soube disso, sentiu-se movido e, imediatamente, começou a orar. Seu primeiro ato é dirigir-se a Deus, que é soberano sobre todos os impérios que poderiam atacar Jerusalém. Ele ora,

> Ah! Senhor, Deus dos céus, Deus grande e terrível, que guardas o concerto e a benignidade para com aqueles que te amam e guardam os teus mandamentos! Estejam, pois, atentos os teus ouvidos, e os teus olhos, abertos, para ouvires a oração do teu servo, que eu hoje faço perante ti, de dia e de noite, pelos filhos de Israel, teus servos; e faço confissão pelos pecados dos filhos de Israel, que pecamos contra ti; também eu e a casa de meu pai pecamos. De todo nos corrompemos contra ti e não guardamos os mandamentos, nem os estatutos, nem os juízos que ordenaste a Moisés, teu servo. Lembra-te, pois, da palavra que ordenaste a Moisés, teu servo, dizendo: Vós transgredireis, e eu vos espalharei entre os povos. E vós vos convertereis a mim, e guardareis os meus mandamentos, e os fareis; então, ainda que os vossos rejeitados estejam no cabo do céu, de lá os ajuntarei e os trarei ao lugar que tenho escolhido para ali fazer habitar o meu nome. Estes ainda são teus servos e o teu povo que resgataste com a tua grande força e com a tua forte mão. Ah! Senhor, estejam, pois, atentos os teus ouvidos à oração do teu servo e à oração dos teus servos que desejam temer o teu nome; e faze prosperar hoje o teu servo e dá-lhe graça perante este homem. Então, era eu copeiro do rei (1.5-11).

Essa é uma oração bonita e compacta que se inicia com louvor, passa para a confissão, depois, cita as promessas de Deus para o próprio Senhor. Neemias lembra ao Senhor como seu nome está amarrado ao nome do seu povo e, a seguir, pede que Deus mude o coração do rei da Pérsia. Adoração, confissão, promessa escritural, honra a Deus, o próprio pedido — não é um modelo ruim de oração! Se você é um líder em qualquer âmbito e quer saber como orar, a breve oração de Neemias, apresentada no capítulo 1, é um bom modelo.

No capítulo 1, Neemias não se sentiu apenas movido a orar, mas ele ora ao longo do livro. No capítulo 2, como alguns dizem, ele atira uma "flecha de oração" quando o rei Artaxerxes lhe faz uma pergunta que ele quer responder direito: "E o rei me disse: Que me pedes agora? Então, orei ao Deus dos céus e disse ao rei: Se é do agrado do rei [...]" (2.4,5a). Tenha certeza de que Neemias não abriu a boca e proferiu uma longa oração pastoral como fazemos nas manhãs de domingo na igreja. Presumo que ele fez uma oração silenciosa e breve. Você não quer que o rei pense que não presta atenção! Esse tipo de oração parece ser típico da vida de Neemias. Ao longo do livro, ele profere orações breves ao Senhor sobre tudo que o preocupa: "Lembra-te de mim para bem, ó meu Deus"; "Lembra-te, meu Deus, [...] dos mais profetas que procuraram atemorizar-me", e assim por diante.[2]

Pergunto-me o quanto *você* se sente sozinho quando recebe notícias ruins ou quando passa por momentos trágicos. Se você não crê no Deus da Bíblia, acho que deve experimentar um dos momentos mais solitários do universo quando escuta algo de grande magnitude — bom ou ruim — e sente o desejo natural de conversar com Ele. Para dizer "Obrigado!", ou "Por quê?" Eu já vi isso acontecer tantas vezes; e acho que você sabe do que estou falando. Talvez você pensasse que apenas conversava consigo mesmo. Mas eu acho que não. Acho que tentava conversar com alguém, com alguém que você nem conhece.

E você *pode* conhecê-lo! Deus se importa conosco de uma maneira que ninguém mais se importa. Por fim, o povo de Deus, quando estava em Jerusalém e ninguém prestava atenção a eles, não estava à disposição de seus dominadores persas. Pela providência de Deus, as notícias chegaram até Neemias, na Babilônia, e ele foi enviado ao povo em Jerusalém! Afinal, apenas Deus é soberano e sempre pode ser abordado em oração. Esse é um pensamento maravilhoso! De que sempre podemos nos aproximar dEle, o Soberano do universo, por meio da oração! Talvez até mesmo aqueles entre vocês que se encontrem com o presidente da República com regularidade não possam falar com ele à vontade. Todavia, aqueles de nós que conhecemos o Senhor, por intermédio de Cristo, sempre podemos conversar com aquEle que tem o coração dos presidentes nas mãos. Esse é o privilégio que você e eu temos em Cristo — o privilégio da oração.

Meu amigo cristão, cultive sua vida de oração. Cultive seu desejo de conversar com o Senhor. Qual é sua primeira resposta aos desafios? Às más notícias? No que diz respeito ao assunto, qual é sua primeira resposta às boas notícias? O que incita seu coração? Você deve responder com oração quando ouvir qualquer coisa relevante. Principalmente, se for um líder do povo de Deus!

Espero que aqueles entre vocês que são líderes da igreja percebam que Neemias não nos encoraja tanto a orar pelo exército nacional como nos impulsiona a fazê-lo para que o povo de Deus seja distinto do mundo que o rodeia. Em última instância, é *por isso* que Neemias está preocupado com os muros de Jerusalém. Hoje, não precisamos orar para que Deus levante um limite físico entre seu povo e os outros; temos de orar para que Ele preserve a distinção entre o povo que redimiu e os que permanecem nas trevas e na desobediência. É dessa forma que o mundo verá a luz — por intermédio de pessoas como nós à medida que levamos uma nova vida. E, como líderes da igreja, se formos líderes piedosos, devemos orar dessa forma.

2. Um Líder Piedoso Age

Esse livro, acima de tudo, é um livro de ação, o que nos leva à segunda característica do líder piedoso: um líder piedoso age.

Em grande parte, o livro funciona como as memórias de Neemias. Com isso, não quero dizer autobiografia, que seria um registro de sua vida interior. Não, ele é uma memória porque reconta grandes eventos e a participação de Neemias neles. Dessas memórias emergem um agente político habilidoso, cuja preocupação com seu povo, aparentemente, coincide com os desejos de seu rei Artaxerxes. É Artaxerxes quem comissiona Neemias para ir a Jerusalém:

> Sucedeu, pois, no mês de nisã, no ano vigésimo do rei Artaxerxes, que estava posto vinho diante dele, e eu tomei o vinho e o dei ao rei; porém nunca, antes, estivera triste diante dele. E o rei me disse: Por que está triste o teu rosto, pois não estás doente? Não é isso senão tristeza de coração. Então, temi muito em grande maneira e disse ao rei: Viva o rei para sempre! Como não estaria triste o meu rosto, estando a cidade, o lugar dos sepulcros de meus pais, assolada, e tendo sido consumidas as suas portas a fogo? E o rei me disse: Que me pedes agora? Então, orei ao Deus dos céus e disse ao rei: Se é do agrado do rei, e se o teu servo é aceito em tua presença, peço-te que me envies a Judá, à cidade dos sepulcros de meus pais, para que eu a edifique. Então, o rei me disse, estando a rainha assentada junto a ele: Quanto durará a tua viagem, e quando voltarás? E aprouve ao rei enviar-me, apontando-lhe eu um certo tempo (2.1-6).

Que relato interessante! Neemias temeu muito o poder desse monarca absoluto quando foi tratar com ele, e seu semblante triste na presença do rei demonstrava sua preocupação com sua cidade, porém, ele continuou com seu pedido, apesar do medo. Como já mencionamos, ele orou e agiu! Ele falou com o rei sobre seus problemas! Neemias era um homem de ação. Ele declara: "E o rei mas deu, segundo a boa mão de Deus sobre mim" (2.8; cf. 2.18). Antes de você saber — na verdade, no versículo seguinte (2.9) —, Neemias sai com as cartas do rei, com permissão para agir, em suas mãos.

Ao chegar em Jerusalém, mais uma vez, Neemias toma a iniciativa e envia uma missão de reconhecimento:

> E, de noite, me levantei, eu e poucos homens comigo, e não declarei a ninguém o que o meu Deus me pôs no coração para fazer em Jerusalém; e não havia comigo animal algum, senão aquele em que estava montado. E, de noite, saí pela Porta do Vale, para a banda da Fonte do Dragão e para a Porta do Monturo e contemplei os muros de Jerusalém, que estavam fendidos, e as suas portas, que tinham sido consumidas pelo fogo (2.12,13).

Bem, Neemias, depois de verificar os fatos, não demora a iniciar seu trabalho. Ele aceita o desafio de cuidar de Jerusalém e, no capítulo 3, lidera o povo na reconstrução do muro.

E ele faz isso com habilidade! Ele divide o trabalho entre vários grupos de pessoas, responsabilizando muitos deles por trechos do muro próximos às suas casas; assim eles tinham um interesse óbvio na obra (3.23,28-30; cf. 7.3). Do começo ao fim do capítulo 3, vemos o povo reparando o muro com zelo.

Perto do fim do capítulo 6, o muro é concluído. Todavia, Neemias continua a ser um homem de ação ao longo de todo o livro. No capítulo 7, ele lida com os problemas criados pelo fato de a população da cidade ser muito pequena. No capítulo 12, ele orquestra a celebração para a consagração do muro concluído. Pela providência de Deus, nenhuma parte relevante da reabilitação de Jerusalém realizou-se sem a atividade desse líder, Neemias! É uma história notável.

Hoje, cristão, você e eu não precisamos agir para nos separar fisicamente dos outros. Deus não chama os cristãos para viver em comunidades fechadas separadas, nem para construir altos muros em volta de suas igrejas. *Não* é assim que aplicamos o empenho e o esforço de Neemias a nós mesmos. Antes, queremos, pelo tempo em que vivermos neste mundo, ser identificados como os que foram redimidos pela morte de Cristo. Nosso Salvador garantiu-nos uma novidade de vida, e queremos que essa mudança seja nossa marca. Afinal, é nossa novidade de vida, mais que qualquer muro, que dirige o mundo para Ele!

Por essa razão, o arrependimento e a confiança devem ser nossas principais ações. O fruto maravilhoso de nossa novidade torna-se, mais e mais, evidente à medida que nos arrependemos continuamente de nossos pecados e que cremos em Cristo. Assim, devemos encorajar uns nos outros o arrependimento contínuo dos pecados, os quais fazem parecer que ainda pertencemos a este mundo.

Se essa é a forma como agem os líderes piedosos, então ore para que Deus dê aos presbíteros da sua igreja sabedoria para agir de forma a abençoar esta igreja, a preservar o testemunho da igreja e a proteger o povo do Senhor de se corromper com o mundo que o rodeia.

O líder piedoso age.

3. UM LÍDER PIEDOSO ENFRENTA OPOSIÇÃO

Terceiro, o líder piedoso enfrenta oposição. No capítulo 2, surgem os primeiros movimentos de oposição quando Neemias anuncia seu plano de retornar a Jerusalém (2.10,19). Mas, no capítulo 4, a oposição começa, de fato, a dominar a história, depois de Neemias fazer o povo iniciar a reconstrução do muro:

> E sucedeu que, ouvindo Sambalate que edificávamos o muro, ardeu em ira, e se indignou muito, e escarneceu dos judeus. E falou na presença de seus irmãos e do exército de Samaria e disse: Que fazem estes fracos judeus? Permitir-se-lhes-á isso? Sacrificarão? Acabá-lo-ão num só dia? Vivificarão dos montões do pó as pedras que foram queimadas? E estava com ele Tobias, o amonita, e disse: Ainda que edifiquem, vindo uma raposa, derrubará facilmente o seu muro de pedra (4.1-3).

A reconstrução continua em meio a escárnio e oposição. Contudo, a seguir, erguem-se as estacas:

> E sucedeu que, ouvindo Sambalate, e Tobias, e os arábios, e os amonitas, e os asdoditas que tanto ia crescendo a reparação dos muros de Jerusalém, que já as roturas se começavam a tapar, iraram-se sobremodo. E ligaram-se entre si todos, para virem atacar Jerusalém e para os desviarem do seu intento. Porém nós oramos ao nosso Deus e pusemos uma guarda contra eles, de dia e de noite, por causa deles. Então, disse Judá: Já desfaleceram as forças dos acarretadores, e o pó é muito, e nós não poderemos edificar o muro. Disseram, porém, os nossos inimigos: Nada saberão disso, nem verão, até que entremos no meio deles e os matemos; assim, faremos cessar a obra. E sucedeu que, vindo os judeus que habitavam entre eles, dez vezes nos disseram que, de todos os lugares, tornavam a nós. Pelo que pus guardas nos lugares baixos por detrás do muro e nos altos; e pus o povo, pelas suas famílias, com as suas espadas, com as suas lanças e com os seus arcos. E olhei, e levantei-me, e disse aos nobres, e aos magistrados, e ao

resto do povo: Não os temais; lembrai-vos do Senhor, grande e terrível, e pelejai pelos vossos irmãos, vossos filhos, vossas mulheres e vossas casas. E sucedeu que, ouvindo os nossos inimigos que já o sabíamos e que Deus tinha dissipado o conselho deles, todos voltamos ao muro, cada um à sua obra. E sucedeu que, desde aquele dia, metade dos meus moços trabalhava na obra, e a outra metade deles tinha as lanças, os escudos, os arcos e as couraças; e os chefes estavam por detrás de toda a casa de Judá. Os que edificavam o muro, e os que traziam as cargas, e os que carregavam, cada um com uma mão fazia a obra e na outra tinha as armas. E os edificadores cada um trazia a sua espada cingida aos lombos, e edificavam (4.7-18a).

Neemias ora e põe guardas quando a oposição aumenta. Ele invoca a ajuda de Deus e age. Espero que você perceba que não há nada de inconsistente em fazer essas duas coisas ao mesmo tempo. Da mesma forma, Neemias exorta seus concidadãos, quando se sentem desencorajados, a não temer essas pessoas, a confiar no Senhor e, se necessário, a lutar com eles.

No capítulo 6, a oposição continua, porém, aqui, os judeus oponentes começam dar ênfase à difamação e à intimidação do próprio Neemias. Este se vira para o Senhor em oração, e Ele lhe dá a sabedoria necessária para responder a essa oposição (6.9-13).

Deixe-me acrescentar que, em geral, enfrentar bem a oposição é mais difícil do que as pessoas imaginam. Todavia, isso é o que o líder faz! Como Neemias, não devemos deixar a oposição *afastar*-nos do Senhor; ela deve fazer com que nos *aproximemos* dEle. Não há nada surpreende no fato de os oponentes de Neemias tentarem intimidá-lo pessoalmente. Os adversários do povo de Deus sempre vão contra os líderes. Desacredite e manipule o líder, e o rebanho fica desorganizado, confuso e ineficaz (veja Zc 13.7).

A despeito da oposição, em 52 dias o muro é concluído (6.15)!

Nem assim, os oponentes de Neemias descansam. Ele escreve:

Também, naqueles dias, alguns nobres de Judá escreveram muitas cartas, que iam para Tobias, e as cartas de Tobias vinham para eles. Porque muitos em Judá se lhe ajuramentaram, porque era genro de Secanias, filho de Ará; e seu filho Joanã tomara a filha de Mesulão, filho de Bereaquias. Também as suas bondades contavam perante mim, e as minhas palavras lhe levavam a ele; portanto, Tobias escrevia cartas para me atemorizar (6.17-19).

Tobias continua a se infiltrar insidiosamente nas fileiras dos ajudantes de Neemias e a semear oposição contra ele e suas políticas. Ainda bem que Deus deu ao seu povo um líder destemido como Neemias! Como seria fácil para Neemias se deixar desviar a fim de fazer tudo que pudesse para parar com os relatórios desfavoráveis. Contudo, isso nunca é uma opção para quem aspira à liderança. Os líderes enfrentam oposição.

Pergunto-me, você se vê como destemido? Talvez você ria diante dessa pergunta e diga: "Não, claro que não!" Ou talvez você se veja como destemido. Deixe-me perguntar em uma conversa sua consigo mesmo, que importância você dá ao que os outros pensam a seu respeito? Quanto você se importa com o que os outros pensam de você? Apenas nos libertamos do temor debilitante que sentimos dos homens com o temor real, verdadeiro e correto a Deus. É o respeito dEle que devemos desejar. É a opinião dEle que devemos nutrir. Todos, do nosso melhor amigo ao oponente mais determinado, podem nos entender mal. Mas Deus sabe a verdade. Se você temer apenas a Ele, não precisa temer qualquer oposição que Ele o chame a enfrentar. É a Ele que, basicamente, devemos temer. E a oposição dEle é verdadeiramente temível. O único ser do universo que *não* queremos que se oponha a nós é Deus!

Jesus Cristo enfrentou oposição, e nós também enfrentaremos se o seguirmos. Lembre-se das palavras de Jesus: "Se a mim me perseguiram, também vos perseguirão a vós" (Jo 15.20). Pedro, que estava presente quando Jesus proferiu essas palavras, depois escreveu para um grupo de cristãos:

> Porque para isto sois chamados, pois também Cristo padeceu por nós, deixando-nos o exemplo, para que sigais as suas pisadas, o qual não cometeu pecado, nem na sua boca se achou engano, o qual, quando o injuriavam, não injuriava e, quando padecia, não ameaçava, mas entregava-se àquele que julga justamente, levando ele mesmo em seu corpo os nossos pecados sobre o madeiro, para que, mortos para os pecados, pudéssemos viver para a justiça; e pelas suas feridas fostes sarados (I Pe 2.21-24).

Meu irmão ou irmã em Cristo, examine a si mesmo! Lembre a si mesmo a quem você serve; dessa forma, quando você for testado, como o povo de Deus da Antiguidade, conseguirá enfrentar a oposição. E ore para que nós, líderes da igreja, respondamos da forma correta quando se opuserem a nossa liderança.

4. Um Líder Piedoso se Importa

Quarto, um líder piedoso se importa. Os muros destruídos não são o único problema que Neemias encontra em seu retorno a Jerusalém. Havia muitos cidadãos mais fracos na comunidade que eram explorados. Os cidadãos mais ricos tiravam vantagem econômica do pobre, assim o pobre ficava mais pobre, e o rico, mais rico:

Foi, porém, grande o clamor do povo e de suas mulheres contra os judeus, seus irmãos. Porque havia quem dizia: Com nossos filhos e nossas filhas, nós somos muitos; pelo que tomemos trigo, para que comamos e vivamos. Também havia quem dizia: As nossas terras, as nossas vinhas e as nossas casas empenhamos, para tomarmos trigo nesta fome. Também havia quem dizia: Tomamos dinheiro emprestado até para o tributo do rei, sobre as nossas terras e as nossas vinhas. Agora, pois, a nossa carne é como a carne de nossos irmãos, e nossos filhos, como seus filhos; e eis que sujeitamos nossos filhos e nossas filhas para serem servos, e até algumas de nossas filhas são tão sujeitas, que já não estão no poder de nossas mãos; e outros têm as nossas terras e as nossas vinhas (5.1-5).

Mais uma vez, Neemias age, e, dessa vez, para acabar com a usura. Ele exorta os cidadãos mais ricos a temer ao Senhor e a parar de extorquir dinheiro do mais pobre, ao que eles respondem: "Restituir-lho-emos e nada procuraremos deles; faremos assim como dizes" (5.12). Então, Neemias usa uma imagem interessante para advertir os ricos em relação a não manterem sua palavra:

> Também o meu regaço sacudi e disse: Assim sacuda Deus a todo homem da sua casa e do seu trabalho que não cumprir esta palavra; e assim seja sacudido e vazio. E toda a congregação disse: Amém! E louvaram o Senhor; e o povo fez conforme esta palavra (5.13).

Esse manto que Neemias sacudiu tinha poucos bolsos para guardar coisas pessoais, e ele queria que os cidadãos mais ricos soubessem que se não mantivessem a palavra, Deus *os* sacudiria e esvaziaria *seus* bolsos. Eles podiam esperar não ser mais a posse especial do Senhor se continuassem a tratar o mais fraco de Deus dessa forma.

Em suma, Neemias se importa. Ele é um líder piedoso que se importa o bastante para agir contra o abuso. Mais que isso, ele abre mão de alguns privilégios de que podia usufruir como governador com a finalidade de alimentar o povo. Ele percebe a necessidade do povo e se priva por eles (5.14,15).

Pergunto-me se seu coração se volta para os que estão em necessidade. Ou você não se interessa por eles? Pelo menos, seja honesto consigo mesmo ao responder a essa pergunta: Você acha que seu coração é frio em relação aos outros? A necessidade dos outros tem alguma voz em meio à multidão de desejos em sua mente que clamam por atenção? Elas têm o mesmo tipo de voz que em Neemias, porque ele se importava? Nesse sentido, Neemias aponta para Cristo, que se *importa* com sua igreja: "Cristo amou a igreja e a si mesmo se entregou por ela" (Ef 5.25).

Não podemos pegar o Antigo Testamento como um projeto para nossa nação hoje e usar as leis de Israel como nossas leis. Todavia, podemos ver o que Deus valoriza e como considera que devemos encarnar esses valores em nosso país. Claramente, ele valoriza o cuidado com o pobre. Assim, como encorajamos essa preocupação em nossa reunião semanal? Nós fazemos isso? Ou nos encouraçamos na preocupação do pagamento de nossos impostos?

Devemos cultivar a preocupação genuína pelos outros, a que leva à ação. Por exemplo:

Você conhece algum membro da igreja idoso que tem dificuldade em vir à igreja, ou para fazer compras, ou que tem outras necessidades? O que você poderia fazer para estabelecer relacionamento com algum membro mais idoso da igreja a fim de encorajá-lo e servi-lo?

E o nosso ministério para os filhos de presos? Você pensou em comprar presente para uma dessas crianças? Muitas delas pedem coisas básicas, como *jeans* ou camiseta escolar.

Nossa igreja também tem um fundo de auxílio para os membros em necessidade, como também para não-membros mais idosos da região que não podem comprar remédios e outras coisas básicas. Em silêncio, você age em benevolência com o dinheiro que doa para o fundo de auxílio.

Tantas coisas podem ser feitas em silêncio. Mas minha preocupação é com você. Você vive de alguma forma a preocupação de Deus com os outros, em especial, com os pobres?

Ore para que os líderes da nossa igreja — e da igreja como um todo — sejam pautados pela preocupação com os necessitados entre nós e a nossa volta. Ore para que Deus faça que aqueles entre nós que são líderes se sacrifiquem, de forma especial, em seu amor.

Líderes piedosos se importam.

5. Um Líder Piedoso Direciona o Povo para a Palavra de Deus

Quinto, um líder piedoso direciona o povo para a Palavra de Deus. Vemos isso, especificamente, no capítulo 8 em que Esdras, o sacerdote, lê a Lei de Deus:

> E chegado o sétimo mês, e estando os filhos de Israel nas suas cidades, todo o povo se ajuntou como um só homem, na praça, diante da Porta das Águas; e disseram a Esdras, o escriba, que trouxesse o livro da Lei de Moisés, que o Senhor tinha ordenado a Israel. E Esdras, o sacerdote, trouxe a Lei perante a congregação, assim de homens como de mulheres e de todos os sábios para ouvirem, no primeiro dia do sétimo mês. E leu nela, diante da praça, que está diante da Porta das Águas, desde a alva até ao meio-dia, perante homens, e mulheres, e

sábios; e os ouvidos de todo o povo estavam atentos ao livro da Lei. E Esdras, o escriba, estava sobre um púlpito de madeira, que fizeram para aquele fim [...]. E Esdras abriu o livro perante os olhos de todo o povo; porque estava acima de todo o povo; e, abrindo-o ele, todo o povo se pôs em pé. E Esdras louvou o Senhor, o grande Deus; e todo o povo respondeu: Amém! Amém! --,levantando as mãos; e inclinaram-se e adoraram o Senhor, com o rosto em terra. E Jesua, e Bani, e Serebias, e Jamim, e Acube, e Sabetai, e Hodias, e Maaséias, e Quelita, e Azarias, e Jozabade, e Hanã, e Pelaías, e os levitas ensinavam ao povo na Lei; e o povo estava no seu posto. E leram o livro, na Lei de Deus, e declarando e explicando o sentido, faziam que, lendo, se entendesse (8.1-4a,5-8).

O povo se reuniu na Porta das Águas, a porta através da qual o povo da cidade passava para alcançar a fonte de água mais próxima. Do nascer do dia até à noite, eles escutaram Esdras ler a Lei. É uma cena dramática: Esdras de pé sobre o estrado de madeira, com um livro aberto nas mãos, e o povo responde ao ficar de pé, e levantar as mãos, e, depois, inclinar-se; e os levitas ensinam o povo para que entendessem o que era lido.

Observe como Neemias leva o povo a responder à Palavra de Deus. Ele diz:

Este dia é consagrado ao Senhor, vosso Deus, pelo que não vos lamenteis, nem choreis. Porque todo o povo chorava, ouvindo as palavras da Lei. Disse-lhes mais: Ide, e comei as gorduras, e bebei as doçuras, e enviai porções aos que não têm nada preparado para si; porque esse dia é consagrado ao nosso Senhor; portanto, não vos entristeçais, porque a alegria do Senhor é a vossa força (8.9,10; cf. Is 30.15).

Sem dúvida, como vimos em Esdras 10, o povo foi condenado por seu pecado. Todavia, nessa passagem, é interessante que Neemias perdoe-os por responder com choro, porque "a alegria do Senhor é a vossa força". Assim, com bastante simplicidade, "todo o povo se foi a comer, e a beber, e a enviar porções, e a fazer grandes festas" (8.12). Na verdade, "nunca fizeram assim [a Festa dos Tabernáculos] os filhos de Israel, desde os dias de Josué, filho de Num, até àquele dia; e houve mui grande alegria" (8.17). Por que toda a alegria? "Porque entenderam as palavras que lhes fizeram saber" (8.12)!

Então, Esdras continua a leitura da Lei de Deus para o povo do Senhor, por sete dias ininterruptos (8.18)! Um líder piedoso direciona o povo para a Palavra de Deus.

Espero que se você não for cristão, eu possa ajudá-lo, pelo menos, a entender isto: nós, os cristãos, não cremos que a verdade suprema seja algo que o ser humano possa conceber por meio do esforço intelectual. Nem que a verdade seja algo que o ser humano criou por meio do discurso cultural ou de longos acordos quanto às convenções políticas. Em vez disso, cremos que Deus tomou a iniciativa de se revelar a nós na Bíblia, o que significa que a Bíblia é a verdade suprema. O Senhor falou, por isso, chamamos a Bíblia de Palavra de Deus. Mas não é apenas isso: o Senhor deu um passo adiante e enviou sua Palavra em carne! Jesus é a Palavra de Deus (Jo 1.1,14).

Se você é cristão, pense se a Palavra de Deus é central em sua vida. Como você responde quando ouve a Palavra do Senhor, lida ou pregada? Seu coração se aquece? Nessa passagem, fica claro que o coração dos judeus se aquece. Ou sua resposta à Palavra depende da habilidade de quem a prega? De quão bem o sermão é feito? Se você se aborrece com a Palavra do Senhor, então, que palavras o estimulam? As palavras de seus amigos ou de seus familiares, de seu professor ou do treinador? O que deveria ser mudado para que a Palavra do Senhor o estimulasse da mesma forma que as palavras dos outros?

A coisa mais importante que fazemos na igreja é ensinar a Palavra de Deus, porque apenas ela gera vida. Como o apóstolo Paulo declara na Epístola aos Romanos: "De sorte que a fé é pelo ouvir, e o ouvir pela palavra de Deus" (Rm 10.17). A vida das pessoas que ouvem a Palavra de Deus e crêem nela é transformada.

Com certeza, esse é o testemunho da nossa igreja. Eu e os outros presbíteros servimos melhor a congregação ao nos certificarmos de que a Palavra de Deus seja, acurada e vigorosamente, apresentada em tudo, do culto de domingo de manhã à devoção noturna, da música que entoamos à oração que fazemos em público, do estudo bíblico das noites de quarta-feira às reuniões dos grupos pequenos em casa, do relacionamento de discipulado para o alcance evangelístico, dos livros para venda aos sermões enviados aos seminaristas e aos doentes. A Palavra de Deus é a semente que dá vida ao povo do Senhor.

Deus sempre tem feito assim. Ele criou o mundo com sua palavra. Criou Abraão ao chamá-lo. E, no monte Sinai, criou seu povo ao dar-lhes seus mandamentos. Na grande visão de Ezequiel do vale de ossos secos, Deus fala, e ossos ganham carne e vida. Depois, claro, tem aquEle que é Palavra de Deus, o Senhor Jesus, que veio em carne e morreu pelos pecados de todos que se arrependem e crêem nessas palavras sobre quem Ele é e o que fez. Como já dissemos: "De sorte que a fé é pelo ouvir, e o ouvir pela palavra de Deus" (Rm 10.17).

Um líder piedoso direciona o povo para a Palavra de Deus, porque ela traz vida!

6. Um Líder Piedoso Confessa os Pecados

Sexto, um líder piedoso confessa os pecados. Como vimos, o povo celebrou a leitura da Palavra do Senhor. Dois dias após o término da celebração, os líderes se voltaram para os pecados do povo, levando-o a se confessar. O texto não diz se a oração a seguir foi feita por Neemias, por Esdras ou pelos levitas. Mas todos ficaram de pé, ouviram e — presumimos — concordaram com a oração do líder:

> Levantai-vos, bendizei ao Senhor, vosso Deus, de eternidade em eternidade; ora, bendigam o nome da tua glória, que está levantado sobre toda bênção e louvor. *Tu* só és Senhor, *tu* fizeste o céu, o céu dos céus e todo o seu exército, a terra e tudo quanto nela há, os mares e tudo quanto neles há; e *tu* os guardas em vida a todos, e o exército dos céus te adora. *Tu* és Senhor, o Deus, que elegeste Abrão, e o tiraste de Ur dos caldeus, e lhe puseste por nome Abraão. E *achaste* o seu coração fiel perante ti e fizeste com ele o concerto, que lhe darias a terra dos cananeus, e dos heteus, e dos amorreus, e dos ferezeus, e dos jebuseus, e dos girgaseus, para a dares à sua semente; e *confirmaste* as tuas palavras, porquanto és justo. E *viste* a aflição de nossos pais no Egito e *ouviste* o seu clamor junto ao mar Vermelho. E *mostraste* sinais e prodígios a Faraó, e a todos os seus servos, e a todo o povo da sua terra, porque *soubeste* que soberbamente os trataram; e assim *te* adquiriste nome, como hoje se vê. E o mar *fendeste* perante eles, e passaram pelo meio do mar, em seco; e *lançaste* os seus perseguidores nas profundezas, como uma pedra nas águas violentas. E os *guiaste*, de dia por uma coluna de nuvem e de noite por uma coluna de fogo, para os alumiares no caminho por onde haviam de ir. E sobre o monte de Sinai *desceste*, e falaste com eles desde os céus, e *deste*-lhes juízos retos e leis verdadeiras, estatutos e mandamentos bons. E o teu santo sábado lhes *fizeste* conhecer; e preceitos, e estatutos, e lei lhes mandaste pelo ministério de Moisés, teu servo. E pão dos céus lhes *deste* na sua fome e água da rocha lhes produziste na sua sede; e lhes *disseste* que entrassem para possuírem a terra pela qual alçaste a tua mão, que lha havias de dar. Porém *eles*, nossos pais, se houveram soberbamente, e endureceram a sua cerviz, e não deram ouvidos aos teus mandamentos. E *recusaram* ouvir-*te*, e não se lembraram das tuas maravilhas, que lhes fizeste, e *endureceram* a sua cerviz, e na sua rebelião levantaram um chefe, a fim de voltarem para a sua servidão; porém *tu*, ó Deus perdoador, clemente e misericordioso, tardio em irar-te, e grande em beneficência, tu os não desamparaste, ainda mesmo quando eles fizeram para si um bezerro de fundição, e disseram: Este é o teu Deus, que te tirou do Egito, e cometeram grandes blasfêmias; todavia, *tu*, pela multidão das tuas misericórdias, os não deixaste no deserto. A coluna de nuvem nunca deles se apartou de dia, para os guiar pelo caminho, nem a coluna de fogo de noite, para os alumiar e mostrar o caminho por onde haviam de ir. E deste o teu bom espírito, para os ensinar; e o teu maná não *retiraste* da sua boca; e água lhes *deste* na sua sede. Desse modo os *sustentaste* quarenta anos no deserto; falta nenhuma tiveram; as

suas vestes não se envelheceram, e os seus pés não se incharam. Também lhes *deste* reinos e povos e os repartiste em porções; e eles possuíram a terra de Seom, a saber, a terra do rei de Hesbom, e a terra de Ogue, rei de Basã. E multiplicaste os seus filhos como as estrelas do céu e *trouxeste*-os à terra de que tinhas dito a seus pais que entrariam nela para a possuírem. Assim, entraram nela os filhos e tomaram aquela terra; e *abateste* perante eles os moradores da terra, os cananeus, e lhos entregaste na mão, como também os reis e os povos da terra, para fazerem deles conforme a sua vontade. E tomaram cidades fortes e terra gorda e possuíram casas cheias de toda fartura, cisternas cavadas, vinhas, e olivais, e árvores de mantimento, em abundância; e comeram, e se fartaram, e engordaram, e viveram em delícias, pela tua grande bondade. Porém se *obstinaram*, e se revoltaram contra ti, e *lançaram* a tua lei para trás das suas costas, e *mataram* os teus profetas, que protestavam contra eles, para que voltassem para ti; assim *fizeram* grandes abominações. Pelo que os entregaste na mão dos seus angustiadores, que os angustiaram; mas no tempo de sua angústia, *clamando* a ti, desde os céus tu os ouviste; e, segundo a tua grande misericórdia, lhes deste libertadores que os libertaram da mão de seus angustiadores. Porém, em tendo repouso, *tornavam* a fazer o mal diante de ti; e tu os deixavas na mão dos seus inimigos, para que dominassem sobre eles; e, convertendo-se eles e *clamando* a ti, *tu* os ouviste desde os céus e, segundo a tua misericórdia, os *livraste* muitas vezes. E *protestaste* contra eles, para que voltassem a tua lei; porém eles se houveram soberbamente e não deram ouvidos aos teus mandamentos, mas *pecaram* contra os teus juízos, pelos quais o homem que os cumprir viverá; e retiraram os seus ombros, e *endureceram* a sua cerviz, e não ouviram. Porém estendeste a tua *benignidade* sobre eles por muitos anos e protestaste contra eles pelo teu Espírito, pelo ministério dos teus profetas; porém *eles* não deram ouvidos; pelo que os entregaste na mão dos povos das terras. Mas, pela tua grande misericórdia, não os *destruíste* nem desamparaste; porque és um Deus clemente e misericordioso. Agora, pois, ó Deus nosso, ó Deus grande, poderoso e terrível, que guardas o concerto e a beneficência, não tenhas em pouca conta toda a aflição que nos alcançou a nós, e aos nossos reis, e aos nossos príncipes, e aos nossos sacerdotes, e aos nossos profetas, e aos nossos pais, e a todo o teu povo, desde os dias dos reis da Assíria até ao dia de hoje. Porém tu és justo em tudo quanto tem vindo sobre nós; porque tu fielmente te houveste, e nós impiamente nos houvemos. E os nossos reis, os nossos príncipes, os nossos sacerdotes e os nossos pais não guardaram a tua lei e não deram ouvidos aos teus mandamentos e aos teus testemunhos, que testificaste contra eles. Porque eles nem no seu reino, nem na muita abundância de bens que lhes deste, nem na terra espaçosa e gorda que puseste diante deles te serviram, nem se converteram de suas más obras. Eis que hoje somos servos;

e até na terra que deste a nossos pais, para comerem o seu fruto e o seu bem, eis que somos servos nela. E ela multiplica os seus produtos para os reis que puseste sobre nós por causa dos nossos pecados; e, conforme a sua vontade, dominam sobre os nossos corpos e sobre o nosso gado; e estamos numa grande angústia (9.5b-37; grifos do autor).

Assim, eles ficaram lá, em pé, confessando seus pecados e os de seus pais. Todavia, observe que essa oração de confissão se inicia com o louvor a Deus: "Bendizei ao Senhor" (9.5). Na verdade, toda a oração é estabelecida na forma de louvor ao Senhor: *tu és, vieste, ouviste, desceste, fizeste,* e assim por diante. A oração é, ao mesmo tempo, confissão e um resumo da história do Antigo Testamento. Não é terrível que a história de uma nação possa ser bem resumida em uma confissão de pecado? Mas foi isso que aconteceu (cf. Ed 9).

E veja essa admissão: "Porém tu és justo em tudo quanto tem vindo sobre nós; porque tu fielmente te houveste, e nós impiamente nos houvemos" (9.33). Apenas imagine um indivíduo ou grupo, hoje, admitir isso publicamente! "Ó Deus soberano, em tudo que aconteceu, o Senhor foi fiel. Tivemos o que pedimos. Nossos pecados mereceram isso." Com certeza, tal admissão demonstra uma compreensão maravilhosa de quem Deus é, e de quem somos nós. Ela assume que Deus é soberano e bom. E, sem dúvida, é difícil manter esse tipo de fé quando a vida não vai bem. Contudo, o povo disse que todas as coisas que aconteceram foram "por causa dos nossos pecados" (9.37). Eles, de modo algum, transferiram a responsabilidade.

Que dia foi aquele! Eles passaram um quarto do dia na leitura da Palavra do Senhor, e outro quarto do dia, na confissão de seus pecados e em adoração (9.3). Você vê o padrão. Eles se tornam mais e mais conscientes de seus pecados e *precisam* confessá-los ao ler a Palavra de Deus e ver a santidade dEle. Todavia, ao ler a Palavra do Senhor e perceber seu amor paciente, eles se tornaram mais e mais cientes de sua *capacidade* para confessar esses pecados. A Escritura os faz lembrar de que Deus é de eternidade em eternidade, e de que podiam confiar em suas antigas promessas de amor.

Oh, amigo, se apenas escutássemos as Escrituras, elas também incitariam nosso coração e nos moveriam a confessar e a adorar esse Deus magnificente. Ele é perfeito. Ele é santo. Ele é justo. Ele é amoroso. Ele é misericordioso. Ele não nos deixará passear em sua presença sem chamar nossa atenção para nossos pecados. Mas Ele também não deixará que nosso pecado nos mantenha longe dEle — se apenas olhar seu Filho —, porque Ele é um Deus persistente no amor.

Nós também somos culpados de pecar contra esse Deus bom. A confissão de pecado dos judeus não é apenas um registro histórico, sem relação com a sua experiência ou a minha! Pense apenas por um segundo: que pecado pesa em sua consciência esta semana? Agora, pense se, no momento, ele pesa em sua consciência, que se tornou imunda, corrompida e insensível pela contínua concessão com o pecado, ou se sua consciência até se acostumou e aprendeu a se acomodar com esse pecado. Você consegue imaginar como parecerá seu pecado quando for tirado de seu estado atual de trevas sombrias e trazido à luz e ao esplendor penetrante da pureza de Deus?

E, no entanto, ainda (!) podemos ir à presença dEle com essa consciência obscurecida para sermos perdoados pelos nossos pecados mais tenebrosos. A coisa mais importante a fazer, se você estiver separado de Deus por causa de seus pecados, é descobrir como seus pecados são perdoados. O puritano William Gurnall estava certo quando disse com clareza: "É melhor morrer em uma prisão, em uma trincheira, que morrer em [seu] pecado".³

Como você pode ser perdoado por seu pecado? Você deve levantar os olhos para Jesus Cristo. Em Cristo, Deus tornou-se homem, levou uma vida perfeita e morreu na cruz, assumindo a culpa merecida por todos que se arrependem de seus pecados e se voltam para Ele em fé. Cristo é a resposta para nossos pecados. Ele não tinha pecado, mas se fez pecado por nós (Hb 4.15; 2 Co 5.21).

Se você for cristão, não se surpreende com a conexão entre a leitura da Palavra do Senhor, a adoração a Ele e a confissão de seus pecados. Contudo, alguns cristãos aprenderam que confessamos nossos pecados apenas uma vez — quando nos tornamos cristão — e nunca mais. Todavia, nas Escrituras vemos, do Salmo 32 a Tiago 5.16, os crentes confessarem seus pecados inúmeras vezes. Eles vão continuamente ao Senhor e encontram perdão nEle. Minha regra de acerto, fácil e básica, é esta: assim que parar de pecar contra Deus, você pode parar de confessar seus pecados para Ele.

Um líder piedoso confessa seus pecados e leva o povo a confessar os seus.

7. Um Líder Piedoso Leva o Povo a Assumir Compromissos Específicos

Sétimo, um líder piedoso leva o povo a assumir compromissos específicos.

Logo após a leitura das Escrituras e a confissão apresentada no capítulo 9, o povo faz um voto de guardar a lei de Deus: "E, com tudo isso, fizemos um firme concerto e o escrevemos; e selaram-no os nossos príncipes, os nossos levitas e os nossos sacerdotes" (9.38). O capítulo 10 apresenta o conteúdo desse compromisso:

> E o resto do povo, os sacerdotes, os levitas, os porteiros, os cantores, os netineus e todos os que se tinham separado dos povos das terras para a Lei de Deus, suas mulheres, seus filhos e suas filhas, todos os sábios *e* os que tinham capacidade

para entender firmemente aderiram a seus irmãos, os mais nobres de entre eles, e convieram num anátema e num juramento, de que andariam na Lei de Deus, que foi dada pelo ministério de Moisés, servo de Deus; e de que guardariam e cumpririam todos os mandamentos do Senhor, nosso Senhor, e os seus juízos e os seus estatutos; e que não daríamos as nossas filhas aos povos da terra, nem tomaríamos as filhas deles para os nossos filhos; e de que, trazendo os povos da terra no dia de sábado algumas fazendas e qualquer grão para venderem, nada tomaríamos deles no sábado, nem no dia santificado; e livre deixaríamos o ano sétimo e toda e qualquer cobrança (10.28-31).

E o compromisso continua até o fim do capítulo, basicamente, todos eles prometem seguir a Lei que Deus deu a Moisés (10.32-39). Esses compromissos não anulam a autoridade da Palavra do Senhor, mas resumem, de forma útil, a Lei de Deus. Na verdade, o compromisso atua como uma convenção da igreja. A convenção da igreja não deve suplantar as Escrituras, mas podem ser úteis para resumir as coisas que as Escrituras exigem de nossas igrejas. Neemias lidera o povo nesse compromisso público com Deus.

Você já fez alguma promessa a Deus? Já resolveu arrepender-se de seus pecados e crer em Cristo? Se você ainda não fez isso, esse é o compromisso mais importante que pode assumir hoje. Como Jesus disse: "O tempo está cumprido, e o Reino de Deus está próximo. Arrependei-vos e crede no evangelho" (Mc 1.15).

Em relação a você, cristão, observe como essas pessoas tomam resoluções específicas com Deus e uns com os outros. Você está relutante em fazer essas promessas específicas? Há algo em você que quer evitar assumir o compromisso com um grupo específico do povo de Deus a quem você se refere como "nós"? Se há, você *os* priva de alguma coisa que Deus pretendia que eles tivessem por seu intermédio, e você despoja a *si mesmo* do que o Senhor queria para você por intermédio deles. No entanto, se você acha sua capacidade mais alta do que deveria, acaba por enganar a si mesmo. Portanto, comprometa-se com uma igreja local específica em que o evangelho de Jesus Cristo seja pregado. Abrace a convenção dessa igreja. E engaje-se ao trabalho do Senhor nessa igreja local.

Uma boa igreja local ajuda você a não ser uma pessoa que escolhe que mandamentos de Deus deve obedecer. Esse é um dos motivos por que a sua igreja tem um estatuto. Ele é um resumo útil de nossas obrigações cristãs com Deus e uns com os outros. Sim, é necessário humildade para se submeter uns aos outros — e ao líder.

O que nos leva ao outro lado da moeda. Os presbíteros da igreja devem se comprometer a dar o tempo, a preocupação e o esforço para *liderar* bem, quando os membros da igreja não se comprometem a dar o tempo, a dificuldade e a confiança em *seguir* bem?

Em nossas igrejas, seguimos a Deus, ao seguir a pessoa que Ele pôs na liderança. Não os sigam no pecado e no erro — aí é que entra a responsabilidade congregacional (como em 2 Tm 4.3; Gl 1.6-9). Mas siga-os à medida que lideram de acordo com as Escrituras.

Um líder piedoso leva o povo a assumir compromissos específicos.

8. Um Líder Piedoso Persiste na Liderança

Por fim, um líder piedoso persiste na liderança.

O que eu quero dizer com isso? Bem, lembremos duas coisas a respeito do ponto da história em que estamos. Primeiro, estamos no fim da história do Antigo Testamento. Esta série sobre os livros históricos do Antigo Testamento termina no nosso próximo estudo, o livro de Ester, mas apenas porque Ester aparece, canonicamente, por último. Na verdade, a história de Ester acontece um pouco antes na linha do tempo. Cronologicamente, Neemias e a reconstrução do muro de Jerusalém são a última parte da história do Antigo Testamento que temos, o que nos leva ao segundo ponto digno de ser lembrado.

Ao longo desta série, vimos como Deus salienta o fato de que seu povo deve ser separado das nações circunvizinhas. Esse é o tema principal de todas essas histórias, de Josué a Neemias. Deus tirou a nação do Egito para ser um povo separado e mostrar o seu caráter às nações. Portanto, é muito apropriado que as histórias terminem com a reconstrução do muro que tem a finalidade de mantê-los como um povo separado.

Agora, pense: Neemias deixa Jerusalém por um tempo — provavelmente, não por alguns meses, mas anos. No capítulo 13, lemos: "Mas, durante tudo isso, não estava eu em Jerusalém, porque, no ano trinta e dois de Artaxerxes, rei de Babilônia, vim eu ter com o rei; mas, ao cabo de alguns dias, tornei a alcançar licença do rei. E vim a Jerusalém" (13.6,7). Assim, ele retornou ao lugar em que derramara muito de sua vida, e o que encontra? O Templo é usado para propósitos não-religiosos (13.7-9). Os cantores, os sacerdotes e os outros servidores do Templo haviam voltado para a lavoura, porque não eram pagos (13.10,11). O povo esqueceu-se do sábado e o descartou (13.15-22). E o que é pior, veja o versículo 23 e seguintes. Eis o último capítulo de Neemias. Eis o fim da história do Antigo Testamento:

> Vi também, naqueles dias, judeus que tinham casado com mulheres asdoditas, amonitas e moabitas. E seus filhos falavam meio asdodita e não podiam falar judaico, senão segundo a língua de cada povo. E contendi com eles, e os amaldiçoei, e espanquei alguns deles, e lhes arranquei os cabelos, e os fiz jurar por Deus, dizendo: Não dareis mais vossas filhas a seus filhos e não tomareis mais

suas filhas, nem para vossos filhos nem para vós mesmos. Porventura, não pecou nisso Salomão, rei de Israel, não havendo entre muitas nações rei semelhante a ele, e sendo amado de seu Deus, e pondo-o Deus rei sobre todo o Israel? E, contudo, as mulheres estranhas o fizeram pecar. E dar-vos-íamos nós ouvidos, para fazermos todo este grande mal, prevaricando contra o nosso Deus, casando com mulheres estranhas (13.23-27)?

Oh, amigo, dá vontade de gritar ao ler isso! Temos *mil anos de fidelidade de Deus*, e veja o que acontece! Talvez Neemias tenha passado alguns anos fora, ele volta, e os encontra fazendo o quê? A mesma coisa que Salomão fez e que, no fim, levou o povo a adorar outros deuses! Quando lemos isso e pensamos com nossos botões: *Qual o sentido dessa história toda?* O que mais pode ser feito! Não há esperança para esse povo! O Antigo Testamento, de forma bem distinta de muitas visões utópicas do mundo, apresenta um retrato da humanidade que, em certo grau, é profundamente pessimista e — temos de admitir — bem realista. Os pecados com que lutam nos dias de Josué são os mesmos com que se debatem na época de Neemias — mil anos mais tarde.

O que Deus faria com esse constante descaminho e engano do povo?

Na verdade, décadas antes, Deus já lhes dissera o que faria. Enquanto o povo ainda estava no exílio, a Palavra do Senhor veio ao profeta Ezequiel, que estava na Babilônia na época. O Senhor, por intermédio de Ezequiel, criticou os líderes de Israel — a quem se refere como "pastores" — pela forma como a maioria deles (de forma diversa à de Esdras e à de Neemias) desencaminhou o povo. Eis o que Deus prometeu que faria:

> Filho do homem, profetiza contra os pastores de Israel; profetiza e dize aos pastores: Assim diz o Senhor Jeová: Ai dos pastores de Israel que se apascentam a si mesmos! Não apascentarão os pastores as ovelhas? Comeis a gordura, e vos vestis da lã, e degolais o cevado; mas não apascentais as ovelhas. A fraca não fortalecestes, e a doente não curastes, e a quebrada não ligastes, e a desgarrada não tornastes a trazer, e a perdida não buscastes; mas dominais sobre elas com rigor e dureza. Assim, se espalharam, por não haver pastor, e ficaram para pasto de todas as feras do campo, porquanto se espalharam. As minhas ovelhas andam desgarradas por todos os montes e por todo o alto outeiro; sim, as minhas ovelhas andam espalhadas por toda a face da terra, sem haver quem as procure, nem quem as busque. Portanto, ó pastores, ouvi a palavra do Senhor: Vivo eu, diz o Senhor Jeová, visto que as minhas ovelhas foram entregues à rapina e vieram a servir de pasto a todas as feras do campo, por falta de pastor, e os meus pastores não procuram as minhas ovelhas, pois se apascentam a si mesmos e não apascentam as minhas ovelhas, portanto, ó pastores, ouvi a

palavra do Senhor: Assim diz o Senhor Jeová: Eis que eu estou contra os pastores e demandarei as minhas ovelhas da sua mão; e eles deixarão de apascentar as ovelhas e não se apascentarão mais a si mesmos; e livrarei as minhas ovelhas da sua boca, e lhes não servirão mais de pasto. Porque assim diz o Senhor Jeová: Eis que eu, eu mesmo, procurarei as minhas ovelhas e as buscarei (Ez 34.2-12a).

Deus viria como o bom pastor. E Ele viria em plenitude de divindade e de humanidade no Senhor Jesus Cristo. Isso era necessário porque nenhum profeta, de Samuel a Malaquias, e nenhum governante, de Saul a Zedequias — nem mesmo Esdras e Neemias — conseguiu conduzir o povo de Deus de tal maneira que o coração do povo realmente mudasse. Isso apenas poderia acontecer quando a própria Palavra do Senhor, Jesus Cristo, operasse neles.

Assim, a Palavra viria. E viria para condenar o povo de Deus pelo pecado e para dar-lhes nova vida por meio da pregação das Boas Novas que anunciava. Sim, Ele teria um povo que seria bem governado e que governaria bem. Em relação a nós, por fim, vemos a conclusão da história em Apocalipse, quando os grandes personagens em volta do trono de Deus louvam ao Cordeiro, no trono, com as palavras: "Com o teu sangue compraste para Deus homens de toda tribo, e língua, e povo, e nação; e para o nosso Deus os fizeste reis e sacerdotes; e eles reinarão sobre a terra" (Ap 5.9b,10). Depois, Jerusalém, a nova Jerusalém, descerá do céu, e Deus reinará. Essa nova Jerusalém não precisará de um templo, porque o Senhor Deus Todo-poderoso e o Cordeiro serão seu templo. E essa nova Jerusalém não precisará do sol, porque a glória do Senhor a ilumina e o Cordeiro é sua lâmpada (Ap 21.22,23). Essa é a esperança que a Bíblia nos garante. Essa é a esperança para a qual o Antigo Testamento aponta no final de sua história. E é assim que um líder deve liderar —, apontando para essa esperança!

Cristão, quais as implicações disso para a forma como vivemos? Simples, você tem de continuar preparado para continuar a batalha contra o pecado ao longo desta vida. A batalha que somos chamados a travar contra o pecado na nossa vida é curta à luz da eternidade, mesmo que, às vezes, neste mundo, ela pareça longa demais.

Aos presbíteros da igreja, peço que observem a experiência de Neemias: o trabalho de liderar uma igreja não tem fim. Essa igreja não se *reforma* no sentido de que o trabalho está feito. Antes, ela deve *ser* continuamente *reformada* pela Palavra de Deus! Como presbíteros, nosso trabalho nunca está pronto. Nem nós nem a igreja, como um todo, chegamos ao fim do trabalho. Não aprendemos tudo que Deus tem para nos contar. Ainda respiramos. Ainda lemos a Bíblia. O Espírito de Deus ainda opera em nosso coração. E a Palavra do Senhor ainda nos remodela.

Rogo àqueles de vocês que são presbíteros da igreja para que percebam que Deus lhes deu uma grande tarefa, e temos a alegria de aceitar essa tarefa. Jamais pense que você não deve aborrecer os presbíteros. Servir a igreja é o maior privilégio que Deus nos deu nesta vida! E, por favor, perdoe-nos se, às vezes, damos a impressão de que esquecemos esse privilégio. Como o apóstolo Paulo escreveu na Epístola aos Tessalonicenses:

> E rogamo-vos, irmãos, que reconheçais os que trabalham entre vós, e que presidem sobre vós no Senhor, e vos admoestam; e que os tenhais em grande estima e amor, por causa da sua obra. Tende paz entre vós. Rogamo-vos também, irmãos, que admoesteis os desordeiros, consoleis os de pouco ânimo, sustenteis os fracos e sejais pacientes para com todos (I Ts 5.12-14).

Como Paulo escreveu a Timóteo: "Pregues a palavra, instes a tempo e fora de tempo, redarguas, repreendas, exortes, com toda a longanimidade e doutrina" (2 Tm 4.2). Um líder piedoso persiste na liderança.

Conclusão

Então, a liderança piedosa diz respeito a pôr sua marca no futuro? Ela diz respeito à autoconfiança e à auto-afirmação? Não, de acordo com Neemias.

Nesse livro, você tem uma percepção muito diferente da liderança. No capítulo 1, Neemias pede a Deus: "Ah! Senhor, estejam, pois, atentos os teus ouvidos à oração [...] dos teus servos que desejam temer o teu nome" (1.11). No capítulo 5, ele diz que não tirou vantagem do pobre — ele não tosquiou a ovelha! — "por causa do temor de Deus" (5.15). E no capítulo 7, Neemias indica uma pessoa para uma posição de liderança "porque era homem fiel e temente a Deus, mais do que muitos" (7.2). Aqui, chegamos ao cerne da liderança piedosa apresentada na Bíblia. A liderança diz respeito a temer a Deus mais do que os outros temem. A liderança tem que ver com reverenciar o nome do Senhor. A liderança é ter prazer em quem o Senhor é e em como Ele é. A liderança diz respeito a considerar a principal finalidade de nossa vida ajudar, instruir e desafiar os outros a também venerarem e se deleitarem no nome de Deus.

Você se deleita em agir assim? Isso lhe dá mais alegria que quaisquer das coisas irritantes que vêm com a liderança? Você sente prazer em ver os outros reverenciarem e honrarem a Deus? Então, você tem os componentes básicos para ser uma boa influência na vida dos outros. Você liderará bem.

Sua vida não é impulsionada apenas pelo dinheiro, não é mesmo? Espero que seja impulsionada por algo mais profundo. Algo tão importante para sua essência, algo que aqueça seu coração, algo sem o qual você não conseguiria viver.

Eu espero que ela diga respeito à liderança. Que ela gire em torno de aprender e de proclamar a Palavra de Deus. Em torno de orar ao Senhor. Em torno do deleite de ver o nome do Senhor reverenciado.

Oremos:

Senhor Deus, oramos para que o Senhor nos torne líderes e seguidores piedosos conforme descrito no livro de Neemias. E que o Senhor nos dê esse amor e graça persistentes. Oramos para que o Senhor nos torne semelhantes àquelas pessoas do livro de Isaías que oram: "Até no caminho dos teus juízos, Senhor, te esperamos; no teu nome e na tua memória está o desejo da nossa alma" (Is 26.8). Oh, Deus, oramos para que o Senhor faça com que o desejo do nosso coração seja exaltar o seu nome. Traga glória a si mesmo por intermédio de nossa vida, de nossa igreja e de todas nossas oportunidades para exercer a liderança para o Senhor. Oramos por tudo isso para que as pessoas reverenciem seu nome por intermédio de nosso Senhor Jesus Cristo. Amém.

Questões para Reflexão

1. As qualidades que as pessoas valorizam em seus líderes mudam de uma cultura para outra e de uma época para outra? Quais são algumas das qualidades que nossa cultura passou a valorizar em seus líderes? Você se lembra de alguma passagem da Bíblia cuja caracterização da boa liderança contrarie frontalmente as concepções da nossa cultura?
2. Por que a oração é tão importante para a boa liderança? O que uma vida de oração ativa revela sobre o líder? O que a falta de uma vida de oração revela?
3. Você pede que a vida de seus amigos e familiares seja marcada por uma distintiva novidade de vida quando ora por eles? Você ora desse modo pelos outros membros da igreja? Há muitas outras orações que fazemos por outros cristãos que são tão importantes como essa?
4. O que é "arrependimento"? É um evento que acontece apenas uma vez, é um estilo de vida, ou ambos? Explique. Uma pessoa pode ser salva sem arrependimento?
5. O que é "o receio do homem"? Quais são as áreas em que "o receio do homem" pode se manifestar na vida cristã? Em que área ele se manifesta na sua vida? Como combatemos o receio do homem?
6. Como vimos, "um líder piedoso direciona o povo para a Palavra de Deus". Como fazemos isso? Como você fracassa em fazer isso? Assumamos que haja alguma superposição, há alguma diferença entre o conselho que você dá às pessoas quando lida com as questões difíceis da vida e o que um não-cristão extremamente moral, consciencioso e amoroso dá?

7. Como vimos, Neemias termina com uma nota trágica. O povo retoma a prática dos pecados que — com mais freqüência que o contrário — o caracterizaram por mais de mil anos. Ao pensar na Bíblia como um todo, por que nós, como cristãos, diríamos que esse triste fim da história do Antigo Testamento, na verdade, é apropriado e nada surpreendente? Quais as implicações disso para a forma como ensinamos o Antigo Testamento? Talvez outra forma de fazer essa última pergunta seja a seguinte: um cristão deve ensinar o Antigo Testamento de forma distinta da que um rabi judeu ensinaria?
8. Em continuidade à pergunta 7, vemos que, afinal, Neemias não diz respeito a como ser um bom líder. Por fim, sobre o que trata o livro de Neemias? Como poderíamos resumir sua mensagem? Ao responder a essa pergunta, leve em consideração em que ponto da história da redenção (história da redenção = criação, Queda, o chamado de Deus para Abraão, o dar a Lei, o dar um rei, a desobediência, o exílio, o retorno do exílio, a vinda de Cristo, a edificação da igreja, a Segunda Vinda de Cristo, etc.) ocorre o relato de Neemias.
9. No fim, por que Esdras e Neemias são líderes totalmente inadequados para o povo de Deus?
10. Baseado neste sermão e no livro de Neemias, o que você diria que é o cerne da boa liderança? Em que área da sua vida Deus lhe deu a oportunidade de liderar? Como você aplicará as lições de Neemias a sua liderança?

Notas

Capítulo 16

[1] A data de pregação original deste sermão foi em 24 de novembro de 2002, na Capitol Hill Baptist Church, em Washington, D.C.
[2] 4.4,5; 5.19; 6.14; 13.14,22,29,31.
[3] Wiliam Gurnall, The Christian in Complete Armour (Carlisle, Pa.: Banner of Truth, 1964; Glasgow: Blackie & Son, 1864; primeira publicação em 1662), p. 169.

A MENSAGEM DE ESTER: SURPRESA

QUEM NOS LIBERTARÁ?

INTRODUÇÃO A ESTER

O COMPLÔ

OS PERSONAGENS
  Hamã
  Assuero
  Mardoqueu
  Ester
  Deus

AS LIÇÕES
  Deus sempre Pune seus Inimigos
    Pense em sua condição com atenção
    Arrependa-se agora

  Deus, com Certeza, Libertará seu Povo
    Sinta-se confortado nas provações
    Seja corajoso na obediência
    Sinta-se confiante com alegre esperança na espera

CONCLUSÃO

CAPÍTULO 17

A Mensagem de Ester:
Surpresa

Quem nos Libertará?[1]

Nossos noticiários estão cheios de pessoas com problemas. Na verdade, isso é o que faz com que os noticiários sejam notícia. Do tiroteio na principal escola local às disputas entre os sindicalistas e os empregadores, ao sofrimento no Afeganistão, nossos jornais noticiam, em grande parte, coisas ruins, não boas.

Na verdade, o sofrimento parece ser a sina normal da humanidade. Uma atriz, que já passava por um ano difícil, um dia, descobriu que perdeu seu programa de televisão e que seu marido a estava deixando. Ela reagiu: "Eu sei que o Senhor não mandaria mais sofrimento do que sou capaz de agüentar, mas eu gostaria que Ele não tivesse uma opinião tão boa de mim".[2]

Tenho certeza de que você conhece esse sentimento.

No entanto, algumas pessoas negam que a vida tenha dificuldades e sustentam que a essência da fé cristã é negar a existência desses problemas. Alguns professores ensinam: "Você não pode ter um pensamento negativo". Todavia, isso é falso, quer essa declaração seja da cientista cristã Mary Baker Eddy, quer de um professor carismático do movimento Palavra da Fé. Gostamos do otimismo deles, mas não achamos todo esse otimismo realista.

Outras pessoas estão bem cientes dos problemas da vida, mas dizem que não têm resposta para ele; não há libertação para nossas provações nesta vida. Isso é o que pensam o materialista melancólico e o existencialista depressivo. O desespero deles também é falso. Gostamos da disposição deles em reconhecer as dificuldades do mundo, porém, também não achamos que são realistas. Nós, cristãos, sabemos que os problemas da vida *têm* solução.

Assim, o que fazemos em momentos de dificuldade? Quem nos libertará de nossas provações?

INTRODUÇÃO A ESTER

No livro de Ester, nosso estudo final dos livros históricos do Antigo Testamento, encontramos um dos períodos de maior perigo para o povo de Deus.

Poderíamos chamar o livro de Ester de a história de Cinderela, pois ela era uma menina judia órfã que se torna a rainha da Pérsia em um momento crucial. Esse livro também é uma história etiológica, o que significa que, em parte, foi escrito para explicar a origem de alguma coisa; nesse caso, a festa judaica do Purim.

A história de Ester não acontece em Jerusalém, como grande parte da de Esdras e de Neemias, mas em Susã, capital do Império Persa. Ela acontece durante o reinado do rei Assuero (486-465 a.C.), entre a primeira leva de exilados que retornam para Jerusalém e a reconstrução do Templo (Ed 1—6) e as levas subseqüentes de exilados que também retornam para essa cidade, até mesmo Esdras e Neemias (Ed 7—10; Ne).

No livro de Ester, os judeus recebem muitas sentenças de morte para todo o povo. Por volta de 480 a.C., os judeus, tanto os que já haviam retornado para Jerusalém como os que ainda estavam no exílio, estavam sob a sombra do terrível édito imperial que determinava uma data específica para a exterminação de todos os judeus do Império Persa e a confiscação dos seus bens. O capítulo 3 apresenta o pronunciamento do veredicto:

> Então, chamaram os escrivães do rei no primeiro mês, no dia treze do mesmo, e conforme tudo quanto Hamã mandou se escreveu aos príncipes do rei, e aos governadores que havia sobre cada província, e aos principais de cada povo; a cada província segundo a sua escritura e a cada povo segundo a sua língua; em nome do rei Assuero se escreveu, e com o anel do rei se selou. E as cartas se enviaram pela mão dos correios a todas as províncias do rei, que destruíssem, matassem, e lançassem a perder a todos os judeus desde o moço até ao velho, crianças e mulheres, em um mesmo dia, a treze do duodécimo mês (que é mês de adar), e que saqueassem o seu despojo. Uma cópia do escrito para que se proclamasse a lei em cada província foi enviada a todos os povos, para que estivessem preparados para aquele dia. Os correios, pois, impelidos pela palavra do rei, saíram, e a lei se proclamou na fortaleza de Susã; e o rei e Hamã se assentaram a beber; porém a cidade de Susã estava confusa (3.12-15).

Como isso aconteceu? O que aprendemos com isso? Para responder a essas perguntas, primeiro olhamos para o *complô*, depois para os *personagens* e, por fim, para as *lições* da surpreendente história de Ester.

O Complô

Iniciaremos pelo complô a fim de ver como o povo de Deus se viu nessa situação.

No primeiro capítulo de Ester, Vasti, a rainha do rei Assuero, recusa-se a atender a um chamado do rei para juntar-se a ele em uma festa pública. O livro não diz por que ela se recusa a obedecer ao marido. Talvez ela pensasse que ele agia sob efeito da bebida, ou que não a estava tratando com o devido respeito. Seja por que razão for, ela recusou-se a ir. E, assim, Assuero, como um bom déspota mesopotâmico, exerceu seus direitos para divorciar-se dela e depô-la do cargo de rainha. A seguir, ele procura outra rainha, e, no capítulo 2, Ester, a mulher que dá nome a esse livro, é escolhida.

Em algum momento logo após esse episódio, Mardoqueu, guardião e pai adotivo de Ester, descobre algumas informações interessantes:

> E, reunindo-se segunda vez as virgens, Mardoqueu estava assentado à porta do rei. Ester, porém, não declarava a sua parentela e o seu povo, como Mardoqueu lhe ordenara; porque Ester cumpria o mandado de Mardoqueu, como quando a criara. Naqueles dias, assentando-se Mardoqueu à porta do rei, dois eunucos do rei, dos guardas da porta, Bigtã e Teres, grandemente se indignaram e procuraram pôr as mãos sobre o rei Assuero. E veio isso ao conhecimento de Mardoqueu, e ele o fez saber à rainha Ester, e Ester o disse ao rei, em nome de Mardoqueu. E inquiriu-se o negócio, e se descobriu; e ambos foram enforcados numa forca. Isso foi escrito no livro das crônicas perante o rei (2.19-23).

Bem, parece que Ester representa a boa escolha feita pelo rei. As conexões familiares de sua nova e leal rainha ajudam a salvar a vida dele. Ele já está sendo recompensado!

Sigamos a história no capítulo 3:

> Depois dessas coisas, o rei Assuero engrandeceu a Hamã, filho de Hamedata, agagita, e o exaltou; e pôs o seu lugar acima de todos os príncipes que estavam com ele. E todos os servos do rei, que estavam à porta do rei, se inclinavam e se prostravam perante Hamã; porque assim tinha ordenado o rei acerca dele; porém Mardoqueu não se inclinava nem se prostrava. Então, os servos do rei, que estavam à porta do rei, disseram a Mardoqueu: Por que traspassas o

mandado do rei? Sucedeu, pois, que, dizendo-lhe eles isso, de dia em dia, e não lhes dando ele ouvidos, o fizeram saber a Hamã, para verem se as palavras de Mardoqueu se sustentariam, porque ele lhes tinha declarado que era judeu. Vendo, pois, Hamã que Mardoqueu não se inclinava nem se prostrava diante dele, Hamã se encheu de furor. Porém, em seus olhos, teve em pouco o pôr as mãos só sobre Mardoqueu (porque lhe haviam declarado o povo de Mardoqueu); Hamã, pois, procurou destruir todos os judeus que havia em todo o reino de Assuero, ao povo de Mardoqueu. No primeiro mês (que é o mês de nisã), no ano duodécimo do rei Assuero, se lançou Pur, isto é, a sorte, perante Hamã, de dia em dia e de mês em mês, até ao duodécimo mês, que é o mês de adar. E Hamã disse ao rei Assuero: Existe espalhado e dividido entre os povos em todas as províncias do teu reino um povo cujas leis são diferentes das leis de todos os povos e que não cumpre as leis do rei; pelo que não convém ao rei deixá-lo ficar. Se bem parecer ao rei, escreva-se que os matem; e eu porei nas mãos dos que fizerem a obra dez mil talentos de prata, para que entrem nos tesouros do rei. Então, tirou o rei o anel da sua mão e o deu a Hamã, filho de Hamedata, agagita, adversário dos judeus. E disse o rei a Hamã: Essa prata te é dada, como também esse povo, para fazeres dele o que bem parecer aos teus olhos. Então, chamaram os escrivães do rei no primeiro mês, no dia treze do mesmo, e conforme tudo quanto Hamã mandou se escreveu aos príncipes do rei, e aos governadores que havia sobre cada província, e aos principais de cada povo; a cada província segundo a sua escritura e a cada povo segundo a sua língua; em nome do rei Assuero se escreveu, e com o anel do rei se selou. E as cartas se enviaram pela mão dos correios a todas as províncias do rei, que destruíssem, matassem, e lançassem a perder a todos os judeus desde o moço até ao velho, crianças e mulheres, em um mesmo dia, a treze do duodécimo mês (que é mês de adar), e que saqueassem o seu despojo. Uma cópia do escrito para que se proclamasse a lei em cada província foi enviada a todos os povos, para que estivessem preparados para aquele dia. Os correios, pois, impelidos pela palavra do rei, saíram, e a lei se proclamou na fortaleza de Susã; e o rei e Hamã se assentaram a beber; porém a cidade de Susã estava confusa (cap. 3).

Aqui, chegamos à situação do povo. Claro que por trás disso está a malignidade de Hamã. É difícil dizer, mas parece que a desconfiança e o ódio de Hamã pelos judeus, espalhados como estavam por todo o Império Persa, vai além da recusa de Mardoqueu em se curvar para ele, pois seu plano é muito radical!

Também não podemos deixar Assuero fora do laço. Também devemos culpar a cumplicidade de Assuero nesse terrível édito. Ele deu seu anel de sinete para Hamã, o que, na verdade, conferiu a Hamã o poder para lançar o édito.

A seguir, temos de observar a intransigência de Mardoqueu. O rei ordena que o povo honre Hamã. Mordequeu recusa-se a fazer isso, o que pôs o povo judeu nessa confusão.

Assim, quem os salvará? Como lemos um pouco adiante que "a escritura que se escreve em nome do rei e se sela com o anel do rei não é para revogar" (8.8). O documento foi publicado, e a situação dos judeus parece desesperadora. O que acontece? Vejamos o capítulo seguinte:

> Quando Mardoqueu soube tudo quanto se havia passado, rasgou Mardoqueu as suas vestes, e vestiu-se de um pano de saco com cinza, e saiu pelo meio da cidade, e clamou com grande e amargo clamor; e chegou até diante da porta do rei; porque ninguém vestido de pano de saco podia entrar pelas portas do rei. E em todas as províncias aonde a palavra do rei e a sua lei chegavam havia entre os judeus grande luto, com jejum, e choro, e lamentação; e muitos estavam deitados em pano de saco e em cinza. Então, vieram as moças de Ester e os seus eunucos e fizeram-lhe saber, com o que a rainha muito se doeu; e mandou vestes para vestir a Mardoqueu e tirar-lhe o seu silício; porém ele não as aceitou. Então, Ester chamou a Hataque (um dos eunucos do rei, que este tinha posto na presença dela) e deu-lhe mandado para Mardoqueu, para saber que era aquilo e para quê. E, saindo Hataque a Mardoqueu, à praça da cidade que estava diante da porta do rei, Mardoqueu lhe fez saber tudo quanto lhe tinha sucedido, como também a oferta da prata que Hamã dissera que daria para os tesouros do rei pelos judeus, para os lançar a perder. Também lhe deu a cópia da lei escrita que se publicara em Susã para os destruir, para a mostrar a Ester, e lha fazer saber, e para lhe ordenar que fosse ter com o rei, e lhe pedisse, e suplicasse na sua presença pelo seu povo. Veio, pois, Hataque e fez saber a Ester as palavras de Mardoqueu. Então, disse Ester a Hataque e mandou-lhe dizer a Mardoqueu: Todos os servos do rei e o povo das províncias do rei bem sabem que para todo homem ou mulher que entrar ao rei, no pátio interior, sem ser chamado, não há senão uma sentença, a de morte, salvo se o rei estender para ele o cetro de ouro, para que viva; e eu, nestes trinta dias, não sou chamada para entrar ao rei. E fizeram saber a Mardoqueu as palavras de Ester. Então, disse Mardoqueu que tornassem a dizer a Ester: Não imagines, em teu ânimo, que escaparás na casa do rei, mais do que todos os outros judeus. Porque, se de todo te calares neste tempo, socorro e livramento doutra parte virá para os judeus, mas tu e a casa de teu pai perecereis; e quem sabe se para tal tempo como este chegaste a este reino? Então, disse Ester que tornassem a dizer a Mardoqueu: Vai, e ajunta todos os judeus que se acharem em Susã, e jejuai por mim, e não comais nem bebais por três dias, nem de dia nem de noite, e eu e as minhas

moças também assim jejuaremos; e assim irei ter com o rei, ainda que não é segundo a lei; e, perecendo, pereço. Então, Mardoqueu foi e fez conforme tudo quanto Ester lhe ordenou (cap. 4).

Mardoqueu reage à notícia do decreto da forma que esperaríamos — com pesar.

Todavia, Mardoqueu também tem fé. Ele não sabia como viria a libertação, mas cria em Deus e sabia que seriam libertados.

Observe também a fé de Ester. O que ela pede a Mardoqueu? Ela pede especificamente que Mardoqueu jejue — o que inclui orar —, e que faça com que todos os judeus de Susã façam o mesmo. O rei não permitia a presença de ninguém diante dele a menos que convocasse a pessoa, e Ester sabia que dependia totalmente da intervenção graciosa de Deus.

A seguir, observe a coragem dela em ir até o rei sem ser convocada. A história continua no capítulo 5:

> Sucedeu, pois, que, ao terceiro dia, Ester se vestiu de suas vestes reais e se pôs no pátio interior da casa do rei, defronte do aposento do rei; e o rei estava assentado sobre o seu trono real, na casa real, defronte da porta do aposento. E sucedeu que, vendo o rei a rainha Ester, que estava no pátio, ela alcançou graça aos seus olhos; e o rei apontou para Ester com o cetro de ouro, que tinha na sua mão, e Ester chegou e tocou a ponta do cetro. Então, o rei lhe disse: Que é o que tens, rainha Ester, ou qual é a tua petição? Até metade do reino se te dará. E disse Ester: Se bem parecer ao rei, venha o rei e Hamã hoje ao banquete que tenho preparado para o rei. Então, disse o rei: Fazei apressar a Hamã, que cumpra o mandado de Ester. Vindo, pois, o rei e Hamã ao banquete, que Ester tinha preparado, disse o rei a Ester, no banquete do vinho: Qual é a tua petição? E se te dará. E qual é o teu requerimento? E se fará, ainda até metade do reino. Então, respondeu Ester e disse: Minha petição e requerimento é: se achei graça aos olhos do rei, e se bem parecer ao rei conceder-me a minha petição e outorgar-me o meu requerimento, venha o rei com Hamã ao banquete que lhes hei de preparar, e amanhã farei conforme o mandado do rei. Então, saiu Hamã, naquele dia, alegre e de bom ânimo; porém, vendo Hamã a Mardoqueu à porta do rei e que não se levantara nem se movera diante dele, então, Hamã se encheu de furor contra Mardoqueu. Hamã, porém, se refreou e veio à sua casa; e enviou e mandou vir os seus amigos e a Zeres, sua mulher. E contou-lhes Hamã a glória das suas riquezas, e a multidão de seus filhos, e tudo em que o rei o tinha engrandecido, e aquilo em que o tinha exaltado sobre os príncipes e servos do rei. Disse mais Hamã: Tampouco a rainha Ester a ninguém fez vir com o rei ao banquete que tinha preparado, senão

a mim; e também para amanhã estou convidado por ela juntamente com o rei. Porém tudo isso não me satisfaz, enquanto vir o judeu Mardoqueu assentado à porta do rei. Então, lhe disse Zeres, sua mulher, e todos os seus amigos: Faça-se uma forca de cinqüenta côvados de altura, e amanhã dize ao rei que enforquem nela Mardoqueu e, então, entra alegre com o rei ao banquete. E esse conselho bem pareceu a Hamã, e mandou fazer a forca (cap. 5).

Bem, as coisas ficam mais e mais turvas, não é mesmo? Observe, aqui, a obediência de Ester. Não tenho certeza de por que ela não fez seu pedido ao rei na primeira ocasião. Talvez ela estivesse sendo astuta. Talvez estivesse com um pouco de medo. Não sei. O texto não diz.

Veja também como Mardoqueu continua com sua intransigência. Ele simplesmente não está disposto a honrar essa pessoa que o rei ordenou que fosse honrado.

E você não pode deixar de notar a raiva, o ódio e o orgulho de Hamã.

Bem, se você nunca leu a história, talvez ache que as coisas pareçam caminhar muito bem para Hamã. Assuero honra-o. O édito determinando a execução dos judeus e com o selo do rei continua a ter validade. E Mardoqueu continua a desonrar Hamã, garantindo que a destruição caia sobre a cabeça de Mardoqueu com mais rapidez. Assim, aqui no final do capítulo 5, que representa mais da metade desse pequeno livro, a situação não parece nada boa para os judeus!

Ah, mas como um dia faz toda a diferença! Veja o capítulo 6:

Naquela mesma noite, fugiu o sono do rei; então, mandou trazer o livro das memórias das crônicas, e se leram diante do rei. E achou-se escrito que Mardoqueu tinha dado notícia de Bigtã e de Teres, dois eunucos do rei, dos da guarda da porta, de que procuraram pôr as mãos sobre o rei Assuero. Então, disse o rei: Que honra e galardão se deu por isso a Mardoqueu? E os jovens do rei, seus servos, disseram: Coisa nenhuma se lhe fez. Então, disse o rei: Quem está no pátio? E Hamã tinha entrado no pátio exterior do rei, para dizer ao rei que enforcassem a Mardoqueu na forca que lhe tinha preparado. E os jovens do rei lhe disseram: Eis que Hamã está no pátio. E disse o rei que entrasse. E, entrando Hamã, o rei lhe disse: Que se fará ao homem de cuja honra o rei se agrada? Então, Hamã disse no seu coração: De quem se agradará o rei para lhe fazer honra mais do que a mim? Pelo que disse Hamã ao rei: Quanto ao homem de cuja honra o rei se agrada, traga a veste real de que o rei se costuma vestir, monte também o cavalo em que o rei costuma andar montado, e ponha-se-lhe a coroa real na sua cabeça; e entregue-se a veste e o cavalo à mão de um dos príncipes do rei, dos maiores senhores, e vistam dele aquele homem de cuja honra se agrada; e levem-no a cavalo pelas ruas da cidade, e apregoe-se diante dele: Assim se fará ao homem de cuja honra o rei se agrada! Então, disse o rei a Hamã: Apressa-te, toma a veste e o cavalo, como disseste, e faze assim para com o judeu Mardoqueu, que está assentado à porta do rei; e coisa nenhuma deixes cair de tudo quanto disseste. E Hamã tomou a veste e o cavalo, e vestiu a Mardoqueu, e o levou a cavalo pelas ruas da cidade, e apregoou diante dele: Assim se fará ao homem de cuja honra o rei se agrada! Depois disso, Mardoqueu voltou para a porta do rei; porém Hamã se retirou correndo a sua casa, angustiado e coberta a cabeça. E contou Hamã a Zeres, sua mulher, e a todos os seus amigos tudo quanto lhe tinha sucedido. Então, os seus sábios e Zeres, sua mulher, lhe disseram: Se Mardoqueu, diante de quem já começaste a cair, é da semente dos judeus, não prevalecerás contra ele; antes, certamente cairás perante ele. Estando eles ainda falando com ele, chegaram os eunucos do rei e se apressaram a levar Hamã ao banquete que Ester preparara (cap. 6).

Paremos apenas por um momento e meditemos. Aqui, Assuero age apenas com característico interesse próprio. Ele não faz nada surpreendente, ele quer honrar alguém que ajudou a salvar sua vida.

Mardoqueu é recompensado e honrado, o que faz sentido em vista dos serviços que prestou.

Hamã é humilhado, mas, nesse ponto da história, sua humilhação é apenas em particular. O rei não sabe nada do ódio de Hamã por Mardoqueu. E Hamã ainda tem de comparecer a outro banquete com o rei e a rainha. Contudo, ele teve de admitir perante seus amigos que cometeu um engano, mas talvez a situação dele não se torne tão ruim como a esposa sugeriu.

E Ester prepara, calmamente, o segundo banquete, talvez sem saber nada da insônia do rei nem de seu desejo de honrar Mardoqueu.

Agora, vejamos a segunda parte do plano de Deus para frustrar os esquemas de seu inimigo:

Vindo, pois, o rei com Hamã, para beber com a rainha Ester, disse também o rei a Ester, no segundo dia, no banquete do vinho: Qual é a tua petição, rainha Ester? E se te dará. E qual é o teu requerimento? Até metade do reino se fará. Então, respondeu a rainha Ester e disse: Se, ó rei, achei graça aos teus olhos, e se bem parecer ao rei, dê-se-me a minha vida como minha petição e o meu povo como meu requerimento. Porque estamos vendidos, eu e o meu povo, para nos destruírem, matarem e lançarem a perder; se ainda por servos e por servas nos vendessem, calar-me-ia, ainda que o opressor não recompensaria a perda do rei. Então, falou o rei Assuero e disse à rainha Ester: Quem é esse? E onde está esse cujo coração o instigou a fazer assim? E disse Ester: O homem, o opressor e o inimigo é este mau Hamã. Então, Hamã se perturbou perante o rei e a rainha. E o rei, no seu furor, se levantou do banquete do vinho para o jardim do palácio; e Hamã se pôs em pé, para rogar à rainha Ester pela sua vida; porque viu que já o mal lhe era determinado pelo rei. Tornando, pois, o rei do jardim do palácio à casa do banquete do vinho, Hamã tinha caído prostrado sobre o leito em que estava Ester. Então, disse o rei: Porventura, quereria ele também forçar a rainha perante mim nesta casa? Saindo essa palavra da boca do rei, cobriram a Hamã o rosto. Então, disse Harbona, um dos eunucos que serviam diante do rei: Eis que também a forca de cinqüenta côvados de altura que Hamã fizera para Mardoqueu, que falara para bem do rei, está junto à casa de Hamã. Então, disse o rei: Enforcai-o nela. Enforcaram, pois, a Hamã na forca que ele tinha preparado para Mardoqueu. Então, o furor do rei se aplacou (cap. 7).

Bem, o que podemos dizer aqui? Assuero age como o déspota absoluto que é. Ester age com astúcia e bravura, e utiliza-se do fator surpresa. É arriscado fazer o pedido, mas adivinho que ela pensou ser sua melhor oportunidade para fazê-lo. Hamã fica surpreso, depois, desesperado e descuidado. Ele deveria ter deixado a sala no mesmo instante em que o rei saiu da sala. Por fim, ele é morto.

Todavia, o trabalho não estava concluído! O édito ordenando a execução dos judeus fora enviado para 127 províncias! Os judeus ainda corriam um grande perigo. Assim, chegamos ao capítulo 8:

Naquele mesmo dia, deu o rei Assuero à rainha Ester a casa de Hamã, inimigo dos judeus; e Mardoqueu veio perante o rei, porque Ester tinha declarado o que lhe era. E tirou o rei o seu anel, que tinha tomado a Hamã, e o deu a Mardoqueu. E Ester pôs a Mardoqueu sobre a casa de Hamã. Falou mais Ester perante o rei e se lhe lançou aos pés; e chorou e lhe suplicou que revogasse a maldade de Hamã, o agagita, e o seu intento que tinha intentado contra os judeus. E estendeu o rei para Ester o cetro de ouro. Então, Ester se levantou, e se pôs em pé perante o rei, e disse: Se bem parecer ao rei, e se eu achei graça perante ele, e se este negócio é reto diante do rei, e se eu lhe agrado aos seus olhos, escreva-se que se revoguem as cartas e o intento de Hamã, filho de Hamedata, o agagita, as quais ele escreveu para lançar a perder os judeus que há em todas as províncias do rei. Por que como poderei ver o mal que sobrevirá ao meu povo? E como poderei ver a perdição da minha geração? Então, disse o rei Assuero à rainha Ester e ao judeu Mardoqueu: Eis que dei a Ester a casa de Hamã, e a ele enforcaram numa forca, porquanto quisera pôr as mãos sobre os judeus. Escrevei, pois, aos judeus, como parecer bem aos vossos olhos e em nome do rei, e selai-o com o anel do rei; porque a escritura que se escreve em nome do rei e se sela com o anel do rei não é para revogar. Então, foram chamados os escrivães do rei, naquele mesmo tempo e no mês terceiro (que é o mês de sivã), aos vinte e três do mesmo, e se escreveu conforme tudo quanto ordenou Mardoqueu aos judeus, como também aos sátrapas, e aos governadores, e aos maiorais das províncias que se estendem da Índia até à Etiópia, cento e vinte e sete províncias, a cada província segundo a sua escritura e a cada povo conforme a sua língua; como também aos judeus segundo a sua escritura e conforme a sua língua. E se escreveu em nome do rei Assuero, e se selou com o anel do rei; e se enviaram as cartas pela mão de correios a cavalo e que cavalgavam sobre ginetes, que eram das cavalariças do rei. Nelas, o rei concedia aos judeus que havia em cada cidade que se reunissem, e se dispusessem para defenderem as suas vidas, e para destruírem, e matarem, e assolarem a todas as forças do povo e província que com eles apertassem, crianças e mulheres, e que se saqueassem os seus despojos, num mesmo dia, em todas as províncias do rei Assuero, no dia treze do duodécimo mês, que é o mês de adar. E uma cópia da carta, que uma ordem se anunciaria em todas as províncias, foi enviada a todos os povos, para que os judeus estivessem preparados para aquele dia, para se vingarem dos seus inimigos. Os correios, sobre ginetes das cavalariças do rei, apressuradamente saíram, impelidos pela palavra do rei; e foi publicada esta ordem na fortaleza de Susã. Então, Mardoqueu saiu da presença do rei com uma veste real azul celeste e branca, como também com uma grande coroa de ouro e com uma capa de linho fino e púrpura, e a cidade de Susã exultou e se alegrou. E para os judeus houve luz, e alegria, e gozo, e honra. Também em toda província e em toda cidade aonde chegava a palavra do rei e a sua ordem, havia entre os judeus alegria e gozo, banquetes e dias de folguedo; e muitos, entre os povos da terra, se fizeram judeus; porque o temor dos judeus tinha caído sobre eles (cap. 8).

Bem, acredito que as leis dos medo-persas são do mesmo tipo das leis que compõem a Constituição. Os legisladores não podem pegar o lápis e a borracha e começar a apagar as cláusulas e emendas da Constituição. Tudo que podemos fazer é adicionar outra emenda que anula ou restringe a parte que queremos mudar. É isso que Assuero faz nessa passagem. Assuero age com probidade.

Mais uma vez, Ester é corajosa. O rei já lhe dera muito, porém, ela pede ainda mais.

Mardoqueu lida com toda a situação com sabedoria.

E, agora, o povo judeu tem esperança — não que a história esteja concluída. Até aqui, eles têm apenas permissão legal para se defender. Eles ainda têm de esperar nove meses, até a data fatídica estipulada para a morte pelas mãos do recém-falecido Hamã. Vejamos o que acontece no início do capítulo 9:

E, no mês duodécimo, que é o mês de adar, no dia treze do mesmo mês em que chegou a palavra do rei e a sua ordem para se executar, no dia em que os inimigos dos judeus esperavam assenhorear-se deles, sucedeu o contrário, porque os judeus foram os que se assenhorearam dos seus aborrecedores. Porque os judeus nas suas cidades, em todas as províncias do rei Assuero, se ajuntaram para pôr as mãos sobre aqueles que procuravam o seu mal; e nenhum podia resistir-lhes, porque o seu terror caiu sobre todos aqueles povos. E todos os maiorais das províncias, e os sátrapas, e os governadores, e os que faziam a obra do rei auxiliavam os judeus, porque tinha caído sobre eles o temor de Mardoqueu. Porque Mardoqueu era grande na casa do rei, e a sua fama saía por todas as províncias; porque o homem Mardoqueu se ia engrandecendo. Feriram, pois, os judeus a todos os seus inimigos, a golpes de espada e com matança e com destruição; e fizeram dos seus aborrecedores o que quiseram. E, na fortaleza de Susã, mataram e destruíram os judeus quinhentos homens; como também a Parsandata, e a Dalfom, e a Aspata, e a Porata, e a Adalia, e a Aridata, e a Farmasta, e a Arisai, e a Aridai, e a Vaizata. Os dez filhos de Hamã, filho de Hamedata, inimigo dos judeus, foram mortos; porém ao despojo não estenderam a sua mão. No mesmo dia, veio perante o rei o número dos mortos na fortaleza de Susã. E disse o rei à rainha Ester: Na fortaleza de Susã, mataram e destruíram os judeus quinhentos homens e os dez filhos de Hamã; nas mais províncias do rei, que fariam? Qual é, pois, a tua petição? E dar-se-te-á. Ou qual é ainda o teu requerimento? E far-se-á. Então, disse Ester: Se bem parecer ao rei, conceda-se também, amanhã, aos judeus que se acham em Susã que façam conforme o mandado de hoje; e enforquem os dez filhos de Hamã numa forca. Então, disse o rei que assim se fizesse; e publicou-se um edito em Susã, e enforcaram os dez filhos de Hamã. E reuniram-se os judeus que se achavam em Susã também no dia catorze do mês de adar e mataram em Susã a trezentos homens; porém ao despojo não estenderam a sua mão. Também os demais judeus que se achavam nas províncias do rei se reuniram para se porem em defesa da sua vida e tiveram repouso dos seus inimigos; e mataram dos seus aborrecedores setenta e cinco mil; porém ao despojo não estenderam a sua mão. Sucedeu isso no dia treze do mês de adar; e repousaram no dia catorze do mesmo e fizeram daquele dia dia de banquetes e de alegria (9.1-17).

Agora, o povo está salvo! Eles foram libertados de seu problema imediato. O restante do capítulo 9 descreve a história da festa do Purim dos judeus — que significa "sortes" —, nome dado por causa da maldosa determinação da sorte por Hamã (9.18-32). O ano judaico inicia-se no outono, com a Páscoa que comemora a libertação de Israel do Egito. O Yom Kippur — Dia da Expiação — é na primavera. Portanto, o Purim, a última festa, ocorre em março e lembra ao povo que Deus os preserva.

O livro de Ester termina com um capítulo muito curto (apenas três versículos) que resumem o bom resultado conseguido por Mardoqueu e pelos judeus:

> Depois disto, pôs o rei Assuero tributo sobre a terra e sobre as ilhas do mar. E todas as obras do seu poder e do seu valor e a declaração da grandeza de Mardoqueu, a quem o rei engrandeceu, porventura, não estão escritas no livro das crônicas dos reis da Média e da Pérsia? Porque o judeu Mardoqueu foi o segundo depois do rei Assuero, e grande para com os judeus, e agradável para com a multidão de seus irmãos, procurando o bem do seu povo e trabalhando pela prosperidade de toda a sua nação (cap. 10).

Os Personagens

Isso é tudo que podemos dizer sobre esse complô. Voltemos-nos, por alguns minutos, para os personagens do livro.

Hamã

Hamã era o inimigo do povo de Deus. Seu orgulho secreto, seu ódio e sua vaidade afetavam seu julgamento público. Ele foi primeiro-ministro do império, mas também foi o primeiro a usar o Estado para fins pessoais. E seus objetivos eram ruins. Não é preciso dizer mais nada a respeito desse inimigo do povo de Deus.

Assuero

Assuero foi um personagem mais interessante. Ele foi o libertador do povo de Deus. A história conhece, especificamente, esse grande rei persa pela invasão da Grécia, em 480 a.C., recontada por Heródoto, historiador da Antiguidade (484-c. 425 a.C.). Assuero reinou por 25 anos e foi assassinado em 465 a.C., cerca de nove anos após os eventos registrados em Ester. Aparentemente, houve mais de um complô, do tipo descoberto por Mardoqueu, para assassiná-lo durante seu reinado. A seguir, seu filho, Artaxerxes I, que conhecemos nos relatos de Esdras e de Neemias, tornou-se rei.

Claro que Assuero libertou o povo de uma provação em que ele teve um papel crucial, quando deu início a toda essa trama. Foi Assuero quem deu autoridade a Hamã e, depois, disse-lhe as terríveis palavras: "[Fazes] dele o que bem parecer aos teus olhos" (3.11). Outra pessoa teve de interferir e conseguir a libertação a fim de reverter o curso dos fatos. Assuero, por si mesmo, não teria feito isso.

Mardoqueu

Nesse ponto é que entra Mardoqueu. Nessa história, Mardoqueu foi o libertador do povo de Deus em um sentido mais profundo. Mardoqueu era um funcionário modesto que, por causa da bondade com sua família, inconscientemente, tornou-se uma pessoa com influência sobre a rainha. Ele tomou-a como sua filha, quando os pais dela morreram (2.7). Ele era um súdito fiel a Assuero e informou Ester quando os guardas do rei conspiraram contra a vida deste. Seu pesar público por causa do édito de Hamã chamou a atenção dos empregados de Ester, e, assim, ela tomou conhecimento do édito. Ele tornou-se o informante da rainha e motivou-a a agir. Conforme o pedido de Ester, ele convocou os judeus de Susã a jejuar (e, provavelmente, a orar). Em um momento crucial, seu serviço fiel ao rei chamou a atenção deste. Apenas mais tarde, Ester revelou ao rei seus laços de parentesco com Mardoqueu. E Mardoqueu foi o autor do édito real que se opunha ao édito anterior de Hamã. Não é de surpreender que o rei o tenha ascendido a uma alta posição e que os judeus o estimassem (10.2,3).

Com certeza, Mardoqueu foi um manipulador sagaz. Ele proibiu Ester de revelar sua identidade judia, e, sem dúvida, tinha motivos para fazer isso. Todavia, talvez o rei nunca tivesse concordado com o édito de Hamã se conhecesse a identidade judia dela. E talvez Hamã, no início, nunca tivesse pedido o édito contra os judeus se soubesse que Ester era judia.

Mardoqueu também conseguia ser bastante inflexível. É difícil dizer por que ele se recusava a se inclinar ou a honrar Hamã, embora o rei tivesse ordenado que todos fizessem isso. A situação não se compara à do livro de Daniel, em que os três jovens se negam a adorar um ídolo. Assuero não ordenou adoração religiosa. Ele pedia apenas honra de corte. Contudo, Mardoqueu, seja qual for a razão que teve, não fez isso. Seria por que Mardoqueu sabia que Hamã nutria planos sinistros para os judeus? Ele achava errado honrar Hamã, pois este era amalequita, inimigo antigo do povo de Deus? Não sabemos.

Mardoqueu, por si mesmo, não poderia libertar os judeus. Seu pranto público não conseguiria nada se alguém da corte real não se importasse com isso. Mas alguém se importou.

Ester

Isso nos leva a Ester. Em um sentido bastante real, Ester foi a libertadora do povo de Deus.

Com certeza, as circunstâncias de Ester eram favoráveis. Ela era bonita, e Deus usou sua beleza. Sim, ela era órfã, e o Senhor também usou isso a fim de levá-la para perto do poder. Ela foi levada ao rei, e o rei encantou-se com ela. Ester provou sua fidelidade a Assuero ao passar-lhe a informação do complô de assassinato de seus guardas. Ela pesquisou o que atormentava Mardoqueu e, assim, descobriu o complô contra seu povo. Ela pediu oração e comprometeu-se a agir, mesmo pondo sua vida em risco. E ela agiu. Ela foi, ficou em pé e pediu. Preparou banquetes e convidou o rei e Hamã — duas vezes! Ela estava disposta a apostar alto. Ela revelou sua identidade étnica e, assim, correu o risco — ao mencionar Hamã — de que o rei valorizasse mais Hamã que a ela. De fato, foi necessário coragem para fazer isso! Mesmo após a morte de Hamã, Ester sabia que precisava pedir ainda mais ao rei. Afinal, o édito que ameaçava seu povo fora promulgado em todo o império.

Por tudo isso, podemos dizer que ela foi a libertadora de seu povo.

Mas ela, como Mardoqueu, foi sagaz. Ela não revelou logo de início sua identidade judia. De novo, alguém pode se perguntar se o rei não teria desautorizado o pedido de Hamã desde o início se soubesse que ela era judia. Além disso, ela se dispôs a juntar-se ao harém de um rei pagão? Isso não parece ser um modelo de virtude religiosa! Por fim, muitos comentaristas sugerem que ela foi zelosa ao extremo na perseguição da justiça. Seu zelo deu lugar à vingança?

Em suma, questionamentos a respeito dos métodos e da moralidade de Mardoqueu e de Ester rodeiam esses personagens mais que outros conselheiros judeus de reis pagãos do Antigo Testamento, como José, no Egito, ou Daniel, na Babilônia.

Deus

Em última instância, nesse livro, Deus é o verdadeiro libertador do seu povo. Qualquer dúvida que tenhamos sobre se justo esse personagem ou aquele foi o libertador do povo apenas salienta o fato de que o único libertador do povo de Deus não foi nenhum desses indivíduos, por mais heróicos que dois deles tenham sido. Nesse livro, o verdadeiro libertador do povo do Senhor é o Deus gracioso, soberano e provedor. Ele está no centro do palco, embora seu nome não seja mencionado em todo o livro.

Você notou isso nos capítulos que lemos? É verdade. Exceto por Cantares, Ester é o único livro da Bíblia que não menciona Deus explicitamente. Contudo, como Matthew Henry disse: "Apesar de o nome de Deus não ser mencionado, o dedo do Senhor dirige muitos dos eventos que trazem a libertação de seu povo".[3] A capacidade de Deus de realizar seus propósitos, mesmo que de forma oculta, apenas intensifica nossa percepção do seu poder. Ele pode não ser mencionado, porém, em toda a Bíblia, esse livro é o que favorece uma das mais longas meditações sobre a soberania e a providência de Deus. Realmente, ele é apenas uma longa ilustração narrativa de Romanos 8.28: "E sabemos que todas as coisas contribuem juntamente para o bem daqueles que amam a Deus, daqueles que são chamados por seu decreto".

Por conseguinte, muitos dos usos verbais que encontramos no livro implicam a ação de Deus. Por exemplo, observe esta sentença: "[...] como os dias em que os judeus tiveram repouso dos seus inimigos e o mês que se lhes mudou de tristeza em alegria e de luto em dia de folguedo" (9.22; grifos do autor). Quem deu repouso aos judeus e transformou sua tristeza em alegria? Deus fez isso.

Nesse livro, talvez você não tenha percebido o papel essencial de Deus, pois Ele não age da mesma forma espetacular que faz em outras passagens do Antigo Testamento, tal como no chamado de Abraão ou na libertação dos filhos de Israel do Egito. Essas intervenções são catalogadas como milagrosas. Todavia, em Ester, Ele age de forma providencial — por meio dos atos normais das pessoas na ordem normal da vida, como Ele operou em José e em Rute. Deus opera soberanamente sem fazer nenhum milagre aparente, Ele cria apenas um monte de "acontecimentos" e de "circunstâncias" certas. Você percebeu isso ao ler o livro?

Talvez você já tenha ouvido o provérbio: "Dobradiças pequenas sustentam portas grandes". Muitas vezes, o curso da história é determinado pelos menores detalhes. A história de Ester é cheia de acontecimentos cruciais que, na época, devem ter parecido um lance de sorte para qualquer pessoa que observasse os eventos, e talvez eles pareçam assim para você. Afinal, o livro explica a Festa do Purim, que se origina do plural da palavra hebraica para "sortes" ou "dados". Toda jogada de dados fornece um resultado fortuito, certo? Se você pensa assim, então a história desse livro, realmente, não será para você nada mais que uma história incrível de como todas essas coisas vieram apenas a acontecer. Que coisas?

- Apenas *acontecer* de Ester ser judia, e apenas *acontecer* de ela ser bonita.
- Apenas *acontecer* de Ester ser favorecida pelo rei.
- Apenas *acontecer* de Mardoqueu ouvir o complô contra a vida do rei.
- Apenas *acontecer* de o relato desse fato ser escrito no diário do rei.
- Apenas *acontecer* de Hamã perceber que Mardoqueu não se inclina diante dele, e apenas *acontecer* de ele descobrir que Mardoqueu é judeu.
- Quando Hamã planeja sua vingança, apenas *acontecer* de os dados indicarem que a data exata para a vingança ser mais de um ano adiante! (O que Provérbios 16.33 afirma? "A sorte se lança no regaço, mas do Senhor procede toda a sua disposição.")
- *Acontecer* de Ester conseguir autorização do rei para falar, mas, a seguir, *acontecer* de ela deixar seu pedido para outro dia.
- Apenas *acontecer* de o adiamento dela fazer com que Hamã encontre com Mardoqueu mais uma vez.
- Apenas *acontecer* de isso o levar a contar novamente esse encontro para os amigos.
- Apenas *acontecer* de eles, por sua vez, encorajá-lo a construir uma forca de imediato!
- Por isso, apenas *acontecer* de Hamã sentir-se impelido a abordar o rei na manhã seguinte.

- E apenas *acontecer* de o poderoso rei não conseguir dormir na noite anterior.
- E apenas *acontecer* de levarem ao rei um livro que reconta o feito de Mardoqueu.
- A seguir, apenas *acontecer* de ele perguntar qual foi a recompensa que Mardoqueu recebeu por seu feito, e apenas *acontecer* de seus servos saberem a resposta. Pense apenas por um momento no fato de apenas *acontecer* de Mardoqueu não ter sido recompensado por salvar a vida do rei. Como isso devia ser incomum! Uma pessoa que salva a vida do rei não ser recompensada? Pergunto-me se Mardoqueu encolerizou-se com isso: "Ele não percebe o que fiz por ele?" Bem, tudo isso apenas *aconteceu*.
- De qualquer modo, *acontecer* de Hamã abordar o rei exatamente no momento em que o rei se perguntava como honrar Mardoqueu.
- Mais adiante, apenas *acontecer* de o rei retornar para junto da rainha exatamente quando *acontecia* de Hamã implorar a Ester de uma forma que podia ser interpretada erroneamente.
- Apenas *acontecer* de a forca que Hamã construiu para matar Mardoqueu estar pronta quando o rei Assuero decide enforcar Hamã.

Eu poderia continuar. Essa é a forma como você lê a história de Ester — uma série incrível de acontecimentos e de felizes coincidências? Sem a crença de que Deus governa ativa e soberanamente o mundo, o livro de Ester transforma-se em uma mera celebração da sabedoria de Mardoqueu, da coragem de Ester e, acima de tudo, uma simples comemoração da oportunidade e da sorte.

Todavia, amigo, se você é cristão, não deve ler esse livro dessa forma. Asseguro-lhe, ele não foi escrito por isso. Esse livro foi escrito para mostrar que Deus age para a derrota total de seus inimigos *e* para a segurança de seu povo.

Hamã descreveu como o homem a quem o rei se agrada em honrar devia ser honrado, achando que o rei se referia a ele; mas o rei pensava em Mardoqueu. Hamã também construiu a forca para Mardoqueu, porém, ela foi usada para ele mesmo. Em suma, Hamã queria honra para si mesmo e a forca para Mardoqueu; todavia, Deus quis a forca para Hamã e a honra para Mardoqueu. A vontade do Senhor sempre se realiza, apesar de os homens serem agentes totalmente livres. Prodígios podem ser feitos sem milagres, não é mesmo?

Na noite passada, perguntei a minha filha, Anne, o que ela descobriu no livro de Ester. Ela disse: "É incrível a forma como Deus trabalha".

Eu respondi: "Mas Ele não é mencionado no livro".

Ela replicou: "O Senhor não precisa ser mencionado para que reconheçamos o trabalho dEle".

Verdade absoluta.

Deus pode libertar seu povo da forma que desejar. Ele pode libertar o povo com os milagres de Êxodo. Ou, como vemos no livro de Ester, com circunstâncias soberanamente propiciadas. Deus, o não mencionado, é o personagem principal do livro de Ester. Ele é o libertador de seu povo.

As Lições

Portanto, que lições aprendemos com esse pequeno livro?

Bem, poderíamos dizer muita coisa de cada personagem, sobre como eles evitaram os vícios e ativeram-se às virtudes, e tudo isso seria verdade. Seja fiel a toda posição que Deus lhe der, como Mardoqueu e Ester o foram. Evite o orgulho de Hamã. Cultive a sabedoria e a prudência. Desenvolva uma doutrina de autodefesa justa. Como fez a heróica Ester, corra riscos por um bem maior. Os líderes são importantes, e devemos orar por eles. Busque a prosperidade da cidade em que está exilado (Jr 29.4-7).

E, como já disse, todas essas lições são verdadeiras e úteis.

Mas se essa é uma visão panorâmica do livro como um todo, em que tentamos entender o peso, o impulso e o ponto do próprio livro, temos de observar que esse livro, de forma mais fundamental, ensina-nos duas verdades sobre Deus.

Deus sempre Pune seus Inimigos

Primeiro, Deus sempre pune seus inimigos. Muitas pessoas criticam a sede de sangue desse livro. No capítulo 9, o triunfo dos judeus é sangrento, deixa dezenas de milhares de mortos. Contudo, se essa é sua reação à história, talvez você queira considerar dois assuntos. Primeiro, os judeus têm permissão de se defender apenas na hipótese de haver um ataque contra eles (8.11). Derramou-se todo esse sangue em autodefesa. Segundo, é certo Deus revidar contra seus inimigos. Na verdade, a justiça exige isso! Além disso, o Senhor pune os inimigos de seu povo, porque ser inimigo do seu povo *é* ser inimigo de Deus. Esse é o testemunho claro e unânime das Escrituras.

Talvez você se pergunte: "Qual é a importância hoje da idéia de Deus punir os inimigos do seu povo? Quem tem inimigos hoje?" Se você é cristão, tem inimigos! "Eu? Inimigos?" Sim, pessoas que se opõem a você em sua fé. Lembre como Jesus orou ao Pai: "Dei-lhes a tua palavra, e o mundo os odiou, porque não são do mundo, assim como eu não sou do mundo" (Jo 17.14). O mundo odeia o povo de Deus, porque o mundo odeia o Deus que representamos, aqUele que criou a humanidade e guia e dirige todos os homens. Desde a Queda, todo homem odeia ao Senhor. O homem, perversa e erroneamente, procura sua liberdade na escravidão e sua escravidão na liberdade. Portanto, quando nós, como escravos livres, trazemos as Boas Novas de Jesus Cristo para as pessoas que permanecem na escravidão para que creiam e se libertem, elas nos odeiam, por mais irônico que isso seja.

O que acontecerá com os que perseveram na iniqüidade? Eles terão, pelas mãos de Deus, um fim ruim. Nesse sentido, esse pequeno livro de Ester prenuncia o do Apocalipse, na passagem sobre a canção entoada a respeito da cidade que cai sob o julgamento de Deus: "Alegra-te sobre ela, ó céu, e vós, santos apóstolos e profetas, porque já Deus julgou a vossa causa quanto a ela" (Ap 18.20).

O que significa para você o fato de Deus sempre punir seus inimigos — os inimigos de seu povo?

Pense em sua condição com atenção. Primeiro, isso significa que você deve pensar em sua condição atual com atenção. Muitas pessoas correm pela vida sentindo-se saudáveis e prósperas e, um dia, sem perceber, vêem-se na presença de Deus, e, ali, o julgamento justo, total, infalível e imutável dEle espera por elas. Resolva hoje que não chegará tão desavisado à presença dEle. Enquanto você tem seus sentidos e tem tempo, pare e pense sobre qual é sua posição diante dEle. Você crê nEle? Você se submeteu a Ele? Você o ama? Você buscou o perdão dEle para os seus pecados?

Arrependa-se agora. O julgamento de Deus sobre seus inimigos também significa que você deve se arrepender agora, enquanto há tempo para isso. No Senhor Jesus Cristo, Deus tomou a carne sobre si. Jesus veio como nosso verdadeiro libertador para viver uma vida perfeita e para morrer na cruz pelos pecados de todos que se arrependem e crêem nEle. Ele chama-o para arrepender-se de seus pecados e para crer nEle agora. Se você fizer isso, Ele garante-lhe o perdão por seus pecados e uma nova vida nEle. Que outra forma você tem para lidar com seu pecado? Você não pode negá-los. Eles são seus e estão mais grudados em você que sua pele! Você ficará diante de Deus e prestará contas a Ele. Cada um de nós fará isso; é inevitável. O que você dirá a Ele sobre seus pecados?

Deixe-me exortá-lo de novo: arrependa-se! E creia no Senhor Jesus Cristo. Receba o perdão por seus pecados e a nova vida que Ele oferece! Pois Deus sempre pune seus inimigos.

Deus, com Certeza, Libertará seu Povo

No entanto, há uma segunda lição nesse livro: Deus, com certeza, libertará seu povo. Você acredita nisso? Isso é o que livro de Ester lhe ensina.

Bem, talvez você se pergunte: "E quanto ao crente chinês que, conforme li, é preso e torturado por causa de sua fé? E os cristãos mortos na Nigéria, e os missionários mortos no Líbano? E os cristãos que, talvez, estão sendo mortos neste minuto no Sudão, no Paquistão, na Indonésia? O que você quer dizer com: 'Deus, com certeza, libertará seu povo'?"

Neste mundo caído, a Bíblia não nos promete livramento da morte física nem mesmo do martírio, mas o livro de Ester conta-nos isto: Deus preservará seu povo para seus propósitos e para sua glória. Séculos antes, foi exatamente isso que o Senhor disse ao seu povo por intermédio do profeta Isaías: "Toda ferramenta preparada contra ti não prosperará; e toda língua que se levantar contra ti em juízo, tu a condenarás; esta é a herança dos servos do Senhor e a sua justiça que vem de mim, diz o Senhor" (Is 54.17). Deus *justificará* todos os seus servos!

Depois, pense em como a igreja de Deus é segura. Não, não da violência mundana e da morte física, mas da ruína final diante dEle! O que Jesus disse? "E digo-vos, amigos meus: não temais os que matam o corpo e depois não têm mais o que fazer. Mas eu vos mostrarei a quem deveis temer: temei aquele que, depois de matar, tem poder para lançar no inferno; sim, vos digo, a esse temei" (Lc 12.4,5). No fim, Deus é aquEle, e o único, que devemos temer. E não precisamos ficar ansiosos a respeito do amor dEle se estamos em Cristo. Todo filho do Senhor tem um guardião próximo do trono de Deus.

Por fim, Jesus é o libertador do povo de Deus. À medida que o Senhor a usou para libertar seu povo, Ester aponta para Cristo. O nome dela relaciona-se com a palavra hebraica para "estrela", e ela, como a estrela de Belém, aponta para o libertador que estava para vir. O Senhor estaria com seu povo e o libertaria. O livro de Ester lembra-nos da verdade certa que Jesus declarou: "Edificarei a minha igreja, e as portas do inferno não prevalecerão contra ela" (Mt 16.18). No fim, a igreja de Jesus não será morta! Como cristãos, temos de nos regozijar nisso.

A doutrina da soberania de Deus é doce para os cristãos. Ao longo destes estudos sobre os livros históricos do Antigo Testamento, vimos a demonstração disso. Desde o início desta série, em Josué, vimos Deus usar todas as circunstâncias de seu povo para sua própria glória. A soberania dEle é tão grande que abençoa seu povo pelos meios mais improváveis. Ele até usou um dos maiores pecados do seu povo do Antigo Testamento para um fim glorioso — o casamento com não-judeus. Deus disse aos israelitas que não se casassem com pessoas de outras nações, não por que se opunha aos casamentos inter-raciais ou entre etnias, mas por que se opunha aos casamentos entre religiões distintas que levariam o coração do seu povo para longe dEle. Contudo, Ele usa Rute, uma moabita que se casou com um israelita (mas que também adotou o Deus de Israel), para preservar seu povo. Muitas gerações depois, esse casamento deu nascimento ao grande rei Davi e, muitas gerações à frente, ao maior Filho do grande Davi — o Senhor Jesus. Ele também usou o casamento de Ester com um rei estrangeiro não como uma oportunidade para exterminar seu povo e deixar que o casamento inter-racial os levasse ao ponto de não serem distinguidos dos povos entre os quais viviam, mas como uma oportunidade de evitar que seu povo separado fosse exterminado. Deus mantém um povo separado para si mesmo! Por isso, Ele assegurou que seu povo sobrevivesse até a vinda do Messias. E em sua soberana ironia, até usou uma esposa moabita e um marido persa para fazer isso! É assim que nosso Deus é soberano. É assim que Ele, de forma precisa, realiza seus propósitos.

O livro de Ester é uma demonstração da soberania de Deus!

Esse fato também aponta para Jesus. Pela vontade do Senhor, Jesus revive a história do obstinado povo de Deus do Antigo Testamento. Contudo, Ele revive essa história da forma correta e, assim, reverte os efeitos fatais da Queda. Os israelitas atravessaram o mar Vermelho e passaram quarenta anos pecando no deserto, e Jesus foi batizado e passou quarenta dias, no deserto, resistindo à tentação. No jardim do Éden, Adão escolheu a sua vontade, em vez da de Deus; em outro jardim, Jesus escolheu a vontade do Pai em lugar da sua. E Adão, de forma deliberada, foi à árvore exigindo vida, mas encontrando a morte; Jesus, de forma submissa, foi a uma segunda árvore e aceitou a morte para que pudesse dar vida aos outros.

Assim, o livro de Ester também segue o longo padrão de Deus de "virar a mesa" de seus inimigos e prover para seu obstinado povo eleito.

Hoje, o ponto do livro de Ester não diz respeito ao judaísmo — embora Deus ainda queira preservar o povo judeu. Séculos antes de Ester, o Senhor prometera abençoar Abraão e sua semente, e o eco dessa promessa ressoa em Ester à medida que o povo do Senhor desfruta das bênçãos e da proteção dEle. Contudo, Jesus Cristo e os que crêem nEle são o cumprimento *pleno* da promessa feita a Abraão (Gl 3.22). Como Paulo disse aos gálatas: "Nisto não há judeu nem grego; não há servo nem livre; não há macho nem fêmea; porque todos vós sois um em Cristo Jesus. E, se sois de Cristo, então, sois descendência de Abraão e herdeiros conforme a promessa" (Gl 3.28,29). Essa é a grande história da qual o livro de Ester é apenas um capítulo.

Meu amigo cristão, se Deus, com certeza, libertará seu povo, o que isso significa para você?

Sinta-se confortado nas provações. Primeiro, isso significa que somos confortados em nossas provações porque Deus não abandona seu povo. Cristão, você não vê isso em sua vida? John Flavel, ministro puritano, disse: "Aquele que celebra a providência nunca ficará muito tempo sem uma providência para comemorar". Você sabe o que ele quis dizer: se você vê a obra do Senhor em sua vida, se investiga conscientemente tudo que Ele já fez em sua vida e reflete sobre isso, realmente se surpreenderá com o quanto começa a enxergar.

Em minha vida, posso pensar em inúmeros detalhes: ir a Duke e conhecer minha esposa; o professor Kerr falar-me, após a palestra, sobre um puritano chamado Richard Sibbes; Carl Henry escrever-me sobre a necessidade de um pastor para sua igreja. Na época em que esses pequenos fatos ocorreram, um evento após outro em minha vida, tudo parecia como outra pequena obra do acaso, ou apenas outra carta na caixa de correspondência, ou apenas outro comentário de um amigo.

E em relação a sua vida? Quantos "se" e "coincidências" você lembra que foram relevantes naquela virada, mesmo de nosso ponto de vista finito? Nenhum deles lhe fala do cuidado de Deus? Você percebe como Ele operou quando você estava adormecido e despreparado espiritualmente? Mesmo nesses momentos, o Senhor persevera em mostrar bondade para com você nos mínimos detalhes de sua vida. Confie nEle! Confie que Deus põe as pessoas certas no lugar certo, no momento certo. Confie que Ele reprime seus inimigos da forma certa. Confie que Ele testa seu povo para o bem deles. Não devemos pensar que um evento não é divino apenas porque é difícil ou até trágico. A sabedoria de Deus organiza os eventos de nossa vida, dos menores às grandes tragédias, a fim de conseguir grandes resultados para seu povo.

Charles Haddon Spurgeon disse o seguinte:

> Muitas vezes, ouço as pessoas dizerem a respeito de um evento agradável ou grande: "Que providência!", enquanto calam em relação a qualquer evento que parece menos importante ou tenha um sabor desagradável. Contudo, meu irmão, o lugar da vegetação no pântano é tão determinado como a posição de um rei; e a poeira que a roda da charrete levanta, com certeza, é guiada pela providência como o planeta em sua órbita. Há muita providência no rastejar do pulgão sobre a pétala de rosa como na marcha de um exército para destruir um continente. Tudo, do mais ínfimo e ao mais magnífico, é ordenado pelo Senhor que preparou seu trono no céu, e cujo reino governa tudo.[4]

Em outra ocasião, ele declarou isto:

> Pode parecer um assunto de pouco importância o fato de se você e eu dormiremos essa noite ou nos debateremos sem descanso na cama, mas Deus estará em nosso descanso, ou na nossa vigília; não sabemos nada a respeito do propósito dEle, porém, sua mão estará nisso, quer qualquer homem durma, quer acorde, tudo só acontece de acordo com o decreto do Senhor.[5]

Leia o livro de Ester, medite sobre o cuidado dominante de Deus e sinta-se confortado quando se vir em situações perigosas ou em períodos de provação, quando se sentir como se estivesse sob o édito de Hamã.

Seja corajoso na obediência. Segundo, a certeza de que Deus liberta seu povo significa que você pode ser corajoso na obediência. O Senhor, em sua providência, chama seus servos a serem ativos. Mardoqueu tinha certeza de que a ajuda viria de algum lugar (4.14). Ele conhecia seu Deus. Todavia, essa certeza não deixou Mardoqueu inativo nem o fez aconselhar Ester a ser complacente. Em vez disso, incitou-os à ação. "Nosso plano será bem-sucedido se Deus estiver nele."

Essa é a segurança que temos como a Igreja de Cristo. A igreja não é um grupo de empreendedores que tentam coisas inventivas com ingenuidade juvenil e na esperança de toparem com algo que funcione. Não! Nós somos discípulos de Jesus Cristo, o seguimos com seu povo em caminhos que, às vezes, são difíceis, árduos e até perigosos. Todavia, o conhecimento de que Deus, com certeza, libertará seu povo fortalece-nos para seguir ao Senhor e obedecer-lhe, independentemente do que tenhamos pela frente. Meu amigo cristão, deixe que esse conhecimento encoraje-o na obediência, em vez de deixá-lo complacente!

Sinta-se confiante com alegre esperança na espera. Terceiro, se Deus, com certeza, libertará seu povo, então, sinta-se confiante com alegre esperança na espera. O Senhor trouxe você à sua situação atual. Mais uma vez, Spurgeon disse: "Todo filho de Deus está onde Ele o pôs com algum propósito".[6] Bem, o conhecimento de que o Senhor o trouxe ao lugar em que está neste momento não lhe dá um motivo para sentir uma alegre confiança mesmo se estiver em um período de provação? Uma alegre confiança em seu trabalho para humilhar seu orgulho? Uma alegre confiança no propósito de levantá-lo até Ele por meio de um serviço humilde? Ele o salvará se apenas orar a Ele? O Senhor irá abençoá-lo se apenas confiar nEle. Isso não é motivo para sentir uma alegre confiança?

Deus libertará seu povo. Podemos nos sentir confortados, corajosos e confiantes com o conhecimento dessa verdade!

Conclusão

Assim, deixamos o livro de Ester e esta série de estudos sobre os livros históricos do Antigo Testamento com o povo de Deus vivenciando o *shalom* — descanso, prosperidade e paz na presença do Senhor e sob seu governo, embora estejam fora de sua terra. Quem imaginaria que essas doze histórias que intitulamos de "O outro Milênio" terminariam com uma nota tão maravilhosa! E a pequena órfã Ester terminaria como rainha, Mardoqueu, como primeiro-ministro, e o povo judeu exilado, próspero, popular e seguro! Em todas essas circunstâncias improváveis originaram-se da providência do Senhor. Como também a escravidão de José, a maldição de Balaão e a cruz de Cristo, tudo que o homem fez para o mal, Deus usou para o bem.

Pergunto-me como tudo isso soa para você. Como pensamentos muito desejáveis? Não são. Nós, cristãos, sabemos que há problemas sérios na vida. Contudo, o realismo cristão que encontramos na Bíblia aponta não apenas para os problemas reais, mas também para as soluções reais. E libertação real! Nós, cristãos, temos tanto o realismo como a esperança.

Algumas pessoas acham que a conclusão de Ester, tão bem organizada como se apresenta, transforma o livro em um estilo que se assemelha mais à novela ou ao romance — algo mais bem classificado na categoria de ficção. Contudo, esses críticos esquecem que a história tem um significado, porque Deus escreve a história como um escritor escreve um romance.

Por essa razão, o escritor de Hebreus encoraja-nos: "Retenhamos firmes a confissão da nossa esperança, porque fiel é o que prometeu" (Hb 10.23). Ele terminará a história que iniciou nas páginas da História, mesmo nas páginas da sua vida. O povo de Deus ainda espera, mas esperamos na confiança do Senhor que liberta!

Do que você espera ser libertado hoje?

Tudo de que espera ser libertado determina quem você vê como seu libertador. Tenha cuidado. Muitos judeus não notaram o Libertador que Deus enviou, o que quer dizer que não esperavam pelo Senhor, mas por alguma outra coisa.

Esta manhã, pelo que você espera em meio aos seus problemas?

Oremos:

Oh, Deus, reconhecemos que o Senhor é o autor de cada dia da história e da nossa vida. Querido Deus, ajude-nos a esperar pelo Senhor em confiança e em esperança. Dê-nos confiança por cada dia de espera a que nos chama. Liberte-nos do Inimigo e dos planos dele contra nós e, em última instância, contra o Senhor. Oramos para que aumente nossa confiança no Senhor. Volte, agora e sempre, nosso coração ao Senhor. Pedimos em nome de Cristo. Amém.

Questões para Reflexão

1. Quem libertou os judeus? Ester, Mardoqueu e Assuero, ou Deus? Como você explica isso?
2. Ester e Mardoqueu foram perfeitamente honestos nessa história? Por que *não* devemos nos sentir obrigados a defender todo comportamento dos personagens, mesmo dos "camaradas bons", ao ler a Bíblia para cristãos e não-cristãos? Na verdade, por que temos de estar dispostos a apontar suas faltas?
3. Apliquemos nossas conclusões da pergunta 2 a nós mesmos. Por que temos de estar dispostos a apontar nossas falhas pessoais, mesmo as sérias, para os cristãos e para os não-cristãos (ao mesmo tempo em que mantemos a prudência, por exemplo, não fazer com que um irmão tropece)?

4. Vimos o fato de que o livro de Ester funciona como uma longa narrativa ilustrativa das palavras tranqüilizadoras do apóstolo Paulo em Romanos 8.28: "E sabemos que todas as coisas contribuem juntamente para o bem daqueles que amam a Deus, daqueles que são chamados por seu decreto". Primeiro, vejamos, Deus trabalha dessa forma com todos? Isso inclui os não-cristãos? Para quem Ele trabalha? Segundo, perguntemos o que Paulo quis dizer com "todas as coisas"? Enumere duas ou três "coisas" em sua vida que, com freqüência, você esquece que o Senhor usa para bons propósitos (por exemplo, a morte de alguém, sua luta com um pecado específico, um ente querido que se recusa a considerar o cristianismo, etc.). Como você colocaria essas duas ou três lutas na categoria de "todas as coisas" boas e relevantes para sua vida? Como você fará isso?

5. Independentemente de quais sejam suas circunstâncias, Deus o pôs, especificamente, onde está neste momento. Por que isso é reconfortante? Por que isso não deveria nos levar à complacência, mas à ação?

6. O que há de *importante* no fato de o livro de Ester não mencionar Deus? O que há de *maravilhoso*, do ponto de vista de viver na fé no mundo atual, no fato de que o livro de Ester não menciona a Deus?

7. Tenho a esperança de que você percebeu a advertência muito firme e muito amorosa deste sermão: "Muitas pessoas correm pela vida sentindo-se saudáveis e prósperas e, um dia, sem perceber, vêem-se na presença de Deus, e, ali, o julgamento justo, total, infalível e imutável dEle espera por elas." Decida hoje não chegar à presença dEle totalmente desavisado. Você realmente se prepara para seu comparecimento diante dEle? Qual a responsabilidade que você tem em transmitir essa advertência aos outros, em especial, às pessoas que ama?

8. Deus tem algum inimigo que não seja inimigo dos cristãos? O cristão pode ter algum inimigo que não seja inimigo de Deus? Você tem algum? Quem? O quê?

9. Qual é o significado específico da promessa: "Deus, com certeza, libertará seu povo"? Às vezes, os cristãos afirmam que a doutrina da soberania de Deus matará o evangelismo. No entanto, na verdade, a certeza da soberania do Senhor combinada com a certeza de que libertará seu povo não estimulam as missões e o evangelismo? No mesmo sentido, por que pessoas que crêem na soberania de Deus e na certeza de libertação viajam com tanta freqüência, a fim de compartilhar o evangelho, para países "fechados" em que o evangelismo cristão é uma ofensa passível de punição?

10. Do que você espera ser libertado? De verdade, do que você mais anseia ser libertado, mais que qualquer outra coisa no mundo? Isso ajuda você a ver o que mais valoriza?

Notas

Capítulo 17

[1] A data de pregação original deste sermão foi em 1 de dezembro de 2002, na Capitol Hill Baptist Church, em Washington, D.C.
[2] Joey Adams, The God Bit (Nova York: Mason & Lipscomb, 1974), p. 65.
[3] Matthew Henry, Matthew Henry's Commentary on the Whole Bible, 6 vols. (McLean, Va.: MacDonald, s. d.), p. 2:1121.
[4] Charles Haddon Spurgeon, The Metropolitan Tabernacle Pulpit, 63 vols. (Londres: Passmore & Alabaster, 1885), p. 20:619.
[5] Ibid., p. 621.
[6] Ibid., p. 616.

PARTE 3

SABEDORIA ANTIGA

A MENSAGEM DE JÓ: SABEDORIA PARA OS PERDEDORES

APENAS OS PERDEDORES ENFRENTAM PROVAÇÕES?

INTRODUÇÃO A JÓ

SOFREMOS COM FREQÜÊNCIA

ÀS VEZES, ENTENDEMOS

SEMPRE PODEMOS CONFIAR

CONCLUSÃO

CAPÍTULO 18

A Mensagem de Jó:
Sabedoria para os Perdedores

APENAS OS PERDEDORES ENFRENTAM PROVAÇÕES?[1]

Às vezes, os infortúnios da vida parecem embaraçosos. Você já se sentiu assim? Todas as outras pessoas parecem tão limpas. Elas parecem não ter grandes problemas, ou esse parece ser o caso quando, nas manhãs de domingo, olhamos a nossa volta na igreja. Não quero dizer que, aos domingos, devemos ir à igreja aos prantos, desgrenhados e lamurientos. Não, eu gosto do esforço que você faz para se arrumar, achar tempo na agenda e preparar-se para a adoração. Apenas faço uma observação sobre o fato de que, em qualquer sentido, pode ser muito embaraçoso sentir-se como um *perdedor*. Em especial, na nossa cultura, acreditar que os outros o vêem como perdedor é embaraçoso ao máximo.

Muitas vezes, as provações da vida fazem com que nos sintamos como perdedores. Se formos honestos, parte da dificuldade é que nem sempre compreendemos por que o sofrimento tem de afligir a *nós*, pessoalmente. Não sei quantas vezes sentei-me com uma pessoa que lutava em razão de um diagnóstico médico, com uma fase difícil no trabalho ou qualquer outra dificuldade pessoal intensa e ouvi a pergunta: "Por que eu?" Todas as outras pessoas em volta parecem bastante prósperas e saudáveis. Cada saudação alegre ou cada gorjeio prazeroso de passarinho parecem maquinar, especificamente, para nos atormentar, já que salientam nossa dor. Mesmo quando, por fim, admitimos nosso problema, ainda nos sentimos enganados, estupidificados e, talvez, aterrorizados com nossa incapacidade de explicá-lo.

E, se eu ainda puder continuar mais um pouco com essa jornada interior, sofremos, em especial, quando uma provação parece grande demais para lidarmos com ela. Quando apenas parece que é demais para nós. Nossos problemas são tão dolorosos e difíceis de entender que nos perguntamos e nos preocupamos com a possibilidade (e, talvez, em segredo, saboreemos a possibilidade) de perder a fé em Deus por que, afinal, Ele não pode ter tido qualquer participação nisso!

Se esse tipo de preocupação não o descreve neste momento, quase com certeza, irá descrevê-lo em algum momento, e, neste momento, ela descreve alguém que você conhece e ama.

Por isso, precisamos da sabedoria do livro de Jó.

Introdução a Jó

O livro de Jó é um dos cinco livros do Antigo Testamento que chamamos de "livros de sabedoria". Abra no índice de sua Bíblia e, bem ali no meio do Antigo Testamento, encontrará Jó, Salmos, Provérbios, Eclesiastes e Cantares. Nesses cinco livros de sabedoria não acontecem grandes eventos. Eles não são como os livros históricos, anteriores a eles no índice de sua Bíblia, que se preocupam com a história da nação de Israel. Nem são como os livros proféticos, posteriores a eles, e que também tratam da história de Israel, em especial, o fim da história da nação. Esses livros também não apresentam nenhuma lei nova, como os cinco primeiros livros da Bíblia. Antes, podemos chamar esses livros de o coração do Antigo Testamento não só graças à localização deles, mas também pela atitude que apregoam. Eles não são tanto sobre o conjunto da nação de Israel, como os livros históricos e os proféticos, mas sobre os indivíduos, ou os altos e baixos do indivíduo. Por isso, com freqüência, eles são a parte do Antigo Testamento favorita dos cristãos, pois esses livros parecem mais acessíveis. Não é necessário que você saiba muito sobre a história de Israel e o trabalho de Deus com seu povo para compreendê-los. Eles foram escritos para o indivíduo e suas experiências pessoais, o que, na verdade, pretendemos estudar nesta série panorâmica desses cinco livros.

Jó, Salmos, Provérbios, Eclesiastes e Cantares estão cheios de poesia bonita e expressiva. Árvores batem palmas. Montes entoam cânticos de alegria. Os inimigos de Deus derretem como cera. E o Senhor cavalga sobre as nuvens. O livro de Salmos está cheio do amor e da vivacidade do relacionamento pessoal com o Senhor, enquanto Cantares celebra essas coisas entre marido e esposa. O livro de Provérbios dá-nos conselhos práticos. E Eclesiastes faz-nos sentir humildade e reverência à medida que trata dos mistérios mais difíceis da vida.

Como também Jó.

Jó é muito reconhecido como uma obra-prima literária. Mesmo os descrentes admitem isso. Todavia, algumas pessoas, quando buscam a Bíblia para orientação e, pela primeira vez, lêem o título desse livro, bem podem pensar que se trata de emprego e questões de trabalho. De alguma forma, ele trata disso, mas não diretamente. Ele é sobre provações e dificuldades, e sobre Deus deixar acontecer coisas difíceis de entender. Assim, ele é, mais ou menos, sobre trabalho.

Jó apresenta uma sabedoria importante, da qual precisamos. Sabedoria para pessoas que lutam com a perda. Sabedoria para pessoas que se sentem perdedoras. Sabedoria para pessoas que sabem ser perdedoras.

A sabedoria de Jó é para nós e para o nosso tempo, porque fala de forma realista sobre o sofrimento. Ele explora os limites da nossa compreensão. E ilustra, de modo enfático, nossa necessidade de confiar em Deus. Estas três idéias resumem o livro de Jó para nós, e iremos usá-las para estudar o livro. Veremos, de forma específica, que:

Sofremos com freqüência
Às vezes, entendemos
Sempre podemos confiar

Eu preferiria que você, em vez de memorizar essas três sentenças, lesse o livro de Jó , mas tenho esperança de que elas sejam de alguma ajuda para você.

Sofremos com Freqüência

A primeira afirmação que resume a mensagem de Jó para nós é que sofremos com freqüência.

Quando somos apresentados pela primeira vez ao livro de Jó, vemos, nos primeiros cinco versículos, que ele era um homem justo: "Havia um homem na terra de Uz, cujo nome era Jó; e este era homem sincero, reto e temente a Deus; e desviava-se do mal" (1.1).

Jó era rico, além de justo: "E nasceram-lhe sete filhos e três filhas. E era o seu gado sete mil ovelhas, e três mil camelos, e quinhentas juntas de bois, e quinhentas jumentas; era também muitíssima a gente ao seu serviço" (1.2,3a).

E ele não era apenas rico, também era sábio:

Sucedia, pois, que, tendo decorrido o turno de dias de seus banquetes, enviava Jó, e os santificava, e se levantava de madrugada, e oferecia holocaustos segundo o número de todos eles; porque dizia Jó: Porventura, pecaram meus filhos e blasfemaram de Deus no seu coração. Assim o fazia Jó continuamente (1.5).

Na verdade, ele foi um grande homem. Em suma: "Este homem era maior do que todos os do Oriente" (1.3b).[2]

Jó tornou-se legendário, mais conhecido por suas provações. Contudo, você sabia que as provações legendárias de Jó são relatadas em apenas oito pequenos versículos? É isso aí! Sete versículos registram a perda de sua fortuna, e um relata a perda da saúde de Jó. Primeiro, ele perdeu sua fortuna terrena:

> E sucedeu um dia, em que seus filhos e suas filhas comiam e bebiam vinho na casa de seu irmão primogênito, que veio um mensageiro a Jó e lhe disse: Os bois lavravam, e as jumentas pasciam junto a eles; e eis que deram sobre eles os sabeus, e os tomaram, e aos moços feriram ao fio da espada; e eu somente escapei, para te trazer a nova. Estando este ainda falando, veio outro e disse: Fogo de Deus caiu do céu, e queimou as ovelhas e os moços, e os consumiu; e só eu escapei, para te trazer a nova. Estando ainda este falando, veio outro e disse: Ordenando os caldeus três bandos, deram sobre os camelos, e os tomaram, e aos moços feriram ao fio da espada; e só eu escapei, para te trazer a nova. Estando ainda este falando veio outro e disse: Estando teus filhos e tuas filhas comendo e bebendo vinho, em casa de seu irmão primogênito, eis que um grande vento sobreveio dalém do deserto, e deu nos quatro cantos da casa, a qual caiu sobre os jovens, e morreram; e só eu escapei, para te trazer a nova (1.13-19).

A seguir, ele perde a saúde: "Então, saiu Satanás da presença do Senhor e feriu a Jó de uma chaga maligna, desde a planta do pé até ao alto da cabeça" (2.7).

É interessante que as primeiras aflições de Jó afetem sua riqueza — o esplendor exterior do homem. Jó era conhecido como um grande homem e, isso, por causa das coisas que as pessoas podiam ver com os olhos. Seus rebanhos e manadas ocupavam muita terra. Ele tinha muitos servos. Ele tinha uma grande reputação. Mais adiante no livro, ele lembra a honra que recebia sempre que ia à cidade e entrava na praça pelas portas da cidade (29.7ss). Contudo, de um momento para outro, tudo isso lhe foi tirado.

Ele perdeu não apenas a família e as posses; perdeu também a única coisa que lhe restara — sua saúde. Bem, quantos comerciais dizem-nos: "Tudo que você realmente tem é sua saúde"? Claro, você escuta isso sempre que alguém tenta vender-lhe algo que, supostamente, é bom para sua saúde. Todavia, se é verdade que tudo que temos de fato é nossa saúde, então, com certeza, todos nós perderemos a única coisa que temos de verdade — nossa saúde.

Talvez, Jó tenha sofrido de forma mais *repentina* que qualquer um de nós. Mas, no fim, ele não sofreu de forma mais *abrangente* do que sofreremos. Como Sir Walter Scott disse a respeito da nossa vida: "Venha devagar ou depressa, no fim, apenas a morte vem".[3]

Na verdade, o sofrimento é algo universal. No entanto, às vezes, nós, cristãos, evitamos admitir a dúvida, o medo, o fracasso, a raiva ou o conflito que o sofrimento traz. Gostamos que os cultos da igreja sejam como reuniões motivacionais estimulantes. Isso é o que queremos nas manhãs de domingo. "Nós enfrentamos uma semana dura, pregador. Não precisamos de coisas assim nas manhãs de domingo."

Não obstante, se queremos ter uma compreensão realista do que significa ser um seguidor do Crucificado, se queremos viver no mundo real, temos de reconhecer que, embora por um curto período de tempo possamos nos contentar psicologicamente com um versão otimista de cristianismo, não convenceremos muitas pessoas ao nosso redor com isso. Nem lidamos com nós mesmos de forma honesta. Ao ler o livro de Jó, vemos que os problemas e as disputas não pertencem apenas a Jó, mas também a nós. Não fazemos bem algum ao negar esse fato. As pessoas a nossa volta sabem disso, e não há nada de errado em admitir isso para nós mesmos. Jó é um bom exemplo de alguém que sofre e lida com honestidade com seu sofrimento.

Assim, sofremos com freqüência.

Às Vezes, Entendemos

A segunda afirmação que resume o livro de Jó é que, às vezes, entendemos. Na verdade, o livro de Jó é, acima de tudo, sobre isso.

Deixe-me dar-lhe uma visão panorâmica do livro. Os dois primeiros capítulos apresentam a história básica. Contam-nos quem é Jó e as provações que enfrenta. A seguir, no final do capítulo 2, três amigos de Jó visitam-no para confortá-lo e passam uma semana sentados com ele, em silêncio. Por fim, no capítulo 3, alguém fala; é Jó que extravasa suas queixas.

Os capítulos 4—41, quase o último capítulo, apresentam uma série de diálogos. Claramente, a maior parte do livro relata esses diálogos.

Os capítulos 4—31 apresentam três ciclos de diálogos entre Jó, Elifaz, Bildade e Zofar. Os capítulos 4—14 são o primeiro ciclo de diálogos, os de 15 a 21, o segundo, e os de 22 a 31, o terceiro. Nos primeiro e no segundo ciclos, Elifaz fala, e Jó responde. Na verdade, cada um dos locutores mantém o mesmo ponto. A mesma coisa acontece no terceiro ciclo, com exceção de Zofar que não fala mais, porque o debate terminou. Os conselheiros humanos de Jó terminam o que tinham a dizer. Eles puseram para fora tudo que queriam dizer. Por sua vez, Jó faz seu protesto final e quase exige que Deus se apresente para que assim possa falar com Ele sobre seu sofrimento.

No capítulo 32, surge, em vez de Deus, um homem jovem chamado Eliú que fala até o capítulo 37. Eliú disse que ouviu a conversa deles durante algum tempo, mas não disse nada porque era mais jovem e não quis ser desrespeitoso com os mais velhos. Contudo, nesses capítulos, Eliú abre sua mente. Ele diz que há resposta para os desafios de Jó e, a seguir, fala sobre a grandiosidade de Deus, e também que não podemos refutar a justiça dEle.

Por fim, no capítulo 38, Deus entra na discussão e critica os que falaram "sem conhecimento" (38.2). Em uma das mais notáveis descrições bíblicas da obra de Deus na criação, o Senhor apresenta, para Jó e os outros, um retrato de seu poder único e soberano. Como Ele disse a certa altura: "Quem pôs a sabedoria no íntimo, ou quem à mente deu o entendimento?" (38.36) Você amará os capítulos 38—39 se for zoólogo, pois o Senhor olha para o mundo natural e examina as muitas coisas que criou, dos mares às estrelas, dos avestruzes aos bois.

Depois, no capítulo 40, Deus pergunta diretamente a Jó: "Porventura, o contender contra o Todo-poderoso é ensinar? Quem assim argúi a Deus, que responda a estas coisas" (40.2).

Ao que Jó responde apenas: "Eis que sou vil; que te responderia eu? A minha mão ponho na minha boca. Uma vez tenho falado e não replicarei; ou ainda duas vezes, porém não prosseguirei" (40.4,5).

Deus replica:

> Porventura, também farás tu vão o meu juízo ou me condenarás, para te justificares? Ou tens braço como Deus, ou podes trovejar com voz como a sua? Orna-te, pois, de excelência e alteza; e veste-te de majestade e de glória. Derrama os furores da tua ira (40.8-11a).

No restante dos capítulos 40 e 41, Deus continua a instruir Jó e os outros sobre quem Ele é: "Quem, pois, é aquele que ousa erguer-se diante de mim? Quem primeiro me deu, para que eu haja de retribuir-lhe? Pois o que está debaixo de todos os céus é meu" (41.10b,11).

No capítulo 42, o último do livro, Jó faz sua confissão final:

> Por isso, falei do que não entendia; coisas que para mim eram maravilhosíssimas, e que eu não compreendia. Escuta-me, pois, e eu falarei; eu te perguntarei, e tu ensina-me. Com o ouvir dos meus ouvidos ouvi, mas agora te vêem os meus olhos. Por isso, me abomino e me arrependo no pó e na cinza (42.3b-6).

A história termina no capítulo 42 com Deus dizendo a Elifaz, a Bildade e a Zofar que eles estavam errados. A seguir, Ele abençoa Jó. Daqui a pouco, falaremos de algumas coisas interessantes que o Senhor não fala.

Esse é o resumo do livro de Jó.

Se voltarmos aos três longos ciclos de diálogos, podemos resumir todo o argumento de Elifaz, Bildade e Zofar com bastante facilidade: "Jó, o que aconteceu com você é realmente ruim. Você deve ter pecado de forma muito extraordinária, pois Deus é justo e pune o pecado. E, embora você negue ter pecado, sabemos que deve ter pecado. Não há outra explicação". E toda vez, Jó respondia basicamente isto: "Oh, não, eu não pequei". Com isso, Jó não queria dizer que nunca pecara; na verdade, ao longo do caminho ele confessa seus pecados. Antes, ele quer dizer que sua vida não é marcada por nenhum pecado grande e secreto que pudesse causar uma calamidade tão grande.

Todavia, vez após vez, os amigos de Jó respondem com sabedoria proverbial: "Recebemos o que merecemos". Na verdade, a reação deles é igual à dos discípulos de Jesus quando encontram o homem cego e perguntam: "Rabi, quem pecou, este ou seus pais, para que nascesse cego?" (Jo 9.2) Isso comprova que os amigos de Jó estavam, sob todos os aspectos, tão "certos" como os discípulos.

Honestamente, eu entendo a situação deles. Eles conheciam Jó. Ele era amigo deles. Eles o respeitavam e tinham um alto conceito a seu respeito. Por isso, lutavam para entender por que algo tão horrível acontecera com ele. Eles não podiam negar a realidade do mundo material como fazem alguns cientistas cristãos ou budistas que dizem: "Esse sofrimento não é real". E também não podiam abandonar sua ortodoxia ao rejeitar a justiça ou a soberania de Deus.

Eles podiam apenas concluir que a percepção anterior que tinham das virtudes de Jó estava errada. Você sabe que não pode julgar um livro pela capa. Sim, eles o conheciam havia anos, contudo, aparentemente, não sabiam que pecados — tirania, ganância, luxúria e até mesmo homicídio — espreitavam por trás de sua aparência piedosa exterior. Além disso, homens ricos e poderosos sabem como causar uma boa impressão. Portanto, que homem poderia dizer quem, afinal, era Jó?

Nós também tentamos entender nosso sofrimento com o pensamento que, de alguma maneira, essa compreensão alivia a dor.

Algumas pessoas tentam fazer com que seu sofrimento faça sentido ao dizer que Deus não pode fazer nada a esse respeito.[4] Ele gostaria de fazer algo, Ele tem intenções muito boas, mas não pode fazer melhor do que já fez. Em um seminário recente sobre clonagem a que compareci no U. S. Capitol, um dos palestrantes levantou-se e disse: "Honestamente, apenas admitamos que Deus não fez um trabalho muito bom neste mundo. Ele fracassou com este mundo". Bem, essa não é a forma como o livro de Jó responde às calamidades que afligiram Jó. O livro de Jó apresenta, de forma clara, um Deus soberano. Jó e seus conselheiros concordam a respeito disso. Deus comanda sua criação.

Outras pessoas observaram a mesma desconexão entre causa e efeito (o homem justo é amaldiçoado, o homem mau, abençoado) e sugeriram: "Está bem, está claro que, por definição, Deus é o Senhor, e que Ele existe. Mas se isso é verdade, temos de concluir que, na verdade, Ele não é justo e bom". Talvez, Deus seja Todo-poderoso, mas não seja justo. Ele não pune claramente o mal nem recompensa o bom. Porém, mais uma vez, o livro de Jó fala sobre isso com clareza. Jó e todos os seus conselheiros concordam: Deus é bom e santo. Ele pune o mal e recompensa o bem.

Ainda outras pessoas apenas desistem da possibilidade de haver qualquer significado na vida e no sofrimento.

Observe que, em todas essas sugestões, procuramos uma explicação que satisfaça nossos horizontes limitados e nossos interesses pessoais. Contudo, a explicação que poderia haver fica prejudicada pela exigência de que o sofrimento tenha uma razão que se ajuste à estreiteza da compreensão humana. Nós, os seres humanos, temos de perceber que, em vista de nossa compreensão limitada, temos disponível apenas poucos tipos de soluções. Quando não reconhecemos nossas limitações, é como se decidíssemos que nenhuma estação de rádio está transmitindo algum programa porque o rádio do nosso carro não consegue sintonizar nenhuma emissora. Mas por que presumir isso? Essa é a única explicação possível? E por que presumir que temos de entender o que Deus pretende alcançar por meio do sofrimento?

Todos nós temos essa tendência. Pensamos conosco mesmos: *Deus nos fez. Com certeza, Ele pretende que entendamos tudo o tempo todo.* Mas como sabemos o que Ele pretende, e por que o condenamos se Ele não quer? O livro de Jó apresenta-nos essas perguntas.

Acima de tudo, o livro de Jó talvez ensine que não conhecemos todos os fatos. Logo examinaremos a interação entre Deus e Satanás que determina o palco de todo o sofrimento de Jó. Em suma, Satanás pede permissão ao Senhor para afligir Jó a fim de provar um ponto, e o Senhor dá permissão para que Satanás faça isso (1.6-12; 2.1-7). Bem, quanto Jó conhecia dessa conversa entre Deus e Satanás? Os confortadores de Jó não pareciam saber nada a respeito disso. Nunca mencionaram o assunto. Em sua meditação, Jó não fala nada sobre isso. E Deus nunca mencionou a conversa a Jó: "Oh, Jó, sinto muito por esses problemas que tem tido, amigo. Deixe-me contar-lhe o que aconteceu: eu estava no céu, Satanás apareceu, e eu tentava ensinar algumas coisas a ele. Por isso, disse-lhe... e ele disse-me... então, eu disse-lhe..." Jó nunca ouviu isso! Nenhuma passagem do livro informa que Jó teve acesso a essa informação!

No contexto da história, Deus demonstra sua glória por intermédio de sua criação de forma que os personagens não vêem e não podem compreender. Se Deus não tivesse nos *revelado a verdade* nesse livro, também não entenderíamos a provação de Jó.

A revelação de Deus de si mesmo em sua Palavra é essencial para dar sentido a nossa vida. Em última instância, a filosofia é um esforço vão, e digo isso embora saiba que estudo e ensino filosofia. No entanto, não há conhecimentos estruturados que dêem sentido a esta vida se Deus não falasse de fora deste mundo e desse-nos a palavra segura e certa pela qual seremos avaliados. Deus diz o que é certo e errado.

Deus revelou-se a nós como bom e poderoso. Às vezes, ajuda-nos lembrar que Ele, o Senhor, está no controle e que nada está além de seu alcance. Em outros momentos, ajuda-nos rememorar que o Senhor é bom e amoroso e está comprometido com o bem de seus filhos. Isso é o bastante para nos satisfazer e nos capacitar a continuar nosso curso. E, no entanto, ainda há outros momentos, como o de Jó, em que precisamos ter certeza do poder e da bondade do Senhor, mesmo enquanto permanecemos espantados com o que Ele permitiu que acontecesse em nossa vida. E é em momentos como esses que precisamos de algo que até ultrapasse nossa compreensão.

Não devemos nos surpreender quando esse for o caso. Como criaturas limitadas, temos de presumir que algumas coisas ultrapassam o âmbito de nossa compreensão. Deus tem propósitos que permanecem secretos para nós, quer pela tendência da nossa pecaminosidade e compreensão distorcida, quer pelo efeito da nossa simples limitação.

Por isso, sofremos com freqüência e, às vezes, entendemos nosso sofrimento.

SEMPRE PODEMOS CONFIAR

Dado nosso sofrimento ocasional e nossa compreensão limitada, devemos sempre estar dispostos a aprender a terceira lição que o livro de Jó nos ensina: sempre podemos confiar.

Paulo, em sua Epístola aos Filipenses, fala sobre a paz que "excede todo o entendimento" (Fp 4.7). No contexto, parece que ele fala de uma condição de conciliação com Deus, em que ficamos mais satisfeitos nEle que com qualquer compreensão que possamos ter de nossas circunstâncias passageiras. Essa é uma declaração e tanto, mas Paulo a faz com clareza, e, se você for cristão, já vivenciou isso.

Veja, amigo, precisamos confiar por causa de nossa falta de entendimento. Isso pode ser difícil para mim, alguém que costumava ser cético. Mas, com certeza, é verdade. Não podemos ser cristãos se insistimos em viver apenas de acordo com nossa compreensão, totalmente separados da verdade. Precisamos saber como confiar.

A boa notícia é que temos um fundamento para essa verdade: o poder de Deus! O livro de Jó, em uma das linhas poéticas mais belas que você lerá, revela o poder do Senhor, aquEle em quem somos chamados a confiar. Vemos todas as coisas que Ele criou. Examinamos seu poder e competência. Observamos sua providência em cuidar de todas as coisas que criou, em especial, seu cuidado conosco. E sabemos que Ele é aquEle em quem podemos confiar.

À medida que você lê os diálogos, começa a achar que Jó repudia muito a condição de vida do homem. Em diversas passagens, belas e inesquecíveis, Jó fala que os dias do homem são uma sombra passageira, mais rápidos que a lançadeira do tecelão, e também menciona a certeza de voltarmos ao pó, e assim por diante.[5] Todavia, não é maravilhoso que Deus e toda sua corte celestial, apesar de Jó falar tão desdenhosamente do homem, organizem-se em torno dos assuntos desses filhos e filhas do pó? Deus se importa conosco!

Entretanto, como disse, não foi propiciado a Jó esse fundamento para a confiança. Jó nunca soube dessa cena na corte celestial que espreitamos no primeiro capítulo do livro. Toda evidência que ele tem para confiar no Senhor em suas provações é o Senhor em si mesmo, e *Jó confia em Deus*.

Bem, você sabe que Satanás, naquela cena na corte celestial, estava errado. Satanás acusa Jó de servir ao Senhor por causa de seus próprios objetivos egoístas (1.9-11). Ele diz que Jó serve a Deus porque é rico. O Senhor sabe que Satanás está errado, mas permite que Satanás tire a fortuna de Jó. E adivinhe o que aconteceu! Jó continua a adorar a Deus mesmo depois de perder toda a fortuna. Satanás estava errado, como o Grinch, personagem do Dr. Seuss, estava errado sobre os Quem na Quemlândia na época do Natal, ao pensar que se roubasse todos os brinquedos e delícias, com certeza, eles não continuariam a entoar cânticos e a celebrar o Natal. Mas o que acontece? Eles continuam a cantar. E Jó também. Apesar de sua tragédia, Jó continua a adorar a Deus. Ele era muito rico, mas não adorava ao Senhor apenas por ser rico. Satanás estava errado.

No entanto, Satanás nunca foi de desistir por estar errado. Satanás é Satanás, e tentará acusar e encontrar faltas em nós, mesmo em meio a nossa obediência a Deus! A natureza dele é assim.

A primeira tentativa de Satanás fracassou. A seguir, ele acusa Jó de servir ao Senhor apenas por que ainda tem saúde. Satanás afirma: "Pele por pele, e tudo quanto o homem tem dará pela sua vida. Estende, porém, a tua mão, e toca-lhe nos ossos e na carne, *e verás* se não blasfema de ti na tua face!" (2.4,5) De novo, o Senhor sabe que Satanás está errado, mas, por seus próprios motivos, permite que ele tire a saúde de Jó e exige apenas que não o mate. Adivinhe o que acontece? Mais uma vez, Satanás prova estar errado. Mesmo quando o corpo de Jó definha, quando estouram chagas malignas por todo seu corpo, quando uma dor sempre presente substitui seu bem-estar anterior, Jó continua a adorar ao Senhor.

A mudança das circunstâncias de Jó mostra que ele não adorava o Senhor por causa de sua riqueza ou de sua saúde. A verdadeira adoração do Senhor não está ligada às nossas circunstâncias. Sem dúvida, agradecemos a Ele por causa das circunstâncias boas, mas a verdadeira adoração acontece em nós por meio da graça que Deus nos dá, independentemente das circunstâncias que Ele, de modo soberano, permite que soframos.

Na verdade, isso nos traz a uma das ironias centrais do livro. Espero que você tenha percebido isso. A maior parte do livro consiste no discurso dos amigos de Jó, dizendo-lhe: "Ei, Jó, sei que você parece virtuoso, mas tem de haver algum pecado envolvido nisso. De outra forma, você não passaria por uma punição tão severa". Mas os amigos de Jó estavam tão longe da verdade que alguém poderia, ironicamente, ter lhes dito: "Elifaz, Bildade e Zofar, se vocês fossem *mais* virtuosos, esse sofrimento poderia sobrevir a vocês!" Nós, leitores, sabemos que Deus não permitiu que Jó enfrentasse essas provações por causa dos vícios, mas por causa da virtude do seu servo!

Deus declarou a Satanás: "Observaste tu a meu servo Jó? Porque ninguém há na terra semelhante a ele, homem sincero, e reto, e temente a Deus, e desviando-se do mal" (veja 1.8; 2.3). Não, isso não é a teologia pelagiana de que o homem pode escolher o que está certo. Jó é feitura de Deus. O Senhor fez com que Jó confiasse nEle, e Ele sabe que Jó confia. Por isso, afirma: "Observaste tu a meu servo Jó?"

O que isso quer nos dizer, amigo? Isso quer dizer que não confiamos em Deus por que somos espertos ou santos, mas por que o caráter dEle é digno de confiança.

Alguns dias atrás, estava sentado em um avião, em segurança, enquanto deslizávamos pela pista para a decolagem do Aeroporto Dallas-Fort Worth International. Os texanos têm fama de ser orgulhosos pelo grande tamanho de seus empreendimentos, e, com certeza, esse aeroporto valida essa percepção. O Aeroporto DFW, com seus terminais, garagens de estacionamento, pistas e estradas de apoio, cobre, aproximadamente, a mesma área da ilha de Manhattam. Todos os dias, milhares de aviões partem desse aeroporto e chegam ali. Por causa do tráfego aéreo maciço ao redor desse aeroporto, suponho que, à medida que fui conduzido e preparado para a decolagem, poderia ter me levantado e dito: "Pare o avião!" Eu poderia ter ido à cabine do piloto e exigido que o comandante me entregasse cópias da rota de decolagem, um mapa dos trajetos e o horário de decolagem e aterrissagem dos outros vôos, por volta do mesmo horário que o meu. Eu poderia fazer isso a fim de satisfazer a mim mesmo em relação ao fato de que, na verdade, estávamos seguros. Sem levar em consideração a resposta que provavelmente obteria, eu *poderia* fazer isso e tentar entender a situação. Ou poderia fazer o que fiz (mais por hábito, que por virtude): confiar nos controladores. Reconheci o cuidado e a ordem com que lidavam com essa operação aparentemente caótica e com grande potencial para o desastre. Por isso, sentei-me, quando aceleramos e deixamos o solo.

Quantas vezes temos vontade de parar o avião a fim de exigir que o piloto nos explique todas as variáveis antes de partirmos? Então, quanto *deveríamos*, *podemos* e *devemos* confiar no Verdadeiro Controlador, aquEle que não comete erros, que nunca dorme nem tira soneca e em quem não há o menor sinal de maldade?

Esse foi o único fundamento para a confiança que Jó recebeu. Ele não leu a primeira parte do livro. Apenas foi-lhe mostrado o caráter de Deus.

Às vezes, Deus, graciosamente, permite-nos ver como Ele usou uma situação difícil para o nosso bem. E, sem dúvida, devemos agradecer-lhe pelo conforto que esses momentos de compreensão trazem. Todavia, é perigoso presumir que Ele *tem* de nos dar esse entendimento. Isso resulta em uma imitação de confiança, a confiança em nossa capacidade de imaginar todos os propósitos de Deus em qualquer provação específica, em vez da confiança no Senhor e no caráter que Ele revelou, e, por fim, em Jesus Cristo na cruz. Talvez uma imitação de confiança no Senhor funcione para algumas coisas, porém, em última instância, ela não funciona. O único digno de confiança é Deus, não nós mesmos, nem nossa competência em imaginar as questões difíceis da nossa vida. Afinal, podemos confiar no Senhor, pois, como Jó disse: "Porque eu sei que o meu Redentor vive, e que por fim se levantará sobre a terra" (19.25). Como o Redentor de Jó redimiria? Ao viver de forma mais justa e perfeita do que Jó seria capaz e ao tomar sobre si mais sofrimento do que Jó jamais conheceu. Veja que, no fim, pretende-se que a paciência de Jó, em meio ao sofrimento aponte para o justo genuinamente perfeito e totalmente desmerecedor de sofrimento, Jesus Cristo na cruz. Cristo, por meio de sua morte na cruz e sua ressurreição no terceiro dia, derrotou as forças do pecado e da morte. Depois, Deus promete perdoar todos que se arrependerem de seus pecados e crer em Cristo. E, no fim, eles, ao lado de Jó, também permanecerão com seu Redentor.

Mencionei antes, a história dos discípulos perguntarem a Jesus a respeito de um homem cego: "Rabi, quem pecou, este ou seus pais, para que nascesse cego?" (Jo 9.2) Aparentemente, eles fizeram a pergunta errada, pois Jesus respondeu: "Nem ele pecou, nem seus pais; mas foi assim para que se manifestem nele as obras de Deus" (Jo 9.3).

Deus pretende revelar sua glória na sua vida e na das pessoas ao seu redor. Pode ter certeza disso. Agora, a forma como Ele pretende fazer isso nos leva a outros livros da Bíblia. No entanto, o livro de Jó deixa bastante claro que Ele pretende manifestar sua glória na vida de seus filhos à medida que eles continuam a servi-lo em meio às provações da vida. E você, se for filho dEle, reconcilie-se com Ele por intermédio de Cristo e perceba que seu sofrimento revela, de forma extraordinária, a glória de Deus à medida que você serve e adora a Ele de uma forma que simplesmente desafia a compreensão e a capacidade do mundo. Se você, cristão, passa por um período de sofrimento nesses dias, talvez, neste momento, o Senhor esteja sentado no céu e, após apontar para você, comente com as multidões celestiais: "Observaste tu a meu servo [...]?" Um dia, pode ser que você veja como o Senhor mostra a toda sua criação as glórias, hoje ainda não reveladas, do que Ele fez ao criá-lo à imagem dEle e, depois, recriá-lo como filho!

Sofremos com freqüência. Às vezes, entendemos. E, pela graça de Deus, sempre podemos confiar.

Conclusão

O livro de Jó fala do nosso sofrimento de forma realista. Ele explora os limites da nossa compreensão. E ilustra, de modo firme, nossa necessidade de confiar em Deus.

Como Jó declara: "Mas [Deus] disse ao homem: Eis que o temor do Senhor é a sabedoria, e apartar-se do mal é a inteligência" (28.28). Essa é a sabedoria bíblica para os perdedores. Concentre-se nEle, pois podemos confiar nEle. Essa é a mensagem de Jó.

Oremos:

Deus, as palavras parecem fracas e superficiais comparadas com a profundidade e a textura de nossa vida e o poder imenso da obra de seu Espírito. Oramos para que o Espírito Santo seja derramado sobre nós. Oramos para que o Senhor, por sua graça, domine nossa inerente falta de confiança no Senhor à medida que lutamos com o sofrimento. Que seu Espírito Santo sitie o baluarte da descrença de nosso coração e consiga uma grande vitória para sua glória. Confessamos que não consideramos o papel que o Senhor desempenha em muitas áreas de nossa vida. Temos facilidade de agradecer por algumas coisas. Contudo, outras coisas desafiam nossa compreensão de quem o Senhor é e de como age. Deus, oramos para que por meio de sua obra na cruz de Jesus Cristo, embora o mundo considere isso loucura, o Senhor possa lembrar-nos que é verdadeiramente sábio e digno de confiança. Oh, Senhor, aguardamos o momento em que essa confiança se evidencie, em que a fonte de nossa esperança venha, em que não mais precisaremos da nossa fé, porque já podemos vê-lo. Deus, esse é o nosso desejo. Em nome de Jesus, oramos para que o Senhor, por intermédio de seu Espírito, ajude-nos a perseverar até a chegada desse momento. Amém.

Questões para Reflexão

1. Quem fez Jó sofrer?
    a. Os sabeus, os caldeus e um vento impetuoso.
    b. Satanás
    c. Deus
    d. Todos acima.
    Explique.

2. Qual a resposta de Jó para a pergunta I, e o que o narrador pensa dessa resposta de Jó (veja 1.21,22 e 2.10)?
3. Deus contou a Jó a causa de seu sofrimento? Que resposta Deus deu a Jó? Você ficaria satisfeito com essa resposta? Por quê?
4. No jardim do Éden, Satanás, a fim de tentar Eva a comer o fruto proibido, disse-lhe: "Porque Deus sabe que, no dia em que dele comerdes, se abrirão os vossos olhos, e sereis como Deus, sabendo o bem e o mal" (Gn 3.5). Ela acredita nele e dá uma mordida no fruto. Como nós, seres humanos, somos vítimas dessa mesma mentira quando tentamos explicar o sofrimento e o mal? Quais são algumas explicações distintas que damos para o sofrimento neste mundo que indicam que acreditamos nessa mentira?
5. Na passagem 42.1-6, por que a resposta de Jó indica um homem justo (veja Pv 1.7)?
6. Este sermão faz uma declaração de peso, ou seja, a de que se insistirmos em viver apenas de acordo com nossa compreensão e totalmente à parte da verdade, então, não podemos ser cristãos. Por que isso é verdade? O que tem a ver com o sofrimento?
7. Em sua mente, o que é melhor: viver de acordo com sua compreensão ou em concordância com a crença no poder de Deus? Em momentos de provação, qual das duas coisas você faz?
8. Se todas as coisas forem iguais, que cenário, indiscutivelmente, dá *mais* glória a Deus?
   a. Um jogador de futebol cristão que se ajoelha e agradece a Deus pelo gol que marcou ao chutar de fora da grande área.
   b. Um jogador de futebol cristão que, no vestiário do time perdedor, ajoelha-se e agradece a Deus por sua provisão e misericórdia.
   E o que essa pergunta tem a ver com você, o cristão que não é jogador de futebol?
9. Como Jó, o homem, aponta para Cristo?
10. No início deste sermão, examinamos o fato de que, com freqüência, os cristão sentem-se embaraçados em admitir que sofrem, que se sentem deprimidos ou que passam por dificuldades. Por que essa hesitação tem potencial para *ferir* nosso testemunho do evangelho? Que tipo de cultura e de relacionamento deveríamos cultivar em nossas igrejas a fim de tratar essa questão?

Notas

Capítulo 18

[1] A data de pregação original deste sermão foi em 29 de junho de 1997, na Capitol Hill Baptist Church, em Washington, D.C.
[2] Veja também Ezequiel 14.14,20; Tiago 5.11.
[3] Sir Walter Scott, "Marmion", linhas 567-568.
[4] Como o rabi Harold Kushner, autor de When Bad Things Happen to Good People (Boston: G. K. Hall, 1981), e, de outra forma, como Clark Pinnock e outros que advogam a visão do "Deus limitado", ou do "teísta aberto", em respeito a como Deus se relaciona com sua criação.
[5] 7.6,21; 10.19; 14.2; 21.26; 30.16-19; etc.

A MENSAGEM DE SALMOS: SABEDORIA PARA AS PESSOAS ESPIRITUAIS

ESPIRITUALIDADE E SALMOS

CARACTERÍSTICA DA ESPIRITUALIDADE BÍBLICA N° 1: DAR LOUVORES

CARACTERÍSTICA DA ESPIRITUALIDADE BÍBLICA N° 2: HONESTIDADE

CARACTERÍSTICA DA ESPIRITUALIDADE BÍBLICA N° 3: LEMBRANÇA

CARACTERÍSTICA DA ESPIRITUALIDADE BÍBLICA N° 4: MORALIDADE

CARACTERÍSTICA DA ESPIRITUALIDADE BÍBLICA N° 5: MUDANÇA

CARACTERÍSTICA DA ESPIRITUALIDADE BÍBLICA N° 6: CONFIANÇA

CARACTERÍSTICA DA ESPIRITUALIDADE BÍBLICA N° 7: AÇÃO DE GRAÇAS

CONCLUSÃO

CAPÍTULO 19

A Mensagem de Salmos:
Sabedoria para as Pessoas Espirituais

Espiritualidade e Salmos[1]

Abraham Lincoln confidenciou a um amigo a respeito de Salmos: "Eles são ótimos. Encontro alguma coisa neles para cada dia do ano".

Martinho Lutero chamou-os de "a Bíblia em miniatura".

Se você fosse um editor de livros que fosse publicar Salmos, encontraria muitos comentários sobre esse livro que seriam excelentes para a contracapa da obra.

Salmos é o livro mais longo da Bíblia.

Ele contém mais capítulos que qualquer outro livro da Bíblia, como também os capítulos mais longos e mais curtos da Bíblia.

O Novo Testamento cita o livro de Salmos mais que qualquer outro livro.

Sem dúvida, é o livro mais popular do Antigo Testamento, se não de toda a Bíblia.

E, nesse livro, encontramos as seguintes palavras:

O Senhor é o meu pastor; nada me faltará. Deitar-me faz em verdes pastos, guia-me mansamente a águas tranqüilas. Refrigera a minha alma; guia-me pelas veredas da justiça por amor do seu nome. Ainda que eu andasse pelo vale da sombra da morte, não temeria mal algum, porque tu estás comigo; a tua vara e o teu cajado me consolam. Preparas uma mesa perante mim na presença dos meus inimigos, unges a minha cabeça com óleo, o meu cálice transborda. Certamente que a bondade e a misericórdia me seguirão todos os dias da minha vida; e habitarei na Casa do Senhor por longos dias (Sl 23).

O livro de Salmos é um dos cinco livros do Antigo Testamento que chamamos de "escritos" ou "livros de sabedoria". Se abrir sua Bíblia, encontrará os cinco exatamente no meio do sumário do Antigo Testamento: Jó, Salmos, Provérbios, Eclesiastes e Cantares. Nos escritos não há grandes eventos como nos livros de história ou de profecia. Não há novas leis, como nos primeiros cinco livros da Bíblia, que chamamos de Pentateuco. Esses livros não são sobre a nação de Israel como um todo; antes, são sobre indivíduos e os altos e baixos da experiência pessoal deles. Os escritos são o âmago do Antigo Testamento pelo que expressam, e não apenas por sua localização. Eles estão interessados em como se aplica a lei de Deus a cada pessoa e meditam a respeito de grandes questões que enfrentamos em nossa vida diária.

Muitas vezes, os escritos são a parte do Antigo Testamento que os cristãos preferem. E isso não é de surpreender! De muitas maneiras, esses livros são os mais fáceis de entender. Apreendemos mais depressa e somos mais atraídos pela experiência individual de tristeza e de alegria que pela descrição de um sacrifício ou pelo relato de uma batalha antiga. Esses livros estão cheios de poesia bonita e expressiva, com árvores que agitam as mãos, montes que entoam cânticos de alegria, inimigos de Deus que derretem como cera e o Senhor que cavalga sobre as nuvens. Eles estão cheios do amor e da vivacidade de Cantares, dos conselhos práticos de Provérbios, dos mistérios de Eclesiastes e de Jó. E essa mesma espiritualidade real e sonora é o objeto do nosso estudo aqui: o livro de Salmos.

A estrutura do livro de Salmos, longo e multiforme, passa, de forma típica, despercebida para o leitor ocasional. Os salmos não são agrupados por tema. Não encontramos todos os salmos de alegria ou de dor reunidos em seções distintas. Eles não são apresentados em qualquer ordem cronológica. O livro não se inicia com o salmo mais antigo e termina com o mais recente. Antes, o livro de Salmos divide-se em cinco livros, e a maioria das traduções destaca esses agrupamentos. É provável que na sua versão da Bíblia conste no início de Salmos algo como "Livro Primeiro", e o livro primeiro é composto dos Salmos de 1 a 41. O livro segundo é composto pelos Salmos 42—72. O livro terceiro, pelos Salmos 73—89. O livro quarto, pelos Salmos 90—106. E o livro quinto, pelos Salmos 107—150. Cada um desses cinco livros termina com uma doxologia — um chamado a louvar o grande Deus descrito nos salmos precedentes. Muitas vezes, os salmos individuais também terminam dessa forma, com um verso isolado que louva ao Senhor. Não sabemos exatamente o porquê das cinco divisões. Algumas pessoas sugerem essa estrutura de Salmos pretende espelhar o Pentateuco — os cinco livros da Lei.

Mas não sabemos, de fato, se essa é a razão. Podemos ver que Salmos, como um todo, atinge a grande culminância na "grande doxologia", em que não apenas um verso ou salmo, mas os cinco últimos salmos apresentam enlevado louvor a Deus. Os Salmos 146—150 são essa grande doxologia que levam ao ápice essa sinfonia de louvor ao Senhor.

O fato de haver 150 salmos significa que você pode ler Salmos, com facilidade, todo mês se ler cinco salmos por dia. Ou você pode pegar o dia do mês, multiplicá-lo por cinco e, então, ler o salmo correspondente ao número resultante da multiplicação e os quatro que o precedem. Se hoje for o terceiro dia do mês, leia os Salmos 11—15. Você sempre tem os capítulos de Salmos prontos para a leitura quando não sabe o que ler em seus momentos de descanso. Passe toda sua vida se familiarizando com Salmos. E reserve um tempo extra para o Salmo 119!

Há séculos, até milênios, as pessoas encontram no livro de Salmos, alguns dos exemplos mais claros do que significa ser uma pessoa espiritual. Bem, talvez você se pergunte sobre a realidade dessa declaração, por ser um livro do Antigo Testamento e tudo o mais. Mas você já se perguntou como eram os crentes do Antigo Testamento? Como comparar a experiência deles com as suas, os filhos da nova aliança? Que distinção havia na fé deles? Bem, veja o livro de Salmos comigo, e examinemos juntos o retrato que ele apresenta de uma vida espiritual.

Afinal, a espiritualidade é bem popular hoje. Na nossa cultura, a falsidade e a superficialidade não são os tributos pessoais mais apreciados, pelo menos, não em relação aos sentimentos. E, por isso, há uma grande preocupação, por motivos bons e maus, em descobrir o que significa ser uma pessoa espiritual. É provável que haja mais pessoa que gostariam de ser vistas como "espirituais" que o contrário. De um modo vago, ser espiritual soa como uma boa coisa para nós. Talvez isso traga mais peso, mais sobriedade, transmita um tipo de seriedade para o indivíduo. E muitas pessoas almejam esse respeito para seu caráter, para seus interesses e para quem são. É irônico que esse mesmo anseio sirva de testemunho para a falsidade e a superficialidade de muitas vidas.

Não sou grande fã do adjetivo "espiritual" ou do substantivo "espiritualidade" quando utilizados de forma injustificada. As duas palavras podem ser acopladas a coisas demais que mudam totalmente seu significado. Há coisas espirituais boas e ruins.

Como as pessoas sabem o que é espiritualidade genuinamente boa? Como ela é? Há pouco tempo, uma pessoa procurou-me para o que chamou de "verificação de realidade espiritual". Esse homem não é membro da igreja nem a freqüenta com regularidade. Mas ele achou que poderia me procurar, da mesma forma que vai ao médico, a fim de determinar se estava com boa saúde espiritual.

Como sabemos se estamos bem espiritualmente? Que tipo de guia eu poderia usar com essa pessoa?

Desde que publicou seu livro campeão de vendas, em 1989, Stephen Covey tem contado a todos nós sobre *The Seven Habits of Highly Effective People* (Os Sete Hábitos de

Pessoas altamente Eficazes). Não acredito que afetarei muito a venda do livro se compartilhar os hábitos com vocês: 1) ser proativo; 2) iniciar com o objetivo em mente; 3) colocar as primeiras coisas em primeiro lugar; 4) pensar de forma que você seja sempre vitorioso; 5) primeiro, tentar entender e, depois, ser compreendido; 6) ter sinergia; e 7) aguçar a vista, isto é, ter cuidado consigo mesmo.

Bem, neste estudo quero falar de um livro que está na lista dos campeões de venda há muito mais tempo, que nos apresenta as *sete características de pessoas biblicamente espirituais*. Começamos a entender a verdadeira espiritualidade apenas quando nos voltamos para o que a Bíblia ensina sobre nossa condição de caídos e a obra de Cristo em nossa restauração em relação a Deus. Assim, larguem essas canetas e lápis! Tenho tempo apenas para mencioná-las de forma breve. E, depois, teremos de "adicionar água" ao examiná-los, discuti-los e orar sobre eles.

Característica da Espiritualidade Bíblica nº 1: Dar Louvores

Primeiro, a verdadeira vida espiritual caracteriza-se pelo *louvor*.

O aroma básico de Salmos, como também o tema básico que Deus pretendeu passar a toda a criação, é o louvor. No original hebraico, o livro de Salmos recebe o título de "Canções de Louvor". E a razão disso é visível! Em Salmos há muitos louvores jubilosos ao Senhor, à medida que Ele se revela. Por isso, lemos no Salmo 145:

> Eu te exaltarei, ó Deus, Rei meu, e bendirei o teu nome pelos séculos dos séculos. Cada dia te bendirei e louvarei o teu nome pelos séculos dos séculos. Grande é o Senhor e muito digno de louvor; e a sua grandeza, inescrutável. Uma geração louvará as tuas obras à outra geração e anunciará as tuas proezas. Falarei da magnificência gloriosa da tua majestade e das tuas obras maravilhosas. E se falará da força dos teus feitos terríveis; e contarei a tua grandeza. Publicarão abundantemente a memória da tua grande bondade e cantarão a tua justiça. Piedoso e benigno é o Senhor, sofredor e de grande misericórdia. O Senhor é bom para todos, e as suas misericórdias são sobre todas as suas obras. Todas as tuas obras te louvarão, ó Senhor, e os teus santos te bendirão. Falarão da glória do teu reino e relatarão o teu poder, para que façam saber aos filhos dos homens as tuas proezas e a glória da magnificência do teu reino. O teu reino é um reino eterno; o teu domínio estende-se a todas as gerações (145.1-13).

Aqui, o salmista louva a Deus como o Criador e o Governante de seu mundo e como o Redentor do seu povo. Louva ao Senhor pelo que tem *feito* — por suas "proezas", a criação e a redenção.

Contudo, os Salmos não louvam a Deus apenas pelo que tem feito, eles o louvam apenas porque Ele *é*. Salmos 148 e 149 revelam a alegria do salmista com o que Deus tem feito e com o fato de que essas coisas revelam que apenas Ele é Deus:

> Louvai ao Senhor! Louvai ao Senhor desde os céus, louvai-o nas alturas. Louvai-o, todos os seus anjos; louvai-o, todos os seus exércitos. Louvai-o, sol e lua; louvai-o, todas as estrelas luzentes. Louvai-o, céus dos céus, e as águas que estão sobre os céus. Que louvem o nome do Senhor, pois mandou, e logo foram criados. E os confirmou para sempre e lhes deu uma lei que não ultrapassarão. Louvai ao Senhor desde a terra, vós, baleias e todos os abismos, fogo e saraiva, neve e vapores e vento tempestuoso que executa a sua palavra; montes e todos os outeiros, árvores frutíferas e todos os cedros; as feras e todos os gados, répteis e aves voadoras; reis da terra e todos os povos, príncipes e todos os juízes da terra; rapazes e donzelas, velhos e crianças. Que louvem o nome do Senhor, pois só o seu nome é exaltado; a sua glória está sobre a terra e o céu. Ele também exalta o poder do seu povo, o louvor de todos os seus santos, dos filhos de Israel, um povo que lhe é chegado. Louvai ao Senhor R (Sl 148)!

E o louvor continua no Salmo 149:

> Louvai ao Senhor! Cantai ao Senhor um cântico novo e o seu louvor, na congregação dos santos. Alegre-se Israel naquele que o fez, regozijem-se os filhos de Sião no seu Rei. Louvem o seu nome com flauta, cantem-lhe o seu louvor com adufe e harpa. Porque o Senhor se agrada do seu povo; ele adornará os mansos com a salvação. Exultem os santos na glória, cantem de alegria no seu leito. Estejam na sua garganta os altos louvores de Deus e espada de dois fios, nas suas mãos, para tomarem vingança das nações e darem repreensões aos povos, para prenderem os seus reis com cadeias e os seus nobres, com grilhões de ferro; para fazerem neles o juízo escrito; esta honra, tê-la-ão todos os santos. Louvai ao Senhor (Sl 149)!

Para qualquer espiritualidade bíblica, é fundamental a alegria real em Deus e em quem Ele revelou ser. A espiritualidade bíblica nunca se centra no homem e na ajuda que Ele pode nos dar para alcançar nossos objetivos. Antes, a espiritualidade bíblica sempre concentra-se em Deus. Está centrada nEle. O Senhor a permeia em tudo. Há arrebatamento no Senhor. E esse é exatamente o ponto em que se inicia o abismo entre a verdadeira espiritualidade e a religião, conforme revelada na Bíblia, e as incontáveis panacéias apregoadas hoje em todas as esquinas da nossa cultura. A espiritualidade bíblica centra-se no Senhor e regozija-se nEle.

Steve Turner, em seu poema "I Wish I Could Believe" ("Gostaria de Poder Acreditar"), capta a essência de como nossa cultura aborda a espiritualidade:

> Gostaria de uma fé como a sua, diz você
> Embora isso não seja bem verdade.
> De certo modo, sua fé é como a minha,
> Mas ela toda se volta para você.[2]

A espiritualidade perdida em si mesma e sem louvor é falsa. Afinal, conhecer o Deus da Bíblia é aprender a louvá-lo e a amá-lo. Falhamos em louvá-lo e em amá-lo ao ficarmos surdos em relação a sua Palavra e cegos para o seu esplendor.

Ao voltarmo-nos para o Novo Testamento, não podemos deixar de observar Jesus, aos doze anos, adorando a Deus no átrio do Templo. E fica claro qual é a única pessoa que sempre entoou cânticos com coração totalmente genuíno: "Quão amáveis são os teus tabernáculos, Senhor dos Exércitos! A minha alma está anelante e desfalece pelos átrios do Senhor" (Sl 84.1,2; cf. Lc 2.49).

De acordo com Salmos, a pessoa verdadeiramente espiritual conhece a alegria do louvor.

Característica da Espiritualidade Bíblica Nº 2: Honestidade

Ao mesmo tempo, no livro de Salmos, a pessoa verdadeiramente espiritual não vê o mundo através de lentes otimistas. Há também esta segunda característica da espiritualidade bíblica: *honestidade*. Vemos essa honestidade, em especial, no que chamamos de salmos de lamento.

Os salmos de lamento são cheios de dor, desorientação, sofrimento, mágoa, raiva e sentimentos de abandono, tanto da comunidade como do indivíduo. Às vezes, esses salmos apresentam até as mais horripilantes pragas e as injúrias mais mordazes já proferidas na Bíblia.

Surpreendentemente, há mais salmos de lamento que de qualquer outro tipo. Dos 150 salmos do livro, 62 são de queixa ou de lamento. Um quarto deles é de lamento coletivo, enquanto três quartos, de lamento individual.

O Salmo 74 inicia-se com um bom exemplo de lamento coletivo: "Ó Deus, por que nos rejeitaste para sempre? Por que se acende a tua ira contra as ovelhas do teu pasto? Lembra-te da tua congregação, que compraste desde a antiguidade; da tua herança que remiste, deste monte Sião, em que habitaste" (74.1,2). Observe que esse salmo levanta seu clamor em favor de "nós".

Todavia, os salmos apontam ainda mais para a dor pessoal. Observe o Salmo 10:

> Por que te conservas longe, Senhor? Por que te escondes nos tempos de angústia? Os ímpios, na sua arrogância, perseguem furiosamente o pobre; sejam apanhados nas ciladas que maquinaram. Porque o ímpio gloria-se do desejo da sua alma, bendiz ao avarento e blasfema do Senhor. Por causa do seu orgulho, o ímpio não investiga; todas as suas cogitações são: Não há Deus. Os seus caminhos são sempre atormentadores; os teus juízos estão longe dele, em grande altura; trata com desprezo os seus adversários. Diz em seu coração: Não serei abalado, porque nunca me verei na adversidade. A sua boca está cheia de imprecações, de enganos e de astúcia; debaixo da sua língua há malícia e maldade (10.1-7).

A seguir, passamos a alguns versículos adiante: "Levanta-te, Senhor! Ó Deus, levanta a tua mão; não te esqueças dos necessitados! Por que blasfema de Deus o ímpio, dizendo no seu coração que tu não inquirirás?" (10.12,13)

O que isso significa para nós? Os cristãos devem expressar com honestidade o sofrimento e a mágoa em sua vida na igreja e individual.

Às vezes, achamos que é mais espiritual não sentir dor, e, se a sentimos, não admitir isso nos torna mais espirituais. Lembro-me de ler um artigo divertido sobre um encontro entre o personagem bíblico Jó e um "homem de resposta espiritual" — um pregador saudável e rico. Esse professor viajante aproxima-se de Jó e diz algo semelhante: "Aleluia, Jó! Você tem um problema, Jó? Esse problema acabará se você apenas declarar qual é ele e reivindicar a solução dele. Apenas confesse, e isso acontecerá!" Às vezes, isso soa como a forma de ser mais espiritual. Poderíamos começar a viver como filhos do Rei se pudéssemos apenas superar os problemas da vida ao nomeá-los e reivindicar as promessas de Deus.

Contudo, de acordo com Salmos, a pessoa verdadeiramente espiritual conhece o sofrimento, as dificuldades, as angústias e até algo próximo do desespero. Na verdade, uma das principais razões para o livro de Salmos ser tão útil e amado é o fato de ser tão enfático e realista, não apenas nos apogeus de alegria, mas também nas profundezas da angústia.

É claro que essa empatia é a de Deus mesmo. Ao nos voltarmos, de novo, para o Novo Testamento, encontramos o mesmo Jesus que, antes, adorou a Deus no átrio do Templo sendo levantado na cruz com as palavras do salmista nos lábios: "Deus meu, Deus meu, por que me desamparaste?" "Tenho sede." "Pai, nas tuas mãos entrego o meu espírito."[3] Todavia, a obra de Cristo que induz a esse lamento é nossa única esperança de salvação!

De acordo com Salmos, a pessoa verdadeiramente espiritual conhece a alegria real de louvar a Deus e a agonia real de clamar por Ele.

Característica da Espiritualidade Bíblica nº 3: Lembrança

Como já disse, no conjunto, a seção do Antigo Testamento que chamamos de "escritos" é a respeito de experiências individuais com Deus. Todavia, o Antigo Testamento é contextual, e, por isso, muitos salmos refletem uma preocupação com Israel como um todo. Por essa razão, você compreende melhor os salmos de natureza mais corporativa se souber alguma coisa da história de Israel. Isso tudo para dizer que a terceira característica da espiritualidade bíblica é *lembrança*.

Provavelmente, parece que são esses salmos que, hoje, parecem mais distantes de nós como indivíduos. Pode parecer que eles não têm ligação conosco nem relação com nossa vida. Afinal, estão preocupados com o acordo especial, ou aliança, que existia entre Deus e esse povo antigo que Ele separara para si mesmo. Os salmos dessa categoria preocupam-se com a renovação dessa aliança especial, ou com a entronização do rei de Israel, ou com outros assuntos específicos da adoração ao Senhor no Templo de Jerusalém.

Às vezes, a natureza histórica e corporativa desses salmos são sutis — apenas um aroma em um hino de louvor que de outra forma seria comum — como no Salmo 47:

> Aplaudi com as mãos, todos os povos; cantai a Deus com voz de triunfo. Porque o Senhor Altíssimo é tremendo e Rei grande sobre toda a terra. Ele nos submeterá os povos e porá as nações debaixo dos nossos pés. Escolherá para nós a nossa herança, a glória de Jacó, a quem amou. (Selá) Deus subiu com júbilo, o Senhor subiu ao som da trombeta. Cantai louvores a Deus, cantai louvores; cantai louvores ao nosso Rei, cantai louvores. Pois Deus é o Rei de toda a terra; cantai louvores com inteligência. Deus reina sobre as nações; Deus se assenta sobre o trono da sua santidade. Os príncipes dos povos se congregam para serem o povo do Deus de Abraão; porque os escudos da terra são de Deus; ele está muito elevado! (Sl 47)

Nesse salmo, dificilmente as referências à "glória de Jacó" e ao "povo do Deus de Abraão" são importunas, mas estão presentes.

Em outros salmos, o foco principal está na obra de Deus na nação. Talvez o Salmo 136 seja familiar a você por causa de sua frase recorrente: "sua benignidade é para sempre". Contudo, ele reconta a história específica da nação de Israel nas frases intermediárias. Eis apenas um exemplo disso:

> Que feriu o Egito nos seus primogênitos;
> porque a sua benignidade é para sempre.
> E tirou a Israel do meio deles;

porque a sua benignidade é para sempre.
Com mão forte, e com braço estendido;
porque a sua benignidade é para sempre.
Àquele que dividiu o mar Vermelho em duas partes;
porque a sua benignidade é para sempre.
E fez passar Israel pelo meio dele;
porque a sua benignidade é para sempre.
Mas derribou a Faraó com o seu exército no mar Vermelho;
porque a sua benignidade é para sempre.
Àquele que guiou o seu povo pelo deserto;
porque a sua benignidade é para sempre (136.10-16; grifos do autor).

O salmista, por toda a maior parte do salmo, continua a recontar, especificamente, o que Deus fez na história de Israel. O salmo pode parecer um pouco distante se você não conhecer a história.

Podemos ler um salmo sobre Deus salvar sua nação israelita e, de início, achá-lo distante, antigo e estranho. No entanto, à medida que aprendemos a história por trás do salmo, começamos a entender a importância da salvação do Senhor e a alegria que ela trouxe a todos.

E que eventos os diferentes escritores de salmos tinham em mente, originalmente, quando escreveram sobre a salvação de Deus para seu povo? Qual era o grande evento para qualquer hebreu antigo? O Êxodo!

O povo de Israel foi chamado a lembrar a bondade do Senhor em tirá-los do Egito, em dar-lhes sua Lei, em sustentá-los no deserto e em conduzi-los à Terra Prometida! E essa lembrança escrita da bondade de Deus assegurava-lhes que Ele continuaria sendo bom para eles como indivíduos e como povo — no presente e no futuro.

Nós também precisamos ser um povo com memória, se quisermos seguir o modelo de espiritualidade apresentado em Salmos. As promessas de Deus trazem-nos esperança de bondade futura, em especial, quando nutridas com a lembrança da bondade passada.

Os puritanos enchiam seus calendários com lembretes de datas específicas em que Deus fora, de forma clara, bom para com eles como indivíduos, como família, como igreja ou como cidade. Eles marcavam no calendário o dia em que vivenciavam uma entrega específica de Deus e, depois, agradeciam-no nessa data pelo resto da vida.

Nós, como os puritanos, devemos ter cuidado para não dar pouca atenção à bondade que Deus nos dá de tantas formas distintas, nem dissipá-la logo, qualquer que seja a ocasião em que a recebemos: na recuperação de uma doença, na saúde de um filho, no fornecimento de um emprego, no fazer uma amizade, na provisão da necessidade financeira e, acima de tudo, na provisão de Jesus Cristo como o sacrifício pelos pecados para todos que se arrependerem dos pecados e crerem nEle. Na verdade, o chamado do salmista para os israelitas lembrarem a provisão de salvação de Deus no Êxodo, por mais notável que a saída do Egito tenha sido, aponta apenas para uma sombra. O verdadeiro Êxodo para o qual o obscuro Êxodo do Egito aponta é a saída do pecado, algo que encontramos apenas por intermédio de Jesus Cristo.

De acordo com Salmos, a pessoa verdadeiramente espiritual louva a Deus e fala com honestidade de suas dificuldades pessoais. Mas ela também rememora.

Característica da Espiritualidade Bíblica Nº 4: Moralidade

O livro de Salmos inicia-se com a escolha moral posta diante de todo ser humano — a escolha entre a justiça e a maldade. Na verdade, a espiritualidade bíblica repousa sobre a *moralidade* certa. Salmos 1 descreve o homem espiritual que se delicia na Lei de Deus, e na sabedoria e na justiça dela, comparando-o ao insensato e injusto que ignora a Lei do Senhor. Esse salmo estabelece o palco para tudo que vem a seguir:

> Bem-aventurado o varão que não anda segundo o conselho dos ímpios, nem se detém no caminho dos pecadores, nem se assenta na roda dos escarnecedores. Antes, tem o seu prazer na lei do Senhor, e na sua lei medita de dia e de noite. Pois será como a árvore plantada junto a ribeiros de águas, a qual dá o seu fruto na estação própria, e cujas folhas não caem, e tudo quanto fizer prosperará. Não são assim os ímpios; mas são como a moinha que o vento espalha. Pelo que os ímpios não subsistirão no juízo, nem os pecadores na congregação dos justos. Porque o Senhor conhece o caminho dos justos; mas o caminho dos ímpios perecerá (Sl 1).

Deus traz sua lei ao nosso conhecimento e mostra-nos o caminho da verdade e da justiça. O salmista regozija-se no conhecimento da Lei de Deus porque percebe que isso é o conhecimento da vontade e do caráter dEle. (Veja nos Salmos 19 e 119 os grandes exemplos de celebração da sabedoria que Deus nos dá em sua Lei.)

Esse conhecimento da verdade, da justiça e da sabedoria instrui as escolhas que fazemos como cristãos. Se a sabedoria de Deus não orienta nossas escolhas, se sentimos que podemos nos orientar por nós mesmos, então somos desmemoriados e errados. Observe as palavras do Salmo 78:

> Escutai a minha lei, povo meu; inclinai os ouvidos às palavras da minha boca. Abrirei a boca numa parábola; proporei enigmas da antiguidade, os quais temos ouvido e sabido, e nossos pais no-los têm contado. Não os encobriremos aos seus filhos,

mostrando à geração futura os louvores do Senhor, assim como a sua força e as maravilhas que fez. Porque ele estabeleceu um testemunho em Jacó, e pôs uma lei em Israel, e ordenou aos nossos pais que a fizessem conhecer a seus filhos, para que a geração vindoura a soubesse, e os filhos que nascessem se levantassem e a contassem a seus filhos; para que pusessem em Deus a sua esperança e se não esquecessem das obras de Deus, mas guardassem os seus mandamentos (78.1-7).

A Bíblia tem apenas um nome para a crença correta, ou para as palavras certas, sem o comportamento certo: hipocrisia. Qualquer um que se apresente como uma pessoa espiritual ou boa e, todavia, viva em contradição com a Palavra revelada do Senhor engana-se a si mesmo e aos outros. Ele põe em risco a si mesmo e aos outros à medida que finge levar a vida que imagina ser aceitável para Deus. Ironicamente, descobrimos que, em certo sentido, nunca podemos quebrar a Lei de Deus, antes, somos nós que nos quebramos quando nos opomos a ela.

O livro de Salmos ensina com clareza, que, no fim, a espiritualidade aceitável não pode ser a mera auto-expressão que não presta atenção à revelação de Deus. Afinal, quem foi o homem sábio que "nada lhes falava sem parábolas" e "para que [assim] se cumprisse o que fora dito pelo profeta, que disse: Abrirei em parábolas a boca; publicarei coisas ocultas desde a criação do mundo" (Mt 13.34,35; cf. Sl 78.1)? E quem era o homem perfeitamente justo que tinha "o seu prazer na lei do Senhor, e na sua lei medita de dia e de noite" (Sl 1.2; cf. Mt 4.4)?

A pessoa verdadeiramente espiritual tem de prestar atenção às palavras do Senhor, pelo poder de Deus e para os propósitos dEle. Portanto, de acordo com Salmos, esse é outro aspecto da espiritualidade bíblica: não há apenas louvor, honestidade e lembrança, também há moralidade.

Característica da Espiritualidade Bíblica Nº 5: Mudança

E, depois, temos a quinta característica bíblica da espiritualidade: *mudança*. Ouvimos o salmista rogar por mudança, em especial, nos "salmos de penitência".

Em nosso estudo de Jó, falamos sobre o fato de as circunstâncias da nossa vida poderem se tornar extremamente difíceis por razões misteriosas que ultrapassam nossa compreensão. No entanto, muitas vezes, não estamos em uma situação semelhante à de Jó. A situação torna-se amarga por causa de nossos erros. Esse erro afasta-nos de Deus e dos outros. Precisamos observar a prática de mudança do salmista quando ficamos cientes de nosso erro. Usarei palavras mais religiosas, precisamos nos arrepender ou tornar-nos penitentes.

Há sete salmos chamados penitenciais, ou de arrependimento e mudança: 6, 32, 38, 51, 102, 130 e 143. Esses são salmos bons para ler e usar em sua vida a fim de ajudá-lo a se arrepender e a mudar.

Agostinho, teólogo da Igreja Primitiva, teve de mudar muito sua vida depois da conversão, e o Salmo 32 era o seu preferido de todo o saltério. Esse salmo ajudou-o a saber como chegar a Deus e pedir as mudanças que precisava em sua vida:

> Bem-aventurado aquele cuja transgressão é perdoada, e cujo pecado é coberto. Bem-aventurado o homem a quem o Senhor não imputa maldade, e em cujo espírito não há engano. Enquanto eu me calei, envelheceram os meus ossos pelo meu bramido em todo o dia. Porque de dia e de noite a tua mão pesava sobre mim; o meu humor se tornou em sequidão de estio. (Selá) Confessei-te o meu pecado e a minha maldade não encobri; dizia eu: Confessarei ao Senhor as minhas transgressões; e tu perdoaste a maldade do meu pecado. (Selá) Pelo que todo aquele que é santo orará a ti, a tempo de te poder achar; até no transbordar de muitas águas, estas a ele não chegarão. Tu és o lugar em que me escondo; tu me preservas da angústia; tu me cinges de alegres cantos de livramento. (Selá) Instruir-te-ei e ensinar-te-ei o caminho que deves seguir; guiar-te-ei com os meus olhos. Não sejais como o cavalo, nem como a mula, que não têm entendimento, cuja boca precisa de cabresto e freio, para que se não atirem a ti. O ímpio tem muitas dores, mas aquele que confia no Senhor, a misericórdia o cercará. Alegrai-vos no Senhor e regozijai-vos, vós, os justos; e cantai alegremente todos vós que sois retos de coração (Sl 32).

De acordo com a Bíblia, esse tipo de arrependimento e de mudança *deve* fazer parte da vida cristã. Dwight L. Moody disse:

> Existem muitos homens bons [...] que têm [...] uma religião da qual, segundo dizem, não desistiriam por nada no mundo: mas quando um homem diz que não desiste de sua religião, você sabe que ele não tem muita religião da qual desistir. Quando um homem se levanta por "minha religião", como vemos com freqüência, você sabe que há alguma coisa errada. Não é isso que queremos. Queremos que eles mudem de vida, e uma religião que não salva os homens do pecado não é digna de que atravessemos a rua por ela.[4]

A fé cristã que não traz mudança é falsa, mesmo que envolva muita emoção. Afinal, os não-cristãos podem se sentir mal com seus pecados. Como disse o apóstolo Paulo: "[...] a tristeza do mundo opera a morte". Apenas "a tristeza segundo Deus opera arrependimento para a salvação, da qual ninguém se arrepende" (2 Co 7.10).

No Novo Testamento, é digno de nota o fato de que o Jesus Cristo, sem pecado e sem necessidade alguma de mudar, tenha, contudo, sofrido o destino descrito nos salmos de penitência. A mão de Deus foi pesada sobre Ele por causa dos pecados dos homens (Sl 32.4). Ele foi oprimido, humilhado, e suas costas ficaram cheias de feridas dolorosas por causa dos pecados dos homens (Sl 38.6,7). A salvação está disponível para nós apenas por que Cristo tomou sobre si as maldições descritas nos salmos penitenciais. Apenas Ele merecia o perdão pelo qual esses salmos rogam. E nós, se formos dEle, o seguimos em justiça.

Assim, o quinto aspecto da verdadeira espiritualidade, juntamente com o louvor, a honestidade, a lembrança e a moralidade, é a mudança.

Característica da Espiritualidade Bíblica Nº 6: Confiança

A *confiança*, nossa sexta característica da espiritualidade bíblica, deve acompanhar o arrependimento. Vemos isso no Salmo 62:

> A minha alma espera somente em Deus; dele vem a minha salvação. Só ele é a minha rocha e a minha salvação; é a minha defesa; não serei grandemente abalado. Até quando maquinareis o mal contra um homem? Sereis mortos todos vós, sereis como uma parede encurvada e uma sebe pouco segura. Eles somente consultam como o hão de derribar da sua excelência; deleitam-se em mentiras; com a boca bendizem, mas, no seu interior, maldizem. (Selá) Ó minha alma, espera somente em Deus, porque dele vem a minha esperança. Só ele é a minha rocha e a minha salvação; é a minha defesa; não serei abalado. Em Deus está a minha salvação e a minha glória; a rocha da minha fortaleza e o meu refúgio estão em Deus. Confiai nele, ó povo, em todos os tempos; derramai perante ele o vosso coração; Deus é o nosso refúgio (Selá) (Sl 62.1-8).

O salmista chama-nos a deixar de lado tudo em que colocamos nossa confiança e a confiar apenas em Deus. Nada mais nos sustenta! Nós, como Tarzan, pulando de um cipó para outro, temos de confiar que o próximo conjunto de expectativa sustentará nosso peso. Temos de ser capazes de conseguir isso com algum tipo de confiança racional. Afinal, não podemos entregar a nós mesmos, de forma leviana ou arbitrária, a algo ou a alguém. Nas Escrituras, Deus mostra-nos que apenas Ele sustenta nosso peso. Apenas Ele é digno de confiança. (Contudo, de forma distinta da de Tarzan, pois ele mesmo segurava o cipó, Deus segura mais a nós que nós a Ele!)

No fim, a vida cristã exige que desistamos, viva e profundamente, de nós mesmos e confiemos em Deus e em sua Palavra. Não podemos fazer de qualquer outra forma. A verdadeira vida espiritual é marcada pela dependência naqUele que é maior, e não na dependência em nós mesmos. Essa confiança não é opcional para a verdadeira vida espiritual. Você não pode dizer: "Bem, gosto das características de 1 a 5. Vou me especializar nelas. Mas pularei a característica 6". Não, a confiança é totalmente fundamental para nos tornarmos cristão. No Novo Testamento, a palavra para confiança é "fé".

Charles Haddon Spurgeon, pregador batista, advertiu:

> Oro para que se guardem de presumir que estão salvos. Você é salvo se confiar de coração em Jesus, mas se você apenas disser: "Eu confio em Jesus", isso não o salva. Se seu coração for renovado, se odiar as coisas que um dia amou e amar as que um dia odiou, se realmente se arrepender, se houver uma verdadeira mudança em sua mente, se você nascer de novo, então, você tem motivo para se regozijar; mas se não houver mudanças vitais, não houver bondade interior, não houver amor por Deus, nem oração, nem obra do Espírito Santo, então sua declaração: "Estou salvo", é apenas uma asserção e, talvez, o iluda, mas não o liberta.[5]

Nosso coração, como fez Davi no Salmo 131, deve proclamar com genuinidade:

> Senhor, o meu coração não se elevou, nem os meus olhos se levantaram; não me exercito em grandes assuntos, nem em coisas muito elevadas para mim. Decerto, fiz calar e sossegar a minha alma; qual criança desmamada para com sua mãe, tal é a minha alma para comigo. Espere Israel no Senhor, desde agora e para sempre (Sl 131).

Gratamente, houve alguém que, até mais que Davi, entregou-se ao Pai celestial. E zombaram dEle por isso; enquanto Ele estava pendurado na cruz, disseram: "Confiou em Deus; livre-o agora" (Mt 27.43; cf. Sl 22.8). Não nos entregaremos àquEle que aprendeu com tanta perfeição a confiar em Deus pelo que sofreu (Hb 5.8)? Ele não nos ensinará a fazer o mesmo?

Pois a verdadeira espiritualidade não consiste apenas em louvor, em honestidade, em lembrança, em moralidade e em mudança, mas também em confiança!

CARACTERÍSTICA DA ESPIRITUALIDADE BÍBLICA Nº 7: AÇÃO DE GRAÇAS

Por fim, uma das características mais importante da espiritualidade bíblica é a *ação de graças*. Os salmos de ação de graças são um dos três tipos básicos de salmos, junto com os hinos de louvor e os de lamento. Há cerca de dezenove desses salmos. Cerca de um terço deles oferecem ação de graças coletiva, e cerca de dois terços, ação de graças individuais.

Bem, talvez você se pergunte: "Espere um pouco, os salmos de louvor não são a mesma coisa que os de ação de graças?" Bem, eles não são exatamente a mesma coisa. Nós damos graças, especificamente, por alguma coisa que esse Deus louvável nos deu. *Louvamos* o Pai generoso; damos *graças* pelos presentes que Ele nos dá.

O Salmo 124 é um bom exemplo de ação de graças coletiva:

> Se não fora o Senhor, que esteve ao nosso lado, ora, diga Israel: Se não fora o Senhor, que esteve ao nosso lado, quando os homens se levantaram contra nós, eles, então, nos teriam engolido vivos, quando a sua ira se acendeu contra nós; então, as águas teriam trasbordado sobre nós, e a corrente teria passado sobre a nossa alma; então, as águas altivas teriam passado sobre a nossa alma. Bendito seja o Senhor, que não nos deu por presa aos seus dentes. A nossa alma escapou, como um pássaro do laço dos passarinheiros; o laço quebrou-se, e nós escapamos. O nosso socorro está em o nome do Senhor, que fez o céu e a terra (Sl 124).

Por outro lado, o Salmo 34 é um bom exemplo de ação de graças individual:

> Louvarei ao Senhor em todo o tempo; o seu louvor estará continuamente na minha boca. A minha alma se gloriará no Senhor; os mansos o ouvirão e se alegrarão. Engrandecei ao Senhor comigo, e juntos exaltemos o seu nome. Busquei ao Senhor, e ele me respondeu; livrou-me de todos os meus temores (Sl 34.1-4).

Ao ler esses salmos, sentimo-nos desafiados pela rapidez com que Deus nos escuta, e pela rapidez com que esquecemos isso. Por exemplo, pense quanto tempo, nos últimos doze meses, você passou se preocupando. Faça um quadro mental de algo que o preocupou há doze meses. Conseguiu. Está bem, aquele mês acabou, depois o mês seguinte, e o seguinte. Aquela estação do ano findou, assim como as outras três. E, agora, o ano chegou ao presente, e aqui está você, um ano depois! Depois de toda aquela preocupação e, talvez, oração! Amigo, você agradeceu a Deus por resolver o problema ou, pelo menos, por preservá-lo até hoje?

Concordemos que não conseguimos exceder a Deus em bondade! Concordemos também que não somos capazes de agradecer por cada presente individual que Ele nos dá. Mas, pelo menos, poderíamos, como indivíduos e como igreja, agradecer-lhe mais do que fazemos? Quantas coisas Ele lhe deu? Você o agradeceu por tudo que pediu e recebeu? Por tudo com que se preocupou?

Todas as vezes que Jesus repartia o pão, dava graças, quer antes de alimentar os 5.000, com os discípulos na estrada de Emaús, quer mesmo antes de sua crucificação.[6] Todavia, Jesus, como Deus, não é o mesmo a quem pertence "todo animal da selva e as alimárias sobre milhares de montanhas" (Sl 50.10)? Ele, de fato, veio em carne e se fez totalmente dependente da provisão de Deus para todas suas necessidades e, depois, o agradecia quando Ele provia?

A pessoa verdadeiramente espiritual sente uma profunda gratidão por Deus. Como Davi declara no Salmo 108: "Porque a tua benignidade se eleva acima dos céus, e a tua verdade ultrapassa as mais altas nuvens" (Sl 108.4).

Conclusão

Como já observamos, o livro de Salmos termina com um coro magnífico de cinco salmos de louvor — os Salmos de 146 a 150. Penso que essa distribuição foi proposital, e o Salmo 150 leva o crescendo ao ápice:

> Louvai ao Senhor! Louvai a Deus no seu santuário; louvai-o no firmamento do seu poder. Louvai-o pelos seus atos poderosos; louvai-o conforme a excelência da sua grandeza. Louvai-o com o som de trombeta; louvai-o com o saltério e a harpa. Louvai-o com o adufe e a flauta; louvai-o com instrumento de cordas e com flautas. Louvai-o com os címbalos sonoros; louvai-o com címbalos altissonantes. Tudo quanto tem fôlego louve ao Senhor. Louvai ao Senhor! (Sl 150)

O conjunto dessas sete características apresenta o quadro da verdadeira espiritualidade de Salmos. A pessoa genuinamente espiritual destaca-se pelo louvor, pela honestidade, pela lembrança, pela moralidade, pela mudança, pela confiança e pela ação de graças, tudo isso tendo em vista o indivíduo e a comunidade.

Por um lado, no entanto, esse livro não deixa espaço para os membros hipócritas da comunidade que dizem: "Enquanto eu for um membro da comunidade estou bem. Não preciso me preocupar com o que faço". Não, esse livro é cheio de louvor a Deus, sincero e individual, como também de angústia e lamento, de dor e ação de graças individuais.

Por outro lado, o livro de Salmos não é apenas para o indivíduo. Muitas orações que apresenta são para o povo de Deus congregado. E nenhum desses salmos pretende promover o cristão do tipo patrulheiro solitário. Os salmos foram escritos *pelos* que pertencem a uma comunidade de pessoas que conhecem, amam e servem a Deus e *para* essa comunidade.

Bem, pergunto-lhe, se um artista espiritual de esquetes tivesse de fazer uma cena fundamentado nessas sete características, essa cena teria qualquer semelhança com você? Essas sete características reunidas o descrevem?

Acho que posso ajudá-lo, se você ainda não tiver certeza de como é a pessoa verdadeiramente espiritual. Não posso apontar para mim mesmo nem para outro membro da igreja. Contudo, posso apontar para aqEle que preenche as sete características com perfeição. As páginas do Novo Testamento trazem o retrato dEle.

Encontramos na vida de Jesus o retrato de um homem que passou a vida louvando a Deus, embora Ele mesmo fosse digno de todo louvor (ex.: Mt 21.16).

Na morte de Jesus, encontramos o retrato honesto de um homem que sofreu, cujo corpo foi quebrado, e cujo sangue foi derramado.

Encontramos, na obra de Jesus, a oferta de uma libertação maior que qualquer guerra ou nação pode oferecer.

Na justiça e na sabedoria de Jesus, encontramos o retrato da justiça e da sabedoria de Deus revelada diante de nós. Ele não conheceu pecado. Os apóstolos chamaram sua morte na cruz de poder de Deus, embora o mundo a tenha chamado de loucura (I Co 1.18ss).

Na pregação de Jesus, ouvimos o chamado ao arrependimento e à fé. E esse compromisso de santidade caracteriza todos para quem Ele, com seu sofrimento, conquistou o perdão.

Na submissão de Jesus, testemunhamos sua confiança perfeita no Pai e sua promessa a nós de que Ele mesmo é totalmente digno de confiança.

E, na última ceia, vemos *Jesus* dando ação de graças por aquilo que *você* mais precisa e não pode prover por si mesmo — a oferta de salvação! Existe qualquer coisa no mundo que mereça mais nossa gratidão?

Você quer ver a verdadeira vida espiritual de Salmos vivida *na carne*? Leia as palavras de Jesus Cristo e observe a vida dEle. Venha e veja a vida dEle derramada por nós!

Oremos:

Deus, oramos para que em sua bondade essa imagem da verdadeira vida espiritual do livro de Salmos nos leve a desesperar, mas apenas o desespero necessário para nos levar aos braços de Cristo. Deus, como seus filhos, regozijamo-nos nas muitas maneiras que vemos seu Espírito trabalhar essas características em nossa vida. Todavia, Senhor, sabemos a insuficiência da nossa transformação. Embora tenhamos nascido de novo, vemos como permanecemos queixosos, exigentes e egocêntricos. E, por isso, Deus, louvamos ao Senhor pela dádiva graciosa de Cristo. Obrigado pela espiritualidade verdadeira que nos mostrou na vida e na morte dEle. Deus, oramos para que o Senhor nos faça mais e mais à sua imagem, a fim de que, assim, o Senhor seja exaltado e glorificado. Oramos em nome de Cristo. Amém.

Questões para Reflexão

1. Como você acha que uma pessoa comum, como as que vemos todos os dias na rua, imagina que deve ser uma pessoa "espiritual"?
2. Como vimos, a alegria sincera em Deus é fundamental para a espiritualidade bíblica. Por outro lado, a espiritualidade perdida em si mesma é falsa.

Presumamos que uma pessoa perceba que se perdeu em si mesma, em vez de em Deus, como ela pode usar Salmos para começar a mudar isso?
3. Aprendemos que o cristão deve ser honesto em seu lamento —, com certeza, dirigidos a Deus e, às vezes, aos outros. Sem dúvida, Cristo é o nosso exemplo de alguém que despejou seus lamentos sobre Deus. Qual pode ser o preço para o cristão e a igreja que falham na prática da admissão autêntica de seus pecados e fraquezas? Qual o preço para o cristão que, com impaciência, se recusa a ouvir os lamentos dos outros? Você reserva tempo para ouvir os lamentos dos outros da mesma forma que quer que Deus escute os seus lamentos?
4. Se reler o Salmo 1, você descobrirá que ele oferece duas formas de viver: a do homem justo que se deleita na Lei de Deus, e a do perverso que zomba da Lei do Senhor. As conseqüências de cada uma dessas formas são claras: um herdará a vida, e o outro será destruído. Todavia, como cristãos, não acreditamos na justificação pela fé? Como entendemos a instrução e a advertência desse salmo à luz da fé cristã? Essas duas formas de viver e suas conseqüências não se aplicam a nós?
5. Que diferenças você percebe em uma igreja que cultiva a crença em Deus e outra que não faz isso? Em seu evangelismo? Em suas práticas de hospitalidade? Em seus sermões?
6. Sua vida caracteriza-se pela gratidão? Seus familiares concordariam com isso? Que frutos eles poderiam apontar?
7. Por que a esperança cristã se encontra no fato de que Jesus foi o único homem que já orou Salmos com perfeição (exceto no que diz respeito à confissão de pecados)? Em outras palavras, o que a justiça e o sacrifício perfeitos de Cristo têm a ver com a nossa salvação?

Notas

Capítulo 19

[1] A data de pregação original deste sermão foi em 6 de julho de 1997, na Capitol Hill Baptist Church, em Washington, D.C.
[2] Em Steve Turner, King of Twist (Londres: Hodder & Stoughton, 1992), p. 81.
[3] Mateus 27.46 (veja Sl 22.1); João 19.28 (veja Sl 69.21); Lucas 23.46 (veja Sl 31.5).
[4] D. L. Moody, Bible Characters (Chicago: Moody, s.d.), p. 100.
[5] Charles Haddon Spurgeon em um sermão intitulado "The Prayer of Jabez", The Metropolitan Tabernacle Pulpit, 63 vols. (Londres: Passmore & Alabaster, 1885), p. 17:320.
[6] Ex.: Mateus 14.19; Lucas 22.17-19; 24.30.

A MENSAGEM DE PROVÉRBIOS: SABEDORIA PARA OS AMBICIOSOS

VOCÊ É AMBICIOSO?

INTRODUÇÃO A PROVÉRBIOS
Como Ler Provérbios
- *Dica n° 1: É necessário bom senso*
- *Dica n° 2: No fim, eles sempre são verdade*
- *Dica n° 3: Normalmente, eles são verdade hoje*
- *Dica n° 4: Eles usam imagens poéticas*
- *Dica n° 5: Eles, por si mesmos, são parciais*
- *Dica n° 6: Às vezes, eles são obscuros*
- *Dica n° 7: Os provérbios, como um todo, são religiosos*

O TOLO

O PREGUIÇOSO

A FAMÍLIA
Os Casados
Os Filhos

AMIZADE
Maus Amigos
Bons Amigos

PALAVRAS
O que Você Diz
O que Você Ouve

MORTE E VIDA

CONCLUSÃO: CRISTO, A SABEDORIA DE DEUS

CAPÍTULO 20

A Mensagem de Provérbios: Sabedoria para os Ambiciosos

Você É Ambicioso?[1]

Pergunto-me como você imagina o paraíso. O que é vida boa para você? Talvez você ainda esteja tentando imaginar isso. Meu palpite é que essa pergunta é confusa para todas as pessoas, embora muitas delas — em especial, os jovens — saibam muito bem o que consideram uma vida boa.

Seja você quem for, suponho que tenha, pelo menos, alguns objetivos, algum conjunto de circunstâncias almejadas. Não sejamos mais diretos ou indelicados que isso. Não digamos "cobiça", ou "anelo", ou "fome por", ou "avidez". Não falemos sobre você "não ser capaz de se olhar sem ter qualquer contentamento ou satisfação sem eles". Apenas tenhamos em mente, de forma clara, essas "circunstâncias almejadas" e, a seguir, encontremos um nome melhor para elas. Chamemo-nas de suas... *ambições*. Isso soa bem e positivo.

Quem não organiza a vida em torno de si mesmo e de suas ambições? Que funcionário não quer ser promovido? Que associado não quer ser sócio? Que empregado não quer ser empregador? (Afinal, ao trabalhar fielmente oito horas por dia, no fim, você pode ser o chefe e trabalhar doze horas por dia!) Que locatário não quer ser o proprietário? Que pessoa que faz dieta não quer ser magra, ou que grande estudioso não quer ser mais reconhecido, ou que aposentado não quer ter mais segurança financeira? Na verdade, que pastor não quer ver sua igreja crescer? Tudo isso parece tão natural para nós. Portanto, se eu disser: "Olhe o número um", não preciso lhe dizer a quem me refiro!

As pessoas dizem que a "ambição" é natural. Bento de Espinosa, filósofo do século XVII, disse que o "desejo é a própria essência do homem". Richard Dawkins, cientista britânico da atualidade, em seu celebrado livro *The Selfish Gene* [*O gene do egoísmo*], disse que essa orientação para o "eu" não é apenas totalmente natural, mas também é louvável, porque é necessária. A argumentação dele prossegue com a alegação de que sem ela nós não teríamos sobrevivido como espécie. Outras pessoas alegam que a ambição é que faz com que a economia capitalista funcione.

E, com bastante certeza, no sentido literal da palavra, *gastamos nossa vida* na realização de nossas ambições.

Introdução a Provérbios

O livro de Provérbios, de muitas formas, é a respeito disso. Ele é um livro de sabedoria para as pessoas que querem realizar suas ambições.

Se você está acompanhando esta série de sermões, sabe que temos estudado os chamados livros de sabedoria do Antigo Testamento. Há cinco desses livros, e se abrir sua Bíblia no sumário do Antigo Testamento, você os encontrará bem no meio do índice: Jó, Salmos, Provérbios, Eclesiastes e Cantares. Esses cinco livros não apresentam grandes eventos (como os livros históricos e proféticos) nem novas leis (como os primeiros cinco livros da Bíblia). E esses livros são sobre indivíduos, mais que sobre a nação de Israel. Em conjunto, eles formam o que poderíamos chamar de o coração do Antigo Testamento. Eles não aplicam muito as leis de Deus ao povo do Senhor de forma coletiva, como os profetas faziam, mas aos indivíduos e às grandes questões que enfrentamos na vida. Os livros de sabedoria são a parte favorita do Antigo Testamento de muitos cristãos.

O livro de Provérbios divide-se, basicamente, em duas partes. Os primeiros nove capítulos funcionam como um prefácio que tenta convencê-lo a ler o livro, nesse caso como uma explicação de por que a sabedoria é tão valiosa. O restante do livro — do capítulo 10 ao 31 — é uma coletânea de vários ditos sábios, chamados "provérbios".

O livro, como um todo, é um livro de sabedoria. Na verdade, ele é a seção ética mais direta e extensa da Bíblia. Apresenta muito do que a Bíblia ensina sobre como devemos levar nossa vida diária.

Os cristãos sempre reconheceram o tesouro de sabedoria prática encontrada em Provérbios. Para que Paulo voltava-se quando queria falar sobre humildade e união? Para Provérbios.[2] Para onde Pedro se volta quando queria escrever para as igrejas novas sobre conceitos, dissensões, insensatez e julgamento? Para Provérbios.[3] E Tiago, voltava-se para onde quando queria pregar sobre orgulho e a soberba? Para Provérbios.[4] A que o escritor de Hebreus recorria quando queria encorajar os cristãos que passavam por sofrimento? A Provérbios.[5] Em Lucas 14, até mesmo Jesus elabora uma parábola a partir de um dos provérbios.[6]

Vemos a mesma coisa na história da igreja. Jerônimo, teólogo do século IV, disse aos amigos para usar Provérbios na instrução das crianças. A mãe de Matthew Henry, pregador e comentarista do século XVII, educou-o com as palavras de Provérbios sempre nos lábios (o que é adequado em vista de Pv 1.4 e 4.1). E Billy Graham, evangelista do século XX, disse que lia um capítulo de Provérbios por dia (e, convenientemente, o livro de Provérbios tem tantos capítulos quanto os dias do mês!).

A partir deste momento, você pode adotar a prática de Graham pelo resto de sua vida. Seja qual for o dia, apenas leia o capítulo correspondente de Provérbios a fim de familiarizar-se com a sabedoria do livro. É um livro excelente! Outra noite, minha família sentou-se em volta da mesa de jantar e leu Provérbios, e dei a oportunidade para que cada um deles imaginasse o sentido do provérbio. Às vezes, é mais fácil fazer isso, outras vezes eles são mais desafiadores, mas sempre criam uma boa discussão. Vale a pena ter a sabedoria de Provérbios.

Como Ler Provérbios

Dito isso, algumas partes de Provérbios confundem as pessoas. O livro é incomum. O restante da Bíblia contém poesia, leis, histórias, profecias e cânticos, e cada um desses estilos literários distintos ocupa grandes seções de versículos, de capítulos e de livros inteiros. Entretanto, em Provérbios encontramos afirmações curtas, incisivas, em geral, em apenas uma sentença. Cada afirmação é um pequeno bocado de verdade. Por isso, nem sempre são claros para as pessoas. Eles são o oposto de algo similar a um contrato legal, pois este é cuidadosamente guarnecido com restrições e qualificações. Por assim dizer, essas afirmações curtas e concisas apenas ficam lá sem uma explicação ou qualificação real nos versículos imediatamente posteriores ou anteriores.

Por isso, esse livro — como qualquer outra coisa boa para você — pode ser mal interpretado e mal utilizado. Se for lido da forma errada, ele pode ser desconcertante e até perigoso. Na verdade, você pode compará-lo, se for casado, com alguma experiência que teve ao dizer a sua esposa (ou ela a você): "Talvez eu tenha dito isso, mas não foi o que quis dizer". Às vezes, ao ler Provérbios, da mesma forma que a comunicação no casamento, devemos trabalhar a fim de entender o que realmente ele diz.

Eis sete dicas para ajudá-lo a ler Provérbios, em especial, os provérbios mais difíceis e obscuros. Essas dicas ajudam-no a apreender a sabedoria magnífica que esse livro tem para lhe dar.

Dica nº 1: É necessário *bom senso*. Uma das primeiras ferramentas que temos de utilizar para compreender Provérbios é importante no entendimento de qualquer passagem da Bíblia: bom senso. Por exemplo, às vezes, dizemos: "Olhe antes de saltar". Bem, o que acontece se você pula uma vez sem olhar e não se machuca? Isso significa que o provérbio é falso? De forma alguma. Reconhecemos que o dito é útil ao indicar o que, em geral, é verdade. E não apenas isso, reconhecemos que esse provérbio é aplicável a outros tópicos, além do de pular. Bem, a mesma coisa acontece com os provérbios individuais da Bíblia. O mero fato de abrir a Bíblia não quer dizer que você tenha de jogar fora o bom senso. Os provérbios 16.3,15,18,20 e 22 mostram que, em geral, o bom senso corresponde à verdade.

Dica nº 2: *No fim*, eles sempre são verdade. Segundo, temos de perceber que os provérbios individuais nem sempre parecem ser verdade de imediato, mas, no fim, eles sempre são verdade. Por exemplo, Provérbios 16.7 declara: "Sendo os caminhos do homem agradáveis ao Senhor, até a seus inimigos faz que tenham paz com ele". Mas, e a vida de Jesus? Dificilmente, seus inimigos estavam em paz com Ele. Contudo, sabemos que, no fim, Deus fará com que os inimigos de Jesus vivam em paz com Ele. Todos os joelhos se dobrarão.

Dica nº 3: *Normalmente*, eles são verdade hoje. Terceiro, o propósito do provérbio não é exaurir um tópico, mas ensinar uma lição de forma memorável. De novo, não dizemos: "Olhe antes de pular", com a finalidade de exaurir o tema de pular, mas para ensinar algo a respeito do ato de pular de forma a pôr verdade em sua mente para que você a incorpore em sua vida. E, em geral, o ponto salientado é verdade.

Dica nº 4: Eles usam *imagens* poéticas. Quarto, lembre-se de que, com freqüência, o provérbio utiliza imagens poéticas. Por exemplo, no capítulo 16, outro versículo afirma: "O alto caminho dos retos é desviar-se do mal; o que guarda o seu caminho preserva a sua alma" (16.17). Bem, isso não quer dizer que toda pessoa reta de Israel construiu uma estrada de quatro pistas a fim de não viajar na estrada que todas as pessoas perversas usavam. Não, o provérbio fala de como os retos vivem.

Dica nº 5: Eles, por si mesmos, são *parciais*. Quinto, a maioria dos provérbios são apenas parciais. Por exemplo, o capítulo 17 apresenta um provérbio que declara: "Pedra preciosa é o presente aos olhos dos que o recebem; para onde quer que se volte, servirá de proveito" (17.8). Talvez isso o faça pensar que o suborno é uma coisa boa. Mas não, alguns versículos adiante você vê que o suborno é condenado: "O ímpio tira o presente do seio para perverter as veredas da justiça" (17.23). O primeiro versículo faz apenas uma observação sarcástica sobre a vida real. Com muita freqüência, as pessoas pensam que podem recortar um provérbio isolado, como cupons espirituais, a fim de aplicá-lo como lhe aprouver. Elas leram um provérbio, mas não os outros. Contudo, os provérbios isolados são tipicamente parciais. De forma típica, cada um deles tenta apreender uma idéia básica.

Dica nº 6: Às vezes, eles são *obscuros*. Sexto, alguns provérbios parecerão obscuros, e isso por que você não tem o conhecimento histórico para entender tudo que foi escrito três mil anos atrás. Você pode falar com o pastor ou consultar um comentário bíblico quando encontrar essas passagens. Mais uma vez, o capítulo 16 apresenta um bom exemplo disso: "Fecha os olhos para imaginar perversidades; mordendo os lábios, efetua o mal" (16.30). Isso quer dizer que todas as vezes que fechamos os olhos é para imaginar algo ruim? Não. Todavia, na cultura da época, associavam o fechar os olhos com maquinações ruins. É a isso que o autor se refere.

Dica nº 7: Os provérbios, como um todo, são *religiosos*. Por fim, Provérbios é um livro profundamente religioso. Com isso não quero dizer que ele apresenta muita coisa a respeito de adoração, de sacrifícios ou de orações corporativas formais, mas apenas que não é um livro de provérbios seculares, como os ditos do tipo: "Dormir cedo e levantar cedo faz o homem ter saúde, dinheiro e bom senso". Esse é um livro sobre nossa vida *diante de Deus*. Na verdade, ele nos diz que apenas encontramos vida boa na sabedoria sobre Deus e sobre nós mesmos.

Neste estudo, veremos as seis áreas em que o livro de Provérbios nos instrui a respeito do sucesso religioso e da vida abrangente. Primeiro, examinaremos dois exemplos negativos — o tolo e o preguiçoso. A seguir, moveremos para a sabedoria sobre família e amigos. E, por fim, veremos o que Provérbios diz a respeito das palavras e dos caminhos da vida e da morte.

O TOLO

O livro de Provérbios ensina-nos como ser sábios, e uma parte do aprendizado sobre a sabedoria é reconhecer o oposto dela. É provável que o primeiro oposto, em meio ao elenco de personagens contrastantes, seja o tolo. Muitas pessoas, quando lêem a palavra "tolo", pensam que ela se refere a uma pessoa não muito inteligente. Todavia, não é disso que Provérbios fala. Não, há outras coisas que tipificam o tolo que não a falta de inteligência.

De acordo com Provérbios, você pode dizer que alguém é tolo *pelo que a pessoa pensa sobre a disciplina*. A pessoa recebe bem uma censura, ou evita-a? O tolo faz muito pouco caso da disciplina. E esse pouco caso pela disciplina aponta apenas para a desatenção em relação à sabedoria. De alguma forma, pode-se dizer que esse pouco caso típico do tolo refere-se à falta de autocontrole (17.24).

Você também sabe que alguém é tolo *pelo que diz*. As palavras dele testemunham sua falta de autocontrole. Ele fala como um tolo. Abraham Lincoln disse: "É melhor calar-se e deixar que as pessoas pensem que você é tolo, do que falar e acabar com essa dúvida". Todavia, as palavras do tolo sempre revelam sua loucura. É incrível como ele até parece ostentá-la (13.16; 14.29). O tolo fica incógnito apenas se ficar calado (17.28). No momento em que ele abre a boca, acabam-se todas as dúvidas (15.2).

Provérbios também ensina que você sabe quem é tolo *pelas pessoas ao redor dele*. Os tolos gostam da companhia de outros tolos. Por isso, diversos provérbios não se dirigem apenas aos tolos, mas também às pessoas que têm de viver com eles. O que você faria se tivesse de trabalhar ou viver com um tolo? Parece que parte da sabedoria está em saber como responder a essa pergunta, e isso é uma coisa difícil de fazer. O tolo é uma companhia perigosa, na verdade, tão perigosa que é melhor o homem encontrar-se com "a ursa à qual roubaram os filhos, mas não o louco na sua estultícia" (17.12). Ele é bem perigoso!

Você também reconhece o tolo *pelo que, no fim, acontece a ele*. O que acontece? De acordo com Provérbios, no fim, a rejeição externa à correção e a falta de disciplina interior levam-no à morte (5.23; 9.13). Por fim, sua aversão à sabedoria torna-se indistinguível do amor à morte.

Claro que Provérbios não é o único livro da Bíblia em que encontramos tolos e loucos. Davi observou: "Disseram os néscios no seu coração: Não há Deus" (Sl 14.1; 53.1). Em essência, os tolos são ateus. Eles determinaram, em seu coração, viver como se não existisse Deus. Jeremias descreve os que adoram ídolos como "loucos" (Jr 10.8).

Parece que o povo de Deus também pode ser louco. Moisés advertiu o povo desobediente de Israel de que se comportavam como loucos (Dt 32.6). Israel respondeu ao profeta Oséias como se *ele* fosse tolo e, dessa forma, mostraram que *eles* eram os tolos (Os 4.6; 8.12; 9.7). O Senhor declarou por intermédio de Jeremias: "Deveras o meu povo está louco, já me não conhece; [...] sábios são para mal fazer, mas para bem fazer nada sabem" (Jr 4.22). E, por intermédio de Zacarias, Deus condenou os líderes de Israel por agirem como insensatos — como pastores que não se preocupam com o perdido, nem buscam o jovem, nem curam o doente, nem alimentam os sãos e, em vez de fazer essas coisas, devoram o próprio rebanho (Zc 11.15,16).

Todavia, não encontramos tolos apenas na Bíblia. Podemos nos transformar em tolos de acordo com as escolhas que fazemos. Assim, Provérbios põe diante de nós uma alternativa inflexível: seguimos o caminho do tolo ou o do sábio. E, em última instância, a distinção entre os dois é a diferença entre confiar em si mesmo ou em Deus. Tolo é aquele que, no fim, confia em si mesmo, em vez de confiar no Senhor (28.26). Se quisermos saber como é a vida devota bem-sucedida, temos de iniciar por ambicionar a sabedoria.

O livro de Provérbios exorta-nos a ter ambição por sabedoria.

O Preguiçoso

O livro de Provérbios também contrasta a pessoa piedosa e sábia com o preguiçoso. Bem, hoje, muitas pessoas falam da predominância de pessoas compulsivas pelo trabalho. Não é esse o problema em muitas famílias? Todavia, descobrimos algo útil para nós mesmos ao olhar por um momento para o caráter do preguiçoso.

É bastante fácil reconhecer o preguiçoso. Primeiro, você o reconhece *por não tirar vantagem das oportunidades que tem*. O tempo todo, eles deixam as oportunidades escaparem pelos vãos dos dedos e arrumam desculpas para si mesmos.[7] Derek Kidner, comentarista bíblico, escreveu que o preguiçoso "não se compromete com a recusa, mas engana a si mesmo com a pequenez de sua entrega. Assim, as oportunidades escapam-lhe por centímetros ou minutos".[8]

Acredito que, acima de tudo, você reconhece o preguiçoso *por seu amor imoderado por dormir*. Esse provérbio é apresentado duas vezes: "Um pouco de sono, um pouco tosquenejando, um pouco encruzando as mãos, para estar deitado, assim te sobrevirá a tua pobreza como um ladrão, e a tua necessidade, como um homem armado".[9] Contudo, ao passo que o preguiçoso cruzava as mãos e, pelo menos, conseguia algum repouso, hoje, com muita freqüência cruzamos nossas mãos diante da televisão e nem mesmo descansamos! Talvez você conheça esse provérbio: "Como a porta se revolve nos seus gonzos, assim o preguiçoso, na sua cama" (26.14). Como é possível quase imaginá-lo como uma charada humorística: "O que se move sem ir a lugar algum? A porta nos seus gonzos. E o que mais? O preguiçoso em sua cama". A inércia letárgica e despreocupada é típica dele. É infame! Pior, é como se ele estivesse treinando para ir ao túmulo.

Também reconhecemos o preguiçoso *por seu fracasso constante em não terminar o que começa*: "O preguiçoso esconde a mão no seio; enfada-se de a levar à sua boca" (26.15; cf. 19.24). Sem dúvida, essa é uma imagem exagerada, mas que tem a finalidade de fazer um ponto. Mesmo quando o preguiçoso reúne sua energia para iniciar algo básico como comer, ele não termina a tarefa! Ele é aquela pessoa que inicia centenas de projetos, mas não termina nenhum deles. Ele é desatento, em vez de diligente, e desperdiça uma oportunidade após outra. Ele desaponta as pessoas ao seu redor. Prefere o ócio ao trabalho. Prefere a vida fácil, em vez de gastá-la para fazer o bem. E ele sempre dá desculpas ("Diz o preguiçoso: Um leão está lá fora" — Pv 22.13a).

É óbvio que isso nos ensina que o trabalho faz parte da vida devota. Em vez de apresentar algo similar à visão que Aristóteles tinha do trabalho — "o finalidade do trabalho é conseguir lazer" —, a Bíblia mostra o trabalho sob uma luz mais positiva. Apresenta, de forma preeminente, a excelência do trabalho no fato de Deus revelar sua sabedoria em sua obra: "O Senhor, com sabedoria, fundou a terra; preparou os céus com inteligência. Pelo seu conhecimento, se fenderam os abismos, e as nuvens destilam o orvalho" (3.19,20; cf. 8.22-31).

Por essa razão, refletimos o caráter de Deus ao cuidar dos outros, ao produzir coisas, ao ter propósito em nossos atos. O trabalho não é, como algumas pessoas sugerem, resultado de uma maldição de Deus após a Queda no jardim do Éden. Na verdade, ele deve ser visto como um dom da graça do Senhor para mitigar as conseqüências da Queda. Em sua grande graça e amor, Deus permite que continuemos com propósito e determinação a fim de diminuir a severidade da Queda para nós e da punição que ela nos acarreta. Ele nós dá o trabalho em que podemos alcançar metas, em que, na verdade, vemos algo feito, em que, de uma forma mais modesta, podemos continuar a imitar nosso Criador. Como cristãos, não devemos adotar a postura cultural de desprezar o trabalho e adorar o lazer. O trabalho com propósito, apesar de repetitivo, ou difícil, ou arriscado, é uma boa dádiva de Deus. O livro de Provérbios ensina-nos isso por intermédio do preguiçoso.

Em suma, o livro de Provérbios diz-nos para ter uma ambição devota pelo trabalho.

A Família

Todavia, o livro de Provérbios não aponta apenas para os contrastes da sabedoria. O livro ensina-nos de forma mais notória como viver com sabedoria. De acordo com Provérbios, a vida devota e sábia presta uma atenção especial à família.

Realmente, o livro inteiro ocupa-se da família. Afinal, basicamente, ele é apresentado como um pai ensinando a seu filho (cf. 31.1,2). O livro de Provérbios, da advertência sobre adultério, no prólogo do capítulo 1, à famosa imagem da esposa nobre, no capítulo final, tem muita sabedoria para nossa vida familiar.

Os Casados

Claramente, a família inicia-se com o casamento, e esse relacionamento deve ser marcado pelo respeito mútuo e pela preocupação com as coisas práticas da vida. Mas também deve ser marcado por seu caráter especial. Ou chame isso de romance! O capítulo 5 diz-nos para encontrar nossa alegria emocional e sexual em nosso cônjuge (5.15-19). O capítulo 6 apresenta como uma coisa bastante natural o marido ter ciúmes da esposa (6.34). Depois, o autor afirma que há umas poucas coisas que a terra "não pode [...] suportar": "[o] servo, quando reina; e [o] tolo, quando anda farto de pão" e, observe o que vem a seguir, "[a] mulher aborrecida, quando se casa" (30.21-23). Nunca deixem que digam que o livro de Provérbios se esquece do amor em sua preocupação com a sabedoria referente ao respeito mútuo e às coisas práticas da vida.

A fidelidade é a raiz de um casamento amoroso. Nada deve diminuir a importância da fidelidade. Por isso, o livro de Provérbios imprime a fogo em nossa mente e coração a lição de que nunca devemos subestimar o perigo do adultério.[10] Cinco passagens iniciais do livro retratam longamente o adúltero. Talvez você queira anotar as passagens e lê-las mais tarde. Meditar a respeito dessas passagens fará mais por sua vida conjugal do que a leitura de qualquer livro popular sobre casamentos: 2.16-19; 5.1-23; 6.20-35, todo o capítulo 7 e 9.13-18.

Em todo o Antigo Testamento, usa-se a imagem do casamento para descrever o relacionamento de Deus com seu povo. Portanto, por mais terrível que seja, em si mesmo, quebrar a aliança matrimonial com nosso cônjuge aponta para uma transgressão ainda maior que é a infidelidade em nosso relacionamento com Deus. Portanto, por causa de nosso relacionamento com o Senhor, somos exortados a ter uma família marcada pela justiça e pela fidelidade, e não pelo adultério e outras formas de impiedades.[11]

Os Filhos

Em Provérbios, a apresentação da família devota tem uma "parte dois": a paternidade. Como alguém disse: "O valor do casamento não é que adultos produzem crianças, mas que crianças produzem adultos". O livro de Provérbios tem muito a dizer sobre o relacionamento de pais/filhos.

O relacionamento de pais/filhos, como o de marido/esposa, tem de começar com o respeito mútuo. Os filhos não devem envergonhar nem desonrar os pais, mas ser uma fonte de alegria para eles; e os pais devem ter orgulho de seus filhos.[12] Os pais também devem cuidar das necessidades práticas dos filhos.

No entanto, sem dúvida, o livro de Provérbios preocupa-se com a provisão espiritual dos filhos pelos pais, e não com a provisão das práticas. A coisa mais importante que os pais têm de fazer pelos filhos é *ensiná-los*. Bem, pergunto-me, caso você seja pai, se já pensou nisso. Ou você transferiu o papel de professor de seu filho para a escola ou para Escola Dominical da igreja? Educar os filhos é responsabilidade dos pais.

Vez após vez, Provérbios adverte que a criança indisciplinada torna-se inacessível à disciplina.

A vara e a repreensão dão sabedoria, mas o rapaz entregue a si mesmo envergonha a sua mãe (29.15).

Castiga teu filho enquanto há esperança, mas para o matar não alçarás a tua alma (19.18).

A estultícia está ligada ao coração do menino, mas a vara da correção a afugentará dele (22.15).

Não retires a disciplina da criança, porque, fustigando-a com a vara, nem *por isso* morrerá. Tu a fustigarás com a vara e livrarás a sua alma do inferno (23.13,14).

Talvez você pergunte: "E quanto ao abuso de crianças?"

O abuso de crianças é um problema real, e não devemos diminuí-lo. E o livro de Provérbios preocupa-se muitíssimo em relação ao abuso de crianças que ocorre quando são ignoradas, e quando os pais presumem que os filhos têm responsabilidade e prudência naturais que na verdade não têm. As crianças não aprendem responsabilidade e prudência sem a instrução dos pais. Se esse fosse o caso, você também poderia dar a chave do carro ao seu filho de cinco anos e soltá-lo nas ruas.

Em Provérbios, o pai instrui o filho enquanto ainda é jovem. Ele dá comandos e ensina provérbios ao filho. Ele disciplina e corrige o filho em quem se deleita.[13] O livro de Provérbios não deixa dúvidas em relação ao papel ativo do pai nessas áreas. Todavia, pergunto-me quantos pais da nossa igreja nunca conversaram com os filhos sobre assuntos referentes à moralidade e à espiritualidade. Se você é pai, qual você acha que é seu papel junto a seus filhos? Você está envolvido em ensiná-los? Como? É necessário pensar a respeito disso, pois o livro de Provérbios deixa claro que os filhos precisam ser ensinados! E, em essência, isso não é responsabilidade das igrejas. A Escola Dominical surgiu no século XIX d.C., e o livro de Provérbios foi escrito no primeiro milênio antes de Cristo. Os pais têm a responsabilidade fundamental de ensinar os filhos. A Escola Dominical pode apenas ajudar.

Trabalhar para a fidelidade matrimonial e encarregar-se da instrução espiritual dos filhos são ambições piedosas.

Amizade

De acordo com Provérbios, a pessoa sábia e devota também presta atenção a quem são seus amigos. O livro fala muito sobre amizade, e descobrimos que há duas opções para os amigos: ou são bons, ou são maus.

Maus Amigos

Em primeiro lugar, você pode ter maus amigos. Talvez você saiba disso por causa de experiências dolorosas que teve. O problema é que ao ouvir a palavra "amigo", achamos que deve ser uma coisa boa. A palavra quase nos engana. Mas sabemos que um amigo pode ser uma armadilha ou uma bênção. Às vezes, a pessoa o ama apenas por causa do seu dinheiro ou pelo que pode conseguir de você. Provérbios adverte-nos sobre isso.

Não é de surpreender que os amigos nos influenciem em vista do tempo que passamos com eles. Por exemplo, sabemos que o temperamento estourado e o apático são pecaminosos. Todavia, quando escolhemos amigos que se caracterizam por esses pecados, começamos, por osmose, a imitá-los. Por isso, o livro de Provérbios adverte-nos, em especial, a não sermos companheiros de comilões (28.7) ou de prostitutas (29.3). O autor, de forma mais geral, exorta-nos a não procurar a companhia de pessoas malignas (veja 24.1).

Os pais percebem a importância dos amigos. Por isso, eles dizem aos filhos jovens para fazer bons amigos na escola. E advertem os filhos adolescentes para ter cuidado em não entrar no grupo errado. Contudo, os pais, às vezes, são mais desatentos no que diz respeito a eles mesmos, como se tivessem passado da idade em que podem ser influenciados. Talvez isso soe como se eu o encorajasse a não incluir não-cristãos em sua vida. Não, de forma alguma quero dizer isso. Temos de defender essas duas verdades: seja amigo de não-cristãos e compartilhe o evangelho, mas lembre-se de que você é influenciado pela pessoa com quem convive.

Bons Amigos

Também temos bons amigos. Os bons amigos permanecem, não o abandonam (27.10a). Felizmente, o livro de Provérbios apresenta instruções úteis sobre como sermos esse tipo de amigo verdadeiro. Nem sempre a boa amizade é natural e não requer esforço. Ela dá trabalho.

Os amigos verdadeiros são sensíveis. Por essa razão, em nossas amizades, não devemos nos oferecer para fazer o que não podemos fazer. Em vez disso, temos sempre de pensar nas implicações de qualquer coisa antes de nos oferecer para fazê-la (6.1-5; 17.18).

Os amigos verdadeiros são abnegados. Não devemos usar os outros para nossa satisfação, antes, temos de ficar satisfeitos em ser usados para os outros (3.29; 14.21; 25.17).

Os amigos verdadeiros perdoam, mesmo quando o amigo está errado. Como o livro de Provérbios afirma: "O amor cobre todas as transgressões" (10.12b).

Os amigos verdadeiros também dizem a verdade uns para os outros. Sem dúvida, não devemos mentir para nossos amigos (24.28). Mas, além disso, os gregos antigos dizem que o oposto do amigo não é o inimigo, mas o adulador. O livro de Provérbios concorda com isso: "Fiéis são as feridas feitas pelo que ama, mas os beijos do que aborrece são enganosos" (27.6). Está claro que a maioria de nós poderia aprender a controlar melhor a língua. Todavia, às vezes, a coisa amorosa a fazer *não* é guardar silêncio: "Melhor é a repreensão aberta do que o amor encoberto" (27.5). O dito "amor" que nunca se mostra, pois sempre permanece invisível, não faz bem nenhum para ninguém. Contudo, nosso objetivo ao proferir palavras de correção não deve ser apenas nossa necessidade de nos expressarmos ("Eu preciso pôr isso para fora"). Não, o objetivo tem de ser o benefício de nossos amigos. Pergunte-se antes de confrontá-los: "Isso será útil para eles e os edificará?"

Veja, da mesma forma que a Bíblia usa o relacionamento conjugal a fim de apontar nosso relacionamento com o Senhor, o livro de Provérbios fundamenta a amizade verdadeira no modelo de nossa amizade com Deus. Vez após vez, o livro exorta o leitor a confiar no Senhor, isto é, tornar-se confidente dEle — como faríamos com um amigo!

Da mesma forma que a amizade verdadeira inicia-se em nosso relacionamento com Deus, não é de admirar que ela escape das pessoas que se esquivam do Senhor. É como se conseguíssemos a ventura emocional essencial, necessária para investir confiança em outros relacionamentos, em nossa relação com Deus.

Afinal, o Senhor é o único amigo em quem podemos confiar totalmente. Ele é o único amigo verdadeiro que permanece para sempre. Jesus afirmou: "Ninguém tem maior amor do que este: de dar alguém a sua vida pelos seus amigos. Vós sereis meus amigos, se fizerdes o que eu vos mando. Já vos não chamarei servos, [...] mas tenho-vos chamado amigos" (Jo 15.13-15).

O livro de Provérbios encoraja-nos a ter a ambição piedosa de ser esse bom amigo.

Palavras

O livro de Provérbios também examina o papel da palavra na vida piedosa. Nossas palavras, como os amigos, enquadram-se em duas variedades: boas ou más, falsas ou verdadeiras.

O que Você Diz

É interessante observar este fato: de acordo com Provérbios, você sabe o que com mais freqüência nos destroça no que falamos? A precipitação! Se pensar no que disse na última semana, você se lembra de algo que gostaria de não ter dito? O livro de Provérbios sugere que, provavelmente, boa parte dessas palavras foram precipitadas.

Qual é a resposta para nossas palavras precipitadas? O capítulo 8, em que a Sabedoria é personificada entoando um belo cântico, fornece-nos um bom indício:

> O Senhor me possuiu no princípio de seus caminhos e antes de suas obras mais antigas. Desde a eternidade, fui ungida; desde o princípio, antes do começo da terra. Antes de haver abismos, fui gerada; e antes ainda de haver fontes carregadas de águas. Antes que os montes fossem firmados, antes dos outeiros, eu fui gerada. Ainda ele não tinha feito a terra, nem os campos, nem sequer o princípio do pó do mundo. Quando ele preparava os céus, aí estava eu; quando compassava ao redor a face do abismo; quando firmava as nuvens de cima, quando fortificava as fontes do abismo; quando punha ao mar o seu termo, para que as águas não trespassassem o seu mando; quando compunha os fundamentos da terra, então, eu estava com ele e era seu aluno; e era cada dia as suas delícias, folgando perante ele em todo o tempo, folgando no seu mundo habitável e achando as minhas delícias com os filhos dos homens (8.22-31).

Qual é o ponto dessa passagem? É a beleza da criação? A alusão à pré-existência do Verbo? Eu acho que é o simples fato de que Deus apossava-se da sabedoria *antes* de fazer qualquer coisa. Isso quer dizer que os atos dEle eram sábios. E o Senhor é o grande modelo para nós. Também devemos adquirir sabedoria, e ela deve preceder todos os nossos atos, até mesmo a fala. Em Provérbios 14, lemos esta declaração: "A sabedoria do prudente é entender o seu caminho".[14] Deveríamos buscar sabedoria antes de fazer qualquer coisa, principalmente antes de falar.

Há algum tempo, li a biografia de Sir Edward Pellew, visconde de Exmouth, famoso herói da Marinha Britânica do século XIX. No século XIX, os feitos heróicos e nobres de Exmouth tornaram-se lendários na Marinha Britânica. O homem também era conhecido por ser decisivo e perceptivo e ter domínio próprio, conforme se percebia, em especial, em suas ordens. Um oficial que serviu com ele relembra: "A primeira ordem dele sempre era a última". Fiquei intrigado ao ler isso. Imaginei um homem dando uma ordem, e todos os homens que a ouviam saberem que deviam acreditar nessa ordem. Eles não precisavam temer uma contra-ordem, sabiam que a primeira ordem permaneceria.

Bem, quer as palavras de Wemouth tivessem essa autoridade, quer não, o testemunho dos oficiais fez-me pensar em minhas palavras. Será que minhas palavras permaneceriam boas se, em algum ponto no tempo, minha boca se calasse e fosse permitido que minhas palavras ecoassem pela eternidade? O livro de Provérbios ensina que um ponto fundamental da sabedoria é pensar antes de falar. Ao pensar em que palavras usar, pergunte-se: "Sinto-me feliz por essas palavras ecoarem para sempre?"

O que Você Ouve

Talvez isso o surpreenda, mas, ao ler Provérbios, vemos que a coisa mais importante em relação às palavras é como as *ouvimos*! Não encontramos sabedoria, como os tolos crêem, nas palavras pronunciadas. Mas a encontramos no ouvir as palavras dos outros. Deve-se dar prioridade ao escutar, não ao falar. Além disso, a noção bíblica de "ouvir" não significa apenas escutar, mas o escutar seguido da ação certa.[15] "Quem tem ouvidos para ouvir, que ouça."[16]

O livro de Provérbios exorta-nos a ter a ambição piedosa de usar as palavras de forma correta — com nossa boca e nosso ouvido.

Morte e Vida

Por fim, quero que observemos a sabedoria que o livro de Provérbios provê para as duas grandes esferas que, juntas, compreendem toda nossa vida individual: a grande esfera da vida e a da morte.

Para usar a linguagem de Provérbios, cada um de nós está no caminho da vida ou no da morte. Podemos tentar evitar a morte, mas em Provérbios lemos a afirmação de que, na verdade, há todo um *caminho* de morte que percorremos muito antes de chegar ao túmulo.

Minha esposa e eu, quando nos mudamos para a Nova Inglaterra, moramos na estrada Ipswich, na cidade de Topsfield. Ipswich além de ser o nome da estrada em que vivemos é também o nome da cidade vizinha de Topsfield. O fato de que a nossa estrada, estrada Ipswich, mudasse para o nome de estrada Topsfiel tão logo chegava ao limite da cidade de Ipswich deixava-me atônito. Por que isso? Naquela região, originariamente, as estradas não recebiam nome com a finalidade de homenagear a comunidade a que pertencia, como é o fato, por exemplo, de chamar uma rua de Washington, porque está localizada em Washington, D.C. O nome dado a elas tinham a finalidade de informá-lo para onde a estrada levava. Portanto, seria tolo ter uma estrada em Topsfield chamada estrada Topsfield. Você já está em Topsfield! Chame-a de estrada Ipswich porque ela leva a Ipswich.

Em Provérbios há um caminho de morte! Não, você não está morto enquanto está no caminho. O caminho leva-o para a morte. E as escolhas pecaminosas formam esse caminho. Esse livro mostra que o pecado, por natureza, é mortal. Nossa atração por ele é uma atração fatal.

Todavia, há outro caminho: o da vida. Esse caminho leva-o à vida, e Provérbios descreve-o com três frases distintas: somos chamados a "conhecer a sabedoria", a "fazer justiça" e a "[temer] ao Senhor". Essas coisas juntas apontam o único caminho para a vida. Seguir uma delas significa seguir as outras. Não há temor verdadeiro ao Senhor que não inclua sabedoria, e não há justiça verdadeira que não seja incitada pela sabedoria e motivada pelo temor ao Senhor.

Assim, esses são os dois caminhos: o da vida e o da morte. Cada um de nós vive em um ou em outro caminho.

No final de nossa jornada, todos prestaremos contas ao Senhor. Ele é o juiz incontestável, não nós. E a experiência universal da morte retrata com vivacidade essa prestação de contas universal.

Em 1534, Sir Thomas More, lorde chanceler da Inglaterra, recusou-se a fazer um juramento que o rei Henrique VIII exigiu que seus súditos fizessem. A certa altura dos acontecimentos, o duque de Norfolk, amigo de More, ficou exasperado com ele e disse-lhe: "Mestre More, é muito perigoso brigar com príncipes, por isso, eu, como amigo, gostaria que você se inclinasse ao desejo do rei, pois a raiva de um príncipe traz morte".

No entanto, More respondeu: "Isso é tudo, meu senhor? Por que, então, não há mais diferenças entre sua graça e eu, pois eu devo morrer hoje, e você, amanhã".[17]

More compreendia que não se pode evitar a morte com concessões políticas. Nem podemos evitá-la com a boa forma física, com as tecnologias médicas avançadas, com o seguro saúde ou qualquer outra coisa. More também entendia que todos nós prestaremos contas a Deus. E a morte virá para todos nós. O Senhor convocará cada um de nós para essa prestação de contas final. Como o hino diz: "O tempo, como o rio que corre sem parar, solta todos seus filhos".[18]

O que devemos fazer para nos preparar para essa prestação de contas? Devemos realmente trabalhar duro a fim de provar diante de Deus que somos justos e sábios? Às vezes, as pessoas acham que toda essa sabedoria prática de Provérbios significa que este é um livro de moral e ensina que nos salvamos ao seguir os requisitos apresentados no livro. Mas isso não é verdade. O livro de Provérbios sabe que precisamos de mais coisas que instrução. O livro sabe que somos responsáveis diante de Deus por todas as nossas escolhas erradas, e que nossos pecados obstruem nossas orações e nossos sacrifícios (15.8; 21.27; 28.9). Deus ofende-se com nossos atos errados e nos julgará por eles. Ele recompensará cada pessoa de acordo com o que fez (24.12). Na verdade, todos nós somos devedores: "Quem poderá dizer: Purifiquei o meu coração, limpo estou de meu pecado!" (20.9)

Portanto, o que devemos fazer?! O livro de Provérbios ensina que devemos confessar nossos pecados e rogar por misericórdia: "O que encobre as suas transgressões nunca prosperará; mas o que as confessa e deixa alcançará misericórdia" (28.13). A pessoa que confessa é recompensada por isso? Não, ela alcança misericórdia! Todavia, Deus promete recompensar cada pessoa de acordo como que fez (24.12), portanto, como alguém pode conseguir misericórdia? Bem, o livro de Provérbios não fornece uma resposta plena para essa pergunta como faz o Novo Testamento, mas ele fornece um esboço geral da resposta: "Pela misericórdia e pela verdade, se purifica a iniqüidade; e, pelo temor do Senhor, os homens se desviam do mal" (16.6). A expiação não está muito ligada à purificação cerimonial de um animal, mas à purificação moral do coração humano.

Devemos ter a piedosa ambição de encontrar expiação para nossos pecados.

Conclusão: Cristo, a Sabedoria de Deus

De alguma forma, pode parecer que a questão do nosso destino final foi tirada das mãos de muitos de nós. Talvez você pense: *O que isso tem a ver com o local onde estou neste momento?*

O livro de Provérbios promete que essa questão tem tudo a ver com onde você está neste momento. Você está em uma estrada ou em outra, viaja em direção à vida ou à morte. Precisamos reconhecer a escolha que temos diante de nós: permanecer em nosso caminho atual ou mudar de caminho. E precisamos decidir com acerto. Em um sentido, todo esse livro trata dessa escolha. O livro estrutura-se à medida que o pai instrui o filho, o qual será chamado a fazer essa escolha. Um versículo após o outro, ele apresenta ao filho muitas dicotomias, muitas duplas de opções contrastantes, muitos opostos perfeitos.

Mas nem sempre será dessa forma. A certa altura, acabará a possibilidade de escolha. *Neste momento*, caminhamos em direção ao ponto e ao lugar em que não mais teremos essa oportunidade diante de nós e em que será ratificada a escolha, que temos feito ao longo dos anos, pela vida ou pela morte.

Nesse sentido, acho que a ambição acaba na vida por vir. Por fim, na vida por vir, receberemos tudo que nossa ambição almejou. A morte apresenta a ratificação final de todas as escolhas que fizemos.

E, amigo, essa comprovação final pode vir mais depressa do que você imagina. Talvez isso soe como uma nota dura com a finalidade de assustar, mas o livro de Provérbios deixa claro que Deus julgará as pessoas que não prestaram atenção à vontade dEle, e que se acostumaram a pecar com rapidez. Lembre-se da advertência: "O homem que muitas vezes repreendido endurece a cerviz será quebrantado de repente sem que haja cura" (29.1). Se você se fizer de surdo a esses avisos, não se surpreenda ao cair.

Tudo isso salienta a importância do *agora* e das escolhas que fazemos *hoje*. Por mais composto que você possa parecer, quando vai à igreja com sua roupa domingueira, ou por mais desinteressado que possa se sentir com o culto da igreja após o mesmo, Deus adverte que lidará conosco, e que fará isso logo.

Não há muito tempo. Li sobre a série de eventos aparentemente insignificantes que levaram a Europa tão rapidamente à Primeira Guerra Mundial, e o autor descreveu a subtaneidade da guerra com esta sentença impressionante: "Foi como se desatentos à passagem do tempo nos deparássemos com o Dia do Julgamento". O livro de Provérbios assegura-nos que todos nós toparemos com esse Dia quando chegarmos ao fim do nosso caminho. E, por isso, incita-nos a escolher o caminho da vida agora!

"Mas a vereda dos justos é como a luz da aurora, que vai brilhando mais e mais até ser dia perfeito. O caminho dos ímpios é como a escuridão; nem conhecem aquilo em que tropeçam" (4.18,19).

E a sabedoria afirma: "Porque o que me achar achará a vida e alcançará favor do Senhor. Mas o que pecar contra mim violentará a sua própria alma; todos os que me aborrecem amam a morte" (8.35,36).

Claro que o livro de Provérbios, por melhor que seja ele, não fornece a palavra final que encontramos na sabedoria de Deus. Para isso, temos de nos voltar para o Novo Testamento:

> Porque a palavra da cruz é loucura para os que perecem; mas para nós, que somos salvos, é o poder de Deus. Porque está escrito: Destruirei a sabedoria dos sábios e aniquilarei a inteligência dos inteligentes. Onde está o sábio? Onde está o escriba? Onde está o inquiridor deste século? Porventura, não tornou Deus louca a sabedoria deste mundo? Visto como, na sabedoria de Deus, o mundo não conheceu a Deus pela sua sabedoria, aprouve a Deus salvar os crentes pela loucura da pregação. Porque os judeus pedem sinal, e os gregos buscam sabedoria; mas nós pregamos a Cristo crucificado, que é escândalo para os judeus e loucura para os gregos. Mas, para os que são chamados, tanto judeus como gregos, lhes pregamos a Cristo, poder de Deus e sabedoria de Deus (I Co 1.18-24).

Cristo é a sabedoria perfeita e completa de Deus! Ele é o *caminho* da vida (Jo 14.6). Paulo, em sua última carta, declara: "Nosso Salvador Jesus Cristo, o qual aboliu a *morte* e trouxe à luz a *vida* e a *incorrupção*, pelo evangelho" (2 Tm 1.10; grifo do autor). A verdade a que o livro de Provérbios alude revela-se em luz abundante por intermédio de Jesus Cristo. Em Cristo, encontramos sabedoria e expiação, amizade e amor verdadeiros.

Em última análise, os cristãos aprendem com Cristo a mensagem apresentada em Provérbios: há uma forma de vida que não é vida, e uma morte que não é morte. Como Jesus afirmou: "O ladrão não vem senão a roubar, a matar e a destruir; eu vim para que tenham vida e a tenham com abundância" (Jo 10.10). Por esse motivo, Ele chama-nos ao arrependimento de nossas loucuras e crueldades e de todas as vezes que escolhemos o caminho da morte. Jesus manda que nos voltemos para o caminho da vida e o escolhamos como o sábio e único Salvador e Senhor. Não escolha a sabedoria mundana de aperfeiçoamento intelectual. Não procure os recursos morais e espirituais em você mesmo, em vez disso, escolha o que o mundo chama de loucura: a decisão de Deus de sacrificar seu Filho na cruz a fim de pagar pelos pecados de todos que se arrependam e creiam nEle. Escolha a reconciliação com o Senhor por meio da sabedoria indiscutível do Filho de Deus na cruz.

Viver esta vida em plenitude na preparação para a próxima é uma ambição piedosa.

Oremos:

Oh, Deus, muitas vezes somos tolos, por isso, precisamos de sua sabedoria. Somos preguiçosos e precisamos do seu poder. Com muita freqüência, somos infiéis e precisamos da sua fidelidade. Em nossa família. Com nossos amigos. E, acima de tudo, com o Senhor. Deus, oramos para que sua glória mostre-nos como precisamos do Senhor. Em sua misericórdia amorosa, incite-nos a nos voltar e a confiar no Senhor. Ensina-nos a verdade de seu evangelho e a profundidade de seu amor. Oramos em nome de Jesus. Amém.

Questões para Reflexão

1. Complete as sentenças abaixo:
   a. Nossa cultura ensina que somos felizes quando _____.
   b. O livro de Provérbios ensina que somos felizes quando _____.
   c. Vivi a semana passada como se pudesse ser feliz quando _____.
2. Como as pessoas podem interpretar mal o livro de Provérbios?
3. O que Paulo quer dizer quando se refere a Cristo como nossa "sabedoria"?
4. Por que o mundo chama de "loucura" a cruz de Cristo?
5. Você é uma pessoa sábia ou tola?
6. Como vimos, o tolo odeia a disciplina e o autocontrole. Isso descreve você? Como você reage à repreensão de seu chefe, de seus pais, de seu cônjuge ou de seus amigos? Se você é cristão, diga se luta contra seus pecados ou, rapidamente, se refugia na alegação de que "Deus perdoa"? Como você luta contra o pecado?

7. O livro de Provérbios ensina que somos salvos por meio da instrução moral? Como somos salvos?
8. Se você for pai ou mãe, que diferença este sermão fará na forma de educar seus filhos?
9. Você vê o trabalho como uma bênção ou uma maldição? O que você pode fazer para vê-lo como uma bênção?
10. Todas as pessoas que freqüentam a igreja estão no caminho da vida? Tornar-se membro de uma igreja o põe no caminho da vida? É sábio ser membro da igreja? Explique.

Notas

Capítulo 20

[1] A data de pregação original deste sermão foi em 17 de agosto de 1997, na Capitol Hill Baptist Church, em Washington, D. C.
[2] Romanos 12.16; cf. Provérbios 3.7; Romanos 12.20; cf. Provérbios 25.21,22.
[3] 1 Pedro 5.5; cf. Provérbios 3.34; 1 Pedro 4.8; cf. Provérbios 10.12; 1 Pedro 4.18; cf. Provérbios 11.31; 2 Pedro 2.22; cf. Provérbios 26.11.
[4] Tiago 4.6; cf. Provérbios 3.34; Tiago 4.13,14; cf. Provérbios 27.1.
[5] Hebreus 12.5,6; cf. Provérbios 3.11,12.
[6] Lucas 14.8-10; cf. Provérbios 25.6,7.
[7] 6.6-8; 19.24; 20.4; 22.13; 26.13,15.
[8] Derek Kidner, Proverbs: An Introduction and Commentary, Tyndale Old Testament Commentaries, D. J. Wiseman, ed. Geral (Downers Grove, Ill.: InterVarsity Press, 1964), p. 42.
[9] 6.9-11; 24.33,34; cf. 10.5; 19.15; 26.14.
[10] 2.16; 6.24,29; 7.5; 22.14; 23.27; 30.20.
[11] 3.33; 12.17; 14.11; 17.13; 21.12.
[12] 17.6; 19.26; 20.20; 27.10; 30.11,17.
[13] 1.8; 3.12; 4.1,3; 6.20; 13.1; 15.5.
[14] 14.8; cf. 14.15; 21.29.
[15] 10.8; 13.13; 19.16.
[16] Marcos 4.9; cf. 4.23; 8.18; Lucas 8.8; 14.35.
[17] "Sir Thomas More", em Lives of Englishmen in Past Days, quatro séries em um volume (Londres: Joseph Masters, s. d.), 4ª série, p. 32.
[18] "O God, Our Help in Ages Past", letra de Isaac Watts, 1719.

A MENSAGEM DE ECLESIASTES: SABEDORIA PARA OS BEM-SUCEDIDOS

COMO VOCÊ MEDE O SUCESSO?

INTRODUÇÃO A ECLESIASTES

O QUE É VAIDADE?
As Coisas Óbvias
As Coisas Questionáveis
As Coisas Boas

POR QUE TUDO É VAIDADE?

COMO DEVEMOS RESPONDER?

CONCLUSÃO

CAPÍTULO 21

A Mensagem de Eclesiastes:
Sabedoria para os Bem-Sucedidos

Como Você Mede o Sucesso?[1]

A vida vale a pena? Hoje, algumas pessoas dizem que depende da *qualidade* de sua vida. Se a vida está abaixo de certo padrão de "qualidade", seja como for que se determine esse padrão, então, esta vida pode ter fim. Elas dizem: "Tenha misericórdia e permita que ela finde".

Precisamos estabelecer alguma medida para o sucesso a fim de responder a esta pergunta assustadora: A vida vale a pena? Bem, sei que, em certa medida, o sucesso está na forma de ver do observador. Os egípcios antigos consideravam um sucesso o progresso da irrigação do Nilo. Hoje, os empreendedores comerciais consideram um sucesso a segurança do apoio financeiro. Os economistas acham que sucesso é a criação de empregos. Os acionistas acham que sucesso é o aumento de lucro. E os trabalhadores consideram um sucesso o aumento de salário. Talvez, para você, o sucesso seja ter um amigo honesto, um novo emprego, um local diferente para viver ou alguns gramas de peso perdidos antes do início dos festejos de Natal!

Introdução a Eclesiastes

A Bíblia fala, muitas vezes, do sucesso, em especial, nos livros localizados no meio do Novo Testamento, os chamados livros de sabedoria. Esses cinco livros — Jó, Salmos, Provérbios, Eclesiastes e Cantares — formam o que chamamos de o âmago do Antigo Testamento. Eles tratam de indivíduos, mais que da nação de Israel, e expressam os altos e os baixos da vida da pessoa. Ao contrário dos profetas, eles não aplicam tanto a Lei do Senhor ao povo de Deus, de forma coletiva, mas aos indivíduos e às grandes questões que enfrentamos na vida.

Muitos cristãos consideram os livros de sabedoria sua parte favorita do Antigo Testamento. E isso não é de espantar! Apreendemos mais depressa e somos mais atraídos pela experiência individual de tristeza e de alegria que pela descrição de um sacrifício ou pelo relato de uma batalha antiga. Esses livros estão cheios de poesia bonita e expressiva, em que árvores batem palmas, montes cantam de alegria, os inimigos do Senhor derretem como cera e Deus cavalga sobre as nuvens.

No entanto, Eclesiastes apresenta um material mais sombrio. Se Provérbios fala sobre a sabedoria para pessoas que *querem* ter sucesso, o livro de Eclesiastes oferece sabedoria para as pessoas que *têm* sucesso. Ele é dirigido, em especial, aos indivíduos que conseguiram o que queriam da vida ou, pelo menos, o que *pensavam* que queriam para, depois, descobrir que isso era insuficiente.

O tom sério de Eclesiastes rendeu-lhe elogios de muitas pessoas. Herman Melville chamou-o de "o mais verdadeiro de todos os livros".[2] Thomas Wolfe descreveu-o como "a mais sublime flor de poesia, de eloqüência e de verdade" e de "a peça escrita mais singular que conheço".

Todavia, talvez a descrição de Eclesiastes, de outro escritor,[3] como o livro "mais estranho" da Bíblia esteja mais próxima de como entendemos esse livro. Muitas declarações desse livro são enigmáticas, outras parecem até falsas!

Você já viu um desses filões de "Caixinhas de Promessas"? Elas vêm com diversos cartões com versículos bíblicos impressos. É provável que entre esses versículos você encontre algum bem fascinante de Eclesiastes. Mas, se outros versículos desse livro fossem colocados nos cartões da Caixinha de Promessas, teríamos conversas bem interessantes à mesa do café da manhã nos lares evangélicos!

As pessoas interpretam esse livro de várias formas por causa de sua natureza enigmática. Algumas tentam entender Eclesiastes, sentença a sentença, como o ensino de verdades piedosas. Mais recentemente, surgiram outras pessoas com uma variação dessa idéia: o autor (que chama a si mesmo de "pregador" [ARC] e de "mestre" [NVI]) é o "pregador da alegria" ao afirmar que o homem deve comer, beber e ser feliz, mas, enquanto faz isso, deve lembrar-se de Deus. Se você for um estudioso de Eclesiastes, talvez tenha lido o livro de algumas dessas formas. Apesar de eu não ter conseguido uma aplicação tão fácil quando o li. No conjunto, as passagens do livro são muito obscuras e pressagiadoras e mostram de forma muito aguda o vazio do que parece ser uma vida plena.

Na verdade, muitos se chocam com o ceticismo do livro. Ele pode parecer cínico, até niilista, mais de acordo com uma peça de Camus, ou um ensaio de Nietzsche, que com as páginas das Sagradas Escrituras.

Portanto, qual é a mensagem desse livro? E o que podemos aprender sobre o sucesso? Temos de nos voltar para o próprio livro a fim de responder a essas perguntas.

Eclesiastes tem doze capítulos. O livro inicia-se com um curto prólogo e termina com um epílogo ainda mais curto (1.1-11; 12.9-14). Todo o restante do livro é um longo monólogo de alguém chamado apenas de *Koheleth*, ou Coélet, que, como vimos, significa "pregador". Não sabemos quem era esse pregador. O livro não menciona seu nome. Muitos dizem que ele era Salomão por causa de sua fama de sábio e por que, nas linhas iniciais, o livro chama-o de "filho de Davi, rei em Jerusalém". No entanto, um escritor hebraico poderia usar a palavra "filho" para se referir a qualquer descendente masculino direto de Davi, independentemente de quantas gerações posteriores a ele. Além disso, o cenário descrito pelo livro não parece da época de Salomão. Assim, esse "pregador" é desconhecido, a não ser por esse livro, e ele, como Jó, acaba por ser uma presença eterna entre nós.

Mas o que ele diz?

O que é Vaidade?

A mensagem básica do pregador é sobre a vaidade. Ele começa no segundo versículo do livro: "Vaidade de vaidades! — diz o pregador, vaidade de vaidades! É tudo vaidade" (1.2). Não sei o que você pensa, mas para mim, essa afirmação é tão clara quanto desconcertante! Alguns versículos adiante, ele diz algo semelhante: "Atentei para todas as obras que se fazem debaixo do sol, e eis que tudo era vaidade e aflição de espírito" (1.14; cf. 12.8). Como uma pessoa disse, esse livro começa por baixo e só piora!

Esse pequeno livro usa vinte e oito vezes a palavra *hebel* traduzida por "inútil/inutilidade", pela NVI, ou "vaidade", pela ARC. Ela refere-se a algo irreal e efêmero e, portanto, temporário e transitório. Seja qual for o objeto sem sentido, ele desvanece rápida, fácil e permanentemente como a fumaça, como uma nuvem ou uma miragem no deserto, sem deixar qualquer vestígio.

E o que exatamente o pregador qualifica como vaidade? Ele diz que "tudo" é vaidade. A acusação dele inclui "tudo".

O que ele quer dizer com "tudo"? Se você ler o livro, descobrirá que ele parece querer dizer *tudo* mesmo!

As Coisas Óbvias

Fica claro que ele fez essa acusação contra todas as coisas óbvias que também reconhecemos como vaidade. Ele declara: "Porque, como na multidão dos sonhos há vaidades, assim também nas muitas palavras" (5.7). O "vaguear da cobiça" é "vaidade e aflição de espírito" (6.9). O "riso do tolo" também é vaidade tão duradoura como "o crepitar dos espinhos debaixo de uma panela" (7.6). Na verdade, algumas coisas são claramente vãs, sem substância ou sentido, sem objetivo ou benefício.

Entre as coisas óbvias chamadas de vãs pelo pregador estão as coisas más. O pregador não tem medo de olhar de frente as realidades mais difíceis da vida. Por isso, chama as injustiças da vida de vaidade: "Assim também vi os ímpios sepultados, e eis que havia quem fosse à sua sepultura; e os que fizeram bem e saíam do lugar santo foram esquecidos na cidade; também isso é vaidade" (8.10). Sem dúvida, o agudo senso de justiça desse pregador estava desalentado com o louvor em vida e a honra na morte que os ímpios recebiam. Como ele generaliza, alguns versículos adiante: "Há justos a quem sucede segundo as obras dos ímpios, e há ímpios a quem sucede segundo as obras dos justos" (8.14). Em outro ponto do livro, o pregador afirma que um juiz justo e soberano governa a criação, mas que a justiça desse juiz é, em muitas situações, muitíssimo misteriosa. O fato de que a pessoa recebe o oposto do que merece parece zombar, diante de todo o mundo, de qualquer afirmação de que há justiça em vida. A objeção do pregador soa muito semelhante à de Jó:

> Por que razão vivem os ímpios, envelhecem, e ainda se esforçam em poder? A sua semente se estabelece com eles perante a sua face; e os seus renovos, perante os seus olhos. As suas casas têm paz, sem temor; e a vara de Deus não está sobre eles. O seu touro gera e não falha; pare a sua vaca e não aborta. Fazem sair as suas crianças como a um rebanho, e seus filhos andam saltando. [...] Na prosperidade gastam os seus dias e num momento descem à sepultura (Jó 21.7-11,13).

O pregador diz que toda essa injustiça é vaidade.

As Coisas Questionáveis

É mais interessante ainda quando o pregador volta seu olhar crítico para as coisas que, talvez, pareçam-nos menos obviamente vãs ou erradas. Ele também condena como totalmente vãs essas coisas *questionáveis*, limítrofes ou neutras, que talvez sejamos mais lentos em condenar de forma categórica!

O prazer é a primeira coisa limítrofe a cair sob seu olhar crítico. Ele inicia um de seus relatos com as palavras: "Disse eu no meu coração: Ora, vem, eu te provarei com a alegria; portanto, goza o prazer; mas eis que também isso era vaidade" (2.1). Nos versículos seguintes, ele explora o vazio e a vaidade do prazer (2.2-11).

De início, pelo menos, seríamos muito mais lentos para dizer o que ele fala aqui. Com certeza, podemos classificar o prazer como fins egoístas.[4] Recentemente, um amigo meu que trabalha em uma agência de publicidade contou-me que a indústria da propaganda reconhece que, hoje, a maioria das pessoas pensa em si própria mais como consumidores que como cidadãos. Hoje, mais que em qualquer outra época, somos motivados aberta e totalmente pelos nossos desejos, como se eles fossem revelações incontestáveis da verdade. Em que época antes da nossa, o prazer e o bem-estar físico foram tão publicamente aceitáveis como justificativa para a ação ou para a inércia?

Todavia, a condenação indiscriminada do prazer parece um excesso, não é mesmo? Afinal, a famosa declaração do Catecismo Menor de Westminster sobre o propósito do homem nesta não parece apenas inspiradora, mas também útil e precisa: "O fim principal do homem é glorificar a Deus, e *gozá-*lo para sempre" (grifo do autor). Deus quer que nos *deleitemos* com Ele — que tenhamos prazer nEle.

Bem, eu diria que, hoje, nós, os cristãos, caímos ao tentar contrapor a idéia de que somos uns desmancha-prazeres pudicos. Queremos ser conhecidos como as pessoas mais alegres e divertidas de toda parte. E nós nos opomos de forma tão "corajosa" ao legalismo que nos proíbe de ceder a qualquer prazer deste mundo, alegando que essa restrição do legalismo se fundamenta em um gnosticismo que rejeita a carne. Logo declaramos: "Eles são suspeitos do ponto de vista teológico, perigosos sob o aspecto espiritual e inadequados em relação à vida social". Temos dificuldade em denunciar o prazer, não é mesmo? Bem, o pregador não tem essa dificuldade, ele admite: "Nem privei o meu coração de alegria alguma". Mas ele acha que tudo isso é "vaidade e aflição de espírito" (2.10,11).

A popularidade, ou aprovação pública, é o segundo assunto limítrofe que o pregador logo descarta como vaidade:

> Melhor é o jovem pobre e sábio do que o rei velho e insensato, que se não deixa mais admoestar. Porque um sai do cárcere para reinar; sim, um que nasceu pobre no seu reino. Vi todos os viventes andarem debaixo do sol com o jovem, o sucessor, que ficará em seu lugar. Não tem fim todo o povo, todo o que ele domina; tampouco os descendentes se alegrarão dele. Na verdade que também isso é vaidade e aflição de espírito (4.13-16).

Não conhecemos o episódio histórico específico que o pregador tinha em mente, já que ele fala da substituição consecutiva de reis — e, todo o tempo, a opinião pública torna-se favorável e desfavorável. Talvez ele pensasse no descontentamento que o povo de Israel começava a sentir com a linhagem de Davi e a rebelião, resultante disso, que dividiu a nação em Reino do Sul e Reino do

Norte. Isso se encaixaria nessa passagem. Afinal, o povo amava mais a Davi que a Saul. Todavia, depois, a linhagem de Davi perdeu o favoritismo da maioria das tribos, e elas se rebelaram. Fosse qual fosse o incidente que o pregador tinha em mente, o ponto para nós é claro: o público é volúvel e não se deve supervalorizar nem perseguir seu afeto. No fim, ele é vaidade.

Tenha cuidado se você fizer do cultivo da aprovação pública seu meio de vida. A popularidade é algo transitório, tanto do ponto de vista da lealdade como da mera mortalidade. O público muda de idéia, ou você morre. E embora você até pense que tem o público nas mãos, talvez se surpreenda ao descobrir quem está nas mãos de quem!

George Orwell, em seu ensaio "Shooting an Elephant" ("Atirar em um Elefante"), descreve um incidente que aconteceu com ele enquanto estava na Birmânia, com o exército britânico. Um dia, um elefante selvagem soltou-se, danificou muito a propriedade e até matou uma vaca, e coube a Orwell recapturá-lo. No momento em que ele alcançou o elefante, o ataque do animal já tinha passado, e ele estava calmo. Orwell sabia que não haveria mais danos, que seria fácil levar o elefante de volta ao confinamento e que não era necessário matar o elefante, embora tivesse levado um rifle para sua proteção. Na verdade, ele era contra a idéia de matar aquela criatura valiosa. Todavia, dois mil birmaneses empolgados para assistir ao espetáculo da morte de um animal tão grande seguiram-no até o campo em que o elefante estava. A multidão não disse nada, enquanto ele encarava o elefante, porém, ele sentia dois mil desejos perfurando-o, esperando, antecipando e se deliciando com a morte iminente. Orwell estava lá para governar essa gente, mas percebeu que precisava da aprovação deles. De uma forma engraçada, ele tornou-se um instrumento deles inclinado a fazer o que esperavam e queriam. Não digo o que aconteceu (recomendo que você leia o ensaio), porém, Orwell usou o episódio para sugerir que a multidão que parecia tão subserviente, no fim, tinha o controle total. A aprovação pública pode ser tão exigente quanto é transitória.

O pregador diz que a popularidade não é a realidade máxima. Hoje, se você duvida dessa afirmação, virá o dia em que não duvidará mais.

Assim, não apenas as coisas óbvias são vaidade, mas também as menos evidentes, como o prazer e a popularidade. O ceticismo do pregador questiona de forma esclarecedora e expõe com implacabilidade as panacéias aceitas erroneamente como: "Se parece bom, é bom", e: "Se todos falam isso, deve ser melhor". Essas duas declarações são falsas.

As Coisas Boas

Entretanto, o mais impressionante é que as acusações do pregador se estendem até mesmo às coisas que chamaríamos de *boas*. Com certeza, você percebeu isso se leu Eclesiastes. Essas são as passagens que mais nos inquietam.

Por exemplo, o pregador declara que "a adolescência e a juventude são vaidade" (11.10). Bem, isso não é novidade! É evidente que vemos, em si mesmas, a adolescência e a juventude como coisas boas. Não, elas não são boas para tudo, mas, sem dúvida, são cobiçadas e desejadas, e seria muito difícil que a maioria de nós se referisse a elas como "vaidade"! Todavia, o pregador faz isso.

E não é só isso, o pregador também denuncia como vaidade muitas coisas pelas quais a maioria dos leitores originais — e os leitores atuais — daria a vida: trabalho, como também a prosperidade e a realização que o trabalho traz. O pregador expõe todas essas coisas como vaidade. No capítulo 1, ele pergunta: "Que vantagem tem o homem de todo o seu trabalho, que ele faz debaixo do sol?" (v. 3) O capítulo 2 apresenta a resposta:

> Fiz para mim obras magníficas; edifiquei para mim casas; plantei para mim vinhas. Fiz para mim hortas e jardins e plantei neles árvores de toda espécie de fruto. Fiz para mim tanques de águas, para regar com eles o bosque em que reverdeciam as árvores. Adquiri servos e servas e tive servos nascidos em casa; também tive grande possessão de vacas e ovelhas, mais do que todos os que houve antes de mim, em Jerusalém. Amontoei também para mim prata, e ouro, e jóias de reis e das províncias; provi-me de cantores, e de cantoras, e das delícias dos filhos dos homens, e de instrumentos de música de toda sorte. E engrandeci-me e aumentei mais do que todos os que houve antes de mim, em Jerusalém; perseverou também comigo a minha sabedoria. E tudo quanto desejaram os meus olhos não lhos neguei, nem privei o meu coração de alegria alguma; mas o meu coração se alegrou por todo o meu trabalho, e esta foi a minha porção de todo o meu trabalho. E olhei eu para todas as obras que fizeram as minhas mãos, como também para o trabalho que eu, trabalhando, tinha feito; e eis que tudo era vaidade e aflição de espírito e que proveito nenhum havia debaixo do sol (2.4-11).

Tudo que as mãos fazem, tudo que o trabalho consegue é vaidade. A realização do trabalho é tão passageira como a imagem tremeluzente na tela da televisão. Vem e vai, sem deixar rastro.

Como o pregador responde a essa descoberta? "Pelo que aborreci esta vida, porque a obra que se faz debaixo do sol me era penosa; sim, tudo é vaidade e aflição de espírito" (2.17). Pense nessa imagem por um momento: aflição de espírito. Que imagem da inutilidade. Isso faz com que o cachorro que persegue o próprio rabo pareça relevante e inteligente! No fim, todo o nosso trabalho e labuta é isto: uma aflição do espírito. Afinal, todo trabalho e toda realização fazem nascer a inveja dos outros (4.4), e tudo que é acumulado deve ser descartado e usufruído pelos outros:

> Também eu aborreci todo o meu trabalho, em que trabalhei debaixo do sol, visto como eu havia de deixá-lo ao homem que viesse depois de mim. E quem sabe se será sábio ou tolo? Contudo, ele se assenhoreará de todo o meu trabalho em que trabalhei e em que me houve sabiamente debaixo do sol; também isso é vaidade. Pelo que eu me apliquei a fazer que o meu coração perdesse a esperança de todo trabalho em que trabalhei debaixo do sol. Porque há homem cujo trabalho é feito com sabedoria, e ciência, e destreza; contudo, a um homem que não trabalhou nele, o deixará como porção sua; também isso é vaidade e grande enfado. Porque que mais tem o homem de todo o seu trabalho e da fadiga do seu coração, em que ele anda trabalhando debaixo do sol? Porque todos os seus dias são dores, e a sua ocupação é desgosto; até de noite não descansa o seu coração; também isso é vaidade (2.18-23).

O amor pelo dinheiro também é "vaidade": "O que amar o dinheiro nunca se fartará de dinheiro; e quem amar a abundância nunca se fartará da renda; também isso é vaidade" (5.10). Em geral, a realidade deste mundo nos diz que criar riqueza nunca é satisfatório, ou porque você não tem família para quem deixar a riqueza, ou porque não tem tempo para desfrutá-la você mesmo (4.8; 6.1-9).

Leon Tolstoi, autor de *Guerra e Paz*, escreveu um conto intitulado "How Much Land Does a Man Need?" ("De quanta Terra o Homem Precisa?"). Na história, um camponês passa a vida tentando satisfazer um apetite insaciável por alguma coisa que ele não alcança nem desfruta, porque se mata no processo para conseguir isso. De novo, não quero estragar a história para você, mas direi que, no fim, o camponês precisava de muito menos daquilo que tanto tentou conseguir.

Bem, cobrimos as buscas de segunda a sexta-feira e, talvez, até do sábado. Todavia, o mais chocante de tudo é o que o pregador afirma a respeito do que nós, cristãos, buscamos aos domingos: a sabedoria é vaidade. "E apliquei o meu coração a conhecer a sabedoria e a conhecer os desvarios e as loucuras e vim a saber que também isso era aflição de espírito" (1.17). Talvez você achasse que eu tentava dizer que os trabalhos seculares que faz durante a semana são uma perda de tempo, e que você poderia gastar todo seu tempo apenas com a leitura do Livro Santo. Bem, parece que o pregador vê até isso como vaidade. "Pelo que eu disse no meu coração: Como acontece ao tolo, assim me sucederá a mim; por que, então, busquei eu mais a sabedoria? Então, disse no meu coração que também isso era vaidade" (2.15).

Na verdade, o pregador, chega ao fundo de seu desespero e refere-se a sua própria vida como "vaidade" (7.15).

Ele proclama ser vaidade até mesmo o último refúgio da esperança — o futuro: "Verdadeiramente suave é a luz, e agradável é aos olhos ver o sol. Mas, se o homem viver muitos anos e em todos eles se alegrar, também se deve lembrar dos dias das trevas, porque hão de ser muitos. *Tudo quanto sucede* é vaidade" (11.7,8; grifo do autor).

Penso que respondemos a pergunta do início do sermão: O que ele quer dizer com "tudo"? Parece que ele realmente se refere a tudo mesmo quando usa o termo "tudo". Ele encerra seu longo monólogo de doze capítulos com as mesmas palavras com que o iniciou: "Vaidade de vaidade, diz o Pregador, tudo é vaidade" (12.8).

Eclesiastes soa estranhamente contemporâneo para nós. Podemos pensar que o desespero apenas atinge a maturidade em nossa época, agora, que abandonamos nosso estado de ignorância, ao imaginar luz onde não há nenhuma, e que adquirimos a clareza, ao ver a escuridão que existe. Todavia, esse livro — com mais de dois mil anos, talvez até mais de três mil — desmente qualquer idéia de que o ceticismo seja um fenômeno da modernidade. De fato, não há nada de novo debaixo do sol, nem mesmo o ceticismo.

Pergunto-me, você se identifica com o que o pregador fala? Pode ser que você pense que este é um daqueles sermões que se dirigem às outras pessoas. Como pastor, aceito que, às vezes, esse é o caso. Não obstante, talvez você tenha um senso agudo do que o livro diz. Robert Gordis escreveu: "Quem quer que tenha tido grandes sonhos na juventude e viu a visão deles se desvanecer, ou que amou e perdeu, ou bateu de mãos vazias à porta da fortaleza da injustiça e voltou sangrando e quebrado, passou a porta [do Mestre] e ficou por um tempo sob a sombra do telhado dEle".[5]

Com freqüência, os caminhos de Deus são misteriosos para nós, porém, creio ser capaz de ouvir pelo menos os ecos das palavras do Mestre em minha vida, se não suas próprias palavras. Como vivi em Durham, em Boston, em Cambridge e, agora, em Washington, tenho visto pessoas privilegiadas e poderosas demonstrarem a estranha cegueira que domina o homem, quando se sente totalmente satisfeito, e a percepção singular que ele, ao mesmo tempo, adquire do vazio das coisas pelas quais todos a sua volta morreriam para ter. Como aluno não-graduado, vi como os alunos têm ciúmes uns dos outros em relação às chances de liderar pequenos grupos na irmandade cristã, ou de participar dos comitês executivos das organizações estudantis, embora minha participação nesses comitês tenha sido apenas receber milhares de telefonemas de pessoas reclamando de algo e conseguir sala de reunião, uma atividade maçante. De alguma maneira, tudo isso parecia diferente para quem ainda não fazia parte. Como graduado, observei pessoas que passaram toda a vida participando de instituições acadêmicas de prestígio e, depois, construíram seu mundo em torno das idéias mais estranhas e obscuras. De forma notável e vitoriosa, tornaram-se mestres, aclamados mundialmente, em sua área de atuação — área, é óbvio, em que havia apenas outras cinco pessoas, incidentalmente também mestres aclamados mundialmente. Entrementes, todas as outras áreas da vida deles eram total fracasso. E, muitas vezes, encontrei pessoas que tinham dinheiro suficiente para não se preocupar com nada. Elas escapam das exigências que mais pesam no abatimento das pessoas e incham-se com um egoísmo pervertido. Não há gravidade que os puxe para a posição ou atitude normal. Ninguém lhes diz não, pelo menos não neste momento.

É assim que o pregador nos ensina uma lição distinta da de Jó. Ao *perder* tudo, Jó aprendeu sobre a vaidade deste mundo; o pregador enxergou-a por *ter* tudo. Você sabe do que fala se, por acaso, houver uma área específica de sua vida — amizade, trabalho, dinheiro ou saúde — em que tem tudo que poderia pedir e querer. No entanto, um grande suprimento de qualquer uma dessas coisas, por mais maravilhoso que seja, nunca o deixa totalmente satisfeito. Sempre falta alguma coisa.

Visualize de novo aquela imagem sobre a aflição de espírito. Você permanece do lado de fora. Sente fortes rajadas de vento na face e nas mãos. E você começa a perseguir essas rajadas. Você as pegará? Isso não é completamente sem sentido? O pregador de Eclesiastes diz que você também deve buscar sentido neste mundo. Por isso, ele persegue-nos sem descanso, apontando e expondo a vaidade de qualquer vida gasta de forma tão errônea.

Todavia, ainda há duas perguntas para nós. Primeira, por que ele diz que tudo é vaidade? Segunda, como devemos responder a isso?

Por que tudo é Vaidade?

Assim, primeiro, por que o pregador diz que tudo é vaidade? Logo no início, ele dá uma pista: "Já não há lembrança das coisas que precederam; e das coisas que hão de ser também delas não haverá lembrança, nos que hão de vir depois" (1.11). Está bem, então, o fato de tudo ser vaidade tem algo a ver com nossa incapacidade de lembrar de qualquer coisa. O homem será esquecido independentemente de sua riqueza, esplendor ou realizações. Leia, por exemplo, o poema "Ozymandias", de Percy Bysshe Shelly, e veja como é memorável a grandiosidade do grande rei egípcio Ramsés II:

> Conheci um viajante de um país antigo Que disse: Duas enormes pernas de pedra, sem tronco Se erguem no deserto. Próximo, na areia, Meio enterrado, uma face esfacelada, cujo cenho franzido, E LÁBIO enrugado, e sorriso de frio escárnio, Atestam que seu escultor leu suas paixões Que sobrevivem, Ficando estampadas naquelas coisas sem vida, A mão que zombou delas, o coração que

alimentou; E no pedestal surgem estas palavras: "Meu nome é Ozymandias, rei dos reis: Olhai minhas obras, ó Poderosos e desesperem-se!" Nada mais resta. Ao redor a decadência Daquela ruína colossal, sem fim e nua Na areia vazia e plana que se expande ao longe.

A perspectiva de não sermos lembrados pode desencorajar mesmo nossas melhores ações. Se você é membro da igreja há muito tempo, já olhou os corredores e lembrou-se de todos os grupos de pessoas que já partiram? Você se lembra de acontecimentos a que dedicou dias e semanas e que não existem mais? Você não se pega sentindo saudade das companhias com quem podia se lembrar desses dias? Os pais de uma criança que partiu há muito tempo ainda olha o quarto e pensa em todas as semanas, e meses, e anos de trabalho que dedicou a esse filho ou filha? Trabalho que ninguém notou no passado e, muito menos, notará no futuro?

Contudo, o pregador diz que não apenas os homens do passado são esquecidos, mas também que não haverá lembrança dos ainda por vir! Não podemos permitir que nossa esperança, inocente e otimista, prenda-se, pelo menos, ao futuro? Mesmo o mais mórbido entre nós concederá um silêncio respeitoso aos dias ainda por vir. Mas não o pregador. Ele olha as gerações ainda não nascidas, prevê a vida e a morte delas e, depois, contempla o olvido de gerações ainda mais posteriores. Do mesmo modo que a vastidão física do universo faz com que as pessoas se sintam deslocadas, insignificantes e, por fim, sem sentido, também o pregador observa a vastidão do tempo engolir qualquer sentido que pudesse haver no minúsculo período da nossa vida. Afinal, todas as pessoas têm o mesmo destino:

> Então, vi eu que a sabedoria é mais excelente do que a estultícia, quanto a luz é mais excelente do que as trevas. Os olhos do sábio estão na sua cabeça, mas o louco anda em trevas; também, então, entendi eu que o mesmo lhes sucede a todos. Pelo que eu disse no meu coração: Como acontece ao tolo, assim me sucederá a mim; por que, então, busquei eu mais a sabedoria? Então, disse no meu coração que também isso era vaidade. Porque nunca haverá mais lembrança do sábio do que do tolo; porquanto de tudo nos dias futuros total esquecimento haverá. E como morre o sábio, assim morre o tolo! (2.13-16)

Aqui, chegamos à verdadeira culpada por trás da vaidade. No fim, ninguém será lembrado, porque todos morrem. Não é por isso que o pregador não vê nada de bom na sabedoria. Ele diz que a sabedoria é melhor que a insensatez. Todavia, ele se sente frustrado com o fato de que o homem sábio e o tolo terão o mesmo fim. Os dois serão esquecidos, porque morrerão.

Na verdade, o homem tem o mesmo destino dos animais! Esperaríamos algum dito de distinção qualitativa, mas não:

> Disse eu no meu coração: é por causa dos filhos dos homens, para que Deus possa prová-los, e eles possam ver que são em si mesmos como os animais. Porque o que sucede aos filhos dos homens, isso mesmo também sucede aos animais; a mesma coisa lhes sucede: como morre um, assim morre o outro, todos têm o mesmo fôlego; e a vantagem dos homens sobre os animais não é nenhuma, porque todos são vaidade. Todos vão para um lugar; todos são pó e todos ao pó tornarão (3.18-20).

Temos o mesmo fim que nossos animais de estimação! Você percebe essa posição, não é mesmo?

No ano passado, tive a oportunidade de ouvir Billy Graham falar na rotunda do prédio do Capitólio quando recebeu um prêmio. Se você já esteve dentro do prédio do Capitólio, sabe que está repleto de estátuas de norte-americanos notáveis. Graham, em seu discurso de aceitação, falou que percorreu aqueles corredores observando todas aquelas estátuas e perguntou-se o que todos aqueles indivíduos tinham em comum. Sua resposta: todos morreram. A seguir, ele assegurou que nós e ele logo compartilharíamos também desse destino.

Todos nós morreremos, quer sejamos celebridades, como Jimmy Stewart, ou William J. Brennan, magistrado da Suprema Corte, quer magnatas da moda como Gianni Versace.[6] O soar em voz alta dessa nota dura, por parte do pregador, é que torna esse livro uma contribuição valiosa. Precisamos ouvir essa nota a fim de não repousarmos nossa esperança no lugar errado. Talvez Eclesiastes, mais que qualquer outra passagem das Escrituras — com exceção da cruz de Cristo —, apresente os efeitos reais do pecado em nosso mundo.

Esse livro é realista.

Você, é claro, sabe que tudo tem uma estrutura básica. Se você já viu um episódio da antiga série de televisão *Gilligan's Island* (*A Ilha dos Birutas*), então viu todos. Todo episódio começava com algum tipo de crise. Um indivíduo bem-intencionado, mas sem sorte — que, de alguma forma, consegue descobrir essa ilha em que Gilligan e seus amigos estão presos e que nenhum resgatador competente conseguiu encontrar — mas ele, por acaso, dá de cara com a ilha! Segue-se alguma confusão ou desordem, com algum romance ou com alguma intriga ou mentira. Parece haver uma possibilidade de fuga para Gilligan. No entanto, o estranho desaparece da mesma forma misteriosa que apareceu. Enquanto essa série existiu, deve ter havido mais de 740 pessoas que saíram da ilha. Mas nenhuma delas era Gilligan!

Você sabia que a Bíblia também tem um padrão básico? Podemos resumir o padrão bíblico básico com o simples encadeamento destes fatos: a criação, a Queda e a recriação. Deus cria algo bom. O homem peca e arruína o que Deus criou. Todavia, ainda há esperança por causa da graça do Senhor, chamada de recriação. É importante identificar esse padrão, porque o menor desequilíbrio aqui pode ter um grande efeito. Algumas pessoas enfatizam demais a queda em detrimento da recriação, e isso traz uma desesperança horrível — embora, reconhecidamente, isso não seja tão comum em nossa cultura guiada pelo desejo e pela satisfação.

Outras pessoas negligenciam os tons mais sombrios de partes da Bíblia, tal como Eclesiastes, e enfatizam em excesso a excelência da própria criação. Talvez hoje essa tendência seja mais comum por causa do humanismo otimista, tão predominante em nossa cultura. Essas pessoas vêem excelência na vida embora não tenham sensibilidade para as maneiras como o mundo tem sido deformado ou arruinado.

Ainda outros enfatizam demais apenas a recriação de uma maneira que parece superficial, piedosa demais e excessivamente espiritual. Essas pessoas (cristãos, em sua maioria) tendem a se surpreender com a apresentação negativa da realidade, honesta e exata, feita por Eclesiastes. Elas não estão acostumadas com afirmações tão fortes.

Todavia, a história bíblica não hesita em reconhecer a excelência da criação de Deus, os trágicos efeitos da Queda e a tremenda esperança que temos no Senhor — tudo ao mesmo tempo!

Eu diria que o livro de Eclesiastes, em especial, tem um papel especial na explicação e na exposição dos efeitos devastadores da Queda, bastante útil em uma época como a nossa que idolatra a criação, em vez de o Criador, e esta vida, em vez do Autor da vida. O pregador aponta para a falta de sentido que a morte impõe a tudo desta vida. Na verdade, é a morte que tira todo sentido do nosso mundo, que frustra nossas esperanças e destrói nossos planos.

COMO DEVEMOS RESPONDER?

Portanto, a segunda e última pergunta tem de ser: Como devemos responder?

Sem dúvida, a realidade psicológica austera desse livro dá-lhe credibilidade. Como dizemos, o autor não tateia no escuro, ele vive de olhos abertos. Como um escritor declarou: "[Como] em toda grande literatura, o autor ganha o direito de afirmar ao fazer justiça ao lado negativo da vida".[7]

Tenho certeza de que você já percebeu, em nossa vida mesmo, como é mais fácil confiar em alguém que passa pelo que já passamos; que teve as mesmas lutas que nós, que consegue verbalizar com exatidão suas dificuldades, porque já "esteve lá". Quando essa pessoa recomenda a fé, não dizemos: "Ela não vivenciou as profundezas do mal que eu experimentei. Ela não viria com essa conversa se tivesse visto o que tenho visto". Não, nós confiamos nessa pessoa. E Eclesiastes, com sua avaliação realista da morte e da futilidade da vida, deixa o mais cético entre nós com o sentimento de que é confiável.

De um modo inesperado, o sacerdote real em quem G. K. Chesterton baseou seu detetive ficcional, o padre Brown, tem uma compreensão notável, de primeira mão, do mal. Conforme escreveu, Chesterton ficou atônito em uma discussão que teve com o padre O'Connor sobre o crime, ao "descobrir que esse calmo e agradável celibatário tinha perscrutado abismos mais profundos que eu. Eu não imaginava que o mundo pudesse conter tais horrores".[8] Contudo, dois estudantes não-graduados de Cambridge, que Chesterton e O'Connor encontraram no mesmo dia em que discutiram sobre crime, não perceberam a profunda compreensão de O'Connor. O sacerdote impressionou os dois jovens com seu conhecimento sobre música e arquitetura, e um dos estudantes comentou quando ele deixou o quarteto:

> Sempre a mesma coisa, não acredito que o tipo de vida dele é o certo. É fácil gostar de música religiosa e assim por diante, quando você vive trancado em um tipo de clausura e não conhece nada da verdadeira maldade do mundo. Mas não acredito que isso seja o ideal correto. Creio no camarada que entra no mundo, encara o mal que há nele e conhece alguma coisa sobre os perigos e tudo o mais. É muito bonito ser inocente e ignorante, mas acho muito mais admirável não ter medo do conhecimento.

Chesterton não registrou o que respondeu a esse jovem, mas conta-nos o que pensou:

> Para mim, que ainda quase tremia com os fatos terrivelmente práticos com que o padre me advertira, esse comentário caiu como uma ironia tão colossal e esmagadora que quase irrompi em uma gargalhada estrondosa na sala de visitas. Pois eu sabia muitíssimo bem, no que dizia respeito a todo o satanismo verdadeiro que o padre conhecia e contra o qual lutara toda sua vida, que esses dois jovens de Cambridge (sorte deles) sabiam tanto a respeito do verdadeiro mal quanto dois bebês que estivessem no mesmo carrinho.[9]

Chesterton descobriu que uma avaliação acurada do mal no contexto deste mundo caído faz parte da sabedoria piedosa. Na verdade, muito da força de Eclesiastes não vem direto do elogio à verdade ou da celebração de Deus, mas de mostrar como é triste uma perspectiva erroneamente limitada ao que existe "sob o sol".

De fato, algumas pessoas se perguntam como o pregador pôde ser tão radical nessa avaliação dos temas mais desoladores da vida. Creio que ele pôde ser tão radical apenas por causa de sua certeza em relação ao contexto mais amplo. O pregador sabe que a morte e o cinismo não são tudo. Esse livro não comoveria tanto as pessoas, se apresentasse apenas ceticismo obstinado e mal-humorado ou o desespero resignado. Todavia, o pregador apresenta um quadro profundo não por que essa é *toda* a verdade, mas por que essa é uma *parte* extremamente importante da verdade. É como se ele insistisse para que ouçamos as longas e duras notícias ruins antes de permitir que examinemos a boa. Chesterton entende alguma coisa dessa dinâmica. Ao descrever a mudança que aconteceu com ele em sua conversão, declarou:

> O otimismo cristão fundamenta-se no fato de que *não* nos encaixamos no mundo. Tentei ser feliz ao dizer-me que o homem é um animal, como qualquer outro, que busca seu alimento em Deus. Todavia, agora, sou realmente feliz, pois aprendi que o homem é uma monstruosidade. Eu estava certo em achar todas as coisas estranhas, pois eu mesmo, certa vez, fui pior e melhor que todas as coisas. O prazer era prosaico, porque residia na naturalidade de todas as coisas; mas o prazer cristão é poético; porque, à luz do sobrenatural, reside na inaturalidade de tudo. Vez após vez, os filósofos modernos diziam-me que estava no lugar certo, e eu ainda me sentia deprimido, mesmo concordando com eles. Mas quando soube que estava no lugar *errado*, minha alma cantou de alegria, como um passarinho na primavera.[10]

Sem um olhar honesto para a maldição da morte e da futilidade, perdemos a peça-chave do quebra-cabeça que nenhuma quantidade de otimismo bom pode repor de forma adequada. O poder de Eclesiastes está exatamente no fato de apresentar a tensão e a batalha entre o sentimento de futilidade do pregador e a própria fé que ele tem no Deus que é verdadeiro, entre a forma como as coisas são e como deveriam ser.

Aparentemente, o pregador, em algum ponto de sua vida, tentou conciliar essas duas coisas. Contudo, ele aprendeu mais: "Atentei para todas as obras que se fazem debaixo do sol, e eis que tudo era vaidade e aflição de espírito" (1.14). E aqui chegamos à chave para o entendimento de Eclesiastes: a expressão "debaixo do sol". Esse pequeno livro apresenta-a 27 vezes, e a expressão refere-se à vida vista de uma perspectiva totalmente terrena, a vida considerada à parte de Deus. Claro, essa vida truncada e circunscrita é sem sentido. "Todos são pó e todos ao pó tornarão" (3.20).

Amigo, você vê como a honestidade do pregador em relação ao pecado, à Queda e às conseqüências desta ajuda-nos a entender por que o mundo é como é e como devemos responder a ele? Ouça-o! Este mundo é um lugar ruim para seu investimento final! Ele não foi feito para isso! Enquanto você continuar tentando encontrar sentido nos fragmentos deste mundo, o pregador de Eclesiastes o perseguirá e apontará a natureza vil e transitória, inconsistente e fugaz de sua matéria. Há mais em relação à vida do que encontramos debaixo do sol, e Deus não nos fez para nos satisfazer apenas com este mundo. Como o pregador disse, Deus "pôs o mundo" em nosso coração (3.11). Sim, vivemos debaixo do sol, mas o desejo do nosso coração estende-se infinitamente além do horizonte. A eternidade vai além da esfera do que está debaixo do sol.

Do começo ao fim do livro lemos sobre Ele que habita nos céus, acima e além do sol. O livro não é tão descrente como, às vezes, o fazem parecer. Os últimos versículos afirmam: "De tudo o que se tem ouvido, o fim é: Teme a Deus e guarda os seus mandamentos; porque este é o dever de todo homem. Porque Deus há de trazer a juízo toda obra e até tudo o que está encoberto, quer seja bom, quer seja mau" (12.13,14).

Algumas pessoas acham que esses últimos versículos estragam o livro. A mensagem real é dura, mas honesta, brava e governável, talvez até necessária para sobreviver no mundo. Elas acham que, talvez, esses últimos versículos foram apenas adicionados.

Mas eu não penso assim. Esses versículos levam-nos à mensagem máxima desse livro: apenas com Deus temos uma perspectiva clara e verdadeira que dá significado à vida. *Essa é a perspectiva que devemos ter.*

Precisamos do que repousa além da vida para que ela faça sentido. Precisamos de julgamento (cf. 8.10-13; 12.14) e de esperança. A vida faz sentido porque, no fim, Deus, o Autor, avaliará o que fizemos. Da mesma forma que um livro não pode ser lido por si mesmo, você e eu também não podemos dar sentido para nossa vida. Fomos criados por alguém maior que nós, para os propósitos e os fins dEle. Aprendemos o sentido e a verdade apenas com Ele.

O que vemos quando enxergamos nossa vida da perspectiva dEle? O que vemos quando deixamos nossa perspectiva autocentrada, debaixo do sol, e adotamos a perspectiva centrada em Deus, conforme o pregador nos aponta? Primeiro, vemos nossa rebelião contra Deus. Isso fica evidente tão logo deixamos de medir o "sucesso", o "satisfatório", o "bom" e o "valioso" do nosso ponto de vista e começamos a usar os padrões de Deus. Segundo, vemos a promessa de julgamento que a nossa rebelião torna necessária. Mas, em terceiro, as Escrituras nos ensinam de forma maravilhosa que Deus não é apenas santo, mas amoroso, e que deu seu Filho para morrer na cruz, o qual levou sobre si mesmo o julgamento de Deus pela rebelião de todos que se arrependem do pecado e crêem nEle!

Conclusão

Assim, a futilidade é conclusiva? Não. Eclesiastes nunca pretendeu ser um substituto para toda a Bíblia. Como vimos, alguns desses ditos cínicos, interpretados em si mesmos, podem ser confusos e até parecerem falsos. Precisamos da revelação total que Deus fez de si mesmo em toda a Bíblia para conhecer a verdade dEle.

Por isso, pergunto de novo: a futilidade é conclusiva? Não há uma resposta final para a futilidade da vida fora da resposta que encontramos em Cristo. Apenas a revelação que Deus faz de si mesmo em Jesus Cristo assegura-nos que há algo para além do sol e da sepultura. Nesse sentido, as Boas Novas que, como cristãos, temos de compartilhar é a chave para se chegar "além do sol". Cristo veio para viver, morrer e ressuscitar a fim de nos trazer perdão pelos pecados e restaurar nosso relacionamento com Deus. Essas Boas Novas são a chave para alcançarmos além do sol e acima dele e ganhar a vida abundante de sentido e de propósito que Deus pretende que tenhamos. A vida por vir não é um dogma cristão antigo que podemos apenas deixar de lado. O livro de Eclesiastes diz que a vida por vir é essencial para esta vida e para o entendimento da verdade de quem Deus nos criou para ser. E apenas por intermédio de Jesus Cristo vemos a morte da morte e o nascimento de uma nova vida que durará para sempre.

"Assim que, se alguém está em Cristo, nova criatura é: as coisas velhas já passaram; eis que tudo se fez novo" (2 Co 5.17).

"Sede [...] sempre abundantes na obra do Senhor, sabendo que o vosso trabalho *não é vão* no Senhor" (1 Co 15.58b; grifo do autor).

Apenas encontramos sentido quando esse sentido se estende além desta vida e deste mundo. Apenas a eternidade com Deus torna a vida "bem-sucedida" e faz com que valha a pena ser vivida. E apenas em Cristo encontramos esse sentido!

Oremos:

Deus, oramos para que seu Espírito Santo nos mostre, de forma poderosa e clara, os muros e as fronteiras que levantamos em nossa vida. Mostre-nos os espaços restritos aos quais limitamos nossa forma de pensar. E, Pai, a seguir, mostre-nos sua verdade para além deles. Oramos para que o Senhor nos sacuda com a realidade, conforme descrita em Eclesiastes, se estivermos fazendo cálculos apenas para o dia, ou o mês, ou o ano, ou até para esta vida. Aumente em nós o descontentamento profundo com esta vida a fim de que percebamos que fomos feitos para mais que este mundo. Senhor, concede-nos as dádivas do arrependimento e da fé em Cristo para que possamos nos afastar de nossos pecados e crer no Senhor. Em sua Palavra, o Senhor nos diz para fazer isso. E esse livro mostra-nos que essa é a única forma de encontrarmos o sentido e a alegria que o Senhor pretendia nos dar nesta vida. Agradecemos por isso e oramos para que o Senhor continue sua obra em nós para sua glória. Em nome de Jesus. Amém.

Questões para Reflexão

1. Você é bem-sucedido? Se não, você será bem-sucedido?
2. Por que Eclesiastes é um livro excelente para ler com um não-cristão? Como você explicaria a ele que esse livro pertence, clara e corretamente, à mesma Bíblia que os livros do Novo Testamento?
3. O que o autor de Eclesiastes diz que a morte impõe a tudo da vida? Em que sentido a morte é "inatural", embora seja universal? Por que nunca deveríamos tomar qualquer morte como garantida?
4. Como vimos, Deus "pôs o mundo" em nosso coração (3.11). Que evidência disso você vê no seu coração e no dos outros?
5. Você já trabalhou duro por alguma coisa, conquistou-a e, depois, descobriu que o "sucesso" deixou-o insatisfeito? Se sim, por que continua a trabalhar pelo sucesso mundano? O que você deveria fazer?
6. Como você iniciaria uma explicação do evangelho com esta sentença: "Há diferença colossal entre o jeito como as coisas são e como deveriam ser"? Por que uma explicação do evangelho *deveria* se iniciar com essa sentença, ou com outra com o mesmo sentido?
7. Por que o *seu* trabalho é *relevante*?
8. Como a compreensão profunda da futilidade da vida ajuda-nos a compartilhar o evangelho com os outros?
9. Cristo vivenciou a futilidade e a falta de sentido deste mundo? Como? De que forma Ele escapou disso? Como nós escapamos disso?

NOTAS

Capítulo 21

[1] A data de pregação original deste sermão foi em 24 de agosto de 1997, na Capitol Hill Baptist Church, em Washington, D.C.
[2] Herman Melville, Moby Dick (Nova York: Norton, 1967), p. 355.
[3] James L. Crenshaw, Ecclesiastes: A Commentary (Filadélfia: Westminster, 1987), p. 23.
[4] O Novo Testamento condena continuamente a noção representada pela palavra grega para "felicidade" ou "prazer", da qual se origina nossa palavra "hedonismo" (Lc 8.14; Tt 3.3; Tg 4.1,3; 2 Pe 2.13).
[5] Robert Gordis, Koheleth — The Man and His Word, vol. 19 de Text and Studies of the Jewish Theological Seminary (Nova York: Jewish Theological Seminary of America, 1955), p. 3.
[6] Essas três pessoas morreram em 1997, ano da pregação original deste sermão.
[7] Leland Ryken, Words of Delight: A Literary Introduction to the Bible (Grand Rapids, Mich.: Baker, 1987), p. 326.
[8] G. K. Chesterton, citado em Martin Gardner, ed., The Annotated Innocence of Father Brown (Oxford: Oxford University Press, 1988), p. 7.
[9] Ibid.
[10] G. K. Chesterton, Orthodoxy (Wheaton, Ill.: Harold Shaw, 1994), pp. 82,83.

A MENSAGEM DE CANTARES: SABEDORIA PARA OS CASADOS

RESPOSTA À REVOLUÇÃO SEXUAL

INTRODUÇÃO A CANTARES

DESFRUTAR DE INTIMIDADE FÍSICA
Nosso Anseio
Celebração Bíblica

CONSTRUIR INTIMIDADE RELACIONAL
Nosso Anseio
Celebração Bíblica

ESTABELECER IDENTIDADE
Nosso Anseio
Celebração Bíblica

ENCONTRAR SENTIDO
Nosso Anseio
Celebração Bíblica

CONCLUSÃO

CAPÍTULO 22

A MENSAGEM DE CANTARES:
Sabedoria para os Casados

RESPOSTA À REVOLUÇÃO SEXUAL[1]

Se o mundo durar o bastante para que se escrevam os livros de história, acho que não considerarão a mais importante revolução do século XX as ganhas com tanques e torpedos, balas e bombas. É quase certo que considerem a revolução sexual a mais importante. Essa revolução iniciou-se no Ocidente e espalhou-se rapidamente, por meio de viagens e pela mídia, para muitas cidades do mundo e para além das cidades.

Nessa revolução, mudanças simples provocaram efeitos profundos. A contracepção substituiu a concepção e, aparentemente, o "custo" da atividade sexual caiu de forma impressionante. Separou-se o prazer da responsabilidade. O artifício da contracepção e as clínicas de aborto substituíram as escolas e os orfanatos. Foi como se tivessem emitido uma licença que legitimava a subjugação de cada parte de nossa vida para servir a nós mesmos.

Desde essa época, crescentes percentuais do povo aceitam o divórcio, o novo casamento, o aborto, o sexo extraconjugal e antes do casamento e, até mesmo, a homossexualidade. Agora, os limites que antes pareciam fixos, parecem menos seguros. O sadomasoquismo, a poligamia, a pederastia e a bestialidade estão representados nos grupos que trabalhavam para promover sua aceitação em nossa sociedade.

A pornografia também se tornou um grande negócio. Quantos vídeos de pornografia explícita você acha que os norte-americanos alugavam em 1986? Setenta e cinco milhões. Contudo, em 1996, os norte-americanos alugaram 665 milhões de vídeos, gerando negócios de mais de 6 bilhões de reais. Na verdade, estima-se que, hoje, toda a indústria pornográfica seja um negócio de 20 bilhões de reais por ano, e relata-se que esse negócio tem enriquecido os cofres de corporações como a AT&T e a Time Warner. Como um editor de pornografia observou em uma entrevista: "A grande vantagem do capitalismo é que a ganância ignora a moralidade e o puritanismo".

Bem, eu não sugiro que a revolução sexual seja um assunto já resolvido. Na verdade, está longe de acabar. Nos últimos anos, igrejas importantes, como a episcopal e a presbiteriana, enfrentam disputas quanto a seu posicionamento institucional em relação a assuntos de sexualidade. Do lado mais conservador, a Igreja Presbiteriana dos Estados Unidos e a Convenção Batista do Sul (SBC) foram forçadas a pensar e a repensar a melhor forma de responder às companhias, às instituições e às grandes forças culturais que instigam — às vezes, explicitamente, outras, com sutileza — a licenciosidade sexual e o enfraquecimento de tradições bíblicas.

É claro que essa revolução não afetou apenas a esfera pública. No fim, os pecados da carne abrigam-se na esfera privada, pessoal. A lascívia é celebrada publicamente, mas consuma-se a portas fechadas. Pergunto-me quantas pessoas hoje comentem pecados cibernéticos. Cobiça cibernética. Lascívia cibernética. Adultério cibernético. E quem sabe quais serão os efeitos do chamado "sexo virtual".

Algumas pessoas vêem as religiões do mundo, como o cristianismo, como seus principais rivais. Todavia, acho justo dizer que, hoje no Ocidente, os principais rivais do cristianismo não são o islamismo ou o judaísmo. Não são o ateísmo ou o hinduísmo. Mas sim o *erotismo* — a crescente busca desinibida para realizar nossa paixão sexual da forma que nos agrada.

Na última metade do século passado, o sexo e nossa atitude em relação a ele, mais que qualquer outra coisa, remodelaram nossa cultura a ponto de ela estar quase irreconhecível para os mais velhos entre nós. Em um artigo recente de uma revista, uma pessoa lamenta o que ela chama de "a lenta e constante sexualização de nossa cultura". Ela diz que tudo, "da sinceridade da rede de notícias ao grafismo dos vídeos musicais, à obscenidade dos programas de entrevistas, influencia, inevitavelmente, nossos hábitos". Ficamos insensíveis em relação à vida em si mesma. Até "o desamparo está perdendo seu poder transformador".

Para que não ouçamos essa ladainha das doenças sociais e, em razão disso, sintamos-nos, de forma excessiva e hipócrita, abrigados pela segurança moral da igreja, é melhor que nos lembremos que não permanecemos intocados. Esse não é apenas um problema da sociedade *lá de fora*. Muitas igrejas descobriram que seus membros estão contaminados pelo fracasso matrimonial e por casos ilícitos, pelos chamados pecados "privados" que se tornam desgraça pública, alguns dos quais vieram a público, e outros, ainda não. Um estudo da nossa Convenção Batista do Sul descobriu que a média de divórcio entre os membros das igrejas batistas do sul não está melhor — talvez até esteja pior — que entre a população em geral.

É crescente a entrada furtiva de imagens pornográficas no campo de visão, até mesmo dos cristãos mais cuidadosos. Para encontrá-las, você não precisa entrar em lojas chinfrins e à beira da estrada. Você precisa apenas dar uma olhada na lateral dos ônibus municipais, nas prateleiras da fila do caixa do supermercado, nos anúncios no jornal, na contracapa de uma revista ou nos comerciais que passam na televisão para encontrar ilustrações em que criaturas, complexas moral e espiritualmente, feitas à imagem de Deus, para conhecer o Senhor e desfrutar dEle para sempre, são retratadas como nada mais que instrumentos carnais para o prazer e a satisfação momentâneos.

Como cristãos, como devemos responder à revolução sexual? Como nos encaixamos nessa investida a nossa sociedade, a nossas igrejas e a nós como indivíduos e que traz todos nós ao limite da desintegração total e da ruína final? Alguns dizem que deveríamos apenas seguir nossa cultura e render-nos aos nossos desejos, ser hedonistas, não ser ansiosos, descobrir o benefício da liberdade e acabar com a auto-repressão. Outros, que seguem mais o impulso estóico, sugerem que deveríamos negar esses desejos todos, reprimir a carne, pois não somos meros animais. Todavia, nenhuma dessas duas respostas se encaixa realmente ao que Deus nos fez para ser como seres humanos e, portanto, não são apropriadas a nós como cristãos.

INTRODUÇÃO A CANTARES

Precisamos da sabedoria de Deus para lidar com essas investidas. Por isso, voltamos-nos para Cantares, o último do nosso estudo dos livros de sabedoria do Antigo Testamento. Nenhuma parte da Bíblia fala com mais clareza sobre o amor erótico e o impulso que nós cristãos sentimos de, por um lado, render-nos sem vacilar aos nossos impulsos e a nossa cultura ou de, por outro lado, negar completamente esses impulsos. Contudo, nenhum desses caminhos é o certo para um cristão. Assim, Deus, em sua sabedoria, pôs um livro na Bíblia que trata especificamente desse dilema e determina o caminho verdadeiro.

A NVI intitula o livro de Cântico dos Cânticos, que é a forma hebraica de construir um superlativo. Esse é o maior de todos os cânticos, da mesma forma que o Rei dos reis é o maior de todos os reis, e o Senhor dos senhores é o maior de todos os senhores. Às vezes, o livro é conhecido como Cantares de Salomão, já que, como o versículo 1 afirma, esse é o "cântico de cânticos, que é de Salomão". Comecemos com a leitura de algumas seleções do livro:

> Beije-me ele com os beijos da sua boca; porque melhor é o seu amor do que o vinho. Para cheirar são bons os teus ungüentos; como ungüento derramado é o teu nome; por isso, as virgens te amam. Leva-me tu, correremos após ti. O rei me introduziu nas suas recâmaras. Em ti nos regozijaremos e nos alegraremos; do teu amor nos lembraremos, mais do que do vinho; os retos te amam (1.2-4).
>
> Dize-me, ó tu, a quem ama a minha alma: onde apascentas o teu rebanho, onde o recolhes pelo meio-dia, pois por que razão seria eu como a que erra ao pé dos rebanhos de teus companheiros? Se tu o não sabes, ó mais formosa entre as mulheres, sai-te pelas pisadas das ovelhas e apascenta as tuas cabras junto às moradas dos pastores (1.7,8).
>
> Eu sou a rosa de Sarom, o lírio dos vales. Qual o lírio entre os espinhos, tal é a minha amiga entre as filhas. Qual a macieira entre as árvores do bosque, tal é o meu amado entre os filhos; desejo muito a sua sombra e debaixo dela me assento; e o seu fruto é doce ao meu paladar. Levou-me à sala do banquete, e o seu estandarte em mim era o amor. Sustentai-me com passas, confortai-me com maçãs, porque desfaleço de amor. A sua mão esquerda esteja debaixo da minha cabeça, e a sua mão direita me abrace. Conjuro-vos, ó filhas de Jerusalém, pelas gazelas e cervas do campo, que não acordeis nem desperteis o meu amor, até que queira. Esta é a voz do meu amado; ei-lo aí, que já vem saltando sobre os montes, pulando sobre os outeiros. O meu amado é semelhante ao gamo ou ao filho do corço; eis que está detrás da nossa parede, olhando pelas janelas, reluzindo pelas grades. O meu amado fala e me diz: Levanta-te, amiga minha, formosa minha, e vem. Porque eis que passou o inverno: a chuva cessou e se foi. Aparecem as flores na terra, o tempo de cantar chega, e a voz da rola ouve-se em nossa terra. A figueira já deu os seus figuinhos, e as vides em flor exalam o seu aroma. Levanta-te, amiga minha, formosa minha, e vem (2.1-13).
>
> Vem comigo do Líbano, minha esposa, vem comigo do Líbano; olha desde o cume de Amana, desde o cume de Senir e de Hermom, desde as moradas dos leões, desde os montes dos leopardos. Tiraste-me o coração, minha irmã, minha esposa; tiraste-me o coração com um dos teus olhos, com um colar do teu pescoço. Que belos são os teus amores, irmã minha! Ó esposa minha! Quanto melhores são os teus amores do que o vinho! E o aroma dos teus bálsamos do que o de todas as especiarias! Favos de mel manam dos teus lábios, minha

esposa! Mel e leite estão debaixo da tua língua, e o cheiro das tuas vestes é como o cheiro do Líbano. Jardim fechado és tu, irmã minha, esposa minha, manancial fechado, fonte selada. Os teus renovos são um pomar de romãs, com frutos excelentes: o cipreste e o nardo, o nardo e o açafrão, o cálamo e a canela, com toda a sorte de árvores de incenso, a mirra e aloés, com todas as principais especiarias (4.8-14).

A tua estatura é semelhante à palmeira, e os teus peitos, aos cachos de uvas. Dizia eu: Subirei à palmeira, pegarei em seus ramos; e, então, os teus peitos serão como os cachos na vide, e o cheiro da tua respiração, como o das maçãs. E o teu paladar, como o bom vinho para o meu amado, que se bebe suavemente e faz com que falem os lábios dos que dormem. Eu sou do meu amado, e ele me tem afeição (7.7-10).

Quem é esta que sobe do deserto e vem encostada tão aprazivelmente ao seu amado? Debaixo de uma macieira te despertei, ali esteve tua mãe com dores; ali esteve com dores aquela que te deu à luz. Põe-me como selo sobre o teu coração, como selo sobre o teu braço, porque o amor é forte como a morte, e duro como a sepultura o ciúme; as suas brasas são brasas de fogo, labaredas do Senhor. As muitas águas não poderiam apagar esse amor nem os rios afogá-lo; ainda que alguém desse toda a fazenda de sua casa por este amor, certamente a desprezariam.

Temos uma irmã pequena, que ainda não tem peitos; que faremos a esta nossa irmã, no dia em que dela se falar? Se ela for um muro, edificaremos sobre ela um palácio de prata; e, se ela for uma porta, cercá-la-emos com tábuas de cedro. Eu sou um muro, e os meus peitos, como as suas torres; então, eu era aos seus olhos como aquela que acha paz (8.5-10).

Bem, esse não é o tipo de Escrituras que normalmente lemos em um sermão! Hoje, poucos de nós se chocariam em encontrar esse tipo de linguagem em uma revista ou até em um jornal. Mas ler algo assim na Bíblia? Isso é um pouco diferente para nós!

Não somos os únicos a sentir algum desconforto com a natureza explícita desse livro. Entre os israelitas antigos era tradição que os homens jovens só pudessem ler esse livro depois dos trinta anos.

Na oitava série, tive um amigo que destacava passagens em sua Bíblia com marcadores coloridos. Ele marcou esse livro inteiro depois de lê-lo! Não com o amarelo, azul frio ou mesmo o exótico verde típicos, mas com cor-de-rosa forte!

Sem dúvida, esse desconforto com o sentido direto das palavras foi que, no passado, levou os cristãos a imaginar tantas formas distintas de leitura para esse livro. Um grupo adotou a abordagem alegórica para a compreensão de Cantares. Eles negavam que o amante e a amada representavam dois seres humanos. A metáfora dos amantes é apenas um recurso literário para revelar outros sentidos, em geral, do amor de Deus por seu povo.

Um segundo grupo adotou a abordagem tipológica, pois não queria rejeitar tanto a historicidade do livro. Eles aceitam a historicidade dos amantes como duas pessoas reais, mas eles, como a abordagem alegórica, mudam a ênfase do que o casal representa. Assim, os personagens são reais, mas devemos prestar muito mais atenção à grande realidade para a qual eles apontam.

Um terceiro grupo sugeriu que Cantares deve ser entendido como um drama ou uma história, aperfeiçoada com personagens bem desenvolvidos e o movimento de uma trama estruturada por meio da introdução, do início de uma crise, do ápice e da resolução. Houve muitas sugestões de quem são os personagens e de qual é a trama. Contudo, isso aponta para a grande dificuldade dessa abordagem: fizeram tantas sugestões sobre qual era a linha da história que não podemos deixar de nos perguntar por que ela não é clara o bastante para que todos a percebam. Evidentemente, o livro tem uma introdução, mas a encenação da trama é de fato tão clara quanto esperaríamos em uma história?

Parece-me que o melhor é entender Cantares como um cântico ou uma coletânea de cânticos que são basicamente, bem, poemas de amor. Esse parece ser o sentido literal e natural do texto, não é mesmo? Já que outras formas de ler esse livro o transformam em algo como um enigma obscuro cujo verdadeiro sentido permanece secreto até que alguém o decifre para nós, e muito dessa dificuldade desaparece quando simplesmente o lemos como poemas de amor.

Nesse sentido, amantes são amantes, e desejo é desejo. Não significa outra coisa. Como o anúncio de um antigo restaurante de frango fast-food dizia: "Pedaços são pedaços"! Podemos ficar embaraçados — pelo menos, em um sermão — com toda essa conversa sobre seios, e beijos, e abraços, mas a compreendemos. Essas coisas são bem claras. Sabemos o que significam. E acho que devemos ler esse livro dessa forma. Sim, talvez ainda haja imagens que devemos interpretar, porém, devemos ler apenas a imagem de qualquer poesia de amor.

Demos o nome de "sabedoria para os casados" a este sermão, e, com certeza, Cantares é um livro importante sobre o amor marital. Da mesma forma como, certamente, não é um livro que exauri o assunto sobre o amor ou o casamento. Não devemos fazer desse cântico, ou coletânea de cânticos, mais do que Deus pretendia que fizéssemos. Ele não nos diz como reagir aos atos do nosso cônjuge, à perda de emprego que ameaça a segurança familiar ou à descoberta de um caso.

Ele não ensina exatamente como aumentar o interesse de nosso cônjuge em nós. Em suma, ele não nos ensina tudo que precisamos saber sobre o casamento.

Todavia, o livro descreve aspectos importantes do desejo e do amor e de como Deus nos deu dádivas no casamento que satisfazem os próprios desejos que Ele criou em nós. Assim, temos de estudar esse livro como uma parte da sabedoria.

Deus designou o casamento, de forma específica, para satisfazer quatro tipos distintos de desejo: desfrutar intimidade física, construir intimidade relacional, estabelecer identidade e encontrar sentido.

Desfrutar de Intimidade Física

Primeiro, Deus satisfaz nossa necessidade e desejo de intimidade física.

Nosso Anseio

Muitos de nós estão acostumados a ouvir apenas referências críticas à intimidade física nos sermões, à medida que os pregadores advertem contra o pecado do sexo extraconjugal e dos perigos depravadores da lascívia. Na verdade, já falamos aqui sobre os perigos da nossa sociedade pornográfica, de nosso vício em erotismo e a conseqüente desvalorização dos homens e das mulheres. Essas discussões críticas são essenciais. A cultura de hoje bombardeia-nos constantemente com imagens andróginas que obscurecem nossos objetos de desejos, ao mesmo tempo em que intensifica nossa experiência com eles. Em nome da publicidade e do entretenimento, o corpo humano tornou-se um bem de consumo, e as pessoas, produtos. É irônico que o romance e a intimidade verdadeiros tenham desvanecido em uma época em que tudo se torna sensual.

Contudo, deixando de lado as distorções e as perversões, as Escrituras mostram que o anseio por intimidade física é bom e foi dado por Deus. Há um desejo bom por intimidade física. Deus nos fez criaturas físicas com corpo. Sabemos disso. Sem dúvida, pessoas do mesmo sexo podem compartilhar um tipo adequado de intimidade física, como: aperto de mãos, abraços e comemorações em que batemos as mãos abertas! E há tipos apropriados de gestos físicos entre os membros de uma família. Entretanto, em Cantares, Deus tem em vista uma afeição física até mais específica: o relacionamento sexual entre o marido e a esposa.

Claro que Cantares apenas tira essa mensagem do próprio livro de Gênesis. Em Gênesis, na história da criação, Deus disse a Adão que não era bom o homem ficar sozinho, e, por isso, criou a mulher. O Senhor disse que sua criação era boa. Então, Adão e Eva foram unidos. Eles "conheciam" um ao outro. E esse conhecimento era físico, íntimo e bom.

Cantares sabe que esse desejo pode ser perigoso. Esse pequeno livro cita três vezes: "Que não acordeis nem desperteis o meu amor, até que queira" (2.7; 3.5; 8.4). Há momentos em que esse amor é expresso de forma adequada, e outros, em que não é.

Contudo, temos de entender que o cristianismo não é uma religião que diz que o físico é ruim, e o espírito, bom. Não somos gnósticos. Não presumimos que tudo relacionado à carne é ruim e que apenas no imaterial e invisível encontramos o bem. Por conseguinte, o cristão precisa ter cuidado em não dar a impressão de que nossa mensagem primordial sobre o desejo sexual e os anseios humanos é negativa. Temos uma mensagem positiva em relação a isso! Por isso é bom, de tempos em tempos, ler Cantares na igreja. Ajuda-nos a lembrar que temos uma mensagem positiva a respeito do sexo.

Embora tenha trabalhado durante anos com colegas estudiosos, sempre me espanto ao perceber que muitos deles continuam enganados com a mesma compreensão errônea sobre a função da sexualidade. Vez após vez, vejo jovens trocarem uma dádiva muito especial e privilegiada de Deus por algo que, à primeira vista, pode parecer um presente, mas, no fim, mostra ser infinitamente menos. Todavia, em parte, isso se deve ao nosso fracasso, como cristãos, de ensinar a mensagem positiva de que Deus nos criou macho e fêmea, de que, na verdade, Ele chama-nos a ter relações íntimas com nossos cônjuges, e que essa intimidade é boa!

De muitas formas, essa é a principal mensagem de Cantares. Nós, cristãos, somos tentados a minimizar ou até a ignorar esse importante tópico. Deus pôs esse livro na Bíblia para tornar mais difícil que ignoremos isso!

Celebração Bíblica

Originalmente, Cantares é a celebração declarada do prazer da intimidade física. Deus pretende que nosso desejo por intimidade física seja satisfeito! Esse livro apresenta, diversas vezes, convites sexuais. Observe como o livro acaba com um convite e uma aceitação à união sexual: "Ó tu que habitas nos jardins, para a tua voz os companheiros atentam; faze-ma, pois, também ouvir. Vem depressa, amado meu, e faze-te semelhante ao gamo ou ao filho dos corços sobre os montes dos aromas" (8.13,14).

Talvez hoje nos sintamos tentados a pensar que não há necessidade de testemunhar os prazeres do amor físico. Mas o Senhor nos deu esse livro para nos lembrar sempre que Ele ainda acha bom aquilo de que nossa cultura abusou. Somos lembrados de que o amor físico é *encantador* e *agradável*.

> Beije-me ele com os beijos da sua boca; porque melhor é o seu amor do que o vinho (1.2).

Que belos são os teus amores, irmã minha! Ó esposa minha! Quanto melhores são os teus amores do que o vinho! E o aroma dos teus bálsamos do que o de todas as especiarias! (4.10)

Observamos o apreço que o amante e a amada têm pela *beleza física*:

Eis que és formosa, ó amiga minha, eis que és formosa; os teus olhos são como os das pombas. Eis que és gentil e agradável, ó amado meu; o nosso leito é viçoso (1.15,16).

Vemos que o amor físico é *satisfatório*:

Favos de mel manam dos teus lábios, minha esposa! Mel e leite estão debaixo da tua língua, e o cheiro das tuas vestes é como o cheiro do Líbano (4.11).

Podemos ser recatados em relação ao amor da intimidade física — e devemos ser —, mas não precisamos ter vergonha dele. Ao longo desse livro, o autor retrata e celebra a afeição erótica que dois amantes casados têm um pelo outro:

Quem é esta que sobe do deserto, como colunas de fumaça, perfumada de mirra, de incenso e de toda a sorte de pós aromáticos (3.6)?

Quem é esta que aparece como a alva do dia, formosa como a lua, brilhante como o sol, formidável como um exército com bandeiras (6.10)?

Quem é esta que sobe do deserto e vem encostada tão aprazivelmente ao seu amado (8.5)?

Cantares celebra o prazer do amor físico que Deus nos deu no casamento!

CONSTRUIR INTIMIDADE RELACIONAL
Nosso Anseio

Dito isso, o livro apresenta mais anseios dignos de nota. Os amantes de Cantares compartilham um claro anseio de construir uma intimidade relacional. Talvez esse anseio seja mais sutil, mas nem por isso é menos real.

Infelizmente, hoje temos muitas maneiras de falar dos relacionamentos de forma negativa, porque sabemos que podem ser destrutivos. Por isso, usamos palavras como "vício", "co-dependência", "capacitação". E com certeza os relacionamentos, por serem complexos e cruciais para a personalidade humana, podem ser perigosos. Esse anseio por intimidade relacional pode gerar todo tipo de problema.

Contudo, a Bíblia não apresenta o eremita solitário como modelo para a existência humana. Como disse a Adão no jardim do Éden, Deus não nos criou para ficarmos sozinhos. Essa é uma regra geral, mas não quer dizer que nunca seja bom para o homem estar sozinho. Fomos feitos para conhecer e ser conhecidos. E não devemos perceber apenas a atração física em Cantares. Por trás da descrição desinibida, até arrebatadora, da atração física, fica claro que cada parceiro deseja um relacionamento interpessoal pleno e verdadeiro. Eles não têm apenas o desejo físico de possuir e ser possuído, mas têm também o desejo pessoal de conhecer e ser conhecido. E esse livro lembra-nos, mais uma vez, que esse conhecimento é bom. Não precisamos manter qualquer noção falsa, superespiritual sobre "seguir sozinho" com Jesus, nem considerar a necessidade de relacionamentos pessoais como algo errado ou um sinal de fraqueza. Essa necessidade é natural, saudável e boa. É inerente ao ser humano.

Celebração Bíblica

Cantares celebra o relacionamento pleno que o amor físico consuma.

Um escritor aponta para o que chama de uma das ironias estimulantes da vida humana ao observar que o ato mais íntimo de "conhecer" outro ser humano ocorre "pele com pele":

> Eis uma ironia pungente: aqui estamos nós com nosso alto conceito de nós mesmos como seres intelectuais e espirituais, e a forma mais profunda de conhecimento para nós é o contato natural pele a pele. É humilhante. O que fazem dois membros dessa espécie cerebral feita à imagem de Deus quando alcançam os píncaros da comunhão entre eles mesmos? Pensam? Especulam? Meditam? Não, eles tiram suas roupas. Eles querem unir seus *cérebros*? Não, essa é a ironia mais assustadora. Eles buscam que a união os leve, quase literalmente, na direção oposta em que estão seus cérebros.[2]

Embora eu aprecie a adoção franca da realidade de nosso corpo físico por esse autor, não posso concordar totalmente com ele. Ele deixa de lado o fato de que o amor físico não é um contexto menor. Não é apenas, como diriam, com insensibilidade e desprezo, alguns colegas estudiosos, a "troca de fluídos corporais".

E Cantares não é um livro apenas sobre as relações físicas entre dois animais. Afinal, é um livro de palavras! Tem discurso! Tem poesia! Tem comunhão entre pessoas. A verbalização dos desejos, dos anseios, das necessidades, das esperanças e até dos medos é um aspecto crucial do relacionamento entre o amante e a amada.

Ansiamos por relacionamento humano. Deus nos fez assim. Portanto, observe como esse livro impulsiona-nos, como leitores, com os chamados e as respostas: o amante chama, e a amada responde; a amada fala, e o amante responde. Ele apresenta um relacionamento em que mutualidade. Há reciprocidade no amor deles, porque Deus pretende que nossos desejos físicos se satisfaçam no contexto do nosso desejo comunal, social e interpessoal. O bom relacionamento físico só pode acontecer no contexto de um bom relacionamento, por isso, não é mero acidente que o sexo deva ser reservado ao casamento. Ter sexo sem casamento é a mesma coisa que se mudar para uma casa que você não adquiriu. Nesse tipo de sexo, há um aspecto experimental, inseguro — como uma transgressão —, que não é o que Deus pretende para o sexo: uma experiência profunda e satisfatória do amor físico e relacional.

De volta ao início da Bíblia, encontramos o que Deus pretende para a união física entre marido e esposa a fim de prover parte da própria fundação do relacionamento deles: "Portanto, deixará o varão o seu pai e a sua mãe e apegar-se-á à sua mulher, e serão ambos uma carne" (Gn 2.24). A seguir, Jesus confirma a lição desse versículo: "Assim, já não serão dois, mas uma só carne. Portanto, o que Deus ajuntou, não o separe o homem" (Mc 8b,9). Você percebe o que isso significa? A intimidade física entre o homem e a mulher representa e indica algo mais — a intimidade relacional, a união de personalidades, não apenas de corpos.

Deus pretende que dois amantes casados desfrutem o prazer físico e relacional do seu amor. E Deus nos dá um relacionamento mais profundo por intermédio do amor físico no casamento.

ESTABELECER IDENTIDADE
Nosso Anseio

Nas páginas de Cantares inferimos outro anseio. Parte de nosso anseio por intimidade física e relacional é o desejo de estabelecer nossa identidade. Em outras palavras, o desejo de *conhecer* iguala-se ao de *ser conhecido* — para definir e compreender a nós mesmos.

Um dos perigos do nosso mundo é que está se tornando muito "amoldável", repleto como está com discussões sobre insegurança. Os políticos se recriam conforme a imagem projetada por suas pesquisas eleitorais. Os marqueteiros ajudam a divulgar os produtos de acordo com o que as pesquisas mostram que as pessoas comprarão. E a maioria de nós fica tentada, em um padrão camaleônico, a copiar as pessoas com quem convivemos.

Não obstante, a vontade de compreender a nós mesmos em relação com as outras pessoas é um desejo natural e saudável. Tenho certeza de que você conhece alguma coisa do que falo. É provável que você saiba do que falo se já perdeu um ente querido, quer por causa de morte, quer pelo rompimento definitivo de um relacionamento, e você — de início com surpresa e confusão — perdeu um pedaço de quem você é. Quando essa pessoa parte, alguma coisa relevante em você vai com ela. Seu pesar não é apenas por ela e por tê-la perdido, mas é também pela perda de você mesmo. Isso acontece porque todos nós nos conhecemos na nossa relação com os outros, em especial, com as pessoas que amamos.

Celebração Bíblica

Cantares celebra a pessoa que o amor físico nos ajuda a ser, e a identidade que ele nos ajuda a encontrar.

Muito do que o amante e a amada são como indivíduos é conseqüência do relacionamento deles. Eles se conhecem e se definem conforme o relacionamento que têm um com o outro — como amante e amada. "Eu sou do meu amado, e o meu amado é meu" (6.3). E: "Eu sou do meu amado, e ele me tem afeição" (7.10).

Fica claro que é por isso que os relacionamentos pessoais podem ser tão perigosos. Você brinca com as coisas mais profundas em relação a você e ao outro se entra em um relacionamento errado, sem a estrutura estabelecida pela Bíblia. Por outro lado, você encontra grande realização pessoal quando entra em um relacionamento certo, de acordo com a estrutura estabelecida pela Bíblia.

Portanto, de forma notável, esse livro descreve a enorme realização pessoal disponível no amor marital monogâmico e exclusivo!

Claro que isso não se refere ao que as pessoas acham hoje, quando mencionamos monogamia matrimonial exclusiva. Há pouco tempo, vi um trailer de um filme em que um personagem dizia, de forma ofensiva, ao outro: "Lembre-se, eu posso dormir com quem quiser. Não sou eu que sou casado. Você é!" Que perspectiva terrível! Da perspectiva dos que querem "liberar" o amor sexual de seus limites, o casamento pode parecer uma "escravidão". No entanto, o amor sexual, uma vez liberado, fica semelhante à água derramada do copo — é despejada no chão, corre em todas as direções, não é coletada em lugar algum e, no fim, dissipa-se e desvanece. O amor sexual "livre" perde todo sentido que se supõe que tenha.

Em Cantares não é assim. Esse livro não é a respeito de um relacionamento qualquer. É sobre o amor marital exclusivo. Por isso, a amada promete que se "[guardará]" para o seu amor (7.13). E o livro, como um todo, não apresenta um retrato de lascívia e de fantasia, mas do amor monogâmico e satisfatório.

De forma extraordinária, o casamento monogâmico designado por Deus traz uma inteireza notável. Talvez, em outras áreas da vida, o seu papel como homem ou como mulher não esteja claro para você, mas isso não acontece nessa área. Duas coisas são dignas de nota. Primeiro, o casamento traz um tipo de inteireza quando é preservado de outros amantes. Deus criou-nos para nos unirmos em casais. Por essa razão, você pode esperar encontrar muita satisfação e contentamento com uma outra pessoa. Quando os amantes de Cantares conversam sobre o que fazer com a irmã mais nova que ainda não está preparada para o amor, eles decidem protegê-la e conservá-la casta. A seguir, a própria irmã responde: "Eu sou um muro, e os meus peitos, como as suas torres; então, eu era aos seus olhos como aquela que acha paz" (8.10). Parece que o fato de a irmã guardar-se para o marido é parte do que trará paz para o futuro relacionamento. Na verdade, aqui, a palavra "paz" é a hebraica shalom, que fala da paz proveniente da inteireza mais integral e harmoniosa. Assim, o compromisso exclusivo e puro que ela levará para seu marido, e também o que ele levará para ela, fornece um grande senso de inteireza e de harmonia a ambos, no relacionamento e como indivíduos.

Segundo, observe que o casamento, assim parece, dá esse sentimento de inteireza mesmo se não houver filhos. O livro não menciona filhos em momento algum, o que chama a atenção principalmente em vista do ambiente do livro ser o Oriente Próximo da Antigüidade.[3]

Deus nos dá um conhecimento maior de nós mesmos por intermédio do amor físico no casamento.

Encontrar Sentido
Nosso Anseio

Cantares apresenta um último anseio que devemos observar. Nós, como seres humanos, ansiamos por encontrar sentido nas coisas. Todas as pessoas, mesmo que jamais tenham pensado ou falado, anseiam por saber a razão por que vivem.

Certa vez, conversava com um estudante que lutava com o fato de crer, ou não, no cristianismo. Como ele falava em círculos e se repetia constantemente, por fim, eu o interrompi e perguntei: "Você *quer* que o cristianismo seja verdade?" Ele disse que sim. Perguntei-lhe por que queria isso. Ele replicou: "Porque quero que a vida tenha sentido e propósito. Quero entender por que estou vivo".

Bem, é fácil encontrar propósitos ruins para nossa vida. Com facilidade, investimos nossa vida em falsos deuses e em outras coisas ruins, como o crime. Temos facilidade em transformar coisas boas — como a saúde, a riqueza ou a popularidade — em ruins, ao nos preocuparmos demais com elas. Se dermos valor e importância demais ao relacionamento amoroso interpessoal, até ele pode nos desencaminhar e tornar-se destrutivo.

Todavia, o relacionamento pessoal verdadeiramente equilibrado, íntimo e honesto é uma das melhores imagens que temos do propósito máximo da nossa vida: ter relacionamento com Deus.

Embora, antes, eu tenha indicado que o livro não é uma alegoria ou uma tipologia, continua verdadeiro o fato de que qualquer imagem de bondade e, em especial, qualquer retrato do amor verdadeiro, ilustra a bondade e o amor de Deus por nós. Por isso, o apóstolo Paulo usou a imagem do casamento para ilustrar o amor entre Cristo e seu povo (Ef 5.22-33). Nesse sentido, a beleza e o poder do nosso anseio pelo amor de outra pessoa aponta para o relacionamento que somos chamados a ter com Deus, relacionamento esse que significa nossa inteireza, nosso contentamento, nosso lugar de shalom [paz] verdadeira e eterna.

Como você pode conhecer o amor de Deus e ter paz eterna com Ele? Arrependa-se de seus pecados e acredite totalmente em Cristo para ter perdão. Você precisa de um exemplo para entender isso? Observe o homem e a mulher de Cantares, pois eles renunciam a todos os outros amores e se comprometem exclusivamente um ao outro. Veja como o homem é chamado a sacrificar a vida pela esposa, e ela, a servir o marido. Essa é a imagem real que Cantares apresenta. Como os amantes, temos de desistir de nossos pecados, de nossos outros amores, de nossos falsos deuses e olhar apenas para Cristo. Apenas Ele sacrificou a vida diante da ira de Deus por causa dos pecados e pagou a pena que merecíamos, precisamos olhar apenas para Ele como Salvador e Senhor.

Celebração Bíblica

À medida que examinamos como Cantares celebra o amor humano, temos um vestígio do amor de Deus por nós e do amor que devemos ter por Ele, porque o próprio ato de amor físico no casamento puxa-nos em direção a esse amor muito mais sublime!

Sim, Deus nos deu a sexualidade para que a usufruamos, mas também nos deu a dádiva da união sexual a fim de ilustrar outra união de amor mais arrebatadora e realizadora que nos aguarda! Não digo isso para diminuir o amor humano físico, mas para dizer que o amor que nos aguarda é ainda melhor. Cristão, você tem expectativa e espera por esse amor realizador no aparecimento de Cristo?

Nesse sentido, o amor físico, no contexto do casamento, ajuda-nos a compreender e a aceitar o amor de Deus. Como cristãos, aprendemos, em parte, a crescer em nossa confiança e a aceitar o amor de Deus por meio da experiência com nosso cônjuge. Talvez você tenha dificuldade em confiar em seus amigos, em seu cônjuge e até em Deus por causa de experiências anteriores em que se sentiu traído. Da mesma forma, a experiência positiva com um cônjuge comprometido com o amor ensina, mesmo aos mais machucados entre nós, sobre o amor de Deus por nós e o amor que podemos ter por Ele. Como? Aprendemos, por meio do relacionamento com nosso cônjuge, a nos relacionar e a confiar profundamente em outra pessoa diferente de nós. E ao fazer isso, aprendemos a confiar em Deus, que, em sua beleza e santidade, é mais distinto de nós que nosso cônjuge. Por isso, em Apocalipse 3.20, ao ver a imagem de Jesus que está à porta e bate, lembre-se da mesma imagem em Cantares em que o amante bate à porta e espera (Ct 5.2).

Pense em tudo que Deus nos dá por intermédio do amor físico no casamento: prazer físico, intimidade relacional, maior conhecimento de nós mesmos e maior confiança nEle. Em última instância, ajuda-nos a saber mais quem Ele é e o que significa ter um relacionamento amoroso e confiante com Ele.

Conclusão

O sexo não deve ser casual, denegrido ou negado no casamento. Nem deve ser adorado e transformado na essência da vida.

Infelizmente, os jovens, vez após vez, caem na mesma armadilha barata. Nesta época de erotismo, não devemos nos deixar enganar para não fazer concessões nem ter medo de nos entregar às boas dádivas de Deus, e essa é uma parte crucial de nosso discipulado para Cristo. Por essa razão, como igreja, devemos estar cientes em relação ao grande perigo de usar erroneamente o amor físico.

Isso também exige que, como uma parte importante de quem Deus nos fez para ser, ensinemos o que a Bíblia diz de positivo sobre o amor sexual. Deus pretende que, no amor marital, usufruamos de prazer, construamos relacionamentos, estabeleçamos nossa identidade e até encontremos sentido no amor dEle. Essa é a mensagem que precisamos apreender!

O capítulo final de Cantares descreve o apaixonado fortalecimento do amor: "Porque o amor é forte como a morte, e duro como a sepultura o ciúme; as suas brasas são brasas de fogo, labaredas do Senhor. As muitas águas não poderiam apagar esse amor nem os rios afogá-lo" (8.6,7). O amor é uma força irresistível e irremovível. Em outra passagem das Escrituras, lemos:

> Mas em todas estas coisas somos mais do que vencedores, por aquele que nos amou. Porque estou certo de que nem a morte, nem a vida, nem os anjos, nem os principados, nem as potestades, nem o presente, nem o porvir, nem a altura, em a profundidade, nem alguma outra criatura nos poderá separar do amor de Deus, que está em Cristo Jesus, nosso Senhor! (Rm 8.37-39)

Mais uma vez, cristão, você reconhece que o compromisso mais fervoroso compartilhado pelos amantes mais comprometidos do mundo é apenas um retrato turvo do compromisso de Cristo de nos amar? Embora Deus nos ofereça alguma realização nesta vida, a realização plena vem depois. Nenhum de nossos anseios será plenamente satisfeito agora, nem mesmo nosso anseio por amor. No entanto, eles serão satisfeitos.

Um dos últimos versículos da Bíblia lembra-nos dessa promessa: "E eu, João, vi a Santa Cidade, a nova Jerusalém, que de Deus descia do céu, adereçada como uma esposa ataviada para o seu marido" (Ap 21.2).

Oremos:

Senhor, perdoe-nos pelas formas errôneas como cedemos à intimidade física ou a negamos a nós mesmos. Deus, o Senhor conhece a verdade de como nos fez. Oramos para que, em seu grande amor, o Senhor nos ensine essas verdades e nos encha com seu Espírito para que possamos viver como o Senhor quer que façamos. Deus, precisamos da sua ajuda em nossos relacionamentos. O Senhor conhece os relacionamentos desfeitos de nossa vida e das pessoas que amamos. Oramos para que seu Espírito Santo nos mude. Ensina-nos mais sobre nós mesmos, o Senhor e seu amor por nós. Louvamos ao Senhor como o Deus totalmente amável e amoroso. Agradecemos por se revelar como nosso noivo em Jesus Cristo. Oramos em nome dEle. Amém.

Questões para Reflexão

1. Em termos dos produtos culturais que consumimos (filmes, músicas, revistas, etc.) e da vida que levamos (amizades femininas/masculinas, namoros, etc.), como a igreja poderia contestar a revolução sexual? Como a visão da igreja deveria diferir da abordagem mundana da sexualidade? Nesse processo, que mensagem positiva a igreja deveria propagar?
2. Qual a melhor forma de ler Cantares? Como uma alegoria, uma tipologia, uma história ou uma coletânea de poemas de amor? Que diferença isso faz?
3. Se você for casado, sejamos criativos por um momento: como você pode incorporar Cantares ao seu casamento?
4. Quem tem uma visão do sexo que promete mais prazer e satisfação de apetites: a Bíblia ou a cultura em geral? Defenda seu ponto de vista.
5. Como a igreja pode sutilmente negar, reprimir ou esquecer a mensagem de Cantares?
6. Qual é a principal lição sobre sexo que Cantares transmite aos casados?
7. Em que sentido o casamento e a intimidade física trazem *shalom* [paz] para o homem ou para a mulher? Se você for casado, como você pode orar, trabalhar e planejar para fazer com que isso seja mais real no relacionamento com seu cônjuge?
8. A vida sexual de um casal contribui para a vida emocional e espiritual deles como casal, ou é a vida emocional e espiritual deles que contribui para a vida sexual deles como casal? Explique como.
9. O que Cantares nos ensina sobre o amor de Cristo pela Igreja? Como isso nos encoraja a amar melhor a Cristo?

Notas

Capítulo 22

[1] A data de pregação original deste sermão foi em 31 de agosto de 1997, na Capitol Hill Baptist Church, em Washington, D.C.
[2] Thomas Howard, citado em G. Lloyd Carr, The Song of Solomon: An Introduction and Commentary, Tyndale Old Testament Commentaries, D. J. Wiseman, ed. Geral (Downers Grove, Ill.: InterVarsity Press, 1984), p. 35n2. Originariamente, citado em Thomas Howard, Hallowed Be this House (Wheaton, Ill.: Harold Shaw, 1979), p. 115f.
[3] Veja Carr, Cantares, p. 53.

PARTE 4

GRANDES ESPERANÇAS

A MENSAGEM DE ISAÍAS: O MESSIAS

NÃO DEVERÍAMOS CONHECER MELHOR ANTES DE CONFIAR EM ALGUÉM?

INTRODUÇÃO A ISAÍAS

O PROBLEMA: CRER NAS COISAS ERRADAS
Confiar em outros Reis
Confiar em outros Deuses
Confiar neles Mesmos
Confiar em seus Líderes Infiéis
Em quem Devemos Confiar?

A SOLUÇÃO: CONFIAR EM DEUS
Confiar no Julgamento Vindouro de Deus
Confiar na Libertação e na Salvação Vindouras de Deus
Em quem Devemos Confiar?

A SOLUÇÃO APONTADA: ESPERAR E CONFIAR EM CRISTO
Esperar na Vinda do Rei-Messias
Esperar na Vinda do Servo
Esperar no Único Rei-Messias e Servo!
Esperar em Jesus como o Único
Em quem Devemos Esperar?

CONCLUSÃO

CAPÍTULO 23

A Mensagem de Isaías:
O Messias

Não Deveríamos Conhecer melhor antes de Confiar em alguém?[1]

Pergunto-me que desapontamentos você carrega consigo neste momento.

Alguns dos desapontamentos mais sérios da vida têm a ver com os outros. Por um lado, pensamos nos erros de confiança que ocorrem em escalas estratosféricas. Por exemplo, a economia alemã ficou totalmente arruinada após sua derrota na Primeira Guerra Mundial. A inflação alemã subiu a níveis incontroláveis, e o povo tinha que, literalmente, levar as moedas em um carrinho de mão para comprar pão. A seguir, o país depositou sua confiança em alguém que prometia esperança. Democraticamente, o povo elegeu Adolf Hitler, líder do Partido Nacional Socialista. E Hitler traiu essa confiança nacional da forma mais trágica possível.

Por outro lado, e muito mais comum, pensamos no erro de confiança que ocorre na esfera pessoal. Essas não são coisas que aparecem nas capas de revistas ou nos livros de história. No entanto, elas causam impacto em nossa vida, como também em quem somos de forma profunda. Todos já tivemos a experiência de ser desapontado por alguém em quem depositamos nossa confiança. A pessoa feriu essa confiança. Traiu-a.

O livro de Provérbios conta-nos que "a esperança demorada enfraquece o coração" (Pv 13.12). Você já sofreu esse tipo de dor de coração? Esperar por alguém, e a pessoa não vir? Você planeja o evento, mas eles não aparecem. Você investe no relacionamento, mas as pessoas não são fiéis. Elas dizem que não farão isso de novo, mas fazem. Talvez você até tenha uma esperança e confiança extras. E mesmo essas, elas conseguem frustrar.

De início, a pessoa parecia prometer tanto, mas, agora, a essência e a substância delas são apenas desapontamento.

Por que nos concentramos tanto nas pessoas? O que faz com que tenhamos uma esperança tão alta nos outros, em especial, quando temos consciência de nossos pontos fracos? Não deveríamos conhecer melhor? Às vezes, parece que não conseguimos deixar de confiar e de ter esperança nas pessoas. Nós nos movemos em direção a um futuro desconhecido e, por isso, é natural colocarmos nossas esperanças em algum de nossos companheiros de peregrinação. Não sabemos o que acontecerá, mas, pelo menos, conhecemos as pessoas a nossa volta. Talvez elas sejam dignas da nossa confiança, da nossa esperança, da nossa fé. Todavia, a seguir, vem o desapontamento.

Poderíamos apenas rejeitar totalmente o fato de esperar e de confiar nos outros e entregar-nos ao ceticismo. O dramaturgo Anton Tchecov menciona como algumas literaturas podem ser obscuras: "Quando tudo já foi dito e feito, nenhuma literatura pode exceder o ceticismo da vida real, você não embebeda com um copo alguém que já bebeu um barril inteiro". Ou como H. L. Mencken expressou: "O cético é aquele que ao sentir o perfume de flores olha em volta à procura do esquife".

Nós desenvolvemos esse tipo de ceticismo em relação às pessoas? Como podemos confiar em alguém em vista de tanto desapontamento? Na verdade, esse equilíbrio precário entre a confiança realista e o ceticismo sombrio é tênue, estão divididos por uma linha imaginária, tão fina como o fio da navalha.

INTRODUÇÃO A ISAÍAS

O cristão tem dificuldade de escapar dos temas confiança e esperança. Eles sempre vêm à tona. Nós os examinaremos, de novo, nesta nova série sobre os profetas maiores do Antigo Testamento, intitulada "Grandes Esperanças". Os livros de Isaías, Jeremias, Ezequiel e Daniel, chamados profetas maiores, não por causa de uma posição específica que tivessem no exército israelita nem por que fossem mais importantes que os outros profetas do Antigo Testamento, mas apenas por que os seus livros são mais longos. É isso! (Lamentações, um curto cântico de pesar escrito por Jeremias, também está nesse grupo.) Esses livros oferecem quatro imagens poderosas de esperança. Cada uma delas contrasta nossa esperança verdadeira com outras coisas que podem ter similaridade com ela e até parecem convincentes, mas que, no fim, não passam de decepções.

Aqui, veremos a obra-prima do Antigo Testamento, o livro de Isaías.

Deixe-me apresentar um esboço básico de Isaías. Ele tem 66 capítulos. E o livro todo, com exceção de quatro capítulos no meio, é composto de poesias, oráculos e profecias. Os capítulos 1—35 apresentam profecias e poesias sobre

Deus e sua atitude em relação ao seu povo. A seguir, nos capítulos 36—39, a seção intermediária, a poesia se interrompe e há o registro de um evento histórico dramático: o cerco de Jerusalém pelos assírios. Nos capítulos 40—66, a profecia e a poesia aparecem de novo. Podemos dizer, de forma geral, que a primeira metade de Isaías (I—35) contém mais julgamento e melancolia, ao mesmo tempo em que a segunda metade (40—66) apresenta motivos para ter esperança. Todavia, em todo o relato, o povo de Judá é estimulado a confiar em coisas nas quais não deviam ter confiado.

O livro não está em *rigorosa* ordem cronológica. Às vezes, as pessoas, em particular os jovens cristãos, voltam-se para o Antigo Testamento e supõem que está em ordem cronológica e, portanto, seja o que for que lerem no capítulo 4 deve ter ocorrido depois do que está registrado no capítulo 2. Mas esse não é o caso no livro de Isaías. Dito isso, veremos que o livro segue uma ordem histórica *genérica*.

Ele foi escrito na segunda metade do século VIII a.C. (aproximadamente, 750-700 a.C.). Durante esse período, Judá, o Reino do Sul construído ao redor de Jerusalém, teve cinco reis distintos.

O ministério de Isaías iniciou-se no fim do governo do rei Uzias, e achamos que terminou durante o reinado de Manassés. Uzias reinou durante 52 anos. Ele foi um grande rei que, de muitas formas, trouxe de volta à nação o esplendor da época de Salomão (o reinado de Salomão acabara havia dois séculos). Durante o reinado de Uzias, o Egito, historicamente o vizinho mais poderoso de Judá no sudoeste, estava vacilante, enquanto a Assíria, seu vizinho mais poderoso no noroeste, estava preocupada com outros assuntos. Assim, Uzias tirou vantagem dessa situação e reconquistou territórios e prestígio político para a nação de Judá. Por isso, sua morte, por volta de 745 a.C., deixou algum vazio no poder. No capítulo 6, Isaías descreve o início de seu ministério com estas famosas palavras: "No ano em que morreu o rei Uzias, eu vi ao Senhor assentado sobre um alto e sublime trono; e o seu séquito enchia o templo" (6.1).

A seguir, o rei Jotão, filho de Uzias, reinou por dezesseis anos e continuou o programa do pai.

O rei Acaz, filho de Jotão, sucedeu-o e também reinou por dezesseis anos. Nessa altura, o Império Assírio crescera em força e em ambição imperial. Ele engoliu o Reino do Norte e, no fim, estendeu suas fronteiras até cerca de 12,8 quilômetros dos muros de Jerusalém. A seguir, Acaz tomou uma decisão ruim. Ele decidiu depositar sua confiança no imperador assírio. Assim, fez um tratado com ele, pagou-lhe tributo e até enviou israelitas para a Assíria a fim de estudar o estilo de adoração deles para trazê-lo para Jerusalém! Em suma, ele transformou Judá em vassala da Assíria e dos seus deuses. Acaz morreu por volta de 715 a.C.

Ezequias, filho de Acaz, sucedeu o pai no trono, reinou durante 29 anos e foi um dos melhores reis de Judá. As principais crises históricas registradas no livro de Isaías ocorreram durante o reinado dele: o cerco a Jerusalém pelos assírios (capítulos 36—37). Em certo sentido, Ezequias provocou o cerco de Jerusalém justamente por ser um rei piedoso. Ele não tolerou nem por mais um minuto a falsa adoração ou os falsos deuses do reinado de seu pai. Em vez disso, levou a nação a pôr sua esperança mais uma vez no Senhor, ao recusar-se a pagar tributo ao rei estrangeiro. Em resposta a isso, quase 200 mil tropas assírias desceram sobre a terra da Palestina. Eles destruíram uma cidade fortificada após outra até Jerusalém estar absolutamente sozinha e cercada. Mais tarde, voltaremos a essa história.

Manassés, o filho mal de Ezequias, sucedeu-o no trono e reinou por 55 anos. A tradição diz que, no início de seu reinado, Manassés capturou e prendeu Isaías, porque odiava suas profecias contra a falsa adoração que ele encorajava. A tradição também diz que o rei mandou cortar Isaías em duas partes, talvez seja a isso que o autor de Hebreus se refere aos grandes heróis da fé que foram serrados ao meio (Hb 11.37).

Todavia, no fim, esse livro não é a respeito da situação geopolítica da época de Isaías. Esse é apenas o palco em que se desenvolve o drama de Isaías. O profeta é muito claro a respeito do que se tratam suas visões. O livro inicia-se com estas palavras: "Visão de Isaías, filho de Amoz, a qual ele viu a respeito de Judá e Jerusalém, nos dias de Uzias, Jotão, Acaz e Ezequias, reis de Judá" (1.1). É uma visão sobre Judá e Jerusalém. Especificamente, sobre a rebelião de Judá e de Jerusalém: "Como se fez prostituta a cidade fiel! Ela que estava cheia de retidão! A justiça habitava nela, mas, agora, homicidas" (1.21).

Deus usou Isaías para, por intermédio do livro, pronunciar esses tipos de condenações sobre seu povo. No capítulo 5, o povo é chamado de vinha que, embora plantada por Deus, produz apenas uva brava (5.4). Deus "esperou que exercessem juízo, e eis aqui opressão; justiça, e eis aqui clamor" (5.7).

No capítulo 48, o Senhor declara-lhes: "Porque eu sabia que procederias muito perfidamente e que eras prevaricador desde o ventre" (48.8).

No capítulo 59, Isaías declara ao povo: "Mas as vossas iniqüidades fazem divisão entre vós e o vosso Deus, e os vossos pecados encobrem o seu rosto de vós, para que vos não ouça" (59.2). Alguns versículos adiante, ele diz o seguinte a respeito do povo:

> Os seus pés correm para o mal e se apressam para derramarem o sangue inocente; os seus pensamentos são pensamentos de iniqüidade; destruição e quebrantamento há nas suas estradas. Não conhecem o caminho da paz, nem há juízo nos seus

passos; as suas veredas tortuosas, as fizeram para si mesmos; todo aquele que anda por elas não tem conhecimento da paz (59.7,8; cf. Rm 3.15-17).

E no capítulo 64, Isaías lamenta:

Mas todos nós somos como o imundo, e todas as nossas justiças, como trapo da imundícia; e todos nós caímos como a folha, e as nossas culpas, como um vento, nos arrebatam. E já ninguém há que invoque o teu nome, que desperte e te detenha; porque escondes de nós o rosto e nos fazes derreter, por causa das nossas iniqüidades (64.6,7).

Foi nessa situação que Deus chamou Isaías para ser profeta. Queremos saber qual era o problema e a solução em relação ao povo da época de Isaías. E quanto a nós, queremos saber em quem devemos pôr nossa esperança e confiança? Isso é o que queremos aprender com Isaías.

O Problema: Crer nas Coisas Erradas

Portanto, como o povo de Deus se rebelou especificamente? Em suma, o povo do Senhor confiou nas coisas erradas. Vemos isso logo no início do livro:

Ouvi, ó céus, e presta ouvidos, tu, ó terra, porque fala o Senhor: Criei filhos e exalcei-os, mas eles prevaricaram contra mim. O boi conhece o seu possuidor, e o jumento, a manjedoura do seu dono, mas Israel não tem conhecimento, o meu povo não entende. Ai da nação pecadora, do povo carregado da iniqüidade da semente de malignos, dos filhos corruptores! Deixaram o Senhor, blasfemaram do Santo de Israel, voltaram para trás (1.2-4).

Confiar em outros Reis

Para quem o povo de Judá se voltou quando deu as costas a Deus? Ele voltou-se para os reis estrangeiros. À medida que os assírios tornavam-se uma ameaça mais e mais real, eles confiaram no rei do Egito. Ele tinha carros e cavaleiros. Ele podia ajudar. Certo? Errado! Isaías advertiu: "Ai dos que descem ao Egito a buscar socorro e se estribam em cavalos! Têm confiança em carros, porque são muitos, e nos cavaleiros, porque são poderosíssimos; e não atentam para o Santo de Israel e não buscam ao Senhor" (31.1). E dois versículos adiante, ele acrescenta: "Porque os egípcios são homens e não Deus; e os seus cavalos, carne e não espírito; e, quando o Senhor estender a mão, todos cairão por terra, tanto o auxiliador como o ajudado, e todos juntamente serão consumidos" (31.3).

No entanto, eles confiaram no rei assírio. Acaz fez um tratado com a Assíria para que o governante deles fosse o chefe supremo e o protetor de Judá. Assim, o rei assírio os salvaria.

A seguir, eles confiaram na Babilônia quando a coisa toda com a Assíria não deu certo. Na primeira metade do livro (1—39), a Assíria é a superpotência da região. Contudo, por volta do meio do livro, logo depois de ser levantado o cerco a Jerusalém, a Assíria começa a se desintegrar, e a Babilônia emerge. Na segunda metade do livro, Babilônia é a nação mais proeminente. O capítulo 39 relata a visita de dois embaixadores babilônios a Ezequias, em Judá, talvez para que ele se juntasse a eles em uma ameaça contra a Assíria. Por volta dessa época, ou logo depois, Judá começa a confiar nos babilônios para que estes os ajudassem.

Confiar em outros Deuses

Todavia, os judeus não apenas confiaram em outros reis, como também em outros deuses. Por isso, Isaías, ao longo do livro, ataca a idolatria do povo. O povo se "[encheu] dos costumes do Oriente" (2.6). "Também está cheia de ídolos a sua terra; inclinaram-se perante a obra das suas mãos, diante daquilo que fabricaram os seus dedos" (2.8). Fica claro que Isaías queria que eles enxergassem a estupidez do que faziam: "Vocês adoram a obra das suas mãos!" Contudo, é exatamente isso que acontece quando você e eu adoramos alguma coisa feita pelas nossas mãos, como o dinheiro, o trabalho ou até mesmo os nossos filhos: o "criador" adora algo que ele mesmo "criou".

Os judeus também consultavam espíritos: "Quando vos disserem: Consultai os que têm espíritos familiares e os adivinhos, que chilreiam e murmuram entre dentes; — não recorrerá um povo ao seu Deus? A favor dos vivos interrogar-se-ão os mortos?" (8.19)

A terra estava cheias de altares de pedra, postes dos bosques e altares de incenso (27.9).

O povo até tentou fazer um acordo com a morte!

> Ouvi, pois, a palavra do Senhor, homens escarnecedores que dominais este povo que está em Jerusalém. Porquanto dizeis: Fizemos concerto com a morte e com o inferno fizemos aliança; quando passar o dilúvio do açoite, não chegará a nós, porque pusemos a mentira por nosso refúgio e debaixo da falsidade nos escondemos (28.14,15).

E poderíamos continuar. Os capítulos 41, 44, 57 e 65 apresentam longas seções sobre a idolatria, em que o povo adorava e se entregava a coisas que não eram Deus.[2]

Confiar neles Mesmos

Claro que o povo e seus líderes confiavam também em si mesmos, além da confiança que depositavam nos reis e nos deuses estrangeiros. No capítulo 22, Isaías observa que o povo, à medida que se prepara para se defender (uma coisa boa), não confia, concomitantemente, em Deus como seu defensor (uma coisa muito ruim):

> [...] e, naquele dia, olharás para as armas da casa do bosque. E vereis as brechas da cidade de Davi, porquanto são muitas; e ajuntareis as águas do viveiro inferior. Também contareis as casas de Jerusalém e derribareis as casas, para fortalecer os muros. Fizestes também um reservatório entre os dois muros para as águas do viveiro velho, *mas não olhastes para cima, para o que o tinha feito, nem considerastes o que o formou desde a antiguidade* (22.8-11; grifo do autor).

No capítulo 29, ele adverte mais uma vez contra a autoconfiança. Deus lhes dá um livro com suas palavras, mas eles inventam todo tipo de desculpa para não lê-lo.

> Porque o Senhor derramou sobre vós um espírito de profundo sono e fechou os vossos olhos, os profetas; e vendou os vossos líderes, os videntes. Pelo que toda visão vos é como as palavras de um livro selado que se dá ao que sabe ler, dizendo: Ora, lê isto; e ele dirá: Não posso, porque está selado. Ou dá-se o livro ao que não sabe ler, dizendo: Ora, lê isto; e ele dirá: Não sei ler. Porque o Senhor disse: Pois que este povo se aproxima de mim e, com a boca e com os lábios, me honra, mas o seu coração se afasta para longe de mim, e o seu temor para comigo consiste só em mandamentos de homens, em que foi instruído; eis que continuarei a fazer uma obra maravilhosa no meio deste povo; uma obra maravilhosa e um assombro, porque a sabedoria dos seus sábios perecerá, e o entendimento dos seus prudentes se esconderá. Ai dos que querem esconder profundamente o seu propósito do Senhor! Fazem as suas obras às escuras e dizem: Quem nos vê? E quem nos conhece? Vós tudo perverteis, como se o oleiro fosse ao barro, e a obra dissesse do seu artífice: Não me fez; e o vaso formado dissesse do seu oleiro: Nada sabe (29.10-16).

Confiar em seus Líderes Infiéis

O povo até confiava, da forma errônea, nas boas dádivas que Deus lhes dera — por exemplo, os seus líderes. O povo deveria demonstrar em quem realmente confiavam ao se recusar a seguir seus líderes na desobediência, quando os planos destes diferiam dos do Senhor (veja 3.1-3,14). Mas eles não fizeram isso: apenas seguiram seus líderes.

Reconhecidamente, essas oportunidades para provar onde repousamos nossa obediência máxima surgem de forma sutil e surpreendente. Todavia, essas ocasiões ajudam-nos a discernir se confiamos da forma correta ou errônea no líder que Deus nos deu. Sempre que o líder apontado pelo Senhor quiser afastar o povo dos caminhos de Deus, não devemos segui-lo. Nossa obediência deve permanecer com Deus.

Acaz era da linha de reis instituída por Deus. Contudo, ele abandonou o Senhor. E o povo seguiu-o. Como eles poderiam saber melhor o que fazer? Eles *saberiam* mais ao ouvir a Palavra do Senhor. Se o coração e a esperança deles tivessem sido treinados no que Deus revelou de si mesmo em sua Palavra, se tivessem confiado e esperado nEle como protetor deles, não se deixariam desviar.

Em quem Devemos Confiar?

Nós, os cristãos, não somos exatamente o povo de Judá do Antigo Testamento, mas somos semelhantes. Somos o povo especial de Deus e, com freqüência, temos a tentação, individual e coletiva, de repousar nossa confiança nas coisas erradas.

O que o motiva em sua vida? Quais são seus objetivos, suas ambições, seus propósitos reais? E em que você confia para realizar esses fins? Aquilo em que você espera é suficiente para concentrar todo o seu ser? E no que você confia é algo suficiente para carregá-lo ao longo de toda sua vida? Talvez isso pareça suficiente por um tempo. No entanto, o tempo dirá se é suficiente. O que o tempo revelará em *sua* vida sobre o que *você* confia?

E a respeito da igreja? Muitas igrejas confiam em outras coisas e não em Deus. Essa coisa é a música? O crescimento da igreja? Em nossa cultura, é muito mais fácil o crescimento numérico — números por escrito — ser um ídolo do que as imagens esculpidas. Supomos que o aumento no número de pessoas que atravessam a porta da igreja aos domingos de manhã significa que estamos fazendo a coisa certa? No que a igreja é tentada a confiar?

Recentemente, conversei com um amigo que preparava um artigo para publicação em um jornal, o qual destacava a unicidade e exclusividade do evangelho cristão nas missões estrangeiras. Ele planejava dar ao artigo o título de: "Conte-me a Velha, Velha História" (baseado no hino antigo de mesmo nome) porque enfatizava a natureza imutável do evangelho. Bem, eu disse-lhe que essa era uma grande tese, mas preocupava-me com o fato de o próprio título explorar muito pesadamente o *sentimentalismo* como aliado e prova do evangelho. As palavras — "Conte-me a Velha, Velha História" — pedem-nos para crer na credibilidade das afirmações exclusivas de Cristo fundamentando-nos no fato de termos lembranças cálidas de muito tempo atrás ou da época da infância. Todavia, amigo, temos de ter cuidado antes de confiar nos sentimentos. Nem sempre os sentimentos são bons. Nem tudo que nossa avó nos contava é verdade.

Nós, os cristãos, devemos confiar apenas no evangelho de Jesus Cristo. Em conclusão, não há pastor, não há estrutura renovada a que se submeta, não há programas incontestáveis que adote que sejam dignos da sua confiança. Apenas Deus é digno da nossa confiança. E é exatamente isso que Isaías continua a dizer.

A Solução: Confiar em Deus

O único foco certo para a esperança do povo do Senhor é Ele e, por isso, apenas Ele é o objeto certo para a confiança deles.

No capítulo 40, Isaías põe os ídolos lado a lado com Deus a fim de demonstrar a futilidade e a loucura de acreditar em qualquer outra coisa além do Senhor eterno, o Criador dos confins da terra:

> A quem, pois, fareis semelhante a Deus ou com que o comparareis? O artífice grava a imagem, e o ourives a cobre de ouro e cadeias de prata funde para ela. O empobrecido, que não pode oferecer tanto, escolhe madeira que não se corrompe; artífice sábio busca, para gravar uma imagem que se não pode mover. Porventura, não sabeis? Porventura, não ouvis? Ou desde o princípio se vos não notificou isso mesmo? Ou não atentastes para os fundamentos da terra? Ele é o que está assentado sobre o globo da terra, cujos moradores são para ele como gafanhotos; ele é o que estende os céus como cortina e os desenrola como tenda para neles habitar; o que faz voltar ao nada os príncipes e torna coisa vã os juízes da terra. E não se plantam, nem se semeiam, nem se arraiga na terra o seu tronco cortado; sopra sobre eles, e secam-se; e um tufão, como pragana, os levará. A quem pois me fareis semelhante, para que lhe seja semelhante? — diz o Santo. Não sabes, não ouviste que o eterno Deus, o Senhor, o Criador dos confins da terra, nem se cansa, nem se fatiga? Não há esquadrinhação do seu entendimento (40.18-25,28).

Os ídolos em que confiavam não eram nada em comparação com o Deus verdadeiro![3]

A ocasião em que Isaías teve sua grande visão de Deus não foi um acaso. Isaías pôde ver o *verdadeiro* Rei, sentado no alto e levantado, quando o rei em quem o povo confiava morreu:

> No ano em que morreu o rei Uzias, eu vi ao Senhor assentado sobre um alto e sublime trono; e o seu séquito enchia o templo. Os serafins estavam acima dele; cada um tinha seis asas: com duas cobriam o rosto, e com duas cobriam os pés, e com duas voavam. E clamavam uns para os outros, dizendo: Santo,

> Santo, Santo é o Senhor dos Exércitos; toda a terra está cheia da sua glória. E os umbrais das portas se moveram com a voz do que clamava, e a casa se encheu de fumaça (6.1-4).

Esse é aquEle em quem o povo do Senhor sempre deveria ter confiado. Nunca deveriam ter confiado em um líder político como Uzias, por mais devoto que ele fosse. Afinal, ele morreu! Esse fato não é insignificante. Deus chamou-os a confiar apenas nEle e usou Isaías para mostrar-lhes que Ele, e somente Ele, era digno da confiança do povo.

Confiar no Julgamento Vindouro de Deus

Como o Senhor anunciou, Ele julgaria seu povo e as nações. Grande parte desse livro apresenta oráculos que prometem o julgamento de Deus. Isaías alerta: "Porque será o dia da vingança do Senhor" (34.8).

Nos capítulos 13—24, Isaías promete o julgamento de Deus sobre uma nação após a outra. No capítulo 13, o barulho da ira de Deus chega à Babilônia. Ela ressoa na Assíria, em Moabe, em Damasco, na Etiópia, no Egito e, nos capítulos seguintes, de novo, na Babilônia, em Edom e na Arábia. No capítulo 22, Jerusalém ouve o ruído do julgamento de Deus. No capítulo 23, é a vez de Tiro ouvir. E no capítulo 24, essa visão da tempestade do julgamento do Senhor alcança sua catástrofe final.

> Eis que o Senhor esvazia a terra, e a desola, e transtorna a sua superfície, e dispersa os seus moradores. E o que suceder ao povo sucederá ao sacerdote; ao servo, como ao seu senhor; à serva, como à sua senhora; ao comprador, como ao vendedor; ao que empresta, como ao que toma emprestado; ao que dá usura, como ao que paga usura. De todo se esvaziará a terra e de todo será saqueada, porque o Senhor pronunciou esta palavra (24.1-3).

Confiar na Libertação e na Salvação Vindouras de Deus

Deus deve ser o único em quem devemos confiar não apenas porque trará julgamento, mas também porque Ele trará libertação e salvação.

Logo antes de haver o soar do julgamento de Deus, no capítulo 13, Isaías apresenta o cântico que será entoado no dia futuro de libertação: "Eis que Deus é a minha salvação; eu confiarei e não temerei porque o Senhor Jeová é a minha força e o meu cântico e se tornou a minha salvação".[4]

No capítulo 33, encontramos algo semelhante: "Porque o Senhor é o nosso Juiz; o Senhor é o nosso Legislador; o Senhor é o nosso Rei; ele nos salvará" (33.22).

Esta é exatamente a lição que Deus ensina em estilo histórico dramático. Ele promete salvar e cumpre sua promessa. Como vimos antes, as tropas assírias cercaram Jerusalém. E agora, ao retomar a história, vemos que o comandante assírio continua, em hebraico, a ameaçar os habitantes da cidade. Vários líderes israelitas pedem que o comandante fale em aramaico a fim de não agitar as massas de ouvintes israelitas, cuja maioria não entendia aramaico, mas ele continua em hebraico com o intuito de que todo o povo ouvisse. Ele grita:

> Não vos engane Ezequias, dizendo: O Senhor nos livrará. Porventura, os deuses das nações livraram cada um a sua terra das mãos do rei da Assíria? Onde estão os deuses de Hamate e de Arpade? Onde estão os deuses de Sefarvaim? Porventura, livraram eles a Samaria das minhas mãos? Quais são eles, dentre todos os deuses desses países, os que livraram a sua terra das minhas mãos, para que o Senhor livrasse a Jerusalém das minhas mãos? (36.18-20)

Ele realmente não deveria ter dito isso! É claro que a Assíria era uma nação com poder muito forte, mas ele não deveria ter ido tão longe a ponto de dizer que o exército assírio estava além da capacidade do Senhor de libertar seu povo.

E, no capítulo seguinte, obviamente, o Senhor manda Isaías dizer ao rei Ezequias para que este relate ao rei assírio o que Deus pensa da ameaça assíria:

> Então, Isaías, filho de Amoz, mandou dizer a Ezequias: Assim diz o Senhor, o Deus de Israel: Quanto ao que me pediste acerca de Senaqueribe, rei da Assíria, esta é a palavra que o Senhor falou a respeito dele: A virgem, a filha de Sião, te despreza e de ti zomba; a filha de Jerusalém meneia a cabeça por detrás de ti (37.21,22).

Lembre-se, essas palavras são dirigidas a um rei que cercava Jerusalém com 185 mil soldados!

> A quem afrontaste e de quem blasfemaste? E contra quem alçaste a voz e ergueste os olhos ao alto? Contra o Santo de Israel! Por meio de teus servos, afrontaste o Senhor e disseste: Com a multidão dos meus carros subi eu aos cumes dos montes, aos últimos recessos do Líbano; e cortarei os seus altos cedros e as suas faias escolhidas e entrarei no seu cume mais elevado, no bosque do seu campo fértil. Eu cavei e bebi as águas; e, com a planta de meus pés, sequei todos os rios do Egito. Porventura, não ouviste que já muito antes eu fiz isso e que já desde os dias antigos o tinha pensado? Agora, porém, se cumpre, e eu quis que fosses tu que destruísses as cidades fortes e as reduzisses a montões assolados. Por isso, os seus moradores, com as mãos caídas, andaram atemorizados e envergonhados; eram como a erva do campo, e a erva verde, e o feno dos telhados, e o trigo queimado antes

do crescimento. Mas eu conheço o teu assentar, e o teu sair, e o teu entrar, e o teu furor contra mim. Por causa da tua raiva contra mim e porque a tua arrogância subiu até aos meus ouvidos, eis que porei o meu anzol no teu nariz e o meu freio, nos teus lábios e te farei voltar pelo caminho por onde vieste (37.23-29).

E foi exatamente isso que aconteceu. Deus libertou Jerusalém de 185 mil soldados assírios:

> Então, saiu o Anjo do Senhor e feriu, no arraial dos assírios, a cento e oitenta e cinco mil; e, quando se levantaram pela manhã cedo, eis que tudo eram corpos mortos. Assim, Senaqueribe, rei da Assíria, se retirou, e se foi, e voltou, e ficou em Nínive. E sucedeu que, estando ele prostrado na casa de Nisroque, seu deus, Adrameleque e Sarezer, seus filhos, o feriram à espada; e eles fugiram para a terra de Ararate; e Esar-Hadom, seu filho, reinou em seu lugar (37.36-38).

Quando Jerusalém não tinha outra esperança, Deus veio como o Salvador deles.

Em quem Devemos Confiar?

Como vemos no livro de Isaías, Deus é absolutamente único. Não há ninguém como Ele. Ninguém mais tem a pureza moral do Senhor. Ninguém mais é justo como o Senhor. E ninguém mais é amoroso como o Senhor. Na verdade, no livro de Isaías, uma das coisas mais admiráveis que observamos é a tenacidade do amor de Deus por seu povo infiel. Uma vez após outra, eles afastam-se de Deus e o rejeitam. Eles confiam em outras coisas. E Deus, com tenacidade, procura-os vez após vez.

Tente pensar em algumas pessoas da sua vida que sempre parecem estar certas. Há uma boa chance de que você as ache um tanto irritantes. Talvez a justiça delas seja um pouco desajeitada demais. Às vezes, elas estão certas no momento errado. Talvez você ache que, às vezes, a percepção que têm da própria justiça, afinal, não esteja tão certa.

Por outro lado, pense em alguma pessoa da sua vida que seja sempre amorosa. Pessoas que o amam sem questionar. Elas são fiéis nesse amor. Bem, pergunto-me se você já sentiu que essas pessoas, na verdade, são um pouco indulgentes. Talvez elas não tenham se oposto a você quando deveriam. Elas querem sempre certificá-lo do amor delas por você e, por isso, deixaram você escapar de coisas que não deveriam ter deixado.

O livro de Isaías apresenta um retrato de Deus que mostra por que Ele é tão digno da confiança do seu povo. Ele não é como aqueles outros reis. Com certeza, Ele não é como os ídolos falsos. Não é nem mesmo como nossos melhores amigos, os que são mais justos, ou mais amorosos, conosco. Ele é perfeitamente justo e perfeitamente amoroso o tempo todo! É difícil concebermos isso, pois não vivenciamos algo assim com nenhuma pessoa com quem convivemos — jamais! Não obstante, esse é o retrato que Isaías apresenta: o Deus que é perfeitamente santo e perfeitamente amoroso.

Há poucos dias, fui a um casamento em Louisville, Kentucky, e foi um acontecimento bonito. Ele aconteceu em uma igreja adorável e, como a maioria dos casamentos, tudo estava muito bem preparado. Havia música bonita. Todos sabiam o lugar exato em que deveriam ficar. As leituras foram escolhidas e selecionadas com cuidado. As comidas servidas depois foram planejadas e apresentadas com cuidado. E, todavia, todo esse cuidado com todo o evento voltou-se, na verdade, para o próprio casal. Eles ficaram em pé no meio. Nós olhávamos para eles. Escutávamos o que diziam.

Em um sentido, Isaías faz isso. Ao longo do livro, observamos o trabalho e planejamento elaborado de Deus, mas, no fim, é como se ele quisesse que nos concentrássemos em algo ainda mais específico. Sim, Deus é a solução para o problema de confiança do povo, porém, Isaías aponta o foco para algo mais que isso. A solução não é apenas dizer: "Deus". Parece que o verdadeiro esteio para a esperança do povo dEle está em uma pessoa, o Messias.

A Solução Apontada: Esperar e Confiar em Cristo

À medida que lemos Isaías, fica cada vez mais claro que o grande plano de Deus para seu povo e para o mundo reduz-se a uma pessoa. "Portanto, assim diz o Senhor Jeová: Eis que eu assentei em Sião uma pedra, uma pedra já provada, pedra preciosa de esquina, que está bem firme e fundada; aquele que crer não se apresse" (28.16).

Uma pedra? Uma pedra testada? Uma pedra preciosa de esquina?

O povo tinha um senso inato de como todo o plano de Deus se voltaria para um indivíduo, quer um dos reis deles, quer um rei estrangeiro. Claro que esse senso inato não era uma exclusividade deles. O coração de todos nós tem esse desejo embutido de esperar e de confiar em algum indivíduo que conhecemos, ou conheceremos, e que cuidará de nós. Colocamos essa esperança em qualquer pessoa, de candidatos a presidente líderes religiosos.

Esperar na Vinda do Rei-Messias

Na primeira metade de Isaías, o profeta instrui o povo a olhar para a imagem do Messias. Bem, no Antigo Testamento todo rei de Israel e de Judá era um "messias". Messias significa apenas "o ungido". Todavia, esse era o Messias. Esse era o Rei dos reis que Deus revelou para Isaías. "Reinará um rei com justiça, e dominarão os príncipes segundo o juízo" (32.1).

Esse que vem seria muito mais que apenas um bom rei:

> Porque um menino nos nasceu, um filho se nos deu; e o principado está sobre os seus ombros; e o seu nome será Maravilhoso Conselheiro, Deus Forte, Pai da Eternidade, Príncipe da Paz. Do incremento deste principado e da paz, não haverá fim, sobre o trono de Davi e no seu reino, para o firmar e o fortificar em juízo e em justiça, desde agora e para sempre (9.6,7).

Na verdade, esse chamado de "Maravilhoso Conselheiro" e de "Deus Forte" teria o Espírito de Deus sobre si de forma especial: "E repousará sobre ele o Espírito do Senhor, e o Espírito de sabedoria e de inteligência, e o Espírito de conselho e de fortaleza, e o Espírito de conhecimento e de temor do Senhor" (11.2; cf. 11.1-5).

Esperar na Vinda do Servo

Deus prometeu a vinda desse personagem real para seu povo, porém, na segunda metade do livro de Isaías, vemos emergir outro personagem que Deus chama de "meu Servo". Esse Servo também teria o Espírito de Deus sobre Ele e também traria justiça para as nações (veja 42.1-4). Ele também salvaria os judeus e os gentios e traria salvação para os confins da terra (veja 49.1-7).

Mas nem tudo seria brilho para esse Servo. Ele ouviria a *Deus*, mas nem todos ouviriam a *Ele*:

> O Senhor Jeová me deu uma língua erudita, para que eu saiba dizer, a seu tempo, uma boa palavra ao que está cansado. Ele desperta-me todas as manhãs, desperta-me o ouvido para que ouça como aqueles que aprendem. O Senhor Jeová me abriu os ouvidos, e eu não fui rebelde; não me retiro para trás. As costas dou aos que me ferem e a face, aos que me arrancam os cabelos; não escondo a face dos que me afrontam e me cospem. Porque o Senhor Jeová me ajuda, pelo que me não confundo; por isso, pus o rosto como um seixo e sei que não serei confundido. Perto está o que me justifica; quem contenderá comigo? Compareçamos juntamente; quem é meu adversário? Chegue-se para mim. Eis que o Senhor Jeová me ajuda; quem há que me condene? Eis que todos eles, como vestes, se envelhecerão, e a traça os comerá. Quem há entre vós que tema ao Senhor e ouça a voz do seu servo? (50.4-10a)

O livro de Isaías, do começo ao fim, brada esta pergunta: Como um Deus santo perdoaria e restauraria o próprio povo que o acusou de desobediência? Eles até bateriam, zombariam e cuspiriam nesse Servo!

Bem, esse mesmo Servo responde a essa pergunta, em especial, na passagem notável que sempre lemos na igreja: Isaías 52.13—53.12. Neste momento, vejamos apenas o final dessa passagem: "O trabalho da sua alma ele verá e ficará satisfeito; com o seu conhecimento, o meu servo, o justo, justificará a muitos, porque as iniquidades deles levará sobre si" (53.11). O bater, o zombar e o cuspir serviriam para um fim inesperado.

Em Isaías, a solução de Deus não é apenas uma imagem abstrata, desfocada de si mesmo como libertador; é o retrato nítido de uma pessoa, um Servo. Esse Servo ouve a Deus com perfeição e, no entanto, sofre e é rejeitado a fim de pôr sobre si os pecados do povo do Senhor.

Esperar no Único Rei-Messias e Servo!

O mais notável é que esse *Rei* e esse *Servo* sobre quem o Espírito repousa são realmente a mesma pessoa! Que união maravilhosa! Isso aponta para a visão de João em Apocalipse 5 em que um ancião celestial conta a João que o Leão da tribo de Judá triunfou. João tenta ver o Leão, mas o que ele vê? Um Cordeiro que foi morto. O Cordeiro é o Leão (veja Ap 5.6,7). Da mesma forma, talvez o leitor, na primeira metade de Isaías, pergunte-se onde está o grande Rei? Leia a segunda metade do livro e veja esse Servo sofredor que carrega a iniquidade do povo. Ele é o Rei!

Na verdade, vemos que Ele é "Emanuel" (7.14). Como vimos, Ele é "Deus Forte" (9.6). Ele é aquEle que trará salvação até os confins da terra e libertará todos nós! Essa é a mensagem do livro de Isaías.

Esperar em Jesus como o Único

E quem é o Único? O capítulo 61 fornece uma tremenda pista:

> O Espírito do Senhor Jeová está sobre mim, porque o Senhor me ungiu para pregar boas-novas aos mansos; enviou-me a restaurar os contritos de coração, a proclamar liberdade aos cativos e a abertura de prisão aos presos; a apregoar o ano aceitável do Senhor e o dia da vingança do nosso Deus; a consolar todos os tristes (61.1,2).

Lucas, centenas de anos depois de Isaías escrever essas palavras, registrou este relato na vida de Jesus de Nazaré. Após descrever o episódio em que Jesus resiste à tentação de Satanás no deserto, Lucas continua a contar o início do ministério público de Jesus:

Então, pela virtude do Espírito, voltou Jesus para a Galiléia, e a sua fama correu por todas as terras em derredor. E ensinava nas suas sinagogas e por todos era louvado. E, chegando a Nazaré, onde fora criado, entrou num dia de sábado, segundo o seu costume, na sinagoga e levantou-se para ler. E foi-lhe dado o livro do profeta Isaías; e, quando abriu o livro, achou o lugar em que estava escrito: O Espírito do Senhor é sobre mim, pois que me ungiu para evangelizar os pobres, enviou-me a curar os quebrantados do coração, a apregoar liberdade aos cativos, a dar vista aos cegos, a pôr em liberdade os oprimidos, a anunciar o ano aceitável do Senhor. E, cerrando o livro e tornando a dá-*lo* ao ministro, assentou-se; e os olhos de todos na sinagoga estavam fitos nele. Então, começou a dizer-lhes: Hoje se cumpriu esta Escritura em vossos ouvidos (Lc 4.14-21).

Jesus cumpre Isaías 61! Jesus é o Rei. Jesus é o Servo. Ele veio por nós, seu povo.

Em quem Devemos Esperar?

O cristianismo não é um conjunto abstrato de idéias, e Isaías mostra-nos que Deus é um amante tenaz e pessoal. Ele conhece nossos sofrimentos, nossas dores, nossos amores. Ele conhece tudo sobre nós, até os nossos pecados.

Contudo, Ele também é santo e, por isso, teve de descobrir uma forma de amar a nós, ímpios, e ainda manter sua justiça e retidão. Como Ele fez isso? Em Cristo, Deus se fez homem, teve uma vida perfeita e morreu na cruz pondo sobre si os pecados de todos que se arrependerem e crerem nEle. A cruz de Cristo satisfaz as exigências da santidade e do amor de Deus para que todos os pecadores possam ser perdoados. Você quer o perdão de Deus? Jesus disse que veio pelo doente, não pelo saudável; pelo pecador, não pelo justo. Você é doente e pecador? Então, arrependa-se de seus pecados e creia em Cristo. Volte seus olhos para esse Servo que suporta seus pecados e que, um dia, voltará para reinar vitorioso como o Rei dos reis e o Senhor dos senhores.

O cristianismo está centrado em Jesus como o Rei-Messias e o Servo que nos reapresenta pessoalmente a Deus, motivo pelo qual o cristianismo modela-se tão bem a uma reunião de pessoas, como a da Igreja. Ele é mais que um trabalho individual por meio dos quatro pontos esboçados no evangelho — Deus, homem, Cristo, resposta —, ou que tomar uma decisão, por mais importante que essas coisas sejam. O cristianismo é mais bem visto como uma interação contínua de uns cristãos com os outros, interação essa que mostra ao mundo alguma coisa sobre o Rei e o Servo, sobre como Ele nos ama e o que representa conhecê-lo.

Conclusão

Esta semana, ao ler Isaías, fiquei, de início, perplexo por esse livro se referir muito à rebelião do povo de Deus contra Ele. A seguir, fiquei perplexo pela grande ênfase que o livro dá ao julgamento de Deus *contra* seu povo e a seu amor *por* eles. Esse livro, indiscutivelmente, é muito mais sobre a preocupação tenaz de Deus em julgar e em amar seu povo que sobre o amor do seu povo por Ele. É surpreendente que, apesar de toda a poesia desse livro, dificilmente encontremos qualquer louvor. Em todo o livro há apenas dois ou três salmos de louvor. Em vez disso, o livro apresenta muitas falas de Deus para seu povo em que o Senhor lhes conta sobre si mesmo e sobre seu amor por eles, quer esse amor se manifeste por seu julgamento da maldade deles, quer se manifeste por sua promessa de libertação futura. O livro todo é sobre o amor de Deus por seu povo, não sobre o amor do seu povo por Ele. Ao comparar seu povo com uma vinha, Deus declara: "Eu, o Senhor, a guardo e, a cada momento, a regarei; para que ninguém lhe faça dano, de noite e de dia a guardarei" (27.3).

Se quisermos ter qualquer esperança, devemos fundamentá-la nEle, não em nós mesmos. Infelizmente, muito do que se passa por cristianismo faz exatamente o oposto disso. Você já percebeu quantos de nossos hinos e cânticos cristãos são sobre nosso amor por Deus? Eles declaram a Deus nosso deleite em estar na presença dEle, o muito que o amamos, o muito que gostamos de conversar com Ele, o muito que gostamos de andar com Ele, o muito que gostamos seja do que for com Ele. Nenhuma dessas coisas, em si mesmas, é ruim. Todavia, nossa única esperança, como a do povo de Deus do Antigo Testamento, está no amor tenaz, diligente, do Senhor por nós, demonstrado de forma mais maravilhosa em Cristo. Não fomos nós que buscamos a Jesus do céu. O Servo vem para a Terra. O Servo assume a carne. O Servo vai para a cruz e morre, levando sobre si a iniqüidade do seu povo. E, após três dias, o Servo, o verdadeiro Rei, ressuscita; e Ele voltará a fim de reunir seu povo e estabelecer seu governo com poder!

Assim, quem é o povo que Deus ama? Nesse livro, em quem está concentrada a preocupação dEle? Naqueles que se arrependem de seus pecados: "E virá um Redentor a Sião e aos que se desviarem da transgressão em Jacó, diz o Senhor" (59.20).

Mas observe que esses "penitentes" incluem mais que o povo de Israel:

> Assim diz o Senhor Jeová, que ajunta os dispersos de Israel: Ainda ajuntarei outros aos que já se ajuntaram (56.8).

> Mas tu és nosso Pai, ainda que Abraão nos não conhece, e Israel não nos reconhece. Tu, ó Senhor, és nosso Pai; nosso Redentor desde a antiguidade é o teu nome (63.16).

Esses "penitentes" são os humildes e contritos:

Mas eis para quem olharei: para o pobre e abatido de espírito e que treme diante da minha palavra (66.2b).

Esses "penitentes" respondem ao convite do Messias e o buscam:

Ó vós todos os que tendes sede, vinde às águas, e vós que não tendes dinheiro, vinde, comprai e comei; sim, vinde e comprai, sem dinheiro e sem preço, vinho e leite. Por que gastais o dinheiro naquilo que não é pão? E o produto do vosso trabalho naquilo que não pode satisfazer? Ouvi-me atentamente e comei o que é bom, e a vossa alma se deleite com a gordura. Inclinai os ouvidos e vinde a mim; ouvi, e a vossa alma viverá; porque convosco farei um concerto perpétuo, dando-vos as firmes beneficências de Davi. [...] Buscai ao Senhor enquanto se pode achar, invocai-o enquanto está perto. Deixe o ímpio o seu caminho, e o homem maligno, os seus pensamentos e se converta ao Senhor, que se compadecerá dele; torne para o nosso Deus, porque grandioso é em perdoar. Porque os meus pensamentos não são os vossos pensamentos, nem os vossos caminhos, os meus caminhos, diz o Senhor. Porque, assim como os céus são mais altos do que a terra, assim são os meus caminhos mais altos do que os vossos caminhos, e os meus pensamentos, mais altos do que os vossos pensamentos. Porque, assim como descem a chuva e a neve dos céus e para lá não tornam, mas regam a terra e a fazem produzir, e brotar, e dar semente ao semeador, e pão ao que come, assim será a palavra que sair da minha boca; ela não voltará para mim vazia; antes, fará o que me apraz e prosperará naquilo para que a enviei (55.1-3,6-11).

No que você acredita hoje? Em que você espera? O que você tenta beber até chegar aos resíduos a fim de encher sua alma? Ele diz a você que está sedento: "Vem". Nada mais o encherá e o satisfará. E nada mais, como Deus mostrou-nos em Jesus, agüentará o peso da sua vida como Ele.

Deus ama os que confiam nEle, e os que esperam nEle, e os que se guiam por Ele. Essa é a mensagem que o Senhor nos transmite por intermédio de seu servo Isaías.

Oremos:

Deus, ajude-nos a nos enxergar a fim de que vejamos como somos distintos do Senhor. Deus, oramos para que as outras coisas que superam o Senhor em nosso coração, aquelas coisas a que somos tão ligados e que podem obscurecê-lo; Pai — oramos para que o Senhor em seu amor as tire de lá. Deus, oramos para que o Senhor se faça o objeto exclusivo de nossa devoção. Ensina-nos sobre sua santidade, e nossa pecaminosidade, e seu amor ao enviar o Servo para levar nossas iniquidades sobre seu corpo no madeiro. Deus, oramos para que seu Espírito nos encha e ganhe nosso coração para o Senhor. Deus, oramos para que demonstremos em toda nossa vida, como indivíduos e como Igreja, que confiamos no Senhor. Oramos por causa de Jesus. Amém.

Questões para Reflexão

1. Como vimos no início do sermão, exercitamos a confiança nas pessoas de forma individual e coletiva. Os objetos de confiança que compartilhamos coletivamente — quer seja a nação, quer seja a igreja, quer seja outro grupo a que pertençamos — afetam os objetos da nossa confiança individual? Em outras palavras, há relação entre nossa confiança coletiva e a mais pessoal? Você tem a tendência de confiar no que as pessoas a sua volta confiam? Se sim, como você pode discernir qual é o objeto certo para sua confiança e o que não é?
2. Como se manifesta a confiança errônea nos líderes políticos de um país? E a confiança certa nos líderes políticos do país?
3. Hoje, os ocidentais não confiam, intrinsecamente, nos deuses assírios, nem nos babilônios e, tampouco, nos deuses de outros países. Em que deuses a maioria das pessoas confiam?
4. A afirmação feita neste sermão de que temos um desejo embutido de confiar em algum indivíduo é verdadeira? Onde percebemos evidências dessa afirmação? Onde você vê isso em sua vida?
5. A autoconfiança é boa?
6. Como vimos, hoje, entre as igrejas evangélicas é muito mais fácil os "números por escrito" (ou seja, o crescimento de "estar presente") se transformar em ídolos do que as imagens esculpidas. Em outras palavras, é fácil supor que a igreja está fazendo a coisa certa contanto que o número de pessoas que atravessam a sua porta nas manhãs de domingo aumente. O que está errado nessa forma de pensar? A que caminhos inúteis isso pode nos levar? Como a igreja pode evitar transformar a representação numérica em um ídolo?
7. Qual a relação entre confiança e esperança? Elas são a mesma coisa?
8. Consideramos o fato de que devemos confiar em Deus porque Ele é aquEle que trará julgamento. Mas por que exatamente devemos confiar naquEle que trará julgamento? O que o julgamento dEle tem a ver com a nossa confiança?
9. Neste sermão, examinamos o fato de Cristo ser Rei e Servo sofredor. Como a natureza dupla da obra dEle capacita-o a salvar os pecadores condenados como nós?

10. Tire alguns minutos para ler Isaías 52.13—53.12. Sobre o que essa passagem fala? Por que ela é o cerne das Boas Novas que os cristãos têm para contar ao mundo?
11. Se você é cristão, gasta mais tempo em orações e em cânticos em que você conta ao Senhor quanto o ama, ou agradecendo-o e louvando-o pelo muito que Ele o ama? Qual a melhor forma de aprender sobre o amor de Deus por nós?
12. Em quem você espera? Em quem você confia?

Notas

Capítulo 23

[1] A data de pregação original deste sermão foi em 6 de julho de 1997, na Capitol Hill Baptist Church, em Washington, D.C.
[2] 41.22-24; 44.9-20; 57.6-9; 65.2-5.
[3] Veja 43.10,15; 44.6-21; 45.5-7,18,20,21; 46.1-9; 48.5-15; 51.12,13.
[4] 12.2; veja também 25.8,9; 26.

A MENSAGEM DE JEREMIAS: JUSTIÇA

JUSTIÇA REAL

INTRODUÇÃO A JEREMIAS

JUSTIÇA PARA O POVO DE DEUS (CAPS. I—45,52)
O Motivo do Julgamento
A Promessa de Julgamento
A Prioridade do Julgamento
O Mensageiro do Julgamento

JUSTIÇA PARA A BABILÔNIA E PARA AS NAÇÕES (CAPS. 46—51)

CONCLUSÃO

CAPÍTULO 24

A Mensagem de Jeremias:
Justiça

JUSTIÇA REAL[1]

A injustiça está nos olhos do observador. Pelo menos, essa é a forma como nossa terra controversa vê isso hoje. Sutilmente, a noção de que todos estão certos substitui a crença de que todos têm o direito de acreditar no que quiserem. E em uma terra em que, usando uma frase bíblica, todos "são sábios a seus próprios olhos", bem, fazer justiça fica mais difícil, senão impossível. Afinal, como podemos dizer que qualquer coisa está *errada*?

Contudo, algumas coisas ainda *parecem*, por natureza, erradas para nós. Pense nas histórias que talvez, nas últimas semanas, tenha visto na televisão ou lido no jornal. Imagino que você leia, pelo menos, uma história que, no íntimo, sinta que "é errada", ou que "esse não deveria ser o caminho". Acredito que um pouco dessa voz permanece em todos nós chamando certas coisas não de apenas pessoalmente ofensivas, mas moralmente ruins.

Pergunto-me se você sabe o que é um "colaboracionista". Vidkun Quisling era membro do exército norueguês e, em 1933, fundou o Partido Socialista Nacional na Noruega. Seis anos depois, ele encontrou-se com Adolf Hitler e estimulou-o a invadir seu próprio país, a Noruega. Em abril de 1940, quatro meses após esse encontro, Hitler fez isso. A Alemanha invadiu a Noruega, o que lhes deu acesso ao mar e às bases aéreas estratégicas para as operações deles contra o Reino Unido. A invasão foi rápida, porém, não sem derramamento de sangue. O pequeno país norueguês pagou um grande preço, e muitos noruegueses culparam Quisling pelo sofrimento da Noruega. Ele serviu no governo fantoche que a Alemanha ali instalou. Nessa posição, foi responsável por muitas atrocidades, entre elas o envio de centenas de judeus para campos de concentração. Em maio de 1945, quando a Noruega livrou-se do governo alemão, Quisling foi imediatamente preso, julgado, considerado culpado de traição e executado. Talvez você tenha ouvido falar dele, porque, a partir dessa época, o nome dele se transformou em sinônimo de infâmia em mais de uma língua. O nome dele, Quisling, significa "traidor", em particular, a pessoa que colabora com o inimigo para destruir seu próprio país — equivalente a "Benedict Arnold", nos Estados Unidos.

É uma história triste, mas Quisling recebeu a justiça que merecia, certo? Por um tempo, parecia que ele não receberia o pagamento por sua injustiça. O poder da nação alemã apoiou a ele e a sua posição no governo. Mas no fim, vemos que a justiça foi feita.

Pelo menos, parece que recebeu o pagamento por sua injustiça.

Mas *havia* todas as pessoas que morreram em campos de concentração. E *havia* todas as pessoas que morreram na invasão alemã. Você começa a se perguntar se a execução de um homem realmente paga por tanto sofrimento e desgraça. Você pode até se perguntar que esperança há de justiça verdadeira?

Essa é uma boa pergunta. Que esperança há de justiça — justiça verdadeira! — em mundo repleto de golpes aviltantes, e roubos, e incêndios, e bombas, como também de crueldades invisíveis que não são crimes em nenhuma corte humana. Essa justiça não é inalcançável e irreal?

Introdução a Jeremias

Em nosso último estudo, vimos a profecia de Isaías e como Deus dá esperança para seu povo por meio da promessa de uma única pessoa. Também vimos que essa pessoa veio no nosso Senhor Jesus Cristo e revelou Deus de forma mais completa. Neste estudo, examinaremos a imagem esmagadora da justiça de Deus registrada no livro de Jeremias. O livro de Jeremias tem menos capítulos que Isaías, porém o texto é mais longo. Na verdade, é um dos livros mais extensos da Bíblia, e, neste momento, pretendo pregá-lo por inteiro!

Eu deveria dizer-lhes que os livros desses profetas não são realmente livros como os vemos hoje. Ao examinar Jeremias, você não encontra uma introdução, um corpo de texto e uma conclusão. Talvez seja melhor ver Jeremias como uma coletânea de discursos entremeada com diversos episódios históricos da vida do profeta. Esses discursos, ou profecias, foram compilados e postos em ordem cronológica apenas no sentido mais tosco. O capítulo 1 apresenta o chamado original de Jeremias à profecia, e o capítulo 44 registra sua última profecia, no Egito. No entanto, você não pode presumir que algo que lê no capítulo 17 aconteceu depois de alguma coisa registrada no capítulo 13. Por isso, digo que é melhor ler esse livro mais como uma coletânea de discursos ordenados por tema.

Basicamente, Jeremias é a mensagem de Deus para seu povo sobre a justiça vindoura. Sempre que tendemos a nos sentir céticos ou cansados do mundo em que vivemos, Jeremias pode ser bom para o que nos aflige. E, talvez, esse livro seja até mais importante para as pessoas que *não* anseiam por justiça, pois Jeremias revela que a justiça está vindo.

Justiça para o Povo de Deus (caps. 1—45,52)

Os primeiros 45 capítulos de Jeremias destacam com clareza a justiça de Deus que virá contra o seu povo.

Talvez, aqui, um pequeno pano de fundo histórico seja útil. Jeremias viveu cerca de cem anos depois do profeta Isaías, o qual professou no Reino do Sul (Judá), na mesma época em que o Reino do Norte (Israel) caiu sob a Assíria, o que ocorreu em 722 a.C. Os assírios continuaram a incomodar o Reino do Sul e Jerusalém por todo o século VIII e boa parte do século VII. Contudo, a Assíria perdeu poder gradualmente até, em 622 a.C., ser derrubada pela Babilônia. Entretanto, em meio ao declínio da Assíria e antes da total maturidade da Babilônia, Judá tirou vantagem da situação para recuperar sua força. Em 640 a.C., Josias tornou-se rei e, como governante devoto, aproveitou esse vazio de poder dos inimigos para ajudar a nação de Judá a retornar à vida religiosa. Ele também acabou com a prática de pagar tributo ao imperador assírio, pois este já não tinha mais o poder para apoiar a exigência de tributo.

Todavia, mesmo com a queda da Assíria, a Babilônia provou ser um inimigo ainda mais poderoso. Por um tempo, pareceu que o Egito vivenciava um renascimento, e muitos em Judá começaram a olhar para o Egito em busca de proteção contra a Babilônia. Contudo, no fim do século VII, até mesmo o Egito sofreria uma derrota embaraçosa nas mãos dos babilônios. E, no fim, a Babilônia saquearia Jerusalém.

Foi em meio a esse período tumultuoso que Deus trouxe Jeremias.

Ao ler esse livro e pensar a respeito dos outros profetas, ocorreu-me que, com freqüência, os grandes profetas de Deus surgiram em meio a períodos de decadência entre o povo do Senhor e em volta dele. De forma típica, Deus, em sua misericórdia, fornece um vislumbre das coisas duradouras sempre que o mundo começa a mostrar sua natureza transitória, sempre que as coisas supostamente imutáveis da vida começam a ruir e a falhar. Sempre que um governo — ou uma nação, ou uma organização — é novo, queremos acreditar que seu prognóstico é brilhante. Todavia, quando alguma coisa arrasta-se lentamente e, depois, começa a declinar em direção ao seu fim total, com freqüência, descobrimos que nossa mente se volta para Deus. Isso também aconteceu quando Deus começou a falar por intermédio de Jeremias.

Cerca de cem anos antes, o povo desfrutara de um grande rei em Ezequias durante a época em que Isaías profetizara. No entanto, depois de Ezequias, houve uma sucessão de muitos reis horríveis. Depois, em Josias, eles tiveram de novo um grande rei, porém, Josias nunca foi capaz de reformar a nação totalmente. E depois de sua morte, a nação logo voltou para o pecado, até mesmo pecados terríveis!

De muitas formas, os primeiros 45 capítulos, dos 52 que compõem o livro, parecem uma longa ação judicial de um pedido de divórcio. Deus sente ira ardorosa por seu povo. A certa altura, Ele promete: "Porque, eis que, na cidade que se chama pelo meu nome, começo a castigar" (25.29). Você vê a tragédia? O Senhor decide trazer justiça sobre o povo que se chama pelo seu nome.

O Motivo do Julgamento

Quais eram as acusações? Bem, o livro as expõe em grande extensão. Como disse, o livro não segue a ordem cronológica, porém, esse tema está presente do começo ao fim da maioria dos capítulos. Mesmo no chamado inicial de Jeremias para profetizar, o tema é mencionado. No primeiro capítulo do livro, o Senhor declara: "E eu pronunciarei contra eles os meus juízos, por causa de toda a sua malícia; pois me deixaram a mim, e queimaram incenso a deuses estranhos, e se encurvaram diante das obras das suas mãos" (Jr 1.16). Jeremias foi chamado para profetizar exatamente por que o povo de Deus quebrou sua aliança com o Senhor. Eles o abandonaram. Eles adoraram ídolos. Essa é a petição de Deus contra eles. Ou, para usar suas palavras irônicas, eles adoraram as "obras das suas mãos". Que coisa, evidente em si mesma, ridícula de se fazer! Quero dizer, você já preparou alguma comida para a igreja, tipo uma caçarola, e depois de tirá-la do forno caiu de joelhos e começou a orar para a caçarola? Não, isso é algo estúpido! É estúpido adorar algo que fez com suas mãos! No entanto, essa é exatamente a acusação que o Deus onisciente faz contra seu povo. Dá para imaginar?

Na verdade, é provável que você *possa* imaginar uma insanidade dessas se pensar no assunto. Nem toda nossa idolatria é tão tola como orar para uma caçarola. Provavelmente, há outras coisas feitas por suas mãos ou pelas de outra pessoa às quais seu coração se inclina, se sente atraído.

Bem, essa coisa, cuja estupidez é evidente em si mesma, é exatamente o que o povo do Senhor fazia. Israel trocara o Deus verdadeiro por ídolos. "Assim diz o Senhor: Que injustiça acharam vossos pais em mim, para se afastarem de mim, indo após a vaidade e tornando-se levianos?" (2.5)

A seguir, o Senhor divide essa acusação em duas outras mais específicas: "Porque o meu povo fez duas maldades: a mim me deixaram, o manancial de águas vivas, e cavaram cisternas, cisternas rotas, que não retêm as águas" (2.13). Primeiro, eles o abandonaram e, segundo, cavaram seu próprio poço da vida inaproveitável.

Alguns versículos adiante, Deus, com outra imagem chocante, descreve o que tudo isso representa: eles são como prostitutas! "Em todo outeiro alto e debaixo de toda árvore verde te andas encurvando e corrompendo" (2.20). Claramente, nessa passagem, as palavras do Senhor são uma ferroada. Mas Ele continua a apresentar o seu caso:

> Como dizes logo: Não estou contaminado nem andei após os baalins? Vê o teu caminho no vale, conhece o que fizeste; dromedária ligeira és, que anda torcendo os seus caminhos; jumenta montês, acostumada ao deserto e que, conforme o desejo da sua alma, sorve o vento; quem impediria o seu encontro? Todos os que a buscarem não se cansarão; no mês dela a acharão. Evita que o teu pé ande descalço e que a tua garganta tenha sede; mas tu dizes: Não há esperança; não, porque amo os estranhos e após eles andarei. Como fica confundido o ladrão quando o apanham, assim se confundem os da casa de Israel; eles, os seus reis, os seus príncipes, os seus sacerdotes e os seus profetas, que dizem ao pedaço de madeira: Tu és meu pai; e à pedra: Tu me geraste; porque me viraram as costas e não o rosto; mas, no tempo do seu aperto, dirão: Levanta-te e livra-nos. Onde, pois, estão os teus deuses, que fizeste para ti? Que se levantem, se te podem livrar no tempo da tua tribulação; porque os teus deuses, ó Judá, são tão numerosos como as tuas cidades (2.23-28).

No capítulo 3, a acusação continua:

> Eles dizem: Se um homem despedir sua mulher, e ela se ausentar dele e se ajuntar a outro homem, porventura, tornará a ela mais? Não se poluiria de todo aquela terra? Ora, tu te maculaste com muitos amantes; mas, ainda assim, torna para mim, diz o Senhor. Levanta os olhos aos altos e vê; onde não te prostituíste? Nos caminhos te assentavas para eles, como o árabe no deserto; assim, manchaste a terra com as tuas devassidões e com a tua malícia. Pelo que foram retiradas as chuvas, e não houve chuva tardia; mas tu tens a testa de uma prostituta e não queres ter vergonha. Ao menos desde agora não me invocarás, dizendo: Pai meu, tu és o guia da minha mocidade? Conservará ele para sempre a sua ira? Ou a guardará continuamente? Eis que tens dito e feito coisas más e nelas permaneces (3.1-5).

O livro de Jeremias prossegue dessa maneira por 45 capítulos! Deus é claro com seu povo: eles se tornaram descarados em seu pecado. Eles não têm vergonha. Eles se acostumaram tanto a se prostituir para outros deuses que nem mesmo coram.² E mentem quando afirmam ser devotados ao Senhor. Mais de uma vez, Ele disse-lhes: "Porque os teus deuses, ó Judá, são tão numerosos como as tuas cidades".³

Deus até lhes pergunta com bastante franqueza:

> Como, vendo isso, te perdoaria? Teus filhos me deixam a mim e juram pelos que não são deuses; depois de os eu ter fartado, adulteraram e em casa de meretrizes se ajuntaram em bandos; como cavalos bem fartos, levantam-se pela manhã, rinchando cada um à mulher do seu companheiro. Deixaria eu de castigar estas coisas, diz o Senhor, ou não se vingaria a minha alma de uma nação como esta? (5.7-9)

Essa última pergunta ressoa por todo o livro: "Ou não se vingaria a minha alma [...]?" "Deixaria eu de castigar estas coisas?" Quando o povo de Deus pede sua justiça, chamam o julgamento dEle sobre si mesmos, não apenas sobre o povo mau *de fora*. O Senhor lhes diz para se esquecerem dos outros povos e também declara: "Como, vendo isso, te perdoaria?"

As acusações apenas aumentam, e o Senhor mostra-se mais e mais resolvido a puni-los:

> Porque os filhos de Israel e os filhos de Judá não fizeram senão mal aos meus olhos, desde a sua mocidade; porque os filhos de Israel não fizeram senão provocar-me à ira com as obras das suas mãos, diz o Senhor. Porque para minha ira e para meu furor me tem sido esta cidade, desde o dia em que a edificaram até ao dia de hoje, para que a tirasse da minha presença, por todas as maldades dos filhos de Israel e dos filhos de Judá que fizeram, para me provocarem à ira, eles e os seus reis, os seus príncipes, os seus sacerdotes e os seus profetas, como também os homens de Judá e os moradores de Jerusalém. E viraram para mim as costas e não o rosto; ainda que eu os ensinava, madrugando e ensinando-os, eles não deram ouvidos para receberem o ensino; antes, puseram as suas abominações na casa que se chama pelo meu nome, para a profanarem (32.30-34).

Toda a nação pecou contra Deus. Até a devoção religiosa deles era errada. No que é conhecido como o sermão de Jeremias do Templo, o Senhor repete zombeteiramente a declaração do povo de se sentir seguro, porque têm o Templo de Jeová diante deles. Com certeza, nada aconteceria com eles no Templo, certo? Durante todo o tempo, a Babilônia se aproxima com seus exércitos. E o Senhor repreende-os por intermédio de Jeremias:

Furtareis vós, e matareis, e cometereis adultério, e jurareis falsamente, e queimareis incenso a Baal, e andareis após outros deuses que não conhecestes, e então vireis, e vos poreis diante de mim nesta casa, que se chama pelo meu nome, e direis: Somos livres, podemos fazer todas estas abominações? É, pois, esta casa, que se chama pelo meu nome, uma caverna de salteadores aos vossos olhos? Eis que eu, eu mesmo, vi isso, diz o Senhor (7.9-11).

Eles até queimavam os filhos e as filhas no fogo em adoração a Moloque, oferecendo os membros da própria família em sacrifício humano em sua religião falsa e detestável!⁴

Eles chegaram a um impasse terrível em que Deus não se importava com a adoração religiosa vazia deles. Eles entravam na casa de Jeová e, às vezes, faziam a coisa certa, mas o Senhor sabia todas as outras coisas que estavam fazendo. Sabia que não se importavam com sua Palavra (6.19,20). Na verdade, sua Palavra tornara-se "vergonhosa" para eles (6.10).

O que acontece quando a Palavra de Deus se torna vergonhosa para seu povo? Eles adotam professores e profetas que lhes ensinaram alguma outra coisa. Deus observa: "Coisa espantosa e horrenda se anda fazendo na terra: os profetas profetizam falsamente, e os sacerdotes dominam pelas mãos deles, e o meu povo assim o deseja" (5.30,31a). Profetas, os porta-vozes de Deus, profetizam mentiras? Sacerdotes, os mediadores de Jeová, levam vida imoral? E o povo do Senhor deseja que seja dessa maneira?

Perguntamos de novo, onde está a justiça nisso? Deus não se vingaria de nações como essa?

A Promessa de Julgamento

Deus enviou Jeremias para transmitir a mensagem do julgamento vindouro, mesmo contra o povo que se chama pelo nome do Senhor. Na verdade, a promessa de justiça era especificamente contra a nação santa *porque* era chamada pelo seu nome: "[...] rejeitada lhes chamarão, porque o Senhor os rejeitou" (6.30).

Como exatamente o Senhor julgaria seu povo? Parte da resposta inclui coisas como falsos profetas e fome. Todavia, Deus responderia, principalmente, à desobediência do povo com um exército: Ele destruiria a nação. O Senhor simbolizou essa destruição com um vaso de barro que mandou Jeremias comprar e destruir na frente da multidão com as seguintes palavras: "Assim diz o Senhor dos Exércitos: Deste modo quebrarei eu este povo e esta cidade, como se quebra o vaso do oleiro" (19.11).

Talvez tenha havido uma quantidade dos assim chamados profetas que correram por toda parte gritando: "Paz, paz", mas não houve paz (6.14; 8.11). Em vez disso, Deus entregou seu povo àqueles em quem realmente confiavam. Ele os exilou na Babilônia durante setenta anos. O capítulo final de Jeremias (cap. 52) apresenta o relato histórico tirado diretamente de 2 Reis (24.18—25.21) que descreve a queda de Jerusalém, a captura do rei Ezequias, a destruição do Templo e do muro da cidade e, por fim, o exílio do povo: "Assim Judá foi levado da sua terra para o cativeiro".[5]

Do começo ao fim das profecias de Jeremias, Deus responde de forma apaixonada a seu povo e a sua desobediência. Ele soa até como um amante que rompe o compromisso ou um marido pesaroso. Uma vez após a outra, Deus entrelaça as imagens de idolatria e de adultério a fim de mostrar a seu povo que os tomara como sua noiva especial, que se casara com eles, que se comprometera com eles, que até pusera sua reputação em risco ao partilhar seu nome com eles, mas eles foram infiéis. Eles se prostituíram com outros deuses. Ao viver e ao adorar como fizeram, trouxeram desgraça para o nome dEle.

Com certeza, você entende a preocupação de Deus com seu nome. Esse entendimento não é difícil para nós. Você é indiferente em relação à reputação de quaisquer organizações com que esteja realmente envolvido? Não tem preocupação alguma com a forma como seu grupo, sua empresa, sua companhia, sua agência se apresenta ou como os de fora a vêem? Você não se importa com o tipo de imagem que ela cultiva?

Que pais não conhecem o orgulho ou a vergonha que o filho, que carrega o nome deles, pode lhes trazer?

Assim, Deus poderia sentir qualquer coisa menos pelo povo que criou, a quem se deu a conhecer e a quem deu seu nome? Não! Ele os amava fiel, medonha e tenazmente. Talvez, depois de lermos 45 capítulos de melancolias, esse amor pareça um tanto estranho; fica claro, porém, que é amor. Afinal, que tipo de "amor" não conhece crítica? Que tipo de "amor" não admite qualquer possibilidade de correção?

Muitas vezes, quando pensamos em justiça, lembramos do que Deus faz com aqueles que não são seu povo, no que faz em relação às pessoas ruins. Bem, amigo, tenho novidades para você: se você não for uma das "pessoas ruins" não precisa deste nem de qualquer outro sermão. Nem precisa de uma igreja. A igreja é especificamente para as "pessoas ruins". Você descobrirá isso se ler a declaração de fé da nossa igreja. A igreja é para pessoas que sabem que precisam que Deus as ame de uma forma que as faça mudar.

Algumas pessoas gostam de apresentar Deus como um oceano informe de amor que traga todas as partes do nosso ser. Todavia, nenhuma parte da Bíblia apresenta o amor de Deus de forma tão amorfa. Deus revela-se no livro de Jeremias e em outras passagens como um Deus pessoal que é santo e que se importa. Não podemos exigir que um Deus tão santo e amoroso não seja crítico com pessoas como nós. Ele, em seu amor, não nos deixará como pessoas quebradas, feridas, obstinadas, frustradas consigo mesmas e caídas, como estávamos quando Ele nos encontrou. Em Cristo, Ele nos ama de forma *eficaz* e nos faz melhor do que somos. Na verdade, no fim, Ele nos fará perfeitos como Cristo!

A Prioridade do Julgamento

No entanto, suponha por um momento que a história terminasse nesse ponto. Suponha que Deus usasse a Babilônia para disciplinar seu povo com amor, e, depois, a história acabasse. O que estaria errado nesse quadro?

A pergunta que, pelo menos, Jeremias faria é: E o que acontece com a Babilônia? Ela escaparia ao julgamento? Se parar a leitura no capítulo 45, talvez você pensasse que isso aconteceria. E isso não parece justo! No capítulo 12, Jeremias traz esse tópico à baila quando fala com o Senhor. Observe que a maior parte do livro consiste no Senhor falando por intermédio de Jeremias. Todavia, essa é uma passagem em que Jeremias emite uma opinião que parece ser antagônica: "Justo serias, ó Senhor, ainda que eu entrasse contigo num pleito; contudo, falarei contigo dos teus juízos. Por que prospera o caminho dos ímpios, e vivem em paz todos os que cometem o mal aleivosamente?" (12.1). Esse profeta inspirado do Senhor pergunta a Deus por que o mal prospera. Isso não parece justo, mas acontece!

Eles sempre seriam tão prósperos? A resposta é esta: não para sempre. No fim, Deus *enviará* julgamento sobre todos os maus. E logo chegaremos a esse ponto.

Contudo, por mais que Jeremias e nós queiramos nos apressar e ouvir Deus mencionar esse ponto, Ele não quer que saltemos para adiante com tanta pressa. O Senhor quer que seu povo entenda a prioridade que dá ao julgamento deles (*nosso* — se somos cristãos). Apenas depois disso, Ele se moverá em direção àqueles que não são seu povo. Primeiro, as coisas mais importantes. O apóstolo Pedro entendeu essa dinâmica com perfeição. Em sua primeira carta, ele observa: "Porque já é tempo que comece o julgamento pela casa de Deus". E ele continua: "E, se primeiro começa por nós, qual será o fim daqueles que são desobedientes ao evangelho de Deus?" (I Pe 4.17) Os que não são de Deus serão julgados. Mas o povo de Deus deve parar e reconhecer que o julgamento começa com a família do Senhor, tanto individual como corporativamente.

Aqui existe uma imagem poderosa para nós. Se Jeremias gasta 45 capítulos ressaltando as faltas do povo do Senhor, deveríamos gastar a maior parte da nossa vida espiritual voltados para as faltas das pessoas a nossa volta? Sobre as faltas dos não-cristãos e da sociedade em geral? Sobre as faltas de outros membros da nossa família? Não, devemos, como indivíduos, iniciar pela observação do nosso coração e da nossa vida, da mesma forma como Deus iniciou pelo seu próprio povo. Como igreja, também devemos estar abertos à disciplina do Senhor, e não nos concentrando em como todos os outros estão errados, e nós estamos certos. Creio que estamos certos em nossa compreensão do evangelho de Jesus Cristo. Mas, deste lado do céu, há muitas maneiras como estamos errados; se realmente formos o povo de Deus, reconheceremos com humildade nossa necessidade contínua da disciplina amorosa dEle.

O Mensageiro do Julgamento

Nesse livro, uma das coisas que mais me comove é o próprio Jeremias. Ele parece compreender muitíssimo bem que é chamado a transmitir uma mensagem que não é sua. Pense na situação dele. Ele está na principal cidade de uma nação cercada por forças estrangeiras. E o que ele diz? Ele diz para todos se entregarem! Durante o reinado de Zedequias, Jeremias, ao falar em nome do Senhor, proclama: "O que ficar nesta cidade há de morrer à espada, ou à fome, ou da pestilência; mas o que sair e se render aos caldeus, que vos têm cercado, viverá e terá a sua vida por despojo".[6]

Contudo, ao longo dos anos, Jeremias conseguiu muitos inimigos com esse tipo de mensagem. Mais de uma vez, houve atentados contra a vida de Jeremias, como, anos antes, acontecera no relato abaixo, durante o reinado de Jeoaquim. Mas ele sabia que sua mensagem era de Deus:

> E sucedeu que, acabando Jeremias de dizer tudo quanto o Senhor lhe havia ordenado que dissesse a todo o povo, pegaram nele os sacerdotes, e os profetas, e todo o povo, dizendo: Certamente, morrerás. Por que profetizaste no nome do Senhor, dizendo: Será como Siló esta casa, e esta cidade será assolada, de sorte que fique sem moradores? E ajuntou-se todo o povo contra Jeremias, na Casa do Senhor. E, ouvindo os príncipes de Judá estas palavras, subiram da casa do rei à Casa do Senhor e se assentaram à entrada da Porta Nova da Casa do Senhor. Então, falaram os sacerdotes e os profetas aos príncipes e a todo o povo, dizendo: Este homem é réu de morte, porque profetizou contra esta cidade, como ouvistes com os vossos ouvidos. E falou Jeremias a todos os príncipes e a todo o povo, dizendo: O Senhor me enviou a profetizar contra esta casa e contra esta cidade todas as palavras que ouvistes. Agora, pois, melhorai os vossos caminhos e as vossas ações e ouvi a voz do Senhor, vosso Deus, e arrepender-se-á o Senhor do mal que falou contra vós. Quanto a mim, eis que estou nas vossas mãos; fazei de mim conforme o que for bom e reto aos vossos olhos. Sabei, porém, com certeza, que, se me matardes a mim, trareis sangue inocente sobre vós, e sobre esta cidade, e sobre os seus habitantes, porque, na verdade, o Senhor me enviou a vós para dizer aos vossos ouvidos todas estas palavras (26.8-15).

As palavras de Jeremias lembram a história de um oficial do exército que descobriu que ele e os poucos homens que o acompanhavam tinham se perdido de sua divisão, do batalhão e da companhia deles e, como o inimigo os cercava por todos os lados, diz algo como: "Eles não podem fugir agora. Eles estão cercados!"

E agora, anos depois, quando ele fica sozinho no Templo, enquanto os príncipes o acusam de traição e o ameaçam com a morte, mais uma vez, Jeremias apenas declara que fala em nome do Senhor e que Ele enviará desastre sobre eles. Esse Jeremias não é o tipo de homem que busca agradar os homens. Ele tem a mensagem de Deus e veio para transmiti-la ao seu povo.

A certa altura, Jeremias até conta ao rei Zedequias que este seria entregue ao inimigo: "Estando ele [Jeremias] à porta de Benjamim, achava-se ali um capitão da guarda, cujo nome era Jerias, [...] o qual prendeu a Jeremias, o profeta, dizendo: Tu foges para os caldeus" (37.13). A acusação de Jeremias fazia sentido, pois este profetizava na época que a cidade devia se render aos babilônios:

> E Jeremias disse: Isso é falso; não fujo para os caldeus. Mas ele não lhe deu ouvidos; e assim Jerias prendeu a Jeremias e o levou aos príncipes. E os príncipes se iraram muito contra Jeremias, e o feriram, e o puseram na prisão, na casa de Jônatas, o escrivão; porque a tinham transformado em cárcere. Entrando, pois, Jeremias na casa do calabouço e nas suas celas, ficou ali Jeremias muitos dias. E mandou o rei Zedequias soltá-lo. Então, o rei lhe perguntou em sua casa, em segredo, dizendo: Há alguma palavra do Senhor? E disse Jeremias: Há. E disse ainda: Na mão do rei da Babilônia serás entregue. Disse mais Jeremias ao rei Zedequias: Em que tenho pecado contra ti, e contra os teus servos, e contra este povo, para que me pusésseis na prisão? Onde estão, agora, os vossos profetas que vos profetizavam, dizendo: O rei da Babilônia não virá contra vós nem contra esta terra? Agora, pois, ó rei, meu senhor, caia a minha súplica diante de ti: não me deixes tornar à casa de Jônatas, o escriba, para que não venha a morrer ali (37.14-20).

Você pode imaginar a absoluta amargura de Jeremias? Ele foi preso, espancado e posto na prisão. E ele ainda diz ao rei que este seria entregue a uma força invasora! A seguir, ele pergunta ao rei por que ele ficara ofendido! Depois, Jeremias diria claramente a Zedequias que se rendesse (38.17,18). Jeremias dizia essas palavras apenas por que sabia que as ouvira do Senhor. Essas idéias não eram dele, não era como se tentasse publicar no jornal *The Jerusalem Post* algum tipo de comentário pessoal. Quando o rei Zedequias pergunta a Jeremias se tinha alguma palavra do Senhor, ele poderia responder sem rodeios: "Sim, você será entregue ao rei da Babilônia", e, a seguir, logo perguntar se poderia ser solto, como se não tivesse nada a ver com o que acabara de dizer. Outros podiam acusá-lo de minar a moral do povo com sua declaração que parecia apoiar os babilônios (38.4), mas ele sabia que era apenas um mensageiro transmitindo o recado entregue a ele por Deus.

Jeremias transmitia as mensagens, mas não as inventava nem as gerava. Contudo, seu trabalho não lhe trouxe pouca consternação e luta. A certa altura, ele lamenta:

> Iludiste-me, ó Senhor, e iludido fiquei; mais forte foste do que eu e prevaleceste; sirvo de escárnio todo o dia; cada um deles zomba de mim. Porque, desde que falo, grito e clamo: Violência e destruição! Porque se tornou a palavra do Senhor um opróbrio para mim e um ludíbrio todo o dia. Então, disse eu: Não me lembrarei dele e não falarei mais no seu nome; mas isso foi no meu coração como fogo ardente, encerrado nos meus ossos; e estou fatigado de sofrer e não posso. Porque ouvi a murmuração de muitos: Há terror de todos os lados! Denunciai, e o denunciaremos! (20.7-10)

Jeremias sente-se divinamente compelido a pronunciar essas terríveis ameaças contra seu próprio povo. Por isso, muitos o vêem como traidor. Apenas pense nisso: o exército babilônico cerca a cidade, e, na cidade, Jeremias diz: "Entreguem-se! Entreguem-se!"

O próprio rei Nabucodonosor, da Babilônia, deu instruções para que Jeremias recebesse tratamento especial (39.11,12). Você imagina como Jeremias se sentiu com essa ordem? O cuidado especial do ditador conquistador para com ele confirmaria a acusação de todos de que era um traidor!

Jeremias tinha uma mensagem difícil de transmitir. Ele teve de dizer ao povo de Deus que, em julgamento, ele tomava o partido dos oponentes! Teve de contar-lhes que o invasor pagão, numeroso e poderoso, venceria; por isso, era melhor que desistissem. Isso quer dizer que Jeremias era um colaboracionista? Um traidor?

JUSTIÇA PARA A BABILÔNIA E PARA AS NAÇÕES (CAPS. 46—51)

Até aqui, nos primeiros 45 capítulos de Jeremias, olhamos apenas o julgamento de Deus sobre seu povo. Nos capítulos 46—49 é como se Deus dissesse: "Não pense que me esqueci do resto do mundo". Então, nos capítulos 50—51, Deus volta seus olhos para a Babilônia.

Se você iniciar a leitura no capítulo 46 e der uma olhada nos títulos dos capítulos posteriores, verá que Jeremias começa com a promessa de julgamento sobre o Egito e, depois, move-se em direção ao Oriente e anuncia o julgamento sobre uma nação após a outra. Aparentemente, nenhuma ficará de fora: Egito, os filisteus, Moabe, Amom, Edom, Damasco, Quedar, Hazor e Elão. Depois, nos capítulos 50—51, o mais extraordinário é que ele ocupa a maior parte do espaço para fazer uma declaração final, o ápice, ou a culminância, do julgamento iminente. E a quem é dirigida essa condenação prometida? À Babilônia, a mesma nação com que os contemporâneos de Jeremias achavam que ele colaborava.

Nesses dois capítulos, Deus deixa claro que os babilônios foram apenas um instrumento em suas mãos. A nação que antes parecera tão magnífica, majestosa e poderosa transforma-se em um fantoche nos planos do Senhor para humilhar seu povo. Tudo que a Babilônia conquistou realizou-se sob o comando de Deus, de acordo com a vontade do Senhor e para os propósitos do Todo-Poderoso. Eles não poderiam fazer nada sem Ele.

No início do capítulo 50, o Senhor anuncia por intermédio de Jeremias: "Anunciai entre as nações, e fazei ouvir, e arvorai um estandarte, e fazei ouvir, e não encubrais; dizei: Tomada é a Babilônia, confundido está Bel, atropelado está Merodaque, confundidos estão os seus ídolos, e caídos estão os seus deuses" (50.2). Se você ler de uma vez todo o livro, quando chegar a esse versículo o achará surpreendente! Até esse ponto, a Babilônia apenas vencia, e vencia, e vencia. Agora, Deus promete que a Babilônia seguirá o caminho do último grande império antes dela, o caminho da Assíria: "Portanto, assim diz o Senhor dos Exércitos, Deus de Israel: Eis que visitarei o rei da Babilônia e a sua terra, como visitei o rei da Assíria" (50.18). E apenas acrescenta-se uma promessa de julgamento à outra:

> Portanto, cairão os seus jovens nas suas ruas; e todos os seus homens de guerra serão desarraigados naquele dia, diz o Senhor. Eis que eu sou contra ti, ó soberbo, diz o Senhor Deus dos Exércitos, porque veio o teu dia, o tempo em que te hei de visitar (50.30,31).

> A Babilônia era um copo de ouro na mão do Senhor, o qual embriagava a toda a terra; do seu vinho beberam as nações; por isso, as nações enlouqueceram. Num momento, caiu a Babilônia e ficou arruinada (51.7,8a).

> Tu és meu martelo e minhas armas de guerra; e contigo despedaçarei nações e contigo destruirei os reis; e contigo despedaçarei o cavalo e o seu cavaleiro; e contigo despedaçarei o carro e o que vai nele; e contigo despedaçarei o homem e a mulher; e contigo despedaçarei o velho e o moço; e contigo despedaçarei o jovem e a virgem; e contigo despedaçarei o pastor e o seu rebanho; e contigo despedaçarei o lavrador e a sua junta de bois; e contigo despedaçarei os capitães e os magistrados. [...] Diz o Senhor: Eis-me aqui contra ti, ó monte destruidor,

que destróis toda a terra; e estenderei a mão contra ti, e te revolverei das rochas, e farei de ti um monte de incêndio. [...] Então, tremerá a terra e doer-se-á, porque cada um dos desígnios do Senhor está firme contra Babilônia, para fazer da terra de Babilônia uma assolação, sem habitantes (51.20-23,25,29).

Um correio correrá ao encontro de outro correio, e um mensageiro, ao encontro de outro mensageiro, para anunciar ao rei da Babilônia que a sua cidade foi tomada de todos os lados (51.31).

E Babilônia se tornará em montões, morada de dragões, espanto e assobio, sem um só habitante. Juntamente, rugirão como filhos dos leões, bramarão como filhotes de leões. Estando eles excitados, lhes darei a sua bebida e os embriagarei, para que andem saltando; mas dormirão um perpétuo sono e não acordarão, diz o Senhor (51.37-39).

Assim diz o Senhor dos Exércitos: Os largos muros de Babilônia totalmente serão derribados, e as suas portas excelsas serão abrasadas pelo fogo; e trabalharão os povos em vão, e as nações serão para o fogo e cansar-se-ão (51.58).

Essas são palavras fortes, proferidas por um pequeno profeta em um país arruinado contra a superpotência da época — que está para conquistar seu país! De novo, talvez Jeremias tenha dito isso para conseguir a simpatia dos judeus. Afinal, ele os atacara com profecias que encheram 45 capítulos. Talvez, agora, ele quisesse cair nas boas graças deles ao dar um bom chute na Babilônia.

Bem, isso é improvável. Suspeito que poucos judeus contemporâneos de Jeremias tenham ouvido essa profecia. Vejam como ele a transmitiu:

A palavra que mandou Jeremias, o profeta, a Seraías, filho de Nerias, filho de Maaséias, indo ele com Zedequias, rei de Judá, à Babilônia, no ano quarto do seu reinado; e Seraías era um príncipe pacífico. Escreveu, pois, Jeremias num livro todo o mal que havia de vir sobre a Babilônia; todas estas palavras que estavam escritas contra a Babilônia. E disse Jeremias a Seraías: Em tu chegando a Babilônia, verás e lerás todas estas palavras. E dirás: Senhor! Tu falaste a respeito deste lugar, que o havias de desarraigar, até não ficar nele morador algum, desde o homem até ao animal, mas que se tornaria em perpétuas assolações. E será que, acabando tu de ler este livro, o atarás a uma pedra e o lançarás no meio do Eufrates. E dirás: Assim será afundada a Babilônia e não se levantará, por causa do mal que eu hei de trazer sobre ela; eles se cansarão. Até aqui as palavras de Jeremias (51.59-64).

Que dramático! No exato momento em que Jeremias é acusado de ser traidor por sua própria nação, ele transmite essas palavras do julgamento de Deus para a Babilônia.

Jeremias não era empregado de nenhuma pessoa ou Estado. Ele não era porta-voz de nenhum partido político. E não fazia parte de nenhuma operação cínica para minar seu país. Em vez disso, ele era o porta-voz de Deus que transmitia a verdade do Senhor em relação ao julgamento e ao amor para a criação dEle. Ele era um profeta de Deus.

Como cristãos, não divulgamos as Boas Novas do cristianismo por que assim, de início, podemos agradar a todos. Há partes da nossa mensagem que, com freqüência, as pessoas não gostam. Ao contrário, contamos as Boas Novas por que elas são a verdadeira mensagem de Deus. É a mensagem do Senhor que chegou a nós e a transmitimos aos outros não em orgulho, mas em humildade. Jeremias mostrou essa humildade quando ficou diante do seu rei e disse-lhe que seria levado para o cativeiro. Ele demonstrou essa humildade quando contou aos babilônios que também pereceriam no julgamento de Deus. Em nenhum desses casos, Jeremias assumiu que qualquer uma dessas coisas aconteceria pelo seu poder ou que aconteceria por meio de qualquer discernimento seu. Ele apenas disse o que Deus o mandou declarar.

Amigo, essa é nossa posição como cristãos. Recebemos uma mensagem que não é nossa. Nós não a criamos. Não podemos talhá-la. Deus deu-a a nós para que a contemos ao mundo. Que mensagem é essa? Que todos nos rebelamos contra Deus e merecemos a sua condenação eterna. Merecemos ir para o inferno. Contudo, Deus, em sua benignidade e misericórdia, enviou seu Filho, Jesus, para viver uma vida perfeita e morrer na cruz pelos pecados de todos que se arrependerem e crerem nEle. Apenas em Cristo encontramos o perdão para os nossos pecados e a reconciliação com Deus. A Bíblia chama-nos a nos arrepender dos nossos pecados e a crer em Cristo.

Conclusão

Deus enviou justiça contra seu povo a fim de discipliná-los. E Ele mandou justiça contra todas as mesmas nações que usou para disciplinar seu povo.

Contudo, eis uma pergunta final: Se todos recebem justiça, então qual é a diferença entre o povo de Deus e os outros povos?

A diferença é a misericórdia. Os cristãos entendem que receber o que é justo significa conseguir o inferno. Sabemos que se pleitearmos que Deus nos dê o que merecemos, não receberemos coisas doces e luminosas, pois merecemos o tipo de indignação e fúria santas que encontramos nas profecias de Jeremias. Merecemos o inferno como punição.

No entanto, há mais coisa nesse livro além da justiça. Há misericórdia.

Talvez o povo de Deus receba uma parte da condenação do Senhor neste mundo. Todavia, no fim, Deus age em amor ao disciplinar seu povo "com medida e, de todo, não [o] ter [...] por inocente" (veja 30.11; 46.28). O livro usa duas vezes essas palavras. Embora os métodos do Senhor possam ser duros, seus propósitos são bons. É sempre assim com Deus, embora seus métodos sejam duros, seus propósitos são bons.

O livro de Jeremias não é totalmente melancólico. Se você busca um pouco de luz, leia os capítulos 30—33. Eles fornecem um raio brilhante de sol em meio às muitas nuvens escuras e às tempestades do livro. Nesses capítulos, Deus promete que reunirá novamente seu povo que está espalhado e fará uma nova aliança com eles:

> Eis que eu os congregarei de todas as terras, para onde os houver lançado na minha ira, e no meu furor, e na minha grande indignação; e os tornarei a trazer a este lugar e farei que habitem nele seguramente. E eles serão o meu povo, e eu serei o seu Deus. E lhes darei um mesmo coração, e um mesmo caminho, para que me temam todos os dias, para seu bem e bem de seus filhos, depois deles. E farei com eles um concerto eterno, que não se desviará deles, para lhes fazer bem; e porei o meu temor no seu coração, para que nunca se apartem de mim (32.37-40).

Deus instrui Jeremias a comprar um pedaço de terra, embora o colapso da economia doméstica pareça iminente, a fim de tornar essa promessa mais concreta (32.7-9). É como se Deus dissesse a Jeremias: "Mostre ao povo que está disposto a pôr seu dinheiro onde sua boca está. Mostre-lhes que fala sério quando diz que minhas palavras vieram a você e que eu restaurarei meu povo".

Deus promete julgamento, mas também promete esperança.

É interessante notar também que Deus salva uma pessoa, Ebede-Meleque, dessa cidade de Jerusalém condenada. O Senhor diz a Ebede-Meleque: "Porquanto confiaste em mim" (39.18). Toda a cidade permanece sob julgamento, mas há misericórdia para essa pessoa que confiou em Deus!

Embora a justiça seja o que queremos, embora a justiça seja, com freqüência, o que exigimos, observe as palavras de Pórcia para Shylock, em *O Mercador de Veneza*, de Shakespeare:

> Conquanto estejas baseado no direito,
>   considera que só pelos ditames da justiça

nenhum de nós a salvação consegue.
Para obter graça todos nós rezamos (IV.i.182).

Jeremias põe sua esperança na misericórdia e na compaixão de Deus. Jeremias, ao observar sua cidade cercada e bloqueada, profere este lamento:

> Quebrou com pedrinhas de areia os meus dentes; cobriu-me de cinza. E afastaste da paz a minha alma; esqueci-me do bem. Então, disse eu: Já pereceu a minha força, como também a minha esperança no Senhor. Lembra-te da minha aflição e do meu pranto, do absinto e do fel. Minha alma, certamente, se lembra e se abate dentro de mim. Disso me recordarei no meu coração; por isso, tenho esperança. As misericórdias do Senhor são a causa de não sermos consumidos; porque as suas misericórdias não têm fim. Novas são cada manhã; grande é a tua fidelidade. A minha porção é o Senhor, diz a minha alma; portanto, esperarei nele (Lm 3.16-24).

Jeremias não compôs essas palavras em um dia ensolarado de verão, imerso em luxo e em abundância. Elas foram pronunciadas por um homem que foi detido, preso, chamado de traidor pelos concidadãos que amava e, depois, foi forçado a ver sua cidade natal sitiada apelar para o canibalismo por causa da escassez de alimento. Foi em momentos assim que Jeremias disse que tinha esperança por causa da compaixão e do amor de Deus!

Deus tem misericórdia por seu povo mesmo em meio aos seus julgamentos.

O mesmo é verdade para nós em nosso pecado e em nossa vida como filhos de Deus. O único motivo por que qualquer um de nós conhece a Deus é por que a misericórdia dEle vem a nós mesmo quando nos rebelamos contra Ele. "Mas Deus prova o seu amor para conosco em que Cristo morreu por nós, sendo nós ainda pecadores" (Rm 5.8). A misericórdia dEle está presente em meio ao seu julgamento.

Nossa única esperança de justiça é Deus. Nossa única esperança de misericórdia é Deus.

Oremos:

Deus, o Senhor conhece as maneiras como nós, que somos seu povo, temos sido infiéis a ti. Oramos para que o Senhor nos garanta a dádiva do arrependimento e nos mostre tua misericórdia. E pedimos isso, Deus, não por causa do nosso nome, mas do teu. Como cristãos, sabemos que o Senhor estabeleceu teu nome sobre nós e que também quer glorificar teu nome com a verdade de quem o Senhor é em sua benignidade e santidade gloriosa. Por isso, Deus, oramos para que o Senhor persevere conosco e que continue a mostrar fidelidade em todos os cantos da nossa vida. Seja fiel a nós em teus julgamentos e em teu amor. Oramos em nome de Jesus. Amém.

Questões para Reflexão

1. As pessoas têm um senso natural de justiça? Que evidência você vê disso? Que fundamento bíblico pode se apresentar para essa idéia?
2. A punição que um ser humano recebe por um crime que cometa contra outro ser humano traz justiça total para a situação? Se não, o que trará?
3. Por que a mensagem de Deus, em meio a um mundo cheio de maldade, de rebelião e de decadência moral, é necessariamente uma mensagem ofensiva que afasta as pessoas?
4. Hoje, em que áreas nossa sociedade adora as "obras das suas mãos"? Como fazemos isso na igreja?
5. Por que o adultério e/ou a prostituição são uma metáfora apropriada para nossa idolatria contra Deus?
6. Em seqüência à pergunta 5, a acusação de idolatria adúltera aplica-se principalmente a não-cristãos ou a cristãos? Em que áreas a igreja pode cair nesse tipo de idolatria? (Ao responder a essa pergunta não comece a olhar para as outras igrejas ou para as outras pessoas, inicie por si mesmo e o que você quer em uma igreja. Deixe o julgamento começar com *você*.)
7. Você já achou a Palavra de Deus ofensiva? Quais partes? Quando você acha isso, fica tentado a presumir que talvez a Bíblia esteja errada ou que todos nós a interpretamos da forma errada? Ou talvez você apresente algum tipo de explicação que lhe permita ignorar a questão? Se sim, por que você assumiria que há alguma coisa errada com a Bíblia, em vez de presumir que há algo errado com seu entendimento e com seus desejos? Em outras palavras, por que você daria a si mesmo o benefício da dúvida, e não o daria à Palavra de Deus? Talvez você queira se perguntar com honestidade: "Estou disposto a modelar meu entendimento e meus desejos segundo a Palavra de Deus, em vez de tentar amoldar a Palavra dEle aos meus desejos?"
8. O que o livro de Jeremias nos ensina sobre o amor de Deus com toda essa fala sobre o julgamento do Senhor?
9. Os cristãos, os recebedores da misericórdia e da graça de Deus, deveriam desejar que Ele trouxesse julgamento sobre seus inimigos? Como esse anseio pode coexistir com a compreensão correta da graça de Deus?
10. Jeremias foi objeto de muita oposição e muita perseguição, porque tinha de transmitir uma mensagem ofensiva — uma mensagem de julgamento. O que as igrejas podem aprender com esse exemplo de Jeremias? Devemos nos

preocupar com uma igreja que não está disposta a ofender seus membros nem os de fora com sua mensagem (em contraposição a ofendê-los com a personalidade, a cultura, o pecado ou a tradição deles coisas que, assim se espera, todos concordam que uma igreja deve tentar evitar)?

11. Em seguimento à pergunta 10, cristão, considere sua prática de evangelismo: o quanto você está disposto a dizer coisas (com gentileza, respeito e amor) que as pessoas vêem como uma ofensa? Se você não estiver disposto a fazer isso, o que o impede?

Notas

Capítulo 24

[1] A data de pregação original deste sermão foi em 13 de abril de 1997, na Capitol Hill Baptist Church, em Washington, D.C.
[2] 3.3; 6.15; 7.19; 8.12; 12.13; 13.26.
[3] 2.28; 11.13.
[4] Veja 7.31; 32.35.
[5] 52.27b; veja também todo o capítulo 52.
[6] 21.9; veja também 38.17,18.

A MENSAGEM DE LAMENTAÇÕES: JUSTIÇA MUITO PRÓXIMA

COMO LIDAR COM O SOFRIMENTO?

INTRODUÇÃO A LAMENTAÇÕES

QUANDO O SOFRIMENTO CHEGAR, CONFESSE SEUS PECADOS
- A Situação deles Era Desesperadora
- Eles Foram Chamados a se Confessar
- Nós também Devemos nos Confessar

QUANDO O SOFRIMENTO CHEGAR, RECONHEÇA SEU JUIZ DIVINO
- Eles Permanecem sob o Governo de Deus
- Eles Foram Chamados a Reconhecer Deus como Juiz
- Nós também Devemos Reconhecer Deus como Juiz

QUANDO O SOFRIMENTO CHEGAR, PRESTE ESPECIAL ATENÇÃO AOS LÍDERES DE DEUS
- Os Sacerdotes se Tornaram Intocáveis
- Eles Foram Chamados a Reconhecer a Responsabilidade de seus Líderes
- Nós também Devemos Reconhecer a Responsabilidade dos nossos Líderes

QUANDO O SOFRIMENTO CHEGAR, ORE PELO FUTURO
- O Desespero do Povo Continua
- Eles Foram Chamados a Orar
- Nós também Somos Chamados a Orar

QUANDO O SOFRIMENTO CHEGAR, ESPERE EM DEUS
- A Situação deles Continua Péssima
- Eles Foram Chamados a Esperar em Deus
- Nós também Somos Chamados a Esperar em Deus

CONCLUSÃO

CAPÍTULO 25

A Mensagem de Lamentações:
Justiça muito Próxima

Como Lidar com o Sofrimento?[1]

O alimento está racionado. Depois, reduziu-se a ração. E de novo. E mais uma vez. Os velhos começavam a morrer de fome. As crianças definhavam. No fim, os cadáveres apodreciam nas ruas. O mau cheiro espalhava-se por toda a cidade. A peste estava em toda parte. As pessoas tinham medo de sair de casa em busca de alimento, pois temiam ser roubadas ou até... bem, não vale a pena falar a respeito disso.

A que me refiro? A algum cenário apocalíptico do fim dos tempos? Não, refiro-me a algo que aconteceu de verdade. Em setembro de 408 d.C., o rei godo Alarico tomou o controle do porto de Ostia e, assim, cortou a rota de suprimento da cidade de Roma. A seguir, ele sitiou a cidade. Pela primeira vez, em quase mil anos, as tropas inimigas permaneciam diante dos portões de Roma. O cerco durou quatro meses. Por fim, após o sofrimento que acabei de descrever, escolheram dois oficiais romanos para deixar a cidade, aproximar-se de Alarico e iniciar a negociação. De início, eles tentaram ameaçar o rei, dizendo que se o exército dele não fosse embora, os romanos seriam obrigados a sair da cidade e destruí-los. Alarico apenas riu. A próxima tentativa dos negociadores romanos foi perguntar o preço de Alarico. Quanto queria para levantar o cerco? Ele respondeu: "Entreguem-me todo o ouro que há na cidade. Toda a prata, todo bem móvel que eu puder encontrar e todos os escravos de origem bárbara".

Os embaixadores romanos ficaram chocados e disseram: "Se você levar todas essas coisas, o que sobrará para nossos cidadãos?"

Alarico disse: "A alma".

Após dois anos e mais três cercos, em que tentaram negociar uma conclusão pacífica, na noite de 24 de agosto de 410 d.C., por fim, Alarico liderou suas tropas em uma tarefa que até ele estava relutante em executar — o saque e o incêndio de Roma. O exército godo derrubou o portão de Roma e entrou na cidade. Uma vez na cidade, o forte exército de cem mil homens transformou-se em feras vorazes, alimentando-se da população civil da cidade. Eles partiram depois de meia semana de violência mundo ocidental ficou chocado com a queda da Cidade Eterna. Na época, Jerônimo, a centenas de quilômetros de distância em um retiro perto de Jerusalém, trabalhava em seus comentários sobre Ezequiel. Ele ficou abalado quando soube da notícia e escreveu a um amigo: "O que é seguro, se Roma perece?" Esse foi o efeito sobre o qual Agostinho escreveu em seu grande livro *A Cidade de Deus*, um enorme volume, no qual tenta ajudar seus leitores a entender como é possível Deus estar em operação no mundo mesmo quando coisas catastróficas acontecem. Agostinho queria que seus leitores entendessem a natureza estranha da obra do Eterno na História. Mesmo hoje, os historiadores vêem, com freqüência, a queda de Roma como a linha divisória entre o mundo antigo e a Idade Média.

Muitas vezes, momentos de sofrimento e de perda marcam o grande ponto de virada na História em geral, e em nossa vida de forma específica.

Ninguém gosta de sofrer. Isso vai contra a nossa natureza. Nós gostamos de prosperar. Prosperar significa conseguir e ganhar. Prosperar significa fazer o nosso caminho. Significa adquirir novas habilidades e talentos e bens. Significa realizações. Em geral, o sofrimento significa a perda de algumas dessas coisas ou a perda da comunidade que amamos por causa de transferências, de desemprego ou até em virtude da morte de uma pessoa importante em nossa vida.

Granger Westberg, em seu pequeno livro *Good Grief* [O Bom Pesar], sugere que o pesar está presente na vida diária de quase todos nós, e não apenas no período em que sentimos a falta de um ente querido que morreu. O pesar acontece todos os dias por meio do que esse autor chama de "pequenos pesares". O livro dele lida com os pequenos pesares, como uma mudança de planos de última hora ou ter um novo chefe, como também com os grandes pesares, como a perda do emprego ou até do cônjuge. Ele afirma que, de uma forma ou de outra, o pesar acontece tipicamente em dez estágios: 1) ficamos em estado de choque; 2) expressamos emoção; 3) sentimo-nos deprimidos e muito solitários; 4) podemos sentir alguns sintomas físicos de angústia; 5) podemos nos tornar sujeitos a pânicos freqüentes; 6) temos um sentimento de culpa pela perda; 7) ficamos cheios de raiva e de ressentimento; 8) resistimos em reassumir nosso trabalho e responsabilidades; 9) aos poucos, surge esperança; 10) lutamos para afirmar a realidade.[2]

Deixe-me perguntar, como você lida com seus sofrimentos, quer sejam eles os maiores sofrimentos, quer sejam eles os menores? Como você reage às circunstâncias difíceis e às perdas que enfrentamos durante a vida?

INTRODUÇÃO A LAMENTAÇÕES

Quando, em 588-587 a.C., o exército babilônio cercou Jerusalém por um ano e meio, aconteceram calamidades horríveis com os habitantes da cidade, semelhantes às que sucederam aos romanos quando foram sitiados pelo exército de Alarico. Quando os babilônios, por fim, entraram na cidade, eles destruíram o Templo, o palácio, os muros e a própria cidade de Jerusalém.

Naturalmente, o povo de Jerusalém lamentou seu sofrimento, e os sobreviventes lutaram para lidar com a realidade — como Westberg apontou — das perdas enormes que sofreram. O livro de Lamentações, escrito para responder a esse evento, apresenta cinco poemas de lamento, um por capítulo. O livro chama-se Lamentações porque expressa o lamento do povo pela captura de Jerusalém e pela destruição dessa cidade.

Os capítulos 1, 2 e 4 são apresentados em forma de canto fúnebre hebraico. Eles também foram escritos como acrósticos, em que cada versículo inicia com uma letra sucessiva do alfabeto hebraico. Por isso, os capítulos 1, 2 e 4 têm 22 versículos cada um. O capítulo 5 não é um acróstico, mas também tem 22 versículos. O capítulo 3, o do meio, tem três vezes o número de versículos — 66 versículos. E é um acróstico triplo, o que significa que os *três* primeiros versículos começam com a primeira letra do alfabeto hebraico (*alef*), os próximos três versículos iniciam com a letra seguinte do alfabeto hebraico (*bet*) e assim por diante. O capítulo 3 tem o triplo de versículos como uma forma de enfatizar que é o meio do livro.

Embora não tenhamos certeza de quem escreveu o livro, achamos que foi o profeta Jeremias. Embora o livro nunca afirme ter sido escrito por Jeremias, em 2 Crônicas 35.25 encontra-se o seguinte: "E Jeremias fez uma lamentação sobre Josias; e todos os cantores e cantoras falaram de Josias nas suas lamentações, até ao dia de hoje; porque as deram por estatuto em Israel; e eis que estão escritas na coleção de lamentações". E várias traduções antigas da Bíblia hebraica, como a Septuaginta, em grego, e a Vulgata, em latim, referem-se ao livro como escrito por Jeremias. Seja quem for que o escreveu, esse livro pertence ao povo de Deus. Na época em que o Novo Testamento foi escrito, Lamentações era lido regularmente nas sinagogas como parte das Santas Escrituras.

Mesmo hoje, o livro de Lamentações é lido em público nas sinagogas no nono dia do mês judeu de Ab, o dia em que o segundo Templo foi destruído pelos romanos em 70 d.C. Contudo, como os judeus lembram, a destruição trazida a Jerusalém pelo imperador Tito, de Roma, também se recordam da destruição feita pelo imperador babilônio Nabucodonosor.

A primeira destruição de Jerusalém foi absolutamente catastrófica para o povo judeu. Quando, por fim, após um cerco prolongado, a cidade caiu pelos babilônios, os israelitas não perderam apenas uma cidade, mas o que lhes era mais importante, e não apenas a cidade mais importante, mas a capital deles. Jerusalém era o ponto mais defensável dos judeus. Perder Jerusalém significava perder tudo que representava externamente a nação de Israel: a linhagem de governo de Davi, os sacerdotes, os sacrifícios e o Templo; e também toda a Terra Prometida estava perdida! Não conseguimos nem sequer começar a imaginar como essa perda final foi devastadora, pois perder aquele espaço significa perder a promessa de Deus, e perder a promessa de Deus representava perder o relacionamento especial que tinham com o Senhor.

Em nosso estudo do livro de Jeremias, examinamos o tema da justiça. O profeta prometera em suas mensagens que a Babilônia traria o julgamento de Deus sobre Jerusalém e Judá. Neste estudo, observamos os efeitos da justiça de Deus não como um tema teológico grandioso e abrangente na História, mas como algo bem próximo e pessoal, algo observado no sofrimento grotesco do povo e nas perguntas perplexas que se seguem a ela.

Como você vê, o livro de Lamentações foi escrito não apenas para expressar o pesar pela perda, como poderíamos achar graças ao seu título. Ele também foi produzido para ajudar o povo de Deus — até mesmo o próprio autor — a enfrentar a perda e a tentação de se desesperar ao lembrar-lhes a presença e o governo de Deus. Lamentações, como Jó, é uma "teodicéia". Ou seja, ajuda as pessoas a ver a bondade e o poder de Deus em meio ao sofrimento.

O sofrimento é um momento importante na vida de qualquer pessoa, e, de uma maneira ou de outra, você pode testificar essa verdade. O sofrimento age como uma verificação de nossas esperanças, ele as refina e talvez as mude. O sofrimento também nos fortalece ou nos torna mais maleáveis nas mãos de Deus.

Como você atravessa os sofrimentos?

Deus, por intermédio do autor de Lamentações, cujo nome não é mencionado, leva seu povo a fazer mais que apenas prantear e lamentar. Ele leva-os a fazer cinco coisas com as quais também aprenderemos.

QUANDO O SOFRIMENTO CHEGAR, CONFESSE SEUS PECADOS

Primeiro, Deus leva os israelitas a confessar seus pecados quando essas calamidades os assolam.

A Situação deles Era Desesperadora

Quando se lê o primeiro capítulo de Lamentações, é possível perceber que a situação do povo era desesperadora. Fica claro que o autor desse primeiro lamento viveu durante o cerco de Jerusalém pelos babilônios nos anos 588-587 a.C. Isso fica claro pelo quadro de tremenda desolação descrito neste livro. "Como se acha solitária aquela cidade dantes tão populosa!" (1.1a) Você quase consegue ver o jornal sendo carregado pelo vento. Ele fala de forma simbólica a respeito da nação: "Tornou-se como viúva a que foi grande entre as nações; e princesa entre as províncias tornou-se tributária" (1.1b). "Continuamente chora de noite" e "todos os seus amigos se houveram aleivosamente com ela" (1.2). À medida que continuamos a leitura, vemos a aflição e o exílio. O pranto. O abandono das práticas religiosas. A cidade desolada. Seus príncipes fogem de seus perseguidores. Essa rainha que já foi honrada, agora é desprezada. O autor captura bem a desolação nessa imagem de uma mulher confusa e desnorteada: "A sua imundícia está nas suas saias, nunca se lembrou do seu fim; por isso, foi pasmosamente abatida, não tem consolador" (1.9). Jerusalém ficou chocada com sua queda. Seus tesouros foram pilhados. Seu Templo, violado. Seu povo geme por alimento e vende tudo que sobrou em troca de pão. Seu exército foi derrotado, o futuro de seu povo está nas mãos do inimigo. Todos seus sacerdotes e anciãos morreram em sua busca por alimento. Os babilônios matavam qualquer um que atravessasse para o lado de fora dos muros de Jerusalém, e a fome matava os que permaneciam na cidade.

Eles Foram Chamados a se Confessar

O que o povo de Deus devia fazer em vista dessa circunstância terrível? Eles foram chamados a confessar seus pecados.

Na primeira metade do capítulo 1, somos informados de que essa figura feminina, que personifica Jerusalém, pecou: "O Senhor a entristeceu, por causa da multidão das suas prevaricações" (1.5). Seu sofrimento é conseqüência de seus pecados. "E da filha de Sião foi-se toda a sua glória" (1.6). No caso do leitor perder de vista quem essa mulher representa, o autor repete: "Jerusalém gravemente pecou; por isso, se fez instável" (1.8).

A primeira metade do capítulo descreve o sofrimento de Israel e as causas desse sofrimento como se pertencessem a essa figura feminina, e, na segunda metade do capítulo, a mulher fala. Ela confessa seus pecados e rebeldia: "Justo é o Senhor, pois me rebelei contra os seus mandamentos" (1.18). Ela sabe que foi rebelde: "Olha, Senhor, quanto estou angustiada; turbada está a minha alma, o meu coração está transtornado no meio de mim, porque gravemente me rebelei; fora, me desfilhou a espada, dentro de mim está a morte" (1.20). Ela diz a respeito de seus inimigos: "Venha toda a sua iniqüidade à tua presença, e faze-lhes como me fizeste a mim por causa de todas as minhas prevaricações; porque os meus suspiros são muitos, e o meu coração está desfalecido" (1.22). Todos que permanecem em Jerusalém (pelo menos, os representados pelo poeta) respondem a essa circunstância terrível confessando seus pecados.

Nós também Devemos nos Confessar

E nós? Como devemos começar a lidar com nosso sofrimento? Devemos ser pacientes. Devemos ser humildes. E devemos confessar nossos pecados. Se você for um pouco parecido comigo, humildade e confissão não se apresentam como sua primeira reação quando sofre golpes. Minha primeira atitude é endurecer e bater de volta. Todavia, em Lamentações, Deus usa claramente o sofrimento para ensinar seu povo, que deve esperar pacientemente e aprender.

Nos últimos anos de vida, a saúde do pastor puritano William Gouge piorou gradualmente. Ele usava seu sofrimento como uma oportunidade para acalmar sua alma ao refletir sobre a graça do Senhor. William Gouge, mesmo em meio às febres e aos ataques mais violentos, respondia: "Bem, em tudo isso não há nada do inferno ou da ira de Deus". A biografia desse homem relata:

> O sofrimento dele nunca era tão profundo que não pudesse ver o seu fundamento e dizer: "Alma, aquiete-se, seja paciente. Foi seu Deus e seu Pai quem lhe ordenou essa condição. Você é o barro dEle, e Ele pode pisá-lo e esmagá-lo como lhe agradar. Você merecia muito mais que isso. É suficiente que você esteja fora do inferno. Embora sua dor seja pesada, ainda é tolerável. Seu Deus lhe dá alguns intervalos. Ele usará isso para o seu bem e, no fim, acabará com isso tudo: não podemos esperar nenhuma dessas coisas no inferno".

A biografia dele conclui: "Suas aflições contribuíram muito para o exercício da sua graça".[3]

Amigo, não se torne amargo nem se deixe endurecer por seu sofrimento e suas perdas. Use seu sofrimento como uma oportunidade para enxergar seu pecado e para se tornar humilde por meio da Palavra de Deus. Lembre-se, seremos humilhados, e a única forma de nos tornarmos humildes por meio da Palavra do Senhor é ser humilhado pela ira dEle, nesta ou na próxima vida. Incito-o a ser humilhado pela Palavra de Deus.

Trabalhemos para ser humildes.

Lutemos também a fim de usarmos os momentos de sofrimento para confessar nossos pecados, não os dos outros. Seria fácil para os israelitas usarem esse lamento para confessar os pecados dos cruéis babilônios. Mas não fizeram isso, antes, confessaram os próprios pecados. Isso não quer dizer que eles isentaram os babilônios ou que disseram: "Tudo bem" para o que os inimigos fizeram. Não, em outra passagem, Deus promete claramente que os babilônios seriam julgados (Jr 50—51). Mas os israelitas perceberam que também seriam julgados por seus pecados. Por fim, perceberam que Deus era mais digno de temor que os babilônios.

Seus sofrimentos são uma mensagem para você. Não os despreze nem os desperdice. Tome-os como uma oportunidade de aperfeiçoamento e de disciplina, e comece com a confissão de seus pecados a Deus.

Quando o Sofrimento Chegar, Reconheça seu Juiz Divino

Quando acontecem essas calamidades, Deus também leva os israelitas a reconhecer que existe um Juiz divino.

Eles Permanecem sob o Governo de Deus

Ao nos voltarmos para o capítulo 2, encontramos testemunhos adicionais de como a situação dos israelitas era desesperadora. Contudo, vemos também que, mesmo em meio à ira de Deus, Jerusalém ainda tem uma posição especial. Jerusalém ainda expõe, de forma especial, o nome e a justiça de Deus. O Senhor, mesmo no julgamento, opera por intermédio deles. Eles nunca ficaram fora do seu governo.

As descrições vívidas do capítulo 2 também evidenciam que essa narrativa foi escrita por uma testemunha ocular do cerco e da queda de Jerusalém. Do versículo 8 em diante, o autor conta que as defesas, os muros, as portas e as barras foram destruídas. Os líderes foram exilados, e, por um tempo, Jerusalém deixou de ter governo próprio. A fome fez com que as crianças definhassem e morressem nos braços das mães. As mães comeram seus filhos. (Parece que o canibalismo sempre surge nos últimos estágios de um cerco, quando a população remanescente fica louca por causa da fome.) Jovens e velhos morriam nas ruas. Rapazes e virgens foram mortos à espada. Sacerdotes e profetas foram mortos no Templo. Tudo isso enquanto profetas desprezíveis continuavam a espalhar visões falsas de paz e de segurança, porque muitas pessoas queriam ser confortadas (2.14). Eles pagaram profetas para confortá-las!

Boa parte do capítulo 2, como no capítulo 1, obviamente está cheia de descrições da devastação de Jerusalém. Todavia, essa descrição traz uma reviravolta interessante. O escritor reconhece com clareza que a obra destrutiva é de Deus! Nos versículos 1 a 8, ele apresenta Deus como o agente! O Senhor está por trás da destruição causada pelos babilônios:

> Como cobriu o Senhor de nuvens, na sua ira, a filha de Sião! Derribou do céu à terra a glória de Israel e não se lembrou do escabelo de seus pés, no dia da sua ira. Devorou o Senhor todas as moradas de Jacó e não se apiedou; derribou no seu furor as fortalezas da filha de Judá e as abateu até à terra; profanou o reino e os seus príncipes. Cortou, no furor da sua ira, toda a força de Israel; retirou para trás a sua

destra de diante do inimigo; e ardeu contra Jacó, como labareda de fogo que tudo consome em redor. Armou o seu arco como inimigo, firmou a sua destra como adversário e matou tudo o que era formoso à vista; derramou a sua indignação, como fogo na tenda da filha de Sião. Tornou-se o Senhor como inimigo; devorou Israel, devorou todos os seus palácios, destruiu as suas fortalezas; e multiplicou na filha de Judá a lamentação e a tristeza. E arrancou a sua cabana com violência, como se fosse a de uma horta; destruiu a sua congregação; o Senhor, em Sião, pôs em esquecimento a solenidade e o sábado e, na indignação da sua ira, rejeitou com desprezo o rei e o sacerdote. Rejeitou o Senhor o seu altar, detestou o seu santuário; entregou na mão do inimigo os muros dos seus palácios; deram gritos na Casa do Senhor, como em dia de reunião solene. Intentou o Senhor destruir o muro da filha de Sião; estendeu o cordel, não retirou a sua mão destruidora; fez gemer o antemuro e o muro; eles estão juntamente enfraquecidos (2.1-8).

Eles Foram Chamados a Reconhecer Deus como Juiz

Em outras palavras, em meio a toda calamidade, o povo foi chamado a reconhecer Deus como governante e juiz, o que eles fizeram: "Fez o Senhor o que intentou; cumpriu a sua palavra, que ordenou desde os dias da antiguidade: derribou e não se apiedou; fez que o inimigo se alegrasse por tua causa, exaltou o poder dos teus adversários" (2.17).

Como já comentamos, é incrível quando percebemos como seria fácil para eles culpar os outros. Em meio ao sofrimento de Jerusalém, seria muito fácil dizer: "Isso é culpa dos soldados israelitas que fugiram e fracassaram em sua tarefa! Eles não conseguiram proteger os muros!". Ou: "É culpa dos engenheiros e dos construtores ignorantes que fizeram um trabalho ruim na construção do muro!". Ou: "Isso é culpa do rei. Ele fez alguma coisa que aborreceu os babilônios e trouxe a fúria deles sobre nós!" Ou: "A culpa é desses cruéis soldados babilônios e do tirânico rei Nabucodonosor!" Eles poderiam continuar a distribuir culpas e responsabilidades pelas coisas terríveis que Jerusalém sofreu e agüentou. Não havia falta de pessoas com quem pudessem dividir a culpa. Contudo, o poeta não os leva para esse caminho por mais verdadeiras que essas imputações de culpa pudessem ser. Em vez disso, ele declara: "Fez o Senhor o que intentou [...]: derribou".

Nós também Devemos Reconhecer Deus como Juiz

Nós também devemos reconhecer o fato de que não estamos além do alcance de Deus, e que Ele continua a ser nosso Juiz e Governante mesmo em nossas calamidades. Algumas pessoas relutam em atribuir as calamidades a Deus. Elas argumentam: "Não parece errado sugerir que o Senhor possa fazer essas coisas e ter tanta ira?" Lactâncio, um cristão do século III, examinou essa objeção e argumentava que a raiva, como qualquer outra paixão ou emoção, é ruim apenas se não for controlada e dirigida para uma boa finalidade. As emoções, até mesmo a raiva, são boas quando estão sob controle e são dirigidas da forma adequada. Na verdade, ele argumenta que seria errado uma pessoa estar em presença do mal e *não* ficar com raiva. Para verdadeiramente amarmos o bem, precisamos odiar o mal, e não odiar o mal é o mesmo que não amar o bem.

Bem, amigo, se isso é verdade, então, Deus não apenas pode, como deve, ficar irado com o pecado. Ele está certo ao agir para julgar o erro.

É fácil para nós ignorar o governo de Deus ao culpar prontamente os outros pelo que acontece de errado. Nós reclamamos de imediato de nosso colaborador, do médico negligente, do chefe ignorante, do cônjuge pernicioso, dos pais superprotetores, do negociante ganancioso, do ladrão sem lei. E talvez todos esses personagens sejam culpados porém, como cristãos, devemos ter cuidado para não agir como ateístas práticos e parar nesse ponto de nossa acusação.

Mesmo se você afirma que crê em Deus, o que acha que Ele faz de verdade? Você acredita que Ele fica sentado sem fazer nada em uma torre de observação bem distante da nossa galáxia? Onisciente de todos os detalhes da nossa vida, mas nunca controlando de forma ativa esses detalhes? Sei que podemos amealhar muitas dificuldades por falar sobre o controle ativo de Deus sobre a nossa vida, mas deixe-me adverti-lo contra seguir para o outro lado. Se você abandona a visão de que Deus está no comando ativo do mundo dEle e, em vez disso, adota o ponto de vista de que Ele é uma divindade distante e que não se envolve com sua criação, um Ser que você acha que, de alguma forma, é mais "amoroso", então você não contempla o Deus e o Pai de nosso Senhor Jesus Cristo que sabe quando um passarinho cai, que sabe quantos fios de cabelo há em sua cabeça e que trabalha todas as coisas para o bem daqueles que o amam e que são chamados de acordo com o propósito dEle (veja Rm 8.28).

A melhor passagem para ler na Bíblia, se você precisa de mais ajuda para entender como Deus usa instrumentos de maldade para realizar seus bons propósitos, é a da morte de Jesus.

No jardim do Getsêmani, Jesus estava claramente relutante em seguir em direção à cruz. Ele sabia que isso envolveria sofrimento. Todavia, Ele também sabia que essa era a vontade do Pai, por isso, submeteu-se ao Pai. Semanas mais tarde, após a ressurreição e a ascensão dEle, os apóstolos oraram: "Porque, verdadeiramente, contra o teu santo Filho Jesus, que tu ungiste, se ajuntaram, não só Herodes, mas Pôncio Pilatos, com os gentios e os povos de Israel, para fazerem tudo o que a tua mão e o teu conselho tinham anteriormente determinado que se havia de fazer" (At 4.27,28). Podemos seguir o tema por todo o caminho até a Epístola aos Hebreus, em que aprendemos que Jesus suportou a cruz a fim de alcançar o "gozo que lhe estava proposto" (Hb 12.2). Em outras palavras, simultaneamente, Deus Pai e Deus Filho agiram junto com os malvados Herodes e Pôncio Pilatos. Realmente, os propósitos de Deus ressoam mesmo nos piores pecados e nos mais requintados sofrimentos.

Se você acredita que Deus governa de forma ativa o universo e opera por intermédio de todas as coisas, tenho um aviso para você. Abstenha-se de tentar ler mensagens divinas em todas as particularidades da vida. Os cristãos que aceitam a idéia de que Deus está ativamente envolvido em nossa vida, às vezes, começam a tratar cada acontecimento da vida como um enigma gigantesco que têm de decifrar. "O táxi atrasou, e perdi meu compromisso. O que Deus quer me dizer com isso?" Bem, você pode fazer esse tipo de pergunta e, às vezes, encontrar uma resposta boa. No entanto, eu o encorajaria a continuar a ler sua Bíblia, em vez de especular o que Deus quer dizer. As Escrituras são bastante claras sobre o que Deus valoriza e o que Ele quer que você persiga. Não se preocupe: Ele sempre lhe falará em alto e bom som sempre que for necessário. Ele não tem problema para chegar até você quando assim desejar.

Quando sofremos, temos de reconhecer que Deus tem um bom plano para nós e está no comando da situação.

Quando o Sofrimento Chegar, Preste Especial atenção aos Líderes de Deus

Deus levou os israelitas a fazer uma terceira coisa em meio à calamidade por que passavam, e talvez essa seja a coisa mais extraordinária que Ele lhes pediu para fazer. O Senhor queria que percebessem a responsabilidade dos líderes pela situação em que estavam. Acho que essa é a principal lição do capítulo 4.

Os Sacerdotes se Tornaram Intocáveis

Mais uma vez, o capítulo 4 descreve um sofrimento enorme, durante e após o cerco de Jerusalém. Os primeiros dez versículos relatam que fortunas foram perdidas e houve busca predatória por alimentos. O pão e a água tornaram-se escassos, e, como resultado disso, pais e filhos sucumbiam. A devastação extraordinária tirou o valor do dinheiro, e os ricos ficaram tão desamparados quanto os pobres. A lei da selva prevaleceu, e a morte horrível reinou. Os que foram grandes como príncipes tornaram-se esqueletos ambulantes. Alguns preferiram enfrentar a espada dos babilônios, em vez de morrer de fome na área interior dos muros. O versículo 10 é um dos mais perturbadores de todos: "As mãos das mulheres piedosas cozeram seus próprios filhos; serviram-lhes de alimento na destruição da filha do meu povo" (4.10). Observe que o escritor salienta o fato de que eram mães piedosas, não cruéis. Mães piedosas cozinhavam os próprios filhos e os comiam de tão grande que era a fome. Que imagem bizarra da tragédia, a de Deus destruindo seu povo.

Na verdade, tudo nesse capítulo está fora de ordem. Observe as estranhas inversões: "Como se escureceu o ouro! Como se mudou o ouro fino e bom! Como estão espalhadas as pedras do santuário ao canto de todas as ruas! Os preciosos filhos de Sião, comparáveis a puro ouro, como são, agora, reputados por vasos de barro, obra das mãos do oleiro!" (4.1,2) O auge da estranheza surge quando Deus destrói a cidade que construiu: "Deu o Senhor cumprimento ao seu furor; derramou o ardor da sua ira e acendeu fogo em Sião, que consumiu os seus fundamentos" (4.11).

Contudo, todas as explicações apresentadas no capítulo 4 para essas inversões têm relação com os líderes. Os pecados deles são os responsáveis por isso:

> Foi por causa dos pecados dos profetas, das maldades dos seus sacerdotes, que derramaram o sangue dos justos no meio dela. Erram como cegos nas ruas, andam contaminados de sangue; de tal sorte que ninguém pode tocar nas suas roupas. Desviai-vos, bradavam eles. Imundo! Desviai-vos, desviai-vos, não toqueis; quando fugiram e erraram, disseram entre as nações: Nunca mais morarão aqui (4.13-15).

Isso é que é inversão! As próprias pessoas que deviam ensinar os cerimoniais de purificação para o povo se tornaram intocáveis!

Eles Foram Chamados a Reconhecer a Responsabilidade de seus Líderes

Deus chamou o povo a reconhecer a responsabilidade de seus líderes. Ele queria que soubessem que os líderes seriam julgados com severidade. "A ira do Senhor os dividiu; ele nunca mais tornará a olhar para eles; não reverenciaram a face dos sacerdotes, nem se compadeceram dos velhos" (4.16). Conforme afirma a passagem, o Senhor mesmo faria isso.

Nós também Devemos Reconhecer a Responsabilidade dos nossos Líderes

Essa passagem ensina-nos alguma coisa sobre a importância dos líderes, em especial, a liderança da Igreja. O texto mostra que é crucial a devoção honesta dos líderes a Deus. Aqui, em Lamentações, e no livro de Jeremias, a liderança não é condenada por inexperiência, por ineficiência ou até por inaptidão. Eles foram reprovados por que seus corações seguiam os deuses errados, e pecados abomináveis somaram-se a isso. Eles foram sentenciados porque seu coração passou a ser mau, e eles levaram o povo para o caminho errado.

Se os Estados Unidos fossem julgados, talvez os presidentes e políticos recebessem alguma sentença, mas temo que boa parte dessa punição cairia sobre os profetas e sacerdotes da nossa terra: os pregadores e os pastores. Com muita freqüência, e há muito tempo, comprometemos o evangelho e cuidamos mais de nós mesmos que do nosso rebanho, de nosso plano de aposentadoria mais que de nossos sermões, de nossa paz e calma pessoal mais que o bem da Igreja. O julgamento de Deus cairá de forma poderosa sobre os pastores que pregam falsidades e afagam o pecado, que se prendem mais às visões da própria grandeza que à de Deus, que estão mais interessados na aprovação das pessoas que na do Senhor. Que Deus possa *me* perdoar por qualquer atitude em que seja culpado dessas coisas, e que Ele possa libertar todos nós dessa debilitante e fatal infidelidade que há entre nossos líderes.

Quando sofremos, devemos prestar especial atenção aos nossos líderes e àqueles que afirmam nos ensinar as palavras e os caminhos de Deus.

QUANDO O SOFRIMENTO CHEGAR, ORE PELO FUTURO

Deus ensinou uma quarta lição aos israelitas em meio a essas calamidades. Ele chamou-os a orar pelo futuro.

O Desespero do Povo Continua

O capítulo 5 continua a descrever o povo em meio a sua situação desesperadora. A terra deles foi ocupada por estrangeiros. As necessidades mais básicas da vida foram tiradas deles e só podem ser conseguidas a um alto preço. As mulheres foram violentadas. Os homens foram mortos. Todos passaram muita fome. Os líderes mais afortunados foram ignorados, os menos favorecidos morreram enforcados. Desapareceram totalmente a cultura, a vida cívica e o governo da cidade.

Eles Foram Chamados a Orar

Portanto, o que Deus os chama a fazer? Todo o capítulo 5 é uma oração a Deus, em que o profeta guia o povo. Ele inicia o capítulo com estas palavras: "Lembra-te, Senhor, do que nos tem sucedido; considera e olha para o nosso opróbrio" (5.1). A seguir, ele ora principalmente por restauração e renovação. E a súplica termina desta maneira: "Converte-nos, Senhor, a ti, e nós nos converteremos; renova os nossos dias como dantes. Por que nos rejeitarias totalmente? Por que te enfurecerias contra nós em tão grande maneira?" (5.21,22).

Nós também Somos Chamados a Orar

Portanto, o que você deve fazer quando sofre? Quando vivencia uma grande mudança ou perda? Orar. O que mais você pode fazer além de orar a Deus?

Peça ajuda a Deus para suportar as provações e tentações. Peça que Ele acenda a luz da compreensão de que precisa para atravessar sua provação. Talvez você ache que Deus já *ouviu* você falar bastante, mas, pelo menos, peça a Ele. Talvez pense que o Senhor está *cansado* de você, mas, ao menos, peça a Ele. Mesmo que você se dirija ao Eterno pela qüinquagésima vez, não pense que Ele ficará impaciente com você. Enquanto você tiver vida e respirar, tem isso como motivo e, por isso, tem esperança — então, peça a Deus. Vá a Ele em oração.

Muitos se tornam cristãos por causa de alguma coisa que acabou com seus planos ou que expôs a superficialidade de suas esperanças, e, por isso, voltaram-se para Deus em oração sincera e humilde a fim de conhecer a vontade dEle! **Devemos orar quando sofremos.**

Quando o Sofrimento Chegar, Espere em Deus

Mas como o povo de Israel podia esperar que Deus ouvisse suas orações se estava sendo punido por seus pecados? É possível ver isso, voltando ao capítulo 3 e ao nosso último ponto. O Senhor Deus, quando essas calamidades vieram, levou os israelitas a esperar nEle.

Como já mencionamos antes, muitas vezes, a poesia hebraica alcança seu auge no meio, não no fim, como na maioria das poesias em inglês e português. E esse é o caso de Lamentações. O capítulo 3 — do meio — é o mais longo e transmite a mensagem central do livro.

A Situação deles Continua Péssima

O cerco custou um tributo físico terrível. Os israelitas foram caçados pelos babilônios e ignorados por Deus. A paz e a plenitude que antes possuíam, foram substituídas por guerra e escassez.

Eles Foram Chamados a Esperar em Deus

O que eles deviam fazer? Encontramos a resposta na seção central desse capítulo, que é exatamente o meio do livro:

> Disso me recordarei no meu coração; por isso, tenho esperança. As misericórdias do Senhor são a causa de não sermos consumidos; porque as suas misericórdias não têm fim. Novas são cada manhã; grande é a tua fidelidade. A minha porção é o Senhor, diz a minha alma; portanto, esperarei nele. Bom é o Senhor para os que se atêm a ele, para a alma que o busca. Bom é ter esperança e aguardar em silêncio a salvação do Senhor. Bom é para o homem suportar o jugo na sua mocidade; assentar-se solitário e ficar em silêncio; porquanto Deus o pôs sobre ele. Ponha a boca no pó; talvez assim haja esperança. Dê a face ao que

o fere; farte-se de afronta. Porque o Senhor não rejeitará para sempre. Pois, ainda que entristeça a alguém, usará de compaixão segundo a grandeza das suas misericórdias. Porque não aflige nem entristece de bom grado os filhos dos homens. Pisar debaixo dos pés todos os presos da terra, perverter o direito do homem perante a face do Altíssimo, subverter o homem no seu pleito, não o veria o Senhor? Quem é aquele que diz, e assim acontece, quando o Senhor o não mande? Porventura da boca do Altíssimo não sai o mal e o bem? De que se queixa, pois, o homem vivente? Queixe-se cada um dos seus pecados. Esquadrinhemos os nossos caminhos, experimentemo-los e voltemos para o Senhor. Levantemos o coração juntamente com as mãos para Deus nos céus, dizendo: Nós prevaricamos e fomos rebeldes; por isso, tu não perdoaste (3.21-42).

Nessa passagem, encontramos a esperança que eles tinham, e essa certeza se baseava no caráter de Deus (3.21-33), a justificação dos atos dEle (3.34-39) e o chamado à confissão e ao arrependimento (3.40-42).

De forma digna de nota, o poeta disse essas palavras enquanto ainda lamentava. Ele sabia que o Senhor é um Deus bom! "Graças ao grande amor do Senhor é que não somos consumidos, pois as suas misericórdias são inesgotáveis" (NVI). Veja que, aqui, a palavra "misericórdia" está no plural. As misericórdias de Deus são inúmeras! Em hebraico, a palavra para designar "amor" também está no plural!

A seguir, lemos: "Grande *é* a tua fidelidade". As misericórdias e o amor fazem paralelo com sua fidelidade!

O poeta podia rememorar a história de Israel e sua própria vida e ver que os registros da forma como Deus lidava com seu povo justificava a esperança deles, mesmo nos momentos mais tenebrosos. Por isso, o Senhor podia olhar para o sofrimento pelo qual passavam e saber que as injustiças reais que sofreram nas mãos dos babilônios também eram atos reais de justiça de Deus: "Perverter o direito do homem [...], não o veria o Senhor? Quem é aquele que diz, e assim acontece, quando o Senhor o não mande?" Amigo, o caráter justo e reto de Deus está por trás de tudo que acontece com você e comigo.

Como pode ser isso? Como Deus pode usar as injustiças dos homens para alcançar seus propósitos justos na salvação de seu povo? O livro de Lamentações aponta-nos a resposta, à medida que consideramos o homem que permaneceu firme para as nações e agüentou o sofrimento delas:

Torrentes de águas derramaram os meus olhos, por causa da destruição da filha do meu povo. Os meus olhos choram e não cessam, porque não há descanso (3.48,49).

Arrancaram a minha vida na cova e lançaram pedras sobre mim. Águas correram sobre a minha cabeça; eu disse: Estou cortado. Invoquei o teu nome, Senhor, desde a mais profunda cova (3.53-55).

Viste toda a sua vingança, todos os seus pensamentos contra mim. Ouviste as suas afrontas, Senhor, todos os seus pensamentos contra mim; os lábios dos que se levantam contra mim e as suas imaginações contra mim todo o dia (3.60-62).

Contudo,

Pleiteaste, Senhor, os pleitos da minha alma, remiste a minha vida. Viste, Senhor, a injustiça que me fizeram; julga a minha causa (3.58,59).

Por fim, a esperança do povo repousa naquEle que viria e levaria sobre si os pecados do mundo todo. As injustiças do povo de Deus, as impiedades dos babilônios e, como vimos, até as crueldades de Herodes e de Pôncio Pilatos, no fim, contribuiriam para a crucificação de nosso Senhor Jesus Cristo. E quando o Mestre sofresse, sangrasse e morresse sobre uma cruz romana por causa dos pecados de todo o Israel, Deus redimiria a vida dEle do túmulo e garantiria essa mesma nova vida a todos que se arrependessem e cressem em seu Filho para a salvação. Como eles podiam orar enquanto eram punidos? E como Deus pode usar as injustiças dos homens para alcançar seus fins justos? Porque Cristo pagaria totalmente por essas injustiças, de forma mais completa que uma cidade sitiada jamais poderia. E hoje, você sabe que Cristo pagou totalmente os seus pecados e lhe garante a reconciliação total com Deus se apenas arrepender-se deles e crer.

Os sobreviventes da queda de Jerusalém encontraram esperança em Deus, embora isso os leve a um novo caminho. A queda de Jerusalém, em 587 a.C., marcou um grande ponto de virada na história do povo de Deus. Ela iniciou a transição entre ser um Estado e nação para ser um povo, de serem israelitas a ser judeus. Afinal, não existia mais a nação. Eles também aprenderam que Deus não se limitava a um prédio específico, a uma determinada localização geográfica nem a qualquer plano particular deles, mas que Ele é o Deus de toda a terra.

Nós também Somos Chamados a Esperar em Deus

Onde você procura a esperança quando toda sua situação parece estar em declínio? É claro que não buscará nas suas circunstâncias. Elas estão em declínio! Você esperará por uma mudança da situação? Sem dúvida, qualquer nova condição, no fim, também parecerá estar em declínio! Assim, você deve olhar para o caráter de misericórdia, de amor e de fidelidade de Deus. E essas coisas mostrarão com mais clareza por meio do que o Eterno realizou em Cristo, aquEle que, conforme os propósitos do Pai, sofreu, mais que qualquer um de nós jamais sofrerá — tudo por causa do amor. Se você for cristão, posso dizer-lhe que Deus não apenas prometeu lançar fora suas esperanças, mas lhe dar esperanças melhores! E é mais certo que Ele realize essas esperanças melhores.

Em meio aos seus sofrimentos, ter essa noção faz diferença. Você é capaz de agüentar as provações e de vivenciar as *misericórdias* e o *amor* de Deus quando o conhece e crê nEle tal como se revelou em Lamentações. Se estiver convencido de que precisa entender muito bem uma provação específica antes de estar disposto a crer no Senhor, digo-lhe, agora, que fracassará. Em algum momento, você *vivenciará*, se já não vivenciou, uma provação que ultrapassa sua capacidade de encontrar explicação para ela. No fim, Deus tem as explicações completas. Mas se você o conhece como Ele realmente é, então, é capaz de confiar no caráter e em todas as promessas dEle em Cristo, mesmo nas provações que não consegue entender. Você terá uma vida diferente nos bons e nos maus momentos.

Quando sofremos por Deus, percebemos que nossa única esperança duradoura está no caráter imutável dEle e no que fez através de Cristo.

Conclusão

John Piper conta, em seu excelente livro *Future Grace* [Graça Futura], a história de Evelyn Brand.

Brand

Brand cresceu em uma próspera família inglesa. Ela estudou no Conservatório de Artes de Londres e vestia as mais finas sedas. No entanto, ela foi com o marido para viver como missionários na região das montanhas Kolli Malai, na Índia. Após cerca de dez anos, o marido morreu aos 44 anos, e ela voltou para casa "quebrada, abatida pela dor e pelo pesar". Todavia, depois de um ano de recuperação e contra todos os conselhos, ela retornou para a Índia. Sua alma estava restaurada, e ela despejou sua vida nos povos da montanha, "cuidando dos doentes, ensinando-os a cultivar, fazendo preleções sobre a filária, um tipo de verme, fazendo qualquer coisa que caísse em suas mãos e precisasse ser feita, criando os órfãos, limpando os matagais, arrancando dentes, fundando escolas, pregando o evangelho". Ela vivia em uma barraca desmontável, de 0,74 metros quadrados, que podia ser facilmente carregada e montada de novo.

Aos 67 anos, ela caiu e quebrou a bacia. Seu filho, Paul, acabara de chegar à Índia como cirurgião. Ele encorajou-a a se aposentar. Ela já quebrara um braço, trincara várias vértebras e tinha uma malária recorrente. Paul reuniu tantos argumentos quanto pôde a fim de persuadi-la de que 67 anos investidos em um ministério, e que agora era tempo de se aposentar. A resposta dela? "Paul, você conhece essas montanhas. Se eu for embora, quem ajudará os aldeões? Quem cuidará de seus machucados, e extrairá seus dentes, e lhes ensinará sobre Jesus? Quando alguém tomar meu lugar, nesse momento, e apenas nesse momento, eu me aposento. De qualquer forma, para que preservar esse corpo velho se não for usado onde Deus precisa de mim?" Essa foi sua resposta final. Assim, ela continuou a trabalhar.

Brand morreu aos 95 anos. Seu filho comentou que "com rugas mais profundas e extensas do que já vi em qualquer face humana... ela era uma bela mulher". Todavia, não era a beleza da seda e da alta sociedade londrina tradicional. Nos últimos vinte anos de sua vida, ela recusou-se a ter um espelho em casa! Ela estava totalmente envolvida com o ministério, não com espelhos. Uma vez, um colaborador comentou que Granny Brand era mais cheia de vida que qualquer outra pessoa que já conhecera. "Ao dar sua vida, ela a encontrou."[4]

Por mais estranho que pareça, não perdemos nossa vida, mas a ganhamos, quando cremos na fidelidade de Deus e confiamos a Ele os desapontamentos da vida, quer a morte de um marido aos 44 anos, quer uma bacia quebrada aos 67 anos, quer o desencorajamento do próprio filho. Ganhamos nossa vida quando em meio ao sofrimento, ao arrependimento e à obediência, confiamos nEle em todo o caminho, sabendo que no final haverá regozijo. E podemos fazer isso porque a graça de Deus nos capacita a discernir seu caráter gracioso e a amá-lo mais que qualquer coisa que possamos perder, até mesmo a própria vida.

Amigo, a pergunta que lhe faço é a seguinte: O que você valoriza mais que Deus?

Deixe-me apresentar uma última ilustração prática, embora não seja tão eloqüente quanto a história da vida de Evelyn Brand. No último domingo de manhã, eu estava de pé no púlpito da igreja com muita dor. Não dormira nem um minuto na noite anterior por causa de um abscesso no dente. Na segunda-feira, fui ao dentista para um tratamento de canal. Quando me recostei na cadeira do dentista, ele aproximou-se de mim com aquele zunido que todos conhecem — o som da broca. Ninguém gosta desse som. Mas por que eu deveria ficar recostado ali e permitir que ele trouxesse aquele som terrível e, pior ainda, aquele sentimento terrível para dentro da minha boca? Porque sabia que ele tinha um objetivo bom. Por um lado, se você viesse a mim depois de um culto da igreja com uma broca portátil na mão e perguntasse: "Ei, Mark, você deixa eu cutucar um pouco?" Eu diria: "De jeito nenhum!" Se tivermos de sofrer ou sentir dor, é melhor ter um bom motivo para enfrentar a situação. É bom que isso faça sentido. É melhor ser algo como pelos quais Evelyn Brand deu a vida, pois qualquer outra coisa seria um desperdício ridículo e trágico!

Nosso sofrimento nas mãos de Deus é como uma broca na mão de um bom dentista. Na verdade, podemos confiar que as mãos de Deus, quando Ele opera em nossa vida, são mais habilidosas que as do dentista mais capacitado. Ele sabe o que está fazendo. E podemos confiar que os propósitos do Senhor sempre são bons, mesmo quando não sabemos exatamente quais são.

Quando atingimos o âmago dessa postura, encontramos duas respostas para o sofrimento: ou você *nega* a mão de Deus na situação (e torna-se farisaico e amargo) ou *discerne* a mão de Deus em todo o acontecimento (e crê que isso o está tornando mais semelhante ao Senhor).

Você tem pecado a confessar? Você pode orar? Pode esperar em Deus?

O sofrimento o deixa *amargo* ou faz parte do plano de Deus para refiná-lo e torná-lo *melhor*. Escolha a última opção. Confesse. Ore. Creia e espere.

Oremos:

O Senhor Jesus conta-nos em sua Palavra: "Não ajunteis tesouros na terra, onde a traça e a ferrugem tudo consomem, e onde os ladrões minam e roubam. Mas ajuntai tesouros no céu, onde nem a traça nem a ferrugem consomem, e onde os ladrões não minam, nem roubam. Porque onde estiver o vosso tesouro, aí estará também o vosso coração". Deus, o Senhor sabe a dor que sentimos, porque nosso coração foi ferido. Ele foi tocado tantas vezes e de tantas formas para nos fazer lembrar disso tudo. Mas, Deus, confessamos que temos certas lembranças cauterizadas em nossa mente e oramos para que seu Espírito Santo nos ajude a olhar de novo nosso sofrimento e enxergar seu amor por nós nessas dores. Pai, oramos para que o Senhor nos dê a sabedoria divina para tudo que não podemos fazer com nossa sabedoria — a fim de que se não entendermos totalmente seus caminhos, ao menos, confiemos em seu caráter. O caráter daquEle mesmo que veio e morreu na cruz por nós. Senhor, ensina-nos a crer e a viver como pessoas que sabem que nossa esperança final não pode estar em qualquer Jerusalém terrena, ou em qualquer circunstância ou relacionamento terrenos, mas apenas no Senhor. Deus, sabemos em nosso coração que não podemos fazer isso acontecer! Por isso, oramos para que o Senhor faça isso, para sua glória. Em nome de Jesus. Amém.

Questões para Reflexão

1. Que atos pesados de devastação — quer resultado da natureza, quer da decisão humana — aconteceram em sua vida?
2. De acordo com o livro de Lamentações, Deus teve o controle daqueles acontecimentos? Mesmo os eventos causados por decisões pecaminosas dos homens? Explique sua resposta?
3. Que conforto existe no fato de saber que Deus é soberano sobre todas as coisas?

4. Se tivesse que escolher um dos atos pesados de devastação que enumerou na pergunta 1, por que você seria irreverentemente pisado no território do Altíssimo por declarar uma explicação confiante para qual seria o propósito de Deus? O que Deus preferiria que você fizesse ao considerar o governo dEle sobre esses eventos?
5. Você se lembra de alguma ocasião de sofrimento em sua vida em que tanto sua teimosia contínua como sua necessidade de culpar os outros apenas pioraram suas dificuldades? Como a situação se inverteria se você começasse a cultivar a humildade e confessasse seus pecados?
6. Como você descreveria o viver como um "ateísta prático"?
7. A mensagem de Lamentações referente à soberania de Deus sobre o sofrimento e à fidelidade dEle em meio ao sofrimento tem qualquer aplicação prática para nossas igrejas?
8. Qual foi a última vez em que você se sentou com sua família e passou algumas horas relembrando todos os exemplos da fidelidade de Deus na vida conjunta de vocês nos últimos meses? Qual será a próxima vez em que fará isso?
9. Que diferença a mensagem de Lamentações fará em sua vida se você for líder na sua família, na sua igreja ou no seu trabalho?
10. Em quais situações vemos a demonstração da fidelidade de Deus com mais perfeição?
11. Infelizmente, as pessoas apontam, com freqüência, o sofrimento como uma desculpa para não crer em Deus. Assim, suponha que você diga a um amigo não-cristão para ler Lamentações juntos. Como você poderia usar a mensagem de Lamentações a fim de apontar para o evangelho de Jesus Cristo, um evangelho que tem o sofrimento como o próprio centro de sua mensagem?

Notas

Capítulo 25

[1] A data de pregação original deste sermão foi em 28 de outubro de 1998, na Capitol Hill Baptist Church, em Washington, D.C.
[2] Veja Granger Westberg, Good Griefs (Filadélfia: Fortress, 1971).
[3] Citado por James Reid, Memoirs of the Westminster Divines, 2 vols. (Paisley, UK: Stephen & Andrew Young, 1815), p. 1:358.
[4] John Piper, The Purifying Power of Living by Faith in Future Grace (Sisters, Ore.: Multnomah, 1995), pp. 288, 289. O trecho citado é de Paul Brand com Philip Yancey, "And God Created Pain", Christianity Today, 10 de janeiro de 1994, pp. 22, 23.

A MENSAGEM DE EZEQUIEL: PARAÍSO

À ESPERA DA UTOPIA

INTRODUÇÃO A EZEQUIEL

UMA VISÃO DE DEUS, O REI
Deus não É como nós
Deus É Todo-poderoso e Onisciente
Deus não É Limitado pelas Circunstâncias
Deus Toma a Iniciativa
Deus Comunica-se

UMA VISÃO DA PARTIDA DE DEUS

UMA VISÃO DA VINDA DE DEUS E A PROMESSA DO PARAÍSO

CONCLUSÃO

CAPÍTULO 26

A Mensagem de Ezequiel:
Paraíso

À Espera da Utopia[1]

Quase quinhentos anos atrás, publicou-se um pequeno volume com estas palavras na capa: "Uma obra proveitosa, prazerosa e satírica sobre o melhor estado da prosperidade pública e da nova ilha chamada utopia", um livro "escrito pelo justamente conceituado e famoso fidalgo Sir Thomas More". Em Utopia, ele descreve uma ilha imaginária através dos olhos de um viajante, e a sociedade que vive nessa ilha é perfeita!

Na primeira edição do livro, os amigos de Thomas More viram o humor da obra. Eles sabiam exatamente o que More fazia: criticava sutilmente as imperfeições do reinado da verdadeira ilha, do qual ele era um servo proeminente — a Inglaterra sob o governo do rei Henrique VIII. A Inglaterra, como a maioria das nações, tinha coisas boas e ruins. No entanto, sob o governo do rei Henrique VIII, escrever sobre as coisas ruins — pelo menos, abertamente — podia ser perigoso. Thomas More, em sua utopia satírica, encontrou o meio de comentar sua época, de forma divertida e, ostensivamente, não ameaçadora, para aqueles que o leriam.

Até mesmo o nome que deu à sua ilha fictícia foi escolhido com astúcia — Utopia. Hoje, usamos essa palavra para nos referir a uma terra em que encontraremos a perfeição ideal. Bem, o termo foi cunhado por Thomas More, e em grego era um trocadilho. Topia significa lugar. E o u pode significar tanto "bom" (como um tributo) — o que dá à Utopia o significado de um "lugar bom" —, ou pode se referir a uma negação, ou "não", o que dá a Utopia o significado de "lugar nenhum". Na verdade, o nome diz tudo: esse "lugar bom" é "lugar nenhum". De qualquer forma, ele não existe neste mundo.

Isso está certo? No fim, nenhum lugar é o local bom com que todos sonham? É apenas um mito antigo, um velho conto de fadas, um sonho infantil ou a projeção de nossos desejos interiores? O paraíso realmente existe?

Introdução a Ezequiel

Não sei como responderá a essa pergunta. Mas se você sente que deve existir outro lugar melhor que, por alguma razão, ainda não foi revelado, então, o livro de Ezequiel, no Antigo Testamento, é bem apropriado para você.

Em nossa série atual dos grandes profetas intitulada "Grandes Esperanças", em Ezequiel, voltamo-nos para a esperança do paraíso; nesse livro, Deus, usando de algumas formas incomuns, ensina a seu povo diversas coisas importantes sobre si mesmo e sobre essa esperança. Nosso tema é todo o livro de Ezequiel. Aqui, não leremos o texto inteiro do livro, mas talvez você possa fazê-lo na próxima semana.

Três estudos atrás, ouvimos o profeta Isaías alertar Ezequias, rei de Judá, em relação ao exército assírio, ao mesmo tempo em que lhe assegurava a proteção de Deus. Dois estudos atrás, vimos o profeta Jeremias (que viveu um século depois de Isaías), incitar Judá e Jerusalém a seguirem a orientação do Senhor e se renderem ao exército babilônio. No estudo anterior a este, examinamos a lamentação de um indivíduo que estava em Jerusalém durante o cerco e a queda da cidade. Neste estudo, encontramos o profeta Ezequiel que viveu na mesma época de Jeremias, mas cujo ministério, na verdade, acontece no exílio, na Babilônia. Os babilônios levaram os israelitas, contra a vontade deles, para o exílio na Babilônia em várias etapas, e Ezequiel foi transportado em uma das primeiras. Provavelmente em 597 a.C., ele viajou para a Babilônia com a família real e outros líderes de Jerusalém. Lembre-se, Jerusalém apenas foi totalmente destruída uma década depois, em 587 a.C. Ezequiel foi treinado para ser sacerdote na cidade de Davi e conhecia bem a vida religiosa de seu povo. Talvez ele até tenha ouvido Jeremias pregar em Jerusalém antes de ser levado embora, apesar de nenhum dos dois profetas se refirir um ao outro. Mas já que Ezequiel estava a um exílio de distância do Templo, talvez parecesse que não haveria futuro para esse sacerdote servir o povo de Deus. Afinal, o trabalho do sacerdote era vinculado ao Templo. De forma semelhante, no início, muitos judeus ficaram preocupados com a idéia de que Deus talvez estivesse inacessível a eles já que estavam longe da Terra Prometida. Mas esse não era o caso — nem para Ezequiel, nem para o povo. Deus preparara esse jovem sacerdote para ser seu porta-voz especial entre os judeus exilados.

Qualquer pessoa que já leu o livro de Ezequiel sabe que este homem estava longe de ser um indivíduo comum. W. F. Albright descreve Ezequiel como "um dos maiores personagens espirituais de todos os tempos, apesar de sua tendência à anormalidade sobrenatural".[2] Cerca de cinqüenta anos atrás, E. C. Broome apresentou uma análise freudiana de Ezequiel (o que é difícil de fazer com a pessoa presente, quanto mais com alguém morto há quase 3 mil anos!).[3]

Talvez, as coisas estranhas que o Senhor chamou Ezequiel a fazer a fim de se comunicar com seu povo sejam o que faça com que ele pareça tão estranho. Bastante simples, Deus chamou Ezequiel a transmitir visões misteriosas e fantásticas pela prática de atos estranhos e simbólicos. Durante o primeiro período do ministério de Ezequiel (593-586 a.c.), Deus chamou-o a ser praticamente um recluso afligido por convulsões, paralisias e mutismo periódicos. Por exemplo, observamos episódios de afasia em que Ezequiel fica deitado imóvel sobre seu lado durante meses, até anos (4.4ss). Ele é amarrado com cordas em sua casa para que não pudesse sair em meio às pessoas (3.25). A língua dele é grudada no palato para que não possa falar (3.26). Ele recebe ordem de não chorar a morte da esposa (24.16,17), e é transportado em visões (por exemplo, 8.7, e várias outras passagens). É-lhe dito para fazer uma maquete da Jerusalém sitiada e levantar a espada contra ela (4.1,2; 5.1,2). O profeta ainda empacota seus pertences e enterra-os ao longo de todo o muro da cidade para simbolizar o exílio vindouro. Eu poderia continuar dando outros inúmeros exemplos.

Consideraram esse livro tão estranho que os rabis judeus, com freqüência, não permitiam que os jovens lessem Ezequiel até completarem trinta anos a fim de que não ficassem desencorajados com a dificuldade de compreender as Escrituras e, por isso, as desdenhassem.

Mas esse livro não é, de fato, tão difícil de entender. Antes de mergulharmos nele, deixe-me apresentar-lhe um rápido esboço. A estrutura de Ezequiel é até mais clara que a de Isaías e a de Jeremias. Ela divide-se em duas metades. Nos capítulos 1—24, o Senhor conta a seu povo sobre o julgamento que virá sobre eles. Ele diz que os babilônios e Nabucodonosor destruirão Jerusalém. O auge acontece no capítulo 24, quando vem a Ezequiel a palavra de que o cerco à cidade começara. Os capítulos 25—48 trazem mais esperança. A segunda metade inicia-se com condenações aos povos circunvizinhos, especificamente Amom, Moabe, Edom, Filístia, Tiro, Sidom e Egito. Em 33.21, chega a palavra de que, na verdade, Jerusalém caiu, e, a partir desse ponto, Ezequiel começa a profetizar sobre a esperança e a restauração para o povo de Deus. Grande parte do livro está em ordem cronológica, e as profecias de Ezequiel estendem-se por um período de mais de duas décadas — de cerca de 593 a 571 a.C.

Além disso, há três seqüências básicas de visões que Deus dá a Ezequiel, e, se você as entender, pode dizer que conhece o livro. A primeira seqüência acontece nos capítulos 1—3, em que Ezequiel, já na Babilônia, vê pela primeira vez Deus vindo a ele em uma visão. A segunda seqüência ocorre nos capítulos 8—11. Por assim dizer, é uma lembrança repentina em que Deus mostra a Ezequiel como sua presença deixou Jerusalém por causa da adoração idólatra praticada no Templo. A seguir, o livro termina com a seqüência de uma longa visão, apresentada nos capítulos 40—48, em que Deus vem, de novo, ao seu povo em um Templo reconstruído.

Realmente, esse é o resumo do livro de Ezequiel. Quero que sigamos as três seqüências de visões que Deus deu a Ezequiel a fim de aprendermos um pouco mais sobre o livro e ver se realmente existe uma utopia, um paraíso ou não.

UMA VISÃO DE DEUS, O REI

A primeira visão de Ezequiel é a de Deus, o Rei. Esse livro, como outros grandes livros da Bíblia,[4] inicia com Deus em sua corte celestial. A cena também é uma reminiscência da aparição do Senhor para Moisés, no monte Sinai, e para Isaías, quando o chamou a ser profeta.

Deus aparece para Ezequiel em uma visão de abertura extraordinária que se inicia com as palavras: "E aconteceu, no trigésimo ano, no quarto mês, no dia quinto do mês, que, estando eu no meio dos cativos, junto ao rio Quebar, se abriram os céus, e eu vi visões de Deus" (1.1). A seguir, Ezequiel, nos primeiros capítulos, descreve essa visão.

Depois de ler Jeremias, acho maravilhoso e muito relevante Ezequiel ter essa visão. Jeremias, que estava de volta a Jerusalém, falava ao povo de Judá: "Rendam-se aos caldeus. Se tentarem ficar aqui, o Senhor promete que não permanecerá com vocês e não os abençoará. Vocês devem ir com eles e serão abençoados".[5] Portanto, o simples fato de Deus revelar-se a Ezequiel (também a Daniel) na Babilônia, confirma as palavras de Jeremias. O "profeta chorão" previu esse fato em uma visão de dois cestos de figos em que as frutas de um cesto estavam boas e as do outro, não (Jr 24). O Senhor rogava para continuar a abençoar os que estavam separados do Templo de Salomão, do trono de Davi e da terra de Abraão.

Você já viu uma criança fazer uma coisa errada e, por isso, receber como castigo ter que passar "um tempo" no quarto ou sentada em uma cadeira em um canto? O exílio, para o povo de Deus, foi como ficar de castigo por um grande tempo. O Senhor deixou-os um período no cativeiro, onde, estando fora da terra, do trono e do Templo, poderiam entender o que fizeram de errado e deixariam de idolatrar esses elementos. A Terra Prometida, a linhagem davídica de reis e o Templo, que simbolizavam a presença de Deus, eram bons presentes que Ele lhes dera. Todavia, o povo começou a usá-los mal. Os presentes tornaram-se importantes demais. Por isso, o Senhor levou-os embora ao chamá-los para a Babilônia. Ele deixou-os de lado por setenta anos para que se concentrassem de novo no que era especial e a razão por que isso é importante. Contudo, a fidelidade dEle acompanhou-os no exílio, e é assim que se inicia a visão de Ezequiel, com Deus indo a seu povo que está distante do Templo, da linhagem de Davi e da terra de Israel.

A própria visão começa com um vento poderoso:

> Olhei, e eis que um vento tempestuoso vinha do Norte, e uma grande nuvem, com um fogo a revolver-se, e um resplendor ao redor dela, e no meio uma coisa como de cor de âmbar, que saía dentre o fogo. E, do meio dela, saía a semelhança de quatro animais; e esta era a sua aparência: tinham a semelhança de um homem. E cada um tinha quatro rostos, como também cada um deles, quatro asas (1.4-6).

À medida que a visão prossegue, vemos algumas criaturas muito bizarras ao redor do trono de Deus:

> E vi os animais; e eis que havia uma roda na terra junto aos animais, para cada um dos seus quatro rostos. O aspecto das rodas e a obra delas eram como cor de turquesa; e as quatro tinham uma mesma semelhança; e o seu aspecto e a sua obra eram como se estivera uma roda no meio de outra roda. Andando elas, andavam pelos quatro lados deles; não se viravam quando andavam. Essas rodas eram tão altas, que metiam medo; e as quatro tinham as suas cambas cheias de olhos ao redor. E, andando os animais, andavam as rodas ao pé deles; e, elevando-se os animais da terra, elevavam-se também as rodas (1.15-19).

Depois de descrições adicionais dessas criaturas, uma voz soa acima do firmamento. E, a seguir, o próprio trono aparece:

> E ouviu-se uma voz por cima do firmamento, que estava por cima da sua cabeça; parando eles, abaixavam as suas asas. E, por cima do firmamento, que estava por cima da sua cabeça, havia uma semelhança de trono como de uma safira; e, sobre a semelhança do trono, havia como que a semelhança de um homem, no alto, sobre ele. E vi como a cor de âmbar, como o aspecto do fogo pelo interior dele, desde a semelhança dos seus lombos e daí para cima; e, desde a semelhança dos seus lombos e daí para baixo, vi como a semelhança de fogo e um resplendor ao redor dele. Como o aspecto do arco que aparece na nuvem no dia da chuva, assim era o aspecto do resplendor em redor. Este era o aspecto da semelhança da glória do Senhor; e, vendo isso, caí sobre o meu rosto e ouvi a voz de quem falava (1.25-28).

Deus não É como nós

Muitas pessoas tentaram desenhar — literalmente, ilustrar — como Ezequiel viu essa visão. Contudo, é provável que essa seja uma tarefa impossível. O que Ezequiel pôde *ver* nessa visão é que Deus não é como nós. Ele é outra pessoa, notável e diferente de nós. Muitas vezes, assumimos que Deus é exatamente como nós. Todavia, a visão de Ezequiel deixa-nos *ver* como Deus é um ser totalmente diferente de nós. Não podemos simplesmente fazê-lo à nossa imagem. Ele é extraordinário e incomum.

Ezequiel não hesita em descrever tudo que viu, mas observe a freqüência com que usou as palavras "semelhança" e "como". Havia "uma semelhança de trono como de uma safira", e a figura sobre ele tinha "como o aspecto do fogo" em seu interior.

A Bíblia chama Deus de "santo". E isso não quer dizer que Ele tem santidade, mas que Ele *é* santo. Por isso, devemos demonstrar reverência por Deus. Ezequiel abaixou sua face mesmo depois de todo seu treinamento teológico! Seu novo conhecimento de Deus não o fez se sentir de forma alguma mais casual em relação a Deus. Ele ficou amedrontado com essa visão de Deus, assim como Jó ficou quando teve uma do Senhor.

Deus não é apenas a pessoa idosa que está lá no alto. Ele não é um mero tipo de avô, com barba branca, no céu. Também não é um vizinho amigável, um companheiro ou um camarada. A Bíblia jamais retrata a alegria casual com que, muitas vezes, consideramos o auge da intimidade espiritual com Deus. Na Bíblia, todas as visões do Senhor são amedrontadoras e inspiram reverência.

Deus É Todo-poderoso e Onisciente

Aqui, também vemos que Deus é Todo-poderoso e Onisciente. Talvez você tenha percebido que as cambas das rodas eram cobertas de olhos (1.18). E as quatro faces olhavam em todas as direções (1.6,10,17). Essas coisas mostram a onisciência de Deus — Ele vê, ao mesmo tempo, todos os lugares. Não há nada que Ele não perceba. O Senhor é onisciente. E o fato de Deus estar sobre esse carro, que se move em todas as direções, mostra que é Todo-poderoso. Ele pode estar em qualquer lugar. Ezequiel podia confiar nesse Deus Todo-poderoso e Onisciente!

Deus não É Limitado pelas Circunstâncias

Mas o grande ponto para Ezequiel era que, de qualquer forma, ele via Deus. Pois, afinal, não estava em Jerusalém ou no Templo. Ele estava no exílio quando teve a visão do Deus Altíssimo! O Senhor não está limitado a Jerusalém. A visão assegurou ao profeta que o Senhor estaria com seu povo por onde quer que fosse espalhado. Na verdade, Ele não está limitado a nenhum lugar. Deus preocupa-se com o mundo todo, como nos lembra o arco-íris (Gn 1.28), lembrança da aliança de Deus com Noé, no mundo todo.

Meu caro amigo, Deus não se limita ao último ponto em que você pensa que o localizou! Talvez houve um momento em que se sentiu especialmente próximo de Deus. Talvez Ele o tenha abençoado por intermédio de um escritor ou pregador específico, uma igreja, ou um "estilo de adoração", uma boa amizade ou até um emprego específico. Todavia, agora, você está perturbado, inseguro, temeroso de ter perdido a capacidade de se sentir próximo dEle, porque as circunstâncias mudaram. Bem, Deus mostra-nos, da mesma forma como mostrou ao profeta Ezequiel e a seu povo do Antigo Testamento, que Ele não é limitado pelas circunstâncias. É maravilhoso conhecer as bênçãos do Senhor por meio de qualquer um desses caminhos, mas lembre que Deus trabalha de muitas maneiras. Ele não está limitado a uma circunstância específica. Ele é o Deus do universo.

Deus Toma a Iniciativa

Observe também que Deus toma a iniciativa. Ele vem a nós. Leia de novo o versículo 1: "[...] se abriram os céus". Ele escolheu descer. Ezequiel não abriu os céus e foi até *Deus*. Depois, no versículo 3: "Veio expressamente a palavra do Senhor". E no versículo 4: "Olhei, e eis que um vento tempestuoso vinha do Norte". A seguir, no versículo 25: "E ouviu-se uma voz". E, por fim, no versículo 28: "E ouvi a voz de quem falava".

Assim como Ele fez com Moisés no episódio da sarça ardente, com Isaías no Templo e com Paulo na estrada de Damasco. O mesmo aconteceu com Ezequiel. Nenhum desses homens saíra em busca de Deus ou tentara fazer contato com Ele. Deus toma a iniciativa. Ele vem a nós.

Deus Comunica-se

Esse Deus também se comunica. Você percebeu que a visão de Ezequiel atinge seu auge em uma voz? Em palavras? Se fôssemos coreografar essa visão, não faríamos dessa maneira. Hoje, exigiríamos um espetáculo — uma demonstração para os olhos. Mas aqui, a visão de Deus atinge o auge não com algo para os olhos, mas com palavras para os ouvidos — "e ouvi a voz de quem falava" (1.28).

Deus não quer apenas ser adorado a distância. Ele quer um relacionamento pessoal. O Senhor não quer se encontrar conosco a fim de que desfrutemos de alguma sensação visual, antes, quer uma aliança de amor. Não se satisfaça com a mera sensação. O fundamento desse livro é esse tipo de comunicação verbal com Deus, e isso é o fundamento de qualquer relacionamento que temos com Ele. A comunicação verbal é que constrói os relacionamentos, e Deus, graciosamente, comunicou-se com seu povo.

Por isso, a Palavra de Deus é vital em nossas reuniões na igreja. Reservamos tempo para ouvir a Palavra porque Ele fala conosco por intermédio dela. Deus comprometeu-se a conversar com seu povo, a conhecê-lo e a se fazer conhecido. E também com Ezequiel.

UMA VISÃO DA PARTIDA DE DEUS

A segunda grande visão apresentada nesse livro é uma lembrança repentina. É a visão da partida de Deus do Templo de Jerusalém.

Como sou ministro, muitas vezes, perguntam-me sobre o Paraíso. Sempre me surpreendo com todas as perguntas que as pessoas podem fazer sobre o Paraíso! Muitas vezes, apenas digo que há muitas coisas que não sei sobre esse lugar. Mas tenho certeza de duas: existe um Paraíso, e não é este mundo!

Não sei se você já ficou tentado a confundir este mundo com o Paraíso. Meu palpite é que a maioria de nós tem consciência de que ele não é o Paraíso. Mas talvez você sinta que realmente tem uma vida boa. Seu emprego, sua saúde, suas amizades, tudo vai muito bem agora mesmo. Contudo, precisamos lembrar, como Ezequiel recorda-nos, de que estamos longe do Paraíso.

Com certeza, os companheiros de Ezequiel no exílio babilônico sabiam disso. Contudo, a visão de Ezequiel ensinou-lhes que não apenas a Babilônia não era o Paraíso, mas Jerusalém igualmente não o era! Eles tinham percorrido uma longa distância para proteger a Cidade de Davi, achando que se agarrar a ela era algo equivalente a estar com Deus. Todavia, isso estava errado. Por isso, Ezequiel apresentou-lhes outra visão, ou outra série de visões, em que viu o pecado de Israel e a partida de Deus em conseqüência dele. O Senhor transferiu seu povo para o "cuidado" dos deuses que realmente amavam.

Boa parte dos capítulos 6—24 é composta de profecias contra Israel por causa de seu pecado. As profecias contra Israel iniciam-se nos capítulos 6—7, e o Senhor promete: "E desviarei deles [meu povo] o rosto" (7.22), da mesma forma que prometeu fazer por intermédio de Jeremias ("Mostrar-lhes-ei as costas e não o rosto" [Jr 18.17]). No entanto, apenas nos capítulos 8—11 é apresentado a Ezequiel o cerne da queixa do Senhor contra seu povo. Deus inicia nos capítulos 8—9, e dá a Ezequiel uma visão bem específica da idolatria praticada no próprio Templo. Nos capítulos 10—11, a visão continua, mas agora Ezequiel vê Deus partir do Templo e da sua área, da mesma forma como o povo abandonara a adoração ao Senhor. A visão termina no capítulo 11 quando o Senhor parte da própria cidade. Eis uma amostra dessa visão:

> [...] ali a mão do Senhor Jeová caiu sobre mim. E olhei, e eis uma semelhança como aparência de fogo; desde a aparência dos seus lombos, e daí para baixo,

era fogo e dos seus lombos para cima, como aspecto de um resplendor, como cor de âmbar. E estendeu a forma de uma mão e me tomou pelos cabelos da minha cabeça; e o Espírito me levantou entre a terra e o céu e me trouxe a Jerusalém em visões de Deus, até à entrada da porta do pátio de dentro, que olha para o norte, onde estava colocada a imagem dos ciúmes, que provoca o ciúme de Deus (8.1-3).

Então, me disse: entra e vê as malignas abominações que eles fazem aqui. E entrei e olhei, e eis que toda forma de répteis, e de animais abomináveis, e de todos os ídolos da casa de Israel estavam pintados na parede em todo o redor (8.9,10).

Então, se levantou a glória do Senhor de sobre o querubim para a entrada da casa (10.4).

Então, saiu a glória do Senhor da entrada da casa e parou sobre os querubins (10.18).

Então, os querubins elevaram as suas asas, e as rodas as acompanhavam; e a glória do Deus de Israel estava no alto, sobre eles. E a glória do Senhor se alçou desde o meio da cidade e se pôs sobre o monte que está ao oriente da cidade. Depois, o Espírito me levantou e me levou em visão à Caldéia, para os do cativeiro; e se foi de mim a visão que eu tinha visto. E falei aos do cativeiro todas as coisas que o Senhor me tinha mostrado (11.22-25).

Se você não ler nenhum outro capítulo essa semana, leia os capítulos 8—11 de Ezequiel. Eles contêm uma estranha *verdade cinematográfica* — ou a mensagem do tipo "você está lá" — como se Ezequiel, da Babilônia, recebesse uma transmissão divina dos cultos pagãos que aconteciam no Templo de Jerusalém. Deus passava pela parte externa do Templo — sua casa — como se desse uma última olhada. A seguir, Ele parte do Santuário e de seu pátio e deixa-o para ser destruído.

O povo causou essa separação não-natural. Esse divórcio entre eles e Deus ao perseguir outros deuses. Nos capítulos 16, 20 e 23, o Senhor usa a linguagem mais vívida para acusar Jerusalém de abominável infidelidade. Ele diz-lhes:

Mas confiaste na tua formosura, e te corrompeste por causa da tua fama, e prostituías-te a todo o que passava, para seres sua. E tomaste das tuas vestes, e fizeste lugares altos adornados de diversas cores, e te prostituíste sobre eles; tais coisas não vieram, nem hão de vir. E tomaste as tuas jóias de enfeite, que eu te dei do meu ouro e da minha prata, e fizeste imagens de homens, e te prostituíste com elas. E tomaste as tuas vestes bordadas e os cobriste; e o meu óleo e o meu perfume puseste diante delas. E o meu pão que te dei, e a flor de farinha, e o óleo e o mel, com que eu te sustentava, também puseste diante delas em cheiro suave; e assim foi, diz o Senhor Jeová (16.15-19).

Mas a casa de Israel se rebelou contra mim no deserto, não andando nos meus estatutos e rejeitando os meus juízos, os quais, cumprindo-os o homem, viverá por eles; e profanaram grandemente os meus sábados; e eu disse que derramaria sobre eles o meu furor no deserto, para os consumir (20.13).

E, contudo, eu levantei a mão para eles no deserto, para os não deixar entrar na terra que lhes tinha dado, a qual mana leite e mel e é a glória de todas as terras. Porque rejeitaram os meus juízos, e não andaram nos meus estatutos, e profanaram os meus sábados; porque o seu coração andava após os seus ídolos (20.15,16).

E aumentou as suas impudicícias, porque viu homens pintados na parede, imagens dos caldeus, pintadas de vermelho; com os seus lombos cingidos e com tingidas tiaras largas na sua cabeça, todos com a aparência de capitães, semelhantes aos filhos de Babilônia em Caldéia, terra do seu nascimento. E se enamorou deles, vendo-os com os seus olhos, e lhes mandou mensageiros à Caldéia. Então, vieram a ela os filhos de Babilônia para o leito dos amores e a contaminaram com as suas impudicícias; e ela se contaminou com eles; então, apartou-se deles a alma dela. Assim, pôs a descoberto as suas devassidões e descobriu a sua vergonha; então, a minha alma se apartou dela, como já se tinha apartado a minha alma de sua irmã. Ela, todavia, multiplicou as suas prostituições, lembrando-se dos dias da sua mocidade, em que se prostituíra na terra do Egito. E enamorou-se dos seus amantes, cujos membros são como membros de jumentos e cujo fluxo é como o fluxo de cavalos. Assim, trouxeste à memória a apostasia da tua mocidade, quando os do Egito apalpavam os teus seios, os peitos da tua mocidade (23.14-21).

Se você acha essas palavras inadequadas para um sermão, deixe-me lembrá-lo de que Deus mandou Ezequiel dizê-las em público. Deus estava claramente aborrecido com a maneira como seu povo devotou o coração a ídolos e a falsos deuses. Ele estava dizendo: "Isso é muitíssimo, muitíssimo errado!"

Muitos anos antes da época de Ezequiel, Deus, por intermédio de Moisés, advertira seu povo de que o enviaria para o exílio se fosse infiel a Ele. Em uma das falas finais de Moisés para o povo de Israel antes de entrarem na Terra Prometida, profetizou: "E será que, assim como o Senhor se deleitava em vós, em fazer-vos bem e multiplicar-vos, assim o Senhor se deleitará em destruir-vos e consumir-vos; e desarraigados sereis da terra, a qual passas a possuir. E o Senhor vos espalhará entre todos os povos" (Dt 28.63,64).

Como já disse, o povo de Deus causou essa separação antinatural, esse divórcio. E agora, pagava o preço por ter feito isso. No início do capítulo 24, depois de todas as acusações espinhosas contra a infidelidade de Israel, encontramos as seguintes palavras: "E veio a mim a palavra do Senhor, [...]: Filho do homem, escreve o nome deste dia, deste mesmo dia; *porque* o rei de Babilônia se aproxima de Jerusalém neste mesmo dia". Jerusalém, no cerco, começa a sofrer a punição da deserção de Deus.

Ao mesmo tempo, Deus chama Ezequiel para que ele faça o ato simbólico mais doloroso — e mais poderoso — que já lhe pedira:

> E veio a mim a palavra do Senhor, dizendo: Filho do homem, eis que tirarei de ti o desejo dos teus olhos de um golpe, mas não lamentarás, nem chorarás, nem te correrão as lágrimas. Refreia o teu gemido; não tomarás luto por mortos; ata o teu turbante e coloca nos pés os teus sapatos; e não te rebuçarás e o pão dos homens não comerás. E falei ao povo pela manhã, e à tarde morreu minha mulher; e fiz pela manhã como se me deu ordem. E o povo me disse: Não nos farás saber o que significam estas coisas que estás fazendo? E eu lhes disse: Veio a mim a palavra do Senhor, dizendo: Dize à casa de Israel: Assim diz o Senhor Jeová: Eis que eu profanarei o meu santuário, a glória da vossa fortaleza, o desejo dos vossos olhos e o regalo da vossa alma; e vossos filhos e vossas filhas, que deixastes, cairão à espada. E fareis como eu fiz; não vos rebuçareis e não comereis o pão dos homens. E tereis na cabeça os vossos turbantes e os vossos sapatos, nos pés; não lamentareis, nem chorareis, mas definhar-vos-eis nas vossas maldades e gemereis uns com os outros. Assim vos servirá Ezequiel de sinal; conforme tudo quanto fez, fareis; e, quando isso suceder, então, sabereis que eu sou o Senhor Jeová. E, quanto a ti, filho do homem, não sucederá que, no dia que eu lhes tirar a sua fortaleza, o gozo do seu ornamento, o desejo dos seus olhos, a saudade da sua alma e seus filhos e suas filhas, nesse dia, virá ter contigo algum que escapar, para to fazer ouvir com os ouvidos? Nesse dia, abrir-se-á a tua boca para com aquele que escapar; e falarás e por mais tempo não ficarás mudo; assim, virás a ser para eles um sinal maravilhoso, e saberão que eu sou o Senhor (24.15-27).

A fim de transmitir de forma adequada seus sentimentos para seu povo, Deus não poderia invocar uma linguagem mais profunda, mais íntima, mais amorosa e mais envolvente que a do relacionamento entre o marido e a esposa. Da mesma forma que Ezequiel perdeu sua esposa ("o desejo dos teus olhos"), o povo perderia Jerusalém ("o desejo dos seus olhos"). Essas duas perdas eram apenas uma tênue sombra da que Deus sofreu quando perdeu o povo de Israel, o povo a quem chamou e fez, de quem Ele cuidou e com quem se deleitou, e a quem, em seu amor santo e zeloso, agora, julgaria.

Nos capítulos 25—32 e 35, a atenção de Ezequiel muda dos israelitas para as nações. Como vimos, em nosso estudo anterior, nos capítulos finais de Jeremias, aqui, também aprendemos que a justiça de Deus não se limita a seu povo. As nações que pareciam vitoriosas, tanto para si mesmas como para os israelitas exilados, estavam em dificuldades com Deus. O Senhor também as julgaria. O povo do Senhor podia ter certeza de que apenas Ele era soberano sobre todas as nações.

A seguir, nos capítulos 33—34, mais uma vez, Deus repreende seu povo por duas razões. Primeiro, Ele diz que seus líderes são corruptos e apenas "apascentam a si mesmos" (34.2). Segundo, o povo mesmo ignorou sua Palavra:

> Quanto a ti, ó filho do homem, os filhos do teu povo falam de ti junto às paredes e nas portas das casas; e fala um com o outro, cada um a seu irmão, dizendo: Vinde, peço-vos, e ouvi qual seja a palavra que procede do Senhor. E eles vêm a ti, como o povo costuma vir, e se assentam diante de ti como meu povo, e ouvem as tuas palavras, mas não as põem por obra; pois lisonjeiam com a sua boca, mas o seu coração segue a sua avareza. E eis que tu és para eles como *uma* canção de amores, canção de quem tem voz suave e que bem tange; porque ouvem as tuas palavras, mas não as põem por obra (33.30-32).

Simultaneamente, o povo senta-se, ouve e desfruta a Palavra de Deus, a seguir, ignora-a! Ele fazia todos os rituais de adoração a Deus, mas o coração era devotado aos ídolos.

Em suma, o povo de Israel tentava acreditar na prosperidade de sua terra, na estabilidade política da linha davídica e até no próprio Templo, mas o tempo todo ignorava a Palavra de Deus. Portanto, nenhuma dessas coisas o salvaria.

Que isso seja um aviso para nós!

Também hoje, nenhuma dessas coisas funciona como objeto de nossa crença. Nenhuma prosperidade, estabilidade política ou religiosidade. Nem mesmo sentar e desfrutar da pregação da Palavra do Senhor. O Senhor, por intermédio de Ezequiel, ensina-nos que nenhuma dessas coisas nos salvará. Não precisamos apenas de "religião", precisamos da devoção, real e exclusiva, no único Deus verdadeiro. Não devemos ser como os israelitas que aprenderam a gostar de ouvir a Palavra de Deus, mas, ao mesmo tempo, ignoravam o chamado dela à obediência.

Hoje, o reavivamento tornou-se um tema comum entre os cristãos. Contudo, os reavivamentos nunca aconteceram porque o povo falou sobre ele. Os comentaristas sociais podem dizer que precisamos de reavivamento por diversos motivos. Os líderes cristãos podem nos chamar a orar por reavivamento, como se isso fosse um objetivo em si mesmo. Todavia, os reavivamentos verdadeiros aconteceram apenas quando o povo adquiriu a noção certa de Deus, de sua majestade e de sua santidade. Os reavivamentos aconteceram quando o povo cresceu em seu senso de responsabilidade diante desse Deus. Cresceu em sua consciência de seus pecados. Desenvolveu-se na compreensão da obra de Cristo na cruz. Cresceu no entendimento do chamado a crer apenas em Cristo. Esses são os momentos em que Deus visita sua igreja com reavivamento por intermédio do derramamento de seu Espírito sobre a terra.

Uma Visão da Vinda de Deus e a Promessa do Paraíso

A última seção da profecia de Ezequiel apresenta as mais famosas visões de esperança. No capítulo 36, por exemplo, lemos sobre a promessa extraordinária de Deus de reunir um povo de todas as nações para si mesmo, de purificar esse povo de suas impurezas e de seus ídolos, de substituir o coração de pedra por um de carne e de garantir-lhe que seu Espírito moverá este povo a seguir os caminhos dEle e a guardar seus mandamentos (36.24-28).

No capítulo 37, vemos como isso será feito por meio da visão extraordinária de Ezequiel do vale de ossos secos. Ezequiel prega a Palavra do Senhor, e os ossos voltam à vida!

Os capítulos 40—48 apresentam a última grande série de visões do livro, nas quais Deus mostra a Ezequiel o novo Templo. O primeiro Templo fora destruído na invasão babilônica após a retirada de Deus.

Bem, talvez algumas pessoas considerem essa visão final do novo Templo um acréscimo maçante que tumultua o texto bíblico e confunde nossa mente, à semelhança do que ocorre, no Novo Testamento, com algumas partes de Hebreus e de Apocalipse. Talvez alguém até tenha a tentação de ver as descrições desse Templo apenas mais como esboços arquitetônicos/teológicos de um sacerdote sem função na Babilônia e sem nada melhor para fazer.

No entanto, esse não é o caso de forma alguma. Essa não é uma obsessão pessoal de Ezequiel. Ao contrário, Deus disse ao profeta: "Filho do homem, vê com os teus olhos, e ouve com os teus ouvidos, e põe no teu coração tudo quanto eu te fizer ver; porque, para to mostrar, foste tu aqui trazido; anuncia, pois, à casa de Israel tudo quanto tu vires" (40.4). Na verdade, esse é ponto culminante de todo o livro. É mais provável que os ouvintes de Ezequiel tenham se encantado com essa visão e essa promessa de purificação e de renovação completas. Acima de tudo, o pedido de Deus para estar com seu povo, arrebataria a atenção dos ouvintes de Ezequiel.

No capítulo 43, a visão do retorno de Deus ao Templo reconstruído versa sobre isso. Da mesma forma que nos capítulos 10—11, viu o Senhor partir do Templo, Ezequiel, agora, assiste o retorno:

> Então, me levou à porta, à porta que olha para o caminho do oriente. E eis que a glória do Deus de Israel vinha do caminho do oriente; e a sua voz era como a voz de muitas águas, e a terra resplandeceu por causa da sua glória. E o aspecto da visão que vi era como o da visão que eu tinha visto quando vim destruir a cidade; e eram as visões como a que vi junto ao rio Quebar; e caí sobre o meu rosto. E a glória do Senhor entrou no templo pelo caminho da porta cuja face está para o lado do oriente. E levantou-me o Espírito e me levou ao átrio interior; e eis que a glória do Senhor encheu o templo (43.1-5).

Ezequiel profetizou que os exilados voltariam para sua terra, e, aqui, prometeu que o Templo que havia acabado seria reconstruído e ficaria cheio com a presença de Deus. O Senhor estaria com seu povo de novo. Inúmeras bênçãos fluiriam da presença e do governo renovados de Deus, da mesma forma que um rio fluiria do novo Templo (cap. 47).

Algumas pessoas se perguntam se a intenção de Ezequiel com os planos descritos nesses capítulos não seria apresentar uma planta real para a reconstrução do Templo uma vez que a terra fosse recolonizada. Parece difícil que esse seja o caso. Afora o fato de que os exilados que retornaram e reconstruíram o Templo não usaram a profecia de Ezequiel dessa forma, pois, na descrição do profeta, a idealização de números, a simetria perfeita e a localização central do Santuário, tudo sugere que essa visão pretendia simbolizar e exaltar a posição central de Deus na vida do povo.

O propósito dessa visão do Templo é salientar a restauração do relacionamento de Deus com seu povo. Portanto, o versículo final do livro é uma declaração apropriada: "E o nome da cidade desde aquele dia será: O Senhor Está Ali" (48.35b). O livro deixa-nos a imagem de Deus estar sempre com seu povo. Em certo sentido, o livro de Ezequiel é o equivalente do Antigo Testamento ao livro de Apocalipse, em especial, em vista das visões finais de Deus, de seu julgamento e da Cidade Santa apresentadas em Apocalipse.

O livro de Esdras relata que os exilados voltaram à Terra Prometida e reconstruíram o Templo, porém, não há registro de que a glória do Senhor encheu o Santuário como fez na consagração, feita por Salomão, do primeiro Templo. Contudo, séculos mais tarde, o próprio Emanuel entraria nos arredores do Templo, em Jerusalém. E em Apocalipse, na visão final da Cidade Santa, a comunhão com Deus torna-se mais íntima à medida que o povo do Senhor celebra não só na presença dEle, por mais maravilhoso que isso seja, mas também com uma visão total dEle e com o habitar para sempre com Ele!

Ezequiel, como Apocalipse, encerra com a esperança gloriosa do Paraíso. Promete-se a cada tribo um pedaço da terra renovada, terra essa que parece apontar para algo além do que Esdras e Neemias encontraram ao retornar. Uma terra pela qual ainda esperamos.

Para nosso propósito neste estudo, ainda precisamos responder a duas perguntas. Primeira, *por que* Deus ofereceria essa esperança renovada a seu povo infiel? Acima de tudo, Deus promete mudar seu povo e restaurá-lo para si mesmo por causa do seu próprio nome:

> Dize, portanto, à casa de Israel: Assim diz o Senhor Jeová: Não é por vosso respeito que eu faço isto, ó casa de Israel, mas pelo meu santo nome, que profanaste entre as nações para onde vós fostes. E eu santificarei o meu grande nome, que foi profanado entre as nações, o qual profanastes no meio delas; e as nações saberão que eu sou o Senhor, diz o Senhor Jeová, quando eu for santificado aos seus olhos (36.22,23).

Segunda, *como* Deus pode restaurar pecadores para si mesmo? Afinal, Ele é santo. Como é capaz de desconsiderar pecados abomináveis e trazer pecadores à sua presença? Bem, Ezequiel traz uma luz para a resposta a essa pergunta, mas vemos que Deus não simplesmente desconsiderará a transgressão, antes, lidará com o pecado. Deus, de forma reiterada, chama Ezequiel de o "filho do homem", e essa expressão simboliza — quando ele se deita sobre seu lado (4.4-6) — o carregar o pecado sobre seu corpo. E no capítulo 16, Deus promete um tempo de "reconciliação" para o infiel Israel (16.63).

Deus também diz que chegará o dia em que os pastores imprestáveis serão julgados e, chamando o povo de ovelhas, diz que levantará "sobre elas um só pastor, e ele as apascentará; o meu servo Davi é que as há de apascentar; ele lhes servirá de pastor. E eu, o Senhor, lhes serei por Deus, e o meu servo Davi será príncipe no meio delas" (34.23,24). Nesse dia, Ele também fará "um concerto de paz" com seu povo (34.25). Quem seria esse pastor vindouro? Jesus Cristo, que veio e deu a vida por suas ovelhas (Jo 10.15). Jesus, ao oferecer-se na cruz, pagou pelos pecados de todos que se arrependem e nEle crêem. Assim, trouxe paz a todos os rebeldes prontos a se entregarem a Ele. Ofereceu misericórdia aos pecadores que querem morrer para o pecado e sabem que não podem fazer nada para conseguir perdão para si mesmos.

Apenas por intermédio de Cristo, podemos nos reconciliar com o Pai. Você O procurará?

Se você agir assim, então essa visão do povo de Deus viver o relacionamento restaurado com Ele e essa promessa de Paraíso são bênçãos para você.

Conclusão

O propósito do livro de Ezequiel era restaurar a união do povo de Deus com Ele. O Todo-Poderoso, diversas vezes, manda Ezequiel apresentar essas profecias de que "sabereis que eu *sou* o Senhor". Nesse livro, todos os julgamentos e todas as promessas têm esse propósito. O Senhor revela-se para Ezequiel. Ele deixa de habitar no Templo cheio de idolatria. Porém, retorna. Tudo isso para que seu povo o conheça.

Talvez você lembre a história do profeta Oséias, que foi chamado a amar a esposa infiel, Gomer. A certa altura, Gomer volta a se prostituir, e, mesmo assim, Deus chama Oséias a pagar o preço do resgate dela, trazê-la de volta para casa e restaurar seu relacionamento com a infiel mulher. Em Ezequiel, Deus, dessa mesma forma, é gracioso com seu povo. Ele é o Oséias divino. É justo, mas também é misericordioso além do que se pode crer.

Reconhecidamente, tememos esperar tal amor. Tal Paraíso. E se não houver esse lugar?! Poucas coisas são mais perigosas que a quimera errada. Apenas pense em tudo, desde a seita Heaven's Gate [Portão do Céu] ao comunismo marxista. Vemos o perigo coercitivo e imensamente trágico de utopias errôneas.

Israel também aprendeu como essas coisas são perigosas. Israel pensou que a Terra Prometida fosse o paraíso, e que a monarquia davídica fosse paradisíaca, e que o Templo fosse o paraíso, e que Jerusalém fosse o paraíso. No entanto, eles, de forma estranha, encontraram o verdadeiro paraíso no exílio babilônio. Não, não era a Babilônia. Era o Senhor, era a vinda do Senhor para estar com seu povo.

O paraíso não é apenas um lugar, é o relacionamento com Deus. Essa é a única forma de encontrarmos o verdadeiro paraíso.

O que você supôs que fosse um paraíso?

Oremos:

Deus, quando nos apresentamos diante do Senhor, sabemos que nosso coração e nossa vida são totalmente visíveis. Sabemos que os ídolos que adoramos em secreto, invisíveis para os outros, são totalmente revelados diante do Senhor. O Senhor vê a verdade a nosso respeito, e, por isso, oramos para que, em sua misericórdia, tire esses ídolos de nossa vida. Oh, Deus, procure-nos, da mesma forma que Oséias fez com sua esposa, e como o Senhor fez com seu povo no livro de Ezequiel. Não permita que amemos nada tanto quanto amamos ao Senhor. Satisfaça esse nosso desejo, Senhor. Oramos em nome de Jesus. Amém.

Questões para Reflexão

1. Por que a crença em uma utopia pode ser perigosa? Você acredita em uma utopia ou no paraíso?
2. No capítulo 1, Ezequiel, em sua visão inicial de Deus, aprendeu que o Senhor não é como nós. Hoje, como as pessoas refazem Deus à própria imagem delas?
3. Você já foi descuidado em excesso com Deus? Como?
4. Como vimos nos capítulos 16 e 23, às vezes, Deus usa algumas imagens muito vívidas para descrever a infidelidade de seu povo, a saber, a prostituição. Hoje, como as igrejas, de forma corporativa, caem nesse mesmo pecado?
5. Como você viu Deus tomar a iniciativa em seu relacionamento com Ele?
6. O povo da época de Ezequiel sentava e desfrutava a Palavra de Deus ao mesmo tempo em que a ignorava. Em uma igreja hoje, com o que isso se assemelharia?
7. Se os reavivamentos dependem da compreensão renovada da majestade de Deus e de um aprofundamento da convicção de nosso pecado, qual é a melhor forma de promover reavivamentos na terra?
8. Como um Deus santo pode restaurar um povo pecador e ofensivo para com Ele?
9. Como o relacionamento com Deus é um "paraíso"?

Notas

Capítulo 26

[1] A data de pregação original deste sermão foi em 20 de abril de 1997, na Capitol Hill Baptist Church, em Washington, D.C.
[2] W. F. Albright, *From the Stone Age to Christianity* (Baltimore: Johns Hopkins, 1940), p. 248.
[3] E. C. Broome, "Ezekiel's Abnormal Personality", em *Journal of Biblical Literature* 65 (1946), pp. 277-292, 291,292.
[4] Gênesis, Jó, Efésios e Apocalipse.
[5] N. do E.: Paráfrase do autor de Jeremias 38.2.

A MENSAGEM DE DANIEL: SOBREVIVÊNCIA

SOBREVIVER EM MEIO ÀS MUDANÇAS

INTRODUÇÃO A DANIEL

A MUDANÇA DE REIS

O DEUS IMUTÁVEL

DANIEL, O SOBREVIVENTE

CONCLUSÃO

CAPÍTULO 27

A MENSAGEM DE DANIEL:
Sobrevivência

SOBREVIVER EM MEIO ÀS MUDANÇAS[1]

A mudança é uma constante em nossa vida. Nós a conhecemos em todas as esferas de nossa experiência.

A experimentamos em nossa família. "Parece que foi ontem que deixávamos nossa menininha na escola a caminho do trabalho agora, é ela quem nos deixa no trabalho a caminho da faculdade."

Ela ocorre em nosso trabalho. "A empresa quer que eu trabalhe mais horas, e pagará mais", ou: "Eles decidiram reestruturar o departamento", ou ainda: "A empresa quer terceirizar meu cargo".

Nós a conhecemos até em nossa igreja. "O que aconteceu com todos os hinos? Tudo que cantamos soa parecido com as canções que tocam no rádio", ou: "Ninguém mais se veste bem para vir à igreja".

E, para ser honesto, algumas dessas mudanças em casa, na igreja e no trabalho deixam-nos nervosos. Olhamos em volta, vemos a sociedade mudando, e não sabemos como nos ajustaremos a isso. Mais de uma pessoa sugere que a próxima década assistirá à maior mudança no mercado de trabalho desde a Revolução Industrial, à medida que a atividade das pessoas torna-se supérflua — desnecessária —, e que os trabalhadores não consigam conceitualizar o mundo, ou que o local de serviço seja muitíssimo transformado pela computadorização e pela revolução informacional.

Por exemplo, você soube do recente congestionamento no tráfego de informações que começou na Virgínia e limitou o acesso em todo o país? Não estou brincando. Houve um congestionamento na Internet causado pela emissão de sinais extras pelo processador de um computador da Virgínia. Isso amarrou, por horas, os negócios e os institutos de pesquisas. Talvez esse problema tenha afetado você. Amigo, é um mundo novo, e ele se renova o tempo todo.

Também há outras mudanças em nossa cultura. Há sessenta anos, emitiram-se os primeiros cheques da Previdência Social nos Estados Unidos. Talvez você se lembre disso. Desde essa época, muita coisa mudou em nossa estrutura social e em relação ao que esperamos do governo! Nas duas últimas décadas, o compasso das mudanças apenas acelerou. O divórcio e o aborto, considerados um escândalo algum tempo atrás, parecem, hoje, quase uma coisa ultrapassada. E os argumentos pelos "mesmos direitos ao casamento" para todos os norte-americanos, independentemente dos gêneros envolvidos no casamento, estão na imprensa e na tribuna dos legisladores de Honolulu ao Capitólio.

Poderia continuar com outros exemplos, mas você já entendeu o ponto que quero salientar: a mudança está em todo lugar, e ela é difícil. Sir Hugh Casson, proeminente arquiteto inglês, comentou, há alguns anos, que a Inglaterra "ama a permanência mais que a beleza". Todavia, a mudança é difícil não só na Inglaterra, mas em muitos locais. Cerca de vinte anos atrás, Alvin Toffler, escritor e futurista, resumiu nossa reação frente ao rápido crescimento das mudanças ao escrever: "O homem tem uma limitada capacidade biológica para mudança. Quando essa capacidade excede seus limites, ela sofre colapso no futuro".

Contudo, a mudança é inevitável. Como Heráclito, filósofo grego, declarou: "Não há nada permanente a não ser a mudança". E temos que admitir que nem sempre a mudança é boa, pois, às vezes, ela é perigosa.

Portanto, como sobrevivemos em meio a circunstâncias em constante mudança, em especial, às mudanças adversas? Em um mundo como este, que a esperança temos de sobrevivência?

INTRODUÇÃO A DANIEL

Para responder a isso, passamos para nosso último estudo sobre as "Grandes Esperanças", que nos fez examinar todos os profetas maiores do Antigo Testamento, um profeta por sermão. Aqui, voltamo-nos para o livro de Daniel.

Quero dar-lhe um resumo rápido do livro de Daniel. Esse livro é bem mais curto que o dos outros três profetas maiores, tendo apenas doze capítulos. Os seis primeiros capítulos do livro apresentam seis histórias (uma por capítulo) escritas na terceira pessoa e, em grande parte, em aramaico. Os quatro primeiros capítulos acontecem durante o reinado do rei babilônio Nabucodonosor, o capítulo 5 ocorre durante o reinado de Belsazar, e o capítulo 6, durante o reinado de Dario, o medo. Os últimos seis capítulos — 7 a 12 — apresentam, em sua maioria, as visões de Daniel sobre o futuro. Eles são escritos na primeira pessoa e, em sua maioria, em hebraico. Portanto, nesses capítulos, Daniel utiliza a primeira pessoa do singular. Muitos conhecem muito bem tanto as histórias da primeira metade como as visões da segunda, e essas duas metades, basicamente, estão organizadas em ordem cronológica.

O capítulo 1 apresenta a famosa história dos quatro jovens hebraicos que recusam ingerir a comida que o rei lhes ofereceu, pois, conforme os padrões da lei alimentar judaica, ela era impura. Embora a posição deles fosse arriscada, Daniel e seus três amigos conseguem isenção e, como resultado disso, prosperam.

No capítulo 2, o rei Nabucodonosor tem um sonho, para o qual deseja uma interpretação. Todavia, ele insiste que seus sábios o interpretem sem que lhes conte o que aconteceu no sonho. Dessa forma, Nabucodonosor saberia que eles não mentiam. Nenhum dos sábios babilônios pôde contar o sonho ou interpretá-lo, mas Daniel pôde. O Senhor deu a ele estas duas coisas: o que aconteceu no sonho e o seu significado.

O capítulo 3 conta a conhecida história dos três amigos hebraicos de Daniel que se recusam a curvar-se diante do grande ídolo que Nabucodonosor erguera. O rei, por isso, joga-os em um "forno de fogo ardente", mas eles sobrevivem.

No capítulo 4, Nabucodonosor escreve uma carta para todo seu império em que confessa o próprio embrutecimento e arrogância. Ele reconhece que presumiu ser a pessoa que reconstruiu a Babilônia. Contudo, Deus tornou-o humilde por meio de uma doença, e ele reconhece que toda autoridade e todo poder pertencem apenas ao Senhor.

O capítulo 5 relata as festas descomedidas que o rei Belsazar promovia para os deuses pagãos. Belsazar e seus convidados bebiam vinho nas taças tiradas da Casa do Senhor, em Jerusalém, quando surgem palavras escritas à mão na parede. Trazem Daniel até a festa para interpretar o que estava escrito, e ele diz ao rei: "Pesado foste na balança e foste achado em falta". Naquela noite, Belsazar foi morto.

O capítulo 6 apresenta a que talvez seja a história mais famosa de todas. Ocorrida perto do fim da vida de Daniel, provavelmente quando estava na casa dos oitenta anos, e durante o reinado de Dario, o medo. Daniel é lançado na cova dos leões onde permanece a noite toda. Todavia, Deus fecha a boca dos leões e salva Daniel.

Os seis últimos capítulos consistem, principalmente, de visões de Daniel. Os capítulos 7 e 8 relatam as visões que o profeta teve, durante o reinado de Belsazar, sobre a ascensão e a queda do reino terreno. O capítulo 9 registra uma longa oração que Daniel pronuncia durante o reinado de Dario. Sabendo que os setenta anos de exílio dos filhos de Israel estão prestes a acabar, ele ora a Deus por libertação. Os capítulos 10, 11 e 12 apresentam outra visão de Daniel, sobre o fim dos tempos.

Esse é o resumo de Daniel. A fim de que reflitamos mais sobre esse livro, quero mencionar três coisas: primeiro, a mudança de reis; segundo, o Deus imutável; e, por fim, Daniel, o sobrevivente. Vejamos o que podemos aprender a respeito da nossa sobrevivência em meio às mudanças.

A Mudança de Reis

Primeiro, os reis. A história de Daniel tem como cenário o renascimento do esplendor babilônico sob o reinado de Nabucodonosor, no século VI a.C. Nabucodonosor não é famoso apenas por ser mencionado na Bíblia. Ele é notável na cultura e na história do Oriente Próximo, pois foi uma das figuras mais importantes na revitalização do milenar Império Babilônico, que esteve em declínio por séculos. O renascimento que Nabucodonosor promoveu foi marcado pelo poder e pela magnificência, à medida que um país após outro, do Oriente Próximo da Antiguidade, caiu sob o poderio militar babilônico.

Sabemos por fontes extrabíblicas que Nabucodonosor, por sua posição inflexível de não permitir que nenhuma nação permanecesse fora de seu domínio, sitiou a nação de Tiro por treze anos. Ele até invadiu o distante, decadente, mas ainda poderoso, Império Egípcio. O Império Babilônio, sob o governo de Nabucodonosor, chegou ao maior tamanho que já alcançou.

Contudo, Nabucodonosor não estava interessado apenas em superioridade militar. Ele também se empenhava na renovação cultural. Preocupava-se com a área central babilônia e queria reconstruir as cidades da Mesopotâmia e, em especial, a própria Babilônia. Por isso, reuniu os materiais ganhos com suas conquistas e levou-os para a Babilônia a fim de financiar seus projetos de reconstrução.

No capítulo 4, a reconstrução da Babilônia promovida por Nabucodonosor fornece uma amostra do seu orgulho. O rei, ao caminhar sobre o topo de seu palácio imperial, observando a cidade diante de si, vangloria-se: "Não é esta a grande Babilônia que eu edifiquei para a casa real, com a força do meu poder e para glória da minha magnificência" (4.30). Os arqueólogos comprovam que Nabucodonosor não estava apenas cheio de fanfarronice. Na verdade, ele transformou a Babilônia na maior cidade do Mundo Antigo. Mesmo hoje, suas ruínas espalham-se por mais de dois mil acres e formam o maior sítio arqueológico da antiga Mesopotâmia. Heródoto, historiador grego, afirmou: "Ela, em acréscimo a seu tamanho enorme, ultrapassa em esplendor qualquer cidade do mundo conhecido". A metrópole tinha muros magníficos com oito grandes portões. A entrada da cidade era decorada com cores vivas — vermelho brilhante, branco e azul. Grandes avenidas, com 19,8 metros de largura, conduziam a esses portões. Nabucodonosor construiu templos altos, talvez uns cinqüenta, e alguns deles com, provavelmente, 90 metros de altura! Ele também construiu um palácio magnífico, que tinha um museu para as antiguidades (isso foi no século VI a.C.!), e os famosos jardins suspensos da Babilônia. Tudo isso foi obra de Nabucodonosor.

Como parte de seu estímulo para todo esse renascimento cultural, os reis babilônios também incentivavam o revigoramento religioso. Por isso, sempre que conquistavam uma nova nação, presumiam que seus deuses eram superiores aos deuses da nação conquistada. Assim, levavam utensílios de adoração da terra conquistada e os colocavam em seus templos a fim de indicar sujeição, da mesma forma que o monarca colocava artigos do palácio do rei conquistado em seu próprio palácio. Desde o início do livro de Daniel, vemos que os babilônios procederam assim com os israelitas: "E o Senhor entregou nas suas mãos a Jeoaquim, rei de Judá, e uma parte dos utensílios da Casa de Deus, e ele os levou para a terra de Sinar, para a casa do seu deus, e pôs os utensílios na casa do tesouro do seu deus" (1.2).

Poderia continuar citando evidências do esplendor de Nabucodonosor e dos reis babilônios, mas, ao ler Daniel esta semana, o que me deixou perplexo foi o fato de que esses homens poderosos — que edificaram obras que permaneceram para as eras, que fizeram grandes esquemas de construção e de reformas institucionais, que modelaram sua sociedade — mesmo esses notáveis homens vêm e passam. O grande Nabucodonosor, após um reinado espetacular de quarenta e três anos, morreu em 562 a.C. Assim, outros governantes sucederam a Nabucodonosor, alguns deles citados nesse livro: Belsazar, Dario, o medo, Ciro, o persa. No período coberto por esse livro, esses governantes mudaram, e outros, cujos nomes não são mencionados, vieram e foram. "O tempo, como o rio em sua ondulação constante, leva todos seus filhos".[2]

Na verdade, no capítulo 2, o próprio Nabucodonosor sonha com a natureza passageira dos líderes. Ele, em seu sonho, vê a estátua de um homem, grande e esplendorosa, construída com vários materiais que, depois, se desintegra quando é atingida por uma pedra. O sonho perturba-o muitíssimo, porém, ele não consegue entendê-lo. Tampouco, nenhum de seus sábios. Apenas Daniel consegue explicar-lhe o sonho: o reinado de Nabucodonosor será sucedido por outro potentado, e por outro, e por outro, e ainda por outro — cada material da estátua representa um império diferente. No fim, esses reinos serão destruídos por causa da mão de Deus e do estabelecimento de seu Reino Eterno.

No capítulo 7, a visão dos quatro animais grandes e, no capítulo 8, a do carneiro e do bode, representam reinos e reforçam esse mesmo tema. Reinos levantar-se-ão e dominarão o cenário mundial, depois, esses reinos, sem dúvida, declinarão da mesma forma como surgiram. As visões dos capítulos 10, 11 e 12 reforçam essa mesma verdade.

No livro de Daniel, um reino após o outro, mesmo os mais poderosos e com os mais eminentes reis, parecem ter uma placa com os dizeres: "Esse também passará".

Caso você seja uma pessoa que exerce um poder considerável — em seu país, em sua empresa, em sua igreja ou em qualquer outra esfera da vida —, não se iluda. Leia e entenda o livro de Daniel. O poder que exerce não vem de você. Não é algo que possa conservar. Você o manterá tanto quanto, supostamente, esses reis poderosos mantiveram.

Cristão, você não deve se extasiar com suas realizações e autoridade. Deus é quem nos estabelece — e também nos remove — os cargos de autoridade. Não se esqueça disso. Se você for um seguidor de Cristo em uma posição de poder e de autoridade, não se deixe enganar por esse poder e por essa autoridade. Essas coisas não vêm de você, por isso, você não as mantém e terá de prestar contas de como as usou. A cidade de Washington, D.C., está cheia de pessoas impressionadas com os próprios currículos. Contudo, o Senhor não se impressiona com o currículo de ninguém. Com certeza, todo poder e toda autoridade que temos agora, em qualquer esfera, passará.

Caso você tenha ambição por poder, lembre-se da natureza passageira dele e do julgamento que cai sobre todos que o buscam. Talvez você esteja ansioso para herdar o poder da pessoa com posição acima da sua; lembre-se de que herdará também a responsabilidade pelo julgamento. E, depois, lembre-se de que você também será substituído. Antes de se consumir na escalada pelo poder, considere o livro de Daniel como um aviso para não fazer isso: todos que buscam poder em causa própria cairão.

Tenha cuidado, cristão. Você busca grandes coisas para si mesmo? Saiba que o que *quer* mostra mais quem você é do que o que você *tem*. Deixe-me repetir: o que você *quer* mostra mais quem você é do que o que você *tem*. Foi assim com José, no Egito, e com Daniel, na Babilônia: parecia que o poder, a autoridade e a responsabilidade buscavam Daniel; ele não gastou sua vida atrás dessas coisas. Tenha cuidado com a autoridade e o poder deste mundo.

Se há uma coisa que esse livro nos ensina sobre sobrevivência é que o poder terreno não permanecerá. Os reis vêm. E os reis passam. Indubitavelmente, assim como o reinado deles começa, também termina. No fim, eles não sobrevivem, pelo menos, não com o manto do cargo.

Contudo, ao ler o livro de Daniel, é possível ver que alguém permanece em contraste impressionante com a mudança de soberanos deste mundo. Você sabe quem é?

O Deus Imutável

A segunda coisa que quero que observemos é o Soberano Imutável — Deus.

No capítulo 2, Daniel, após o Senhor revelar-lhe o sonho de Nabucodonosor e seu significado, ora:

> Seja bendito o nome de Deus para todo o sempre, porque dele é a sabedoria e a força; ele muda os tempos e as horas; ele remove os reis e estabelece os reis; ele dá sabedoria aos sábios e ciência aos inteligentes. Ele revela o profundo e o escondido e conhece o que está em trevas; e com ele mora a luz. Ó Deus de meus pais, eu te louvo e celebro porque me deste sabedoria e força; e, agora, me fizeste saber o que te pedimos, porque nos fizeste saber este assunto do rei (2.20-23, ARA).

Observe que Daniel inicia sua oração louvando expressamente a soberania de Deus sobre os reis. Afinal, o sonho que Deus revelou e interpretou para Daniel não apenas expõe a natureza passageira da grandiosidade de todos os reis, mas também revela que todos os reinados não acabarão pelas mãos do homem, mas pelas de Deus, como Daniel declara duas vezes (2.34,45)! "O Deus do céu levantará um reino que não será jamais destruído; e esse reino não passará a outro povo; esmiuçará e consumirá todos esses reinos e será estabelecido para sempre" (2.44).

A seguir, Daniel dirige-se a Nabucodonosor a fim de anunciar o significado do sonho. Ele inicia com as palavras: "Tu, ó rei, és rei de reis". E, sem dúvida, Nabucodonosor era rei de reis. Como imperador da Babilônia, ele tinha muitos soberanos e reis sob seu governo. Daniel continua: "Pois o Deus dos céus te tem dado o reino, e o poder, e a força, e a majestade. E, onde quer que habitem filhos de homens, animais do campo e aves do céu, ele tos entregou na tua mão e fez que dominasses sobre todos eles" (2.37,38). A lisonja que Daniel faz para o soberano é bem sutil! Ele celebra a soberania do rei, mas celebra-a como uma dádiva de um Soberano ainda maior. Daniel entende bem o sonho que interpreta para Nabucodonosor.

Após Daniel contar e interpretar o sonho para Nabucodonosor, lemos: "Então, o rei Nabucodonosor caiu sobre o seu rosto, e adorou a Daniel, e [...] respondeu o rei a Daniel e disse: Certamente, o vosso Deus é Deus dos deuses, e o Senhor dos reis, e o revelador dos segredos, pois pudeste revelar este segredo" (2.46a,47). Que imagem extraordinária! Nabucodonosor, o mais poderoso dos reis, cai e adora o homem que sua tropa capturou e trouxe para o exílio e, a seguir, reconhece que o Deus desse homem tem autoridade sobre ele e seus deuses! Que imagem, Nabucodonosor reverencia aquEle em quem repousa a verdadeira autoridade!

No capítulo 3, depois que os três hebreus são preservados dentro do "forno de fogo ardente", Nabucodonosor confessa de novo: "Não há outro deus que possa livrar como este" (3.29b).

No capítulo 4, Nabucodonosor escreve uma carta a "todos os povos, nações e línguas que moram em toda a terra" em que confessa a própria ignorância, reconta seu sonho, a interpretação deste e a história do cumprimento do sonho (4.1,2). Ele reconta toda a história a fim de que os leitores vejam "quão grandes são os seus [do Senhor] sinais, e quão poderosas, as suas maravilhas! O seu reino é um reino sempiterno, e o seu domínio, de geração em geração" (4.3). Em sua carta, Nabucodonosor diz que, no sonho, viu uma árvore forte que cresceu e ficou alta e, depois, foi cortada "a fim de que conheçam os viventes que o Altíssimo tem domínio sobre os reinos dos homens; e os dá a quem quer e *até* ao mais baixo dos homens constitui sobre eles" (4.17). Nabucodonosor continua a carta e reconta como Daniel interpretou o sonho e disse-lhe que ele seria tirado de sua alta posição. Além disso, Daniel disse-lhe que não seria restaurado ao trono até que tenha "conhecido que o céu reina" (4.26). Não há dúvida de que doze meses depois desse episódio, Nabucodonosor ficou louco e foi afastado do trono por um tempo, período esse em que viveu como um animal. Por fim, Nabucodonosor declara em sua carta, Deus restaurou sua sanidade mental e seu trono, impelindo-o, por fim, a reconhecer a Deus:

> Eu bendisse o Altíssimo, e louvei, e glorifiquei ao que vive para sempre, cujo domínio *é* um domínio sempiterno, e cujo reino é de geração em geração. E todos os moradores da terra são reputados em nada; e, segundo a sua vontade, ele opera com o exército do céu e os moradores da terra (4.34b,35a).

No capítulo 5, é demonstrado, mais uma vez — em comparação ao único Soberano verdadeiro e eterno Deus —, que todos os reis passarão. Belsazar, um dos sucessores de Nabucodonosor, promove um banquete para milhares de seus nobres. Em meio à festa, Belsazar ordena que sejam trazidos os utensílios de ouro e prata que tiraram do Templo de Jerusalém. Ele e seus convidados, ao beber vinho nessas taças, louvam "aos deuses de ouro, de prata, de cobre, de ferro, de madeira e de pedra" (5.4). De repente, surge uma mão que escreve palavras na parede as quais ninguém consegue ler ou interpretar. Trazem Daniel para interpretar as palavras, e Belsazar oferece uma recompensa para o profeta, pois talvez pensasse que podia aplacar Daniel e seu Deus. Daniel responde ao rei:

> Então, respondeu Daniel e disse na presença do rei: As tuas dádivas fiquem contigo, e dá os teus presentes a outro; todavia, lerei ao rei a escritura e lhe farei saber a interpretação. Ó rei! Deus, o Altíssimo, deu a Nabucodonosor, teu pai, o reino, e a grandeza, e a glória, e a magnificência. E, por causa da grandeza que lhe deu, todos os povos, nações e línguas tremiam e temiam diante dele; a quem queria matava e a quem queria dava a vida; e a quem queria engrandecia

e a quem queria abatia. Mas, quando o seu coração se exalçou e o seu espírito se endureceu em soberba, foi derribado do seu trono real, e passou dele a sua glória. E foi tirado dentre os filhos dos homens, e o seu coração foi feito semelhante ao dos animais, e a sua morada foi com os jumentos monteses; fizeram-no comer erva como os bois, e pelo orvalho do céu foi molhado o seu corpo, até que conheceu que Deus, o Altíssimo, tem domínio sobre os reinos dos homens e a quem quer constitui sobre eles (5.17-21).

Daniel continua a dizer a Belsazar que ele não se humilhou, e, pelo contrário, levantou-se "contra o Senhor do céu" (5.23). Por isso, pesado na balança e achado em falta, teria seu reino acabado. Naquela mesma noite, Belsazar foi morto, e outro assumiu o controle soberano da Babilônia.

No fim, o rei Dario também confessaria a natureza eterna e imutável da soberania de Deus. O capítulo 6 apresenta uma história bastante conhecida: alguns participantes do governo de Dario, enciumados, fazem uma armadilha legal contra Daniel, ao persuadir o rei a editar uma lei que determinava que ninguém poderia, no prazo de trinta dias, adorar outro que não o rei. Quando Daniel viola essa ordem, ao continuar a orar ao Deus verdadeiro, esses administradores manobram para que ele seja lançado na cova dos leões. Contudo, no dia seguinte, quando tiram Daniel ileso da cova dos leões, Dario, como Nabucodonosor antes dele, confessa: "Da minha parte é feito um decreto, pelo qual em todo o domínio do meu reino os homens tremam e temam perante o Deus de Daniel; porque ele é o Deus vivo e para sempre permanente, e o seu reino não se pode destruir; o seu domínio é até ao fim" (6.26).

Você vê o que acontece nesse caleidoscópio de mudança de reis? No início, cada um deles cria que era todo-poderoso e que seu reinado seria eterno. Todavia, Deus, em sua soberania graciosa e poderosa, ajuda cada rei a reconhecer, devagar, que não é esse o caso; o único reinado que perdurará é o de Deus. O Senhor é o Rei poderoso que não tem par e que julgará a todos.

No capítulo 7, Daniel tem uma visão da sala do trono:

> Eu continuei olhando, até que foram postos uns tronos, e um ancião de dias se assentou; a sua veste era branca como a neve, e o cabelo da sua cabeça, como a limpa lã; o seu trono, chamas de fogo, e as rodas dele, fogo ardente. Um rio de fogo manava e saía de diante dele; milhares de milhares o serviam, e milhões de milhões estavam diante dele; assentou-se o juízo, e abriram-se os livros (7.9,10).

Contudo, alguns soberanos nunca aprenderam isso. No capítulo 11, Daniel vê um futuro rei que "fará conforme a sua vontade, e se levantará, e se engrandecerá sobre todo deus; e contra o Deus dos deuses" (11.36). Na verdade, esse rei parece provocar o verdadeiro Deus a, por fim, mostrar-se e anunciar o fim da história. Deus ensinará a esse último soberano, e o pior de todos, os limites do poder deste (11.45—12.1ss).

Os estudiosos, com freqüência, descrevem a segunda metade do livro de Daniel como "apocalíptica", tal como o Apocalipse, no Novo Testamento. Os livros apocalípticos, com o uso de imagens dramáticas e a ênfase em resultados derradeiros, são escritos para fornecer uma visão clara da soberania abrangente de Deus no mundo. Normalmente, eles são escritos em épocas em que o governo e o poder de Deus parecem mais invisíveis. Eles estariam invisíveis para o apóstolo João exilado na ilha de Patmos antes de sua visão, e estariam invisíveis para os abatidos israelitas no cativeiro. Quão soberano o Deus deles poderia parecer do cativeiro? Todavia, o que Deus mostrou a Daniel e, um dia, mostraria a João, é que esses reis vêm e passam. Apenas Deus, o Rei verdadeiro, permanece. Na verdade, no livro de Daniel, o Senhor faz com que os próprios reis confessem o domínio eterno dEle. Os reis mutáveis, e o Deus imutável. Esse poderia ser o resumo de todo o livro de Daniel. Reis mutáveis, e o Deus imutável.

DANIEL, O SOBREVIVENTE

Mas não devemos esquecer do personagem-título do livro: Daniel. Falamos muito pouco sobre ele. Provavelmente, em 605 a.C., Daniel foi para o cativeiro na primeira etapa dos cativos levados para a Babilônia, dez anos antes de Ezequiel ir para o cativeiro e quase vinte anos antes da queda de Jerusalém. Houve um período de quase setenta anos entre os acontecimentos do capítulo 1 e a oração de Daniel, apresentada no capítulo 9. No fim do livro, Daniel era um homem idoso.

Ao longo desses tempos de mudanças — de Israel para a Babilônia, de um rei para o seguinte —, Daniel e outros enfrentaram grandes ameaças. No início do livro, ele e diversos companheiros hebreus foram introduzidos no círculo real, e esse era um lugar perigoso para se estar. Talvez você já tenha ouvido o ditado: "Quem brinca com fogo se queima". Bem, esse era um dos "riscos ocupacionais" do trabalho de Daniel. Ele brincava com um dos maiores fogos que existia — Nabucodonosor e sua corte. As probabilidades de sobrevivência para um jovem exilado não eram nada boas. E mostrar obediência a outro soberano, o Deus verdadeiro, apenas piorava as probabilidades, e expunha os cativos a todo tipo de perigo, desde embaraço até a morte.

No capítulo 1, sabemos, pela primeira vez, que Nabucodonosor decidira levar alguns israelitas jovens e capazes para sua corte com a finalidade de servir em seu reinado. Os administradores da corte estabeleciam a dieta para esses homens, mas Daniel e seus amigos pediram permissão para não se contaminar com a comida do rei. Com certeza, ao adotar essa posição, eles correram o risco de, no mínimo, passar por embaraço e de perder a oportunidade que lhes foi dada. Sem dúvida, eles foram tentados pelo pensamento: "Se eu comer apenas um pouco de alimento, terei uma posição mais influente e mais oportunidades de servir a Deus!" Quantos pecados são cometidos em Washington, D.C., em nome da vontade de não perder uma oportunidade! Quantos indivíduos estão dispostos a pagar um preço moral "secundário" para não perder uma grande oportunidade! Para Daniel e seus amigos, talvez a fidelidade a Deus tenha exigido enormes perdas terrenas. E os capítulos 2—6 relatam histórias em que as ameaças apenas pioram. Em geral, o que estava em risco era a vida deles.

Bem, se *você* fosse conselheiro de Daniel e seus amigos, como os aconselharia? "Oh, Daniel, você está um pouco rígido demais em relação a esse assunto de comida. Você é apenas um jovem exilado. Sabe que é um grande privilégio ser trazido para a corte. Pense nas pessoas que conhecerá. Pense na influência que terá." Ou talvez: "Daniel, trata-se apenas de um pouco de comida. Ela é oferecida para deuses que, de qualquer maneira, você sabe que não são verdadeiros. Vá em frente, você pode defender sua posição depois de estar na corte e ter conseguido um pouco de segurança". Ou talvez: "Daniel, você precisa ser um pouco realista aqui. Por favor, seja um pouco mais *político* e tenha um pouco menos desse idealismo. Pois sabe muito bem que não se pode fazer omelete sem quebrar os ovos". Você sussurraria assim no ouvido de Daniel, e ele comeria o alimento.

Ou, nos capítulos 2 ou 4, como você o teria aconselhado quando a interpretação do sonho do rei dada por Deus exalta o reinado do Senhor e rebaixa o de Nabucodonosor? "Oh, Daniel, Daniel, você não precisa explicar o sonho para o rei exatamente *dessa* forma. Ele não teve uma manhã muito boa. Você não consegue nada com esse tom. Apenas deixe a coisa um pouco mais vaga. Dê algum bom conselho genérico para ele. Você não precisa mentir. Enrole, Daniel. Fazer rodeios é tudo nessa situação."

Ou o que você diria a ele quando o edito, do capítulo 6, não permitia que orasse mais ao seu Deus, mas apenas para Dario? "Daniel, em seu coração, você ainda pode orar ao Senhor. Deus não se importa com sua posição corajosa. Ele conhece a verdade de seu coração. Olha, você não precisa perder sua posição. Pense em todas as décadas que levou para construir essa grande influência que tem. Veja como você é respeitado! Não jogue tudo isso fora por causa de um pequeno detalhe religioso. Neste momento, melhor seria se você apenas ficasse quieto e jogasse de acordo com as regras."

E, por fim, no capítulo 3, posso escutar alguns falsos conselheiros falarem com o jovem quando ficam diante do ídolo de Nabucodonosor: "Oh, vamos lá, apenas se curve. Você não precisa se curvar no coração. Apenas seu corpo se curva. Você não estará realmente adorando esse ídolo". Essa era uma concessão perigosa.

Falo de concessão moral, do abandono de princípios, do quebrar a lei de Deus. No livro de Daniel não há esse tipo de concessão.

Alguns críticos não gostam disso em Daniel — nem no homem, nem no livro. Eles lêem o livro, e Daniel deixa-os frios e impassíveis. Eles dizem que ele parece um personagem de papel. E alegam: "Não há crescimento profundo. Você sabe, não tem pecado. Com José, você capta o cerne do ser dele. Com Jacó, temos fraude. Com Moisés, até assassinato! Mas com Daniel, não temos nada. Ele faz a coisa certa o tempo todo. Isso faz com que ele pareça irreal". Contudo, o ponto do livro não é a *pecaminosidade* de Daniel (que ele confessa claramente em sua oração da passagem 9.20), mas sua *constância*. Deus chamou-o para fortalecer os exilados quando estes se sentem tentados a fazer concessões.

Pense na reação causada pelos três jovens que se negam a curvar-se ante a estátua de Nabucodonosor. Eles estão cercados por centenas, talvez milhares de pessoas curvadas sobre o chão. Algumas dessas pessoas curvadas conhecem e amam os três jovens e tremem de medo quando levantam os olhos e os vêem de pé, olhando fixo o soberano de todo o Império Babilônico, face a face, em desafio ao decreto dele que os obrigava a se curvar diante desse ídolo. E, a seguir, o que esses três jovens dizem ao rei? Apenas isto: "Não necessitamos de te responder sobre este negócio". De verdade? Vocês não precisam? "Eis que o nosso Deus, a quem nós servimos, é que nos pode livrar; ele nos livrará do forno de fogo ardente e da tua mão, ó rei. E, se não, fica sabendo, ó rei, que não serviremos a teus deuses nem adoraremos a estátua de ouro que levantaste" (3.16-18). Isso é que é determinação!

Os três jovens sabiam que, no fim, esse rei pagão poderoso não tinha nada de que precisassem. Nada! Assim, permaneceram *firmes* em sua fidelidade ao verdadeiro Soberano. Sem dúvida, esses são os melhores versículos para ler quando você se sente tentado a fazer alguma concessão.

Nesse livro, Daniel sobrevive à deportação para a Babilônia, ao reinado de Nabucodonosor, de Belsazar, de Dario, o medo, e de Ciro, o persa (6.28). Sai ileso a tudo, da crise sobre comer o alimento do rei, no capítulo 1, até a de ser lançado à cova dos leões, no capítulo 6. Ele escapa até o fim do Império Babilônio, quando os persas entram lá. E tenho certeza de que houve mais crises além dessas, das quais não temos registro.

Perseverança. Resignação. Daniel é um exemplo de sobrevivência.

Claro que Daniel morre como todos os outros mortais. Contudo, o último versículo do livro expressa sua esperança final. Deus, por intermédio de um mensageiro, diz a Daniel: "Tu, porém, vai até ao fim; porque repousarás e estarás na tua sorte, no fim dos dias" (12.13).

Em última instância, esse livro não é apenas sobre a sobrevivência de Daniel. É sobre a preservação de todo o povo de Deus. Eles serão vitoriosos. Esse mesmo mensageiro divino afirma a Daniel: "E, naquele tempo, [...] livrar-se-á o teu povo, todo aquele que se achar escrito no livro" (12.1).

Ao olharmos o livro como um todo, vemos que os primeiros seis capítulos relatam grandes histórias de libertação individual no presente, enquanto os últimos seis capítulos prometem a libertação corporativa no futuro. Acho que as pequenas libertações que Daniel vivencia em sua vida, tinham o intuito de lhe dar esperança e crença na libertação final que viria.

Assim, como acontece a você e a mim. As pequenas libertações que Deus nos concede ao longo da vida devem nos dar esperança. Elas são uma prévia e um pagamento inicial para a grande libertação final que virá para todo o povo de Deus. Lembre-se, o que parece permanente, não é. Apenas Deus é permanente. Se estivermos unidos a Ele, compartilharemos a sua vitória final.

Amigo, escute essa história e tenha cuidado. Não amarre totalmente seu carro ao que, inevitavelmente, não passa de uma estrela cadente. Sirva bem as pessoas poderosas para quem trabalha, mas lembre-se de que elas não são o máximo, mesmo que ajam como se fossem. Neste mundo, não há quantidade de dinheiro, de influência ou de conhecimento que faça alguém perfeito ou soberano. Não importa como elas se vêem. Não amarre toda sua vida a alguém que Deus promete que cairá.

Cristão, seja pessoalmente inflexível em relação à obediência a Deus, mesmo que isso o leve a ter conflito com seus governantes ou seu chefe. Isso é perigoso, mas é um bom testemunho. Tal postura mostra ao mundo e ao seu chefe como Deus é. Talvez você, como Daniel em seu livro, seja libertado. É possível que, como Daniel o foi nesse livro, seja recompensado por seus princípios. E talvez você até possa ajudar seu chefe a não continuar sofrendo sob o efeito de suas ilusões.

Todos nós somos avaliados por Deus. Sim, Ele julgará os governantes, os chefes e os pais infiéis, mas também julgará todos que forem infiéis a Ele. No livro de Daniel, não são apenas os governantes que caem, mas também cidades e nações inteiras tombam.

Ao mesmo tempo em que há tudo isso, a esperança está disponível a todos. Para os filhos de Deus, a vitória futura está garantida. Ela não depende de nenhuma eleição, batalha, disputa mercadológica, avanço tecnológico ou descoberta acadêmica. A vitória de Deus está assegurada entre seu povo.

Assim, levanta-se a questão: Você é filho de Deus ou dos reinos deste mundo? Reveja o que Daniel disse a Belsazar depois de descrever como Nabucodonosor reconheceu que apenas Deus é Rei: "E tu, seu filho Belsazar, não humilhaste o teu coração, ainda que soubeste de tudo isso. E te levantaste contra o Senhor do céu," (5.22,23).

E agora *você*, como Belsazar, ouviu isso. Se humilhará, confessará seu pecado de ser governado pelos apetites tirânicos deste mundo, afastar-se-á deles e, em Cristo, confiará apenas em Deus para sua salvação? Você fará de Cristo seu Rei?

Foi dito a Daniel que, um dia, todo o poder real de Deus se concentraria nas mãos daquEle que é "como o filho do homem". Antes, vimos o ancião de dias sentado em seu trono. No entanto, a visão de Daniel não pára aí:

> Eu estava olhando nas minhas visões da noite, e eis que vinha nas nuvens do céu um como o filho do homem; e dirigiu-se ao ancião de dias, e o fizeram chegar até ele. E foi-lhe dado o domínio, e a honra, e o reino, para que todos os povos, nações e línguas o servissem; o seu domínio é um domínio eterno, que não passará, e o seu reino, o único que não será destruído (7.13,14).

Jesus Cristo, nascido da virgem Maria, é esse Filho do Homem. Deus, em Cristo, pôs sobre si a carne humana e veio declarar o início de seu novo Reino no coração de seu povo. Assim, esse Reino sobrenatural alcança sua vitória mais chocante e grandiosa por meio da própria morte desse Rei na cruz, porque, com essa morte, Ele pagou a pena pelos pecados de todos que, arrependidos, crêem nEle. A seguir, o Pai, após o pagamento da dívida pelos pecados, ressuscitou esse Rei e, assim, dominou o poder da morte sobre todos aqueles que são filhos de Deus. Pergunto mais uma vez, você desistirá do poder passageiro que este mundo oferece, se arrependerá de seu desejo por esse poder, confiará apenas no perdão do Filho do Homem e seguirá apenas o governo dEle?

Daniel sobreviveu pela graça de Deus, e é assim também que você pode ser um sobrevivente.

Conclusão

Em Washington, D.C., a maioria das pessoas pensa um pouco diferente a respeito de sobreviventes. Aqui, os sobreviventes são os que sabem como fazer concessão. Em Daniel, o sobrevivente é aquele que não faz concessão aos princípios de Deus e crê no governo dEle. Daniel põe, de forma inequívoca, sua sobrevivência nas mãos desse Deus soberano e imutável. Ele entrega-se totalmente a esse Deus.

Atualmente, nossa igreja ora pelos nossos irmãos cristãos do Egito que são perseguidos. Embora esse país seja um dos maiores recebedores do auxílio externo dos Estados Unidos, também é cenário de muita perseguição a cristãos. O governo egípcio não tem uma política de perseguição a cristãos, embora, com certeza, as decisões governamentais, ou, na verdade, a falta delas, têm seu papel nesse panorama. De qualquer forma, há décadas essa perseguição aumenta.

Assim, que esperança nossos irmãos e irmãs do Egito têm? Que esperança eles podem ter se não vêem nenhuma forma de operar mudanças? A esperança última deles, como a nossa, está em Deus, e em nenhum outro lugar.

Nestes quatro últimos sermões, foi maravilhoso examinarmos juntos os quatro profetas maiores. Em Isaías, ouvimos o grande e preocupante tema do julgamento, como também seus gloriosos repiques da esperança futura. Depois, em Jeremias, ouvimos o tenebroso e trágico julgamento de Deus sobre sua nação ao enviá-los para o exílio. A mensagem continua em Ezequiel, porém, a seguir, a esperança retorna para o povo de Deus quando aprendem que o objeto do amor do Senhor nunca é um local, mas o povo. Agora, aqui em Daniel, um capítulo após outro, soa o coro de trombetas da vitória de Deus prometida ao passo que Ele revela seu governo soberano sobre todos os líderes poderosos de falsos impérios, à medida que todos esses governantes confessam que Ele é o verdadeiro Soberano.

Se somos cristãos, Deus nos sustentará. O Deus imutável revelou seu plano, o qual é sustentar e preservar seu povo. Isso não é maravilhoso? Por que Ele assim faz? Daniel sabia. Sua oração do capítulo 9 revela isso: "Ó Senhor, ouve; ó Senhor, perdoa; ó Senhor, atende-nos e opera sem tardar; por amor de ti mesmo, ó Deus meu; porque a tua cidade e o teu povo se chamam pelo teu nome" (9.19). Em outras palavras, Daniel sabia que Deus é misericordioso e perdoador e que usaria todos os seus poderes para levar compaixão e misericórdia a seu povo. Esse poder e essa misericórdia ficam mais evidentes na obra sacrificial redentora de Cristo na cruz.

No fim, essa é nossa única esperança de sobrevivência.

Oremos:

Senhor, muitas outras esperanças confundem nossa mente. Sabemos que nessa última semana pusemos nossa esperança em muitas outras coisas. No entanto, sabemos que as circunstâncias mudarão e subverterão todas essas outras coisas em que pusemos nossa esperança. Deus, sabemos que o Senhor é nossa única esperança verdadeira. Desejamos ser pessoas que carregam seu nome e que são conhecidas por seu nome. Por isso, oramos para que nos torne iguais ao Senhor — santo e intransigente em sua justiça, em sua bondade, em seu amor e em sua perfeição. Oramos em nome de Jesus. Amém.

Questões para Reflexão

1. Por que Deus permite tantas mudanças em nossa vida? Após responder a essa pergunta, pense nas distintas áreas de sua vida em que tende a resistir

às mudanças e a detestá-las. Bem, com base em sua resposta a essa pergunta, o que Deus quer ensinar-lhe nessas áreas?
2. Como nossas maiores vitórias, triunfos e realizações podem ser as próprias coisas que mais nos iludem? Se estiver inseguro em relação à resposta para essa pergunta, talvez queira pensar no exemplo de Nabucodonosor.
3. Em que área de sua vida, você aspira ter mais poder, controle ou proeminência? Ao responder a essa pergunta, talvez queira considerar algumas áreas distintas de sua vida: seu trabalho, sua família, sua vida social, sua igreja, sua reputação, suas finanças e assim por diante. O que o livro de Daniel ensina a respeito dessas aspirações? O que a jornada de Cristo para a cruz ensina a respeito dessas aspirações?
4. Como cristãos, como aprendemos a atingir o equilíbrio correto entre confiar e honrar as pessoas que têm poder sobre nós sem esquecer que são seres humanos e que apenas Deus deve ser temido?
5. No momento, você tem alguma posição de autoridade? Exerce autoridade nesses domínios com a consciência de que Deus o julgará pela forma como usa essa autoridade? Se você faz isso, o que mudaria?
6. Em qual de seus relacionamentos, você se importa mais com o que a outra pessoa pensa do que com o que Deus pensa? Que passos você deve dar para o início de tornar Deus o Rei desse relacionamento a fim de temê-lo e desejar a aprovação dEle mais que a da outra pessoa?
7. Em que áreas de sua vida você se sente tentado a fazer concessão? Que argumentos a voz da tentação usa, de forma bem-sucedida, com você?
8. Que lições a morte de Jesus nos ensina sobre como Deus demonstra, com freqüência, seu poder neste mundo?
9. Se Jesus é o Rei que Daniel aponta na passagem 7.13,14, por que Ele teve de morrer?
10. Se você passou a maior parte de sua vida fazendo concessões morais, que esperança tem de conseguir a libertação de Deus?

Notas

Capítulo 27

[1] A data de pregação original deste sermão foi em 27 de abril de 1997, na Capitol Hill Baptist Church, em Washington, D.C.

[2] "O god, Our Help in Ages Past" ["Ó Deus, socorro nosso desde o passado"], palavras de Isaac Watts, 1719.

PARTE 5

QUESTÕES ETERNAS

A MENSAGEM DE OSÉIAS: O QUE É O AMOR?

AMOR É...

INTRODUÇÃO AOS PROFETAS MENORES

INTRODUÇÃO A OSÉIAS

UMA ESTRANHA HISTÓRIA DE AMOR: OSÉIAS E GOMER

O DESAFIO DO AMOR: O PECADO
Os Atos de Pecado
O Cerne do Pecado
A Aparência do Pecado
A Raiz do Pecado

A RECUPERAÇÃO DO AMOR: O ARREPENDIMENTO

A ESPERANÇA DO AMOR: A RESTAURAÇÃO

CONCLUSÃO: ISSO É AMOR

CAPÍTULO 28

A Mensagem de Oséias:
O que É o Amor?

Amor é...[1]

Para muitas pessoas, a própria palavra amor é estimulante. O amor é pura emoção positiva. O amor é uma força a ser experimentada. O amor é incontrolável, emocionante, é êxtase!

Outras pessoas, em especial as do meio acadêmico, diriam que essas idéias radiantes são ingênuas. Afinal, o poder motiva todas as nossas decisões. Assim, o egoísmo é o sentimento que mais se aproxima daquilo que o amor realmente é. O amor é uma expressão de poder. É o exercício do interesse próprio, do egoísmo.

Um outro grupo diz que é muito calculado simplesmente igualar o amor ao poder, em especial, porque o amor é um tópico muito evocativo, ou rememorativo. Não vamos somente andar de um lado para o outro, conseguindo tudo que desejamos; antes, os desejos, às vezes, "caem sobre nós". Podemos até dizer que os desejos nos dominam. Começamos a sentir que devemos *ter, fazer* ou *ser* algo. E, a seguir, dizemos que "amamos" esse algo e que "precisamos" dele. Se amamos alguma coisa, então precisamos dela. Temos que tê-la. Assim, o amor torna-se algo nada estimulante. Na verdade, ele pode se tornar um hábito, algo que temos, a que nos acostumamos e que, com regularidade, solicitamos. No fim, o amor torna-se algo que supomos estar garantido.

Embora as almas mais elevadas entre nós digam que o amor, nem de perto, não é algo tão egoísta assim. Na verdade, insistem que o amor refere-se aos outros. Morrie Schwartz, cuja luta com a síndrome de Lou Gehrig é narrada no livro de

Mitch Albom, relacionado entre os mais lidos, *Tuesdays with Morrie* [Terças-feiras com Morrie], diz que "amar é quando você se importa com a situação de outra pessoa da mesma forma que se importa com a sua".²

As almas mais céticas ouvem isso e dizem que esse "amor" é apenas dependência, que, quando se investiga a afirmação das pessoas que dizem "amar" uma à outra, o que se encontra é algum serviço que os dois indivíduos trocam entre si, quer seja apreço, lavar a roupa, dinheiro, compaixão ou companhia.

Depois, há alguns que olham sua experiência de amor e não a reconhecem nesses termos céticos. Dizem que o amor é admiração e deleite. Ele não diz tanto respeito a depender de outra pessoa como a perder-se em alguém com quem você se importa — esquecer de si mesmo por causa do outro e pelo bem do outro. Essa é a coisa mais distante do mundo do egoísmo.

Qualquer outra coisa que o amor possa ser, com certeza, hoje, nossa cultura o trata como o bem supremo. De fato, invertemos o que a Bíblia diz sobre "Deus [ser] amor" ao falar como se o "amor fosse Deus". Chame algo de "amor", e isso justifica sua ação além de todo questionamento. Não é necessária nenhuma defesa. Não exige nenhuma explicação. "Isso é amor, você não vê!" As pessoas falam a respeito de guerras travadas em nome da religião. Com certeza, não houve poucas guerras travadas em nome do "amor".

Portanto, afinal, o que é o amor?

Introdução aos Profetas Menores

Essa é a primeira das doze "Questões Eternas" que trataremos a partir de uma parte da Palavra de Deus muitas vezes negligenciada — os profetas menores do Antigo Testamento. Esses camaradas não são nem mesmo da mesma liga dos profetas "maiores". Se você se dá ao trabalho de ler a Bíblia, por que gastar tempo com os profetas "menores"?

Antes de tudo, o Antigo Testamento é a Palavra de Deus. Na verdade, representa a maior parte dela. Apenas abra sua Bíblia no Evangelho de Mateus, o primeiro do Novo Testamento, e coloque seu dedo nessa página. Verá que a maior parte da Bíblia (mais que três quartos), na verdade, estão à esquerda de seu dedo, no Antigo Testamento. Bem, não quero dizer que o Antigo Testamento é melhor porque é mais longo. Mas nunca houve a pretensão que o Novo Testamento suprimisse o Antigo. No Antigo Testamento, a Lei, as histórias, os profetas e os escritos são relatos que cobrem séculos do trato de Deus com seu povo. O Antigo Testamento expõe a situação humana, algo que o Novo Testamento trata de forma tão decisiva. O Antigo Testamento aponta para algo cuja cumprimento é Jesus Cristo, e você não entenderá, nem de perto, tão bem a resposta se não compreender o enigma.

E quanto a esse título "profetas menores"? Com certeza, os nomes são importantes. Na faculdade, eu era especialista em história medieval, e todos nós, os dezesseis especialistas da mesma área, estávamos sempre em uma cruzada para nos certificar de que as pessoas deixassem de chamar esse período de "Era das Trevas"! Não gostávamos desse título. Afinal, os estudiosos sabem muito sobre o que aconteceu na Idade Média. A situação é semelhante à dos profetas menores — as pessoas entendem mal o nome. "Menor" não significa "sem importância", mas "curto". Simplesmente, os profetas maiores são os livros mais longos, como os de Isaías, de Jeremias, de Ezequiel e de Daniel (Daniel é menos longo que dois dos profetas menores, mas se fundamenta no mesmo evento em que Jeremias e Ezequiel estão centrados — a destruição de Jerusalém). Ao todo, os livros dos profetas menores são apenas mais curtos, variam de quatorze a apenas um capítulo. Talvez cada um dos próprios profetas tivesse, em sua época, a mesma influência que os chamados profetas maiores.

Portanto, não são livros sem importância do Antigo Testamento. E em sua época, eles não eram novos adeptos da causa, um acessório para os outros, ou aqueles que dizem: "Só mais uma coisa". Esses livros foram escrito sob a inspiração do Espírito de Deus para propósitos e usos sérios.

Os profetas e seus escritos representam os últimos quatro séculos da história do Antigo Testamento, do século VIII ao XV a.C. E estamos bastante certos de que já no século III a.C., esses doze profetas foram reunidos em um pergaminho. Em outras palavras, há muito tempo foram reconhecidos como parte das Santas Escrituras.

Introdução a Oséias

Oséias, esse profeta menor que estudamos agora, é o primeiro entre os demais e, por diversos motivos, o mais incomum entre eles. Primeiro, Oséias tem quatorze capítulos, e é, juntamente com o livro de Zacarias, um dos únicos dos profetas menores que tem essa extensão.

Segundo, Oséias foi um dos primeiros profetas menores. Não sabemos as datas exatas desses doze livros, mas eles parecem se dividir em quatro grupos de três, sendo cerca de um grupo por século. Ageu, Zacarias e Malaquias são os três últimos livros do Antigo Testamento — escritos no século V. Voltando no tempo, Joel, Obadias e, talvez, Jonas foram escritos no século VI, após a queda de Jerusalém, em 587 (lembre-se que estamos no período anterior a Cristo). Provavelmente, Naum, Habacuque e Sofonias foram escritos por volta da mesma época em que Jeremias iniciou seu ministério, no final do século VII, antes da queda de Jerusalém. A seguir, Oséias, Amós e Miquéias, os três mais antigos, foram escritos no século VIII. Eles são os três "homens antigos" dos profetas menores e profetizaram antes da queda do Reino do Norte de "Israel" para os assírios, em 722.

Isso nos traz à terceira coisa incomum a respeito de Oséias. Esse livro não só é o mais longo e o mais antigo dos profetas menores, mas destaca o Reino do Norte (Israel), em vez do Reino do Sul (Judá). A maioria dos profetas menores enfatiza o Reino do Sul de Judá, pois apenas Judá existia na época em que profetizavam. E Miquéias, um dos três "homens antigos", concentrou-se em Judá, antes da queda de Israel. Mas os outros dois, Oséias e Amós, profetizaram a respeito do Reino do Norte — as dez tribos que, dois séculos antes, seguiram Jeroboão em rebelião contra o filho de Salomão.

Às vezes, de acordo com a versão, a Bíblia chama o Reino do Norte de Samaria, porque esta era sua capital. Em outras, chama-o de Efraim, pois esta era a tribo mais proeminente (como Judá, no sul). Mas, em geral, o Reino do Norte é chamado de Israel.

Desde o início, o Reino do Norte foi assolado por problemas. As décadas anteriores a Jeroboão II, que reinava na época em que Oséias profetizava, foram tumultuadas. A nação passou por um rei, depois por outro e ainda outro, e, na época de Jeroboão II e de Oséias, na segunda metade do século VIII, o país parecia estar em declínio terminal.

O Império Assírio, localizado bem ao norte de Israel, era o grande poderio daquele período e mordiscava constantemente as fronteiras de Israel além de, com freqüência, ameaçar atacar o próprio centro da nação. Ao mesmo tempo em que Isaías e Miquéias profetizavam em Jerusalém, no sul, Deus chamou Amós e Oséias a profetizar nos dias de declínio do Reino do Norte.

Oséias não tem um esboço muito claro. Mas, de forma bem ampla, podemos dizer que os capítulos 1—3 apresentam tudo que sabemos sobre sua história pessoal, como também algumas profecias. A seguir, os capítulos 4—14 formam uma coletânea de profecias que advertem em relação ao julgamento vindouro de Deus, como também de diversas promessas de esperança.

Em meio a todas essas particularidades, aprendemos muito sobre o verdadeiro amor. Na verdade, estou tão seguro de que Oséias nos ensina sobre o amor que, durante anos, fiz com que casais lessem Oséias como parte da última tarefa do aconselhamento antes de casá-los.

UMA ESTRANHA HISTÓRIA DE AMOR: OSÉIAS E GOMER

Assim, o que Deus diz a seu povo nos dias de declínio de Israel? Podemos resumir em uma única palavra. Ela está exatamente ali, no terceiro versículo do primeiro capítulo. A palavra é "casou" [NVI]. O livro de Oséias, no aspecto humano, é a respeito disso — um homem casou-se com uma mulher.

O homem é Oséias. Quem é Oséias? Bem, o versículo 1 menciona o nome de seu pai, bem como a época em que ele viveu. Mas, claramente, o mais importante a respeito do profeta é que Deus lhe falou e lhe disse para se casar com essa mulher.

Quem é essa mulher? O nome dela é Gomer. Em nossa época e cultura, talvez este não seja um nome atraente para uma mulher. Mas não temos nenhum motivo para achar que ele fosse incomum na época deles. O versículo 3 também nos informa que o nome do pai dela era Diblaim, todavia, é o seu caráter que mais chama nossa atenção. Leiamos as palavras do próprio Oséias:

> Palavra do Senhor que foi dita a Oséias, filho de Beeri, nos dias de Uzias, Jotão, Acaz, Ezequias, reis de Judá, e nos dias de Jeroboão, filho de Joás, rei de Israel. O princípio da palavra do Senhor por Oséias; disse, pois, o Senhor a Oséias: Vai, toma uma mulher de prostituições e filhos de prostituição; porque a terra se prostituiu, desviando-se do Senhor. E foi-se e tomou a Gomer, filha de Diblaim, e ela concebeu e lhe deu um filho. E disse-lhe o Senhor: Põe-lhe o nome de Jezreel; porque daqui a pouco visitarei o sangue de Jezreel sobre a casa de Jeú e farei cessar o reino da casa de Israel. E será, naquele dia, que quebrarei o arco de Israel no vale de Jezreel. E tornou ela a conceber e deu à luz uma filha; e ele disse: Põe-lhe o nome de Lo-Ruama; porque eu não me tornarei mais a compadecer da casa de Israel, mas tudo lhe tirarei. Mas da casa de Judá me compadecerei e os salvarei pelo Senhor, seu Deus; pois não os salvarei pelo arco, nem pela espada, nem pela guerra, nem pelos cavalos, nem pelos cavaleiros. E, depois de haver desmamado a Lo-Ruama, concebeu e deu à luz um filho. E ele disse: Põe-lhe o nome de Lo-Ami, porque vós não sois meu povo, nem eu serei vosso Deus (1.1-9).

Observe que, de imediato, é-nos dito o que esse livro é: "Palavra do Senhor que foi dita a Oséias" (1.1). A seguir, temos o relato histórico das instruções do Senhor a Oséias, sua obediência, e os filhos que teve com Gomer.

O livro, após o capítulo 1, transforma-se, de forma mais clara, em uma profecia, à medida que o Senhor fala a Israel, por intermédio de Oséias, como se essa nação fosse a mãe do povo, enquanto o Senhor é seu marido e o pai deles. A única outra vez em que se discute claramente Oséias, o homem, é no breve capítulo 3:

> E o Senhor me disse: Vai outra vez, ama uma mulher, amada de seu amigo e adúltera, como o Senhor ama os filhos de Israel, embora eles olhem para outros deuses e amem os bolos de uvas. E a comprei para mim por quinze peças de prata, e um ômer de cevada, e meio ômer de cevada; e lhe disse: Tu ficarás co-

migo muitos dias; não te prostituirás, nem serás de outro homem; assim quero eu ser também para ti (3.1-3).

Aparentemente, a esposa de Oséias foi infiel a ele. Ela até vendeu seu corpo, como uma prostituta. Mas Deus disse a Oséias para comprá-la de volta e continuar a amá-la.

Oséias, em suas profecias, não fala a respeito de si mesmo de novo. Acabamos de ler tudo que a Bíblia fala sobre ele. Portanto, qual a importância do homem Oséias e de sua esposa? Ao longo deste livro, Oséias e Gomer — personagens históricos verdadeiros — simbolizam Deus e Israel. Em boa parte das profecias do livro, Deus e Israel são, como no capítulo 2, personificados claramente como marido e esposa. Em outros lances, deixam-se de lado todas as imagens, e Deus fala diretamente a Israel sobre si mesmo e sobre eles, de uma forma mais reveladora que em qualquer outro livro da Bíblia.

Em sua totalidade, a profecia de Oséias é ameaçadora. O livro prediz o julgamento vindouro. Neste razoavelmente breve livro, encontra-se mais de cem vezes verbos no futuro, à medida que Deus adverte sobre a punição que *infligirá* a Israel. Releia esses versículos do capítulo 1:

> E disse-lhe o Senhor: Põe-lhe o nome de Jezreel; porque daqui a pouco visitarei o sangue de Jezreel sobre a casa de Jeú e farei cessar o reino da casa de Israel. E será, naquele dia, que quebrarei o arco de Israel no vale de Jezreel. E tornou ela a conceber e deu à luz uma filha; e ele disse: Põe-lhe o nome de Lo-Ruama; porque eu não me tornarei mais a compadecer da casa de Israel, mas tudo lhe tirarei (1.4-6).

Nos primeiros treze versículos do capítulo 2, o Senhor descreve de forma mais explícita Israel como sua esposa desobediente, e então promete puni-la.

A seguir, nos capítulos 4—14, Deus estrondeia sua promessa de punir, de ignorar, de destruir, de consumir, de desonrar, de se afastar, de disciplinar, de devorar, de devastar, de derramar o seu furor sobre eles como água, de devorar como um leão e de arrebatá-los, de laçar como caçador de aves, de assegurar a queda e o ridículo deles, de perseguir, de mandar de volta para a escravidão, de queimar suas cidades e de destruir suas fortalezas, de exilar, de afligir com maldições, de privar o povo de seus filhos, de rejeitar, de desgraçar, de despojar os reis, e as portas da cidade, e os projetos, de abandonar e de retribuir.

Por que Deus se tornou o agressor de seu povo? E, de novo, o que isso tem que ver com amor? A narrativa fica suspensa nesse ponto, uma narrativa que envolve pecado, arrependimento, restauração e *você*.

O Desafio do Amor: O Pecado

Devemos iniciar pelo desafio do amor: o pecado. O pecado de Israel deu origem à profecia de Oséias. Na época, qual era exatamente a condição espiritual de Israel? Bem, o livro foi escrito há quase três milênios, portanto, não podemos dizer com exatidão qual era a condição espiritual de Israel. Mas não era boa. O Senhor declara: "Mui profundamente se corromperam" (9.9). E eles não apenas se corromperam, mas eram obstinados em sua corrupção: "Porque, como uma vaca rebelde, se rebelou Israel" (4.16), e eles "recusam converter-se" (11.5).

Eles "[rejeitaram] o bem" (8.3). "[Rejeitaram] o conhecimento" e "[esqueceram] da lei do [seu Deus]" (4.6). Eles "se rebelaram contra a [...] lei" de Deus (8.1). Encaram a lei "como coisa estranha" (8.12). E, claro, ao se rebelar contra a lei do Senhor, "se [rebelaram] contra o seu Deus" (13.16). "O meu Deus os rejeitará, porque não o ouvem" (9.17). O Senhor mesmo conclui: "O meu povo é inclinado a desviar-se de mim" (11.7).

Opa! Que determinação! Você já havia pensado no pecado como algo tão pessoal, como algo que envolvesse Deus com tanta clareza? É assim que Deus o descreve. Rejeitar a lei de Deus significa desviar-se dEle! O pecado, Deus continua e declara, é "opróbrio" (12.14). Opróbrio para quem? Opróbrio para Ele, claro. Quebrar a lei não era como descumprir algum princípio impessoal. Era trair uma aliança pessoal, como a do casamento. Deus afirma: "Eles traspassaram o concerto, como Adão" (6.7). E, sem dúvida, esses israelitas eram filhos de Adão. Conforme o Senhor declara, eles seguiram o exemplo de Adão e pecaram, pois "traspassaram o meu concerto e se rebelaram contra a minha lei" (8.1).

Os Atos de Pecado

Essas são caracterizações genéricas do povo. Mas quais foram os pecados específicos que Oséias encontrou em Israel? Eles eram muitos para mencionar todos, mais eis alguns. Para começar, os governantes deles não eram justos (o que já sabemos em razão de nosso estudo de 2 Reis[3]): esses governantes "[amavam] a vergonha" (4.18), e "todos os seus príncipes são rebeldes" (9.15). Em que eram rebeldes? Eles viraram-se para a Assíria e para o Egito em busca de ajuda, em vez de procurar o Senhor, apesar de Ele ter feito de Israel uma nação separada e um povo especial (5.13; 7.11; 12.1).

E, dificilmente, o pecado estava limitado à classe governante. A nação caracterizava-se pela bebedeira, pelo escárnio, pelas palavras insolentes e pelas imprecações (4.2,11; 7.5,16). Uma vez após outra, mentiram e praticaram fraude. O povo "[multiplicou] palavras, jurando falsamente, fazendo um concerto; por isso, florescerá o juízo como erva peçonhenta nos regos dos campos".[4]

Eles também furtavam. Na verdade, parece que furtavam sempre que tinham uma oportunidade — entravam nas casas, roubavam nas ruas e enganavam até nos armazéns (4.2; 7.1; 12.7). "É um mercador; tem balança enganadora em sua mão; ele ama a opressão" (12.7).

O povo, já que quebrou o oitavo e o novo mandamento — que proíbem roubar e mentir — resolveu ir em frente e quebrar também o sexto, que proíbe matar. Assim, cometiam homicídios, derramavam sangue, multiplicavam a violência, deixavam rastros de sangue e até massacravam (1.4; 4.2; 6.8; 12.1). Oséias usa todas essas imagens.

Depois, desobedeceram ao sétimo mandamento, que proíbe o adultério. Claro que Oséias, pessoalmente, sabia quanto esse mandamento fora afrontado. A ilegitimidade e a prostituição imperavam (4.2,10,13; 5.7; 7.4).

Você bem pode se perguntar ao ouvir todas essas coisas: "Como tudo ficou tão ruim e desordenado? Afinal, esse era o povo especial de Deus. Ele não saiu do seu caminho para libertá-los, guiá-los, fazê-los prosperar, dar-lhes sua lei e seus profetas e torná-los seus?"

O Cerne do Pecado

Acredito que você, ao ler Oséias, descobrirá que o cerne da corrupção israelita está bem clara: a *religião* deles estava toda errada! No capítulo 4, examine esses versículos particularmente grotescos: "Como eles [os sacerdotes] se multiplicaram, assim contra mim pecaram; eu mudarei a sua honra em vergonha. Alimentam-se do pecado do meu povo e da maldade dele têm desejo ardente" (4.7,8). Os líderes religiosos se alimentavam do pecado do povo e apreciavam sua maldade! Em outras palavras, eram líderes da torcida em favor do pecado, porque, pessoalmente, aproveitavam-se dele! A coisa podia ser pior? Enquanto esses charlatães em pele de pastores ocupavam os postos religiosos da terra, talvez os verdadeiros líderes religiosos, como Oséias, eram tratados de forma muito distinta: "O profeta é um insensato, o homem de espírito é um louco" (9.7). Qualquer que fosse a religião que o povo tinha, era falsa e insincera. O Senhor lamenta: "E não clamaram a mim com seu coração" (7.14; cf. 8.2).

O maior problema israelita era a idolatria. Na verdade, podemos dizer que todo o livro é sobre a idolatria de Israel. No tempo de Oséias, Israel estava salpicado de áreas de adoração cultual a diversos deuses — Baal, Jeová e outros —, e todos eles foram misturados (cf. 9.10,15). A certa altura, o Senhor declara: "Israel se esqueceu do seu Criador" (8.14). Antes, Ele afirmara: "Não há verdade, nem benignidade, nem conhecimento de Deus na terra" (4.1). A palavra traduzida por "conhecimento" refere-se especificamente ao conhecimento relacional íntimo que se compartilha no casamento. E isso se ajusta ao contexto, não é mesmo? Deus diz que seu povo não mais *ama, conhece* nem *é exclusivamente fiel* a Ele, como deve acontecer em relação ao cônjuge. Eles o abandonaram. Por isso, o livro inicia-se com a acusação: "A terra se prostituiu, desviando-se do Senhor" (1.2). O Senhor, ao longo das profecias de Oséias, usa imagens de adultério e de infidelidade para descrever como seu povo se afastou dEle e serve outros deuses.[5] Na Bíblia, a idolatria e o adultério estão muito ligados, porque a *idolatria é um adultério espiritual*. E o próprio povo de Deus, com sua idolatria, comete esse adultério espiritual.

A Aparência do Pecado

Na verdade, como era a idolatria adúltera dos israelitas? Ela se manifestava de muitas formas. Incluía sacrifícios: "Sacrificam sobre os cumes dos montes e queimam incenso sobre os outeiros, debaixo do carvalho, e do álamo, e do olmeiro, porque é boa a sua sombra" (4.13). Incluía altares com pedras sagradas e estátuas em altos de maldade (cf. 8.11; 10.1,2,8). Possuía também sacerdotes idólatras (10.5), e toda uma classe de pessoas que ganhava a vida servindo essa religião falsa.

Claro que a idolatria plena também inclui ídolos, coisa que os israelitas tinham em abundância. "O meu povo consulta a sua madeira, e a sua vara lhe responde" (4.12). O povo estava "entregue aos ídolos" (4.17). Eles "[quiseram] andar após a vaidade" (5.11), e fizeram ídolos para si mesmos:

> Eles fizeram reis, mas não por mim; constituíram príncipes, mas eu não o soube; da sua prata e do seu ouro fizeram ídolos para si, para serem destruídos. O teu bezerro, ó Samaria, foi rejeitado; a minha ira se acendeu contra eles; até quando serão eles incapazes de alcançar a inocência? Porque isso é mesmo de Israel; um artífice o fez, e não é Deus; mas em pedaços será desfeito o bezerro de Samaria (8.4-6; cf. 10.5).

Mais adiante, Oséias fala novamente desse ídolo-bezerro. Evidentemente, o povo foi bem preso pelos ídolos: "E, agora, multiplicaram pecados e da sua prata fizeram uma imagem de fundição, ídolos segundo o seu entendimento, todos obra de artífices, dos quais dizem: Os homens que sacrificam beijam os bezerros" (13.2). Pense acerca disso por um momento. Eles matam pessoas, mas beijam ídolos!

É a isso que a adoração falsa leva. É isso que a religião falsa faz. Deixa o povo em completa confusão. Faz com que as pessoas invertam as coisas, odiando o que deveriam amar; e amando o que devem odiar. Elas ainda dizem: "Nossos deuses!" Ou seja, que eles fizeram com as próprias mãos e, tenha certeza, por causa disso, se seguirão todo tipo de perversões (cf. 14.3,8). Os israelitas, por seu lado, associam-se às prostitutas e sacrificam com as meretrizes (4.14,18; 5.3). A certa altura, Oséias declara: "Vejo uma coisa horrenda na casa de Israel: ali está a prostituição de Efraim; Israel é contaminado" (6.10).

O povo também adora o deus da fertilidade, Baal (cf. 2.17; 13.1). Isso significa que eles não se tornaram descrentes, mas que "apenas" mudaram seu objeto de adoração (cf. 2.8). Assim, atribuíram suas bênçãos, como a da colheita, a Baal (2.12,13). Eles queimavam incenso, comiam os bolos de uvas sagrados, celebravam a lua nova e faziam todos os rituais que achavam que lhes daria colheita abundante de grãos e de uvas. E se prostituíam e ofereciam sacrifícios, até mesmo humanos, diante dessas imagens que faziam.[6] Você pode perceber por que o Senhor diz que "mercou Efraim amores" e "[mercam] entre as nações" (8.9,10). Efraim não era diferente deles.

A Raiz do Pecado

Qual era a raiz de tal pecado? Com base em minha leitura de Oséias, acredito que era a arrogância dos israelitas (5.5; 7.10). O Senhor disse-lhes: "Confiaste no teu caminho, na multidão dos teus valentes" (-10.13). Em outra passagem, Ele afirmou-lhes: "Depois, eles se fartaram em proporção do seu pasto; estando fartos, ensoberbeceu-se o seu coração; por isso, se esqueceram de mim" (13.6).

Mas Deus não é alguém que podemos ignorar com facilidade. Você precisa despender muita energia para tentar ignorar aquEle a quem cuja imagem foi criado. É preciso trabalhar conscientemente para tirá-lo do centro de seus pensamentos, e, por isso, Ele podia acusar o povo: "Te rebelaste contra mim" (13.9). Em algumas das palavras mais contundentes do livro, o Senhor até diz que eles "se consagraram a essa coisa vergonhosa [a idolatria], e se tornaram abomináveis como aquilo que amaram" (9.10).

O povo especial, escolhido e precioso de Deus, libertado e abençoado, rebaixou-se a isso. Ele desperdiçou as bênçãos de Deus, perdeu a graça dEle e, "agora, está entre as nações como coisa em que ninguém tem prazer" (8.8). Essas palavras soam como uma invalidação, uma sina, uma sentença. E o pronunciamento final do Senhor para o povo é ainda mais trágico: "Desocupados andarão entre as nações" (9.17). O povo de Deus devia obedecer a todas suas leis, principalmente aos dois primeiros comandos: adorar apenas ao Senhor e não fazer nenhum ídolo. Mas o povo desobedeceu totalmente. Por isso, Deus, por intermédio de Oséias, falou esta palavra de julgamento: aqueles que Ele tomara para seu povo especial não eram mais seu povo, mas apenas estavam entre as nações.

Nosso tempo não é tão distinto do de Oséias. Os vícios particulares abundam. E como eles se alastram, a sociedade torna-se mais depravada. O vício particular torna-se público, pois a raiz do vício público repousa em nossa vida privada.

Meu amigo, se não for cristão, pergunto-me se você já pensou em como Deus toma seus pecados como algo pessoal. Quando você, como alguém feito à imagem do Senhor, faz algo errado, como desonrar seus pais ou cobiçar, age contra Deus. Talvez você se considere uma pessoa escrupulosa e de moral ilibada, mas neutra sob o ponto de vista religioso. Examine seu coração. Veja se consegue discernir como a neutralidade religiosa é uma ilusão. Não foi isso que Jesus disse, em Mateus 12.30? "Quem não é comigo é contra mim."

À luz do pecado da nação — que oferecia sacrifício humano nos altos fora de Jerusalém —, a forma como, por fim, Deus lida com a transgressão do seu povo é muito irônica. Em Cristo, Deus põe sobre si a carne humana, vive como uma das pessoas de Israel e envolve-se no sacrifício humano nos altos fora de Jerusalém — só que Ele era o sacrifício! Em Cristo, Deus suporta a ira do Senhor contra o pecado de todos que se arrependem e nEle crêem.

O que tudo isso representa para nós? Quando, ao ler Oséias, encontramos esse povo infiel, prostituído e que direciona erroneamente seu amor, percebemos que a condenação de Oséias não se aplica tanto a todos os não-cristãos "lá fora". Não, ela aplica-se a nós — o povo de Deus na Igreja. Não queremos ser uma igreja evangélica farisaica, que expressa desgosto, impaciência ou reprovação branda em relação aos problemas à nossa volta, enquanto o país vai de mal a pior. Essa seria uma boa melodia para assobiarmos, despreocupados com nossos pecados, em nosso caminho para o Inferno. Não, Oséias pretende que o povo de Deus examine a si mesmo e aos seus pecados.

Ao fixar o quadro que Oséias pinta dos israelitas, você não vê as linhas de sua própria hipocrisia e os delírios e devaneios de seu coração?

Associar-nos, externamente, ao povo de Deus não nos liberta de nosso pecado. É quase certo que em uma reunião de pessoas tão grande como a de nossa igreja, haja alguns que crêem estar adorando a Deus, mas não estão. Eles adoram o que o pastor, o cônjuge ou os amigos pensam a seu respeito. Adoram as bênçãos de Deus, a comunhão do povo dEle ou o encorajamento que sentem quando a igreja entoa cânticos.

Portanto, pergunte-se: se sua circunstância atual mudasse, enquanto Deus permanece o mesmo, você continuaria a adorá-lo? Ou é apenas o alinhamento das circunstâncias de que desfruta que evocam o que você pensa ser a adoração a Deus? Meu amigo, examine seu coração. Que tipo de coração ele é para Deus? Essa é a questão que Oséias põe diante de nós, pois os desejos de nosso coração são a raiz de os todos nossos atos e de toda a nossa adoração. Tudo o mais é sintoma. Por isso, o livro de John Piper é extremamente perspicaz e útil. Piper está totalmente certo quando afirma que Deus deve estar no centro dos desejos de nosso coração. À medida que nos deliciamos em Deus, a alegria que vivenciamos no que Ele nos dá simplesmente nos leva de volta à alegria que desfrutamos nEle. O Senhor deve ser o verdadeiro objeto de deleite de um coração cristão. Todas as coisas que Ele nos dá mudam, mas Ele é imutável.

Ler Oséias também nos ajuda a ver a diferença entre o povo de Deus da Antiga Aliança e o da Nova. A pessoa entrava na comunidade da Antiga Aliança pelo nascimento. Isso não acontece com a comunidade da Nova Aliança de Deus (e digo isso com muito amor por meus amigos a favor do batismo de crianças). A pessoa entra na Nova Aliança ao *nascer de novo* por meio do Espírito de Deus. Por essa razão, a idolatria, se era inapropriada para o povo de Deus do Antigo Testamento, é ainda mais entre o povo do Senhor da Nova Aliança! O próprio fato de nos tornarmos membros da Igreja é resultado da obra do Espírito de Deus. Portanto, do ponto de vista humano, o que nos une não é a etnia, como no Antigo Testamento, mas o comprometimento moral e afetivo de nosso coração com Deus.

É bom que sempre demos, em nossa congregação, testemunho da maravilhosa graça de Deus em nos dar nova vida em Cristo!

Se você tem consciência de que nasceu de novo, saiba que Deus lhe dá nova vida a fim de que tenha coração para Ele. Por isso, aparte-se continuamente da raiz do pecado que o separa de Deus e de seu amor. Se você for uma pessoa que freqüenta com regularidade a igreja, mas ainda não se tornou membro, deixe-me exortá-lo a efetivamente fazer parte da membresia, quer da nossa, quer de outra. Você descobrirá que Deus usará seu povo para ajudá-lo a lutar pela santidade e pelo prazer de se deleitar continuamente no Senhor.

A Recuperação do Amor: o Arrependimento

Claramente, o pecado representa um desafio para o amor, e representa, especificamente, um desafio para o amor de Deus por nós, pois Ele é santo. Portanto, como se pode recuperar o amor? Recupera-se o amor por meio do arrependimento. Deus, ao longo da noite sombria de Oséias, chama seu povo ao arrependimento.

No capítulo 2, Ele chama Israel a desviar "suas prostituições" de sua face e "seus adultérios" de entre os seios (2.2).

No capítulo 6, Oséias faz o primeiro chamado totalmente explícito ao arrependimento:

> Vinde, e tornemos para o Senhor, porque ele despedaçou e nos sarará, fez a ferida e a ligará. Depois de dois dias, nos dará a vida; ao terceiro dia, nos ressuscitará, e viveremos diante dele. Conheçamos *e* prossigamos em conhecer o Senhor (6.1-3).

No capítulo 8, Oséias censura o falso arrependimento dos israelitas (veja 8.2,3), mas depois os chama: "O teu bezerro, ó Samaria, foi rejeitado" (8.5) —, e esse é um chamado muito real.

No capítulo 10, Oséias proclama: "Semeai para vós em justiça, ceifai segundo a misericórdia [que bela frase! Talvez você queira sublinhá-la em sua Bíblia]; lavrai o campo de lavoura; porque é tempo de buscar o Senhor, até que venha, e chova a justiça sobre vós" (10.12a).

No capítulo 12, ele os instrui a converter-se a Deus e guardar a beneficência e o juízo e nEle esperar sempre (12.6).

O chamado do capítulo 14, junto com o que acabamos de ler no capítulo 6, é um dos mais claros chamados ao arrependimento do livro: "Converte-te, ó Israel, ao Senhor, teu Deus; porque, pelos teus pecados, tens caído. Tomai convosco palavras e convertei-vos ao Senhor; dizei-lhe: Expulsa toda a iniqüidade e recebe o bem; e daremos como bezerros os sacrifícios dos nossos lábios" (14.1,2).

Por fim, o próprio livro termina com o que é, essencialmente, um chamado ao arrependimento, à justiça, à compreensão, ao discernimento e à sabedoria. O último versículo afirma: "Quem é sábio, para que entenda estas coisas? Prudente, para que as saiba? Porque os caminhos do Senhor são retos, e os justos andarão neles, mas os transgressores neles cairão" (14.9).

No fim, o Império Assírio, conforme profetizado por Oséias, destruiu o Reino de Israel (9.3; 10.6; 11.5). Eles destruíram Israel poucos anos após os escritos de Oséias. A ameaça de punição feita por Deus não poderia ser evitada, pois Israel ignorara demais o Senhor. Eles cometeram pecados muito graves. Todavia, o Senhor ainda usou Oséias para, graciosamente, chamar seu povo ao arrependimento. Nenhum pecado é grave demais para que Deus não perdoe o transgressor arrependido.

Meu amigo, oro para que você perceba como Deus é sério em relação ao pecado, e que essa seriedade nos motive a nos arrepender. Não posso imaginar que você encontre, na verdade, um pecado pelo qual valha a pena dar a vida. Afaste-se de seus pecados! Eles não valem a pena! Enxergue a verdade a respeito do pecado. Levante-se contra a natureza degradante, egocêntrica e auto-destrutiva de todos os pecados. Ore para que Deus lhe mostre a ligação entre todos seus atos pecaminosos e sua atitude em relação a Ele.

Prometo-lhe isto: seu pecado deixa de ser bonito quando você o examina à luz do dia. A transgressão parece boa apenas no escuro. Ela parece mais desejável apenas quando a examinamos mal, cedemos à indulgência com rapidez ou quando nunca meditamos a seu respeito. Portanto, traga-o à luz do pensamento, da reflexão, da oração e, em especial, da Palavra de Deus. Você foi feito à imagem de Deus com a finalidade de conhecer a Ele. Você foi criado para refletir o caráter e o amor dEle.

Preste atenção especial ao fato de como o amor de Deus *nunca* está separado de sua santidade. O amor dEle não significa que nos aceite exatamente como somos e, a seguir, deixa-nos com nossos pecados. Esse não é o retrato bíblico do amor divino. Antes, seu o amor chama-nos a nos unir a Ele em seu santo ódio ao pecado. Na verdade, seu o caráter santo é que dá forma e modela seu amor. O amor de Deus jamais é um amor indiferente e sem preocupação em relação ao aspecto moral. Antes, seu amor é o sentimento perscrutador, que quer o melhor para o ente amado. É esse tipo de amor que Deus sente por nós.

Por isso, confesse seus pecados e arrependa-se deles. Não se deixe enganar pela crença de que o pecado é seu dono. Ele não é! Às vezes, os evangélicos pensam que fazer uma oração é tudo que precisam para ser cristão. Todavia, esquecem o que a Bíblia diz sobre a luta contínua de Cristo contra o pecado. Por essa razão, nossa igreja inclui, com regularidade, uma oração de confissão em seu culto. Por essa razão, anunciamos a ceia do Senhor para a congregação com uma semana de antecedência, assim, os membros da igreja têm a oportunidade de examinar a si mesmos. O Novo Testamento ensina-nos a examinar continuamente nosso coração em relação ao pecado, não apenas uma vez — e não porque não tenhamos certeza da graça de Deus; ao contrário, nós temos certeza dela! A graça justificadora de Deus *é* dada de uma vez por todas na vida cristã. É do nosso coração que não temos certeza! Nosso coração e o fruto que produz precisam de exame contínuo.

Aqui, em Oséias, escutem a Palavra de Deus e arrependam-se de seus pecados! Identifique-os, examine-os, confesse-os e arrependa-se deles.

A Esperança do Amor: a Restauração

O pecado desafia o amor. O arrependimento oferece o caminho para a recuperação. E, assim, a restauração do amor se torna nossa esperança. Essa é a terceira coisa que precisamos aprender com esse livro. Oséias não está apenas cheio de avisos de julgamento e de chamados ao arrependimento; mas ali, de alguma forma, encontramos, ao perscrutar todos esses presságios de condenação, profecias de esperança!

Mesmo no primeiro capítulo, o Senhor promete:

> Todavia, o número dos filhos de Israel será como a areia do mar, que não pode medir-se nem contar-se; e acontecerá que, no lugar onde se lhes dizia: Vós não sois meu povo, se lhes dirá: Vós sois filhos do Deus vivo. E os filhos de Judá e os filhos de Israel juntos se congregarão, e constituirão sobre si uma única cabeça, e subirão da terra; porque grande será o dia de Jezreel (1.10,11).

Permita-me fazer uma observação aqui. Às vezes, os missionários mórmons ficam aturdidos com a ignorância de certos cristãos do Sul que dizem crer na Bíblia, mas que, na verdade, nunca leram essa passagem. Os mórmons tiram o versículo 11 de seu contexto e perguntam: "Bem, seu pregador já falou com você sobre este versículo?" E, honestamente, é provável que a maioria dos pregadores do Sul nunca tenha pregado sobre Oséias, e muito menos sobre esse versículo. A seguir, os mórmons dirão que o líder mencionado aqui é Joseph Smith. Entretanto, em vista de todos os outros versículos da Bíblia, é melhor entender esse líder como Jesus Cristo. Como Jesus mesmo nos conta nos Evangelhos, Ele é o líder de seu povo, e o reunirá (por exemplo, Jo 10.16). Oséias não profetiza sobre uma restauração que virá por intermédio do líder de alguma seita, mas da restauração que encontramos apenas no Messias e Salvador, Jesus Cristo.

No capítulo 2, Deus, após anunciar claramente o julgamento vindouro sobre Israel por causa da infidelidade deles, também promete a restauração da nação! O Senhor diz:

> Portanto, eis que eu a atrairei, e a levarei para o deserto, e lhe falarei ao coração. E lhe darei as suas vinhas dali e o vale de Acor, por porta de esperança; e ali cantará, como nos dias da sua mocidade e como no dia em que subiu da terra do Egito. E acontecerá naquele dia, diz o Senhor, que me chamarás: Meu marido e não me chamarás mais: Meu Baal. E da sua boca tirarei os nomes de baalins, e os seus nomes não virão mais em memória. E, naquele dia, farei por eles aliança com as bestas-feras do campo, e com as aves do céu, e com os répteis da terra; e da terra tirarei o arco, e a espada, e a guerra e os farei deitar em segurança. E desposar-te-ei comigo para sempre; desposar-te-ei comigo em justiça, e em juízo, e em benignidade, e em misericórdias. E desposar-te-ei comigo em fidelidade, e conhecerás o Senhor. E acontecerá, naquele dia, que eu responderei, diz o Senhor, eu responderei aos céus, e estes responderão à terra. E a terra responderá ao trigo, e ao mosto, e ao óleo; e estes responderão a Jezreel. E semeá-la-ei para mim na terra e compadecer-me-ei de Lo-Ruama; e a Lo-Ami direi: Tu és meu povo! E ele dirá: Tu és o meu Deus (2.14-23)!

Observe que Deus promete tirar seu povo do deserto, quase como um segundo êxodo, por intermédio do qual os libertará de novo: "Está bem, peguemos isso de novo, do início. Mais uma vez, meu povo está entre as nações, por isso, mais uma vez, eu o tirarei do meio das nações". Ele atrai seu povo com ternura. Ele o toma para si mesmo. E seu povo o chama de "meu Deus".

Como já vimos, Deus, no capítulo 3, chama o profeta Oséias não apenas para falar essas palavras de amor restaurador, mas também para exemplificá-las. Assim,

Ele instrui Oséias em relação a Gomer: "Ama uma mulher, amada de seu amigo e adúltera, como o Senhor ama os filhos de Israel, embora eles olhem para outros deuses" (3.1). O povo de Deus retornará da mesma forma que a mulher infiel de Oséias: "Depois, tornarão os filhos de Israel e buscarão o Senhor, seu Deus, e Davi, seu rei; e temerão o Senhor e a sua bondade, no fim dos dias" (3.5).

Nestes versículos que já vimos no capítulo 6, Deus promete restauração se o povo se arrepender: "Vinde, e tornemos para o Senhor (...). Depois de dois dias, nos dará a vida; ao terceiro dia, nos ressuscitará, e viveremos diante dele" (6.1,2).

O capítulo 7 mostra como Deus revela, de forma maravilhosa, seu coração para nós. Você percebeu uma pequena frase que o Senhor insere no meio da lista de pecados de seu povo? Ele diz: "Eu os remi" (7.13). Essa é a vontade, o anseio, o desejo e o coração de Deus!

No capítulo 8, Ele promete: "Todavia, ainda que eles merquem entre as nações, eu os congregarei" (8.10).

E, depois, temos o capítulo 11. Este texto, em si mesmo, seria um sermão inteiro, ou vários deles. Mas temos de deixar isso para outro dia. Essa magnífica imagem de restauração deve ser um dos melhores capítulos da Bíblia:

> Quando Israel era menino, eu o amei; e do Egito chamei a meu filho. Mas, como os chamavam, assim se iam da sua face; sacrificavam a baalins e queimavam incenso às imagens de escultura. Todavia, eu ensinei a andar a Efraim; tomei-os pelos seus braços, mas não conheceram que eu os curava. Atraí-os com cordas humanas, com cordas de amor; e fui para eles como os que tiram o jugo de sobre as suas queixadas; e lhes dei mantimento. Não voltará para a terra do Egito, mas a Assíria será seu rei, porque recusam converter-se. E cairá a espada sobre as suas cidades, e consumirá os seus ferrolhos, e os devorará, por causa dos seus conselhos. Porque o meu povo é inclinado a desviar-se de mim; bem que clamam ao Altíssimo, nenhum deles o exalta. Como te deixaria, ó Efraim? Como te entregaria, ó Israel? Como te faria como Admá? Pôr-te-ia como Zeboim? Está mudado em mim o meu coração, todos os meus pesares juntamente estão acesos. Não executarei o furor da minha ira; não voltarei para destruir Efraim, porque eu sou Deus e não homem, o Santo no meio de ti; eu não entrarei na cidade. Andarão após o Senhor; ele bramará como leão; bramando ele, os filhos do Ocidente tremerão. Tremendo, virão, como um passarinho, os do Egito, e, como uma pomba, os da terra da Assíria, e os farei habitar em suas casas, diz o Senhor (11.1-11).

A seguir, no capítulo 13, o Senhor promete: "Eu os remirei da violência do inferno e os resgatarei da morte; onde estão, ó morte, as tuas pragas? Onde está, ó inferno, a tua perdição?" (13.14)

Por fim, no capítulo 14, Deus assegura aos que o ouvem:

> Eu sararei a sua perversão, eu voluntariamente os amarei; porque a minha ira se apartou deles. Eu serei, para Israel, como orvalho; ele florescerá como o lírio e espalhará as suas raízes como o Líbano. Estender-se-ão as suas vergônteas, e a sua glória será como a da oliveira, o seu odor, como o do Líbano. Voltarão os que se assentarem à sua sombra; serão vivificados como o trigo e florescerão como a vide; a sua memória será como o vinho do Líbano (14.4-7).

Você vê sobre o que estão fundamentadas todas essas promessas de restauração? Elas estão totalmente firmadas no próprio amor de Deus, e no fato de sua compaixão ter despertado (11.8). Essas promessas não se estribam no que o povo merece.

Agora, como Deus podia fazer tais promessas? Não houve um reavivamento nacional de oração e de jejum que inspirasse suas bênçãos. Na verdade, os assírios foram e destruíram Israel.

Bem, o Reino de Israel da Antiga Aliança foi destruído, mas o verdadeiro povo de Deus não foi. Em Romanos 9, Paulo cita duas vezes as passagens de Oséias sobre restauração (Rm 9.25,26). O apóstolo entendeu que a profecia de Oséias não seria cumprida em alguma futura nação-Estado do Oriente Médio, mas na Igreja.

Amigo, Deus também oferece restauração para você! Essa esperança pode também ser sua. Basta enxergar a verdade e voltar-se para Deus e sua grande esperança. Que grande esperança é essa? É o Cristo que pagou a pena pelos pecados dos que se arrependem e nEle crêem. "Àquele que não conheceu pecado, o fez pecado por nós; para que, nele, fôssemos feitos justiça de Deus" (2 Co 5.21). Você pode conhecer essa nova vida, precisa apenas se arrepender de seus pecados e crer naquEle em quem Deus levou nossos pecados. Arrependa-se de seus pecados e creia em Cristo.

Se você for pastor, ou estuda para ser pastor, veja que exemplo magnífico Oséias é para nós. O profeta desgastou sua vida no cumprimento do ministério que Deus queria que ele servisse para seu povo. Mesmo as áreas mais pessoais e íntimas da vida de Oséias foram devotadas à instrução de outros. Anote isto, pastor: nossa vida, como ministros, deve ser vivida para instruir os outros. Portanto, ore e prepare-se.

O que essas promessas de restauração representam para o restante de nós? Elas representam esperança para quem se afastou de Deus, como os israelitas). Essas promessas também representam repouso para o cansado e confiança para o tímido. Louve a Deus por seu amor perseverante!

Conclusão: Isso É Amor

Vejamos o que nos traz a nossa conclusão. Você aprendeu alguma coisa sobre o amor ao examinar o amor de Oséias por Gomer e o de Deus por seu povo? A. W. Pink disse:

> Na verdade, tudo na religião é amor. Fé é aceitação grata, e a gratidão é uma expressão de amor. Arrependimento é o lamento do amor. Anseio por santidade é a busca do amor. Obediência é o deleite do amor. Abnegação é a mortificação do amor egocêntrico. Sobriedade é a restrição do amor carnal [...]. O afeto do homem não pode ficar desocupado, se ele não vai para Deus, então volta-se para as coisas mundanas. Quando nosso amor por Deus diminui, o amor pelo mundo cresce em nossa alma.[7]

Sem dúvida, Pink estava certo. A profecia de Oséias aponta para dois fatos: em retrospectiva, para os poços profundos do amor de Deus quando chamou Israel, pela primeira vez, para fora do Egito; e, em antecipação, ao chamado para o cumprimento final. Como já vimos, Deus lembrou o povo: "Quando Israel era menino, eu o amei; e do Egito chamei a meu filho". Ele, de fato, chamou Israel do Egito, mas, à medida que a profecia prossegue, percebemos que, como Deus afirma no restante do capítulo 11, Israel, no fim, falhou como filho. A nação escolhida abandonou o Senhor. Ela adorou falsos deuses e se recusou a se arrepender. Como pano de fundo para a profecia de Oséias está a advertência de que Moisés fez ao povo, antes de entrarem na Terra Prometida, de que Deus os tiraria da terra se eles, na prosperidade que encontrariam, esquecessem o Senhor e se voltassem para ídolos (Dt 28.15ss). O Senhor, inclusive, até deu a Moisés um cântico, para ensinar ao povo, que dizia que eles *seriam* desobedientes. Felizmente, esse cântico terminava com outra promessa: "Jubilai, ó nações, com o seu povo, porque vingará o sangue dos seus servos, e sobre os seus adversários fará tornar a vingança, e terá misericórdia da sua terra e do seu povo" (Dt 32.43). Você percebeu isso? Deus prometeu "ter misericórdia" dos pecados deles na terra. E, assim, Ele fez.

Ao deixarmos de olhar em retrospectiva para Moisés, e ao nos voltarmos, em antecipação, para a busca do cumprimento, descobrimos que aquele outro Filho, *o que não falhou*, saiu do Egito! O Evangelho de Mateus cita Oséias 11.1 para descrever o retorno do menino Jesus do Egito após a morte de Herodes, pois este esperava por esse retorno para matar Jesus, ainda criança (Mt 2.15). Israel, o filho desobediente, pecou. Todavia, Jesus, o Filho eterno e obediente, fez a expiação por meio de sua vida perfeita e de sua morte sem pecado na cruz.

Paulo diz que depois de Ele, por meio de sua morte, fazer expiação pelo povo de Deus, o Senhor ressuscitou-o no terceiro dia "segundo as Escrituras"

(I Co 15.4), talvez fazendo uma alusão a Oséias 6.2. Você e eu podemos ser restaurados apenas por causa do pagamento e da restauração de Cristo. Se você está em Cristo, então recebe perdão para seus pecados. Você tem nova vida.

Em Oséias 13, observe a magnífica promessa de Deus: "Eu os remirei da violência do inferno e os resgatarei da morte; onde estão, ó morte, as tuas pragas? Onde está, ó inferno, a tua perdição?" (13.14) Deus quis simplesmente dizer que reconstituiria a nação física de Israel? Que a Ele traria, de forma metafórica, de volta da morte? Bem, em I Coríntios 15.55, a citação que Paulo faz desse versículo mostra que ele considera que o texto aponta para a vitória que o cristão — o novo Israel de Deus — consegue sobre o pecado e a morte por intermédio de Jesus Cristo! Jesus é o cumprimento do amor de Oséias. E essa é uma grande notícia para você e para mim.

Pergunto-me com quem você se identificou enquanto examinávamos esse pequeno livro. Talvez com Oséias? Você foi empático? Afinal, ele foi chamado a amar uma mulher adúltera, tomando-a de volta. E todos nós sabemos como é difícil amar pecadores.

Mas você percebe quem realmente é, não é mesmo? Estou aqui para lhe dizer que você é Gomer.

Você é Gomer.

Independentemente de todas as formas que possa comparar sua probidade com a de outra pessoa, quando você se compara a Deus e ao que Ele o chamou a ser, fica claro que você é Gomer. Você e eu somos os objetos infiéis do sempre fiel amor de Deus. Apenas quando entendemos isso, começamos a compreender o que é o amor.

Pense em como Deus, em sua bondade, estranhamente deseja justiça, assim como deseja punir nosso pecado. Depois, pense em como o amor dEle tem de ser grande a fim de delinear e executar seu plano de redenção por intermédio da cruz. Isso é amor!

Que Deus possa nos dar uma vida de graça e de amor centrada na cruz![8]

Pessoas que visitam nossa igreja já me perguntaram, mais de uma vez, onde está a cruz. Elas olham em volta e se surpreendem quando não vêem uma cruz. Dependendo de quem são as pessoas, apresento várias explicações. Mas direi que a cruz está aqui, na Bíblia. E esta se encontra em nosso coração. Se você é verdadeiramente cristão sabe o sentido da afirmação de que Deus o amou.

Ouça estas palavras do apóstolo João, do Novo Testamento:

> E agora, senhora, rogo-te, não como escrevendo-te um novo mandamento, mas aquele mesmo que desde o princípio tivemos: que nos amemos uns aos outros. E a caridade é esta: que andemos segundo os seus mandamentos. Este é o mandamento, como já desde o princípio ouvistes: que andeis nele (2 Jo 1.5,6).

Nisto conhecemos que amamos os filhos de Deus: quando amamos a Deus e guardamos os seus mandamentos. Porque esta é a caridade de Deus: que guardemos os seus mandamentos; e os seus mandamentos não são pesados (I Jo 5.2,3).

Nisto se manifestou a caridade de Deus para conosco: que Deus enviou seu Filho unigênito ao mundo, para que por ele vivamos. Nisto está a caridade: não em que nós tenhamos amado a Deus, mas em que ele nos amou e enviou seu Filho para propiciação pelos nossos pecados (I Jo 4.9,10).

A única esperança de Gomer estava em um amor que ela nunca mereceu. E essa também é sua única esperança. Essa é a mensagem de Oséias.

Oremos:

Oh, Deus, o Senhor sabe como nosso coração farisaico busca, como se fosse um radar, o pecado dos outros para, assim, podermos nos comparar com eles e sentirmos que merecemos seu amor, e até exigir que o Senhor nos ame. Assim, louvamos ao Senhor por essa imagem empolgante apresentada em Oséias de como seu amor jorra do seu íntimo, não de qualquer possível bondade, desolação ou mérito nosso. É apenas a natureza de Deus que faz com que o Senhor ame. Oh, Deus, nós o louvamos por esse amor. Nós o louvamos pela forma preciosa como o Senhor é fiel a nós que somos infiéis. Nós o louvamos pelo amor e pela obra de nosso Senhor Jesus Cristo.

Deus, oramos para que o Senhor nos torne humildes. Para que o Senhor nos encoraje. Para que o Senhor nos dê esperança e a capacidade de lidar, graciosamente, com os outros, como o Senhor lida tão graciosamente conosco. Oh, Deus, ensina-nos a mensagem desse livro. Pedimos isso, por causa de nossa alma e de sua glória, por intermédio de nosso Redentor, Jesus Cristo. Amém.

Questões para Reflexão

1. Baseado em suas observações, como você diria que, hoje, nossa cultura entende erroneamente o amor? Como você definiria o amor?
2. Por que Deus encara o pecado de forma tão pessoal? Quando peca, você normalmente se percebe em um ataque pessoal a Deus? Como o aumento de seu entendimento da natureza pessoal do pecado afeta seu desejo de combatê-lo?
3. É fácil dizer que você ama alguém. É até fácil você pensar que realmente ama alguém, quando não ama de verdade. Como, então, sabemos se amamos realmente alguém da forma que pensamos e dizemos amar? Qual é o padrão ou a forma de medir isso? Como cristãos, como podemos determinar se Deus é realmente o mais importante em nossos afetos, como dizemos que é?
4. Por que a Bíblia associa de forma tão íntima o adultério à idolatria?

5. Em vista da ligação íntima, na Bíblia, entre adultério e idolatria, por que a melhor estratégia da Igreja para combater o adultério na vida de seus membros é pregar sobre Deus, seus atributos, sua obra de salvação e sua glória em nossa vida?
6. Pense por um momento em seus pecados de adultério, quer físicos quer mentais. Você consegue discernir como a idolatria levou-o a esses pecados?
7. Hoje, que ídolos as igrejas evangélicas adoram?
8. Onde o amor de Deus por nós é demonstrado com mais clareza? Por que esse ato de amor parece loucura para o mundo? O que isso nos ensina a respeito da compreensão do mundo sobre o amor?
9. Se é tão fácil adorar e amar nossas circunstâncias mais que a Deus, por que devemos ser agradecidos a Ele pelas provações e pelas tragédias da vida?
10. Neste momento, você consegue pensar em algum pecado seu que pareceria bom se trazido à luz (isto é, mostrado para que Deus e para que todos que conhece o vejam)?
11. Por que o cristão deve examinar continuamente seu coração?
12. A maioria das pessoas se percebe como Gomer? Você se percebe assim? Por quê? Que esperança existe para uma Gomer? Existe esperança para quem não se percebe como uma Gomer?

NOTAS

Capítulo 28

[1] A data de pregação original deste sermão foi em 25 de maio de 2003, na Capitol Hill Baptist Church, em Washington, D. C.
[2] Citado em Mitch Albom, Tuesdays with Morrie: An Old Man, a Young Man, and Life's Greateest Lesson (Nova York: Doubleday, 1997), p. 178.
[3] Cf. Oséias 8.4; I Samuel 8.7.
[4] 10.4; veja também 4.2; 7.1,3; 10.13; 11.12; 12.1.
[5] Cf. 2.2,5; 4.15; 5.7; 6.7; 7.13,15.
[6] 2.13; 3.1; 4.10; 5.3,4,7; 7.14; 9.1; 11.2; 13.2.
[7] Citado em H. Murray, The Life of Arthur W. Pink (Carlisle, Pa.: Banner of Truth, 2004), pp. 255, 256.
[8] Se você quiser saber como pode viver, de forma prática, centrado na cruz encorajo-o a conseguir uma cópia do pequeno livro de C. J. Mahaney, The Cross Centered Life (Sisters, Ore.: Multnomah, 2002).

A MENSAGEM DE JOEL: A QUEM DEUS SALVARÁ?

A QUEM DEUS SALVARÁ?

INTRODUÇÃO A JOEL

SALVO DE QUÊ?
As Nações Julgadas por Deus
O Povo de Deus É Julgado por Ele
    Problema atual — invasão das locustas
    Problema futuro — o dia do Senhor

O QUE É SALVAÇÃO?
Deus Livra dos Inimigos
Deus Restaura a Prosperidade
Deus Habita com seu Povo

O POVO DE DEUS SERÁ SALVO?

CONCLUSÃO: QUEM O SALVARÁ?

CAPÍTULO 29

A MENSAGEM DE JOEL:
A quem Deus Salvará?

A QUEM DEUS SALVARÁ?[1]

No fim do século XVIII, Frederico, o Grande governante da Prússia, disse esta frase famosa: "Todas as religiões devem ser toleradas [...], pois [...] cada homem deve chegar ao céu da sua maneira". Em vista das guerras religiosas que, após a Reforma, destruíram a Europa durante um século, podemos compreender por que Frederico se sentia dessa forma. Ele queria um caminho mais iluminado e menos violento. Por volta da mesma época, Edward Gibbon, historiador preeminente do período, estava ocupado em apresentar o Império Romano como um modelo exatamente desse tipo de tolerância. Em seu famoso livro *Declínio e Queda do Império Romano*, Gibbon escreveu: "Os vários modelos de adoração que prevaleceram no mundo romano foram considerados igualmente verdadeiros pelas pessoas; igualmente falsos pelos filósofos; e igualmente úteis pelos magistrados".[2]

Contudo, nem todos os advogados da liberdade religiosa do século XVIII eram tão céticos. Nos Estados Unidos, graças ao bom trabalho de seus representantes, elaborou-se uma Constituição e uma Declaração de Direitos que garantem não apenas tolerância religiosa, mas a *liberdade* religiosa. A crença dos fundadores dos Estados Unidos em um Deus absoluto, que fez criaturas morais a sua imagem, exigia que essa liberdade fosse estendida às pessoas de todas as crenças.

Agora, mais de dois séculos depois disso, muitos esqueceram a raiz desse pensamento cristão e assumiram, de forma errônea (e perigosa), que se pode proteger a liberdade religiosa apenas pela *in*diferença em relação às diferenças entre as religiões. O estudo dessas diferenças pode resultar em um trabalho refinado de sociologia, mas quando essas diferenças forem tratadas com seriedade, relevância, relacionadas com a realidade e até como determinantes de destinos eternos, então mentes "esclarecidas" começarão a se preocupar com o assunto. Escrevem-se editoriais e promovem-se fóruns em que igualam o evangelismo cristão ao terrorismo! (Claro que a verdadeira conversão de cristãos nunca é resultado de coerção. Por sua própria natureza, a conversão de cristãos não pode acontecer por coerção.)

Ironicamente, acho que, à medida que a nação continua a discutir tanto os acontecimentos do Iraque como o islamismo radical, muitos norte-americanos seculares começam a descobrir como alguns de seus pensamentos e de seus valores são cristãos. O confronto com muitas formas de pensar não-ocidentais expôs muitas de suas pressuposições cristãs.

Deixando o importante aspecto social e político de como pessoas de crenças distintas cooperam em uma sociedade, o assunto que mais nos preocupa, sem dúvida, é a questão da salvação ou se alguma dessas religiões distintas está certa. E se o que *essa* religião afirma é verdade, e *aquela* religião estiver errada? Há realmente um Criador que nos fez? Esse Criador é justo? Que exigências Ele estabelece para nossa vida? É importante para Ele que sejamos bons? Se a resposta for afirmativa, o que Ele fará se não formos bons? Ele está comprometido com a justiça, e qual o peso disso hoje em sua vida? Essas perguntas — extremamente negligenciadas nos meios políticos — são as que nós, cristãos, insistimos serem as mais importantes. É necessário fazer perguntas sobre a orientação e os procedimentos políticos, sobre os direitos e as responsabilidades sociais e, depois, responder a elas. Mas nosso interesse pessoal concentra-se apenas na questão da salvação, principalmente da nossa salvação pessoal. Quem Deus salvará? Ele me salvará?

Introdução a Joel

Isso nos leva à próxima "Questão Eterna" que examinaremos em nossa série de estudos ao longo dos profetas menores do Antigo Testamento. O profeta Joel nos ajudará a responder à pergunta mais importante: A quem Deus salvará?

Talvez você tenha notado que chamei Joel de profeta "menor". Eu disse isso como um insulto? Não, todos chamam Joel de profeta menor, não por que ele não seja importante, mas por que seu livro é breve, se comparado com os livros mais longos dos "profetas maiores", como Isaías, Jeremias e Ezequiel.

É interessante o fato de o livro de Joel, de forma incomum, não apresentar cenários históricos específicos. No livro de Oséias, que examinamos em nosso estudo anterior, o profeta incluiu, no primeiro versículo, uma lista detalhada dos reis que reinaram enquanto ele profetizava. Joel não incluiu nada disso. Ele não menciona reis. Não fala nada sobre babilônios ou assírios. Não faz referência ao Templo. Realmente, não sabemos em que época Joel profetizou. Algumas pessoas sugerem que Joel omitiu deliberadamente essas especificidades a fim de tornar a mensagem de seu livro mais fácil de ser transferida de sua época para as eras posteriores.

Seja qual for o caso, agora, voltemo-nos para a "palavra do Senhor" transmitida por intermédio de Joel e vejamos o que podemos aprender sobre salvação com esse livro.

Salvo de quê?

A primeira pergunta que devemos considerar ao falar de salvação é: Salvo de quê?

As Nações Julgadas por Deus

Trabalhei em uma igreja em que um ministro de idade avançada contou a história de um estranho que o abordou na rua e fez a seguinte pergunta: "Você foi salvo?", ao que esse ministro cristão respondeu: "Salvo de quê?" Infelizmente, o tom de meu colega, ao recontar essa réplica para aquele evangelista, era cáustico e desdenhoso. Talvez se a vida dele fosse menos próspera, e a consciência dele fosse um pouco mais ativa, ele saberia de que precisava ser salvo.

De acordo com o livro de Joel, nós precisamos ser salvos de muita coisa, pois cometemos muitos erros. Conforme a Bíblia, Deus fez o mundo. Por essa razão, Ele é o justo Juiz do mundo. A Bíblia também relata que Ele fez os seres humanos a sua imagem, o que quer dizer que nos designou a refletir seu caráter bom e santo. Todavia, não fazemos isso. Nós somos caídos e pecamos contra Deus. Fazemos coisas que não devíamos fazer e, por isso, enquadramo-nos no problema tratado em Joel e em todos os outros livros da Bíblia.

Os dois primeiros capítulos de Joel destacam a nação de Judá. Talvez você se lembre que Judá consistia de duas tribos no sul, nos arredores da cidade de Jerusalém. Após a divisão da nação pela metade, as dez tribos do norte passaram a chamar-se Israel e foram eliminadas pela invasão assíria de 722 a.C. No início do capítulo 3, o Senhor fala contra as nações, e é nesse ponto que iniciaremos nosso estudo:

> Porquanto eis que, naqueles dias e naquele tempo, em que removerei o cativeiro de Judá e de Jerusalém, congregarei todas as nações e as farei descer ao vale de Josafá; e ali com elas entrarei em juízo, por causa do meu povo e da minha herança, Israel, a quem eles espalharam entre as nações, repartindo a minha terra. E lançaram a sorte sobre o meu povo, e deram um menino por uma meretriz, e venderam uma menina por vinho, para beberem. E também que tendes vós

comigo, Tiro e Sidom e todos os termos da Fenícia? É tal o pago que vós me dais? Pois, se me pagais assim, bem depressa farei cair a vossa paga sobre a vossa cabeça. Visto como levastes a minha prata e o meu ouro e as minhas coisas desejáveis e formosas metestes nos vossos templos; e vendestes os filhos de Judá e os filhos de Jerusalém aos filhos dos gregos, para os apartar para longe dos seus termos; eis que eu os moverei do lugar para onde os vendestes; e farei cair a vossa paga sobre a vossa própria cabeça. E venderei vossos filhos e vossas filhas pela mão dos filhos de Judá, que os venderão aos de Seba, a uma nação remota, porque o Senhor o disse. Proclamai isso entre as nações, santificai uma guerra; suscitai os valentes; cheguem-se, subam todos os homens de guerra. Forjai espadas das vossas enxadas e lanças das vossas foices; diga o fraco: Eu sou forte. Ajuntai-vos, e vinde, todos os povos em redor, e congregai-vos (ó Senhor, faze descer ali os teus fortes!); movam-se as nações e subam ao vale de Josafá; porque ali me assentarei, para julgar todas as nações em redor. Lançai a foice, porque já está madura a seara; vinde, descei, porque o lagar está cheio, os vasos dos lagares transbordam; porquanto a sua malícia é grande. Multidões, multidões no vale da Decisão! Porque o dia do Senhor está perto, no vale da Decisão. O sol e a lua se enegrecerão, e as estrelas retirarão o seu resplendor. E o Senhor bramará de Sião e dará a sua voz de Jerusalém, e os céus e a terra tremerão (3.1-16a).

Deus descreve as nações com uma seara "madura" de malícia, clamando pela colheita de julgamento (3.13). Joel não apresenta um inventário completo dos pecados da nação, mas seleciona alguns — como roubo, escravidão e derramamento de sangue (3.3,5,6) — que caracterizam os vizinhos próximos de Israel, Tiro, Sidom e Filístia. Esses pecados não eram apenas acusações de um profeta enraivecido por injustiças praticadas contra seu povo. Eram palavras de condenação proferidas pelo Criador contra suas criaturas. Deus, como juiz, chamava as nações a prestar contas.

Assim, Deus diz às nações que "[santifiquem] uma guerra" (3.9). E, portanto, Ele reverte sua famosa promessa, relatada em Isaías, de converter espadas em enxadões e lanças, em foices: "Forjai espadas das vossas enxadas e lanças das vossas foices" (3.10; cf. Is 2.4; Mq 4.3). As nações deviam preparar-se para se defender!

Como elas poderiam defender-se contra Deus? O que todas as espadas e lanças do mundo poderiam fazer contra Ele? Bem, nada, e, retoricamente, esse é o ponto. Não temos defesa contra Deus quando Ele nos acusa de pecado.

Como os versículos 12-16 mostram, o que inicialmente soa como um desafio para que se congreguem a fim de pelejar (3.9-11; por exemplo, "Cheguem-se, subam todos os homens de guerra" [3.9]), na verdade, é um chamado para que se congregarem com a finalidade de serem julgados. Essa peleja é tão unilateral que o profeta Joel tem de mudar a imagem de ação militar para a de ação agrícola. Os dias que terão à frente não se parecerão com o embate de dois exércitos poderosos, parecerão mais com o lavrador lançando a foice em meio ao trigo, ou o vinhateiro esmagando a uva! "Lançai a foice, porque já está madura a seara; vinde, descei, porque o lagar está cheio, os vasos dos lagares transbordam; porquanto a sua malícia é grande" (3.13). Os atos maliciosos deles são grandes e mais sérios do que alguém, de início, poderia imaginar — os "lagares transbordam".

O que acontece aqui? Deus chama as nações ao julgamento: "Movam-se as nações e subam ao vale de Josafá; porque ali me assentarei, para julgar todas as nações em redor" (3.12). A tradução literal de "Josafá" é "Jeová julga". Quando Deus intima as nações, não faz um convite polido do qual possam, eventualmente, escolher entre "aceitar" ou "declinar". Não, Ele faz uma intimação inexorável.

Essa convocação será feita para todas as nações: "Multidões, multidões no vale da Decisão! Porque o dia do Senhor está perto, no vale da Decisão" (3.14). Joel fala "multidões, multidões", como se ele mesmo estivesse surpreso e aterrorizado, embora fosse israelita, por causa do verdadeiro mar de gente, diante dele nessa visão, aguardando o julgamento de Deus. Fica claro que o "vale da Decisão", ou "vale de Josafá", é o vale em que o Senhor fará justiça. As nações venderam os israelitas como escravos? Sim, elas invadiram a terra, capturaram e venderam muitos israelitas. Basicamente, o Senhor diz: "Farei a mesma coisa com vocês" (veja 3.8).

Talvez você esteja interessado em saber que Deus cumpriu sua promessa. Em 343 a.C., Artaxerxes conquistou e escravizou Sidom. Poucos anos depois, em 322 a.C., Alexandre, o Grande, tomou Tiro. Registros que sobreviveram indicam que mais de 13 mil habitantes de Tiro foram vendidos como escravos.

Às vezes, os pregadores pegam esses versículos e interpretam erroneamente a expressão "vale da Decisão", como se esse vale fosse um aglomerado imenso de pessoas em uma cruzada evangelística maciça à espera de tomar uma decisão por Cristo. Mas não é isso; esse aglomerado de pessoas reuniu-se para ouvir o julgamento terrível de Deus contra elas. Esse não é um local em que elas devem tomar uma decisão; é o local em que ouvirão a decisão de Deus — o veredicto final dEle. O vale do julgamento de Jeová é o vale do veredicto dEle. O tribunal está em sessão. O juiz avaliou todas as evidências, até mesmo as evidências que jamais seriam conhecidas ou admitidas em um tribunal legal humano. Os réus ficam de pé para ouvir o Juiz ler seu veredicto e pronunciar seu julgamento. E, uma vez que Ele faça isso, eles não podem apelar, pois Ele jamais erra em seu julgamento!

Toda a criação parece se esconder "antes que venha o grande e terrível dia do Senhor" (2.31; cf. 2.10). Portanto, aqui no capítulo 3, o Senhor promete: "O sol e a lua se enegrecerão, e as estrelas retirarão o seu resplendor. E o Senhor bramará de Sião" (3.15,16a). A mesma voz que, no início dos tempos, chamou os mundos à vida bramará como um leão, preparando-se para dilacerar sua presa. E esse bramido soará alto como um trovão: "E o Senhor bramará de Sião e dará a sua voz de Jerusalém, e os céus e a terra tremerão" (3.16). Não é de admirar que os céus e a terra tremerão. Você pode imaginar se o som alto e retumbante do trovão adquirisse as propriedades vocais de um bramido?

Amigo, um dia, você também se verá em um tempo e em um local em que, por fim, toda adivinhação, e dúvida, e admiração, e ação furtiva, e mentira, e logro, e injúria, e voracidade, e homicídio cessarão, e Deus dirá: "Não!" Esse é o tempo e o lugar em que o mundo pode encontrar o *certo*, e o *certo* provar ser mais *poderoso*. Um dia, todos nos encontraremos no vale do veredicto de Deus para todas as ações humanas.

O Povo de Deus É Julgado por Ele

Deus não trará seu julgamento apenas sobre as nações, Ele também julgará seu povo. Na verdade, isso é o que primeiro motiva a profecia de Joel. Ao voltar ao capítulo 1, vemos que o povo de Deus se defronta com o problema atual e se depara com a perspectiva do problema futuro.

Problema atual — invasão das locustas. Nos versículos iniciais de Joel, encontramos, de imediato, o problema atual do povo:

> Palavra do Senhor que foi dirigida a Joel, filho de Petuel. Ouvi isto, vós, anciãos, e escutai, todos os moradores da terra: Aconteceu isto em vossos dias? Ou também nos dias de vossos pais? Fazei sobre isto uma narração a vossos filhos, e vossos filhos, a seus filhos, e os filhos destes, à outra geração. O que ficou da lagarta, o comeu o gafanhoto, e o que ficou do gafanhoto, o comeu a locusta, e o que ficou da locusta, o comeu o pulgão. Despertai, ébrios, e chorai; gemei, todos os que bebeis vinho, por causa do mosto, porque tirado é da vossa boca. Porque uma nação subiu sobre a minha terra, poderosa e sem número; os seus dentes são dentes de leão, e tem queixadas de um leão velho. Fez da minha vide uma assolação, e tirou a casca da minha figueira, e despiu-a toda, e a lançou por terra; os seus sarmentos se embranqueceram. Lamenta como a virgem que está cingida de pano de saco pelo marido da sua mocidade. Foi cortada a oferta de manjar e a libação da Casa do Senhor; os sacerdotes, servos do Senhor, estão entristecidos. O campo está assolado, e a terra, triste; porque o trigo está destruído, o mosto se secou, o óleo falta. Os lavradores se

envergonham, os vinhateiros gemem sobre o trigo e sobre a cevada; porque a colheita do campo pereceu. A vide se secou, a figueira se murchou; a romeira também, e a palmeira, e a macieira; todas as árvores do campo se secaram, e a alegria se secou entre os filhos dos homens (1.1-12).

Se você tiver uma versão moderna da Bíblia, como a NVI, pode ver o subtítulo do editor acima do versículo 2 do capítulo 1: "A Praga dos Gafanhotos". Nos versículos seguintes, Joel diz "locusta", mas ele também usa linguagem de exército. Na verdade, no capítulo 1, parece que Joel tenta transmitir duas idéias em uma.

Judá vivenciava uma horrível infestação de locusta, e a primeira metade do capítulo 1 descreve a destruição feita por esses invasores. Evidentemente, a invasão era absolutamente terrível, pois Joel desafia os anciãos a rememorar uma época em que a situação tenha estado pior (1.2). As vides e a figueiras, símbolos de segurança e de paz no Oriente Próximo da Antiguidade, foram "[assoladas]" (1.7). Todos, do sacerdote ao ébrio, estão arruinados! O ébrio não pode beber, e o sacerdote não pode oferecer sacrifícios, porque não sobrou nada para beber nem para sacrificar (1.5,9,10)! Essa é a forma como a devastação foi total.

Ao mesmo tempo em que temos todos os motivos para acreditar que essa invasão de locustas foi um evento histórico real, ela prenuncia outro evento: o dia do Senhor. Joel refere-se a esse dia pela primeira vez na metade final do capítulo 1:

> Ah! Aquele dia! Porque o dia do Senhor está perto e virá como uma assolação do Todo-poderoso. Porventura o mantimento não está cortado de diante de nossos olhos? A alegria e o regozijo, da Casa de nosso Deus? A semente apodreceu debaixo dos seus torrões, os celeiros foram assolados, os armazéns, derribados, porque se secou o trigo. Como geme o gado! As manadas de vacas estão confusas, porque não têm pasto; também os rebanhos de ovelhas são destruídos. A ti, ó Senhor, clamo, porque o fogo consumiu os pastos do deserto, e a chama abrasou todas as árvores do campo. Também todos os animais do campo bramam a ti; porque os rios se secaram, e o fogo consumiu os pastos do deserto (1.15-20).

Diante de uma devastação tão abrangente, Joel sentiu-se impelido a pensar no propósito último de Deus e no fim do mundo. Poderíamos dizer, em linguagem teológica, que a devastação o induziu a pensar "de forma apocalíptica". Talvez você diga que a reação dele foi semelhante à das pessoas de Washington e de todo o mundo em relação à destruição do World Trade Center, de Nova York, em 11 de setembro de 2001. Nos dias posteriores a 11 de setembro, quase todo o mundo pensou com um pouco mais de seriedade em assuntos derradeiros. Testemunhar desastres ajuda-nos a perceber que, com muita freqüência, as coisas sobre as quais construímos nossa vida não são tão seguras como pensávamos. O profeta, ao contemplar a ruína causada pelo enxame de locusta, pôde ver uma devastação ainda maior que isso, uma devastação tão completa que quase parecia uma des-criação — o Criador desfazendo sua obra por causa do julgamento.

Problema futuro — o dia do Senhor. O que começa como uma alusão, no versículo 15 do capítulo 1 e no início do capítulo 2, é declarado com um estrondoso soar de trombeta:

> Tocai a buzina em Sião e clamai em alta voz no monte da minha santidade; perturbem-se todos os moradores da terra, porque o dia do Senhor vem, ele está perto; dia de trevas e de tristeza; dia de nuvens e de trevas espessas; como a alva espalhada sobre os montes, povo grande e poderoso, qual desde o tempo antigo nunca houve, nem depois dele haverá pelos anos adiante, de geração em geração. Diante dele um fogo consome; e atrás dele uma chama abrasa; a terra diante dele é como o jardim do Éden, mas atrás dele um desolado deserto; sim, nada lhe escapará. O seu parecer é como o parecer de cavalos; e correrão como cavaleiros. Como o estrondo de carros sobre os cumes dos montes, irão eles saltando; como o ruído da chama de fogo que consome a pragana, como um povo poderoso, ordenado para o combate. Diante dele temerão os povos; todos os rostos são como a tisnadura da panela. Como valentes correrão, como homens de guerra subirão os muros; e irá cada um nos seus caminhos, e não se desviarão da sua fileira. Ninguém apertará a seu irmão; irá cada um pelo seu carreiro; sobre a mesma espada se arremessarão e não serão feridos. Irão pela cidade, correrão pelos muros, subirão às casas, pelas janelas entrarão como o ladrão. Diante dele tremerá a terra, abalar-se-ão os céus; o sol e a lua se enegrecerão, e as estrelas retirarão o seu resplendor. E o Senhor levanta a sua voz diante do seu exército; porque muitíssimos são os seus arraiais; porque poderoso é, executando a sua palavra; porque o dia do Senhor é grande e mui terrível, e quem o poderá sofrer? (2.1-11)

Então, o capítulo 2 termina com a mesma declaração: "O sol se converterá em trevas, e a lua, em sangue, antes que venha o grande e terrível dia do Senhor" (2.31).

Enquanto o capítulo 1 fornece a descrição da invasão de locustas, o capítulo 2 descreve um evento mais terrível e destrutivo que as locustas apenas prenunciam: a chegada do dia do Senhor. Aqui, o problema envolve tudo, está "[espalhado] sobre os montes" (2.2). É como um exército invisível ou um fogo consumidor

— "nada lhe escapará" (2.3-11). A mudança do capítulo 1 para o 2 é quase como se o Senhor dissesse: "Vocês ainda não viram nada!"

Nosso mundo atual tem pouca, ou nenhuma, compreensão de um Deus que faz essas coisas. Para a maioria das pessoas, Deus é tudo que elas concebem como bom e doce. Amontoam todas essas coisas agradáveis e doces como massa de modelar e chamam isso de "Deus". Bem, para elas, qualquer coisa, seja o que for, que não seja imediatamente palatável, não é Deus.

Por outro lado, as Escrituras fornecem uma compreensão com muito mais nuanças de quem é Deus. Sem dúvida, Deus é bom, e isso devia estar muito claro. Todavia, nem sempre o que é bom e o que não é bom são coisas óbvias para nós. Por essa razão, precisamos ajustar nosso entendimento de "bom" ao que Deus revela nas Escrituras. Aqui, vemos o Senhor levantar a voz diante de seu exército e devemos confiar que Ele está engajado em alguma coisa boa.

Quando o povo de Deus se preparava para entrar na Terra Prometida, Moisés ensinou-os como invocar a maldição do Senhor pela desobediência à lei dEle.[3] Contudo, pode-se dizer que, nos séculos seguintes, a nação de Israel tornou-se, basicamente, criativa em como desobedecer às leis de Deus. Eles realmente eram bons no quesito desobediência! Assim, Deus manteve sua palavra e julgou-os. Joel afirma: "As locustas são um julgamento". E o profeta continua: "E saibam que esses julgamentos atuais são apenas uma antecipação, uma prévia do evento principal — o julgamento derradeiro e final do pecado por Deus. Essa dia ainda está por vir".

Como todos os profetas do Antigo Testamento, Joel não é uma boa leitura se você procura apenas reafirmar que o mundo é todo bom e não tem nada de ruim. A ciência cristã, o budismo e muitas outras visões de mundo tentam imaginar a vida de forma totalmente positiva. Se você for assim, achará a Bíblia cristã desafiadora. É um bom livro para você ler, pois, certamente, o considerará útil e realista. Mas ela não ratifica essas formas de pensar errôneas. Este mundo não é uma ilusão, e nossos problemas não existem apenas em nossa imaginação. O cenário humano apresenta uma ampla imagem de morte e de destruição, de ruína e de miséria. Sim, sem dúvida há pinceladas de coisas boas, mas é tragicamente coberto de provações e problemas, de pecado e egoísmo, de crimes contra nosso próximo e rebelião contra Deus. O otimismo absoluto em face de tal pecado nada mais é que ignorância. A Bíblia é clara — e nossa vida demonstra amplamente —, todos nós pecamos e ficamos aquém da glória de Deus!

Não somos capazes de começar a entender a salvação até que compreendamos do que temos de ser salvos. Em princípio, não é de todas as circunstâncias difíceis desta vida. Temos de ser salvos de nosso pecado e de suas consequências — o julgamento de Deus. Portanto, em um sentido bem real, precisamos ser salvos de Deus e sua justa ira.

Isso quer dizer que precisamos nos preocupar muito menos com o que acontece conosco e muito mais com o que fazemos contra Deus. Nós o ofendemos! Esse é o diagnóstico da Bíblia para nosso problema. Certa vez, eu disse a um amigo que ele começaria a vir à igreja apenas quando ficasse menos preocupado com o que os outros pensam dele e com o que ele pensa dos outros e mais preocupado com o que Deus pensa dele.

Por que você acha que os cristãos compartilham a ceia do Senhor com tanta freqüência? Porque queremos lembrar, com regularidade, a morte de Cristo, o que a ceia do Senhor representa. Por que Cristo morreu? Ele morreu para sofrer a ira de Deus contra o pecado.

O pecado é real, e se estivermos fora de Cristo, Deus nos julgará por isso. Precisamos ser salvos da justa condenação de Deus para o nosso pecado.

O QUE É SALVAÇÃO?

Em vista de nossa situação difícil como pecadores condenados, Joel aponta em direção à esperança ao responder à segunda pergunta: O que é salvação?

Nesse pequeno livro, aprendemos que Deus não está comprometido apenas com a justiça, mas também com a misericórdia. Ele não julgará apenas seu povo, também o salvará. Como é essa salvação?

Deus Livra dos Inimigos

Primeiro, Deus livra seu povo dos inimigos. No capítulo 2, Deus promete: "E aquele que é do Norte farei partir para longe de vós, e lançá-lo-ei em uma terra seca e deserta; a sua frente para o mar oriental, e a sua retaguarda para o mar ocidental; e subirá o seu mau cheiro, e subirá a sua podridão; porque fez grandes coisas" (2.20). As nações perseguem Judá, porém, o Senhor salvará seu povo ao julgar as nações. Vimos isso no capítulo 3. Você se lembra? Perto do fim do capítulo 3, Deus promete explicitamente: "Mas o Senhor será o refúgio do seu povo e a fortaleza dos filhos de Israel. E vós sabereis que eu sou o Senhor, vosso Deus, que habito em Sião, o monte da minha santidade; e Jerusalém será santidade; estranhos não passarão mais por ela" (3.16b,17).

Deus Restaura a Prosperidade

De qualquer modo, a maioria das profecias de Joel sobre salvação descreve a promessa de Deus de restaurar a prosperidade de seu povo. Joel gasta a maior parte do tempo na descrição dessa imagem da salvação:

> Então, o Senhor terá zelo da sua terra e se compadecerá do seu povo. E o Senhor responderá e dirá ao seu povo: Eis que vos envio o trigo, e o mosto, e o óleo,

e deles sereis fartos, e vos não entregarei mais ao opróbrio entre as nações. E aquele que é do Norte farei partir para longe de vós, e lançá-lo-ei em uma terra seca e deserta; a sua frente para o mar oriental, e a sua retaguarda para o mar ocidental; e subirá o seu mau cheiro, e subirá a sua podridão; porque fez grandes coisas. Não temas, ó terra; regozija-te e alegra-te; porque o Senhor fez grandes coisas. Não temais, animais do campo, porque os pastos do deserto reverdecerão, porque o arvoredo dará o seu fruto, a vide e a figueira darão a sua força. E vós, filhos de Sião, regozijai-vos e alegrai-vos no Senhor, vosso Deus, porque ele vos dará ensinador de justiça e fará descer a chuva, a temporã e a serôdia, no primeiro mês. E as eiras se encherão de trigo, e os lagares transbordarão de mosto e de óleo. E restituir-vos-ei os anos que foram consumidos pelo gafanhoto, e a locusta, e o pulgão, e a oruga, o meu grande exército que enviei contra vós. E comereis fartamente, e ficareis satisfeitos, e louvareis o nome do Senhor, vosso Deus, que procedeu para convosco maravilhosamente; e o meu povo não será mais envergonhado. E vós sabereis que eu estou no meio de Israel e que eu sou o Senhor, vosso Deus, e ninguém mais; e o meu povo não será envergonhado para sempre (2.18-27).

Nessa passagem, observe como Joel refere-se à prosperidade prometida no presente e no gerúndio: "As pastagens estão ficando verdes" e "as árvores estão dando os seus frutos", e "ele lhe dá as chuvas de outono" (2.22,23; NVI). Ele não fala isso por que Judá já começou a vivenciar prosperidade, mas por que a promessa de restauração de Deus é tão certa como se já tivesse sido cumprida. (Paulo faz a mesma coisa quando se refere à glorificação cristã no tempo passado. As promessas de Deus justificam toda essa confiança! Veja Rm 8.30.)

A terra, os animais e as pessoas, todos foram afetados pela praga de locustas; por isso, agora, Joel declara que todos serão abençoados, quando o Senhor mandá-las embora. Os animais do campo, as árvores e as vides prosperarão quando o Senhor enviar a chuva: "[...] a chuva, a temporã e a serôdia, no primeiro mês. E as eiras se encherão de trigo, e os lagares transbordarão de mosto e de óleo" (2.23,24). Quanto mais nos afastamos da economia agrícola, menos compreendemos a beleza dessas imagens. Na Palestina antiga, o povo dependia muitíssimo da chuva. Eles entendiam que a vida procedia, literal e fisicamente, da chuva. Na região, a característica é chover apenas um pouco no verão. Todavia, a chuva do outono é necessária para amolecer a terra a fim de receber a semente. Assim, a chuva do inverno pode ser leve e suave. Contudo, as chuvas primaveris mais fortes são essenciais no fortalecimento da safra para o crescimento final e a maturação antes da colheita. A falta da chuva do outono ou da primavera dizima a safra. Judá, durante a crise das locustas, sofreu a falta dos dois períodos de chuva. Mas, agora, Deus promete as duas chuvas, e, assim, as bênçãos dEle fluem da chuva para a terra, para as plantas, para os animais e, depois, para o povo. É restaurada a prosperidade do povo.

No final do livro, Joel fornece outra imagem semelhante a essa:

> E há de ser que, naquele dia, os montes destilarão mosto, e dos outeiros manará leite, e todos os rios de Judá estarão cheios de águas; e sairá uma fonte da Casa do Senhor e regará o vale de Sitim. O Egito se tornará uma assolação, e Edom se fará um deserto de solidão, por causa da violência que fizeram aos filhos de Judá, em cuja terra derramaram sangue inocente. Mas Judá será habitada para sempre, e Jerusalém, de geração em geração. E purificarei o sangue dos que eu não tinha purificado, porque o Senhor habitará em Sião (3.18-21).

Os montes destilarão mosto. Dos outeiros manará leite. Os rios estarão cheios de águas. São, todos, sinais comoventes de prosperidade elevada a graus inimagináveis. É uma imagem de prosperidade total e salvação plena!

A fonte que flui da casa do Senhor é uma reminiscência da visão de Ezequiel, em que "saíam umas águas de debaixo do umbral da casa" e banhavam a cidade e a terra de Jerusalém (Ez 47.1). O apóstolo João, em sua grande visão apocalíptica, também viu "o rio puro da água da vida, claro como cristal, que procedia do trono de Deus e do Cordeiro" e que fluía no meio da rua principal da cidade (Ap 22.1,2).

Após tudo que Judá sofrera — as invasões do exército de locustas, dos exércitos humanos, ou os dois —, Deus ainda os preserva e os abençoa. Os efeitos da devastação recente seriam total e permanentemente revertidos. A terra ressecada seria gotejada com vinho, manaria leite e teria água. Esses símbolos comoventes, mais que isso, apontam para a realidade espiritual interior do relacionamento restabelecido do povo com Deus: "E purificarei o sangue dos *que* eu não tinha purificado" (Jl 3.21).

Deus Habita com seu Povo

Isso nos traz ao cerne das profecias de salvação de Joel. Deus não apenas restaura a prosperidade de seu povo, como também habita com seu povo:

> E há de ser que, depois, derramarei o meu Espírito sobre toda a carne, e vossos filhos e vossas filhas profetizarão, os vossos velhos terão sonhos, os vossos jovens terão visões. E também sobre os servos e sobre as servas, naqueles dias, derramarei o meu Espírito. E mostrarei prodígios no céu e na terra, sangue, e fogo, e colunas de fumaça. O sol se converterá em trevas, e a lua, em sangue,

antes que venha o grande e terrível dia do Senhor. E há de ser que todo aquele que invocar o nome do Senhor será salvo; porque no monte Sião e em Jerusalém haverá livramento, assim como o Senhor tem dito, e nos restantes que o Senhor chamar (2.28-32).

Mais uma vez, nesses versículos de promessa e de profecia, o Senhor apresenta aspectos amedrontadores de sua vinda. O vale da Decisão, ou o dia de julgamento, está adiante. Mas há mais. Há outra profecia sobreposta a esta, do evento que conhecemos como Pentecostes. Em outras palavras, Joel descreve uma coisa que foi cumprida com a primeira Vinda de Cristo, e outra que será cumprida na Segunda Vinda dEle. Muitas vezes, as profecias bíblicas funcionam dessa maneira. Duas coisas são descritas juntas e não há menção do intervalo de tempo entre elas, embora esse intervalo exista. É como olhar para uma cadeia de montanhas distantes: parece que estão todas próximas umas das outras. No entanto, quando chegamos perto, descobrimos que há uma grande distância entre elas. Acontece a mesma coisa aqui.

No primeiro sermão cristão após a ascensão de Jesus, Pedro cita essa passagem de Joel sobre o derramamento do Espírito e os efeitos desse derramamento. Pedro sabia que o povo de Jerusalém testemunhava o cumprimento desse aspecto da profecia de Joel (veja At 2.16-18).

Portanto, em seu cerne, a promessa de salvação, feita pelo Senhor, está intimamente ligada a Ele. Salvação quer dizer vivenciar a presença de Deus: "Naqueles dias, derramarei o meu Espírito".

Mil anos antes da época de Joel, depois de Deus levar seu povo do Egito para o deserto, o povo construiu um bezerro de ouro e provocou a ira do Senhor. Por isso, Ele disse-lhes que não continuaria com eles: "Eu não subirei no meio de ti, porquanto és povo obstinado, para que te não consuma eu no caminho" (Êx 33.3). Moisés, que aprendera com o Senhor alguma coisa sobre o propósito dEle, deu a resposta perfeita:

> Se a tua presença não for conosco, não nos faças subir daqui. Como, pois, se saberá agora que tenho achado graça aos teus olhos, eu e o teu povo? Acaso, não é por andares tu conosco, e separados seremos, eu e o teu povo, de todo o povo que há sobre a face da terra? (Êx 33.15,16)

Moisés sabia que, no fim, apenas a presença de Deus distinguia o povo que levava o seu nome de todos os outros povos.

Comparado com a presença de Deus, montanhas que destilam vinho, e outeiros que manam leite não significam muita coisa. O que tem de bom na Terra

Prometida se Deus não estiver lá? A principal bênção de Deus para seu povo é Ele mesmo! Como vimos, aqui em Joel, o Senhor promete: "O Senhor será o refúgio do seu povo e a fortaleza dos filhos de Israel. E vós sabereis que eu sou o Senhor, vosso Deus, que habito em Sião, o monte da minha santidade" (3.16b,17a). No fim, o Senhor não pretende proteger seu povo com algum sistema de caverna ou de armas. Ele mesmo os protegerá. Ele mesmo habitará com eles.

Amigo, não apenas Joel, mas a Bíblia toda apresenta a salvação, mais fundamentalmente, como Deus restaura seu povo a Ele e a sua presença. Esse é o cerne da salvação. Os teleevangelistas e os escritores de livros de auto-ajuda que apresentam Deus como uma forma de realizarmos todos nossos propósitos, simplesmente, ainda não apreenderam isso. Eles não apresentam apenas uma variedade distinta de cristianismo; eles apresentam outra coisa que não é cristianismo. Não podemos esperar usar Deus para nossos propósitos. Ele não é apenas uma forma de praticarmos pensamento positivo ou de alcançarmos o que queremos. Não! Antes de tudo, esses mestres de prosperidade esquecem a situação perigosa em que, diante da santidade de Deus, o pecado nos deixa. Se realmente somos pecadores, e Ele realmente é santo, quer percebamos quer não, temos um problema sério. Segundo, esses falsos mestres parecem não prezar mesmo a Deus. Eles parecem prezar apenas as coisas que Ele lhes dá. Deus quase se torna um princípio impessoal por meio do qual dizem que conseguimos saúde, filho, casa, emprego, promoção, carro, prosperidade, respeito e o futuro mundano que queremos. Tal fascinação insensata em que a dádiva é superior ao Doador indica uma total falha em reconhecer *que* nosso Salvador nos salvou — da justa ira de Deus — e *para* quem nosso Salvador nos salvou. Deus fez o mundo e tudo que há nele. Ele fez você e eu. E, agora, convida pessoas pecadoras, como nós, a ter um relacionamento santo com Ele por intermédio de Jesus Cristo, embora Ele nos julgue. Isso é extraordinário! E isso é salvação. Deus é aquEle que veio em Cristo para nos salvar de nossos pecados e nos trazer de volta para si mesmo.

Se você não for cristão e não entender o que digo, encorajo-o a conversar com um amigo cristão, ou o pastor de uma igreja que você freqüente. A mensagem da salvação de Deus é a coisa mais importante que você deve entender, e é o que toda igreja verdadeiramente cristã — independentemente da denominação — deve pregar nas manhãs de domingo. É por isso que a igreja se congrega, e isso é o cerne de nossa esperança.

Infelizmente, essa mensagem cristã central é muitíssimo mal entendida. Uma pesquisa, de alguns anos atrás, relata:

> Oitenta e quatro por cento das pessoas que afirmam ser evangélicas abraçam a noção de que na salvação Deus ajuda aquele se ajuda; 77% crêem que, basica-

mente, o ser humano é bom, e pessoas boas vão para o céu independentemente de seu relacionamento com Cristo, ao mesmo tempo em que metade dos entrevistados afirma que sua primeira prioridade é a auto-realização.[4]

Salvação diz respeito a Deus restabelecer seu relacionamento conosco, relacionamento esse rompido com a Queda. O anseio por aprovação que você sente e tenta satisfazer com a aparência, com o sucesso, com o elogio de si mesmo ou com o comentário lisonjeiro de seu chefe, pais ou amigos nunca será satisfeito com nenhuma dessas coisas! Deus pôs esse anseio em você a fim de atraí-lo para Ele. O Senhor fez com que você ansiasse pela aprovação dEle. Como o salmista declara: "Far-me-ás ver a vereda da vida; na tua presença há abundância de alegrias" (Sl 16.11a).

Se você sente-se feliz em ir para o céu, quer Jesus esteja lá quer não esteja, você ainda não entendeu o que os cristãos querem dizer quando falam da esperança de céu. O relacionamento perfeitamente restaurado com Deus prometido no céu é o ponto máximo, o cerne do que entendemos ser a salvação. Deus conosco. Nós com Deus:

E o Verbo se fez carne e habitou entre nós, e vimos a sua glória, como a glória do Unigênito do Pai, cheio de graça e de verdade (Jo 1.14).

E ouvi uma grande voz do céu, que dizia: Eis aqui o tabernáculo de Deus com os homens, pois com eles habitará, e eles serão o seu povo, e o mesmo Deus estará com eles e *será* o seu Deus (Ap 21.3).

Seu relacionamento com seu Criador foi restaurado? Quando um amigo perguntou a John Newton sua opinião a respeito de um entendimento mútuo particularmente impossível, Newton respondeu: "Nunca me desesperei por nenhum ser humano desde que Deus salvou-me".

Joel também põe o relacionamento restaurado com Deus no próprio cerne da salvação:

O Senhor será o refúgio do seu povo e a fortaleza dos filhos de Israel (3.16).

E também sobre os servos e sobre as servas, naqueles dias, derramarei o meu Espírito. (2.29).

O POVO DE DEUS SERÁ SALVO?

Joel ainda responde outra pergunta para nós sobre essa salvação: O povo de Deus será salvo? Hoje, parece que muitas pessoas pensam que Deus nos salvará porque merecemos isso. "É verdade, nós fazemos coisas ruins, mas, depois, fazemos algumas coisas boas para compensá-las" Essa não é uma idéia cristã. Não somos salvos por causa de nenhum ato moral ou religioso nosso. A salvação depende totalmente de Deus, não de nós.

Provavelmente, o versículo mais famoso do livro de Joel é o último do capítulo 2: "E há de ser que todo aquele que invocar o nome do Senhor será salvo; porque no monte Sião e em Jerusalém haverá livramento, assim como o Senhor tem dito, e nos restantes que o Senhor chamar" (2.32). Muitas pessoas conhecem a primeira parte do versículo — "E há de ser que todo aquele que invocar o nome do Senhor será salvo" —, porque Paulo a cita em Romanos 10.13 (cf. At 2.21). Essa passagem é muito usada em tratados cristãos, e as pessoas citam-na quando compartilham o evangelho. E isso é ótimo. Mas poucas pessoas lêem o restante do versículo. A última frase revela-nos *quem* invocará o nome do Senhor: aqueles "que o Senhor chamar". Deus chama os que o invocam, de acordo com os seus propósitos:

> E comereis fartamente, e ficareis satisfeitos, e louvareis o nome do Senhor, vosso Deus, que procedeu para convosco maravilhosamente; e o meu povo não será mais envergonhado. E vós sabereis que eu estou no meio de Israel e que eu sou o Senhor, vosso Deus, e ninguém mais (2.26,27).

Deus salva seu povo a fim de se fazer conhecido, de revelar seu próprio caráter e sua glória. Mais adiante, Ele diz isso outra vez: o Senhor é o refúgio e a fortaleza de seu povo a fim de que "[saibam] que eu sou o Senhor, vosso Deus, que habito em Sião" (3.17).

A salvação de Deus para com seu povo revela o caráter dEle. Na verdade, essa é a suprema revelação de como Deus é. Ler a Bíblia é uma forma de você saber como Deus é, e eu o encorajo firmemente a fazer isso. Mas você também pode aprender como Ele é ao observar o povo dEle. Em certo sentido, você pode observar qualquer pessoa do mundo, porque todos fomos feitos à imagem de Deus. Contudo, você deveria observar especificamente aqueles que foram regenerados e cheios pelo Espírito de Deus. Observe o povo dEle quando vive junto e compreenderá mais alguma coisa a respeito dEle. A salvação de Deus para com seu povo revela o caráter dEle.

Joel chama o povo de Deus a voltar-se para Ele por causa do caráter do Senhor: "[...] porque ele é misericordioso, e compassivo, e tardio em irar-se" (2.13). Em outras palavras, Joel motiva seus leitores à ação com teologia. Ele espera que o fato de lhes ensinar como Deus é surta efeito na vida diária deles.

William Cowper disse: "O homem pode descartar a compaixão de seu coração, mas Deus nunca fará isso".

O nome do Senhor sempre foi associado à graça e à compaixão. Joel apenas adota o que o Senhor disse de si mesmo a Moisés: "Jeová, o Senhor, Deus misericordioso e piedoso, tardio em iras e grande em beneficência e verdade; que guarda a beneficência em milhares; que perdoa a iniquidade, e a transgressão, e o pecado; que ao culpado não tem por inocente" (Êx 34.6,7a).

No livro de Joel, Deus mostra sua graça e compaixão ao intervir com o enxame de locustas, dizendo não ao pecado e à iniquidade. Dificilmente, seria gracioso permitir que o pecador continuasse a pecar impunemente, sem mudar seu coração ou sua vida. Que tipo de graça seria essa?

Define-se graça como o favor imerecido de Deus para nós. Graça é mais que perdoar um erro e garantir misericórdia; é a concessão de um favor que vai além e acima do perdoar o erro. Chamaríamos de "misericórdia" o fato de alguém invadir sua casa com a finalidade de roubá-lo, e você apanhar a pessoa, mas não feri-la ou puni-la. Chamaríamos de "graça", se você oferecesse uma refeição quente ao invasor. Graça não é apenas fazer algo bom, quando isso é imerecido. É fazer algo bom quando o demérito diz o contrário![5]

Amigo, você e eu somos o ladrão, e Deus é o dono da casa. Quando olhamos Cristo em arrependimento e em fé, Ele não nos trata apenas com misericórdia, mas com graça.

Na profecia de Joel, a graça de Deus não é fundamentalmente sua resposta ao clamor de seu povo. Deus, graciosamente, tomou a iniciativa. Ele deu a Joel essa profecia. Ele disse a Joel para proclamar essas palavras para o povo. Ele encorajou-os! Alguém que é realmente seu inimigo lhe dirá que Ele está para destruí-lo. Que Ele apenas o eliminará. Todavia, Deus advertiu seu povo, dizendo-lhes que podiam responder de uma ou de outra forma: em arrependimento e em fé ou em rejeição e em mais pecado. As advertências desse livro são mais como o conselho de um médico, a admoestação de um professor, ou a repreensão amorosa de uma mãe.

Por que Deus se importa tanto com seu povo? Eu não sei! Mas por alguma razão, Ele escolheu ligar sua reputação ao bem-estar de seu povo:

> Chorem os sacerdotes, ministros do Senhor, entre o alpendre e o altar, e digam: Poupa o teu povo, ó Senhor, e não entregues a tua herança ao opróbrio, para que as nações façam escárnio dele; porque diriam entre os povos: Onde está o seu Deus (2.17)?

Como Moisés antes dele, Joel argumenta com Deus com base no próprio compromisso declarado de Deus com seu povo. Deus é um Deus de piedade, misericórdia e compaixão, e seria conhecido por ser esse tipo de Deus. Como Paulo escreveu aos efésios: "Para que, agora, pela igreja [o povo de Deus], a multiforme sabedoria de Deus seja conhecida dos principados e potestades nos céus, segundo o eterno propósito que fez em Cristo Jesus, nosso Senhor" (Ef 3.10,11). Por alguma razão, Deus decidiu conseguir glória para si mesmo por nosso intermédio, seu povo.

Em última instância, Deus salva seu povo por causa de seu próprio nome. Algumas pessoas não gostam do som dessa afirmação, mas o que Deus valorizaria mais grandemente que a si mesmo? Considerar-nos o centro do mundo é egocentrismo, a tal ponto que beira à raia da alucinação, isso sem mencionar a rebeldia contra Deus. Todavia, ver-se como Supremo é tão correto quanto o sol é o centro do sistema solar. Nosso planeta nunca poderia ocupar a posição do sol no centro do sistema solar. Ele não tem a gravidade para isso. Deus é o Criador de tudo! Ele tem de ser supremo para nós e para si mesmo. À parte do exercício de seu papel supremo em criar e em julgar — em santidade e em amor, em justiça e em compaixão —, o mundo torna-se um lugar dolorosamente vazio. A profecia de Joel ensina com clareza que Deus salva para seu próprio propósito — por si mesmo.

Conclusão: Quem o Salvará?

Assim, do que você acha que *precisa* ser salvo?

Cristãos, creiam nisto: cada um de nós, como o povo da época de Joel, precisa ser salvo de seus pecados. Esse é um dos motivos por que nossa igreja inclui uma oração de confissão em nossas reuniões das manhãs de domingo. Também é por isso que nossa igreja afirma nossa crença na "remissão dos pecados", conforme recitado no Credo dos Apóstolos. E não nos referimos apenas à remissão dos pecados das pessoas "lá de fora"; nós daqui de dentro precisamos ser perdoados!

Mas os pecados de quem serão perdoados? Quem será salvo? E as pessoas que permanecem mais comprometidas com seus pecados do que com Deus e que não crêem em Cristo? Como já vimos, a primeira seção do capítulo 2 promete a vinda de destruição, e a seção termina com estas palavras: "E o Senhor levanta a sua voz diante do seu exército; porque muitíssimos são os seus arraiais; porque poderoso é, executando a sua palavra; porque o dia do Senhor é grande e mui terrível, e quem o poderá sofrer?" (2.11). Essa é nossa pergunta. Quem poderá suportar o dia do Senhor? Quem será capaz de resistir ao julgamento justo de Deus por causa do pecado? Todos nós temos um interesse único na resposta a essa pergunta, quer tenhamos consciência disso quer não.

Joel sabe que nem todos serão salvos. Afinal, Deus julgará seus inimigos (3.19). Todavia, Ele também será um refúgio para "seu povo" (3.16)
É o povo de Deus quem será salvo?
Quem é o povo de Deus, e como estamos entre eles? No livro de Joel, o povo de Deus, os salvos, são os que respondem à Palavra do Senhor. O fato de Deus ser soberano não exclui nossa responsabilidade de responder ao evangelho. Primeiro, devemos responder à Palavra dEle arrependendo-nos de nossos pecados. Isso significa reconhecer nossos pecados como errados e ofensivos a Deus, lamentá-los e afastarmo-nos deles. Joel exorta os sacerdotes:

> Cingi-vos e lamentai-vos, sacerdotes; gemei, ministros do altar; entrai e passai, vestidos de panos de saco, durante a noite, ministros do meu Deus; porque a oferta de manjares e a libação cortadas foram da Casa de vosso Deus. Santificai um jejum, apregoai um dia de proibição, congregai os anciãos e todos os moradores desta terra, na Casa do Senhor, vosso Deus, e clamai ao Senhor (1.13,14).

Pecamos contra o Senhor, portanto, devemos clamar a Ele. No capítulo 2, Joel repete esse chamado de alerta ao arrependimento: "Ainda assim, agora mesmo diz o Senhor: Convertei-vos a mim de todo o vosso coração; e isso com jejuns, e com choro, e com pranto. E rasgai o vosso coração, e não as vossas vestes [...]" Na época, em alguns assuntos especialmente graves, era costume rasgar literalmente as vestes como um sinal exterior do pesar interior e da total desolação. "Convertei-vos ao Senhor, vosso Deus; porque ele é misericordioso, e compassivo, e tardio em irar-se, e grande em beneficência e se arrepende do mal. Quem sabe se se voltará, e se arrependerá, e deixará após si uma bênção, em oferta de manjar e libação para o Senhor, vosso Deus? Tocai a buzina em Sião, santificai um jejum, proclamai um dia de proibição. Congregai o povo, santificai a congregação, ajuntai os anciãos, congregai os filhinhos e os que mamam; saia o noivo da sua recâmara, e a noiva, do seu tálamo" (2.12-16).

Deus ordena o arrependimento que envolve todos os atos formais de arrependimento — jejum, choro e pranto —, mas também a verdadeira mudança de mente, de coração e de vontade: "Rasgai o vosso coração". Temos de rasgar nosso coração, pois ele se ligou a coisas erradas e tem de voltar para o Senhor. Arrependimento é afastar-se de todas as coisas a que nos agarramos tão firmemente — nossos amores, nossos temores, nossas alegrias e nossas mágoas — e voltar-nos para Deus. Arrependimento não é apenas se sentir mal, é mudar. Nossos sentimentos de arrependimentos podem ser enganosos se não há mudança. Ambrósio disse que o verdadeiro arrependimento "é deixar de pecar". Em essência, arrependimento é deixar de ser insensível a Deus e ser receptivo a Ele. Como fazemos isso? Ao prestar atenção à Palavra dEle. Ao atender as advertências dEle. Ao reconhecer e confessar nossos pecados.

Devemos, genuinamente, reconhecer e confessar nossos pecados. João Crisóstomo sabia alguma coisa sobre a confissão falsa que somos tentados a fazer. Ele declarou: "Se falamos mal de nós mesmos mil vezes e ainda nos sentimos afrontados quando outra pessoa fala alguma coisa desse tipo, isso não é humildade, isso não é confissão de pecado, mas apenas pretensão e vaidade [...], assumimos a aparência de humildade que, talvez, admiremos e louvemos". O verdadeiro arrependimento confessa o pecado e afasta-se dele.

Segundo, respondemos à Palavra de Deus ao crer nela: "E há de ser que todo aquele que invocar o nome do Senhor será salvo" (2.32). O que significa invocar o nome do Senhor? Paulo, ao escrever estes versículos em sua Carta aos Romanos, usa "chamar" como sinônimo de "crer" e de "confiar":

> Se, com a tua boca, confessares ao Senhor Jesus e, em teu coração, creres que Deus o ressuscitou dos mortos, serás salvo. Visto que com o coração se crê para a justiça, e com a boca se faz confissão para a salvação. Porque a Escritura diz: Todo aquele que nele crer não será confundido. Porquanto não há diferença entre judeu e grego, porque um mesmo é o Senhor de todos, rico para com todos os que o invocam. Porque todo aquele que invocar o nome do Senhor será salvo (Rm 10.9-13).

Invocar a Deus é confiar nEle. É orar a Ele, reconhecê-lo como seu Senhor e ser propriedade dEle.

Deus quis que houvesse dois ladrões ao lado de Cristo, no Calvário, a fim de que "um fosse salvo, para que ninguém possa se desesperar, mas apenas um, para que ninguém possa presumir que será salvo".

Quem Deus salvará? Aqueles que se arrependerem de seus pecados e invocarem o Senhor. Aqueles que confiarem nEle e em ninguém mais. Você está entre estes?

Oremos:

Oh, Deus, o Senhor sabe o que representa para nós nos afastar do pecado a que estamos ligados e nos voltarmos para o Senhor. Oramos para que seu Espírito Santo seja ativo em nosso coração. Oh, Deus, para a sua glória e para o nosso bem. Mostre-se a nós como nosso Salvador onipotente, oramos pela glória do nome de Cristo. Amém.

Questões para Reflexão

1. Você acredita que o inferno existe? Quanto tempo você gasta pensando no inferno? Quem irá para o inferno? É falta de amor ensinar sobre o inferno para as pessoas? Por quê?
2. A maioria das pessoas vive antecipando o julgamento de Deus? Você faz isso?
3. Como os líderes e os membros da igreja local podem encorajar uns aos outros, de forma mais eficaz, a viver à luz do julgamento vindouro do Senhor?
4. No livro de Joel, a invasão das locustas foi um pequeno ato de julgamento de Deus que apontava para outro julgamento maior que virá para todas as pessoas. Deus manda atos de julgamento menores na vida das pessoas hoje a fim de apontar para o julgamento maior por vir?
5. No livro de Joel, Deus estava por trás da destruição feita na terra de Judá por intermédio das locustas. O Senhor está no controle dos desastres naturais que acontecem hoje e nos efeitos deles? De todos eles? Isso torna Deus cruel? Por quê?
6. Por que assumimos naturalmente que nossa compreensão de "bom" e de "mal", de "justo" e de "injusto" está correta? Estamos, previsivelmente, corretos em assumir isso? Qual é a única coisa que podemos fazer para assegurar que nossa avaliação das coisas seja cada vez mais correta?
7. Verdadeiro ou falso: "O pecador, mais que qualquer coisa, precisa ser salvo de Deus mesmo". Explique sua resposta.
8. Verdadeiro ou falso: "Mais que qualquer coisa, a única esperança do pecador está nesse mesmo Deus". Explique sua resposta.
9. Quando você compartilha o evangelho com os amigos, como sua explicação pode incluir elementos das duas afirmações das duas perguntas anteriores a esta?
10. No último mês, você se lembra de situações em que ficou mais preocupado com o que os outros disseram ou fizeram a você do que com o que você fez ou disse contra Deus?
11. Deus promete prosperidade terrena para os cristãos? Explique.
12. De acordo com este sermão, qual é o próprio cerne da salvação? É essa salvação que sua igreja aponta para os pecadores? É essa salvação que você mais anseia? Como você sabe disso?

Notas

Capítulo 29

[1] A data de pregação original deste sermão foi em 1 de junho de 2003, na Capitol Hill Baptist Church, em Washington, D.C.
[2] Edward Gibbon, The History of the Decline and Fall of the Roman Empire (Nova York: Heritage, 1946; primeira publicação em 1776-1788), p. 22.
[3] Deuteronômio 27.15-26; cf. Deuteronômio 28 e 32.
[4] Citado por Gary Johnson, "Does Theology Still Matter", em John H. Armstrong, ed., The Coming Evangelical Crisis: Current Challenges to the Authority of Scripture and the Gospel (Chicago: Moody, 1996), p. 61.
[5] Veja J. I. Packer, "The Grace of God", em Knowing God (Downers Grove, Ill.: InterVarsity Press, 1973).

A MENSAGEM DE AMÓS: DEUS SE IMPORTA?

DEUS SE IMPORTA?

INTRODUÇÃO A AMÓS

O JUIZ E O JULGADO
   O Juiz (1.1,2; 3.3-8)
      O Juiz fala

   O Julgado (1.3—3.2)
      As nações
      O povo de Deus

O FOCO DO JULGAMENTO DE DEUS
   Seu Povo (3.9-15; 6.8-14)
   Os Líderes (4.1-3; 6.1-7)
   A Religião (4.4—5.27)

O CARÁTER E O MOTIVO DO JULGAMENTO DE DEUS

   O Caráter do Julgamento de Deus (caps. 7,9)
      Com misericórdia
      Com justiça
      Com infalibilidade

   O Motivo do Julgamento de Deus (cap. 8)

CONCLUSÃO

CAPÍTULO 30

A Mensagem de Amós:
Deus se Importa?

Deus se Importa?[1]

Há alguns anos, a revista *Forbes ASAP* entrevistou Steven Weinberg, autor entre os mais vendidos, ganhador do prêmio Nobel de Física e professor de Física e de Astronomia na Universidade do Texas, em Austin. A certa altura da conversa, o entrevistador observou:

> Uma minoria tem uma visão científica da humanidade. A visão da maioria, especialmente na religião, é que o ser humano é especial — que estamos, de alguma maneira, separados da natureza. As pessoas mais jovens apresentam essas duas afirmações como verdades absolutas, uma fundamentada na fé religiosa, e a outra, na ciência. Em sua visão, qual delas é recomendada para a abordagem científica?

O professor Weinberg respondeu:

> O fato é que isso é verdade. Não há nada nas leis da natureza que confira algum papel especial ao ser humano. Nós evoluímos a partir de outros animais e não somos imortais. Todos nós enfrentamos a dissolução de nossa personalidade na morte, temos apenas de nos acostumar a isso. Talvez isso não seja tão grandioso como imaginar que temos um papel importantíssimo no drama cósmico, mas há certa satisfação em ser capaz de enfrentar nossa posição como apenas

parte de um universo impessoal, em perceber que damos significado a nossa vida, o que não é dado pelas estrelas, mas por nós mesmos. W. H. Auden tem um poema adorável, intitulado "The More Loving One" (O mais Amoroso), sobre alguém encarar o fato de que a natureza não parece se importar que nos importemos — que não somos parte de um universo envolvente e amoroso. Ele pergunta:

> *Como poderíamos querer que as estrelas queimassem*
> *Com paixão por nós que não podemos retribuir?*
> *Tal afeição não pode existir,*
> *Deixe-me ser o mais amoroso...*
> *Se todas as estrelas desaparecerem ou morrerem,*
> *Aprenderia a olhar um céu vazio*
> *E acharia sublime essa escuridão absoluta,*
> *Mesmo que isso leve um tempo.*

Há certa satisfação em ser capaz de enfrentar a situação e ainda seguir em frente — encontrar sentido em nossa vida que vem de nosso interior, não do exterior.[2]

Será que Weinberg, como o professor, sugere que o único sentido da vida é o que criamos por nós mesmos?

Claro que, como o entrevistador afirma, a maioria das pessoas não concorda com o ateísmo do professor. A maioria esmagadora das pessoas, de todas as camadas demográficas da população mundial, crê em Deus. Contudo, muitas pessoas podem concordar com a crença do professor Weinberg de que, em última instância, *seja quem for*, ou *o que quer que seja*, o insuperável no universo, isso não diz respeito a você e a mim. Mesmo se existir um Criador, Ele parece ser tão impessoal e tão desengajado do mundo quanto as estrelas de Auden. Essa é a questão em relação à qual estamos inseguros: Deus se importa? Deus se importa com o mal e o sofrimento do mundo? Ou com a pobreza e a subnutrição que muitas pessoas vivenciam neste exato momento? Ou com as pessoas que, há alguns anos, morreram no ataque ao Pentágono ou no recente terremoto argelino? Deus se importa com Saddam Hussein, George Bush, Martha Stewart, ou Sammy Sosa e a justiça ou injustiça dos atos deles?

Deus se importa especificamente com a sua vida ou com a minha? E se nossa vida não afeta a de inúmeras outras pessoas, como aquelas que acabo de mencionar. O grande Criador deste inimaginavelmente vasto universo se importa, de verdade, com o que você e eu fazemos em nosso tempo livre, em nosso trabalho, em nosso pensamento? Ou se você come carne ou não? Ou com seus relacionamentos? Ou com o modo como você o chama? Ou se você orou, ou não, essa manhã? Deus se importa sequer com o fato de você estar aqui?

As pessoas fazem essas perguntas com o olhar em questões que soam desde as mais filosóficas (Deus se importa com a situação humana?) às mais pessoais (Deus realmente se importa comigo?)

O que você acha?

Deus se importa quando alguém tira vantagem sexual de você? Ou quando você sofre os efeitos do orgulho de alguém? Ou quando o comodismo de alguém o leva a ser negligenciado e ignorado? Ou quando os outros não se importam com você? Ele se importa quando os líderes religiosos se desviam de você?

Assim, pergunto, de novo, se você realmente quer que Deus se importe. Em todos os exemplos que acabo de apresentar, as perguntas referentes a se Deus se importa com essas coisas são favoráveis a você. Todavia, você quer realmente que Deus se importe se você obstrui a justiça? Ou se você tira vantagem de outra pessoa? Ou quando você ignora o pobre ou abusa dele? Você quer que Ele se importe se trapaceia em negócios, em seus impostos, ou em seu casamento? Ele se importa com essas situações? Ele se importa quando você, continuamente, age de forma que sabe ser errada e contrária ao ensinamento da Bíblia e às instruções de sua consciência?

O que representa se Ele realmente se importa com tudo isso?

Introdução a Amós

A próxima "Questão Eterna" que consideraremos em nossa série atual sobre os doze profetas menores do Antigo Testamento é esta: Deus se importa? Nessas séries estudamos a mensagem de todos os livros da Bíblia — um sermão por livro. E neste estudo veremos, especificamente, o livro de Amós.

Considera-se Amós um profeta menor não por que sua mensagem não tenha importância, mas por que seu livro é mais curto que os de Isaías, Jeremias e Ezequiel, chamados de profetas maiores. Na verdade, Amós foi um importante profeta, e, até mesmo, um dos primeiros "profetas escritores", os profetas do Antigo Testamento que escreveram suas profecias para que, agora, possuíssemos livros com o nome deles (distinto dos "profetas históricos" — Elias, Eliseu e assim por diante). Com base na informação que Amós nos dá no primeiro versículo de seu livro, sabemos que ele profetizou, mais ou menos, por volta de 760-750 a.C., aproximadamente a mesma época em que os gregos se fixaram na Espanha. Amós foi contemporâneo de Oséias, de Isaías e, provavelmente, de Jonas.

Não sabemos muito a respeito de qualquer um dos profetas menores, fatos como de onde eram provenientes ou o que faziam além de profetizar. Eles apenas não estavam muito interessados em falar de si mesmos. Contudo, Amós forneceu um pouco de informação sobre si mesmo. Seu livro inicia-se com as palavras: "As palavras de Amós, que estava entre os pastores de Tecoa, o que ele viu a respeito de Israel, nos dias de Uzias, rei de Judá, e nos dias de Jeroboão, filho de Joás, rei de Israel, dois anos antes do terremoto" (1.1). Em outras palavras, sabemos que ele era de Tecoa, localizada no sul, abaixo de Jerusalém e na direção do mar Morto. Sabemos que ele foi pastor e cultivador de frutas (veja também 7.14). Sabemos que ele não era filho de profeta nem, ele mesmo, era profeta profissional (7.14). Não sabemos se ele era rico e próspero ou pobre e trabalhador braçal. Deus chamou-o a servir como profeta no Reino do Norte de Israel por um breve tempo. Já que era de Judá, talvez se sentisse um estrangeiro em Israel. Assim, ele trouxe para seu chamado profético o olhar arguto do homem de negócios e o honesto do estrangeiro. Penso que você descobrirá isso à medida que lermos partes do livro.

Diz-se que Amós não seria a escolha pessoal do comitê para esse papel. Ele não era de Israel, mas de Judá. Não era profeta profissional (e havia muitos nas redondezas), não passava do que podemos chamar de pessoa leiga da igreja. A despeito disso tudo, Deus escolheu-o para a tarefa.

Muitas vezes, Deus chama pessoas inesperadas para servi-lo de formas surpreendentes, não é mesmo? Apenas rememore as histórias do Antigo Testamento. O pagão Abraão tornou-se pai dos fiéis. O octogenário e gaguejante Moisés tornou-se o grande doador da Lei e libertador de Israel. O jovem pastor Davi tornou-se o maior rei de Israel. E poderíamos continuar citando, ininterruptamente, muitos outros exemplos. E Deus chamou Amós, leigo da igreja e lavrador, para ser profeta de uma nação que parecia próspera e bem-sucedida. Quem planejaria coisas assim?

Recordo-me das palavras de Paulo aos coríntios:

> Porque vede, irmãos, a vossa vocação, que não são muitos os sábios segundo a carne, nem muitos os poderosos, nem muitos os nobres que são chamados. Mas Deus escolheu as *coisas* loucas deste mundo para confundir as sábias; e Deus escolheu as *coisas* fracas deste mundo para confundir as fortes. E Deus escolheu as coisas vis deste mundo, e as desprezíveis, e as que não são para aniquilar as que são; para que nenhuma carne se glorie perante ele (1 Co 1.26-29).

Assim, como o primeiro versículo relata, Amós, o lavrador, recebeu uma palavra estrondosa de Deus "dois anos antes do terremoto". Não sabemos muito sobre esse terremoto, mas sabemos sobre a grande fissura terrestre que vai da África, através da Palestina, próximo ao mar Morto, até a Ásia, e que essa região é sujeita a terremotos fortíssimos. Josefo, historiador hebreu da Antiguidade, relata um terremoto acontecido em 313 a.C., em que morreram 30 mil pessoas. Sem dúvida, o terremoto mencionado por Amós foi importante o bastante para ser rememorado tanto tempo depois. Cem anos mais tarde, o profeta Zacarias refere-se a esse terremoto e até menciona o rei Uzias pelo nome (Zc 14.5). Acho que podemos supor, com acerto, que Deus usou esse terremoto para fazer com que a mensagem de Amós de que os israelitas dependiam de Deus e deviam se voltar para Ele em arrependimento chegasse a Israel.

Amós profetizou durante um dos períodos mais prósperos da história de Israel desde os tempos de Salomão.[3] Assim, a profecia crucial e incisiva de Amós tinha tanto a subtaneidade inesperada de um terremoto, como a ferocidade soberana do bramido de um leão.

Agora, ao nos voltarmos para o livro de Amós, descobrimos que Deus se importa. Ele se importa muito! Ele fez com que os israelitas (e nós) soubessem disso, sem sombra de dúvida. Para vermos isso, examinaremos na passagem 1.1—3.8, primeiro *o Juiz e o julgado*. Segundo, em 3.9—6.14, estudaremos *o foco do julgamento de Deus*. E terceiro, nos capítulos 7—9, examinaremos *o caráter e o motivo do julgamento de Deus*. Espero que você, neste estudo, veja um pouco do quanto Deus se importa com você e que, depois, possa responder a isso.

O JUIZ E O JULGADO

Comecemos do ponto que Amós iniciou, com o Juiz e o julgado. Nos primeiros capítulos, aprendemos que Deus proferirá julgamento contra as nações e contra seu povo.

O Juiz (1.1,2; 3.3-8)

É necessário conhecer o personagem principal do livro de Amós, que não é o profeta, a fim de compreender o conteúdo do livro. O personagem principal é o Senhor Deus: "O Senhor bramará de Sião e de Jerusalém dará a sua voz; nas habitações dos pastores haverá pranto, e secar-se-á o cume do Carmelo" (1.2). Amós pode ser o profeta, mas ele é apenas o profeta. Aqui, o personagem principal é o Senhor mesmo. E observe como o Senhor se apresenta nesse prefácio do livro: como aqUele que brama! Esse Juiz tem mais que um mero interesse passageiro nos assuntos humanos. Ele brama sobre eles!

Agora, no que pensamos normalmente como bramido? Em uma catarata poderosa. Nas ondas do oceano. Em uma grande tempestade. No tumulto de uma batalha. Em uma multidão imensa.

Todavia, a imagem de bramido das linhas de abertura de Amós é mais direta. É um bramido ameaçador. É o bramido de um leão em perseguição. O verbo "bramar" descreve tanto a forma como a Palavra de Deus veio — abrupta e ferozmente — como seu conteúdo soberano. O capítulo 3 usa a imagem do bramido do leão em paralelo com o Senhor soberano:

> Bramiu o leão, quem não temerá? Falou o Senhor Jeová, quem não profetizará?
> (3.8; cf. 3.4,12; 5.19)

Talvez, hoje, a imagem do bramido do leão seja evocativa, ou não, para as pessoas que vivem em Washington, D.C. Talvez você tenha ouvido um leão bramir na confinação segura do zoológico. Todavia, muitos anos atrás, quando estava na África, lembro-me de ouvir o bramido de leões na selva; esse é um som que deixa a mente em alerta! Uma vez que você conhece a rapidez, o poder e a coragem do leão e, depois, lembra que, com freqüência, um bramido significa um leão faminto, você presta atenção aos pulmões deles. No tempo de Amós, os leões bramiam a respeito de Judá e de Israel. Essa era uma imagem violenta para um profeta usar.

Observe também que Amós apresenta o Senhor bramindo "de Sião e de Jerusalém" (1.2). Isso prenderia a atenção de seus leitores israelitas! Jerusalém era o centro religioso que o rebelde fundador do Reino do Norte — rei Jeroboão I — rejeitou. Jeroboão construiu suas imitações de "Jerusalém" em Belém e em outras localidades a fim de que os israelitas do norte evitassem viajar para o sul a fim de ir a Jerusalém. Contudo, as pessoas do norte, com certeza, teriam aprendido as grandes histórias passadas envolvendo Jerusalém, como a de quando o rei Davi trouxe a Arca da Aliança para ficar na cidade. Assim, Amós deve ter conseguido um efeito incrível quando foi a Judá e disse que trazia de Jerusalém a palavra do Senhor ou, antes, que o Senhor bramiu de Sião. Isso deve ter provocado lembranças. As pessoas sentariam e prestariam atenção. "O Ancião se agita!"

O Juiz fala. Sim, e Deus faria mais que agitar. Ele falaria.

No início do capítulo 3, Amós apresenta uma lista de perguntas retóricas. Todas servem para acentuar a necessidade de haver ligação entre causa e efeito: "Andarão dois juntos, se não estiverem de acordo? Bramirá o leão no bosque, sem que tenha presa? Levantará o leãozinho no covil a sua voz, se nada tiver apanhado?" (3.3,4) Duas pessoas caminham juntas por que têm um acordo. O leão brame por que tem uma presa. E assim por diante. A lista culmina com a pergunta: "Sucederá qualquer mal à cidade, e o Senhor não o terá feito?" (3.6b) A resposta subentendida é: "Sim, o desastre vem por que o Senhor o causa!"

A seguir, temos este interessante versículo: "Certamente o Senhor Jeová não fará coisa alguma, sem ter revelado o seu segredo aos seus servos, os profetas" (3.7). E, depois, vem o versículo que já lemos: "Bramiu o leão, quem não temerá? Falou o Senhor Jeová, quem não profetizará?" (3.8) Deus é soberano, Ele até causa desastres naturais.[4] E esse Deus soberano fala! Ele é um Deus de palavras.

Algumas pessoas são impacientes com as palavras. Elas querem ação, não conversa. Mas só a ação nunca é suficiente. Uma ação sem explicação abre espaço para que demos nossa própria interpretação dos fatos. Todavia, Deus não é assim. O Deus verdadeiro da Bíblia conversa sem cessar. Ele não é um Deus poderoso, mas mudo. Ele traz palavras! "Certamente o Senhor Jeová não fará coisa alguma, sem ter revelado o seu segredo" (3.7).

Amós sente-se compelido a profetizar. Nós deveríamos nos sentir compelidos a escutar. Deveria ser assim com toda a Escritura. Nossas igrejas deveriam ser modeladas pela pregação das palavras de Deus. Como cristãos, nossa vida pessoal deveria ser gasta no aprendizado das palavras de Deus. E se você não for cristão, a única esperança que nós, cristãos, podemos lhe oferecer encontra-se na Palavra de Deus. Ela conta-nos sobre Cristo e a esperança de perdão e de novidade de vida que temos nEle.

O Julgado (1.3—3.2)

Se Deus é o Juiz, quem é o julgado?

As nações. Vemos que Deus, primeiro, julga as nações. Talvez as nações pagãs não tenham percebido que o Senhor é o Deus delas, mas a ignorância não diminui a responsabilidade delas. Ninguém é excluído do julgamento de Deus. Todos nós prestaremos contas a Ele.

Amós inicia lançando suas profecias de julgamento contra os vizinhos de Israel: Damasco (os siros), a nordeste; Gaza (os filisteus), a sudoeste; Tiro (os fenícios), a noroeste; Edom, a sudeste; e Amom e Moabe, ao leste. Todas as nações ao redor deles são condenadas: "Por três transgressões de Damasco e por quatro, não retirarei o castigo" (1.3). Ao longo do capítulo repete-se a expressão "por três transgressões [...] e por quatro" em relação às diferentes nações.[5] O ponto não é que Deus julgará cada nação uma vez por um certo número de pecados — talvez três, talvez quatro —, mas julgará cada nação por seus múltiplos pecados. E Amós não menciona tanto a idolatria dessas nações; antes, ele condena a crueldade delas em relação aos seres humanos: "Porque levaram em cativeiro todos os cativos para os entregarem a Edom", ou: "Porque fenderam as grávidas de Gileade, para dilatarem os seus termos".[6]

Mesmo que os israelitas do norte se sentissem confundidos pelo sotaque sulista de Amós, tenha certeza de que gostavam do que ele dizia a respeito de seus inimigos. "Este é um pregador a quem podemos escutar! Ele nos diz o que está errado com todas as outras pessoas!" Imagino uma multidão em volta de Amós, apreciando o que ouviam: os pecados de seus vizinhos expostos. Por acaso, a forma mais rápida de fazer amizade com alguém é reclamar juntos a respeito de alguma pessoa.

O que as condenações de Amós contra as nações nos ensinam? Elas ensinam-nos que todo o mundo presta contas ao único Deus verdadeiro. As pessoas não precisam da revelação especial de Deus para saber distinguir o certo do errado e como o Criador quer que ordenem sua vida, sua família e sua sociedade. Na verdade, as pessoas não precisam da revelação especial de Deus para, no fim, prestar contas a Ele como Juiz. Aqui em Amós, o Senhor promete às nações que nunca receberam os Dez Mandamentos que as julgaria (ver também Rm 1—3). Todo homem e toda mulher dessas nações têm uma consciência que sabe o suficiente para torná-los responsáveis diante de Deus!

Observe também a preocupação do Senhor com a crueldade contra os seres humanos. Não é apenas a posse política deste ou daquele território que o preocupa, mas a crueldade com que a autoridade governante trata o povo. Deus importa-se.

Assim, como já dissemos, é provável que, a essa altura, a multidão se deleitasse com o que Amós falava. Todavia, a seguir, ele volta-se para o que as pessoas chamam de "interferência".

O povo de Deus. Amós promete que Deus não julgará apenas as nações, mas também seu povo. Talvez os israelitas pensassem que estavam isentos do julgamento do Senhor, porque era seu povo especial. No entanto, esse pensamento não poderia ser mais errôneo.

Amós não inicia lançando um ataque sobre os pecados de Israel, mas de Judá: "Assim diz o Senhor: Por três transgressões de Judá e por quatro, não retirarei o castigo," (2.4a). Veja que o julgamento de Judá por Deus faz com que ela se pareça com qualquer outra nação! Todavia, essa condenação é explicitamente religiosa: "Porque rejeitaram a lei do Senhor e não guardaram os seus estatutos; antes, se deixaram enganar por suas próprias mentiras" (2.4b).

Eles devem ter prendido a respiração quando Amós começa a enumerar os pecados dos vizinhos sulinos de Israel. Você, talvez, consiga imaginar a multidão ficando estranhamente silenciosa! Verdade, não é a eles que Amós condena. Mas a "outra metade" deles — o povo que compartilha a herança e a história deles. Provavelmente, eles sentiram um misto de simpatia e de inquietação com as acusações de Amós. As palavras dele demonstravam que o povo de Deus não estava acima de crítica.

A seguir, finalmente, Amós volta-se para eles e anuncia os pecados e o julgamento que estava para cair sobre eles. A acusação foi extensa. Eles cometeram pecados de opressão econômica e religiosa. Abusaram do justo, do necessitado e do pobre. Apesar da graça de Deus para com eles no êxodo, rejeitaram os mandamentos dEle. A adoração idólatra deles assumira formas grotescamente imorais: "Um homem e seu pai entram à mesma moça, para profanarem o meu santo nome. E se deitam junto a qualquer altar sobre roupas empenhadas" (2.7b,8).

A promessa de Deus, em resposta à grosseira imoralidade de Israel, é mais severa: "Eis que eu vos apertarei" (2.13).

Os israelitas pensavam que a história deles significava que eram imunes ao julgamento de Deus. Eles não percebiam que grande privilégio representa grande responsabilidade: "De todas as famílias da terra a vós somente conheci; portanto, todas as vossas injustiças visitarei sobre vós" (3.2).

Caso você se sinta tentado a acreditar que o fato de freqüentar a igreja afasta a ameaça do julgamento de Deus, deixe-me sugerir que a igreja é um péssimo lugar para se esconder do Senhor. Ele o encontra onde quer que esteja. Com certeza, Ele o encontrará na casa dEle. Todos estão sob a justa condenação do Senhor. As nações estão, e também o povo especial dEle. A Bíblia é clara em relação a isso. O Deus que nos fez é santo e perfeito, e nos fez à sua imagem para que possamos imitá-lo, seja qual for a nação a que pertençamos. Todavia, cada um de nós, como esses israelitas, caímos. Nós pecamos contra Deus, e o nosso pecado nos separa dEle. E Deus *proferirá* julgamento contra todos os pecadores — não importa nossa tribo, nossa língua, ou de que histórico descendemos.

O Foco do Julgamento de Deus (3.9—6.14)

Amós ensina, de modo mais específico, que o julgamento de Deus se concentra em seu povo, em especial seus líderes e, especificamente, a religião deles.

Seu Povo (3.9-15; 6.8-14)

Primeiro, nos capítulos intermediários do livro, Amós continua a desenvolver a idéia de que Deus julgaria seu povo. Francamente, Deus parece irado nesses capítulos. Ele exige ser ouvido. Ele torna-se o inimigo de seu povo. E Ele convoca testemunhos — testemunhos surpreendentes — para acusar seu povo:

> Fazei ouvir isto nos palácios de Asdode e nos palácios da terra do Egito e dizei: Ajuntai-vos sobre os montes de Samaria e vede os grandes alvoroços no meio dela e os oprimidos dentro dela. Porque não sabem fazer o que é reto, diz o Senhor, entesourando nos seus palácios a violência e a destruição (3.9,10).

Asdode? Egito? Esses eram os inimigos de Israel! Contudo, o Senhor chamava-os a se congregar e ser testemunhas contra os erros de seu próprio povo. A seguir, o Senhor fala para esses inimigos testemunharem o que faria com seu povo:

> Ouvi e protestai contra a casa de Jacó, diz o Senhor Jeová, o Deus dos Exércitos: No dia em que eu visitar as transgressões de Israel sobre ele, também visitarei

os altares de Betel; e os chifres do altar serão cortados e cairão por terra. E derribarei a casa de inverno com a casa de verão; e as casas de marfim perecerão, e as grandes casas terão fim, diz o Senhor (3.13-15).

Deus destruiria os altares pecaminosos de Israel e derrubaria suas mansões. Seu julgamento seria total. Provavelmente, os "altares de Betel" referem-se a altares construídos para o Senhor, mas em lugares não autorizados (não em Jerusalém). Em I Reis, vimos que, dois séculos antes, Jeroboão colocou um bezerro de ouro em Betel e outro em Dã (veja I Rs 12.25-33).

Portanto, os altares eram falsos. As suas casas opulentas testificavam a auto-indulgência deles. Na verdade, ao longo do pequeno livro de Amós há muitas indicações de que o povo se caracterizava por ser indulgente consigo mesmo. Parece que eles pensavam que mereciam tudo. Eles tornaram-se orgulhosos. "Não nos temos nós tornado poderosos por nossa força?" (6.13) Quando o povo cultiva essa forma de pensar, dificilmente é de surpreender que se entreguem a grande imoralidade.

Como as palavras de Amós deviam soar bizarras nas ruas do que parecia ser uma nação segura! Durante diversas décadas, o Império Assírio e o Império Egípcio estiveram em declínio. Israel estava no apogeu de seu poder e de sua prosperidade. Então, surge Amós acusando Israel de abusar dos privilégios de sua aliança especial com Deus. Que estranho! Tudo ia tão bem.

Independentemente do quanto a nação parecesse próspera na época, o Senhor promete trazer condenação, porque se aborreceu com o orgulho e a injustiça deles: "Jurou o Senhor Jeová pela sua alma, o Senhor, Deus dos Exércitos: Tenho abominação pela soberba de Jacó e aborreço os seus palácios; e entregarei a cidade e tudo o que nela há" (6.8). Muitas vezes, a bênção atual, usada de forma egoísta, abre caminho para provações futuras.

O orgulho alimenta tantos pecados, não é mesmo? Ele dá frutos terríveis. Ele perdoa nossa ilusão autocentrada e deixa-nos sem defesa contra as tentações. Satanás sabe que seus esforços para nos tentar com prazeres ilícitos serão muito bem-sucedidos quando essas tentações vieram acompanhadas de lisonja. Talvez pudéssemos resistir aos prazeres se eles fossem apresentados por si mesmos. Mas nossa alma está sempre faminta pela aprovação dos outros, e o que o prazer não pode fazer por si mesmo, a lisonja pode.

Israel tornou-se orgulhosa. Portanto, Deus humilharia seu povo. Ele impediria que reverenciassem a si mesmos e faria com que reverenciassem a Ele. Por isso, Ele os dizimaria e destruiria. O Senhor promete: "Porque eis que eu levantarei sobre vós, ó casa de Israel, um povo", predizendo a invasão assíria que aconteceria várias décadas depois (6.14). Deus julgaria seu povo.

Os Líderes (4.1-3; 6.1-7)

Deus promete especificamente julgar os líderes de Israel. E Ele não quis dizer que julgaria apenas os líderes homens:

> Ouvi esta palavra, vós, vacas de Basã, que estais no monte de Samaria, que oprimis os pobres, que quebrantais os necessitados, que dizeis a seus senhores: Dai cá, e bebamos. Jurou o Senhor Jeová, pela sua santidade, que dias estão para vir sobre vós, em que vos levarão com anzóis e a vossos descendentes com anzóis de pesca (4.1,2).

Amós chama as mulheres líderes de Samaria (outro nome de Israel) de "vacas", não como um comentário à aparência delas, mas por causa da vida de preguiça, de luxúria e de auto-indulgência que levavam. Essas mulheres pecaram contra os pobres e os necessitados, e Deus se importa com as pessoas com quem elas foram negligentes. Por essa razão, Deus, em sua santidade, julgaria essas mulheres. Ninguém conseguiu fazer, com eficácia, com que essas mulheres (ou a nação toda) se voltassem para Deus, portanto, Ele as traria de volta para si — como peixes pegos com anzóis.

Homens notáveis de Israel também foram condenados por Deus porque usavam as pessoas para seus objetivos pessoais. Eles também eram complacentes de forma errônea ou, como diz uma versão, "vocês que vivem tranqüilos em Sião" (NVI). Assim, o Senhor ataca-os:

> Ai dos que repousam em Sião e dos que estão seguros no monte de Samaria; que têm nome entre as primeiras nações, e aos quais vem a casa de Israel! Passai a Calné e vede; e dali ide à grande Hamate; depois descei a Gate dos filisteus; serão melhores que estes reinos? Ou será maior o seu termo do que o vosso termo? Vós que dilatais o dia mau e vos chegais ao lugar de violência; que dormis em camas de marfim, e vos estendeis sobre os vossos leitos, e comeis os cordeiros do rebanho e os bezerros do meio da manada; que cantais ao som do alaúde e inventais para vós instrumentos músicos, como Davi; que bebeis vinho em taças e vos ungis com o mais excelente óleo, mas não vos afligis pela quebra de José: eis que, agora, ireis em cativeiro entre os primeiros que forem cativos, e cessarão os festins dos regalados (6.1-7).

Esses líderes de Israel repousavam por causa do dinheiro que tinham, o que mostra como estavam cegos para a verdade. O dinheiro nunca trouxe um momento de segurança duradoura. Observe também como Amós denuncia-os por serem indiferentes: "Não vos afligis pela quebra de José" (6.6), isto é, com a quebra do povo de Deus. Eles repousavam! Eles não se importavam com o que acontecia com os outros! Claro que essa fria falta de compaixão é um dos frutos mais amargos do orgulho. As pessoas devem ser honradas, valorizadas e protegidas, não exploradas. Os líderes deviam, especificamente, exemplificar esse tipo de cuidado. Mas esses líderes não faziam isso. Por essa razão, o Senhor prometeu que seriam os primeiros a ser enviados para o exílio: "Vocês querem ser líderes? Ótimo, vocês liderarão direto para a Assíria!"

A boa liderança é uma dádiva de Deus para abençoar seu povo. Pela graça do Senhor, o que o líder faz e quem ele representa, abençoa os outros. Se você aspira a uma posição de liderança, pergunte-se se você se dá para a edificação dos outros ou se apenas usa as pessoas para que os outros o vejam como líder? E também se pergunte: Deus abençoa sua liderança?

"E a qualquer que muito for dado, muito se lhe pedirá" (Lc 12.48). Os líderes israelitas eram maus, portanto, Deus chamou-os a prestar contas.

A Religião (4.4—5.27)

Assim, Amós ensina que Deus concentrou o julgamento em seu povo, em especial, em seus líderes. Todavia, ele também ensina que o julgamento de Deus enfatizou, especialmente, a religião da nação.

A qualidade da religião de Israel permitiu-lhes pecar e, ao mesmo tempo, manter o sentimento de que tinham as boas graças do Senhor. Eles amavam seu pecado e amavam sua religião. Por isso, construíram uma religião que lhes permitia ter as duas coisas. Eles fizeram ídolos para si mesmos que não falavam, e, no silêncio desses ídolos, eles ouviam consentimento.

Claramente, a religião de Israel era uma fraude. No entanto, hoje, muitas pessoas seguem o mesmo caminho! As congregações que acolhem o pecado banem a Cristo. Não existe essa coisa de uma fé salvadora que não produz obras.

Deus avisa os israelitas por meio da fome e da praga, mas eles não ouvem:

> Por isso, também vos dei limpeza de dentes em todas as vossas cidades e falta de pão em todos os vossos lugares; contudo, não vos convertestes a mim, disse o Senhor. Além disso, retive de vós a chuva, faltando ainda três meses para a ceifa; e fiz chover sobre uma cidade e sobre outra cidade não fiz chover; sobre um campo choveu, mas o outro, sobre o qual não choveu, se secou. E andaram errantes duas ou três cidades, indo a outra cidade, para beberem água, mas não se saciaram; contudo, não vos convertestes a mim, disse o Senhor. Feri-vos com queimadura e com ferrugem; a multidão das vossas hortas, e das vossas vinhas, e das vossas figueiras, e das vossas oliveiras foi comida pela locusta; contudo, não vos convertestes a mim, disse o Senhor. Enviei a peste contra vós,

à maneira do Egito; os vossos jovens matei à espada, e os vossos cavalos deixei levar presos, e o fedor dos vossos exércitos fiz subir ao vosso nariz; contudo, não vos convertestes a mim, disse o Senhor. Subverti alguns dentre vós, como Deus subverteu a Sodoma e Gomorra, e vós fostes como um tição arrebatado do incêndio; contudo, não vos convertestes a mim, disse o Senhor (4.6-11).

Os israelitas caracterizavam-se pelo não arrependimento deliberado. Estimulados por um orgulho errôneo, eles ignoravam as advertências de Deus. Eles achavam que não precisavam prestar nenhuma atenção a elas.

O objetivo das provações é voltar a face de pessoas rebeldes em direção a Deus. Nós, por estupidez e por egoísmo, recusamo-nos a aprender isso. O Senhor, em misericórdia, envia mais provações.

Assim, Deus convocou Israel a comparecer diante dEle: "Portanto, assim te farei, ó Israel! E, porque isso te farei, prepara-te, ó Israel, para te encontrares com o teu Deus" (4.12). A seguir, Ele lembra-os quem os convocava: "Porque é ele o que forma os montes, e cria o vento, e declara ao homem qual é o seu pensamento, o que faz da manhã trevas e pisa os altos da terra; Senhor, o Deus dos Exércitos, é o seu nome" (4.13). Um julgamento terrível esperava por eles, mas ainda podiam se arrepender:

Porque assim diz o Senhor à casa de Israel: Buscai-me e vivei. Mas não busqueis a Betel, nem venhais a Gilgal, nem passeis a Berseba, porque Gilgal certamente será levado cativo, e Betel será desfeito em nada. Buscai o Senhor e vivei, para que não se lance na casa de José como um fogo (5.4-6).

Os deuses israelitas feitos em casa — as estátuas de bezerro em Dã e em Betel — não os salvaria, principalmente da ira de Deus em relação aos seus graves e ostensivos pecados:

Aborrecem na porta ao que os repreende e abominam o que fala sinceramente. Portanto, visto que pisais o pobre e dele exigis um tributo de trigo, edificareis casas de pedras lavradas, mas nelas não habitareis; vinhas desejáveis plantareis, mas não bebereis do seu vinho. Porque sei que são muitas as vossas transgressões e enormes os vossos pecados; afligis o justo, tomais resgate e rejeitais os necessitados na porta. Portanto, o que for prudente guardará silêncio naquele tempo, porque o tempo será mau (5.10-13).

Uma das formas mais óbvias de vermos como esses dias de prosperidade em Israel eram marcados pelo pecado está na forma como abusavam dos pobres. O pobre valia menos que o dinheiro, menos até que um par de sapatos (2.6; 8.6). Eles pisavam a cabeça do pobre (2.7). O pobre era oprimido e esmagado. Ele era forçado a dar o pouco dinheiro que tinha para tornar o rico mais rico! O pobre era tratado apenas como uma dificuldade a ser vencida ou, no mínimo, ignorada.

Os israelitas, ao mesmo tempo em que abusavam do pobre, negavam a justiça. Na verdade, eles trabalhavam ativamente para obstruí-la. Para eles, ter algum dinheiro a mais na bolsa valia mais que a justiça. A justiça não importava tanto quanto o dinheiro. Não é de espantar que Amós dissesse: "O tempo será mau" (5.13). Que resumo trágico de dias supostamente cheios de paz e de prosperidade! Todavia, da perspectiva de Deus, era assim.

Nem sempre a avaliação de Wall Street e a do céu coincidem.

O fracasso em demonstrar preocupação pelo pobre mostra a má compreensão de nossa própria situação de fragilidade — de nossa necessidade premente da atenção misericordiosa de Deus para conosco, em nosso pecado. A religião que permite que seus seguidores tirem vantagem do pobre, oprimam o justo, obstruam a justiça e ignorem as advertências de Deus é uma religião falsa.

Por isso, Amós exorta Israel de novo: "Buscai o bem e não o mal, para que vivais; e assim o Senhor, o Deus dos Exércitos, estará convosco, como dizeis. Aborrecei o mal, e amai o bem, e estabelecei o juízo na porta; talvez o Senhor, o Deus dos Exércitos, tenha piedade do resto de José" (5.14,15).

Se algum israelita pensava que a religião falsa deles o salvaria, estava para descobrir o contrário. O Deus verdadeiro estava para se mostrar, mas o Senhor não era como os deuses falsos que construíram em sua mente e que sempre os aprovava:

> Ai daqueles que desejam o dia do Senhor! Para que quereis vós este dia do Senhor? Trevas será e não luz. Como se um homem fugisse de diante do leão, e se encontrasse com ele o urso ou como se, entrando em uma casa, a sua mão encostasse à parede, e fosse mordido por uma cobra. Não será, pois, o dia do Senhor trevas e não luz? Não será completa escuridade sem nenhum resplendor? Aborreço, desprezo as vossas festas, e as vossas assembléias solenes não me dão nenhum prazer. E, ainda que me ofereçais holocaustos e ofertas de manjares, não me agradarei delas, nem atentarei para as ofertas pacíficas de vossos animais gordos. Afasta de mim o estrépito dos teus cânticos; porque não ouvirei as melodias dos teus instrumentos. Corra, porém, o juízo como as águas, e a justiça, como o ribeiro impetuoso. [...] Portanto, vos levarei cativos, para além de Damasco, diz o Senhor, cujo nome é Deus dos Exércitos (5.18-24,27).

A religião falsa de Israel não os salvará do exército assírio. Eles agem como as nações; portanto, Deus os trata da mesma forma como trata as nações, espalhando-os entre seus vizinhos.

Deus julga seu povo, em especial, seus líderes e, especificamente, a religião da nação que tolerava o pecado.

O CARÁTER E O MOTIVO DO JULGAMENTO DE DEUS

Por fim, devemos observar, em Amós, o caráter e o motivo do julgamento de Deus. Nos três últimos capítulos da profecia de Amós, aprendemos que Deus julgará o pecado com misericórdia, com justiça e com infalibilidade.

O Caráter do Julgamento de Deus (caps. 7,9)

Com misericórdia. É alarmante ser notificado da vinda do julgamento de Deus, porém, a advertência dEle vem acompanhada da segurança de misericórdias e de oportunidades para que ela ocorra. No início do capítulo 7, o Senhor dá a Amós visões de julgamento por meio das locustas e do fogo, mas, a seguir, Ele promete duas vezes: "Não acontecerá" (7.3,6). Portanto, por que Deus dá essas visões a Amós? As visões mostram aos israelitas o que o pecado deles realmente merece. O Senhor estava instruindo-os. Eles viviam de uma maneira que a terra deles deveria ser devorada pelas locustas e consumida pelo fogo.

Nesses mesmos versículos, Amós relata que "o Senhor se arrependeu" (7.3,6). O que representa Deus se arrepender? O profeta Samuel não disse: "E também aquele que é a Força de Israel não mente nem se arrepende; porquanto não é um homem, para que se arrependa"?[7] Todavia, várias passagens bíblicas, não apenas Amós, afirmam que o Senhor se arrependeu. Por exemplo, no livro de Êxodo, o Senhor disse a Moisés que traria desastre sobre o povo por causa da obstinação dele, todavia, Moisés roga ao Senhor, e Ele se arrepende (Êx 32.9-14). Moisés realmente persuadiu o Senhor a mudar seus planos? Não, o que mudou foi a clareza da percepção de Moisés. O Senhor é um Deus pessoal, Ele lidera-nos e ensina-nos interagindo conosco. Da mesma forma que Ele ensinou a Abraão, ao pedir que oferecesse Isaque como sacrifício, Ele advertiu Moisés de uma destruição iminente sobre Israel a fim de induzir uma reação de Moisés e, assim, ensiná-lo. Da mesma maneira, por intermédio de Amós, Ele ameaça seu povo para que aprendam a se arrepender e, depois, experimentem a misericórdia de Deus. Nos últimos versículos do livro, a misericórdia de Deus torna-se ainda mais clara, quando Ele promete que acabará a longa noite de seu julgamento:

> Naquele dia, tornarei a levantar a tenda de Davi, que caiu, e taparei as suas aberturas, e tornarei a levantar as suas ruínas, e a edificarei como nos dias da

antigüidade; para que possuam o restante de Edom e todas as nações que são chamadas pelo meu nome, diz o Senhor, que faz estas coisas. Eis que vêm dias, diz o Senhor, em que o que lavra alcançará ao que sega, e o que pisa as uvas, ao que lança a semente; e os montes destilarão mosto, e todos os outeiros se derreterão. E removerei o cativeiro do meu povo Israel, e reedificarão as cidades assoladas, e nelas habitarão, e plantarão vinhas, e beberão o seu vinho, e farão pomares, e lhes comerão o fruto. E os plantarei na sua terra, e não serão mais arrancados da sua terra que lhes dei, diz o Senhor, teu Deus (9.11-15).

Com a misericórdia de Deus, a prosperidade retornará. Na verdade, nunca foi de outra maneira neste mundo caído.

Por isso amo responder à pergunta diária: "Como vai você?", com as palavras: "Melhor do que eu mereço". É uma forma rápida de lembrar-me do evangelho. Tudo que você e eu temos é pela misericórdia de Deus.

Com justiça. O julgamento de Deus virá acompanhado de misericórdia, mas também se caracterizará pela justiça. Ele pesará sua justiça com precisão:

Mostrou-me também assim: eis que o Senhor estava sobre um muro levantado a prumo; e tinha um prumo na sua mão. E o Senhor me disse: Que vês tu, Amós? E eu disse: Um prumo. Então, disse o Senhor: Eis que eu porei o prumo no meio do meu povo Israel; nunca mais passarei por ele. Mas os altos de Isaque serão assolados, e destruídos os santuários de Israel; e levantar-me-ei com a espada contra a casa de Jeroboão (7.7-9).

O julgamento de Deus é totalmente justo. O que deve ser destruído, será destruído. Também podemos confiar que a justiça dEle é totalmente perspicaz: "Eis que os olhos do Senhor Jeová estão contra este reino pecador, e eu o destruirei de sobre a face da terra; mas não destruirei de todo a casa de Jacó, diz o Senhor" (9.8).

Quando Deus julga todos os povos da terra, Ele mostra-se perfeitamente justo em todos seus julgamentos.

Com infalibilidade. Deus também julgará seu povo com infalibilidade. Aprendemos isso no interlúdio autobiográfico do livro:

Então, Amazias, o sacerdote de Betel, mandou dizer a Jeroboão, rei de Israel: Amós tem conspirado contra ti, no meio da casa de Israel; a terra não poderá sofrer todas as suas palavras. Porque assim diz Amós: Jeroboão morrerá à espada, e Israel certamente será levado para fora da sua terra em cativeiro. Depois, Amazias disse a Amós: Vai-te, ó vidente, foge para a terra de Judá, e ali come o pão, e ali profetiza; mas, em Betel, daqui por diante, não profetizarás mais, porque é o santuário do rei e a casa do reino. E respondeu Amós e disse a Amazias: Eu não era profeta, nem filho de profeta, mas boieiro e cultivador de sicômoros. Mas o Senhor me tirou de após o gado e o Senhor me disse: Vai e profetiza ao meu povo Israel. Ora, pois, ouve a palavra do Senhor. Tu dizes: Não profetizarás contra Israel, nem falarás contra a casa de Isaque. Portanto, assim diz o Senhor: Tua mulher se prostituirá na cidade, e teus filhos e tuas filhas cairão à espada, e a tua terra será repartida a cordel, e tu morrerás na terra imunda, e Israel certamente será levado cativo para fora da sua terra (7.10-17).

Parece que Amós iniciou sua pregação em Betel, o santuário mais importante do Reino do Norte. Amazias, sacerdote do santuário real e funcionário graduado, impediu que Amós profetizasse e enviou uma mensagem ao rei em que adulterou as palavras de Amós (raramente nossos críticos são uma fonte confiável do que dizemos). Todavia, Amazias não podia parar o Senhor ou a obra, mandando Amós de volta a Judá. Não sabemos muito sobre essa interação dos dois, mas as palavras de Amazias são irônicas: "Vai-te, ó vidente, foge para a terra de Judá, e ali come o pão, e ali profetiza" (7.12). Amazias, esse sacerdote de aluguel, presumiu que falava com outro sacerdote de aluguel como ele, mas, talvez pela primeira vez na vida, ele falava com um profeta verdadeiro, o profeta enviado por Deus e que não se importava nem um pouquinho com dinheiro.

Amazias caracterizava a obstinada oposição a Deus que marcou Israel em sua época. Enraizado junto ao orgulho e à falsa adoração deles, estava a oposição a Deus; por isso, o povo se negava a se arrepender, mesmo depois de Deus adverti-los. Eles podiam carregar o *nome* de Deus, mas a vida deles mostrava que eram oponentes dEle. Por isso, os verdadeiramente justos eram oprimidos. Essas pessoas não eram neutras, elas estavam comprometidas em rebelar-se contra seu Criador e Senhor e contra todos que representassem a Deus.

Claro, Amós rejeitou a tentativa de Amazias de bani-lo e apenas relatou sua humilde obediência à vontade do Senhor: "Eu não era profeta, nem filho de profeta, mas boieiro e cultivador de sicômoros. Mas o Senhor me tirou de após o gado e o Senhor me disse" para profetizar. Amazias podia tentar evitar o julgamento de Deus, mas não podia desviá-lo de si mesmo ou de sua terra. O julgamento do Senhor estava a caminho:

> Vi o Senhor, que estava em pé sobre o altar, e me disse: Fere o capitel, e estremeçam os umbrais, e faze tudo em pedaços sobre a cabeça de todos eles; e eu matarei à espada até ao último deles; o que fugir dentre eles não escapará, nem o que escapar dentre eles se salvará. Ainda que cavem até ao inferno, a minha mão os tirará dali; e, se subirem ao céu, dali os farei descer. E, se se esconde-

rem no cume do Carmelo, buscá-los-ei e dali os tirarei; e, se se ocultarem aos meus olhos no fundo do mar, ali darei ordem à serpente, e ela os morderá. E, se forem para o cativeiro diante de seus inimigos, ali darei ordem à espada para que os mate; e eu porei os meus olhos sobre eles para mal e não para bem. Porque o Senhor, o Senhor dos Exércitos, é o que toca a terra, e ela se derrete, e todos os que habitam nela chorarão; e ela subirá toda como o grande rio e se submergirá como o Egito. Ele é o que edifica as suas câmaras no céu, e a sua abóbada fundou na terra, e o que chama as águas do mar, e as derrama sobre a terra; o Senhor é o seu nome (9.1-6).

O julgamento de Deus viria com misericórdia sim, e com justiça, é claro, mas, certamente, viria!

O Motivo do Julgamento de Deus (cap. 8)

O capítulo 8 fornece o último lembrete do motivo do julgamento de Deus: Ele julgaria por causa do pecado. O capítulo também deveria nos lembrar do quanto Deus se importa com as pessoas.

O Senhor apresenta o pecado de Israel como um cesto de frutos do verão — prontos para a colheita. Talvez a imagem seja a mais inflexível desse austero livro:

O Senhor Jeová assim me fez ver: e eis aqui um cesto de frutos do verão. E disse: Que vês, Amós? E eu disse: Um cesto de frutos do verão. Então, o Senhor me disse: Chegou o fim sobre o meu povo Israel; daqui por diante nunca mais passarei por ele. Mas os cânticos do templo serão ouvidos naquele dia, diz o Senhor Jeová; multiplicar-se-ão os cadáveres; em todos os lugares serão lançados fora em silêncio. Ouvi isto, vós que anelais o abatimento do necessitado e destruís os miseráveis da terra, dizendo: Quando passará a lua nova, para vendermos o grão? E o sábado, para abrirmos os celeiros de trigo, diminuindo o efa, e aumentando o siclo, e procedendo dolosamente com balanças enganadoras, para comprarmos os pobres por dinheiro e os necessitados por um par de sapatos? E, depois, venderemos as cascas do trigo. Jurou o Senhor pela glória de Jacó: Eu não me esquecerei de todas as suas obras para sempre! Por causa disso, não se comoverá a terra? E não chorará todo aquele que habita nela? Certamente, levantar-se-á toda como o grande rio, e será arrojada, e se submergirá como o rio do Egito. E sucederá que, naquele dia, diz o Senhor, farei que o sol se ponha ao meio-dia e a terra se entenebreça em dia de luz. E tornarei as vossas festas em luto e todos os vossos cânticos em lamentações, e aparecerá pano de saco sobre todos os lombos e calva sobre toda cabeça; e farei que isso seja como luto de filho único e o seu fim como dia de amarguras (8.1-10).

A ganância das pessoas alimentava-se com o egocentrismo e a auto-indulgência delas. Elas subornavam, em vez de fazer justiça. Centradas em si mesmas e tendo pouca compaixão pelos outros, enganavam os outros com aquilo que nunca perceberiam que tinham perdido. E tudo isso vinha fácil para elas! Talvez você diga que elas eram infernalmente dotadas.

Já que eles ignoravam a Palavra de Deus, Ele tiraria sua Palavra deles. Em algumas das palavras mais duras do livro, lemos:

> Eis que vêm dias, diz o Senhor Jeová, em que enviarei fome sobre a terra, não fome de pão, nem sede de água, mas de ouvir as palavras do Senhor. E irão errantes de um mar até outro mar e do Norte até ao Oriente; correrão por toda parte, buscando a palavra do Senhor, e não a acharão (8.11,12).

Na história de Israel, essa profecia torna-se verdade quando profetas como Amós e Oséias morrem ou, pelo menos, deixam de profetizar, e Deus não envia ninguém para substituí-los. Várias décadas depois, o povo de Israel, em vez de ouvir o clamor dos profetas, ouviria o grito de combate dos invasores assírios.

Meu amigo, é difícil transmitir-lhe a grande dádiva que temos em ouvir a Palavra de Deus. Eu disse antes que a igreja é um péssimo lugar para se esconder dEle, mas é um ótimo lugar para ser encontrado por Ele! Na igreja, você ouve a Palavra do Senhor, pois ali ela é proferida e explicada. Ouça-a para que Deus venha a você por intermédio de sua Palavra!

Deus enviou a fome de sua Palavra ao norte da África e à Ásia. Por séculos, a Bíblia foi pregada livremente em todas as terras, da Argélia ao Afeganistão. Todavia, veio a escuridão. Veio a fome. É isso que Deus faz atualmente na Europa Ocidental, envia a fome de sua Palavra? E viveremos para ver a fome da Palavra dEle no mundo, não por ela ser ilegal, mas por não termos pregadores fiéis? Ou por não haver pessoas fiéis que queiram escutar sua Palavra?

Certa vez, em Londres, dei um seminário de um dia sobre puritanismo. Aposto que os participantes não tinham nada melhor para fazer no sábado que sentar no porão da igreja para ter aula de história durante seis horas. A certa altura, perguntei se algum deles já observara a argola de ferro ao lado dos púlpitos. Poucos acenaram que sim com a cabeça, mas nenhum deles sabia o que eram. Contei-lhes que, no final do século XVI e início do XVII, as congregações davam essas argolas de presente para os pregadores, e que as argolas tinham uma ampulheta. Os pregadores tinham uma ou duas rodadas da ampulheta destinadas a sua pregação.

Quando eu disse isso, uma mulher deu um suspiro audível e, a seguir, perguntou: "Quanto tempo eles reservavam para a adoração?"

Naquele momento, senti toda a Reforma ruindo a minha volta. Deixei passar uns momentos de silêncio a fim de me recompor e, depois, disse a ela: "Por favor, lembre-se que na época em que esses presentes foram dados, algumas pessoas tinham idade suficiente para ainda sentir o cheiro da carne queimada das pessoas que tentavam traduzir a Palavra do Senhor para a linguagem comum. Essas igrejas tinham fome da Palavra de Deus. Elas percebiam que a maior bênção da vida era ouvir, abraçar e viver a Palavra do Senhor".

Você reconhece a bênção que temos em ouvir a Palavra de Deus? Perder isso seria o pior julgamento imaginável. Valorize cada oportunidade que tem para ouvir a Palavra de Deus.

Conclusão

Então, Deus se importa? O testemunho do livro de Amós é que Ele se importa. Na verdade, Ele se importa muito e promete julgar as nações e seu povo. Ele julgará seu povo, especialmente, os seus líderes e, especificamente, a religião da nação que tolerava o pecado. Ele nos julgará, por causa do nosso pecado, com misericórdia, com justiça e com infalibilidade.

Pode ter certeza disso!

Se o julgamento de Deus é certo, podemos escapar dele? Afinal, o Senhor também não é misericordioso? A justiça e a misericórdia do Senhor são satisfeitas em apenas um lugar: a cruz de Jesus Cristo. Em Jesus Cristo, o Deus santo veio e se fez carne. Ele viveu uma vida perfeita a fim de oferecer a si mesmo como sacrifício sem pecado. Na cruz, tomou sobre si a punição de Deus pelos pecados de todos que se voltam para Ele e confiam nEle. A seguir, Deus ressuscitou-o em vitória sobre a morte e, agora, Ele convida-nos a nos arrependermos de nossos pecados e a crer nEle.

Quando o julgamento de Deus bramir — e Ele bramirá —, como o encontrará? Quando os céus passarem, o derradeiro anjo "[clamar] com grande voz" e estivermos diante do trono de Deus,[8] você fará parte do outro bramido que encontramos em Apocalipse 19?

> E, depois destas coisas, ouvi no céu como que uma grande voz de uma grande multidão, que dizia: Aleluia! Salvação, e glória, e honra, e poder pertencem ao Senhor, nosso Deus, porque verdadeiros e justos são os seus juízos [...]. E ouvi como que a voz de uma grande multidão, e como que a voz de muitas águas, e como que a voz de grandes trovões, que dizia: Aleluia! Pois já o Senhor, Deus Todo-poderoso, reina. Regozijemo-nos, e alegremo-nos, e demos-lhe glória (Ap 19.1,2a,6,7a).

Oh, amigo, sem dúvida, Deus se importa. A pergunta é: Você se importa?

Oremos:

Oh, Deus, o Senhor conhece os recantos e as fissuras de nosso coração. O Senhor sabe as áreas em que lhe desobedecemos e o ignoramos. O Senhor nos conhece melhor que nós mesmos. Oramos para que seu Espírito nos revele essas coisas, fiel e misericordiosamente, para que possamos enxergá-las com clareza e com honestidade. Oramos para que o Senhor nos faça apreciá-lo e, assim, podermos escolher o Senhor sobre todas as outras coisas. Oh, Deus, faça isso pela sua glória e para o nosso bem. Oramos em nome de nosso Redentor e Salvador, o Senhor Jesus. Amém.

Questões para Reflexão

1. Você acredita que Deus se importa com você? Em que área você tem tentação em não acreditar que Ele se importe?
2. Deus se importa com seus vizinhos e com seus colegas de trabalho tanto quanto se importa com você? Como sua resposta a essa pergunta afeta seu relacionamento com eles?
3. Como o fato de Deus julgar o pecado indica que Ele se importa com a humanidade?
4. Você acredita em um Deus que brame? Como o fato de você crer, ou não, em um Deus que brame afeta sua forma de viver? Como isso afeta o que você espera de sua igreja?
5. A maioria dos não-cristãos acredita que serão julgados por Deus? Eles serão julgados? A maioria das igrejas evangélicas ensina, com regularidade, que Deus julgará? Elas deveriam ensinar isso? Por quê?
6. Por que os homens ou as mulheres que nunca ouviram a Palavra de Deus ser pregada ainda são responsáveis diante dEle por seus pecados?
7. Você trata alguns de seus pecados como se Deus se sentisse confortável com eles ou, no mínimo, contente em não tomar conhecimento deles?
8. Se um profeta de Deus acusasse a igreja evangélica ocidental atual de ser auto-indulgente e preguiçosa, ele acusaria você de desempenhar que papel nesses pecados?
9. Por que as provações de nossa vida assinalam a misericórdia de Deus?
10. Os cristãos ou as igrejas devem se importar com o pobre? Explique.
11. Se você mudasse para um país onde não há Bíblia (onde não pudesse levar uma com você), o quanto isso mudaria seu horário de leitura da Bíblia? Por que a ausência da Palavra de Deus é um dos maiores julgamentos que pode cair sobre um indivíduo ou uma terra?
12. Quando Deus bramir em julgamento, como você responderá? Como você sabe que não será destruído?

NOTAS

Capítulo 30

[1] A data de pregação original deste sermão foi em 8 de junho de 2003, na Capitol Hill Baptist Church, em Washington, D.C.
[2] Steven Weinberg entrevistado por Timothy Ferris, "Many Questions, Some Answers", Forbes ASAP, 2 de outubro de 2000, p. 270.
[3] Veja 2 Reis 14.23-29.
[4] Veja também Deuteronômio 32.39; I Samuel 2.6,7; Isaías 45.7.
[5] 1.6,9,11,13; 2.1.
[6] 1.6,13; cf. 1.3,9,11; 2.1.
[7] I Samuel 15.29; cf. Números 23.19; Salmos 110.4.
[8] 2 Pedro 3.10; Apocalipse 10.3; 14.1-4.

A MENSAGEM DE OBADIAS: DEUS TEM INIMIGOS?

DEUS TEM INIMIGOS?

INTRODUÇÃO A OBADIAS

QUEM SÃO OS INIMIGOS DE DEUS (VV. 1-16)
 O Orgulho
 Os Oponentes do Povo de Deus

QUEM SÃO OS AMIGOS DE DEUS? (VV. 17-21A)

QUEM É DEUS? (V. 21B)

CONCLUSÃO: QUEM É VOCÊ?

CAPÍTULO 31

A Mensagem de Obadias:
Deus Tem Inimigos?

DEUS TEM INIMIGOS?[1]

Deus tem inimigos? Como você responderia a essa pergunta?

Se você for um tipo de mulçumano, talvez responda: "Sim, os inimigos de Deus são os norte-americanos e os israelitas!"

Se você for um hindu nacionalista, talvez diga: "Sim, seus inimigos são os mulçumanos e os cristãos!"

Se você for como a maioria dos norte-americanos, provavelmente você ache a pergunta muito estranha, talvez um tanto absurda: "Deus? Tem inimigos?" Talvez a última vez que a maioria dos norte-americanos respondeu de forma afirmativa a essa pergunta foi na década de 1950, quando os inimigos de Deus eram "aqueles comunistas ímpios". Mas hoje, a idéia de o Senhor ter inimigos parece ir contra toda a definição de Deus. Ter inimigos não é algo que o Senhor faça, certo? Com certeza, as pessoas têm inimigos, mas não Deus!

Bem, é verdade que as pessoas têm inimigos. Nossa vida confirma isso todos os dias. Tudo, desde as provações pessoais que enfrentamos aos atos terríveis de 11 de setembro de 2001, lembram-nos que os seres humanos simplesmente se fazem inimigos uns dos outros. Samuel Huntingdon, confrontado com a "onipresença do conflito", comentou: "Odiar é humano".[2] A maioria de nós concorda bastante com isso.

Mas a idéia de Deus odiar? Isso soa mais estranho. Bernard Lewis, outro observador de assuntos internacionais, ao refletir sobre a frase "inimigos de

Deus", no contexto do governo iraquiano, disse que essa idéia "parece muito estranha para o observador moderno, quer seja ele religioso quer seja secular. A idéia de que Deus tenha inimigos e de que precise da ajuda humana a fim de identificá-los e de descartá-los é um pouco difícil de assimilar".[3]

Então, Deus tem inimigos? Não pergunto se eles são organizações políticas ou religiosas que usam essa linguagem com a finalidade de intimidar e amedrontar emocionalmente as pessoas, pois sabemos que elas existem. Pergunto se o Deus que existe realmente tem inimigos. Se Ele tem inimigos, com certeza, queremos saber quem são eles. Sabemos como alguns seres humanos se tornam implacáveis quando se viram contra nós, mas nem conseguimos imaginar como seja ter o Altíssimo mesmo como inimigo!

Introdução a Obadias

Uma das questões eternas levantada pela série de livros que examinamos, neste momento, dos chamados "profetas menores" do Antigo Testamento é: "Deus tem inimigos?" Os profetas menores são os livros menores do final do Antigo Testamento. "Menor" não significa "sem importância", mas apenas "curto", quando comparado com os livros geralmente mais longos dos "profetas maiores". Neste estudo, examinaremos especificamente o livro mais curto do Antigo Testamento — o de Obadias.

Ao refletir sobre o livro de Obadias, ocorreu-me que esse livro, talvez de forma única entre os profetas do Antigo Testamento, seja o que fala mais diretamente a uma época como a nossa. A maioria dos outros livros fala para crentes do Antigo Testamento — e para os cristãos das igrejas. Todavia, Obadias proclama a visão do Deus soberano para pessoas que não conhecem teologia e não têm espaço para o conhecimento de Deus em sua vida. O público de Obadias, distintamente do público dos outros profetas, não tem a pretensão de conhecer o Senhor. Em outras palavras, ele fala para uma sociedade muito parecida com a nossa.

Nesse pequeno livro, Deus ensina-nos quem Ele é, quem são seus amigos e seus inimigos. Comecemos com a leitura, na íntegra, dessa breve profecia de Obadias, à medida que ele profetiza o julgamento de Deus sobre o povo de Edom, o povo que vive exatamente a sudeste de Judá:

> Visão de Obadias: Assim diz o Senhor Jeová a respeito de Edom: Temos ouvido a pregação do Senhor, e foi enviado às nações um embaixador, dizendo: Levantai-vos, e levantemo-nos contra ela para a guerra. Eis que te fiz pequeno entre as nações; tu és mui desprezado. A soberba do teu coração te enganou, como o que habita nas fendas das rochas, na sua alta morada, que diz no seu coração: Quem me derribará em terra? Se te elevares como águia e puseres o teu ninho entre as

estrelas, dali te derribarei, diz o Senhor. Se viessem a ti ladrões ou roubadores de noite (como estás destruído!), não furtariam o que lhes bastasse? Se a ti viessem os vindimadores, não deixariam alguns cachos? Como foram buscados os bens de Esaú! Como foram esquadrinhados os seus esconderijos! Todos os teus confederados te levaram para fora dos teus limites; os que gozam da tua paz te enganaram, prevaleceram contra ti; os que comem o teu pão puseram debaixo de ti uma armadilha; não há em Edom entendimento. E não acontecerá, naquele dia, diz o Senhor, que farei perecer os sábios de Edom e o entendimento na montanha de Esaú? E os teus valentes, ó Temã, estarão atemorizados, para que da montanha de Esaú seja cada um exterminado pela matança. Por causa da violência feita a teu irmão Jacó, cobrir-te-á a confusão, e serás exterminado para sempre. No dia em que estiveste em frente dele, no dia em que os forasteiros levavam cativo o seu exército, e os estranhos entravam pelas suas portas, e lançavam sortes sobre Jerusalém, tu mesmo eras um deles. Mas tu não devias olhar para o dia de teu irmão, no dia do seu desterro; nem alegrar-te sobre os filhos de Judá, no dia da sua ruína; nem alargar a tua boca, no dia da angústia; nem entrar pela porta do meu povo, no dia da sua calamidade; sim, tu não devias olhar, satisfeito, para o seu mal, no dia da sua calamidade; nem estender as tuas mãos contra o seu exército, no dia da sua calamidade; nem parar nas encruzilhadas, para exterminares os que escapassem, nem entregar os que lhe restassem, no dia da angústia. Porque o dia do Senhor está perto, sobre todas as nações; como tu fizeste, assim se fará contigo; a tua maldade cairá sobre a tua cabeça. Porque, como vós bebestes no monte da minha santidade, assim beberão de contínuo todas as nações; beberão, e engolirão, e serão como se nunca tivessem sido. Mas, no monte Sião, haverá livramento; e ele será santo; e os da casa de Jacó possuirão as suas herdades. E a casa de Jacó será fogo; e a casa de José, chama; e a casa de Esaú, palha; e se acenderão contra eles e os consumirão; e ninguém mais restará da casa de Esaú, porque o Senhor o disse. E os do Sul possuirão a montanha de Esaú; e os das planícies, os filisteus; possuirão também os campos de Efraim e os campos de Samaria; e Benjamim, Gileade. E os cativos desse exército dos filhos de Israel, que estão entre os cananeus, possuirão até Zarefate; e os cativos de Jerusalém, que estão em Sefarade, possuirão as cidades do Sul. E levantar-se-ão salvadores no monte Sião, para julgarem a montanha de Esaú; e o reino será do Senhor (1.1-21).

De novo, ao estudar Obadias, examinaremos:

Quem são os inimigos de Deus?
Quem são os amigos de Deus?
Quem é Deus?

Oro para que nosso estudo o ajude a responder melhor à pergunta: "Deus tem inimigos?", e a entender por que a resposta certa a essa pergunta é tão importante para sua vida.

Quem São os Inimigos de Deus (vv. 1-16)

Portanto, primeiro, quem são os inimigos de Deus?

O Orgulho

Logo nos primeiros versículos do livro, encontramos uma resposta a essa pergunta: o orgulho.

Historicamente, parece que Obadias foi escrito em algum momento após a queda de Jerusalém para a Babilônia, em 587 a.C. Em meio a essa terrível situação do povo de Deus, seus vizinhos mais próximos a sudoeste, os edomitas, não fizeram nada para ajudar (para abrandar a coisa). Os edomitas eram descendentes de Esaú, irmão de Jacó (veja Gn 36).

Mas esse pequeno livro não é apenas a condenação de uma afronta aos israelitas. Na verdade, nem mesmo sabemos se Obadias era israelita, não sabemos realmente nada sobre ele. Doze pessoas distintas do Antigo Testamento chamam-se Obadias. E talvez esse não fosse, na verdade, o nome do autor do livro. "Obadias" quer dizer "servo de Jeová", portanto, talvez o nome fosse apenas um título descritivo do mensageiro que escreveu o livro. Obadias não transmite uma mensagem pessoal, mas a Palavra de Deus: "Assim diz o Senhor Jeová a respeito de Edom: Temos ouvido a pregação do Senhor, e foi enviado às nações um embaixador, dizendo: Levantai-vos, e levantemo-nos contra ela para a guerra" (1.1).

É possível que, na época em que esse livro foi escrito, houvesse rumores de guerra, e os edomitas estivessem levemente temerosos de que os babilônios os invadissem. A linguagem de tempos de guerra de Obadias não tem a intenção de ser alarmista. Ele, genuinamente, advertia-os. O desastre estava a caminho, e ele viria de Deus! O chamado enviado às nações para fazer guerra parece um chamado para que as nações do Império Babilônio empreendam uma batalha contra Edom.

Ao mesmo tempo, nada no livro indica que Edom estivesse em uma condição particularmente inferior, quando Obadias transmitiu sua mensagem. Na verdade, a promessa de Deus de fazer o Edom "pequeno entre as nações" (v. 2) sugere que, de alguma forma, eles se achavam superiores entre as nações. Eles eram orgulhosos. Provavelmente, a mensagem de Obadias foi uma surpresa para eles. Sim, talvez houvesse alguns rumores de guerra, porém, com certeza, o povo não estava consciente do aparecimento de nenhum "julgamento". Além disso, eles viviam no alto das montanhas, em uma posição naturalmente inexpugnável, que só podiam ser alcançadas através de passagens estreitas e sinuosas. Judá acabara de cair, e, para ser honesto, essa queda enriquecera Edom. Agora, havia mais passagem de comércio norte/sul pelo lado do rio Jordão que pertencia a Edom. Em suma, os tempos eram bons.

Mas é assim que o orgulho sempre trabalha. Se você não for cristão, por favor, reconheça a futilidade de fazer com que alguma coisa que não seja Deus torne-se sua segurança final. O Senhor fez-nos a sua imagem para que pudéssemos conhecê-lo, e, um dia, Ele nos chamará a prestar contas. Não há nada mais certo neste mundo que isso. Não importa o quanto você se sinta forte, próspero ou bem-sucedido. Deus o fez para prestar contas a Ele, e você prestará. Ele é sua única segurança.

Foi isso que Obadias disse à nação de Edom, que se sentia tão forte e autossuficiente. O Senhor disse a Edom: "A soberba do teu coração te enganou, como o que habita nas fendas das rochas, *na* sua alta morada, que diz no seu coração: Quem me derribará em terra?" (v. 3) Edom era uma nação pequena, mas, como a Suíça, estava localizada em uma região aparentemente impenetrável, com rochas altas e passagens sinuosas. E o coração deles era bem semelhante a sua geografia — alto e duro, seguro e orgulhoso.

Todavia, foi exatamente nisso que eles cometeram um erro fatal. Eles pensavam que podiam ver e inspecionar todas as nações circunvizinhas por causa de sua posição. Mas eles não podiam ver a si mesmos. O orgulho iludia-os. "Se te elevares como águia e puseres o teu ninho entre as estrelas, dali te derribarei, diz o Senhor" (v. 4). Deus não estava impressionado com a defesa estratégica natural deles, como eles estavam. Mesmo se estivessem no lugar mais inexpugnável, Deus não reconhecia nenhum poder terreno nem vantagem material que pudesse opor-se ao curso de sua justiça. Assim que Ele decidisse derrubar um povo orgulhoso e ostentador, Ele faria isso. Contudo, os edomitas não tinham consciência de nada disso. Lembre, o orgulho iludia-os. Essa é a natureza do orgulho, não é mesmo?

É impressionante ver em que as pessoas orgulhosas põem sua confiança. Talvez você se lembre de aprender a respeito da famosa Linha Maginot, construída na fronteira entre a França e a Alemanha. De 1929 a 1938, a França construiu uma linha de fortificações defensivas ao longo de sua fronteira com a Alemanha sob a direção do ministro da Guerra francês, André Maginot. Armas pesadas, concreto grosso, áreas de moradia providas com sistema de ar-condicionado, áreas de recreação e até estradas de ferro subterrâneas asseguravam aos franceses que estariam seguros contra um ataque alemão. Quando o exército alemão começou a se recompor sob o comando de Adolf Hitler, os franceses, presunçosos, pensaram que podiam ignorar o assunto. Eles tinham a Linha Maginot! Claro, quando os alemães, por fim, invadiram a França entraram pela Bélgica, contornando a Linha Maginot e tornando-a totalmente inútil. Foram necessários dez anos para construí-la. Os alemães precisaram de apenas algumas semanas para contorná-la.

Amigo, esse é apenas um pequeno exemplo do que significa confiar em qualquer coisa à parte de Deus. Gaste quanto tempo quiser na construção de algo, imagine todas as coisas das quais essa obra pode protegê-lo e, mesmo assim, ela não o protegerá.

Contudo, nós queremos nossa Linha Maginot e, depois, colocamos toda a nossa confiança nela. Assim, damos atenção obsessiva para nossa aparência, nosso corpo, nossas posses, nossas realizações, nosso emprego ou nossas amizades. Confiamos *nessas coisas* para dar-nos paz e segurança. Claro que todas essas coisas são extensões de nosso poder, reflexos de nossa capacidade, declarações de nossa orgulhosa independência de Deus. Mas e se essas coisas não durarem tanto quanto você? Pense, por um momento, o que é isso que você espera que dure tanto tempo quanto você? Depois, pergunte-se: o que você fará se ela não durar? E se seu empregador, suas posses, seus pais ou seus filhos, sua casa, sua saúde, seu ministério, um relacionamento pessoal, *até mesmo sua vida física* não durarem tanto quanto você? É isso que a Bíblia ensina que acontecerá. Veja de novo: "Se te elevares como águia e puseres o teu ninho entre as estrelas, dali te derribarei, diz o Senhor" (v. 4).

Quando Deus decide julgar uma nação orgulhosa, ninguém — nenhum pacote de estímulo econômico, nenhum Departamento de Segurança Nacional — pode salvá-la. A nação que deposita sua confiança em sua força é aquela que logo encontra os limites de sua força e, por fim, a perde, exatamente como Deus prometeu a Edom, em Obadias.

Os maiores poderios deste mundo sempre decaíram. Desde a guerra dos Estados Unidos com o Vietnã, virou moda escrever sobre o declínio norte-americano. Desde 11 de setembro de 2001 quase sempre se escreve sobre a única superpotência mundial, do assim chamado poder imperialista, que restou para mencionar suas limitações e seus problemas contínuos resultantes disso. Na maior parte do século passado, o declínio britânico passou a ser um fato aceito na vida inglesa. A União Soviética caiu, assim como tiveram vida curta os impérios orgulhosos de seu poder, como os construídos por Hitler, por Mussolini, por Hiroito, pelo Kaiser Wilhelm e por Francisco José e muitos outros. Na história mundial, após o levante de todo grande poderio, segue-se o declínio do mesmo. Ter poder é uma das experiências mais difíceis que os seres humanos — individual ou coletivamente — podem conhecer. Ele não dura. Os cristãos precisam ser aqueles que entendem a natureza passageira do poder e que falam a respeito do assunto, de forma honesta, humilde e amorosa.

Edom não era uma superpotência, era uma nação pequena. Mas era uma nação orgulhosa. E tal orgulho nunca é adequado para criaturas como nós.

A humildade é a forma de Deus. O Senhor, em humildade, pôs a carne humana sobre Jesus Cristo. Cristo, em humildade, veio e lavou os pés de seus discípulos, apontando para uma purificação ainda maior. Cristo, em humildade, veio para sua morte na cruz, oferecendo essa purificação máxima dos pecados para todos que se arrependem e crêem nEle. A humildade é a forma de Cristo.

Como também deve ser para todos os cristãos. Deus odeia o orgulho (cf. Pv 6.16,17). Por essa razão, devemos nos humilhar diante dEle.

Se você for cristão, deixe-me lembrá-lo que a humildade é o fruto do Espírito de Deus em você. Esse é o resultado típico da obra típica de Deus. Sinta-se encorajado quando luta contra o orgulho. É o Espírito Santo de Deus em operação! Da mesma forma, preocupe-se quando vir seu orgulho com indulgência complacente. John Stott, sabiamente, escreveu: "Em todo estágio de nosso desenvolvimento cristão e em toda esfera de nosso discipulado cristão, o orgulho é nosso pior inimigo, e a humildade nosso melhor amigo".[4]

Se você se sentir ofendido com a idéia de que o orgulho é nosso pior inimigo, examine que outras coisas o ofendem. Se você fosse mais humilde encontraria menos coisas que o ofendem. Se você sabe o que merece por causa de seus pecados, e como Deus, em Cristo, foi misericordioso com você, então haveria menos coisas com que se ofender, quando alguém o trata muito melhor do que seus pecados merecem. Isso é verdade para nós como indivíduos e como igreja. Que nossas igrejas não esqueçam que dependemos totalmente de Deus. O perigo das bênçãos que o Senhor dá para nossas igrejas é que comecemos a confiar mais nas bênçãos que no Deus que as dá. Que Deus nos proteja desse orgulho, o orgulho que o torna nosso inimigo. Ele nos julgará por isso.

Os Oponentes do Povo de Deus

Mas o que exatamente Edom fez? Como seu orgulho manifestou-se? Os versículos 5-16 respondem a essas perguntas. Aqui, descobrimos que Deus não se opõe apenas ao orgulho, mas àqueles que se opõem a seu povo.

No versículo 5, Deus mostra que o orgulho de Edom os levou a cometer um pecado abominável contra Judá, pecado esse que Ele compara com a ação de ladrões e de catadores de uva: "Se viessem a ti ladrões ou roubadores de noite

[...] não furtariam o que lhes bastasse? Se a ti viessem os vindimadores, não deixariam alguns cachos". Em outras palavras, nem os ladrões nem os vindimadores pegam *tudo*. Eles pegam apenas o que precisam. Todavia, Edom foi impiedoso no tratamento que dispensou a Judá. Provavelmente, se você já foi vítima de roubo, teve pensamentos estranhos de vulnerabilidade, de raiva e de violação que, com freqüência, essas vítimas vivenciam. No entanto, Deus diz a Edom que esse sentimento de injustiça que as vítimas de roubo sentem não retrata de forma adequada a injustiça que os edomitas cometeram contra os israelitas.

E a imagem do que um ladrão faz também é inadequada para retratar a perda que Deus traria para Edom. No meio do versículo 5, o Senhor declara: "Como estás destruído!" A destruição deles não seria parcial, as nações entrariam em suas fortalezas e deixariam suas cidades e suas casas despidas. "Como foram buscados os bens de Esaú! Como foram esquadrinhados os seus esconderijos!" (v. 6) Não havia investimento seguro, não havia moradia segura. Todas as proteções e as precauções seriam inúteis, pois Deus usaria a Babilônia para conquistá-los e saqueá-los. Com a proteção de Deus, há segurança em meio a incontáveis perigos, sem ela, no fim, todas as outras proteções são inúteis.

E quem melhor para trazer o julgamento de Deus que os mesmos em que Edom confiou e em quem descansou, em vez de confiar e descansar no Senhor? "Todos os teus confederados te levaram para fora dos teus limites; os que gozam da tua paz te enganaram, prevaleceram contra ti" (v. 7a). Se você gosta de filmes de suspense, sabe que os diretores hábeis, com freqüência, fazem com que um personagem ingênuo e extremamente crédulo deposite sua confiança em outro indivíduo que parece ser seu amigo ou aliado, mas que, na verdade, é um inimigo mortal dele. Os edomitas depositaram confiança excessiva nos babilônios, e, agora, seus protetores se tornarão seus devoradores: "Os que comem o teu pão puseram debaixo de ti uma armadilha; não há em Edom entendimento" (v. 7b). Os edomitas pensavam que eram sábios, mas foram enganados. Eles não perceberam nada.

Deus promete que o orgulhoso será humilhado. E Ele abomina a nação que trata os outros povos como se estes pertencessem a sua nação, em vez de pertencer a Deus.

Principalmente, quando esse povo é o povo especial de Deus!

Ao longo da Bíblia, Deus faz esse ponto. Você se lembra do que o Cristo ressurrecto disse a Saulo, o perseguidor de cristãos, quando apareceu a ele na estrada de Damasco? "E, caindo em terra, ouviu uma voz que lhe dizia: Saulo, Saulo, por que me persegues?" (At 9.4) Cristo se identifica tanto com seu povo que se refere a ele como a si mesmo. No livro de Obadias, Deus demonstra um tipo de identificação semelhante com seu povo. Os atos contra o povo de Deus são atos contra Ele.

Se você age contra o povo de Deus, age contra Ele. Na verdade, a Bíblia ensina que todos nós pecamos, não apenas Edom: "Porque todos pecaram e destituídos estão da glória de Deus" (Rm 3.23). Todos nós nos apartamos de Deus por causa de nossos atos.

No versículo 8, Deus reafirma sua promessa de destruir Edom, mas em termos muito mais explícitos: "E não acontecerá, naquele dia, diz o Senhor, que farei perecer os sábios de Edom e o entendimento na montanha de Esaú?" Qualquer inteligência e juízo demonstrado anteriormente no arranjo dos assuntos políticos de Edom eram superficiais e sem visão. Agora, seus homens sábios não podiam salvá-los.

Nem seus homens fortes: "E os teus valentes, ó Temã, estarão atemorizados, para que da montanha de Esaú seja cada um exterminado pela matança" (v. 9). Por que isso aconteceria? "Por causa da violência feita a teu irmão Jacó", porque Edom, ou Esaú, era irmão de Jacó (também chamado de "Israel"). Deus refere-se a eles de acordo com o ancestral que determina a identidade deles — Esaú para os edomitas, e Jacó para os israelitas. O ponto mais abrangente, claro, é demonstrar como foi ultrajante Edom não oferecer hospitalidade para os fugitivos israelitas, mas violência. A violência deles não foi contra estranhos, mas contra *irmãos*. O Senhor declara que por causa desse ultraje, "cobrir-te-á a confusão, e serás exterminado para sempre" (v. 10b). Veja que Deus não os destruirá temporariamente, enquanto envia os israelitas temporariamente para o exílio. Ele os destruirá para sempre. Deus se importa com a forma como tratam seu povo.

Por isso, uso minhas orações pastorais das manhãs de domingo para pedir a Deus que dê um governo justo, que não se oponha à propagação do evangelho do Senhor, para os cristãos ao redor do mundo. Todas as nações e os governos ao redor do mundo deveriam perceber que abusar de seus cidadãos não é algo que sirva ao melhor interesse da nação. Deus fez todas as pessoas a sua imagem para que o adorem livremente, e Ele chamou seu povo especificamente a adorá-lo. Como já dissemos, opor-se ao povo de Deus é opor-se a Ele, como Edom o fez.

Nos versículos 11—14, Obadias explica de forma mais completa a natureza da violência de Edom contra Israel. Parte da violência deles foi apenas condescender com a violência dos outros: "No dia em que estiveste em frente dele, no dia em que os forasteiros levavam cativo o seu exército, e os estranhos entravam pelas suas portas, e lançavam sortes sobre Jerusalém, tu mesmo eras um deles" (v. 11).

Toda nação deveria saber melhor, mas Edom, em especial, em vista de seu relacionamento com Judá, deveria saber melhor ainda. Por isso, Deus repreende-os: "Mas tu não devias olhar para o dia de teu irmão, no dia do seu desterro; nem alegrar-te sobre os filhos de Judá, no dia da sua ruína; nem alargar a tua boca, no dia da angústia" (v. 12). O Senhor, com o verbo "olhar", não se refere a um olhar passivo, mas a uma condenação ativa e com satisfação maligna. E mais, os edomitas juntaram-se aos destruidores de seus irmãos. "Nem entrar pela porta do meu povo, no dia da sua calamidade; sim, tu não devias olhar, satisfeito, para o seu mal, no dia da sua calamidade; nem estender as tuas mãos contra o seu exército, no dia da sua calamidade" (v. 13). Edom tirou vantagem da situação e se aproveitou da fraqueza de Judá. Como saqueadores após um furacão, eles pilharam as provisões da família. Edom tornou-se cúmplice da destruição e do assassinato de seus irmãos.

O livro de Obadias, em tudo isso, pressagia a figura de Herodes que, como sabemos de fontes adicionais, era descendente dos edomitas. Ele também atacou as crianças de Belém na tentativa de matar o escolhido de Deus.

Ao longo de sua vida, esse escolhido enfrentou o tipo de oposição descrita em Obadias. Ele recebeu oposição e rejeição dos homens. E, um dia, os que se opõem a Deus e a seu povo, como os edomitas no livro de Obadias, enfrentarão a "ira do Cordeiro" (Ap 6.16).

Os edomitas foram implacáveis em seu pecado. "Nem parar nas encruzilhadas, para exterminares os que escapassem, nem entregar os que lhe restassem, no dia da angústia" (v. 14). Se os ladrões pegam apenas o que precisam, eles têm mais consideração que os edomitas! Edom esperava os que escapavam na encruzilhada. Quando encontravam sobreviventes, os levavam para os assassinos destes. Os invasores não conheciam as estradas locais, mas os edomitas conheciam. E eles levavam os invasores diretamente para os pobres que conseguiam escapar.

Tenha em mente que isso não é um conto de fadas horripilante, isso aconteceu de verdade. Isso é história. Houve um ataque real, um cerco real e uma queda real. Pessoas reais correram de Jerusalém aos berros. E foi nas estradas de Edom, onde chegaram após uma fuga exaustiva, estradas essas que representavam a única esperança de sobrevivência dos israelitas, que seus primos, os edomitas, esperavam de tocaia e, depois, agarravam-nos na esperança de cair nas boas graças dos superpotentes babilônios.

Algumas pessoas acham que o tom indignado do livro sugere que alguns parentes de Obadias foram derrubados pelos edomitas. Não sabemos. Sabemos que o Senhor ficou indignado com os edomitas, quer os parentes de Obadias estivessem presentes quer não. Os edomitas dificilmente poderiam reclamar que o Senhor estava sendo muito severo com eles.

Deus traria justiça: "Porque o dia do Senhor está perto, sobre todas as nações; como tu fizeste, assim se fará contigo; a tua maldade cairá sobre a tua cabeça" (v. 15).

Há muitas implicações da justiça de Deus que deveríamos examinar, mas deixe-me apontar apenas uma. Como cristãos, a promessa da justiça divina deve nos encorajar. Ela deve encorajar-nos quando enfrentamos pessoalmente sofrimento injusto, e deve encorajar-nos quando sabemos que nossos irmãos e irmãs cristãos, ao redor do mundo, enfrentam sofrimento injusto. As coisas nem sempre serão assim!

Além disso, devemos esperar que o mundo nos odeie e se oponha a nós da mesma forma como odeia e se opõe àquEle que seguimos — Cristo. Se você reclama das provações que experimenta por seguir a Cristo, pergunto-me quem você acha que segue. Afinal, como foi a vida de Cristo? Como podemos reclamar quando coisas menores que as que Ele sofreu acontecem conosco? Sofrimento e perseguição fizeram parte do caminho de Cristo (cf. 1 Pe 2).

Sabemos por meio do estudo de outros profetas que fizemos nesta série que Deus puniu Judá por sua idolatria. Deus, apesar de seu governo soberano, usou o exército babilônio para invadir, conquistar e exilar seu povo. Da mesma forma, acreditamos que a complacência pecaminosa de Edom também foi ordenada por Deus como parte de sua punição para seu povo. Como o Senhor operou tudo isso é algo que está além do nosso alcance. Mas isto está muito claro: embora *Deus* tenha usado os edomitas para ajudar a trazer julgamento sobre Judá, os *edomitas* não tinham a intenção de servir como ministros da justiça do Senhor. Ao mesmo tempo em que o Senhor buscava o que era santo e certo, os edomitas — como a horda de saqueadores que destruiu a família de Jó, conforme o desejo maligno deles — buscavam o que era carnal e errado, e todo o tempo foram usados por Deus para realizar seus propósitos bons e perfeitos. Deus usa seus inimigos com a mesma habilidade com que o cirurgião usa o bisturi para cortar, mas isso não quer dizer que os inimigos de Deus sejam isentos de responsabilidade e de punição. Eles são julgados por sua maldade. "Como tu fizeste, assim se fará contigo; a tua maldade cairá sobre a tua cabeça" (v. 15b). Ou, como Jesus diria algum tempo depois: "Porque com o juízo com que julgardes sereis julgados, e com a medida com que tiverdes medido vos hão de medir a vós" (Mt 7.2).

Meu irmão, nós que pertencemos à igreja não devemos nunca ser, sem nos dar conta, co-conspiradores involuntários daqueles que perseguem o povo de Deus, pois somos parte do povo de Deus perseguido! Por essa razão, temos de lembrar a importância da membresia da igreja, algo que nos ajuda a nos identificarmos clara e publicamente com o povo do Senhor. A membresia da igreja lembra-nos que não podemos confiar na cultura mundana para definir a virtude e o bem.

Infelizmente, a igreja norte-americana enfraqueceu-se durante décadas por abraçar a cultura do país. No século XIX, os Estados Unidos, como um todo, vivenciou grandes reformas, e muitos cristãos baixaram a guarda e começaram a achar que Deus usaria a cultura, de forma ampla, como seu principal instrumento de reforma e de cuidado de seu povo. Mas isso não aconteceu! Hoje, vemos os efeitos desse engano em todas as coisas em que a Igreja foi modelada pela cultura, do casamento ao recato e moderação, da moralidade ao próprio homicídio. Os cristãos têm de reconhecer que Deus nos ensina a viver de acordo com suas leis, independentemente do que o Estado ou a cultura digam que é vício ou virtude.

Aqueles que trabalham no governo, na lei, ou são responsáveis por moldar a opinião pública de inúmeras formas, têm responsabilidade pessoal em estabelecer argumentos públicos que promovam a justiça de Deus. Todavia, nós, cristãos, nunca devemos limitar nossa compreensão do que é bom e certo às avaliações da cultura como um todo. Não, nós edificamos uma cultura na igreja, cultura essa que deve ajudar o povo de Deus, não feri-lo.

Também não devemos limitar nossa ajuda a outros cristãos àqueles que são da nossa congregação. Ao contrário, temos de trabalhar ativamente para ajudar outras igrejas, como Paulo fez muitas vezes com as igrejas do Novo Testamento. Ele exemplificou e ensinou às igrejas a prática da bondade com outras congregações por intermédio da oração, do envio de professores e da coleta de ajuda. Por isso, nossa congregação mantém um programa de "turismo de fim-de-semana", em que convidamos pastores e seminaristas a se juntarem a nós para uma série de seminários e de cultos durante três fins de semana por ano. Nossos convidados não nos pagam nem nos beneficiam de outra forma direta que não o encorajamento da comunhão com eles, mas esperamos abençoar a eles e às igrejas para as quais trabalham. Nas manhãs de domingo, oramos publicamente pelas outras igrejas, por nossa nação e pelo mundo todo. Enviamos nossa literatura e nossas conferências para outras igrejas e líderes de igrejas. Iniciamos um programa de internato pastoral. Iniciamos o programa *9Marks* (9Marcas) com a finalidade de realizar vários desses objetivos. Nós apoiamos os seminários. Fazemos colaborações em dinheiro para o Programa de Cooperação Batista do Sul. A igreja permite que eu viaje e pregue em outros púlpitos. Isso ajuda diretamente nossa congregação? Talvez isso me exponha a outras igrejas, o que, por sua vez, beneficia nossa congregação. Mas, acima de tudo, essa é uma forma de enviar amor e cuidado e demonstrar nossa preocupação para com nossos irmãos. Da mesma forma que quando um dos presbíteros vai para a Ásia Central, quando um dos diáconos viaja para a Romênia, ou quando os membros da congregação lideram seus vários locais de ministério, toda nossa família da igreja ora e se esforça, em conjunto, para enviar esse amor e esse cuidado e demonstrar essa preocupação por outros cristãos. Nós doamos cerca de um quarto do dinheiro que nossa igreja arrecada para propósitos externos às paredes desta igreja e, a todos os anos, tentamos aumentar o percentual do orçamento da nossa igreja destinado a missões. Em suma, tentamos, pela graça e pela bondade de Deus, fazer para o povo de Deus o oposto do que fizeram os edomitas. Deus chama todos os cristãos e todas as igrejas a fazer o mesmo.

As igrejas cristãs devem ser marcadas por esse tipo de generosidade à medida que trabalhamos para amar, de forma especial, àqueles que Deus ama de forma especial. No livro de Obadias, Deus é um ferrenho inimigo pessoal do orgulhoso e do opositor de seu povo, porque Ele ama ardentemente seu povo.

Quem São os Amigos de Deus? (vv. 17-21a)

A fúria e o amor pessoal de Deus levam-nos à segunda pergunta: quem são os amigos de Deus?

No versículo 13 de Obadias, Deus chama os israelitas de "meu povo". Contudo, talvez você se pergunte se todas as pessoas não são, na verdade, o povo de Deus. Afinal, Ele fez todas as pessoas, e as fez a sua imagem. Nesse sentido, sim, todas as pessoas são o povo de Deus. No entanto, ao longo do Antigo e do Novo Testamento, o Senhor também demonstra uma preocupação especial por um círculo menor de pessoas a quem chama de "meu povo", como o faz com os israelitas nessa passagem. Esse círculo menor de pessoas são aquelas a quem Ele falou, e que se arrependeram de seus pecados, e aceitaram Deus em sua palavra. Deus também promete julgar as pessoas do "círculo maior", se você preferir esse termo, por perseguir ou por rejeitar as do círculo menor. Lembre-se do que Jesus disse a respeito das cidades que não recebessem seus discípulos:

> E, se ninguém vos receber, nem escutar as vossas palavras, saindo daquela casa ou cidade, sacudi o pó dos vossos pés. Em verdade vos digo que, no Dia do Juízo, haverá menos rigor para o país de Sodoma e Gomorra do que para aquela cidade (Mt 10.14,15; cf. 2 Ts 1.6-8).

Em outras palavras, Obadias não ensina apenas que Deus é o Juiz de todos que são orgulhosos e que se opõem a seu povo, mas também ensina que Ele é o Amigo de seu povo. Ele se importa com seu povo.

Se você não for cristão, já pensou em se tornar um dos integrantes do povo de Deus? Talvez você tenha presumido que, pelo nascimento, fazia parte do povo do Senhor. Mas a única forma de você fazer parte do povo de Deus — alguém que pertence a Ele — é ouvir as promessas da Palavra dEle, acreditar nessas promessas e, depois, responder a elas. Sem fé nas promessas de Deus, pode apenas esperar o correto julgamento do Senhor por causa de seus pecados. No entanto, se você receber as promessas do Senhor em Jesus Cristo, pode tornar-se amigo dEle agora e para sempre. Por isso, Deus se fez carne, tornou-se homem, viveu uma vida perfeita entre nós, morreu na cruz e sofreu a punição justa pelos pecados de todas as pessoas que se afastam de seus pecados e crêem em Cristo e em suas promessas.

Aqui em Obadias, o povo de Israel caiu sob o julgamento do Senhor, mas Ele ainda não acabara com eles. Embora também tenham sofrido, no fim, teriam um destino distinto do de Edom.

O Senhor, em uma reversão dos destinos de Israel e de Edom, falou:

> Mas, no monte Sião, haverá livramento; e ele será santo; e os da casa de Jacó possuirão as suas herdades. E a casa de Jacó será fogo; e a casa de José, chama; e a casa de Esaú, palha; e se acenderão contra eles e os consumirão; e ninguém mais restará da casa de Esaú, porque o Senhor o disse (vv. 17,18).

Em meio às palavras de julgamento contra Edom, Deus também fala palavras de esperanças para seu povo. Não apenas o povo mal recebe justiça, mas o povo de Deus é restaurado.

Inegavelmente, nossas experiências de sofrimento e de dor, como filhos do Senhor, fazem com que exploremos de forma mais plena a profundidade e a extensão do amor de Deus à medida que temos de depender mais completamente dEle. Nossas provações ensinam-nos a não ter esperança nas outras coisas em que, de maneira errônea, confiamos, pois elas nos ensinam a não ter esperança em nós mesmos, mas ensinam-nos a confiar em Cristo, o Filho de Deus, que nos fez amigos do Senhor. Como Jesus disse a seus seguidores: "Vós sereis meus amigos, se fizerdes o que eu vos mando. Já vos não chamarei servos, porque o servo não sabe o que faz o seu senhor, mas tenho-vos chamado amigos, porque tudo quanto ouvi de meu Pai vos tenho feito conhecer" (Jo 15.14,15).

Da mesma forma, aqui em Obadias, o povo de Deus recebe esperança em meio ao desespero, como se o Senhor prometesse trazê-los de volta à vida. Na verdade, nestes versículos finais, Deus promete a seu povo que voltarão do exílio e receberão de volta a terra perdida:

> E os do Sul possuirão a montanha de Esaú; e os das planícies, os filisteus; possuirão também os campos de Efraim e os campos de Samaria; e Benjamim, Gileade. E os cativos desse exército dos filhos de Israel, que estão entre os cananeus, possuirão até Zarefate; e os cativos de Jerusalém, que estão em Sefarade, possuirão as cidades do Sul. E levantar-se-ão salvadores no monte Sião, para julgarem a montanha de Esaú (vv. 19-21a)

Deus tornará o monte Sião santo de novo, Ele habitará de novo com seu povo. Em certo sentido, essas promessas são cumpridas em poucas décadas, quando uma quantidade de israelitas volta do exílio da Babilônia para a terra de Judá. Mas o autor também parece perceber vagamente que esse reino ressurrecto incluirá *todo* o povo de Deus. Por isso, ele faz referência à "casa de José". A casa de José faz parte do Reino do Norte dispersado entre as nações havia 150 anos. Em última instância, o cumprimento a que Obadias se refere não foi vivenciado por Esdras ou por Neemias, dois dos que retornaram do exílio. Antes, em última instância, as palavras do Senhor, proferidas por intermédio de Obadias, cumprir-se-ão quando o povo do Senhor estiver no lugar dEle e sob o governo dEle por meio do Senhor Jesus Cristo. Que bênção temos em Cristo! Libertação. A promessa de uma herança nEle. Justiça. A Palavra de Deus. O amor imerecido de Deus. Nós, como o povo dEle em sua igreja, já começamos a vivenciar essas bênçãos de Deus. Os amigos de Deus são seu povo especial, separados em Cristo para desfrutar as bênçãos que desfrutamos!

QUEM É DEUS? (V. 21B)

Por fim, devemos olhar a última frase de Obadias: "E o reino será do Senhor" (v. 21b). Essa sentença aponta-nos para todas as coisas que, hoje, as pessoas não entendem de forma alguma. Mas se quisermos entender Obadias, o Antigo Testamento e até a Bíblia, temos de entender essas coisas. O reino será do Senhor. Em outras palavras, o Senhor é Rei sobre todas as nações, e Ele demonstra isso pela forma como trata Edom e Judá. A verdadeira mensagem desse pequeno livro é o reinado de Deus. O Senhor usou Obadias para mostrar a Edom e a Judá que Ele é o Rei. Ele usou esse profeta para mostrar à Babilônia que Ele é o Rei.

Bem, o fato de Deus se proclamar Rei encoraja ou alarma você? Sem dúvida, isso era encorajador para o povo de Deus do Antigo Testamento. Todavia, lembre-se que essa visão se dirige originalmente a não-crentes — os edomitas. Na verdade, parece que Obadias é o único livro da Bíblia escrito originalmente para não-crentes. Por que profetizar para não-crentes? Para pessoas que Deus julgaria? Para pessoas orgulhosas, injustas e insensíveis? Pessoas que eram inimigas de Deus? Que não criam? Por que Deus declara, *mesmo para seus inimigos*, a verdade a respeito de si mesmo e o que a rebelião traz.

Para muitas pessoas, o fato de haver essa declaração de que Deus tem "inimigos" é algo que soa simplesmente assustador. Na verdade, hoje, associamos isso a atos de terrorismo e à escalada da violência em certas regiões do mundo. A idéia de que Deus tem um propósito em todas as coisas e de que devemos nos alinhar a esse propósito soa, bem, tão absoluta! Com certeza, os céticos contestarão: "A noção de que a história caminha para algum lugar não é uma ilusão inventada para dar sentido a nossa breve vida? Hitler banhou os campos da Europa com o sangue de milhões a fim de construir seu sonho de um *reich* de mil anos. A visão de Karl Marx de dar sentido à vida das pessoas, colocando-as em uma marcha inevitável da história, gerou revoluções e tiranias que também levaram a incontáveis mortes. Essas visões de propósitos e de sentidos últimos não são apenas falsas, mas também terrivelmente perigosas?" Se você, como eu, trabalha em uma universidade secular, espera-se que você ensine isso.

Karl Popper, filósofo político, adotou essa linha de ceticismo em sua obra máxima, *A Sociedade Democrática e seus Inimigos*, em que culpa Platão, Hegel, Marx e outros por impor sentido à história à custa da liberdade. Sem dúvida, os cristãos concordam com muitas coisas na acusação de Popper. Nós também não queremos, nas instituições nacionais públicas e privadas, o estado de imposição coercitiva e violenta do conceito de sentido de alguns filósofos. Mas também achamos a solução de Popper para a tirania perturbadora e preocupante. Ele diz que os Estados e os indivíduos devem permanecer perpetuamente abertos para todas as possibilidades de sentido e de verdade, exceto para todas as possibilidades falsas (que se provaram falsas). Popper não quer dizer com isso que devemos permanecer "abertos" até que encontremos a resposta certa para as questões máximas da vida. Ele quer dizer que devemos permanecer *perpetuamente abertos* — para sempre, por princípio. Abertos a quê? Não pergunte. Popper diz que, afinal, não podemos provar que qualquer coisa é verdade, pois só podemos provar que alguma coisa não é verdade. Alguém pode se perguntar que verdades *ele* descobriu que lhe permitem "abraçar" essa solução! Não, a resposta a uma inverdade e a uma inverdade perigosa não é deixar o próprio conceito de verdade sem limites, como faz Popper. Isso, em si mesmo, é uma inverdade que, intrinsecamente, se contradiz. Ao contrário, nós, cristãos, acreditamos que a resposta à tirania é lembrar a *verdade* de que toda autoridade humana no governo, nos negócios, em casa e na igreja é apenas parcial, temporária e subordinada à autoridade de Deus. As pessoas por quem somos responsáveis não pertencem a nós. Elas pertencem apenas a Deus. Somos apenas os administradores da autoridade dEle neste mundo, não somos jamais os detentores dela.

Caso você seja cético em relação à idéia de que a história tem um sentido e muito mais cético em relação à noção de que Deus tem amigos e inimigos, gostaria apenas de perguntar-lhe: Então, por que parece que todo o mundo, ao longo da história, procurou sentido para sua vida? Por que eles querem isso? Com certeza, apresentaram-se muitas propostas distintas para qual é o sentido da vida, mas o que me interessa é o fato de todos buscarem saber isso. Talvez, como sugeriu Freud, seja por que a falta de sentido faz com que todos nós queiramos criar um sentido. Mas por que existe esse instinto de criar um sentido? Talvez você lembre o grande clássico teológico *Os Caçadores da Arca Perdida*. No final do filme, o governo dos Estados Unidos, agora em posse da antiga arca israelita da aliança, esconde a verdadeira arca em um engradado de madeira de aparência comum no meio de um armazém com milhares de engradados semelhantes. Muitas vezes, as falsificações *não* provam que há apenas falsificações, mas que *há* um original.

Dia virá em que acabarão todos os debates filosóficos a respeito do sentido da vida, e, nesse dia, você e eu ficaremos diante de Deus, aquEle que nos criou e que nos julgará. Se você não for cristão, devo adverti-lo, haverá um encontro que você não pode protelar nem evitar. E, nesse dia, será exposto tudo em que você acreditou ao longo de sua vida, seja sua crença na obediência aos Dez Mandamentos, seja o fato de ser batizado, seja ser cidadão de um país que você pensava ser "cristão", seja nunca ter maltratado seu cônjuge, seja você ser bastante bom, pelo menos, boa parte do tempo. Estou aqui para lhe dizer que *nada* do que você acreditou até esse encontro com Deus o salvará. O Senhor deve julgá-lo, e o julgará, por seus pecados, porque Ele é Deus justo. Sua única esperança repousa naquEle que se deu para sofrer a pena pelos pecadores. A única esperança para você e para mim é nos voltarmos para Cristo e crermos nEle. Se você crê e confia na obra de Cristo na cruz, há grande esperança para você na promessa de Obadias de que "o reino será do Senhor".

Se você faz parte do povo de Deus, medite a respeito dessa última sentença de Obadias. Ela revela o propósito de Deus para a história. A seguir, pense na perfeição do governo de Deus sobre toda a vida e na infalibilidade do governo dEle. Ele triunfará, e seu triunfo será total. Isso é o que precisamos saber para nossa vida.

Isso também é o que nossas igrejas precisam saber para os momentos em que vivenciam o declínio, para os momentos em que experimentam o crescimento e para os momentos em que enfrentam a hostilidade legal, o que provavelmente acontecerá se os pastores continuarem a pregar fielmente a Bíblia. Devemos nos lembrar que, sejam quais forem as circunstâncias, Deus é o grande Rei, o Criador e o Juiz do universo e o Senhor da história. Ele é aquEle que se vingará de seus inimigos (cf. Jr 51), e aquEle que trará benevolência para os pecadores, se eles, em Cristo, apenas se aproximarem dEle.

Conclusão: Quem é Você?

As primeiras pessoas que ouviram a breve profecia de Obadias devem ter ficado comovidas com o compromisso de Deus de que Ele vingaria as perdas de seu povo. O compromisso do Senhor é claro e firme.

Por isso, Edom foi destruído? Sim, no século seguinte, primeiro, Edom foi invadido pelos árabes. A seguir, sofreu uma invasão após outra até que, por fim, a nação dissolveu-se. E nunca foi restaurada.

Os israelitas foram restaurados? Sim, parcialmente. Todavia, a restauração total profetizada por Obadias começou quando Jesus Cristo veio e declarou que se iniciara o Reino de Deus e, depois, introduziu muitos judeus e não-judeus no Reino de Deus. Quando Cristo tornou-se carne e viveu entre nós, mostrou-nos a verdade e deu a possibilidade de sentido para nossa vida. Como Jesus disse a seus discípulos: "Quem me vê a mim vê o Pai" (Jo 14.9). Judeus e gentios vieram juntos para sua nova vida na igreja de Cristo, e o governo de Deus tornou-se visível.

Isso mostra alguma coisa sobre quem é Deus, de quem são seus amigos e de quem são seus inimigos.

Minha pergunta para você é: Quem é você? Você é um amigo ou um inimigo de Deus? A Bíblia ensina que, por natureza, cada um de nós é inimigo do Senhor. Essa é a linguagem da Bíblia, não a de algum grupo de cristãos fundamentalistas com espírito mesquinho e mente estreita. O apóstolo Paulo ensinou que "tanto judeus como gregos, todos estão debaixo do pecado" (Rm 3.9). Ele também ensinou que todos nós somos "por natureza filhos da ira [de Deus]" (Ef 2.3). E Jesus ensinou que todos os nossos atos e nossos pensamentos maus revelam nosso coração pecador (Mc 7.20-23).

Mas "inimigos"? Deus realmente tem "inimigos"? Eis como o autor de Hebreus trata essa questão: "Porque, se pecarmos voluntariamente, depois de termos recebido o conhecimento da verdade, já não resta mais sacrifício pelos pecados, mas uma certa expectação horrível de juízo e ardor de fogo, que há de devorar os adversários" (Hb 10.26,27). Os inimigos de Deus são aqueles que pecam contínua e voluntariamente. Ou como Tiago declara: "Adúlteros e adúlteras, não sabeis vós que a amizade do mundo é inimizade contra Deus? Portanto, qualquer que quiser ser amigo do mundo constitui-se inimigo de Deus" (Tg 4.4).

Amigo, pergunto-lhe, você é um dos inimigos de Deus? Se sim, ouça as palavras de Paulo para uma geração antiga de inimigos de Deus: "Rogamos-vos, pois, da parte de Cristo que vos reconcilieis com Deus. Àquele que não conheceu pecado, o fez pecado por nós; para que, nele, fôssemos feitos justiça de Deus" (2 Co 5.20,21; cf. Rm 5.10).

De acordo com a Bíblia, todos nós somos inimigos de Deus. A questão é se você se reconciliou com Ele por intermédio de Cristo.

Oremos:

Oh, Deus, vemos em sua Palavra sua oposição justa a nós em nossa rebelião contra o Senhor. E enxergamos em nosso coração nossa oposição errada ao Senhor em sua amorosa autoridade. Em nome de Cristo pedimos, perdoe-nos e transforme-nos. Amém.

Questões para Reflexão

1. Deus tem inimigos? Quem são eles? Em que passagem a Bíblia descreve Deus odiando alguém? A quem essa passagem diz que Ele odeia?
2. Como o orgulho pode nos levar a pôr nossa confiança em alguma outra coisa, mas não em Deus?
3. Qual é sua Linha Maginot? Em outras palavras, nos últimos anos, em que você trabalhou arduamente para construir em sua vida que acha que lhe fornecerá paz e segurança?
4. A história demonstra amplamente que todo grande poder passa. Portanto, como os cristãos devem se identificar com sua fé e com suas igrejas, e como isso se compara a como se identificam como cidadãos? Qual é o desafio característico do cidadão cristão de uma nação que tem um grande papel no cenário mundial? Qual é o desafio característico do cidadão cristão de uma nação com um papel menor, ou nenhum papel, no cenário mundial?
5. Como vimos, John Stott escreveu: "Em todo estágio de nosso desenvolvimento cristão e em toda esfera de nosso discipulado cristão, o orgulho é nosso pior inimigo, e a humildade nosso melhor amigo". Aceitando o fato de que o nosso conhecimento de nós mesmos está longe de ser perfeito, em que "estágio" de seu desenvolvimento cristão você está no momento? Como o orgulho age na pessoa que está em seu estágio específico de desenvolvimento? Que passos você adota para combater o orgulho com humildade? Qual é o estágio de desenvolvimento posterior ao seu estágio atual? Como o orgulho age na pessoa nesse estágio?
6. Deus prometeu julgar os edomitas, em parte, por que Ele se identifica intimamente com seu povo, e os edomitas abusaram de seu povo. Como Deus se identifica conosco de forma mais perfeita? O que a identificação dEle conosco representa para nós, como cristãos, que sofrem neste mundo?
7. Por que a doutrina da justiça de Deus é encorajadora? O que as igrejas roubam de seus membros quando não ensinam sobre a justiça de Deus?
8. Por que o problema que enfrentamos por sermos cristãos não deve nos surpreender? Como devemos responder às pessoas que nos causam problemas?
9. Como os cristãos, involuntariamente, isto é, sem perceber, conspiram, junto com o mundo, contra os irmãos cristãos ao persegui-los e abusar deles? Por que a membresia em uma igreja local é a melhor defesa contra esse tipo de abuso interno?
10. Como você pode encorajar sua igreja a fazer um trabalho melhor no que diz respeito ao cuidado das outras igrejas de sua cidade?
11. Por que a idéia de que Deus é o Rei que dá sentido à história é uma proposta assustadora para as pessoas? De que formas nós, os cristãos, podemos legitimamente entender os temores deles? Por que a solução oferecida pelo cético

contemporâneo — de jogar fora o conceito de "verdade" — é insuficiente e perigosa?

12. Você consegue pensar em algum exemplo em que a existência de falsificações indica a existência da coisa verdadeira? Qual é a importância dessa analogia para o excesso de religiões diferentes que existem no mundo?

13. Você é amigo ou inimigo de Deus? Como você sabe? Você tem certeza disso? E se você estiver errado?

Notas

Capítulo 31

[1] A data de pregação original deste sermão foi em 21 de setembro de 2003, na Capitol Hill Baptist Church, em Washington, D.C.
[2] Samuel Huntington, The Clash of Civilization and the Remaking of World Order (Nova York: Touchstone, 1997), p. 130.
[3] Bernard Lewis, "The Roots of Muslim Rage", Atlantic Monthly, setembro de 1990, pp. 47-60.
[4] John Stott, "Pride, Humility, and God", em J. I. Packer e Loren Wilkinson, eds., Alive to God (Downers Grove, Ill.: InterVarsity Press, 1992), p. 119.

A MENSAGEM DE JONAS: VOCÊ PODE SE ESCONDER DE DEUS?

AMAR E VIVER COMO DEUS

INTRODUÇÃO A JONAS

VOCÊ ESTÁ FUGINDO DA VONTADE DE DEUS? (CAPS. 1—2)
Deus Chama Jonas para Pregar
Jonas Foge de Deus
Deus Alcança Jonas
Jonas Responde a Deus com Louvor

VOCÊ ESTÁ FUGINDO DO AMOR DE DEUS? (CAPS. 3—4)
Deus Chama Jonas para Pregar novamente
Jonas Obedece a Deus e Vai
Deus Liberta Nínive
Jonas se Aborrece com os Ninivitas

CONCLUSÃO: O VASTO AMOR DE DEUS

CAPÍTULO 32

A MENSAGEM DE JONAS:
Você Pode se Esconder de Deus?

AMAR E VIVER COMO DEUS[1]

John Piper, em uma recente preleção em nossa igreja, descreveu o céu como o local em que Deus habita de forma soberana. Mesmo se chegássemos ao céu e recebêssemos tudo que quiséssemos — amigos, família, saúde, riqueza —, não estaríamos interessados em ficar lá se Deus mesmo não estivesse presente. Ele é o centro de tudo.

Nesse sentido, as pessoas que se preparam para o céu são aquelas que estão cada vez mais centradas em Deus e já estão na presença dEle.

Ao meditar a respeito dessa idéia, ocorreu-me que o inverso também é verdade. O inferno é o local onde Deus e sua presença não estão (bem, a presença agradável dEle, pois Deus está presente no inferno apenas para julgar). E os indivíduos que, conforme as Escrituras prometem, irão para o inferno são aqueles que, em vida, já são marcados pela indiferença, frieza em relação a Deus, e pela oposição a Ele. Esses indivíduos seguem leis diferentes das do Senhor e perseguem amores diferentes que o amor de Deus.

Isso soa como algo familiar em sua vida, uma vida caracterizada pelo amor às coisas que Deus não ama e pelo desconhecimento do que Ele ama?

INTRODUÇÃO A JONAS

Um dos lugares mais estranhos para encontrar um homem que foge da lei e do amor de Deus está no relato bíblico de um dos profetas de Deus — o relato de Jonas. O livro de Jonas é o seguinte na nossa série de estudos dos profetas menores do Antigo Testamento. Esses profetas não são chamados de "menores" por que não são importantes, mas apenas por que o livro deles é menos extenso. Eles compõem os últimos doze livros do Antigo Testamento.

Hoje, Jonas deve ser o profeta menor mais conhecido. O livro de Jonas compõe-se de quatro capítulos curtos, e cada capítulo reflete um cenário diferente. A maior parte do capítulo 1 tem o mar como cenário. O capítulo 2 passa-se "nas entranhas" de um peixe enorme. O cenário do terceiro é a cidade de Nínive, na época, capital do Império Assírio. E o quarto localiza-se do lado de fora de Nínive.

O livro de Jonas é único entre os profetas, porque é uma história e apresenta muito pouca "profecia". Algumas pessoas sugerem que deveríamos ler esse livro como uma fábula, como um mito ou, na melhor hipótese, como uma parábola. Esses comentaristas, em apoio ao ponto de vista deles, mencionam fatos que consideram improváveis em uma história real: a tempestade miraculosa, a descrição do peixe, o grande tamanho de Nínive, a rapidez com que o povo de Nínive se arrepende, a velocidade do crescimento da planta e assim por diante.

Contudo, o argumento contrário a esse ponto de vista refere-se ao fato de que essa história é *muito pouco semelhante* a uma parábola: é muito longa. É muito detalhada. Os personagens também são muito semelhantes aos da vida real. Ela se passa em cidades reais com nomes reais. E ela parece acontecer em um período específico da história — o século XVIII a.C. Mais importante que nossa análise de Jonas é o fato de que Jesus tratou o relato dele como histórico.[2] Se a tratarmos de forma diferente, o que isso sugere sobre nós — e sobre nossa opinião a respeito de Jesus?

Quando investigamos a história do século XVIII, em fontes extrabíblicas, encontramos vários itens que corroboram o relato de Jonas. Os ninivitas, quando Jonas pregou para eles (como veremos no capítulo 3), ouviram e se arrependeram de imediato? Com base no que encontramos na área da antiga Nínive, sabemos que essa grande cidade recebia profecias com regularidade, na verdade, tantas que houve necessidade de contratar um contingente de funcionários em tempo integral para selecionar todas as mensagens. Afinal, Nínive tinha muitos politeístas que acreditavam que os deuses falavam com eles e por intermédio deles. Sabemos também por registros assírios antigos que houve um eclipse solar total em 15 de junho de 763 a.C. Logo depois do eclipse, houve enchente e fome. Se Jonas viajou para a cidade na época em que pensamos que viajou — fundamentados na informação de 2 Reis 14.25, a única outra passagem do Antigo Testamento que menciona Jonas, filho de Amitai —, ele chegou a Nínive meses ou anos após o eclipse, à enchente e à fome. Talvez os ninivitas, em vista da natureza traumática dos desastres recentes, estivessem totalmente inclinados a acreditar que a cidade deles estava para "dar uma reviravolta", como Jonas lhes disse (veja 3.4). Também é digno de nota o fato de que, a esse período especial de arrependimento, seguiu-se o século e meio mais notável da cidade.

Neste nosso estudo, queremos pensar em Jonas, em sua história e nos elementos básicos do livro. Relembremos por um momento: vimos, em nosso estudo de Oséias, que Deus ama seu povo. No estudo de Amós, observamos a promessa de Deus de que julgaria seu povo, mas também sua oferta de esperança. No estudo de Obadias, vimos que Deus prometeu julgar a nação estrangeira de Edom como inimiga, e, depois desse último estudo, bem podemos nos perguntar por que a promessa de salvamento e de libertação não foi explicitamente estendida às outras nações, se Deus as ama da mesma forma como ama Israel. Deus está preocupado com mais alguém que não Israel? Bem, a história de Jonas responde a essa pergunta. Mas ela também levanta perguntas para nós hoje — perguntas como, você está *fugindo* da vontade de Deus? Está fugindo do amor de Deus? Bem, à medida que vemos a história de Jonas, examinaremos essas duas perguntas.

Você Está Fugindo da Vontade de Deus? (caps. 1—2)

Primeiro, você está fugindo da vontade de Deus? Esta é a primeira pergunta que, ao lermos os dois primeiros capítulos desse poderoso livro, naturalmente nos confronta. Faremos o que Deus nos chama a fazer?

Deus Chama Jonas para Pregar

Nos dois primeiros capítulos do livro, somos informados de que Deus chama Jonas para pregar: "E veio a palavra do Senhor a Jonas, filho de Amitai, dizendo: Levanta-te, vai à grande cidade de Nínive e clama contra ela, porque a sua malícia subiu até mim" (1.1,2).

Onde ficava Nínive? Hoje, você encontra as ruínas dessa que foi uma grande cidade nos limites de Mosul, no Iraque, do lado oriental do rio Tigre, cerca de 64 quilômetros a leste da Síria. A ligação de Jonas com essa cidade permanece bem conhecida. Nessa região, há uma antiga mesquita mulçumana e um cemitério chamados Nebi Yunus ("a tumba de Jonas"). Na época de Jonas, Nínive era uma cidade grande e a última capital do Império Assírio. Israel pagou tributo em seus anos de declínio à cidade de Nínive (2 Rs 15.19,20; Is 8.4).

A cidade de Nínive ocupava uma área de, aproximadamente, 748,51 hectares, tinha os famosos jardins suspensos, reservatórios de água, oitenta quilômetros de aquedutos para trazer água das montanhas, estradas excelentes, muro duplo para proteção da cidade, prédios administrativos e uma grande biblioteca. O palácio ostentava quase 5 quilômetros quadrados de pedra esculpida em relevo, entre as cenas registradas ali havia uma bem famosa, a do cerco de Senaqueribe a Laquis (2 Rs 18.14-17; 2 Cr 32.9).³ Sabemos tudo isso por causa de escavações arqueológicas. Realmente, Nínive foi uma grande cidade em tamanho, em influência e em esplendor.

Nos versículos iniciais, o Senhor diz que ela era também uma cidade ruim, no entanto, às vezes, o Senhor decide não julgar imediatamente esses lugares ruins, mas primeiro enviar aviso do julgamento iminente, como fez com Sodoma e Gomorra e, com tanta freqüência, com Jerusalém.⁴ Em vista da maldade de Nínive, Deus convoca Jonas a clamar contra a cidade do lado de dentro de seus muros — uma coisa temerária para Jonas fazer!

A instrução de Deus é uma forma notável de iniciar esse pequeno livro. Todavia, ele lembra-nos, desde o início, que Deus é santo. Você e eu podemos nos acostumar a mentir e a enganar, a cometer adultério e idolatria, a odiar e a matar, de tão comuns que esses pecados são. Contudo, Deus sempre se revolta com essas coisas. O pecado provoca a ira do Senhor, e Ele, no livro de Jonas, declara que chegou o tempo do julgamento de Nínive. A preocupação dEle com justiça não se limita a seu povo, em Israel. Ele sempre se preocupa com cada criatura feita a sua imagem em todo o mundo. O livro de Jonas enfatiza esse ponto à medida que Ele chama Jonas para ir e dar testemunho do julgamento de Deus para o povo de Nínive.

Se você for cristão, esse livro deve lembrá-lo de que sua salvação não começa com você. Às vezes, entramos na vida cristã e, gradualmente, começamos a pensar e a agir como se tivéssemos salvado a nós mesmos. Mas não fizemos isso. Ou talvez você ache que foi salvo, porque essa ou aquela pessoa compartilhou o evangelho com você. Bem, Deus certamente usou essa pessoa. Todavia, esse também não é o início da nossa história. O Senhor, de acordo com seu plano soberano, estimulou o coração dessa pessoa — talvez de uma forma imperceptível para ela — a compartilhar o evangelho com você. Talvez Ele tenha usado seu professor da Escola Dominical. Talvez Ele tenha usado seus pais ou seus amigos. Mas seja quem for que tenha usado, Deus estava por trás dessa pessoa. Ele operava o tempo todo. Da mesma forma como Deus enviou Jonas a Nínive, enviou alguém para contar-lhe sobre a santidade dEle, sobre seu pecado e sobre a solução oferecida apenas em Cristo. Sua salvação começa com Deus.

Deus criou Israel com sua palavra. E, agora, Ele salva Nínive com sua palavra.

Hoje, nós, como igreja, podemos agradecer a Deus pela bênção que nos deu com a pregação de sua Palavra. Podemos agradecer a Deus pelos incontáveis membros de nossas igrejas que viveram antes de nós e prepararam o caminho para nós por meio de sua vida fiel e seu ensino do evangelho. Podemos agradecer a Deus pelos cristãos que começaram nossas congregações, como também pelas igrejas da qual vieram esses indivíduos. Mas, por trás disso tudo, seja qual for o caminho que você trace, está Cristo, o Fundador da sua igreja. Por isso, nós o louvamos.

Deus chama seu povo a se reunir por meio de sua Palavra.

Jonas Foge de Deus

Talvez você, se ainda não leu o livro de Jonas, espere uma linha histórica direta após os versículos 1 e 2: Jonas ouve a Deus, viaja para uma terra hostil e obedientemente prega, como Obadias e, até mesmo, como Jesus. Todavia, o versículo 3 nos arremessa uma bola curva:

> Jonas se dispôs, mas [nunca é uma boa palavra para se ver após Deus emitir uma ordem] para fugir da presença do Senhor, para Társis; e, tendo descido a Jope, achou um navio que ia para Társis; pagou, pois, a sua passagem e embarcou nele, para ir com eles para Társis, para longe da presença do Senhor (1.3; ARA).

Jonas responde ao chamado de Deus fugindo por causa de sua desobediência! Para viajar da Galiléia (ao norte de Israel) para Nínive, ele deveria seguir para o rumo leste. Em vez de fazer isso, ele seguiu o rumo sul e oeste, em direção à cidade costeira de Jope. Lá, ele comprou uma passagem, embarcou em um navio (coisa que os hebreus da Antiguidade faziam apenas em caso de desespero) e navegou para Társis, porto comercial fenício na Espanha, na outra ponta do mar Mediterrâneo. Essa seria a parte mais remota, do lado oposto do mundo conhecido na época! Jonas não poderia escolher um lugar mais distante do que aquele para o qual Deus o chamara. Claramente, ele fugiu em absoluta desobediência a Deus. Fugiu da vontade do Senhor. Será que achou que poderia ficar fisicamente fora do alcance de Deus, como sair da área de alcance de um telefone celular? Que idéia ridícula!

Para sermos justos com Jonas, temos de admitir que ele não foi o único profeta que, de início, opôs-se ao chamado de Deus. Moisés respondeu ao chamado do Senhor com desculpas e com ponderações sobre todas as razões por que era inadequado para o serviço.[5] Jeremias afirmou que não sabia se expressar, como se Deus tivesse cometido algum tipo de engano (Jr 1.6). E Elias, um pouco mais tarde em seu ministério, ficou com medo e fugiu para salvar sua vida (1 Rs 19.3).

Se você não é cristão, deixe-me mencionar que a desobediência de Jonas é apenas um dos relatos bíblicos que descreve a realidade que todos enfrentamos: todos nós pecamos e estamos sob o julgamento de Deus. Você sabe o que é pecado? Pecado é a desobediência a Deus. Pecado é não fazer o que Deus nos chama a fazer. Pecado é fugir de Deus e de sua ordem como Jonas fez. A Bíblia ensina que todos — da iníqua Nínive e de Jonas, o profeta fujão, a você e eu — pecamos, por isso, o Senhor nos chamará para prestar contas. Eu prestarei contas, e você prestará contas. Daqui a pouco, falaremos mais sobre isso.

Precisamos mencionar outra coisa em relação à fuga de Jonas: ela foi totalmente legal. Muitas vezes, os cristãos sentem-se tentados a igualar "ilegal" com "imoral" e "legal" com "moral". Todavia, Jonas reservou passagem em um navio e pagou por ela. Ele não era um passageiro clandestino. Ele agiu de forma legal. Contudo, mesmo assim, o que ele fez foi pecado. Espero que você entenda que podemos desobedecer a Deus de formas legais, como também, ilegais. Jonas, como Jesus Cristo, era um galileu chamado a pregar para o perdido. Ele, diferentemente de Jesus Cristo, pecou e fugiu. Ele fugiu de Deus.

Amigo, devemos obedecer a Deus. Entenda que se você tentar fugir de Deus em alguma área de sua vida, nunca será bem-sucedido. Você não pode jamais escapar de Deus. Nem tente. É uma perda de tempo e traz apenas sofrimento. Você realmente acha que Ele não sabe tudo a seu respeito? Ou que não percebe o que acontece? Ou que não o procuraria como fez com Adão, com Jonas ou com muitas outras pessoas nas Escrituras? Você realmente acha que pode deixar de prestar contas a Ele?

Nossas igrejas também devem perceber que, na verdade, ser inflexível em relação ao pecado impenitente é uma demonstração de bondade. Excluir a comunhão de alguém por causa de seu pecado impenitente é muito melhor que deixar a pessoa sem saber que caminha na direção em que será excluída do Reino de Deus. Fugir do Senhor é algo vão, inútil e insensato, e se nossa congregação não disser isso com clareza, ninguém mais o fará.

A desobediência a Deus não nos leva a nenhum lugar bom.

Deus Alcança Jonas

Bem, depois de ver a fuga de Jonas, talvez fiquemos tentados a pensar que essa é uma daquelas histórias bíblicas em que ao declínio se segue apenas mais declínio, como aconteceu com Datã, com Salomão ou com Demétrio, todos personagens bíblicos trágicos que ouviram o chamado de Deus, fugiram e parece que nunca voltaram. Mas isso não acontece com Jonas. O Senhor não encerrou seu assunto com ele. No início do capítulo 1, versículo 4, observamos como Deus alcança Jonas:

> Mas o Senhor mandou ao mar um grande vento, e fez-se no mar uma grande tempestade, e o navio estava para quebrar-se. Então, temeram os marinheiros, e clamava cada um ao seu deus, e lançavam no mar as fazendas que estavam

no navio, para o aliviarem do seu peso; Jonas, porém, desceu aos lugares do porão, e se deitou, e dormia um profundo sono. E o mestre do navio chegou-se a ele e disse-lhe: Que tens, dormente? Levanta-te, invoca o teu Deus; talvez assim Deus se lembre de nós para que não pereçamos. E dizia cada um ao seu companheiro: Vinde, e lancemos sortes, para que saibamos por que causa nos sobreveio este mal. E lançaram sortes, e a sorte caiu sobre Jonas. Então, lhe disseram: Declara-nos tu, agora, por que razão nos sobreveio este mal. Que ocupação é a tua? E donde vens? Qual é a tua terra? E de que povo és tu? E ele lhes disse: Eu sou hebreu e temo ao Senhor, o Deus do céu, que fez o mar e a terra seca. Então, os homens se encheram de grande temor e lhe disseram: Por que fizeste tu isso? Pois sabiam os homens que fugia de diante do Senhor, porque ele lho tinha declarado. E disseram-lhe: Que te faremos nós, para que o mar se acalme? Por que o mar se elevava e engrossava cada vez mais. E ele lhes disse: Levantai-me e lançai-me ao mar, e o mar se aquietará; porque eu sei que, por minha causa, vos sobreveio esta grande tempestade. Entretanto, os homens remavam, esforçando-se por alcançar a terra, mas não podiam, porquanto o mar se ia embravecendo cada vez mais contra eles. Então, clamaram ao Senhor e disseram: Ah! Senhor! Nós te rogamos! Não pereçamos por causa da vida deste homem, e não ponhas sobre nós o sangue inocente; porque tu, Senhor, fizeste como te aprouve. E levantaram Jonas e o lançaram ao mar; e cessou o mar da sua fúria. Temeram, pois, estes homens ao Senhor com grande temor; e ofereceram sacrifícios ao Senhor e fizeram votos (1.4-16).

Bem, com certeza, esse livro é cheio de reviravoltas surpreendentes! Deus envia, de fato, uma tempestade sobre esse profeta fujão. Assim, quando Jonas conta aos marinheiros fenícios politeístas que seu Deus fez o mar, esperamos que eles o matem, no mesmo momento, para apaziguar esse Deus. Mas — outra surpresa — eles não fazem isso! Esses gentios têm misericórdia de Jonas e tentam poupá-lo. Eles tentam heroicamente remar de volta à costa, e isso parece ser o fim da história. Todavia, o Senhor não permite que sejam bem-sucedidos nesse intento. Ele tem de fazer outro ponto. Assim, a tempestade fica pior, e pior — "o mar se elevava e engrossava cada vez mais", conforme descrito na ARC (1.11). Por fim, os marinheiros não têm escolha: eles lançam Jonas ao mar. Imediatamente, o mar se acalma, e os gentios temem ao Senhor e o adoram com sacrifício e obediência. Em certo sentido, eles se arrependem e crêem.

Até mesmo o vento e as ondas obedecem a esse Deus, da mesma forma que, um dia, obedeceriam ao seu Filho.

Deus pode salvar-nos das situações mais impressionantes. Se você tem a preocupação de ter fugido por muito tempo ou para muito distante de Deus

para poder ser salvo, esse relato de Jonas lhe garante que você não fez isso. O Senhor pode alcançá-lo onde quer que você esteja. Se você pode ouvir minhas palavras neste momento, afirmo-lhe que há esperança. Deixe que as tempestades em sua vida o façam avaliar sua situação. Em que você põe sua esperança e sua confiança? Por que foge dos caminhos de Deus?
Deus é persistente com seu povo. Que sempre possamos exaltar o poder salvador de Deus!

Jonas Responde a Deus com Louvor

A história poderia terminar com o lançamento de Jonas ao mar — um Deus justo "tratou" com o profeta fujão. Mas Deus não apenas alcança Jonas; Ele também o liberta, ao que Jonas responde com louvor:

> Deparou, pois, o Senhor um grande peixe, para que tragasse a Jonas; e esteve Jonas três dias e três noites nas entranhas do peixe. E orou Jonas ao Senhor, seu Deus, das entranhas do peixe. E disse: Na minha angústia, clamei ao Senhor, e ele me respondeu; do ventre do inferno gritei, e tu ouviste a minha voz. Porque tu me lançaste no profundo, no coração dos mares, e a corrente me cercou; todas as tuas ondas e as tuas vagas têm passado por cima de mim. E eu disse: Lançado estou de diante dos teus olhos; todavia, tornarei a ver o templo da tua santidade. As águas me cercaram até à alma, o abismo me rodeou, e as algas se enrolaram na minha cabeça. Eu desci até aos fundamentos dos montes; os ferrolhos da terra correram-se sobre mim para sempre; mas tu livraste a minha vida da perdição, ó Senhor, meu Deus. Quando desfalecia em mim a minha alma, eu me lembrei do Senhor; e entrou a ti a minha oração, no templo da tua santidade. Os que observam as vaidades vãs deixam a sua própria misericórdia. Mas eu te oferecerei sacrifício com a voz do agradecimento; o que votei pagarei; do Senhor vem a salvação. Falou, pois, o Senhor ao peixe, e ele vomitou a Jonas na terra (1.17—2.10).

O animal que engoliu Jonas era uma baleia? Realmente, não sei. Independente de ser uma baleia ou um peixe que tenha engolido Jonas, o evento foi miraculoso. Tudo foi obra de Deus. Esse peixe capaz de conter um homem nadou por perto do navio no momento certo, engoliu o objeto grande certo, manteve Jonas em seu interior por três dias (como veremos, um bom número de dias) e, depois, vomitou-o na praia. Não importa o quanto você tente explicar esse episódio como natural, Deus foi claramente soberano em todos esses eventos. Ele usou uma tempestade e um peixe para levar Jonas ao lugar em que queria que ele estivesse. Tempestades podem destruir os navios mais fortes e trazer destruição para as nações mais poderosas. Criaturas marinhas grandes podem matar o mais forte dos homens. Todavia, Deus usa tudo isso para seus propósitos.

Meus irmãos, ao ler sobre Jonas, pensem na grande libertação que Deus operou em sua vida. Talvez Ele o tenha salvado nos últimos meses ou anos, e no processo o tenha libertado de dificuldades e de provações, de vícios pecaminosos e de paixões degradantes. Talvez sua experiência tenha sido como sair de uma noite escura e tempestuosa para uma clara manhã de sol sem nuvens. Ou talvez você tenha chegado a Cristo anos atrás, quando ainda era criança. Em qualquer caso, nós, os cristãos, compartilhamos, em Cristo, a libertação da punição justa de Deus para nossos pecados — punição essa muito pior que qualquer coisa que um oceano tempestuoso possa fazer. Portanto, louve ao Senhor pela forma como o salvou! Quando você entoar cânticos e hinos espirituais sobre a maravilhosa salvação que Deus operou em sua vida, entoe-os de todo o coração! Perceba que você, como Jonas, seguia na direção errada. Perceba que você estava tão desamparado e era tão impotente quanto um homem em meio a ondas tempestuosas. Contudo, Deus salvou-o! Louve o Senhor por isso, porque você não pode ter uma notícia mais maravilhosa que essa.

VOCÊ ESTÁ FUGINDO DO AMOR DE DEUS? (CAPS. 3—4)

Os dois primeiros capítulos de Jonas trazem-nos a mente a questão de estarmos fugindo da vontade e dos caminhos do Senhor, da lei e do comando de Deus. No entanto, os capítulos 3—4 levantam outra questão, talvez mais cruciante: você está fugindo do amor de Deus? Outra forma de fazer essa pergunta é esta: você ama aqueles a quem Deus ama?

Deus Chama Jonas para Pregar novamente

Talvez pensássemos que a história acabaria depois de o peixe vomitar Jonas em terra seca. Ele estava vivo e pareceu arrependido.

Mas o capítulo 3 traz mais surpresas: "E veio a palavra do Senhor segunda vez a Jonas, dizendo: Levanta-te, e vai à grande cidade de Nínive, e prega contra ela a pregação que eu te disse" (3.1,2). Deus chama Jonas para pregar novamente! Provavelmente, se ainda não leu esse livro, você começa a perceber a história incrível que relata. Você acha que tudo acabou para Jonas, então Deus realmente diz: "Receba duas oportunidades". A seguir, Ele devolve Jonas à mesma posição em que estava antes da tempestade e do peixe. Sim, teria sido mais fácil para Jonas se tivesse obedecido da primeira vez que o Senhor o chamou. Bem, pelo menos, ele teve uma segunda chance. Deus não desistiu de Jonas.

Se você não é cristão, talvez esteja surpreso ao perceber o quanto esse Deus santo que julgará todo pecado também se caracteriza por dar segundas chances.

Você jamais encontrará um cristão que não saiba isso. O Deus a quem louvamos em adoração e em cânticos é um Deus de misericórdia extraordinária.

Isso não quer dizer que possamos *presumir* sua graça e sua misericórdia em alguma situação específica. Jonas não fugiu de Deus sabendo que Ele faria coisas extraordinárias, mas talvez ele não tenha se surpreendido demais com o agir de Deus, mesmo quando o Senhor o libertou. Ele sabia que Deus era misericordioso e compassivo.

Durante seu ministério, Jesus descreveu esse Deus das segundas chances para o líder religioso Nicodemos quando lhe disse que precisava de uma vida totalmente nova. Jesus apresentou o assunto ao dizer que Nicodemos precisava "nascer de novo" (Jo 3.3). Óbvio que Jesus *é* esse Deus das segundas chances por intermédio de quem sempre podemos *nascer* de novo, se nos arrependermos de nossos pecados e crermos nEle.

Cristão, Deus lhe deu algo específico — uma responsabilidade, uma situação, um relacionamento, um talento ou uma oportunidade —, mas você estragou tudo? E em relação a que se sentiu muitíssimo mal? Lembre-se que nosso Deus é o Deus que deu esperança a Adão depois da Queda. Seja o que for que tiver feito, você *não* mergulhou toda a raça humana em miséria eterna como Adão o fez! Esse mesmo Deus usou a maldade dos irmãos de José para libertar seu povo da fome devastadora. Esse mesmo Deus perdoou o rei Davi e a Maria Madalena. Esse mesmo Deus morreu por seja qual for a responsabilidade, a situação ou o relacionamento que você estragou. A justiça dEle é atribuída a você, e receberá o mesmo tratamento que Cristo recebe. Esse mesmo Deus fez com que você nascesse de novo por intermédio de seu Espírito a fim de torná-lo uma nova criação. Cristão, esse é o Deus que acredita. E, na segunda chance de Jonas, vemos o quadro das segundas chances que Ele lhe dá, uma vez após outra.

Oro para que nossa igreja aprenda a exercer o cuidado em acolher pessoas à comunhão e em retirá-las sempre que um pecado impenitente justificar a remoção da pessoa. Mas também oro para que nossa igreja seja conhecida como o local em que os pecadores, destroçados pelo pecado, recebem uma segunda chance e onde exista misericórdia para com os outros porque, em Cristo, conhecemos a misericórdia de Deus para conosco. O que há de bom em toda nossa compreensão teológica da misericórdia se não *percebemos* nem *sentimos* a misericórdia que Deus tem nos dado e a misericórdia que, por isso mesmo, temos de compartilhar uns com os outros? Que Deus nos faça famosos por nossa persistência em amar por louvor de seu nome glorioso, gracioso e perseverante.

Jonas Obedece a Deus e Vai

Bem, a próxima pergunta tem de ser esta: Como Jonas responde? Na ocasião anterior, ele fugiu o mais longe que pôde na direção oposta. Retomando a história, no capítulo 3 lemos: "E levantou-se Jonas e foi a Nínive, segundo a palavra do Senhor; era, pois, Nínive uma grande cidade, de três dias de caminho. E começou Jonas a entrar pela cidade caminho de um dia, e pregava, e dizia: Ainda quarenta dias, e Nínive será subvertida" (3.3,4). Dessa vez, Jonas obedece, vai a Nínive e prega.

Às vezes, as pessoas se perguntam por que uma visita a Nínive requeria "três dias" (3.3). Provavelmente, a frase signifique que Nínive era uma cidade grande e importante, levava tempo andar por ela e ver as autoridades certas. Como disse antes, sabemos, por causa das escavações, que empregavam um contingente de funcionários em tempo integral para encontrar-se com visitantes estrangeiros, mesmo com profetas. Nínive não era uma vila do interior. Era uma cidade grande. Também é interessante notar que Jonas gastou em Nínive o mesmo tempo que passou no interior do peixe — três dias. Deus, ao salvar a cidade no mesmo período de tempo que Jonas passou nas entranhas do peixe, ensinava a Jonas quantas oportunidades são desperdiçadas quando seu povo foge dEle? E o Senhor, sutilmente, também lembrava Jonas da graça dEle para com ele?

À medida que imagina mentalmente a viagem de Jonas a Nínive para que ele pregasse a Palavra do Senhor, examine com cuidado como você respondeu às oportunidades que Deus lhe deu para ouvir as advertências dEle, especialmente, se você não for cristão, quantas oportunidades a mais você acha que Ele lhe dará para ouvir e para responder da forma correta? Sem dúvida, Deus é gracioso em Cristo, nós sabemos disso. Mas você não deve abusar da graça dEle. Como ousamos sequer pensar que podemos ignorá-lo sem correr qualquer perigo, presumindo que qualquer "ajuste" necessário possa ser feito amanhã?! Quando pensamos dessa forma, enganamos a nós mesmos. Como Tiago declara, no Novo Testamento: "Digo-vos que não sabeis o que acontecerá amanhã. Porque que é a vossa vida? É um vapor que aparece por um pouco e depois se desvanece" (Tg 4.14).

Também devemos observar o grande benefício que Nínive recebeu ao garantir liberdade a Jonas para pregar sua mensagem do iminente julgamento sobre a cidade. Você consegue imaginar alguém entrar em uma cidade governada por uma monarquia absoluta, pedir para pregar uma mensagem de julgamento e receber permissão para fazer isso? Veja a importância da liberdade de fala, da liberdade de religião e da liberdade de associação! Tente, hoje, entrar no Cairo, em Riade ou em Pequim e pregar essa mensagem! Até mesmo Jesus foi perseguido e morto quando pregou em Jerusalém.

Cristão, decida hoje obedecer a Deus, principalmente em alguma área em que tem sido desobediente. Em vista de como já falhamos com Ele no passado, Deus é extremamente gracioso em nos dar novas oportunidades de servi-lo. Ore para que Deus faça com que você, cada vez mais, harmonize seus motivos com os dEle. Ore para que Ele faça com que seus amores reflitam os amores dEle.

Ore também para que Deus use as congregações individuais como facilitadores ao seu chamado para que indivíduos específicos preguem. Ao longo das Escrituras, Deus faz muito bem na vida de incontáveis pessoas por intermédio de seus pregadores e mestres. E hoje, Ele, da mesma forma que chamou essas pessoas para pregar na Antiguidade, chama algumas pessoas para pregar o evangelho de Jesus Cristo. De um lado, oremos para que Deus levante presbíteros em nossa congregação para ensinar a Palavra do Senhor. De outro lado, oremos também para aqueles na congregação que lutam com a dúvida sobre se Deus os chama a deixar-nos para pregar sua Palavra em tempo integral. Por fim, oremos por aqueles que já nos deixaram para pregar sua Palavra.

Encoraje as pessoas à medida que respondem ao chamado de Deus para sua vida e ore por elas.

Deus Liberta Nínive

Assim, Jonas vai para Nínive e prega: "Ainda quarenta dias, e Nínive será subvertida". O que acontece a seguir? O povo de Nínive se arrepende, e Deus poupa-os! Ele poupa a cidade do julgamento que estava para derramar sobre eles!

> E os homens de Nínive creram em Deus, e proclamaram um jejum, e vestiram-se de panos de saco, desde o maior até ao menor. Porque esta palavra chegou ao rei de Nínive, e levantou-se do seu trono, e tirou de si as suas vestes, e cobriu-se de pano de saco, e assentou-se sobre a cinza. E fez uma proclamação, que se divulgou em Nínive, por mandado do rei e dos seus grandes, dizendo: Nem homens, nem animais, nem bois, nem ovelhas provem coisa alguma, nem se lhes dê pasto, nem bebam água. Mas os homens e os animais estarão cobertos de panos de saco, e clamarão fortemente a Deus, e se converterão, cada um do seu mau caminho e da violência que há nas suas mãos. Quem sabe se se voltará Deus, e se arrependerá, e se apartará do furor da sua ira, de sorte que não pereçamos? E Deus viu as obras deles, como se converteram do seu mau caminho; e Deus se arrependeu do mal que tinha dito lhes faria e não o fez (3.5-10).

Os ninivitas acreditaram no aviso de julgamento de Jonas e se arrependeram de seus pecados. Então, Deus foi misericordioso com eles.

O objetivo da pregação fiel sempre é esse. O pregador fiel da Palavra do Senhor nunca se diverte com o julgamento dEle. Esse tipo de pregador conta-lhe sobre seu pecado para que você se volte para Jesus Cristo, pois Cristo é aquEle que não teve pecado, que viveu a vida perfeita que não merecia punição e que foi para a cruz e tomou sobre si a punição pelos pecados de todos que se arrependem e crêem nEle. A seguir, Deus ressuscitou Jesus a fim de nos mostrar que o sacrifício dEle foi eficaz em abrandar a ira do Senhor por nossos pecados. Assim como os ninivitas, você pode afastar o justo julgamento de Deus ao deixar seus pecados para trás e crer em Cristo.

Irmão ou irmã em Cristo, deixe-me encorajá-lo a continuar, ao longo de sua vida, com esse padrão de se arrepender e de crer. Se você realmente é cristão, não se arrepende e crê apenas uma vez; você continua a fazê-lo ao longo de sua vida. Uma parte comum do discipulado cristão consiste em confessar, com regularidade, seus pecados a Deus (o que representa dizer o que o Senhor diz sobre seus pecados), afastar-se desses pecados e voltar-se para Deus. Repetir essas ações não o salva várias vezes, todavia, é assim que você vive seu relacionamento com nosso Deus santo, pois dia-a-dia, isso renova sua dependência para com a misericórdia dEle e cresce mais e mais na semelhança com Ele.

Deus, graciosamente, libertou Nínive; os ninivitas se arrependeram e creram.

Jonas se Aborrece com os Ninivitas

Bem, esse é realmente o momento em que pensamos que o livro de Jonas devia terminar (talvez você pense o mesmo a respeito deste sermão!). E o livro seria muito mais fácil de entender se terminasse aqui. Mas ele não termina nesse ponto. Na verdade, ainda não alcançamos o ponto principal do livro. Vejamos a linha da história no capítulo 4:

> Mas desgostou-se Jonas extremamente disso e ficou todo ressentido. E orou ao Senhor e disse: Ah! Senhor! Não foi isso o que eu disse, estando ainda na minha terra? Por isso, me preveni, fugindo para Társis, pois sabia que és Deus piedoso e misericordioso, longânimo e grande em benignidade e que te arrependes do mal. Peço-te, pois, ó Senhor, tira-me a minha vida, porque melhor me é morrer do que viver. E disse o Senhor: É razoável esse teu ressentimento? Então, Jonas saiu da cidade, e assentou-se ao oriente da cidade, e ali fez uma cabana, e se assentou debaixo dela, à sombra, até ver o que aconteceria à cidade. E fez o Senhor Deus nascer uma aboboreira, que subiu por cima de Jonas, para que fizesse sombra sobre a sua cabeça, a fim de o livrar do seu enfado; e Jonas se alegrou em extremo por causa da aboboreira. Mas Deus enviou um bicho, no dia seguinte, ao subir da alva, o qual feriu a aboboreira, e esta se secou. E aconteceu que, aparecendo o sol, Deus mandou um vento calmoso, oriental, e o sol feriu a cabeça de Jonas e ele desmaiou, e desejou com toda a sua alma morrer, dizendo: Melhor me é morrer do que viver. Então, disse Deus a Jonas: É acaso razoável que assim te enfades por causa da aboboreira? E ele disse:

É justo que me enfade a ponto de desejar a morte. E disse o Senhor: Tiveste compaixão da aboboreira, na qual não trabalhaste, nem a fizeste crescer; que, em uma noite, nasceu e, em uma noite, pereceu; e não hei de eu ter compaixão da grande cidade de Nínive, em que estão mais de cento e vinte mil homens, que não sabem discernir entre a sua mão direita e a sua mão esquerda, e também muitos animais? (4.1-11)

Deus é compassivo, não é mesmo? Talvez o rei de Nínive se pergunte se Deus é compassivo, mas Jonas sabe que Ele é (3.9; 4.2). Ao longo das Escrituras, Deus revela-se constantemente como compassivo. Ele declara isso por intermédio de Moisés: "Jeová, o Senhor, Deus misericordioso e piedoso, tardio em iras e grande em beneficência e verdade; que guarda a beneficência em milhares; que perdoa a iniquidade, e a transgressão, e o pecado" (Êx 34.6,7a). Ele proclama isso por intermédio do profeta Joel: "E rasgai o vosso coração, e não as vossas vestes, e convertei-vos ao Senhor, vosso Deus; porque ele é misericordioso, e compassivo, e tardio em irar-se, e grande em beneficência e se arrepende do mal. Quem sabe se voltará, e se arrependerá, e deixará após si uma bênção?" (Jl 2.13,14)

Todavia, o Senhor tem de defender sua compaixão para Jonas: "E não hei de eu ter compaixão da grande cidade de Nínive" (4.11).

Espero que você agora perceba que a verdadeira "estrela" desse livro não é Jonas, mas Deus. Certa vez, G. Campbell Morgan observou: "Os homens se concentraram tanto no grande peixe que não viram o grande Deus".[6] Deus é apresentado nas páginas desse livro como aquEle que é grande em compaixão e em poder. No capítulo 1, Ele provê o peixe. No capítulo 4, Ele provê a aboboreira, o bicho e o vento. O verbo traduzido por "prover" (*manah*) é a mesma palavra, transformada em substantivo, traduzida por "maná", em Êxodo 16, referindo-se ao pão que o Senhor proveu para que os israelitas comessem enquanto atravessavam o deserto.[7] Deus, da mesma forma como proveu para seu povo no deserto, provê para Jonas, até mesmo quando ele não sabe do que precisa. Como Jonas declara, a salvação realmente vem do Senhor (2.9).

Deus provê o nosso conforto (como a aboboreira). Ele provê nossas perdas (como a causada pelo bicho). Ele até provê nossas provações (como por meio do vento).

No capítulo 4, se Deus é a estrela, o que aprendemos com Jonas? Francamente, é difícil não identificar a reação de Jonas à libertação de Nínive com outra coisa que não o ressentimento. Dessa vez, ele não fugiu da vontade de Deus, mas de seu amor. É isso aí, ele escolheu não amar o que Deus ama.

Por isso, Deus confronta Jonas no que diz respeito ao seu ressentimento em relação à graça dEle. Deus prepara especificamente uma trepadeira ou aboboreira (espécie de planta de folhas largas) para o conforto de Jonas. Todavia, o coração de Jonas se entrega ao conforto fornecido por essa aboboreira. Assim, Deus usa a preocupação de Jonas com a aboboreira para ensinar-lhe outra coisa: "Jonas, se você teve compaixão da aboboreira, por que não tem por todas essas pessoas?" Em si mesma, a preocupação de Jonas com a aboboreira não era necessariamente errada. Contudo, ela forneceu uma parábola adequada a Jonas. É como se Deus lhe dissesse: "Se você se preocupa com isso, por que não, com todos esses?"

As últimas palavras desse livro — "E não hei de eu ter compaixão da grande cidade de Nínive?" — fornecem o ponto culminante do livro, quase como uma Grande Comissão para o Antigo Testamento. Um milênio antes, Deus prometera a Abraão que seus descendentes seriam uma bênção para todos os povos (Gn 12.1-3). Em Jonas, Ele demonstra exatamente a mesma preocupação por todas as pessoas, enquanto um descendente de Abraão reluta em compartilhar dessa preocupação do Senhor para com elas.

Até mesmo os verdadeiros mensageiros de Deus não são tão amorosos como Ele, não é mesmo? E *nós* o somos? O amor de Deus estende-se a toda a humanidade já que criou todas as pessoas a sua imagem. Para ensinar a extensão do amor de Deus, Jesus ensinou que Ele "faz que o seu sol se levante sobre maus e bons e a chuva desça sobre justos e injustos" (Mt 5.45). Jesus também nos chamou a amar nossos inimigos e a orar por eles (Mt 5.44). O apóstolo Paulo afirma que nosso exemplo de amor pelos inimigos é o próprio Jesus: "Porque, se nós, sendo inimigos, fomos reconciliados com Deus pela morte de seu Filho" (Rm 5.10).

Enquanto Cristo morreu por seus inimigos, Jonas respondeu com ressentimento. Por quê? Essa questão desconcerta muitas pessoas que lêem esse livro. Alguns sugerem que Jonas se ressentiu por que estava profundamente desconcertado. Afinal, Jonas prometera-lhes destruição, e Deus lhes deu misericórdia. Nem um fio de cabelo daquelas milhares de cabeças sofreu qualquer dano. Apenas a reputação de Jonas sofreu dano. Na melhor das hipóteses, Deus fez com que Jonas parecesse o camarada ruim. Na pior das hipóteses, fez com que parecesse um falso profeta! Sem dúvida, quando voltasse para Israel, a carreira profética de Jonas estaria em risco.

Ou talvez, para sermos um pouco mais condescendentes com Jonas, ele estivesse preocupado com o nome e a honra de *Deus* — de novo, pois Deus não fizera o que dissera que faria.

Ou talvez Jonas apenas estivesse ressentido com a misericórdia de Deus com pessoas que eram *suas* inimigas? Jonas amava seus compatriotas. Ele sabia que a Assíria era uma ameaça para Israel. Talvez ele, como profeta, até soubesse que Deus usaria a Assíria para julgar e destruir Israel, como fez várias décadas mais tarde. Assim, Jonas, profeta de Deus, tinha pouca graça, embora acabasse de experimentar a graça tão poderosa de Deus em sua vida por meio da tempestade e do grande peixe. Nesse sentido, Jonas é um exemplo real do servo ingrato que Jesus descreveu em uma parábola — a quem muito fora perdoado, mas não perdoou nada (Mt 18.23-35). Jonas celebrou a glória de Deus para si (cap. 2), mas se ressentiu da graça do Senhor para com seus inimigos (cap. 4).

Todavia, veja o que Deus realizou até mesmo por intermédio de um coração ressentido como o de Jonas: a conversão de uma cidade inteira! Deus é impressionante, não é mesmo? De forma soberana, Ele não usa apenas tempestades e peixes para seus propósitos, mas também seres humanos ressentidos para fazer as pessoas louvarem seu nome.

Amigo, ore para que Deus torne seu coração cada vez maior, como o dEle. E ore para que sua igreja seja um bom exemplo de nosso Deus, cujo coração é incomensurável. Que as igrejas de Cristo sejam marcadas pelo amor que transpõe as linhas divisórias traçadas pelos homens.

Conclusão: O Vasto Amor de Deus

Leia de novo o último versículo do livro de Jonas, onde Deus diz: "E não hei de eu ter compaixão da grande cidade de Nínive, em que estão mais de cento e vinte mil homens, que não sabem discernir entre a sua mão direita e a sua mão esquerda, e também muitos animais?" (4.11)

O livro termina aqui, com essa pergunta não respondida. Não sabemos como Jonas a responderia. Nem sabemos nada sobre o destino pessoal de Jonas. Muitos cristãos sugerem que Jonas escreveu o livro porque se tornara humilde e queria, como parte de seu arrependimento, retratar-se sob uma luz mais severa. Espero que este seja o caso. Mas nada na Bíblia diz que foi isso que aconteceu.

O que sabemos é que Jonas apresenta um quadro poderoso de um homem que fugiu da vontade e do amor de Deus.

Contudo, Jonas, de forma notável, também aponta para Jesus Cristo. Em um momento no ministério de Jesus, em que os judeus pediram um sinal (exigiram um milagre como prova de que Ele dizia a verdade), Ele disse que não seria dado outro sinal "senão o do profeta Jonas", referindo-se à ressurreição (Mt 12.39; Lc 11.29). Após três dias, Deus salvou Jonas do mar por intermédio do peixe. Deus livrou Nínive da destruição após a visita de três dias de Jonas à cidade. E Deus libertará todos que se arrependerem de seus pecados e crerem na morte e na ressurreição de Cristo, que também ocorreu três dias após sua morte (Mt 12.38-42; 16.4). Como Jesus, Jonas era um pregador da Galiléia que levou, aos inimigos do Senhor, as Boas Novas dEle sobre a possível salvação do julgamento vindouro. Mas aí terminam as semelhanças.

Onde Jonas estava relutante, Jesus estava disposto.
Onde Jonas reclamou, Jesus foi submisso.

Onde Jonas sentiu-se apenas desconfortável, Jesus foi açoitado.

Onde Jonas apenas pregou, Jesus morreu.

Pergunto-me como lhe parece Jonas neste momento. Você se seguro de que pode entender os problemas dele? De que pode compreendê-los e diagnosticá-los?

Pergunto-me se vê alguma coisa de Jonas em você mesmo. Você nunca se ressentiria com a salvação de alguém, certo? Examine essa história de Lucas:

> E disse também esta parábola a uns que confiavam em si mesmos, crendo que eram justos, e desprezavam os outros: Dois homens subiram ao templo, a orar; um, fariseu, e o outro, publicano. O fariseu, estando em pé, orava consigo desta maneira: Ó Deus, graças te dou, porque não sou como os demais homens, roubadores, injustos e adúlteros; nem ainda como este publicano. Jejuo duas vezes na semana e dou os dízimos de tudo quanto possuo. O publicano, porém, estando em pé, de longe, nem ainda queria levantar os olhos ao céu, mas batia no peito, dizendo: Ó Deus, tem misericórdia de mim, pecador! Digo-vos que este desceu justificado para sua casa (Lc 18.9-14a).

À medida que lemos o livro de Jonas durante este sermão, sua atitude refletiu a desse fariseu? "Oh, Deus, eu agradeço por não ser como esse Jonas." Confesso que, ao estudar esse livro na preparação deste sermão, tive esses pensamentos. A seguir, tive de orar e pedir a Deus que me ajudasse a enxergar os meus pecados, o pecado que, no capítulo final de Jonas, Ele questiona duramente e condena com gentileza.

Você enxerga seu pecado? Talvez você não se ressinta com o pensamento de seu inimigo ser salvo (ou talvez se ressinta). Todavia, talvez você demonstre impressionante indiferença em relação ao destino dele ou ao de tantas criaturas de Deus. Você já pensou que sua indiferença em relação a centenas de milhares de pessoas feitas à imagem de Deus, ou mesmo centenas de milhões delas, é motivo de grande pesar para Ele?

Ao longo da Bíblia, Deus mostra-nos um pouco como sua preocupação com todas as nações é grande. Quando Agar e Ismael foram mandados embora porque não eram da linhagem do povo especial de Deus, Ele proveu para eles (Gn 21.8-21). Quando Naamã, chefe do exército sírio, contraiu lepra, Deus usou seu profeta Eliseu para curá-lo (2 Rs 5). E ouvimos a grande promessa de Deus por intermédio do profeta Isaías: "Porque o Senhor dos Exércitos os abençoará, dizendo: Bendito seja o Egito, meu povo, e a Assíria, obra de minhas mãos, e Israel, minha herança" (Is 19.25). E Deus tem permitido um grande lapso de tempo entre a Primeira e a Segunda Vinda de Cristo a fim de que as pessoas possam se arrepender dos pecados e se voltar para Ele: "O Senhor não retarda a sua promessa, ainda que alguns a têm por tardia; mas é longânimo para convosco, não querendo que alguns se percam, senão que todos venham a arrepender-se" (2 Pe 3.9).

Deus sempre teve mais compromisso em alcançar o mundo, mais compromisso que o demonstrado por seu povo.

Hoje, não é difícil convencer as pessoas de que Deus ama a todos — até mesmo os ninivitas. Podemos até dizer que a idéia é culturalmente popular. Essa é a diferença entre a nossa época e a de Jonas. Na verdade, a suposição de Jonas de que Deus está especialmente preocupado com seu povo — suposição implícita na reação dele por causa da graça que Deus demonstrou para com os ninivitas — é que nos parece estranha hoje.

Entretanto, o ponto aqui é a preocupação universal de Deus. Como cristãos, a Grande Comissão deve soar em nossos ouvidos:

> E, chegando-se Jesus, falou-lhes, dizendo: É-me dado todo o poder no céu e na terra. Portanto, ide, ensinai todas as nações, batizando-as em nome do Pai, e do Filho, e do Espírito Santo; ensinando-as a guardar todas as coisas que eu vos tenho mandado (Mt 28.18-20a).

Se o livro de Jonas terminasse no capítulo 3, diríamos que o ponto do livro seria: "Deus traz seus inimigos para si". E, sem dúvida, essa afirmação é verdadeira e é um dos pontos principais do livro. Todavia, a mensagem de Jonas ultrapassa isso. O capítulo 4 ensina-nos que o livro realmente é sobre Jonas, o coração dele e o de todos que se conhecem como o povo de Deus. O ponto desse livro somos *nós e nosso coração!* Por isso, o capítulo 4 foi incluído no livro. Deus quer que nosso coração se conforme mais ao dEle. Embora Jonas seja histórico, também funciona como uma parábola. Não se supõe que leiamos Jonas e, a seguir, pensemos com nós mesmos: "Como esse Jonas é ingrato! Eu jamais seria tão desamoroso com os outros como ele". Antes, supõe-se que pensemos: "O fato do coração de um profeta de Deus se endurecer de forma tão errônea em relação às prioridades, ao amor e à misericórdia do Senhor mostra que preciso observar muito mais meu coração!" Precisamos nos perguntar: "Há alguma frieza em meu coração no que diz respeito às coisas com que o coração de Deus é cálido — as coisas em relação às quais Ele demonstra amor, misericórdia e compaixão?"

Agora, como já dissemos, a idéia da preocupação universal de Deus não é estranha a nós. Talvez o que nos cause estranheza seja ver vidas comprometidas em viver afastadas da preocupação de Deus para com os outros. Não me refiro apenas à demonstração de bondade com as pessoas do círculo próximo de alguém. Refiro-me à bondade que o faz se mudar para um povo a milhares de quilômetros de distância com língua e cultura distintas, talvez até um povo que seja hostil com estrangeiros, porque você se importa com essas criaturas feitas à imagem de Deus e quer adverti-las sobre o julgamento vindouro do Senhor e contar-lhes sobre sua misericórdia para conosco em Cristo!

Quando Deus chamou Jonas para ir a Nínive, ele fugiu para a cidade costeira de Jope. Você sabe a próxima vez que a Bíblia menciona Jope? No final de Atos 9, a cidade onde o apóstolo Pedro ressuscita uma mulher. A seguir, logo depois desse episódio, lemos o relato da conversão do primeiro gentio. Deus deu uma visão a um gentio, Cornélio, em que manda este chamar Pedro em Jope a fim de que o apóstolo pudesse compartilhar as Boas Novas do evangelho com ele (At 10.5). Enquanto o mensageiro de Cornélio está a caminho de Jope, Deus dá uma visão a Pedro em que lhe diz que Ele terá seu evangelho propagado por todas as nações e que seu povo estará envolvido nessa grande tarefa e privilégio. Por isso, Jonas saiu de Jope. Por isso, Pedro saiu de Jope. Não há coincidências aqui.

Falando de forma prática, o que deveríamos fazer? Deixe-me apresentar algumas sugestões:

Primeira, aprender a respeito dos ninivitas ao seu redor. Aprenda com o que os não-cristãos de seu trabalho ou vizinhança se importam e se deleitam. É difícil se importar com pessoas sobre quem se não sabe nada a respeito. Comece também a aprender sobre outros países, a condição da igreja nesses países e em que áreas precisam de orações. Há muitos recursos disponíveis para ajudá-lo a fazer isso.

Segunda, seja hospitaleiro com todos os "Jonas" que viajam por sua cidade e por seus círculos. Quando encontrar pessoas comprometidas em mudar-se para lugares como Nínive, a fim de compartilhar as Boas Novas de Jesus Cristo, dê-lhes as boas-vindas, acolha-as e ajude-as em sua jornada.

Terceira, apóie Jonas e seu trabalho. Fizemos isso em nossa igreja transformando as missões no exterior em um dos itens de nosso orçamento. Também fazemos isso de outras formas como providenciar hospedagem gratuita para as famílias missionárias de licença. Essa hospedagem permite que os missionários voltem aos Estados Unidos por quatro, cinco e até seis meses a fim de se revitalizar e se renovar sem ter de se preocupar com hospedagem. Não poderíamos fazer isso se a igreja não disponibilizasse o recurso para isso.

Quarta, ore pelo Jonas que vai para a missão. Ore pelos ninivitas para quem ministrarão. Ore com regularidade. Não ore apenas por você mesmo e sua vida. Deixe que suas orações reflitam cada vez mais a imensidão do amor de Deus!

Quinta, alcance os ninivitas de sua cidade. Muitas pessoas que vêm aos Estados Unidos são de países onde não se pode proclamar Cristo livremente e onde o evangelho não é conhecido. Todavia, enquanto essas pessoas estão nos Estados

Unidos, você tem a oportunidade de compartilhar livremente o evangelho com elas. Nós, os cristãos, temos de tirar vantagem dessa situação. Às vezes, quando penso em como muitas cidades ocidentais tornaram-se multiétnicas, pergunto-me se Deus não nos enviou o mundo porque nós, os cristãos ocidentais, tornamo-nos muito preguiçosos e satisfeitos conosco mesmos para ir até o mundo perdido.

Sexta, edifique uma igreja para apoiar todo esse trabalho. Nenhuma dessas sugestões é realizável fora das igrejas locais. Se você freqüenta uma igreja com regularidade, mas não se tornou um membro dela, rogo-lhe que vá a uma igreja com que se comprometa e edifique o Corpo de Cristo ao exercer seu trabalho missionário por meio dessa comunidade ligada ao Corpo de Cristo.

Sétima, vá você mesmo a Nínive. Talvez você seja Jonas! Talvez você seja a pessoa chamada a ir a um povo estrangeiro. Lembre-se do que Paulo disse aos romanos: "Porque todo aquele que invocar o nome do Senhor será salvo. Como, pois, invocarão aquele em quem não creram? E como crerão naquele de quem não ouviram? E como ouvirão, se não há quem pregue? E como pregarão, se não forem enviados? Como está escrito: Quão formosos os pés dos que anunciam a paz, dos que anunciam coisas boas!" (Rm 10.13-15).

Há grupos de pessoas com quem você, especificamente, não se importa ou de quem não gosta? Talvez você tenha experimentado injustiça nas mãos de ricos, de pessoas brancas, de mulheres, de alemães, de japoneses, de mulçumanos, de norte-americanos, de pessoas altas, de pessoas do meio-oeste, de membros do Al-Qaeda — escolha seu grupo. Talvez você *tenha* experimentado injustiça real por parte deles! Contudo, seja o que for que esse grupo represente para você, saiba que o coração de Deus é maior que o seu, e Ele quer que seu evangelho chegue até esse grupo.

Apocalipse 15 anuncia: "Quem te não temerá, ó Senhor, e não magnificará o teu nome? Porque só tu *és* santo; por isso, todas as nações virão e se prostrarão diante de ti" (Ap 15.4). Deus realizará seus propósitos. Louve a Deus! Como você fará parte disso? Você está correndo *de* Deus ou *para* Ele?

Oremos:

Da oração que pede para que eu possa ser
protegido de ventos que batem em ti,
Do temor quando devo aspirar,
Da hesitação quando devo subir mais alto,
Do alisar o eu,
Ó Capitão, liberte teu soldado que deveria te seguir.

Do amor sutil por coisas comoventes,
Das escolhas fáceis, debilitantes

*(Por isso, os espíritos não fortalecem,
E o Crucificado não seguiu esse caminho,)
De tudo que turva teu Calvário,
Ó Cordeiro de Deus, liberte-me.*

*Dê-me o amor que rege o caminho,
A fé que nada desalenta,
A esperança que nenhum desapontamento esgota,
A paixão que queima como fogo,
Não deixe que me reduza a um tolo:
Faça-me teu alento, Chama de Deus.*[8]
Amém.

Questões para Reflexão

1. De acordo com os primeiros três parágrafos da introdução deste sermão, por que o céu é o lugar apropriado para os amantes de Deus? Por que o inferno é o lugar adequado para os que odeiam a Deus? Você ama ou odeia a Deus? Em vista do alto risco dessa pergunta, quanto você está seguro de sua resposta?

2. Qual a principal razão para tratarmos o livro de Jonas como histórico? Que princípio aprendemos aqui para ler e interpretar o Antigo Testamento de forma geral?

3. Você já sentiu que algum pecado que cometeu no passado (ou com o qual ainda lute) o pôs além do alcance da graça de Deus? Que notícia encorajadora o livro de Jonas tem para você? Como você pode encorajar outras pessoas que lutam com esse mesmo sentimento?

4. O livro de Jonas realiza, pelo menos, duas grandes tarefas ao mesmo tempo: demonstra o amor de Deus pelas nações e expõe a hipocrisia no coração do povo do Senhor, muito semelhante à crítica de Jesus ao fariseu. Consideremos cada um desses propósitos por vez:
    a. Primeiro, você pode fornecer o nome de outro deus que ame as nações tanto quanto o Deus da Bíblia? Quem é a pessoa mais amorosa que conhece? Se puder, descreva com quem essa pessoa se pareceria se fosse muitíssimo mais amorosa do que já é. Bem, como você acha que Deus deve ser? Em relação a você? A seus amigos não-cristãos? A seus inimigos? Aos inimigos de seu país?
    b. Segundo, como o livro de Jonas expõe você como uma pessoa hipócrita? Quando e onde você respondeu à Grande Comissão de Jesus (Mt 28.18-20) da forma que Jonas respondeu ao fugir para Társis? Que nomes você daria para os "Társis" de sua vida — isto é, para onde você

vai para fugir de Deus (para uma cidade, para casa, para o conforto, para o alimento, para jogos eletrônicos, para a bebida, para o telefone, para um local de férias, para fantasias de sucesso, etc.)?
5. O amor universal de Deus pelas pessoas impede a disposição dEle para julgar e condenar? Quem ele julgará e condenará?
6. Cristão, você se surpreendeu com sua conversão ou a sentiu como "uma dádiva"? Independentemente da idade da pessoa na época de sua conversão, por que todo cristão deve se sentir *surpreso* com sua conversão? Em outras palavras, por que *toda* conversão é tão impressionante como a libertação de Jonas por intermédio do grande peixe?
7. Cristão, há algum relacionamento, trabalho ou oportunidade em sua vida recente que você "estragou"? Que encorajamento o Deus das segundas chances do livro de Jonas representa para sua situação pessoal?
8. É possível uma igreja ser conhecida por excomungar o pecador impenitente e por ser uma igreja que dá segundas chances? Esse é um objetivo desejável? Como uma igreja pode trabalhar para ser assim?
9. Como você pode se esforçar para ter um coração cada vez maior para ser mais semelhante ao de Deus? Como você pode aprender, especificamente, a amar de forma mais ampla e mais profunda?

Notas

Capítulo 32

[1] A data de pregação original deste sermão foi em 28 de setembro de 2003, na Capitol Hill Baptist Church, em Washington, D.C.
[2] Mateus 12.40,41; Lucas 11.30,32.
[3] A pedra esculpida com a cena do cerco de Senaqueribe a Laquis pode ser vista no Museu Britânico, em Londres.
[4] Gênesis 18; Jeremias 18; 36; Joel 2; etc.
[5] Êxodo 3.11,13; 4.1,10,13.
[6] G. Campbell Morgan, The Minor Prophets: The Men and Their Messages (Westwood, N. J.: Revell, 1960), p. 69.
[7] Jonas 1.17; 4.6,7,8; cf. Êxodo 16.31,33,35.
[8] Amy Carmichael, "Flame of God", citado em Elisabeth Elliot, A Chance to Die: The Legacy of Amy Carmichael (Old Tappan, N.J: Revell, 1987), p. 221.

A MENSAGEM DE MIQUÉIAS: O QUE DEUS QUER?

O QUE VOCÊ QUER DA RELIGIÃO?

INTRODUÇÃO A MIQUÉIAS

DEUS QUER QUE OS ERROS SEJAM REPREENDIDOS

DEUS QUER QUE SEU POVO SEJA RESTAURADO

DEUS QUER QUE SEU CARÁTER SEJA CONHECIDO
Pelo Reconhecimento da Supremacia dEle
Pela Lembrança da Justiça dEle
Pela Demonstração da Misericórdia dEle

CONCLUSÃO

CAPÍTULO 33

A Mensagem de Miquéias:
O que Deus Quer?

O que Você Quer da Religião?[1]

Hoje, as religiões bem-sucedidas são as de mistério, de tolerância e de mudança. Ensina-se à geração em formação a dar o benefício da dúvida ao desconhecido. Desta forma o mistério passa a ser o estilo. Já que a verdade é algo pessoal — minha verdade pode não ser a sua —, a tolerância é o mínimo que podemos oferecer às pessoas com valores diferentes dos nossos. E, nesse tipo de ambiente, a capacidade de mudar é essencial. Mudança em seu padrão moral? Sim. Mudança em sua prática religiosa? Claro que sim.

Há alguns anos, um estudo concluiu que a igreja-*shopping* tornou-se uma forma de vida entre os cristãos norte-americanos. Um em cada sete adultos muda de igreja todo ano, um em cada seis alterna, com regularidade, as distintas congregações. Os chamados teólogos do processo chegam a ponto de sugerir que até Deus muda. Eles dizem que Ele também desenvolve e cresce como todas as outras coisas.

Sem dúvida, o ser supremo é misterioso. Hoje, muitas pessoas preferem a noção de que um deus tão distante e diferente de nós é mais uma força que um pai. Certa vez, perguntei a um clérigo cristão, com quem me encontrava com regularidade, se ele achava que Deus é pessoal. Ele parou por um momento, disse que nunca lhe fizeram tal pergunta, fixou pensativo a lareira perto da qual estávamos sentados e, a seguir, concluiu que não; ele não achava que Deus era pessoal.

Tolerante, variável, adaptável, torturantemente misterioso e indefinível — isso descreve o que você entende por cristianismo? É isso que você busca em sua renovação espiritual e em sua religião?

Introdução a Miquéias

Se sua resposta for afirmativa, talvez você se interesse pelo próximo profeta menor da nossa série de "Questões Eternas" — o profeta Miquéias. Deixe-me lembrá-lo que esses profetas são "menores" não por que não sejam importantes, mas por que seus livros são menores. Vários séculos antes do nascimento de Cristo, esses livros foram reunidos em um pergaminho e ficaram conhecidos como "os doze", embora esses doze profetas tenham profetizado no decurso de cinco séculos distintos!

Miquéias escreveu em uma época não muito diferente da nossa. Ele profetizou por volta da mesma época que Isaías (século VIII a.C.) e encontrou a nação de Israel em profundo problema com Deus, pois o povo do Senhor caíra em um terrível abismo moral. A sociedade se dissolvia, e a miséria surgia. Nesta passagem, Miquéias fala como uma personificação do povo de Judá:

> Ai de mim! Porque estou como quando são colhidas as frutas do verão, como os rabiscos da vindima: não há cacho de uvas para comer, nem figos temporãos que a minha alma desejou. Pereceu o benigno da terra, e não há entre os homens um que seja reto; todos armam ciladas para sangue; caça cada um a seu irmão com uma rede. As suas mãos fazem diligentemente o mal; o príncipe inquire, e o juiz se apressa à recompensa, e o grande fala da corrupção da sua alma, e assim todos eles são perturbadores. O melhor deles é como um espinho; o mais reto é pior do que o espinhal; veio o dia dos teus vigias, veio a tua visitação; agora será a sua confusão. Não creiais no amigo, nem confieis no vosso guia; daquela que repousa no teu seio guarda as portas da tua boca. Porque o filho despreza o pai, a filha se levanta contra sua mãe, a nora, contra sua sogra, os inimigos do homem são os da sua própria casa (7.1-6).

A miséria sobeja. Não há uvas nem figos. Os desejos não se cumprem. Supostamente, essas pessoas são o povo de Deus, mas não se acha um homem reto sequer: eles foram varridos da terra. Em vez disso, o homicídio se alastra. Os governantes são corruptos. A justiça é pervertida pelo suborno. É o mundo do homem rico!

A podridão dessa terra é tão grande que as pessoas não podem confiar umas nas outras, nem mesmo nos cônjuges. A família se desintegrou.

Certa vez, jantei com um amigo da China que descreveu as denúncias durante a Revolução Cultural, do presidente Mao, na década de 1960. Com evidente vergonha e pesar pelas lembranças de mais de trinta anos atrás, na época de nossa conversa, ele contou sobre as reuniões do partido em que uma pessoa após outra tinha de se levantar e denunciar alguém, em uma franca tentativa de parecer leal e de tirar qualquer suspeita de si mesmo. Até mesmo familiares denunciavam uns aos outros em benefício próprio. Todas as camadas da sociedade sentiram os efeitos profundamente destrutivos e amargos disso.

Das reuniões do Partido Comunista Chinês às multidões reunidas em volta da guilhotina na Paris revolucionária, às ruas do Israel da Antigüidade, nós, seres humanos, somos mestres na arte de se importar com nós mesmos mais que com os outros e com Deus. Todavia, aprender a cultivar nossos desejos egoístas — ao beber, ao mentir, ao dormir com alguém que não seja nosso cônjuge, ao roubar ou ao matar — faz com que a vida seja um mar de amarguras e deprecia nossa experiência de vida.

Realmente, a condição humana, como a condição do Israel de Miquéias, é repugnante. Contudo, Miquéias não estava desanimado. Ele declara no versículo seguinte à passagem acima: "Eu, porém, esperarei no Senhor; esperei no Deus da minha salvação; o meu Deus me ouvirá" (7.7). A esperança de Miquéias nessa situação terrivelmente difícil fundamentava-se em algo mais que ele mesmo ou até que o povo de Deus. Ela fundamentava-se em Deus! Observe a segunda palavra do versículo: "Porém". Podemos resumir esses versículos da seguinte forma: "Sim, a situação é grave, mas Deus me ouvirá". Miquéias separou-se do pecado que descreveu; a seguir, ele vigia e espera que Deus veja, ouça e responda. Por isso, ele chama Deus de "minha salvação".

Se essa foi a situação em que Miquéias encontrou o Reino do Sul de Judá nos anos logo anteriores e posteriores à queda do Reino do Norte de Israel — uma situação permeada pelo pecado e pelo mal abominados pelo Senhor — o que Miquéias diz que o Senhor quer? Deus é basicamente tolerante, variável e misterioso? O que Deus quer?

Deus Quer que os Erros Sejam Repreendidos

O que Deus quer? Miquéias ensina com muita clareza que Deus quer que os erros sejam repreendidos, especialmente, os erros de seu povo. Esse tema predomina em Miquéias, exceto pelos dois capítulos mais cheios de esperança (por exemplo, caps. 4 e 7). O livro parece apresentar três séries de profecias — nos capítulos 1 e 2; 3 a 5; e 6 e 7 — e, em cada uma dessas séries, os pecados do povo de Deus são condenados.

Nos versículos iniciais do livro, depois de apresentar uma introdução e uma convocação para que ouçam, Miquéias promete que Deus está vindo para confrontar Judá por causa de seus pecados:

Palavra do Senhor que veio a Miquéias, morastita, nos dias de Jotão, Acaz e Ezequias, reis de Judá, a qual ele viu sobre Samaria e Jerusalém. Ouvi, todos os povos, presta atenção, ó terra, em tua plenitude, e seja o Senhor Jeová testemunha contra vós, o Senhor, desde o templo da sua santidade. Porque eis que o Senhor sai do seu lugar, e descerá, e andará sobre as alturas da terra. E os montes debaixo dele se derreterão, e os vales se fenderão, como a cera diante do fogo, como as águas que se precipitam em um abismo. Tudo isso por causa da prevaricação de Jacó e dos pecados da casa de Israel; qual é a transgressão de Jacó? Não é Samaria? E quais os altos de Judá? Não é Jerusalém? Por isso, farei de Samaria um montão de pedras do campo, uma terra de plantar vinhas, e farei rebolar as suas pedras no vale, e descobrirei os seus fundamentos. E todas as suas imagens de escultura serão despedaçadas, e todos os seus salários serão queimados pelo fogo, e de todos os seus ídolos eu farei uma assolação, porque do preço de sua prostituição os ajuntou, e em recompensa de prostituta se volverão (1.1-7).

No início do capítulo 2, a promessa de destruição feita por Deus continua:

Ai daqueles que, nas suas camas, intentam a iniqüidade e maquinam o mal; à luz da alva o praticam, porque está no poder da sua mão! E cobiçam campos, e os arrebatam, e casas, e as tomam; assim fazem violência a um homem e à sua casa, a uma pessoa e à sua herança. Portanto, assim diz o Senhor: Eis que projeto um mal contra esta geração, do qual não tirareis os vossos pescoços; e não andareis tão altivos, porque o tempo será mau (2.1-3).

O capítulo 2 continua e relata que o povo de Judá caiu a ponto de até amar falsos profetas e suas falsas profecias! Não contentes em mentir com a própria boca, quiseram pôr mentiras na boca de Deus: "Não profetizeis; os que profetizam, não profetizem deste modo, *que* se não apartará a vergonha" (2.6). Você entende por que Deus os descreve com estas palavras: "Se houver algum que siga o seu espírito de falsidade, mentindo e dizendo: Eu te profetizarei acerca do vinho e da bebida forte; será esse tal o profeta deste povo" (2.11). O ponto aqui não é tanto o interesse deles acerca "do vinho e da bebida forte", mas a disposição deles em sacrificar a verdade por causa do vinho e da bebida forte — e bebida em abundância! Eles queriam profetas que só dissessem que a terra se encheria de coisas boas para eles, e nada mais. Esses são os profetas a que ouviriam. Podemos dizer que escolhiam seus profetas como as pessoas escolhem seus médiuns, mas não como selecionam seu banqueiro ou seu médico. Imagine escolher seu médico com base em seu diagnóstico ser animador e otimista! Foi isso que Judá fez.

Observe como esse julgamento seria severo: "Porque eis que o Senhor sai do seu lugar, e descerá, e andará sobre as alturas da terra" (1.3). E quando Deus "anda", Ele não pula, de leve, na ponta dos pés, de uma pedra para outra. Ele esmaga! Todo o peso de sua justiça divina cai sobre as criaturas traidoras, mais comprometidas com seus pecados que com Ele. Alguns comentaristas, como C. H. Dodd, tentaram redefinir e despersonalizar a ira de Deus como "o processo inevitável de causa e efeito em um universo moral".[2] Todavia, em Miquéias, o retrato de julgamento é muito mais pessoal que isso — Deus quer que o errado seja repreendido e garantirá a vinda do julgamento. Ele usará forças militares estrangeiras. Ele usará uma cultura decadente. Ele mesmo fará isso.

Sabemos pela história que, vários anos após a profecia de Miquéias, os assírios destruíram Samaria (outro nome do Reino do Norte de Israel). As dez tribos do norte de Israel sumiram das páginas da história para sempre. Cento e cinqüenta anos depois, Jerusalém e o Reino do Sul de Judá foram derrotados e levados para o exílio.

A segunda série de profecias, incluídas nos capítulos 3 a 5, também destacam o pecado que exige repreensão. Miquéias afirma sua incumbência de censurar o pecado e autoridade para isso: "Mas, decerto, eu sou cheio da força do Espírito do Senhor e cheio de juízo e de ânimo, para anunciar a Jacó a sua transgressão e a Israel o seu pecado" (3.8).

Do começo ao fim, esses três capítulos intermediários enumeram mais pecados do povo de Deus. Entre esses pecados estão, principalmente, os cometidos pelos líderes que abusavam do povo para objetivos pessoais. A linguagem vívida dos versículos iniciais do capítulo 3 reflete o horror da vida da nação sob o comando desses líderes, como também a terrível perversão que é o abuso de autoridade (veja 3.1-3). Os líderes também são culpados de não respeitar a santidade da vida humana, ao desprezar a justiça, ao distorcer os direitos e até ao subornar juízes. "Os seus chefes dão as sentenças por presentes" (3.11).

Claro que o pecado, em sua raiz, é uma questão do coração: "A vós que aborreceis o bem e amais o mal" (3.2). Isso é um desamor a Deus e um amor muito maior às coisas que Ele fez. Como Jesus declarou: "Porque do coração procedem os maus pensamentos, mortes, adultérios, prostituição, furtos, falsos testemunhos e blasfêmias" (Mt 15.19). Quando o coração se perverte, ninguém pode se espantar de que pratique o mal.

Em resposta aos pecados dos líderes (e, como veremos, também aos do povo), Deus declara que punirá a nação abandonando-a a seus invasores: "Então, clamarão ao Senhor, mas não os ouvirá, antes esconderá deles a sua face naquele tempo, visto que eles fizeram mal nas suas obras" (3.4). Ele garante que serão cercados e destruídos. Ele eliminará seus líderes. Os que sobreviverem serão levados para o exílio na Babilônia. Outras nações, à medida que Deus abandona seu povo e o faz retornar para as nações de onde vieram, regozijar-se-ão com a queda deles.

O pecado tem conseqüências, e uma das conseqüências mais fundamentais é a alienação causada entre o ser humano e Deus. O pecado separa-nos dEle. Os líderes de Israel podiam buscar a Deus em oração — você consegue ser mais religioso que eles? —, mas Deus "não os ouvirá [...] visto que eles fizeram mal nas suas obras". Deus tratará os líderes corruptos da mesma forma como eles trataram o povo: não os ouvirá quando procurarem ajuda.

Deus também promete que não ouvirá os falsos profetas. Esses profetas, por dinheiro, dão informações falsas. Eles não conduzem o povo a Deus, mas o afastam dEle. Por isso, o Senhor promete não lhes responder:

> Portanto, se vos fará noite, para que não haja profecia, e haverá trevas, para que não haja adivinhação, e se porá o sol sobre esses profetas, e o dia sobre eles se enegrecerá. E os videntes se envergonharão, e os adivinhadores se confundirão, sim, todos eles cobrirão os seus lábios, porque não haverá resposta de Deus (3.6,7).

Este é o cerne da punição de Deus sobre seu povo: cortar sua comunicação com eles. Ele não ouvirá seus chamados. Ele não falará com eles. Ele quer separação por causa dos pecados deles.

Na verdade, o pecado de Israel não estava limitado a seus líderes e seus profetas. Toda a nação era culpada por causa da falsa adoração e da falsa crença. Assim, no capítulo 5, Deus promete destruir os objetos deles de segurança política e religiosa:

> E sucederá, naquele dia, diz o Senhor, que eu exterminarei no meio de ti os teus cavalos e destruirei os teus carros; e destruirei as cidades da tua terra e derribarei todas as tuas fortalezas; e tirarei as feitiçarias da tua mão, e não terás agoureiros; e arrancarei do meio de ti as tuas imagens de escultura e as tuas estátuas; e tu não te inclinarás mais diante da obra das tuas mãos (5.10-13).

Lembre-se, esse era o povo para quem Deus se revelou. Esse era o povo que Deus amou de forma especial. Mas eles começaram a confiar em cavalos e em muros. Eles buscavam divindade na observação de nuvens e na leitura de entranhas de galinhas. Eles amavam estátuas. Eles salpicaram a terra com imagens de escultura que, em essência, eram uma forma de dizer a Deus para que se afastasse

— "esses são os deuses em quem confiamos". Era como se eles tivessem colado rótulos em si mesmos para anunciar que pertenciam a outra pessoa. As cidades estavam cheias de pessoas que se curvavam para a obra das mãos deles (5.13). Deus resgatou-os da escravidão do Egito para isso? Não, portanto, Deus promete que "entregará" Israel (5.3). Eles escolheram o pecado em vez dEle, portanto, o Senhor ratificaria a escolha deles, dando-lhes o que pediram.

Espero que, se você não for cristão, o livro de Miquéias lhe pareça sério. Pois a realidade do pecado é uma coisa séria. Nossa separação de Deus é séria. De acordo com a Bíblia, cada pecado que cometemos é uma afronta pessoal a Deus, uma rebelião contra sua autoridade, uma negação de sua sabedoria e uma rejeição de seu amor.

Pense em como, na verdade, o pecado é uma coisa estúpida! Pense na devastação que ele provoca em sua vida! Qual é a colheita de seu egoísmo e orgulho? De sua raiva? Daquele suborno que você ofereceu ou recebeu? De seu envolvimento físico com aquela pessoa que não é seu cônjuge? De seu amor por tudo que Deus odeia? De sua indiferença pelo que Deus ama? De sua rejeição diária a Deus e sua Palavra? O que resultou desse tipo de vida? Você ainda é louco por isso? Amigo, posso garantir, o pecado não produz nada de bom.

Pergunto-me se, mesmo se você for cristão, esse quadro lhe parece sério. Deveria ser óbvio, em vista da época em que vivemos, que adoramos um Deus que nenhum editor inventaria — um Deus que não apenas é capaz de sentir ira, como está comprometido em responder, com ira, a nosso pecado. Cristão, se você continua a confundir a ira de Deus com a idéia de inferno, deixe-me encorajá-lo a voltar os olhos para a cruz. Quanto Deus odeia o pecado? Você encontra a resposta na cruz, onde testemunha a extensão a que Deus estava disposto a ir a fim de lidar com o pecado.

Deus quer que os errados sejam repreendidos, em especial, os errados de seu povo.

DEUS QUER QUE SEU POVO SEJA RESTAURADO

O que mais Miquéias nos diz que Deus quer? Deus quer que seu povo seja restaurado. Em todas as seções de sua profecia que apresentam a severidade do julgamento de Deus, também vemos a doce esperança da salvação dEle.

No capítulo 2, após a denúncia inicial de Miquéias, surpreendentes palavras de luz irrompem das trevas: "Certamente te ajuntarei todo inteiro, ó Jacó; certamente congregarei o restante de Israel; pô-los-ei todos juntos, como ovelhas de Bozra; como rebanho no meio do seu curral, farão estrondo por causa da *multidão* dos homens" (2.12). Observe a trilogia de promessas salvadoras: "Certamente te ajuntarei [...]"; "certamente congregarei [...]"; "pô-los-ei todos juntos [...]". Deus salvará esse remanescente.

Isso não significa que Ele não julgará. Ele julga ao enviar Judá para o exílio. Mas Ele também libertará Judá:

> E a ti, ó torre do rebanho, monte da filha de Sião, a ti virá; sim, a ti virá o primeiro domínio, o reino da filha de Jerusalém. [...] Sofre dores e trabalhos, ó filha de Sião, como a que está de parto, porque agora sairás da cidade, e morarás no campo, e virás até Babilônia; ali, porém, serás livrada; ali te remirá o Senhor da mão de teus inimigos (4.8,10).

Cerca de 150 anos depois, por volta de 605 a.C., Deus cumpre essa promessa ao enviar o primeiro grupo de pessoas de Judá e de Jerusalém para o exílio. No fim, o resto da cidade iria para o exílio. Setenta anos após a primeira deportação, Deus cumpre sua promessa de restaurar seu povo quando o primeiro grupo de judeus retorna do exílio para Jerusalém. No fim, Esdras e Neemias também retornam à terra para liderar o povo no restauração da Palavra de Deus e na reconstrução dos muros de Jerusalém. Como prometeu em Miquéias, Deus restaura seu povo:

No capítulo 7, o profeta Miquéias personifica a Jerusalém restaurada:

> Ó inimiga minha, não te alegres a meu respeito; ainda que eu tenha caído, levantar-me-ei; se morar nas trevas, o Senhor será a minha luz. Sofrerei a ira do Senhor, porque pequei contra ele, até que julgue a minha causa e execute o meu direito; ele me trará à luz, e eu verei a sua justiça (7.8,9).

Basicamente, Jerusalém foi sitiada não por causa da fraqueza de Judá ou da força da Assíria, mas por causa da justiça de Deus. A justiça dEle continuaria até que levasse seu povo à vitória e à restauração. Isso significa que Deus lidaria, em seu tempo e do seu jeito, com o pecado da Assíria contra Israel.

Portanto, a linguagem feroz do julgamento do Senhor contra seu povo não deve nos deixar com a impressão de que Ele não falou mais nada para seu povo. Ele disse mais! Ele falou palavras de restauração para esse povo que foi repreendido e disciplinado. Um remanescente herdaria as promessas feitas a Israel, como um todo (2.12). Depois de todas as provações e de todos os problemas, Deus restabeleceria seu povo em retidão e em justiça. Sim, a palavra de Deus para seu povo foi dura e ominosa, mas, no fim, não era de desesperança ou de desespero. Todos que amavam a Deus mais que às bênçãos dEle enxergariam seu caminho por meio da disciplina inicial. Eles — ou seus filhos — seriam restaurados. O povo de Deus se recuperaria.

Se você não for cristão, espero que queira, mais que qualquer coisa, tornar-se um dos que Deus salvará. Com certeza, você conhece seus pecados. Talvez você acredite que existe um Deus. E talvez você tenha uma noção de que prestará contas a Ele. Então, o que você fará?

Recentemente, conversei com um mulçumano que concordou comigo que todas as pessoas pecam, porém, ele tem uma percepção mais otimista, que a minha, de sua capacidade para se defender diante de Deus. Ele acha que se levar uma vida "boa o bastante", Deus o perdoará. Ele tem a noção de que, se seus pecados não forem *muito ruins* nem *muito numerosos*, pode agir virtuosamente o bastante para que esses pecados não pensem em sua condenação ou, até mesmo, sejam apagados. Todavia, a Bíblia não apresenta esse retrato. Você não pode simplesmente "apagar" pecados passados. O dano foi feito. Se você pudesse apagá-los, não haveria justiça no universo.

Você não pode salvar a você mesmo da culpa de seus pecados, mas precisa ser salvo. Como você pode ser salvo? Deve começar pelo reconhecimento de que seus pecados pedem a justiça de Deus, e que Ele deve cobrar essa justiça de você ou de algum substituto que pague por você. A má notícia é que, se você tentar pagar essa pena, passará a eternidade no inferno fazendo isso. Sua única esperança é olhar para Cristo e enxergar o que Ele fez ao viver uma vida perfeita e ao morrer na cruz para pagar a pena pelos pecados de todos que se arrependerem e crerem nEle. Você será contado entre o povo de Deus ao se arrepender e crer em Cristo.

Enquanto há tempo, há esperança. Arrependa-se de seus pecados. Creia em Cristo.

O que a promessa de restauração de Deus, transmitida por intermédio de Miquéias, representa para nós como cidadãos? A guerra e a diplomacia são importantíssimas, contudo, nem a vitória diplomática nem a militar terão a palavra final neste mundo, nem mesmo em Washington, D.C. No cenário da história, as democracias e as ditaduras vêm e passam. A Assíria ergueu-se, conquistou outras nações e caiu. O mesmo aconteceu com a Babilônia. E com a Grécia. E com Roma. E com o Império Otomano. E, assim, poderíamos continuar a enumerar muitos outros exemplos. Por meio disso tudo, opera seus propósitos soberanos. Eles não serão frustrados e não giram em torno de nenhum governo humano, quer dos Estados Unidos quer de qualquer outro. Deus exaltará seu povo, povo esse que pertence a todas as nações, tribos e línguas.

Deus exaltará os pecadores apenas por intermédio de Cristo, pois a justiça do Senhor é satisfeita apenas quando a justiça de Cristo é creditada ao pecador e quando a injustiça do pecador é creditada a Cristo. Só podemos ser recebidos por Deus por intermédio de Cristo. Ele é o centro de nossa esperança!

Se você é cristão, também deve perceber que a salvação do povo de Deus não é apenas a vontade dEle, mas sua decisão. Ele decidiu *produzir, realizar, tornar certa* a salvação e a restauração de seu povo. Como mais poderíamos fazer parte da cidade celestial? Em mil anos, não poderíamos elaborar um caminho de *saída* do pecado e de *entrada* na santa presença de Deus. Todavia, o Senhor decretou isso. E isso acontecerá. Essa é a fundação de nossa esperança!

Como congregação individual, nossa ventura pode aumentar e diminuir. Nossa própria igreja, em seus 126 anos de história, já viveu tempos bons e tempos ruins. Vivenciamos décadas de crescimento e décadas de declínio. Todavia, a esperança final de qualquer congregação não está ligada ao prédio, à reunião, ao pastor ou mesmo aos outros membros da congregação. A esperança da congregação deve estar restrita ao Deus que salva. A qualquer momento, Deus pode decidir espalhar e dispersar essa ou aquela congregação. Ele pode permitir que a liberdade religiosa que desfrutamos hoje no Ocidente se corroa tanto que não possamos mais propagar as Escrituras abertamente. As reuniões públicas podem se tornar difíceis. Por outro lado, Ele pode decidir garantir um crescimento tão grande para essa ou aquela congregação que fique difícil realizar a reunião no prédio antigo. Mas nenhum desses assuntos — importante ou não — é determinante para nossa restauração final. Apenas a obra de Cristo e a vontade de Deus são determinantes. Nossa esperança, nossa certeza, nossa confiança, como igreja, deve repousar em Deus, pois Ele *reunirá* e *exaltará* seu povo.

O livro de Miquéias nos ensina que Deus quer a repreensão dos errados e a restauração de seu povo.

DEUS QUER QUE SEU CARÁTER SEJA CONHECIDO

Deus também quer que seu caráter seja conhecido. Se a mensagem básica do livro de Miquéias é a de que Deus quer que o errado seja repreendido, e a de que seu povo seja restaurado, por trás e acima desses dois pontos básicos está o compromisso de Deus de se tornar conhecido por meio de seu julgamento e de sua misericórdia. Esse compromisso é o fundamento de tudo o mais que Ele faz. Todavia, a revelação do caráter de Deus não é a apenas a *fundação* do que Ele faz, mas é também a *jóia da coroa* que brilha com mais esplendor.

Pelo Reconhecimento da Supremacia dEle

Primeiro, Deus quer que seu caráter seja conhecido pelo reconhecimento de sua supremacia:

> Mas, nos últimos dias, acontecerá que o monte da Casa do Senhor será estabelecido no cume dos montes se elevará sobre os outeiros, e concorrerão a ele os povos. E irão muitas nações e dirão: Vinde, e subamos ao monte do Senhor e à Casa do Deus

de Jacó, para que nos ensine os seus caminhos, e nós andemos pelas suas veredas; porque de Sião sairá a lei, e a palavra do Senhor, de Jerusalém. E julgará entre muitos povos e castigará poderosas nações até mui longe; e converterão as suas espadas em enxadas e as suas lanças em foices; uma nação não levantará a espada contra outra nação, nem aprenderão mais a guerra. Mas assentar-se-á cada um debaixo da sua videira e debaixo da sua figueira, e não haverá quem os espante, porque a boca do Senhor dos Exércitos o disse. Porque todos os povos andarão, cada um em nome do seu deus; mas nós andaremos no nome do Senhor, nosso Deus, eternamente e para sempre. Naquele dia, diz o Senhor, congregarei a que coxeava e recolherei a que eu tinha expulsado e a que eu tinha maltratado. E da que coxeava farei a parte restante, e da que tinha sido arrojada para longe, uma nação poderosa; e o Senhor reinará sobre eles no monte Sião, desde agora e para sempre (4.1-7).

Deus não pretende congregar a nação apenas pelo bem de seu povo, mas, em última instância, para que a supremacia dEle seja reconhecida. Ele quer que seu governo soberano sobre as nações seja entendido. No êxodo, Ele libertou seu povo do Egito, mostrando, assim, sua supremacia sobre os deuses egípcios; agora, Ele libertará seu povo da Babilônia a fim de mostrar sua supremacia sobre os deuses babilônios. Nessa passagem, a notável imagem de paz — as nações convertendo suas espadas em enxadas (4.3) — não acontecerá por intermédio de uma Liga das Nações, nem das Nações Unidas e, tampouco, de uma *Pax* Americana. Ela se estabelecerá pelo próprio reinado de Deus. Nesse dia, não haverá mais cobiça, roubo, guerra ou injustiça de nenhum tipo, não haverá mais medo. A justiça e a paz — separadas desde que o pecado entrou no mundo — reinarão juntas.

Se, por um momento, retornarmos ao capítulo 3, lembraremos a severidade da promessa de julgamento feita por Deus. Na verdade, o último versículo do capítulo 3 afirma: "Portanto, por causa de vós, Sião será lavrado como um campo, e Jerusalém se tornará em montões de pedras, e o monte desta casa, em lugares altos de um bosque" (3.12). Contudo, a bela imagem transmitida pelas palavras iniciais do capítulo 4 indica uma reviravolta de 180°: "Mas, nos últimos dias, acontecerá que o monte da Casa do Senhor será estabelecido no cume dos montes e se elevará sobre os outeiros, e concorrerão a ele os povos" (4.1). No fim, Deus planeja exaltar esse lugar como um reflexo de sua grandiosidade.

Por que as pessoas concorrerão para esse lugar? Veja o versículo seguinte: "E irão muitas nações e dirão: Vinde, e subamos ao monte do Senhor e à Casa do Deus de Jacó, para que nos ensine os seus caminhos, e nós andemos pelas suas veredas" (4.2a). Pessoas de todas as nações se voltarão para Deus. E como resultado disso: "Porque de Sião sairá a lei, e a palavra do Senhor, de Jerusalém" (4.2b). A Palavra do Senhor que se tornou escassa nos dias de Miquéias será, nesse dia de redenção, como um rio de vida que flui do povo de Deus para todo o mundo! Que visão gloriosa e que esperança maravilhosa: Deus reconcilia o mundo a Ele e governa supremo sobre seu mundo (cf. 7.16).

Deus exalta seu povo como uma forma de exaltar a si mesmo! Nós não somos o fim máximo de seus planos. Em Apocalipse, até mesmo a Noiva de Cristo é gloriosa apenas à medida que reflete a glória do Filho, o Noivo. Em última instância, o povo do Senhor é restaurado e exaltado para a glória dEle. Com os errados repreendidos e seu povo restaurado, Deus assume seu governo e reinado.

Pela Lembrança da Justiça dEle

Segundo, Deus quer que seu caráter seja conhecido pela lembrança de sua justiça:

> Ouvi, agora, o que diz o Senhor: Levanta-te, contende com os montes, e ouçam os outeiros a tua voz. Ouvi, montes, a contenda do Senhor, e vós, fortes fundamentos da terra; porque o Senhor tem uma contenda com o seu povo e com Israel entrará em juízo. Ó povo meu! Que te tenho feito? E em que te enfadei? Testifica contra mim. Certamente, te fiz subir da terra do Egito e da casa da servidão te remi; e pus diante de ti a Moisés, Arão e Miriã. Povo meu, ora, lembra-te da consulta de Balaque, rei de Moabe, e do que lhe respondeu Balaão, filho de Beor, desde Sitim até Gilgal; para que conheças as justiças do Senhor (6.1-5).

Nesses versículos, Deus relembra suas bênçãos para Israel. Ele lembra-os que os libertou milagrosamente do poder do faraó, que os preservou no deserto e que lhes deu a Terra Prometida.

Deus agira de forma justa com eles e queria que eles se lembrassem de sua justiça. Ao disciplinar e ao libertar seu povo, Deus trouxe-lhes à mente não apenas a *iniqüidade deles*, mas demonstrou *sua* justiça, absoluta e total, no trato com eles. Na verdade, a iniqüidade deles salienta ao máximo a *justiça* do Senhor, a fim de que não fiquem tentados a desafiar a Deus com iniqüidade em tempo de julgamento. De maneira alguma eles podiam dizer que Ele lidara de forma severa e cruel com eles.

O Senhor é supremo, Ele queria que todos conhecessem isso. E Ele é justo, e também queria que todos soubessem disso.

Pela Demonstração da Misericórdia dEle

Terceiro, Deus também é misericordioso e queria que isso fosse conhecido. Eis como termina o livro de Miquéias:

> Quem, ó Deus, é semelhante a ti, que perdoas a iniqüidade e que te esqueces da rebelião do restante da tua herança? O Senhor não retém a sua ira para sempre,

porque tem prazer na benignidade. Tornará a apiedar-se de nós, subjugará as nossas iniqüidades e lançará todos os nossos pecados nas profundezas do mar. Darás a Jacó a fidelidade e a Abraão, a benignidade que juraste a nossos pais, desde os dias antigos (7.18-20).

Há perdão para os pecados e clemência para as transgressões. A compaixão de Deus nos libertará da tirania do nosso pecado. Claro, em tudo isso, Deus pretende mostrar sua misericórdia; assim, Miquéias pode entoar: "Quem, ó Deus, é semelhante a ti". Essa é a palavra final do Senhor, por intermédio de Miquéias, para seu povo!

Observe também as transgressões perdoadas: Deus "esquece [...] da rebelião do restante da [sua] herança". Nem todos são perdoados. Algumas pessoas pensam que perdoar é o negócio de Deus. Elas dizem que o trabalho dEle é perdoar. De acordo com a Bíblia, não é não. Nem mesmo todo o Israel, "herança" visível de Deus, será perdoado. Apenas o "restante da [sua] herança" será perdoado. O remanescente é composto daqueles que realmente temem ao Senhor, que humilham a si mesmos apenas diante dEle, que se arrependem de seus pecados e que depositam sua esperança em Deus.

Na verdade, pergunto-me se você já pensou por que, afinal, Deus perdoa. De algumas formas, essa é a pergunta mais desconcertante que podemos fazer. Às vezes, as pessoas se desconcertam diante do "problema do mal" e de por que Deus permite o pecado. De acordo com minha compreensão, a pergunta mais premente, uma vez que comece a entender mais a bondade e a justiça do Senhor, é por que Ele não pune, imediata e totalmente, todos nós por nossos pecados? Já que Ele odeia o pecado dessa forma, por que Deus sempre perdoa?

Para responder a essa pergunta, precisamos observar que a profecia de julgamento de Miquéias termina com uma consideração de como Deus é: "Quem, ó Deus, é semelhante a ti". Em última instância, Ele perdoa por causa de quem é. Apenas por causa de seu caráter — quem Ele é em si mesmo e por si mesmo —, nós temos alguma esperança! De fato, o nome de Miquéias quer dizer "quem é como Deus?"

Por isso, no versículo 18, Miquéias apresenta a pergunta: "Quem, ó Deus, é semelhante a ti, que perdoas a iniqüidade e que te esqueces da rebelião do restante da tua herança?" Claro, a resposta implícita nessa pergunta retórica é: "Ninguém"! Se Deus não perdoa os pecados, então Miquéias estava desperdiçando seu tempo. Afinal, para que trazer o assunto à tona e profetizar? No que diz respeito a esse assunto, estou desperdiçando meu tempo, e você também! Para que sentar aqui e ouvir todas essas coisas, se você não acredita que pecou e que o Deus justo pode perdoar seus pecados? Se Deus não perdoa os pecados de seu povo, nós estamos perdidos! A Esperança fica fora de nosso alcance.

Mas esse não é o caso. O versículo 18 prossegue: "O Senhor não retém a sua ira para sempre". Miquéias sabia que o Senhor puniria o pecado, mas também sabia que Deus, por amor a seu povo, perdoaria e esqueceria. Por quê? Em boa parte, Ele perdoa por causa do que aprendemos a seu respeito no final do versículo 18: Ele tem prazer em demonstrar benignidade! Que coisa maravilhosa para sabermos sobre Deus. Ele tem prazer em demonstrar benignidade!

Muitas vezes, temos a tentação de pensar em um Deus santo com a cabeça virada para o lado, o nariz empinado, relutante em nos amar, quase como se o Filho redentor tivesse excedido em sabedoria o Pai judicioso — você sabe, como se Deus *tivesse* de nos aceitar. Mas esse não é o retrato que a Bíblia apresenta de Deus, nem no Antigo nem Novo no Testamento. Nosso Deus é aquEle cujo desejo e alegria é demonstrar benignidade.

Amigo, essa é uma excelente notícia para nós, pois você e eu precisamos de misericórdia! Deus nos fala com honestidade de nossos pecados, Ele profetiza restauração para ser exaltado, e Ele cumpre sua profecia ao demonstrar misericórdia conosco.

Miquéias sabia que Ele responderia à oração por misericórdia de seu povo: "Tornará a apiedar-se de nós, subjugará as nossas iniqüidades e lançará todos os nossos pecados nas profundezas do mar" (7.19). Ele sabia que era tão certo o Senhor libertar seu povo da escravidão do pecado como libertara os israelitas da escravidão egípcia. "Darás a Jacó a fidelidade e a Abraão, a benignidade que juraste a nossos pais, desde os dias antigos" (7.20). Deus será verdadeiro com sua palavra e misericordioso com seu povo.

Deus quer que seu caráter seja conhecido. Ele quer que sua pessoa suprema, justa e misericordiosa seja reconhecida e adorada.

Conclusão

Assim, isso é o que Deus quer.

O que você quer?

Deus quer que o errado seja repreendido. Você quer? Ou você está mais comprometido em se agarrar a seu pecado? Realmente, isso descreve todos nós antes de sermos salvos.

Deus quer que seu povo seja restaurado. Você quer isso? Talvez isso soe um pouco melhor para você? Talvez você esteja a bordo da moralidade da Bíblia. Moralidade é uma coisa boa, você sempre soube disso. Mas talvez você nunca tenha pensado sobre o povo do Senhor e a preocupação especial dEle para com seu povo.

Deus quer que seu caráter seja conhecido. Você quer? Eis o verdadeiro objetivo do livro. O Senhor atua para que sua soberania, sua justiça e sua misericórdia supremas sejam conhecidas. Ele atua para revelar a si mesmo. Honestamente, você se importa tanto assim com Deus? Talvez você pense em religião mais como fazer seguro contra incêndio induzido pela culpa. Sua consciência o incomoda, e essa é uma maneira de fingir segurança. Ou talvez a religião seja uma coisa social. Você gosta de algumas pessoas da igreja e de algumas das reuniões. Ou talvez a religião lhe dê encorajamento moral — ajuda a manter você e os filhos no passo certo. Todavia, considere isto: sua religião tem muito a ver com Deus? Conhecê-lo é o cerne de sua religião? Aprender a conhecê-lo aperfeiçoa a essência de sua vida e de sua ambição? Se você for cristão, então o cristianismo deve ser desta forma:

> Com que me apresentarei ao Senhor e me inclinarei ante o Deus Altíssimo? Virei perante ele com holocaustos, com bezerros de um ano? Agradar-se-á o Senhor de milhares de carneiros? De dez mil ribeiros de azeite? Darei o meu primogênito pela minha transgressão? O fruto do meu ventre, pelo pecado da minha alma? Ele te declarou, ó homem, o que é bom; e que é o que o Senhor pede de ti, senão que pratiques a justiça, e ames a beneficência, e andes humildemente com o teu Deus (6.6-8)?

Deus não quer que ofereçamos sacrifícios. Antes, Ele quer que nos humilhemos diante dEle e nos submetamos à autoridade dEle. Também quer que ajamos com justiça e amemos com misericórdia. Ao fazermos isso, refletimos para o mundo que nos rodeia o Deus que adoramos. O amor à justiça e à misericórdia reflete o próprio caráter de Deus. Escolher a humildade valida e demonstra a supremacia dEle.

Se você falhou em fazer isso, então precisa ser perdoado por Deus. Como você é perdoado? Apenas por intermédio do Messias (veja 5.1-5a). Na notável profecia de Miquéias, ouvimos alguma coisa sobre o Messias: "E tu, Belém Efrata, posto que pequena entre milhares de Judá, de ti me sairá o que será Senhor em Israel, e cujas origens são desde os tempos antigos, desde os dias da eternidade" (5.2). A libertação do povo de Deus virá do lugar mais inesperado. Aqui, a palavra traduzida por "pequena" seria, talvez, mais bem traduzida por "insignificante". A esperança do povo do Senhor não viria da poderosa Jerusalém, mas da insignificante Belém, uma cidade sem absolutamente nenhuma importância nacional (e muito menos importância internacional), a não ser pelo pequeno detalhe de que o rei Davi era de Belém. Mais uma vez, Deus sempre gosta de escolher o que é obscuro e inesperado a fim de ressaltar *quem* faz tudo acontecer.

Assim, quem é esse Senhor em Israel que vem de Belém, e, recebemos essa informação adicional, "cujas origens são desde os tempos antigos, desde os dias da eternidade"? Com certeza, seja o que for que essa frase signifique, ela não é usada em relação a um indivíduo. A frase é usada para se referir ao nosso destino na vida (Jó 20.4). Deus fora o Redentor de seu povo dos tempos antigos (Is 63.19; cf. v. 16). O povo do Senhor fracassou em ouvir o Deus dos tempos antigos (Is 48.8). Os atributos de misericórdia, de amor, de soberania e de verdade de Deus são do dos tempos antigos (Sl 25.6; 74.12; 78.2). Mas, em nenhum lugar, há uma descrição de um indivíduo ter "origens [...] desde os tempos antigos". Miquéias perdeu o juízo? Ele apenas disse que a pessoa é de Belém, mas também falou que suas origens são "desde os tempos antigos, desde os dias da eternidade". O que isso quer dizer? Isso pode se referir apenas a Jesus Cristo, o Filho eterno de Deus que *nasceu*, em Belém, da virgem Maria.

Esse soberano por vir terá um ministério glorioso: "E ele permanecerá e apascentará o povo na força do Senhor, na excelência do nome do Senhor, seu Deus; e eles permanecerão, porque agora será ele engrandecido até aos fins da terra" (5.4). Deus pretende que a justiça seja feita neste mundo. Apenas quem pode representar Deus perfeitamente e prometer justiça com tanta prodigalidade? Apenas Jesus Cristo julga o mundo. Sua grandeza se estende até os fins da terra. Ele encarna a soberania e a justiça de Deus.

Esse soberano, mais que isso, "será a nossa paz" (5.5). Ele personificará a paz do povo. Ele realizará a paz do povo. Ele assegurará a paz do povo. Jesus Cristo encarna a misericórdia de Deus. Na verdade, aquEle cuja origem é desde os tempos antigos, ao tomar sobre si a ira do Senhor pelos pecados de todos nós, morre na cruz como sacrifício para que nos afastemos do pecado e nos voltemos para Deus por intermédio de Cristo.

O amor de Deus por seu povo é impressionante por causa de nossa infidelidade em responder a sua perfeita fidelidade a nós. Por isso, ao pensar no julgamento do Senhor para o pecado, é benéfico que comecemos a meditar sobre Deus e o que Ele quer. Uma compreensão mais profunda do julgamento do Senhor leva a um entendimento mais profundo do amor e da fidelidade dEle. Poderíamos fragmentar o livro de Miquéias e estudar apenas as promessas que soam encorajadoras. Todavia, se fizermos isso, jamais apreciaremos essas promessas pelo que elas são de fato e podemos ter a tentação de considerá-las garantidas: "Bem, claro que Deus perdoa. Ele é amoroso. Ele faz coisas boas. Ele é assim". Contudo, se contextualizarmos corretamente as promessas de Miquéias — o ódio de Deus ao pecado, e como estamos saturados de pecado — é muito menos provável que percebamos o amor do Senhor como um sentimento gasto e pressuposto e muito mais provável que esse sentimento se torne um fundamento incrível de maravilhamento. Não me importa quantas vezes você ouviu sobre a morte de Jesus na cruz na igreja em que você foi criado. Não há nada garantido na morte de Cristo e no que ela realiza. Se você tiver consciência de seu pecado e do que merece por causa dele, então você se maravilhará com o amor que Deus demonstrou por nós na morte de Cristo na cruz. A morte dEle é uma demonstração impressionante do alto, profundo, extenso e amplo amor de Deus por aqueles que o rejeitaram. O quanto o amor de Deus custou a Ele torna sua gratuidade ainda mais impressionante!

Você vê como Deus é. Ele repreende as pessoas que estão erradas, restaura seu povo e demonstrada sua soberania, justiça e misericórdia. Portanto, a pergunta é a seguinte: Você ama esse Deus? Ele cativou seu coração, sua alma e seu espírito?

Se você ama a Deus, faz parte do seu povo. Você pertence ao remanescente. Se não ama a Deus, apenas pode amá-lo se pedir que Ele perdoe seus pecados por causa de Cristo e, a seguir, afastar-se dos pecados. Ore para que o Senhor lhe dê um coração cheio de amor por Ele, para que, assim, você também faça parte do povo dEle, caminhando em justiça, em misericórdia e em humildade. Ore para você perdoar os outros, enquanto Ele o perdoa. Ore para estar disposto a sofrer a disciplina dEle neste mundo, enquanto você, como Miquéias, espera com esperança pelo mundo por vir. É isso que Deus quer para o seu bem e para a glória dEle.

É isso que você quer?

Oremos:

Oh, Deus, nosso desejo, com freqüência, é volúvel, volta-se com regularidade apenas para nós mesmos, para nosso prazer e conforto, para nossa conveniência. Oh, Deus, oramos para que o Senhor, em sua misericórdia, desvie nossa atenção de nós mesmos e, por meio de seu amor e misericórdia, atraia-nos para o Senhor. Ensine-nos seu amor por nós por intermédio do Senhor Jesus Cristo. Oh, Senhor, liberte-nos de nossos pecados. Procure-nos em seu amor, nós rogamos. Em nome de Jesus. Amém.

Questões para Reflexão

1. O que você quer da religião? Qual é a coisa mais importante que a religião oferece?
2. Do ponto de vista de um coração pecador e que governa a si mesmo, qual a vantagem de ter um Deus impessoal, em vez de um Deus pessoal?
3. Por que os pecados de um líder da igreja são tão prejudiciais?
4. Este sermão argumenta que o cerne da punição de Deus para seu povo — pelo menos, nesta vida — é cortar a comunicação com ele. Por que essa é uma punição tão horrível? Por que subestimamos a severidade dela? Deus puniria uma congregação local dessa forma? Como seria isso?
5. Você acha dura a imagem do julgamento descrita em Miquéias? Acha apropriada? Por quê?

6. Se o julgamento de Deus parece severo, por que lembrar a morte de Cristo na cruz nos ajuda a compreender essa severidade?
7. Por que Deus não pode apenas "apagar" ou "deixar passar" nossos pecados e ainda permanecer justo e santo?
8. De acordo com este sermão, por que (no grau mais fundamental) Deus julga e dá misericórdia? O que o motiva em tudo que faz? Por que a resposta a essas perguntas é uma boa notícia para nós?
9. Por que a obra de Cristo na cruz é a melhor demonstração que temos em toda a Bíblia da justiça e da misericórdia de Deus?
10. Deus é o centro de sua religião? Da religião de sua igreja?

Notas

Capítulo 33

[1] A data de pregação original deste sermão foi em 19 de outubro de 2003, na Capitol Hill Baptist Church, em Washington, D.C.

[2] C. H. Dodd, Romans (Nova York: Harper & Brothers, 1932), p. 23.

A MENSAGEM DE NAUM: QUEM ESTÁ NO COMANDO?

QUEM ESTÁ NO COMANDO?

INTRODUÇÃO A NAUM

O POVO DE DEUS ESTÁ NO COMANDO?

OS INIMIGOS DELES ESTÃO NO COMANDO?

DEUS ESTÁ NO COMANDO?

CONCLUSÃO

CAPÍTULO 34

A Mensagem de Naum:
Quem Está no Comando?

QUEM ESTÁ NO COMANDO?[1]

Diz-se que a autoridade é como sabonete: quanto mais se usa, menos se tem. Há alguns anos, o colunista Holman Jenkins, em um artigo no jornal *The Wall Street Journal*, observou:

> Pode-se dizer com segurança que muitos presidentes de organizações vêem o que fazem como um pouco mais que uma variação de coisas inglórias. Eles deleitam-se com a oportunidade de estar no comando, mas a maioria não se ilude em relação à natureza enaltecedora do trabalho. Nos pináculos dos negócios norte-americanos, eles são literalmente tratados como [burros], farejando o chão atrás de um maço de cenouras caído na rua, atados ao preço das ações do mercado. Quantos executivos graduados desistiriam disso tudo por nada? Provavelmente, mais do que você imagina.[2]

Não sou presidente de empresa, portanto não posso comentar a exatidão da afirmação de Jenkins. Contudo, sei que, no fim, as vicissitudes da vida levam-nos a reconhecer a ilusão da nossa autoridade.

Como mencionei antes, há alguns anos, senti-me honrado em participar da cerimônia na rotunda do Capitólio, na qual Billy Graham foi presenteado com uma medalha congregacional. Graham, em seu agradecimento, observou que todas as pessoas homenageadas nas estátuas da rotunda, dos corredores e do *hall* de entrada tinham uma coisa em comum: estavam mortas.

O ponto de Graham é poderoso. Os cemitérios de Washington, D.C., estão cheios de "pessoas indispensáveis".

Pergunto-me que circunstâncias da vida o lembram de como você tem pouca autoridade sobre as coisas. Sem dúvida, o lembrete poderia ser o pensamento de sua mortalidade. Mas poderiam ser outras coisas também: a visita a seus antigos pecados, cuja repercussão continua a estender suas expectativas originais; a incerteza do futuro; o temor de outras pessoas; as coisas que você não gosta em si mesmo; os desejos que você parece não controlar; o tributo que os anos cobram de você; a incerteza de como continuará a cuidar das pessoas como deveria. Tantas circunstâncias, tão pouco controle.

INTRODUÇÃO A NAUM

No meio do século XVII a.C., época em que Naum escreveu seu livro, essa era exatamente a situação em que se encontrava o povo de Deus. Naum é um dos profetas menores, cujos livros compõem os últimos doze livros do Antigo Testamento. Eles são chamados "menores" não por que não sejam importantes, mas por que seus livros são menores. Não sabemos nada sobre Naum, o homem, a não ser que era elcosita. Claro que não sabemos onde Elcos ficava. Naum é singular entre os profetas em relação à forma como escreve o livro: "Peso de Nínive. Livro da visão de Naum, o elcosita" (Na 1.1). Em geral, as profecias eram transmitidas verbalmente e, a seguir, escritas. Mas a de Naum parece ter sido composta como um livro.

Apresento uma rápida visão panorâmica de Naum. O capítulo 1 inicia-se com um salmo introdutório sobre o caráter de Deus (1.2-8). No restante do capítulo 1 e no início do 2, (1.9—2.2), Naum dirige-se ora ao povo de Deus, Judá, e ora a Nínive, capital da Assíria. Alguns versículos após o início do versículo 2, o profeta começa a falar longamente com Nínive (2.3—3.19) e fica claro a que se refere a visão dele: Deus promete destruir totalmente Nínive como julgamento pelos pecados deles.

Ao ler o livro de Naum, buscaremos a resposta para a pergunta: *Quem está no comando?*

O POVO DE DEUS ESTÁ NO COMANDO?

Imagino que a resposta autoconfiante à pergunta de quem está no comando seria: "Nós estamos! Nós, como povo de Deus, estamos no comando". Todavia, é isso que Naum declara? Iniciemos com um rápido exame sobre a última parte do capítulo 1 e o início do capítulo 2, em que Deus se dirige a Judá e a Nínive:

> O Senhor é bom, uma fortaleza no dia da angústia, e conhece os que confiam nele. E com uma inundação transbordante acabará de uma vez com o seu lugar

[Nínive]; e as trevas perseguirão os seus inimigos. Que pensais vós contra o Senhor? Ele mesmo vos consumirá de todo; não se levantará por duas vezes a angústia. Porque, ainda que eles se entrelacem como os espinhos e se saturem de vinho como bêbados, serão inteiramente consumidos como palha seca. De ti [Ó Nínive] saiu um que pensa mal contra o Senhor, um conselheiro de Belial. Assim diz o Senhor: Por mais seguros que estejam e por mais numerosos que sejam, ainda assim serão exterminados, e ele passará; eu te [Ó Judá] afligi, mas não te afligirei mais. Mas, agora, quebrarei o seu jugo de cima de ti e romperei os teus laços. Contra ti [Nínive], porém, o Senhor deu ordem, que mais ninguém do teu nome seja semeado; da casa do teu deus exterminarei as imagens de escultura e de fundição; ali farei o teu sepulcro, porque és vil. Eis sobre os montes os pés do que traz boas-novas, do que anuncia a paz! Celebra as tuas festas, ó Judá, cumpre os teus votos, porque o ímpio não tornará mais a passar por ti; ele é inteiramente exterminado. O destruidor está já diante de ti [Nínive]; guarda tu a fortaleza, observa o caminho, esforça os lombos, fortalece muito o teu poder. Porque o Senhor trará outra vez a excelência de Jacó, como a excelência de Israel; porque os que despejam os despejaram e corromperam os seus sarmentos (1.7—2.2).

De acordo com essa passagem, fica claro que o povo de Deus do Antigo Testamento (e por implicação, nós, se somos cristãos) não tinha o controle das coisas. Não, eles precisavam de um refúgio (1.7). Eles foram atormentados, tiveram o pescoço curvado sob o peso do jugo, tiveram as pernas e os braços acorrentados (1.12,13). Agora, não sabemos se Naum se referia literalmente à escravidão ou metaforicamente ao fato de que Judá tinha de pagar um tributo exorbitante ao rei assírio. Décadas antes de Naum profetizar, muitas pessoas do Reino do Norte de Israel *foram* levadas para o exílio — talvez alguns dos atuais acorrentados — pelos assírios.

No século VIII e na maior parte do século VII a.C., a Assíria foi o maior poderio daquela região do mundo. A capital, Nínive — localizada no lado oriental do rio Tigre, área que faz fronteira com a atual cidade de Mosul, Iraque — era uma das maiores e mais poderosas cidades da terra. Seu tamanho, poder e riqueza inspiraram fábulas. Seus muros eram um bom retrato de sua magnificência. No mínimo, duas fileiras de muros, com quilômetros e quilômetros de extensão, rodeavam toda a cidade. O muro interior, o mais alto dos dois, tinha cerca de 30 metros de altura e largura suficiente para colocar três carros lado a lado. No lado exterior das duas fileiras de muros havia um fosso de 45 metros de largura e 18 metros de profundidade. O rio Tigre e outros rios menores rodeavam Nínive e faziam com que a cidade parecesse inexpugnável. Era uma cidade gigantesca!

Talvez um século antes, Jonas pregara na cidade, levando os ninivitas politeístas a se arrepender. Todavia, isso acontecera na metade do século VIII, agora, estavam na metade do século VII, e o arrependimento deles era coisa do passado. Em 722 a.C., provavelmente apenas poucas décadas após o arrependimento deles dos dias de Jonas, eles destruíram as dez tribos do Reino do Norte de Israel e Samaria, a capital. Por volta de 663, sob o comando Osnapar, também conhecido como Assurbanipal, eles estenderam suas conquistas centenas de quilômetros Egito adentro, chegando até a cidade de Nô-Amom (Tebas [3.8]), e o Egito caiu para eles.

Judá, durante essas conquistas ao seu redor, ficou lá na montanha, assistindo. Você percebe que as pessoas de Judá eram os "caipiras" daquela época, certo? Os povos localizados às margens de águas — quer litorâneas quer interioranas, às margens de grandes cursos de água navegáveis — são sempre os cosmopolitas, os sofisticados. Lembre-se dos fenícios, dos gregos, dos assírios ou dos babilônios com seus vales férteis e sua área costeira. Por outro lado, o povo de Judá vivia no alto dos montes — Jerusalém fica a 762 metros acima do nível do mar e não tem rios importantes fluindo para o mar. Eles eram vistos como atrasados. Se aparecessem em uma grande cidade cosmopolita como Washington, D.C., eles pareceriam canhestros e culturalmente desengonçados. Contudo, eles ficaram sentados ali, por anos, por décadas, assistindo à onda do Império Assírio levantar-se e lavar tudo a volta deles, ameaçando as cidades, à medida que o poderio deles crescia mais e mais.

Na verdade, muitos de Judá experimentaram mais que as ameaças da Assíria. Sabemos, por registros assírios remanescentes, que eles destruíram quase cinqüenta cidades de Judá, entre elas Laquis, cidade sulina que protegia Jerusalém a partir da planície costeira ao longo do mar Mediterrâneo.[3] Quadros vívidos da destruição de Laquis sobrevivem, até hoje, em baixos-relevos assírios mostrando homens espetados e corpos desmembrados, vítimas da investida assíria nos montes de Judá.

Foi durante essa época que Naum profetizou, uma época em que o maior poderio do mundo cortava os ramos de Judá, aproximando-se de forma tortuosa de seu coração, Jerusalém. E é exatamente nesse ponto que encontramos a relevância desse livro para hoje: o povo de Deus não podia ter *menos* controle do que teve de suas circunstâncias desafiantes, todavia, o Senhor continuava a chamá-los, por intermédio de seu profeta e de sua Palavra, para que confiassem nEle *mais* que nunca.

Não sei exatamente como está sua vida neste momento. Talvez as coisas estejam realmente boas para você e viva um dos períodos de "fartura e alegria" de sua vida. Se o seu caso se encaixa nessa descrição, você deveria parar e examinar a si mesmo. Você realmente acha que está no comando do seu mundo?

Eu concordaria que você está no comando de todo mundo que *cria!* Você sabe de que mundo falo: aquele em sua mente no qual você sempre diz a palavra certa, tem as coisas certas, conhece as pessoas certas, tem a saúde e a aparência certas e assim por diante. Se você brinca com algumas dessas ilusões neste momento, deixe-me ser a pessoa que lhe dá a má notícia: o mundo em que você está no comando *não existe*. Nunca existiu e nunca existirá. Talvez você esteja lendo muito Tony Robbins. Talvez, atualmente, você esteja experimentando muito "poder pessoal". Talvez você esteja lendo algum dos numerosos livros de Robbins que imitam religião e usam Jesus Cristo como mais uma forma de ensinar o pensamento positivo. Mas, amigo, isso é uma mentira. E se for honesto consigo mesmo, você sabe disso.

O livro de Naum presume que as pessoas — em especial, o povo de Deus — terão um tempo difícil neste mundo. Talvez você, se for cristão, queira protestar: "Mas sou filho do Rei!" Sim, você é filho do Rei e vive em um mundo que odeia seu Pai e está em rebelião contra o governo dEle. Se você realmente for filho dEle, tempos difíceis virão. Tenha certeza disso.

Cristão, perceba que você afirma seguir aquEle que aceitou ser humilhado neste mundo. Que aceitou nascer de uma forma que, provavelmente, levou todos os vizinhos a pensar que o nascimento dEle fora ilegítimo. Que cresceu em uma família pobre na parte pouco desenvolvida de uma nação pouco desenvolvida. Que, quando adulto, não tinha endereço fixo. Que sofreu o escárnio dos líderes da nação. Que vivenciou, após breve popularidade emocionante, mas instável, a traição dos amigos e, depois, da multidão. Que, a seguir, aceitou ser caçado, preso, acusado falsamente, tentado, açoitado, surrado, despido e, por fim, crucificado para morrer, tudo para pôr sobre si os pecados de pessoas como você e eu — pessoas que sabem que precisam de socorro. Este é aquEle que afirmamos seguir.

Nós, os cristãos, temos de perceber que Deus é bom e é nossa única esperança. Não podemos depender de nós mesmos nem de nossas circunstâncias. Às vezes, porque a vida vai bem, esquecemos isso e começamos a pôr nossa esperança nas circunstâncias, em outras pessoas ou em nós mesmos. Deus abençoa-nos de muitas maneiras. Contudo, no fim, nossa esperança não deve ser posta nessas bênçãos, mas apenas no Deus soberano que as dá. Ele é nosso Reparador e o Senhor do futuro. Como Naum declara: "O Senhor é bom, uma fortaleza no dia da angústia, e conhece os que confiam nele" (1.7).

Pergunto-me o que, para você, representa confiar em Deus hoje. Ninguém pode responder a esse questionamento por você nem imaginar, totalmente, qual seria sua resposta. Reflita a respeito disso por apenas um momento. Hoje, você já pensou que é totalmente dependente de Deus? Que, se não fosse por Ele, seu pulmão não inspira nem uma vez, nem seu coração dá uma batida? Quando você acordou essa manhã e pôs os pés no chão, o que fez para reconhecer que precisa de Deus? Você pensou em agradecer-lhe, ou dedicou um minuto para pensar no fato de que não teria o descanso da noite de ontem e a vida dessa manhã sem a decisão dEle de que assim fosse? Lembrou-se dessas coisas ou dos milhões de outros fatos que ocuparam sua mente? Já meditou sobre sua miséria e sobre a fidelidade de Deus para com você? Talvez você pudesse parar agora mesmo e refletir sobre alguma maneira de ensinar a você mesmo sua dependência de Deus.

Em nossas igrejas, as reuniões corporativas deveriam ser momentos em que, com regularidade, exercitamos, por meio de cânticos e de orações, nossa dependência ao amor de Deus e à justiça de Cristo. Nós *precisamos* dEle para perdoar nossos pecados. Nós *precisamos* dEle para nos guiar. Nós *precisamos* dEle para prover para nossas necessidades. Nós *precisamos* dEle para revelar mais de si mesmo para nós a fim de que possamos conhecê-lo melhor. Portanto, deixemos as orações e os cânticos ou hinos da igreja dizer o mesmo. Nossas reuniões regulares no dia do Senhor devem lembrar-nos, como indivíduos e como pessoas que dependem totalmente dEle, que Ele é aquEle a ser celebrado, a ser agradecido e a ser louvado.

Quem está no comando? Até onde sabemos, não somos nós!

Os Inimigos deles Estão no Comando?

Se a autoconfiança não fornece a resposta certa para a pergunta sobre quem está no comando, talvez uma busca mais desesperada ajude-nos a encontrar a resposta. Os inimigos de Deus e de seu povo estão no comando?

A maior parte do livro de Naum ocupa-se com os inimigos do povo de Deus — e por bons motivos. Esses perturbadores eram poderosos e cruéis. Sabemos por fontes extrabíblicas que o poderoso rei assírio Osnapar, também conhecido como Assurbanipal (governou de 668 a 629 a.C.), não queria que houvesse qualquer dúvida de que *ele* estava no comando. Certa ocasião, Ele escreveu (ou mandou escrever) orgulhosamente como lidou com conspiradores, que foram descobertos, contra seu trono:

> Em relação aos homens comuns que falaram coisas depreciativas contra meu deus Assur e conspiraram contra mim, o príncipe que o reverencia, cortei a língua deles e humilhei-os. Como oferta póstuma, esmaguei o resto das pessoas que ainda estavam vivas com a mesma imagem das deidades de proteção com as quais eles esmagaram Senaqueribe, meu avô. Alimentei os cães, os suínos, os chacais, as aves, os abutres, os pássaros do céu e os peixes dos fundos reservatórios com a carne retalhada deles.[4]

Lembro-me de, no Museu Britânico, em Londres, ver os baixos-relevos que representam com clareza a brutalidade com que os assírios tratavam seus oponentes nas batalhas. Não havia campos de unidades médicas. Não havia Convenção de Gênova com os assírios. Não, esses relevos representam homens espetados por pontas, pilhas de cabeças e, de outro lado, corpos mutilados. Os assírios *foram* o que Joseph Stalin apenas aspirou ser. Quando conquistavam uma cidade, eles a despovoavam totalmente e, a seguir, a recolonizavam com pessoas de vários outros lugares para que o lugar não desse mais problema. Os assírios eram famosos por fazer isso.

Talvez você tenha observado que, os editores da NVI, no capítulo I de Naum acrescentaram "Judá" (1.12) e "Nínive" (1.8,11,14) sempre que as palavras não apareciam no texto hebraico. Eles fizeram isso porque é um pouco difícil saber quando o autor faz menção a quem ele se refere sem explicitar a quem realmente se refere, principalmente porque Naum, no capítulo I, troca a todo momento o povo a quem se dirige. Achei bom incluir essas referências dentro de colchetes. Em 1.15, é a primeira vez que Naum se refere a Judá pelo nome, por isso, o nome não aparece entre colchetes nessa passagem, o mesmo acontece com Nínive em 2.8. Sem dúvida, os editores acrescentaram os nomes para dar mais clareza ao texto. Todavia, quando você ler o texto, sabendo que os nomes não constavam do original, você consegue um senso ligeiramente melhor do poder que os leitores originais devem ter sentido. O texto fica um pouco confuso, mas talvez isso seja algo deliberado. Você sabe que alguém será abençoado, e alguém será amaldiçoado, porém, não tem certeza absoluta de quem receberá o que. Talvez, nesse ponto da leitura, você já suspeite, mas, com certeza, a antecipação foi estruturada. Tudo fica claro quando o capítulo 2 versículo 8 menciona explicitamente Nínive. O suspense ajuda a tornar a profecia mais absorvente e, afinal, mais poderosa, mas isso termina quando sabemos a quem Deus dirige seu olhar e a terrível destruição que espera por eles:

> Os escudos dos seus valentes estarão vermelhos, os homens valorosos, escarlates, os carros, como fogo de tochas no dia da sua preparação, e as lanças se sacudirão terrivelmente. Os carros se enfurecerão nas praças, chocar-se-ão pelas ruas; o seu parecer é como o de tochas, correrão como relâmpagos. Este se lembrará das suas riquezas; eles, porém, tropeçarão na sua marcha, apresentar-se-ão no muro, quando o amparo for preparado. As portas do rio se abrirão, e o palácio se derreterá. E Huzabe está descoberta; será levada cativa, e as suas servas a acompanharão, gemendo como pombas, batendo em seu peito. Nínive, desde que existe, tem sido como um tanque de águas; elas, porém, fogem agora. Parai, parai, clamar-se-á; mas ninguém olhará para trás. Saqueai a prata, saqueai o ouro,

porque não tem termo o provimento, abastança há de todo gênero de móveis apetecíveis. Vazia, e esgotada, e devastada ficará; e derrete-se o coração, e tremem os joelhos, e em todos os lombos há dor; e os rostos de todos eles empalidecem. Onde está, agora, o covil dos leões e as pastagens dos leõezinhos, onde passeava o leão velho e o filhote do leão, sem haver ninguém que os espantasse? O leão arrebatava o que bastava para os seus filhotes, e estrangulava a presa para as suas leoas, e enchia de presas as suas cavernas e os seus covis, de rapina. Eis que eu estou contra ti, diz o Senhor dos Exércitos, e queimarei na fumaça os teus carros, e a espada devorará os teus leõezinhos, e arrancarei da terra a tua presa, e não se ouvirá mais a voz dos teus embaixadores (2.3-13).

E, a seguir, no capítulo 3:

Ai da cidade ensangüentada! Ela está toda cheia de mentiras e de rapina! Não se aparta dela o roubo. Estrépito de açoite há, e o estrondo do ruído das rodas; e os cavalos atropelam, e carros vão saltando. O cavaleiro levanta a espada flamejante e a lança relampagueante, e haverá uma multidão de mortos e abundância de cadáveres, e não terão fim os defuntos; tropeçarão nos seus corpos, por causa da multidão dos pecados da mui graciosa meretriz, da mestra das feitiçarias, que vendeu os povos com os seus deleites e as gerações com as suas feitiçarias. Eis que eu estou contra ti, diz o Senhor dos Exércitos, e te descobrirei na tua face, e às nações mostrarei a tua nudez e aos reinos, a tua vergonha. E lançarei sobre ti coisas abomináveis, e te envergonharei, e pôr-te-ei como espetáculo. E há de ser que todos os que te virem fugirão de ti e dirão: Nínive está destruída; quem terá compaixão dela? Donde buscarei consoladores para ti? És tu melhor do que Nô-Amom, que está situada entre os rios, cercada de águas, tendo por esplanada o mar e ainda o mar, por muralha? Etiópia e Egito eram a sua força e esta não tinha fim; Pute e Líbia foram o teu socorro. Todavia, ela foi levada, foi para o cativeiro; também os seus filhos foram despedaçados no topo de todas as ruas, e sobre os seus nobres lançaram sortes, e todos os seus grandes foram presos com grilhões. Tu também, Nínive, serás embriagada e te esconderás; também buscarás força, por causa do inimigo. Todas as tuas fortalezas serão como figueiras com figos temporãos; se se sacodem, caem na boca do que os há de comer. Eis que o teu povo no meio de ti será como mulheres; as portas da tua terra estarão de todo abertas aos teus inimigos; o fogo consumirá os teus ferrolhos. Tira águas para o cerco, fortifica as tuas fortalezas, entra no lodo, pisa o barro e repara o forno para os ladrilhos. O fogo ali te consumirá, a espada te exterminará; consumir-te-á como a locusta; multiplica-te como a locusta, multiplica-te como os gafanhotos. Multiplicaste os teus negociantes mais do que as estrelas do céu; a locusta se espalhará e voará. Os teus coroados são como os gafanhotos, e os teus chefes, como os gafanhotos grandes, que se acampam nas sebes nos dias de frio; em subindo o sol, voam, e não se conhece o lugar onde estão. Os teus pastores dormitarão, ó rei da Assíria; os teus ilustres deitar-se-ão, o teu povo se derramará pelos montes, sem que haja quem possa ajuntá-lo. Não há cura para a tua ferida; a tua chaga é dolorosa; todos os que ouvirem a tua fama baterão as palmas sobre ti; porque sobre quem não passou continuamente a tua malícia? (3.1-19)

O último versículo do capítulo 2 deixa mais explícito o ponto de todo o livro de Naum, quando o Deus Altíssimo fala à poderosa Assíria: "Eis que eu estou contra ti" (2.13; também 3.5). Não dá para imaginar palavras mais sérias que essas. Deus não diz apenas que abandonará os assírios ou se separará deles. Ele promete opor-se ativamente a eles: *"Eis que eu estou contra ti!"*

Oh, amigo, medite sobre essa frase. Imagine como seria o Deus Altíssimo olhá-lo e dizer: "Eu estou contra você".

Deus, no livro de Naum, notifica a Assíria de que seu tempo acabou. A paciência dEle com os caminhos pecaminosos desse povo chegara ao fim, e o império que se achava invencível seria derrotado. E a derrota deles seria tão completa que o Senhor declara: "Que mais ninguém do teu nome seja semeado; da casa do teu deus exterminarei as imagens de escultura e de fundição; ali farei o teu sepulcro, porque és vil" (1.14). O rei (que representa a nação) e seus descendentes serão cortados, a linhagem dele acabará. Mesmo os deuses adorados pelos assírios serão destruídos. O rei e seu reino serão totalmente destruídos. O rei será morto e colocado em sua sepultura.

Naum usa imagens distintas para expressar a derrota que o Senhor enviará aos ninivitas. Nínive é como um leão poderoso que, outrora, matava por prazer, mas, agora, está completamente perdido (2.11,12). Nínive é a meretriz, a sedutora imoral de nações que seduz e escraviza as pessoas (3.4), mas será exposta em sua lascívia e se tornará espetáculo para todos (3.5,6). Naum lembra à Assíria de sua vitória sobre a antes orgulhosa Nô-Amom (Tebas), capital da região sul do Egito localizada a cerca de 643 quilômetros ao sul da moderna Cairo (3.8-10). Em 663 a.C., Osnapar, também conhecido como Assurbanipal, destruiu Tebas. Agora, o que eles fizeram a Tebas seria feito a eles. Quer a imagem seja um leão, quer uma meretriz, quer outra grande cidade, o Senhor deixa claro que Nínive será exposta e destruída.

Lembre-se, a profecia de Naum foi escrita no intervalo de cinqüenta anos entre a queda de Tebas, em 663, e a de Nínive, em 612. Em outras palavras, ele escreveu quando, do ponto de vista de Judá, a Assíria estava no auge de seu poder, e o império estava intacto. O que Naum pensava? Ele era o profeta de uma nação minúscula falando do maior império do mundo. Como algo tão grande, tão poderoso e tão antigo como Nínive poderia simplesmente ser eliminado?

No capítulo 2, Naum descreve, diversas vezes, a tentativa de Nínive de rechaçar o ataque e o fracasso do intento (por exemplo: "Este se lembrará das suas riquezas; eles, *porém*, tropeçarão na sua marcha"; 2.5). Aqui, Naum não fornece um relato cronológico como "uma série de pequenas descrições que evocam a imagem de Nínive em seus últimos dias".[5] Repare em suas descrições sobressalentes, quase como uma pintura impressionista — "Vazia, e esgotada, e devastada ficará" (2.10).

E foi exatamente isso que aconteceu. O fim de Nínive foi absolutamente traumático. Os medos, em aliança com os babilônios e os citas, sitiaram a cidade em 612 a.C., auxiliados pelas chuvas e pela elevação do nível da água dos rios. Exatamente como Naum previra, esses rios que haviam ajudado a proteger a cidade transbordaram e arremeteram contra os muros da cidade até que grandes partes dos mesmos caíssem (2.6). Assim, os invasores entraram na cidade e a saquearam. O rei assírio, antes que os invasores pudessem agarrá-lo, juntou a família em uma grande pira fúnebre e queimou a si mesmo, a suas esposas e a suas concubinas. Os invasores corriam frenéticos pela cidade e saquearam tudo de Nínive. No século XIX, quando finalmente foi descoberto e escavado o local da antiga Nínive, os arqueólogos não encontraram nenhum estoque de pratas e objetos de ouro, como esperavam. A cidade estava totalmente vazia. Tudo fora levado — "vazia" (2.10). Os invasores, após pilhar a cidade, a queimaram e a destruíram. Na verdade, esses primeiros arqueólogos encontraram profundas e incomuns camadas de cinzas.

Quando Nínive caiu, caiu feio. Um pequeno grupo de assírios exilados tentou manter a "Assíria" por alguns anos, mas a tentativa deles logo fracassou. Nínive passou com rapidez extraordinária de centro da história ao total esquecimento. Sua localização perdeu-se para a memória humana e tornou-se assunto de especulação por mais de 2 mil anos. As pessoas conheciam o nome "Nínive" da Bíblia e de registros babilônios, mas não conseguiam saber sua localização. Apenas em 1842, os arqueólogos a redescobriram.

Talvez, hoje, você desfrute de algum poder ou sucesso (provavelmente, não tanto como os que os assírios tiveram), mas espero que perceba como pode cair muito e rápido. O Deus do livro de Naum não é apenas Senhor sobre seu povo, Ele também executa justiça contra todos que pecaram contra Ele. Na verdade, o segundo versículo do livro repete três vezes que o Senhor fará tal vingança: "O Senhor é um Deus *zeloso e que toma vingança*; o Senhor *toma vingança* e é cheio de furor; o Senhor *toma vingança* contra os seus adversários e guarda a ira contra os seus inimigos" (1.2; grifo do autor). Esse é um aviso para que todos os inimigos de Deus tomem cuidado com seu julgamento.

Bem, se você se considera inimigo de Deus, devo alertá-lo, com base no livro de Naum: "Tenha cuidado!". Você não se opõe a Deus impunemente. Você nunca vencerá. Ao longo da história do mundo, o poder conjunto da nação assíria e de todos os outros grandes poderios — acrescente o dos Estados Unidos, se quiser — não são suficientes para que você peque impunemente. Com certeza, *seu* poder não permite que peque sem punição. Deus está comprometido com o que é justo, certo e bom. Esse é o caráter dEle. Por isso, Ele julga todas as nações, na história, e todos os indivíduos, na eternidade. Agradeço a Deus as muitas formas em que nossa nação é diferente do tirânico Império Assírio, mas estremeço ao pensar em algumas similaridades existentes. Deus não permite que zombem dele. O poder não torna as coisas certas. Nenhum poderio militar ou poder de fogo transforma falsas idéias em verdade ou ações erradas em certas.

Quer estejamos certos com nosso poder quer não estejamos certos de forma alguma. Os Estados Unidos e todas as outras nações do mundo precisam ouvir isso continuamente. *Você precisa ouvir isto continuamente: O sucesso não esconde o pecado da vista de Deus.*

Por fim, o povo de Deus não seria deixado sob o poder dos inimigos dEle. Na verdade, Jesus Cristo pôs-se deliberadamente sob o poder dos inimigos do Senhor para que isso não acontecesse com seu povo. Mais de sessenta anos depois, o apóstolo João registrou esse relato do encontro de Jesus com o governador romano, Pôncio Pilatos. Pilatos perguntou a Jesus:

> Que fizeste? Respondeu Jesus: O meu Reino não é deste mundo; se o meu Reino fosse deste mundo, lutariam os meus servos, para que eu não fosse entregue aos judeus; mas, agora, o meu Reino não é daqui. Disse-lhe, pois, Pilatos: Logo tu és rei? Jesus respondeu: Tu dizes que eu sou rei. Eu para isso nasci e para isso vim ao mundo, a fim de dar testemunho da verdade. Todo aquele que é da verdade ouve a minha voz. Disse-lhe Pilatos: Que é a verdade? E, dizendo isso, voltou até os judeus e disse-lhes: Não acho nele crime algum. Mas vós tendes por costume que eu vos solte alguém por ocasião da Páscoa. Quereis, pois, que vos solte o rei dos judeus? Então, todos voltaram a gritar, dizendo: Este não, mas Barrabás! E Barrabás era um salteador. Pilatos, pois, tomou, então, a Jesus e o açoitou. E os soldados, tecendo uma coroa de espinhos, lha puseram sobre a cabeça e lhe vestiram uma veste de púrpura. E diziam: Salve, rei dos judeus! E davam-lhe bofetadas. Então, Pilatos saiu outra vez fora e disse-lhes: Eis aqui vo-lo trago fora, para que saibais que não acho nele crime algum. Saiu, pois, Jesus, levando a coroa de espinhos e a veste de púrpura. E disse-lhes Pilatos:

Eis aqui o homem. Vendo-o, pois, os principais dos sacerdotes e os servos, gritaram, dizendo: Crucifica-o! Crucifica-o! Disse-lhes Pilatos: Tomai-o vós e crucificai-o, porque eu nenhum crime acho nele. Responderam-lhe os judeus: Nós temos uma lei, e, segundo a nossa lei, deve morrer, porque se fez Filho de Deus. E Pilatos, quando ouviu essa palavra, mais atemorizado ficou. E entrou outra vez na audiência e disse a Jesus: De onde és tu? Mas Jesus não lhe deu resposta. Disse-lhe, pois, Pilatos: Não me falas a mim? Não sabes tu que tenho poder para te crucificar e tenho poder para te soltar? Respondeu Jesus: Nenhum poder terias contra mim, se de cima te não fosse dado; mas aquele que me entregou a ti maior pecado tem (Jo 18.35b—19.11a).

Enfim, Deus não poderia abandonar nem esquecer seu povo. Em vez disso, Cristo mesmo escolheu se submeter ao poder de seus inimigos a fim de sofrer a ira de Deus por nossos pecados, se nos arrependermos desses pecados e crermos nEle.

Meu amigo cristão, essa é nossa esperança! Por isso, por mais sombria e deprimente que seja a descrição franca que Naum faz da justiça de Deus, seu livro conforta e dá esperança para o povo do Senhor! Na verdade, o próprio nome de Naum significa "conforto" ou "consolo". Você consegue ver a razão disso? Deus não promete consolo para seus inimigos, pois suas promessas são para seu povo! O Senhor acabará com todos esses inimigos que, errônea e malignamente, se opõem a nós. Nesse sentido, o livro de Naum funciona no Antigo Testamento, como o de Apocalipse, no Novo. Quando João escreveu Apocalipse, o povo do Senhor era apenas um pequeno remanescente que sentia o peso do maior império do mundo, Roma. Todavia, a visão de João garantiu ao pequeno grupo de cristãos que lutava que esse grande império não tinha chance contra Deus. Naum também encorajou o povo de Judá quando este sentiu o peso usurpador da Assíria.

O povo de Deus deve sentir-se encorajado. Esses impérios não têm chance porque estão contra o Senhor — e o Senhor está contra eles!

Graças a Deus, sabemos que nossas provações não durarão para sempre! Cristão, você e eu jamais teremos uma provação que dure mais que nós. Pela graça do Senhor, podemos enfrentar cada dificuldade que surge em nossa vida — nós sobreviveremos a elas!

Pense no que isso representa para nós como indivíduos e como igreja. Enquanto este mundo durar, as provações e as dificuldades nos perturbam individual e coletivamente. Provações interiores e exteriores. Mas a esperança da igreja também durará esse tanto, e mais. Cristo chama-nos a ter bom ânimo porque Ele conquistou o mundo (Jo 16.33). Quando nos envolvemos em edificar uma igreja, envolvemos-nos na própria obra de Cristo, e Ele não deixará que ela fracasse. Lembre-se, Jesus disse que fundou sua igreja e que a *edificará* (Mt 16.18). Portanto, isso mesmo, as provações continuarão a nos confrontar enquanto estivermos neste mundo, mas *apenas* o tempo em que ficarmos neste mundo. Se somos dEle, nossa esperança sobreviverá a nossas provações. Isso é verdade para nós como indivíduos e como igreja.

DEUS ESTÁ NO COMANDO?

Bem, se nós não estamos no comando, se os inimigos do Senhor não estão no comando — mesmo aqueles que parecem ser mais poderosos —, então quem está? Deus está no comando?

Claro que esta é a resposta fornecida pelo livro de Naum e por todos os outros livros da Bíblia — Deus está no comando. Olhemos, agora, para a estrofe inicial de Naum:

> O Senhor é um Deus zeloso e que toma vingança; o Senhor toma vingança e é cheio de furor; o Senhor toma vingança contra os seus adversários e guarda a ira contra os seus inimigos. O Senhor é tardio em irar-se, mas grande em força e ao culpado não tem por inocente; o Senhor tem o seu caminho na tormenta e na tempestade, e as nuvens são o pó dos seus pés. Ele repreende o mar, e o faz secar, e esgota todos os rios; desfalecem Basã e Carmelo, e a flor do Líbano se murcha. Os montes tremem perante ele, e os outeiros se derretem; e a terra se levanta na sua presença, sim, o mundo e todos os que nele habitam. Quem parará diante do seu furor? E quem subsistirá diante do ardor da sua ira? A sua cólera se derramou como um fogo, e as rochas foram por ele derribadas. O Senhor é bom, uma fortaleza no dia da angústia, e conhece os que confiam nele. E com uma inundação transbordante acabará de uma vez com o seu lugar [Nínive]; e as trevas perseguirão os seus inimigos (1.2-8).

A resposta implícita às duas perguntas do versículo 6 — "Quem parará diante do seu furor? E quem subsistirá diante do ardor da sua ira?" — é esta: "Ninguém". Deus é o mais poderoso.

Afora esse poder, também aprendemos alguma coisa sobre seu caráter: Ele é zeloso. Ele não quer que falsos deuses sejam adorados porque Ele é o único e verdadeiro Deus. Ele também é paciente. Naum conta-nos que Ele não é rápido em irar-se (1.3). Foi assim que Ele sempre se revelou para seu povo, da mesma forma como se revelou a Moisés no monte Sinai (Êx 34.6).

Todavia, a natureza paciente e longânime de Deus nunca deve ser vista como indiferença, como se o fato de que Ele ainda não puniu alguém queira dizer que nunca o fará. Uma coisa não segue a outra! Há um mundo de diferença entre a paciência de Deus e a suposta indiferença divina. Esse Deus Todo-poderoso e zeloso comprometeu-se com a verdade e com vingar a si mesmo. Ele não deixará o culpado impune (1.3). Assim, Naum torna conhecido o fato de que Deus punirá Nínive. E Ele fez isso.

Se você não for cristão, pergunte-se o que mudaria em sua vida se reconhecesse, como ensina a Bíblia, que há um Deus, e que Ele está no comando? O que mudaria em sua vida se reconhecesse, como ensina a Bíblia, que Ele é totalmente bom e moralmente puro, e que você não é? Se você reconhecesse, como ensina a Bíblia, que está em rebelião contra Ele, independentemente de quão "polida" sua rebelião possa parecer? Um dia, remover-se-á qualquer dúvida que você ainda possa ter em relação à soberania e à santidade de Deus e sua própria natureza pecaminosa. Tenho certeza disso.

Como Samuel Johnson disse a seu biógrafo James Boswell: "Depende disso, senhor, quando um homem sabe que será enforcado em uma quinzena, isso faz com que sua mente se concentre nesses assuntos de forma maravilhosa".[6]

Nosso fim se aproxima, e prestaremos contas a Deus de nossa vida e de nossos pecados. Essa é uma perspectiva assustadora. Pergunto-me se você, por um momento, consegue dizer: "Alto!", à torrente de pensamentos em sua mente sobre o que acontecerá na próxima hora, no próximo dia ou na próxima semana e deixar seus pensamentos correrem para sua condição por toda a eternidade. Você ficará diante de Deus e prestará contas. Nem uma desculpa funcionará, mesmo que as crie. Nenhuma desculpa será acolhida. O Juiz diante do qual você estará de pé é onisciente, totalmente santo, determinado e sempre certo. E se você for condenado, não haverá possibilidade de apelação ou de livramento condicional.

Deus chamará os reis e os habitantes de todas as nações — da Assíria e de Judá, do Iraque e dos Estados Unidos — a prestar contas. E eis o que é notável: *você* sobreviverá a todas as nações! Todas as nações passarão, mas a Bíblia ensina que *você* não acaba com *sua morte*. Para Deus, você permanece eternamente justificável. Agora, eu pergunto: Quem pode permanecer de pé sob um exame tão minucioso? Você pode?

Cristo submeteu-se totalmente à vontade do Pai. Você se submeteu? Com certeza, não. Portanto, o que você fará a respeito? A resposta não é simplesmente "obedecer mais". Não, suas virtudes atuais jamais esconderão seus vícios antigos. Seus pecados contra Deus permanecerão para sempre, porque Ele é um Deus eterno. Sua única resposta é arrepender-se dos pecados e crer em Cristo, aquEle que morreu na cruz para pagar pelos pecados de pessoas como você e como eu.

Se você é cristão, deixe-me encorajá-lo a trabalhar para conhecer e para entender melhor o zelo de Deus. Em vista de suas experiências humanas de ciúmes, é difícil concebê-lo sem a existência de pecado. Todavia, o zelo do Senhor está certo em exigir nossa adoração exclusiva a Ele porque é o único Deus verdadeiro. Imagine o que o fato de Ele ser indiferente em relação àquilo que adoramos transmitiria a respeito dEle? Ele é comprometido consigo mesmo e deseja, *para o nosso bem*, que sejamos mais comprometidos com Ele. No fim, suas simpatias e seus afetos devem repousar em Deus, e não em alguém que se oponha a Ele, mesmo que esse oponente seja você.

Em sua vida, o que compete com sua submissão a Deus? O que disputa com Deus o afeto de sua mente e de seu coração? Ele não tolera inimigos. Pense com cuidado no que ou em quem são esses rivais e ore a respeito deles. Deus o ajudará. Ele tem prazer em salvar.

Para os cristãos, Naum é um livro maravilhoso e encorajador que deve fortalecer sua confiança em Deus. Ele age para proteger seu nome e seu povo, mesmo se isso representar tomar as nações mais poderosas da terra.

Recentemente, o jornal *The Washington Post* publicou uma história sobre a controvérsia, existente entre os evangélicos, a respeito do ponto de vista do Deus limitado, a visão que propõe que o Senhor não conhece o futuro.[7] O artigo relata que John Sanders, um dos maiores defensores da visão de um Deus limitado, declarou que foi motivado a adotar essa visão por causa de uma tragédia pessoal. Sanders raciocinou que Deus não conhece o futuro, pois Ele jamais permitiria que algo como *aquilo* ocorresse. Bem, eu, como pastor, conheço e testemunho tragédias. E, quando algo terrível acontece, entendo o impulso de reações como a Sanders. Contudo, devo perguntar: Há realmente algum consolo em pensar que Deus não está no comando? Há pouco tempo, nossa igreja orou pelo povo hmong, do Vietnã, que sofrem opressão terrível do governo. Os hmong sentir-se-iam confortados se você aparecesse e começasse a pregar: "Deus não está no controle"?

O grande consolo que a Bíblia nos dá, do início ao fim, vem do fato de que existe um Deus bom e justo que é soberano! E obtemos isso não de umas poucas provas de textos que tiramos do contexto. Deus é soberano, e Ele é o Senhor do tempo e da história. Naum chamou os amedrontados habitantes de Jerusalém a crer nisso, enquanto o poderoso Império Assírio movia-se rapidamente para atacá-los e feri-los. Naum *não* chamou Israel a acreditar que Deus sempre faz o que parece justo aos olhos do ser humano nem disse que Ele deixa a vida seguir seu curso natural, incapaz de nos prometer alguma coisa. Não, Naum assegura ao povo de Deus que mesmo quando permite que cinquenta cidades sejam atacadas e destruídas, e o povo torturado, Ele permanece soberano e, no fim, fará o que for mais justo, por mais misterioso e difícil que seja de compreender. Essa é nossa esperança.

Que possamos ser pessoas que crêem nesse Deus! Que nunca sejamos inimigos desse Deus soberano por tomar o partido de seus inimigos! Que nunca sejamos pessoas a quem Deus olha e declara: "Eu estou contra você". Que coisa terrível seria isso!

Todavia, como podemos evitar isso? Afinal, todos pecamos, e todo pecado é oposição a Deus. Sim, mas, por intermédio de Cristo, podemos ser perdoados de nossos pecados ao nos arrependermos deles e crermos nEle. Uma vez que pertençamos a Cristo, Deus nos trata da mesma forma como trata seu Filho. Ele é por nós! Como o apóstolo Paulo disse aos cristãos romanos: "Se Deus é por nós, quem será contra nós?" (Rm 8.31). Deus não mais nos olha e declara: "Eu estou contra vocês", mas: "Eu sou por vocês, quem será contra vocês?" Nossa situação muda totalmente! Isto é o que traz glória a Deus: minar nossa rebelião e dar-nos um novo coração, marcado pelo arrependimento e pela fé.

Oro, à medida que nossa igreja continua a crescer, para que lembremos de que Deus está no comando. O que você acha que faz com que as igrejas cresçam? A paciência da congregação? Os bons líderes? Os cultos bem planejados? O evangelismo culturalmente sensível e adequado à época? Paulo tinha uma noção distinta. Como ele disse aos cristãos coríntios: "Eu plantei, Apolo regou; mas Deus deu o crescimento. Pelo que nem o que planta é alguma coisa, nem o que rega, mas Deus, que dá o crescimento" (1 Co 3.6,7). Deus faz as coisas crescerem! Você pode adotar a mesma metodologia em duas igrejas distintas, e Deus, soberanamente, abençoa uma, e não a outra. Deus é quem decide! No mesmo sentido, minhas palavras para você, como pregador, são mais importantes do que eu mesmo sou. Essa é a verdade do evangelho que Deus usa.

Portanto, como igreja, como devemos olhar para o futuro? Com temor ou com presságio? Não, olhamos para o futuro com confiança, sabendo que nosso Deus, soberano e zeloso, é bom e fará o que é certo. Em Cristo, Ele lidou com nosso passado, da mesma forma, garantirá nosso futuro.

No início do livro, Naum pergunta: "Quem parará diante do seu furor? E quem subsistirá diante do ardor da sua ira?" (1.6). Claro que a resposta implícita é "ninguém", pois apenas Deus é soberano. Apenas Deus está no comando.

Conclusão

Apenas dois profetas menores terminaram seus livros com uma pergunta. Deus, no livro de Jonas, conclui com uma censura a Jonas por sua insensibilidade em relação ao povo de Nínive (e de todos os lugares). Deus pergunta: "E não hei de eu ter compaixão da grande cidade de Nínive, [...]?" (Jn 4.11)

Agora, nesse livro, Naum conclui dizendo ao rei assírio: "Todos os que ouvirem a tua fama baterão as palmas sobre ti; porque sobre quem não passou continuamente a tua malícia?" Ao concluir seu livro com uma pergunta, é quase como se o profeta quisesse remeter seus leitores à profecia de Jonas, um século antes, e às misericórdias que Deus mostrou para com o povo de Nínive. Por fim, Nínive decidiu desprezar as misericórdias de Deus e escolheu o materialismo duro, o egoísmo bruto, a idolatria e a feitiçaria. Eles se arrependeram de seu arrependimento.

Assim, Nínive, que fora objeto da misericórdia de Deus, tornou-se objeto de sua ira. No capítulo final, Naum promete que Nínive será embriagada (3.11). Com isso, ele quis dizer que a cidade beberia o cálice do furor de Deus até a borra mais amarga (cf. Is 51.17,22; Jr 25.15). E, com toda certeza, a cidade caiu.

Cristo também bebeu o mesmo cálice do furor de Deus por nós, seu povo. Quando orou no jardim do Getsêmani: "Meu Pai, se é possível, passa de mim este cálice; todavia, não seja como eu quero, mas como tu queres" (Mt 26.39), Ele se referia a esse cálice — o cálice de sofrimento do furor de Deus por causa dos nossos pecados. Cristo não cometeu pecados pelos quais tivesse de beber o cálice. Todavia, Ele bebeu-o pelos seus e pelos meus pecados, se nos arrependermos e nos voltarmos para Ele!

No Novo Testamento, o julgamento de Deus mais cortante não caiu sobre nenhuma cidade, mas sobre Jesus Cristo. Todavia, quando o julgamento do Senhor caiu sobre o Filho, este derrotou os seus inimigos e os nossos. Cristo, por intermédio de sua morte na cruz, "[riscou] a cédula que era contra nós nas suas ordenanças, a qual de alguma maneira nos era contrária, e a tirou do meio de nós, cravando-a na cruz. E, despojando os principados e potestades, os expôs publicamente e deles triunfou em si mesmo" (Cl 2.14,15).

A batalha final não consistirá da queda de alguma simples cidade, consistirá do julgamento final dos inimigos de Deus e do estabelecimento do reinado dEle sobre seu povo. E podemos ter confiança de que isso acontecerá. Por quê? Porque Deus está no comando.

Oremos:

Oh, Deus, reconhecemos que nosso coração e nossa mente estão cheios de falsas idéias. Imaginamos que estamos no comando e que o Senhor está errado. Perdoe-nos por nossos pecados — de crer em mentiras, de confiar em nós mesmos, de não confiar no Senhor. Dê-nos, por sua glória, a dádiva do arrependimento e da fé em Cristo. Amém.

Questões para Reflexão

1. A maioria das pessoas pensa que controla sua vida? Por que isso é uma ilusão?
2. Se você é cristão, quanto controle você exerce sobre sua vida hoje em relação à época em que não era salvo? Hoje, em que área a ilusão do controle mais o aflige?
3. Como o livro de Naum, em que Deus promete a Judá que julgaria seus poderosos inimigos, é relevante para nossa época?

4. Por que os cristãos devem esperar vivenciar problemas e dificuldades? É isso que você espera em relação à próxima década de sua vida? Como você pode se preparar para isso?
5. Em que área de sua vida você corre mais risco de pensar que os inimigos de Deus estão no comando (no trabalho, na escola, no governo, em casa, etc.)? Então, como a promessa de Naum — "Deus está no comando" — traduz-se em sua experiência? Em outras palavras, se acolher essa mensagem em seu coração, como a promessa de Deus de julgar seus inimigos faria com que você, em sua vida, se comportasse de forma diferente em relação às pessoas que se opõem ao Senhor?
6. *Como seria* ficar diante do trono do Deus Altíssimo e ouvi-lo dizer: "Eu estou contra ti"?
7. O que durará mais tempo: i) seu país; ii) seu local de trabalho; iii) os cristãos de sua igreja? Como sua vida reflete, ou falha em refletir, sua resposta a essa pergunta?
8. Por que Jesus pôde calmamente responder às perguntas de Pôncio Pilatos?
9. Como vimos, o livro de Naum promete um julgamento sombrio e deprimente para os inimigos de Deus, o que, por sua vez, age como um profundo consolo para o povo do Senhor que será perseguido neste mundo. O que a igreja rouba de seu povo, e o pai rouba de sua família, quando deixam de ensinar sobre o julgamento de Deus?
10. Por que o zelo de Deus é justo e vivificante para os seres humanos?
11. A maioria das pessoas se vê como inimiga de Deus? A maioria dos inimigos do Senhor se vê como tal? Você é inimigo de Deus? Qual é a única esperança que um inimigo de Deus tem de escapar do julgamento dEle?

Notas

Capítulo 34

[1] A data de pregação original deste sermão foi em 9 de novembro de 2003, na Capitol Hill Baptist Church, em Washington, D.C.

[2] Holman W. Jenkins Jr., "Optioning Out of the CEO Life — and Into Veephood", *The Wall Street Journal*, 23 de agosto de 2000, p. A23.

[3] Cf. 2Reis 18.13-17; 2Crônicas 32.9; Isaías 36.1,2.

[4] Citado em Mike Butterworth, "Nahum", em D. A. Carson e outros, eds. Consultores, *New Bible Commentary*, 4ª edição (Downers Grove, Ill.: InterVarsity Press, 1994), p. 834.

[5] Ibid., p. 837.

[6] James Boswell, *The Life of Johnson*, em R. W. Chapman, ed., *Oxford World Classics* (Nova York: Oxford University Press, ed. 1998), p. 831.

[7] Bill Broadway, "Redefining Omniscience: Theologians Who Contend that God Doesn't Know the Future Face Fervent Criticism — and Expulsion from Evangelical Group", *The Washington Post*, 8 de novembro de 2003, p. B9, última edição.

A MENSAGEM DE HABACUQUE: COMO POSSO SER FELIZ?

COMO POSSO SER FELIZ?

INTRODUÇÃO A HABACUQUE

COMO POSSO SER FELIZ QUANDO PARECE QUE DEUS NÃO SE IMPORTA?
Para os Não-Cristãos
Para os Cristãos
Para a Igreja

COMO POSSO SER FELIZ QUANDO O CUIDADO DE DEUS É TÃO ESTRANHO?
Para os Não-Cristãos
Para a Nação
Para os Cristãos
Para a Igreja

COMO POSSO SER FELIZ SOB QUALQUER CIRCUNSTÂNCIA?
Para os Não-Cristãos
Para a Igreja
Para os Cristãos

CAPÍTULO 35

A Mensagem de Habacuque:
Como Posso Ser Feliz?

Como Posso Ser Feliz?[1]

Alguém perguntou com mordacidade: "Se a ignorância é uma bem-aventurança, por que mais pessoas não são felizes?"

Todo o mundo quer ser feliz. Blaise Pascal disse: "Felicidade [...] é a razão de todos os atos de todos os homens, até mesmo daqueles que se matam".[2]

Claro que enxergamos a felicidade de formas distintas, como o comentário de Pascal também sugere. Algumas pessoas, ao abrir mão de si mesmas para servir o próximo, tentam encontrar a felicidade. Outras tentam achar a felicidade ao perder peso. Outras, ao acreditar que um novo padrão de pensamento as colocará no caminho da felicidade, perdem-se em introspecção e em psicoterapia.

A sinopse de um editor, na quarta capa de um livro sobre felicidade, alardeia: "Com uma abordagem verdadeiramente holística que sintetiza o que há de melhor em muitas escolas do pensamento", esse autor "oferece nova esperança — e uma vida nova".[3] Essa é uma declaração e tanto. Vida nova? E por apenas alguns reais?

A quarta capa de outro livro sobre felicidade, lançado há muitos anos, promete ensinar a como "aprender a mudar os maus hábitos emocionais que o fazem infeliz". Mais especificamente, você aprenderá a:

- Reconhecer seus maus hábitos emocionais (e começar a combatê-los)
- Descartar sua manta de segurança (e aceitar que pode ter felicidade)
- Falar carinhosamente consigo mesmo (e aumentar a autoconfiança)...

- Libertar-se do fenômeno chamado impostor (e parar de desvalorizar a si mesmo)
- Aceitar elogios (e deixar de ser seu pior crítico).⁴

Claro, hoje, a maioria das pessoas não se agarra a um livro quando quer aumentar sua felicidade. Talvez se agarrem a uma receita médica, ao controle remoto, ao cartão de crédito, a um novo emprego, a uma nova garrafa, ou a um novo relacionamento. Vários anos atrás, Laura Huxley, viúva do escritor Aldous Huxley, em uma entrevista, observou: "A compra por reembolso postal é exatamente igual ao inferno hindu — *samsara* —, em que há apenas proliferação de desejos e de mágoas. Somos hipnotizados pela crença de que dois aparelhos de televisão nos farão duas vezes mais felizes que um".⁵

Mas, por fim, nenhuma quantidade de aparelhos novos de televisão, de amigos distintos ou de melhores hábitos nos trarão felicidade. Talvez essas coisas emudeçam nossa preocupação, distraiam-nos de nosso vazio ou até nos forneçam um substituto temporário. Todavia, elas não nos darão a alegria permanente, fundamental, resistente e duradoura que *ansiamos* — para a qual *fomos feitos*.

Introdução a Habacuque

Como posso ser feliz? Essa é a questão eterna à qual nos voltamos em nosso estudo de Habacuque, o próximo profeta menor desta série de sermões. Os profetas menores são chamados "menores" não por que não sejam importantes, mas por que são breves. Sabemos menos ainda sobre Habacuque do que sobre Naum, a quem examinamos em nosso estudo anterior. De Naum, pelo menos, sabemos o nome da cidade em que nasceu, embora não saibamos a localização da mesma. Em relação à Habacuque, não sabemos nem mesmo isso. O nome de Habacuque aparece no livro (1.1), mas não conhecemos nada a seu respeito, exceto seu nome. Seu livro compõe-se de três breves capítulos.

Ao examinarmos juntos esse livro, perseguiremos a questão da felicidade, a respeito da qual Habacuque fala com clareza incomum. Nós o seguiremos, especificamente, por meio de três perguntas.

Como Posso Ser Feliz quando Parece que Deus não se Importa?

No início de sua profecia, Habacuque escreve:

O peso que viu o profeta Habacuque. Até quando, Senhor, clamarei eu, e tu não me escutarás? Gritarei: Violência! E não salvarás? Por que razão me fazes ver a iniqüidade e ver a vexação? Porque a destruição e a violência estão diante de mim; há também quem suscite a contenda e o litígio. Por esta causa, a lei se afrouxa, e a sentença nunca sai; porque o ímpio cerca o justo, e sai o juízo pervertido (1.1-4).

A seguir, Deus responde ao rogo de Habacuque:

Vede entre as nações, e olhai, e maravilhai-vos, e admirai-vos; porque realizo, em vossos dias, uma obra, que vós não crereis, quando vos for contada. Porque eis que suscito os caldeus, nação amarga e apressada, que marcha sobre a largura da terra, para possuir moradas não suas. Horrível e terrível é; dela mesma sairá o seu juízo e a sua grandeza. Os seus cavalos são mais ligeiros do que os leopardos e mais perspicazes do que os lobos à tarde; os seus cavaleiros espalham-se por toda parte; sim, os seus cavaleiros virão de longe, voarão como águias que se apressam à comida. Eles todos virão com violência; o seu rosto buscará o oriente, e eles congregarão os cativos como areia. E escarnecerão dos reis e dos príncipes farão zombarias; eles se rirão de todas as fortalezas, porque, amontoando terra, as tomarão. Então, passarão como um vento, e pisarão, e se farão culpados, atribuindo este poder ao seu deus (1.5-11).

Em essência, nessa passagem, Habacuque pergunta a Deus: "Como posso ser feliz quando parece que o Senhor não se importa?" Essa é a essência dos primeiros quatro versículos em que Habacuque pergunta a si mesmo — na verdade, reclama — por que Deus tolera tanta injustiça entre seu povo. "Por que razão me fazes ver a iniqüidade e ver a vexação?" (1.3)

Habacuque pega alguns fatos corretos e tira algumas conclusões erradas deles. Muitas vezes, fazemos a mesma coisa.

Deus responde a Habacuque e diz-lhe que, na verdade, não tolera a iniqüidade, Ele julgará o mau procedimento da nação de Judá. Contudo, a resposta do Senhor traz uma surpresa: Ele punirá Judá por intermédio dos caldeus (ou "babilônios" sinônimo usado pela NVI). O Senhor sabe que suas palavras são uma grande novidade para Habacuque: "Maravilhai-vos, e admirai-vos; porque realizo, em vossos dias, uma obra, que vós não crereis" (1.5). (O apóstolo Paulo, em uma sinagoga, usou essas palavras contra os judeus porque, pela descrença, ignoravam a Palavra de Deus, enquanto que os gentios a ouviam — At 13.41.) E Habacuque, como veremos a todo momento, *está* admirado. Afinal, ele profetizou, provavelmente no fim do século VII a.C., talvez entre 620 e 610, por volta da época em que a Babilônia ofuscou a Assíria como um dos maiores poderios do mundo. E, dificilmente, os babilônios eram modelos de virtude moral e de justiça. Todavia, Deus usa-os como instrumento de justiça, por mais surpreendente que isso possa parecer. A Babilônia seria usada para punir os erros do próprio povo de Deus. Habacuque não precisa mais se aturdir com o fato de que Deus deixara as injustiças de seu povo sem punição. A punição viria.

E foi exatamente isso que aconteceu. Mais ou menos uma década depois, a Babilônia conquistou Judá e levou muitas pessoas para o exílio.

Para os Não-Cristãos

Daqui a pouco, examinaremos a reação de Habacuque a essa notícia surpreendente, mas primeiro consideremos o que a promessa de julgamento feita por Deus representa para nós. Se você não é cristão e não está habituado a ler a Bíblia, pergunto-me, antes de tudo, se você sente alguma simpatia pelo motivo que levou esse profeta da Antiguidade a ficar desgostoso e pela razão de ele perguntar a Deus por que o Senhor permite que haja tanta injustiça na Terra. Habacuque não diz apenas: "Oh, está bem, o mundo é dessa maneira". Ele não usa cinismo mundano, nem o sábio nem o enfadado. Não, ele espera alguma coisa melhor! Ele espera alguma coisa diferente!

E a seu respeito? Você adota uma atitude cínica quando as coisas não vão bem? As dificuldades e as labutas deste mundo e de sua vida o fazem concluir: "Se existe um Deus, tenho certeza de que Ele não se importa?" Se sua resposta foi afirmativa, aprenda, com essa antiga profecia, que Deus se importa e julgará o pecado. O Senhor olha para as ameaças injustas, os atos violentos, as ambições iníquas, todos os extermínios, até mesmo o extermínio que escapou da reparação legal, e todas as discórdias, e punirá tudo. Ele punirá todas as coisas erradas que os outros fizeram contra você, todos os erros que você testemunhou ou sobre os quais ouviu, todos os erros que você cometeu. A Bíblia afirma que Deus é totalmente santo e justo e punirá todo pecado. Nesse sentido, toda correta punição temporal do pecado que os seres humanos decretam reflete a justiça do Senhor. Os seres humanos podem refleti-la, mas não exauri-la.

Nós, os cristãos, sabemos a resposta à acusação de Habacuque contra Deus: "Por que razão me fazes ver a iniqüidade e ver a vexação?" Deus não tolera a iniqüidade! Ele nunca tolerou. Ao contrário, Ele esperou o tempo determinado para enviar seu Filho, Jesus Cristo. Deus, Ele mesmo, veio em Cristo e mostrou seu compromisso com a justiça e a santidade de formas muito mais profundas, algo que a compreensão da alma inquieta desse profeta não poderia alcançar. Cristo sofreu e morreu na cruz, por que Deus foi inflexível em *não* tolerar a iniqüidade, inflexível em que a justiça *não* fosse pervertida e inflexível em que, no fim, o iníquo *não* prevalecesse sobre o justo (veja Rm 3.21-26). Por fim, Deus não tolerou mesmo o pecado, e o morrer pelos pecados coube a Cristo.

Para os Cristãos

Você percebe o que isso representa para você como cristão? Aqui, há tanto material precioso para meditação que mal sei por onde iniciar. Temos muito a aprender com o que os editores da NVI intitularam de "A primeira queixa de

Habacuque" (1.2-4). Todavia, Habacuque fazia mais que reclamar, ele orava honestamente a Deus a respeito dessas questões complexas e causadoras de sofrimento, o que faz dele um bom modelo para nós. Não oramos com freqüência. E as orações de Habacuque, por mais breves e pontuais que sejam, demonstram grande fé na soberania de Deus. O profeta não só declara que o Senhor pode fazer qualquer coisa em relação à injustiça de Judá, mas também afirma que isso ocorre apenas por que Deus permite. Habacuque assume também que a injustiça e a iniqüidade de Judá são incompatíveis com o caráter do Senhor, pois seu caráter é bom, certo e construtivo, não destrutivo.

Em suma, Habacuque está perplexo exatamente por que sabe e acredita que Deus é poderoso e bom. A oração dele não é apenas um exemplo de lamento cósmico que, de alguma forma, foi introduzido na Bíblia; é a oração questionadora de um crente em agonia que sabe que pode abordar esse Deus bom e soberano com honestidade. Sem dúvida, a oração de Habacuque, totalmente bem-informada e do fundo do coração, causa vergonha a muitas de nossas orações pobres em que o foco somos nós mesmos, do tipo: "Abençoe meu dedo do pé", ou: "Faça com que meu relatório fique bom". Não digo que não devamos orar a respeito de dedos do pé e de relatórios; apenas observo que as orações de Habacuque abrangiam muito mais coisas. Ele viu o que estava acontecendo com os outros e orou de coração.

Também fico perplexo ao perceber como Habacuque foi capaz de afirmar o que disse sobre Deus. De alguma forma, o profeta sabia muito sobre Deus e sua lei. Talvez ele estivesse em Jerusalém na época de Jeremias e tenha ouvido sua pregação. Talvez ele tivesse lido as profecias de Jonas, de Miquéias ou de Isaías. Talvez tenha tido a oportunidade de dar uma olhada no livro de Naum. Com certeza, ele devia conhecer os primeiros cinco livros da Bíblia — a Lei. Ele devia conhecer os salmos de Davi e tê-los ouvido no Templo. Habacuque aprendeu, em todas essas partes distintas da Palavra do Senhor, quem é Deus e como Ele é.

Amigo, como você e eu esperamos crescer como cristãos se não estudarmos a Palavra de Deus a fim de aprender a mesma coisa?

Esses versículos iniciais de Habacuque também nos desafiam a confiar em Deus. Quando o profeta orou, Deus lhe respondeu, e respondeu bem. O fato de Deus responder garantiu a Habacuque que Ele não o estava ignorando. O fato de o Senhor responder como fez, assegurou ao profeta que Ele não aprova a iniqüidade. Por fim, o Senhor não permitiria que sua lei fosse contrariada, e sua justiça, subvertida. O Deus de toda a Terra faria justiça (veja Gn 18.25) e merecia confiança. Nós também vemos que o Senhor merece confiança.

Se você, de alguma maneira, é como eu, provavelmente, está acostumado a Deus operar em sua vida de determinadas formas, e você, contanto que Ele continue a operar assim, acha relativamente fácil confiar nEle. Todavia, no momento em que a conduta normal de operação muda (talvez ao responder às suas orações de forma distinta; talvez ao permitir que você atravesse uma série de circunstâncias), você fica um pouco exaltado ou até frustrado. Talvez você comece a reclamar. Contudo, você e eu devemos aprender com a experiência de Habacuque, com as provações de Jó, com o espinho na carne de Paulo, que Deus, com freqüência, usa diversos meios para realizar seus propósitos. Por isso, você e eu não devemos confundir os meios com o Senhor. Ele não quer que confundamos jamais a benignidade que conhecemos com aquEle que nos dá essa benignidade.

Muitos de nós temos pensamentos maus sobre Deus, mas não nos damos ao trabalho de refletir seriamente a respeito desses pensamentos e por que os tivemos. Em vez de fazer isso, permitimos que esses pensamentos ditem nossa opinião sobre o Senhor à medida que eles vagueiam livremente por nossa mente. Tais pensamentos podem até escapar de nossa boca, quando o que deveríamos fazer é aprisioná-los e examiná-los, perguntando-nos se eles se sustentam à luz da Bíblia: "Meu coração diz *isso* a respeito de Deus. Por que penso isso? Isso é verdade? O que a Bíblia diz?" Submeta seus pensamentos às Escrituras, ore sobre eles e, talvez, procure o conselho de cristãos em quem confia. O pastor Martyn Lloyd-Jones, de meados do século XX, propõe essa pergunta aos cristãos: "Você já percebeu que a maior parte de sua infelicidade na vida deve-se ao fato de você ouvir a você mesmo, em vez de conversar com você mesmo?"[6] Não devemos simplesmente considerar todo impulso passageiro como verdade; em vez disso, temos que aprender a "falar biblicamente" com nós mesmos — em especial, sobre o que a Bíblia afirma a respeito de Deus. Assim, alcançaremos muito mais da felicidade e da alegria para as quais fomos criados.

Para a Igreja

Essa interação inicial entre Habacuque e Deus também é relevante para nossa vida congregacional. Nossas igrejas devem ser comunidades que demonstram confiança em Deus. Elas têm que ser imagens vivas de pessoas que sabem como é orar da mesma forma que Habacuque *e* receber a resposta do Senhor — de que Ele se importa e agirá. E nossa vida congregacional deve demonstrar a crença que possuímos na resposta do Senhor. Se o mundo caracteriza-se pela descrença em Deus e em suas promessas, devemos personificar e demonstrar a crença nEle e, na verdade, conquistá-lo por sua Palavra. Isso é o que representa ser o povo de Deus.

Quando se demonstra esse tipo de confiança em Deus, não apenas em casos isolados dessa ou daquela pessoa "virtuosa", mas de toda uma comunidade, então vemos emergirem coisas que jamais veríamos de outra maneira. Deus é glorificado quando você e eu aprendemos a dar nosso dinheiro para Ele, mas quando fazemos isso em conjunto, a igreja tem condição de empregar pessoas para ministrar em tempo integral para o bem da congregação. Mais dinheiro também possibilita fazermos o bem além das paredes da congregação! Isso é possível porque uma comunidade de pessoas fiéis está unida em sua visão e em sua compreensão de Deus e sua vontade.

A congregação também demonstra sua confiança em Deus pela forma como seus membros confiam, amam, perdoam e servem uns aos outros. A comunidade forma-se à medida que as pessoas começam a entender que os outros cuidarão delas, orarão por elas, não bisbilhotarão, trabalharão para o bem delas, trarão alimento quando precisarem e ajudarão de todas as formas — não tanto por causa de uma longa amizade, mas por que todos reconhecem o senhorio de Cristo. Assim, essa igreja passa a se caracterizar por uma concordância, uma história crescente de experiências e uma longa lista de serviços amorosos que produzem uma comunidade feliz que ama a Deus e uns aos outros, para a glória dEle. Podemos fazer muito mais para demonstrar o caráter de Deus na igreja do que jamais poderíamos realizar sozinhos.

Deus não tolera a iniqüidade e, assim, ensinou a Habacuque que Ele merece confiança. Deus é fiel. Podemos confiar nEle.

Como Posso Ser Feliz quando o Cuidado de Deus É tão Estranho?

Mas precisamos retornar ao choque de Habacuque quando Deus lhe disse *como* lidaria com a infidelidade de Judá. Os métodos que Ele disse que lançaria mão para responder ao pecado de Judá eram tão inesperados e difíceis de conceber que a resposta do Senhor deixou Habacuque quase mais atormentado do que estava quando iniciou a oração. Assim, se a primeira pergunta era: "Como posso ser feliz quando parece que Deus não se importa?", a resposta a ela fez com que Habacuque fizesse a pergunta subseqüente, do tipo que um soldado, não muito satisfeito, faz a seu comandante: "Permissão para falar francamente, senhor?" Em essência, Habacuque falou: "Como posso ser feliz quando o cuidado de Deus é tão estranho?" Afinal, o Senhor disse que acabaria com a injustiça, todavia, a seguir, Ele escolhe o povo mais injusto — os babilônios — para fazer isso! Como isso faz sentido? Ou nas palavras do próprio Habacuque:

> Não *és* tu desde sempre, ó Senhor, meu Deus, meu Santo? Nós não morreremos. Ó Senhor, para juízo o puseste, e tu, ó Rocha, o fundaste para castigar. Tu és tão puro de olhos, que não podes ver o mal e a vexação não podes contemplar; por que, pois, olhas para os que procedem aleivosamente e te calas quando o ímpio devora aquele que é mais justo do que ele? E farias os homens como

os peixes do mar, como os répteis, que não têm quem os governe? Ele a todos levanta com o anzol, e apanha-os com a sua rede, e os ajunta na sua rede varredoura; por isso, ele se alegra e se regozija. Por isso, sacrifica à sua rede e queima incenso à sua draga; porque, com elas, se engordou a sua porção, e se engrossou a sua comida. Porventura, por isso, esvaziará a sua rede e não deixaria de matar os povos continuamente? Sobre a minha guarda estarei, e sobre a fortaleza me apresentarei, e vigiarei, para ver o que fala comigo e o que eu responderei, quando eu for argüido (1.12—2.1).

Realmente, no capítulo 1, podemos resumir a réplica de Habacuque às palavras de Deus desta maneira: "Os babilônios?! Os babilônios?!"

Mais uma vez, o Senhor mostra como é gracioso ao responder ao profeta:

Então, o Senhor me respondeu e disse: Escreve a visão e torna-a bem legível sobre tábuas, para que a possa ler o que correndo passa. Porque a visão é ainda para o tempo determinado, e até ao fim falará, e não mentirá; se tardar, espera-o, porque certamente virá, não tardará. Eis que a sua alma se incha, não é reta nele; mas o justo, pela sua fé, viverá. Tanto mais que, por ser dado ao vinho, é desleal; um homem soberbo, que não se contém, que alarga como o sepulcro o seu desejo e, como a morte, que não se farta, ajunta a si todas as nações e congrega a si todos os povos. Não levantarão, pois, todos estes contra ele uma parábola e um dito agudo contra ele, dizendo: Ai daquele que multiplica o que não é seu (até quando!) e daquele que se carrega a si mesmo de dívidas! Não se levantarão de repente os que te hão de morder? E não despertarão os que te hão de abalar? E não lhes servirás tu de despojo? Visto como despojaste muitas nações, todos os mais povos te despojarão a ti, por causa do sangue dos homens e da violência para com a terra, a cidade e todos os que habitam nela. Ai daquele que ajunta em sua casa bens mal adquiridos, para pôr o seu ninho no alto, a fim de se livrar da mão do mal! Vergonha maquinaste para a tua casa; destruindo tu a muitos povos, pecaste contra a tua alma. Porque a pedra clamará da parede, e a trave lhe responderá do madeiramento. Ai daquele que edifica a cidade com sangue e que funda a cidade com iniqüidade! Eis que não vem do Senhor dos Exércitos que os povos trabalhem para o fogo e os homens se cansem pela vaidade. Porque a terra se encherá do conhecimento da glória do Senhor, como as águas cobrem o mar. Ai daquele que dá de beber ao seu companheiro! Tu, que lhe chegas o teu odre e o embebedas, para ver a sua nudez, serás farto de ignomínia em lugar de honra; bebe tu também e sê como um incircunciso; o cálice da mão direita do Senhor se voltará sobre ti, e vômito ignominioso cairá sobre a tua glória. Porque a violência cometida contra o Líbano te cobrirá, e a destruição dos animais ferozes os assombrará, por causa do sangue dos homens, e da violência para com a terra, a cidade e todos os seus moradores. Que aproveitará a imagem de escultura, que esculpiu o seu artífice? E a imagem de fundição, que ensina a mentira, para que o artífice confie na obra, fazendo ídolos mudos? Ai daquele que diz ao pau: Acorda! E à pedra muda: Desperta! Pode isso ensinar? Eis que está coberto de ouro e de prata, mas no meio dele não há espírito algum. Mas o Senhor está no seu santo templo; cale-se diante dele toda a terra (2.2-20).

Se resumíssemos toda a conversa até esse ponto, ela soaria como algo parecido com o seguinte: Habacuque inicia o livro dizendo, "Deus, por que o Senhor não se importa com toda a iniqüidade de seu povo? Por que o Senhor não faz nada a respeito?"

Como vimos, Deus responde: "Eu me importo e farei alguma coisa a respeito! Enviarei os babilônios".

Ao que Habacuque replica: "Os babilônios? Eles vivem de forma mais iníqua que seu povo!" Durante essa réplica é que o profeta faz a famosa asserção sobre a santidade de Deus: "Tu és tão puro de olhos, que não podes ver o mal" (1.13). Por que o Senhor, que é santo, usaria um instrumento tão depravado como os babilônios, se mal podia olhá-los?

Em essência, a resposta final do Senhor, que acabamos de ler, é: "Sei como são os babilônios. E depois de usá-los para julgar meu povo, também os julgarei".

Todavia, Deus também disse a Habacuque que o julgamento viria no tempo dEle, não no do profeta ou de qualquer outra pessoa (2.3). O justo, em tempos de turbulência, vive por sua fé (2.4). O povo de Deus ouviria suas promessas e, como acontece com todas as promessas dEle, acreditaria nelas e viveria de acordo com elas. É esse versículo que Paulo usa, de forma notável, em suas cartas aos romanos e aos gálatas como argumento de que a pessoa se torna justa com Deus não por intermédio de obras meritórias, mas pela crença nas promessas dEle, como Abraão em Gênesis 15 (Gn 15.6; Rm 1.17; Gl 3.11). O autor de Hebreus também usa esse versículo — "O justo, pela sua fé, viverá" (Hc 2.4; cf. Hb 10.38) — para demonstrar que a pessoa justificada vive pela fé.

A seguir, o Senhor descreve a Babilônia em termos tristes, mas bem comuns: eles eram bêbados, arrogantes, impacientes, gananciosos e insatisfeitos. Em outras palavras, Deus já iniciara o julgamento da Babilônia no que diz respeito aos pecados da nação. O mesmo acontece com todos os descrentes. Vemos o primeiro sinal do julgamento vindouro nos pecados aos quais eles já cederam.

Uma vez que Deus usa a Babilônia para julgar seu povo, a própria Babilônia cairia. O despojador seria despojado (2.8). As pedras dos muros construídos por meio de roubo clamariam contra eles (2.11). Os babilônios descobririam que, no fim, a violência deles não conseguira nada (2.12,13).

O fruto eterno do trabalho de Deus contrasta com o fruto passageiro do trabalho criminoso da Babilônia. Talvez você tenha percebido que o Senhor, no meio do caminho ao longo do capítulo, faz Habacuque retroceder e direciona-o para o que, em última instância, repousa à frente: "Porque a terra se encherá do conhecimento da glória do Senhor, como as águas cobrem o mar" (2.14). Que esperança gloriosa em meio a toda a conversa de julgamento! Que tranqüilizadora para o povo de Deus! O comentário breve, quase parentético, põe as lutas deles de novo em perspectiva e, para nós, suscita a pergunta: Com que preocupações lutamos no momento? Se você é cristão, tenha certeza de que, em poucas décadas ou até anos, todas as suas preocupações se provarão, de forma demonstrável, infundadas, quer por que Cristo retornou quer por que Deus, de outra forma, resolveu seja o que for que lhe cause preocupação. O Senhor, de forma incontestável, *mostrará* que é perfeitamente bom e soberano.

O Senhor, após esse momento parentético de confirmação, continua a discutir a destruição da Babilônia. Ele afirma que o destruidor será aniquilado (2.17), que o artífice de ídolos ficará sem Deus e sem sabedoria (2.18,19). E esse contraste é tremendo para todos que conhecem o Senhor: "Mas o Senhor está no seu santo templo; cale-se diante dele toda a terra" (2.20). A glória dos ídolos babilônios feitos pelo homem era vã e falsa, mas a glória do Senhor é dEle mesmo e é real. Ela induz o silêncio entre seu povo. Acho que o silêncio ordenado aqui é mais que mero silêncio, embora, em igrejas mais silenciosas, alguns entre nós gostem de usar esse versículo com pessoas que freqüentam igrejas mais barulhentas! Na verdade, o Senhor aponta para algo mais, como reverência, e o silêncio é o da expectativa, o da espera. O Deus de Israel não é mudo como os ídolos mencionados nos versículos precedentes. O Deus de Israel fala! Ele é real. Portanto, feche sua boca e abra seus ouvidos, pois o Deus real falará por intermédio de sua Palavra.

Para os Não-Cristãos

Se você não está habituado a ler ou a estudar a Bíblia, deixe-me apenas perguntar: Você gasta sua vida fazendo o quê? Você a gasta em alguma coisa. Sua vida soa um pouco como a dos babilônios? Um pequeno furto aqui? Algum ganho ilícito ali? Talvez, um toque de violência ou de devassidão? O uso ocasional de pessoas para seus objetivos pessoais? A confiança no trabalho da sua mão, em vez de no de Deus? Tenha certeza de que o Senhor, soberanamente, usa a todos, como usou esses babilônios. Todavia, no fim, não queira estar entre os que se opõem a Cristo e sua Igreja, mas entre os que fazem parte dela.

Para a Nação

Oro para que nossa nação perceba a existência de um Deus soberano, maior que nosso poderio militar ou que qualquer rede terrorista, que governa seu mundo para seus propósitos. E como a nação da Babilônia foi insensata por sentir orgulho por sua vitória sobre Judá, que nossa nação nunca sinta orgulho exultante por nenhuma vitória militar. O poder sempre deve ser usado com grande humildade. Deus tinha os olhos voltados para as injustiças da Babilônia. Assim como tem sobre todas as nações.

Para os Cristãos

Da última metade do capítulo 1 ao capítulo 2, nós, os cristãos, aprendemos que Deus usa meios surpreendentes para realizar seus propósitos. Quem poderia adivinhar que Ele usaria os babilônios para julgar seu povo e para livrá-lo das injustiças? O que você diria a um ser humano que maquinasse uma estratégia dessas? E de novo, o que você diria se alguém lhe dissesse que Deus estabeleceria seu reino por intermédio de um Messias, crucificado e ressuscitado, que é o próprio Senhor? Sem dúvida, nosso Deus move-se por caminhos misteriosos. Devemos ficar quietos diante dEle e ouvir a fim de aprender o que Ele nos ensina sobre si mesmo —, pois há grande chance de você e eu não o conhecermos de outra maneira. É assim que Deus é.

O uso dos babilônios por Deus também nos adverte contra nos tornarmos complacentes em meio aos sucessos da vida. Talvez o Senhor garanta, por um tempo, certo grau de sucesso mundano a um indivíduo, a um grupo ou a uma nação a fim de alcançar seus propósitos, todavia, a seguir, Ele pode julgar essa pessoa, grupo ou nação a quem garantiu sucesso. Deus pode usar qualquer pessoa, de Balaão, o profeta de aluguel, à jumenta de Balaão e aos pregadores hipócritas (cf. Fp 1.15s). Ele usou esse tipo de pregador em minha vida, e se você freqüenta a igreja há muitos anos, meu palpite é que Ele também o usou em sua vida. Agora, isso diminui a seriedade do pecado de hipocrisia? Não, o Senhor julgará o pecado dele. Contudo, Deus é tão soberano que pode usar a cólera dos homens para trazer louvor para si mesmo (veja Sl 76.10). No caso da pregação mentirosa, Ele pega o que é oferecido com motivos errôneos e, mesmo assim, usa para edificar os santos e para erigir a igreja, não para o louvor do instrumento humano pecador, mas do Deus soberano. Amigo, em si mesmo, o fato de o Senhor usá-lo — mesmo de forma magnífica — não representa que você confie nEle para sua salvação. Nossa única esperança de salvação é viver pela fé (Hc 2.4).

Medite por um momento sobre a natureza dessa fé salvadora. Às vezes, as pessoas oram e, mentalmente, concordam com a idéia de que Jesus é seu Salvador, achando que é isso que a Bíblia quer dizer quando fala sobre fé. No entanto, a fé descrita em Habacuque é mais que isso. Sim, concordamos, mentalmente, com a afirmação de que todos nós pecamos e de que nunca podemos justificar a nós mesmos diante de Deus com nossa própria justiça. Também concordamos, mentalmente, com a afirmação de que Deus é totalmente santo — "tão puro [...] que não podes ver o mal" (1.13) — e que nossa única esperança para permanecer diante dEle é ter a justiça de Cristo aplicada a nosso favor. Mas temos que fazer mais que apenas concordar mentalmente com essas afirmações. Temos que *acreditar* nelas. Temos de nos *afastar* de nossos caminhos antigos, governados pelo pecado, e *seguir* a Cristo.

Em outras palavras, a verdadeira fé revela-se na fé em Deus e em viver por essa fé. Observe de novo o que Habacuque afirma: "O justo, pela sua fé, *viverá*" (2.4; grifo do autor). A verdadeira fé cristã se mostra em nossa vida marcada pelo arrependimento do pecado. Não há como exagerar a importância desse ponto, em especial, entre os evangélicos que gostam de proclamar a graça de Deus (como deveríamos fazer). É fácil nos convencermos de que abraçamos a graça do Senhor apenas por que concordamos, mentalmente, com uma série de afirmações. Todavia, muitos que pensam acreditar na verdade não estão realmente sob o domínio da graça salvadora de Deus.

Uma forma de saber se você experimentou a graça salvadora do Senhor é examinar sua vida. Você vê um registro de condenação pelo pecado e de arrependimento? O arrependimento, como você sabe, envolve mais que se sentir mal. Ele representa afastar-se do pecado em relação ao qual se sente mal. William Arnot foi muito perceptivo ao abordar o assunto desta forma: "A diferença entre o homem não-convertido e o convertido não é que um tenha pecados, e o outro não, mas que o primeiro se posiciona com os pecados que ama contra um Deus temível; e o outro se posiciona com Deus por meio da reconciliação contra os pecados que odeia".[7] Talvez o não-cristão sinta-se mal com o pecado, porém, no fim, ele toma o partido desse pecado contra Deus e continua no pecado. Por outro lado, o cristão sente-se mal e, assim, toma o partido de Deus contra seu pecado ao declarar guerra contra ele.

Então, com o que você luta hoje? Você luta com a imoralidade, com o sexo fora do casamento, com o comportamento pecaminoso em relação a sua família, com a impaciência no trabalho, com o ser engolido pelas ambições mundanas? Portanto, qual a diferença entre você e um filho do mundo? Se você é cristão, vive *pela fé*. Ou seja, sua fé (sua confiança, sua esperança) incita-o a tomar uma atitude contra seu pecado. Você vivencia a obra de condenação do Espírito em sua vida e responde a essa condenação trabalhando contra seu pecado. E quando seu cônjuge, seus pais ou seus amigos participam desse trabalho de santificação admoestando-o, você não se ressente, pois, na verdade, fica agradecido por que quer ser mais semelhante a Cristo. Você quer conhecer a presença e a alegria de Cristo em sua vida.

Não creia nas mentiras mundanas sobre o pecado ser o caminho para a felicidade. Não é! Há vários anos, Albert Mohler, ao pregar, em nossa igreja, sobre o tópico do casamento a partir de Gênesis 1 e 2, afirmou: "Agimos como se a felicidade gerasse fidelidade e lealdade, quando, na verdade, a fidelidade gera felicidade".[8] Portanto, sua tarefa é identificar as formas como acreditou nas mentiras do mundo em relação ao caminho para a felicidade e, a seguir, combater essas mentiras com todas as suas forças. Deus se importa, de fato, com a forma como você vive. Parece improvável que Ele enviasse o Filho para morrer na cruz se não se importasse. Deixe outras pessoas ajudarem-no em sua luta. Ou você se preocupa mais com seu orgulho que com sua santidade?

Para a Igreja

Em relação a nossas igrejas, essa passagem deve encorajar-nos a ser identificados pelas características opostas das que marcam os babilônios. Eles eram marcados pelo roubo; nossas igrejas devem se distinguir pela generosidade e pela entrega. Eles eram marcados pelo egoísmo e pela injustiça; nossas igrejas devem se distinguir pela honestidade, pelo procedimento reto e pela preocupação com a justiça. Eles eram marcados pela violência e pelo crime; nossas igrejas devem se distinguir pelo cuidado mútuo. Eles eram marcados pelo deboche e pela exploração de outros para o prazer pessoal; nossas igrejas devem se distinguir pelo encorajamento mútuo e pela edificação uns dos outros. Eles eram marcados pela idolatria, nossas igrejas devem se distinguir pela adoração do único Deus verdadeiro, conforme ensinado em sua Palavra.

Por causa da necessidade da igreja de ser diferente do mundo é que o contexto em que foi posto Habacuque 2.20 é tão interessante. Deus, em meio à promessa de destruição da Babilônia, declara: "Mas o Senhor está no seu santo templo; cale-se diante dele toda a terra". Provavelmente, eu, quando criança, memorizei esse versículo antes mesmo de João 3.16. Cresci, como batista do Sul, na zona rural do Kentucky, e acima de cada uma das vias da entrada principal de nossa igreja estava gravado este versículo: "Cale-se diante dele toda a terra". Esse é um versículo desafiador para uma criança de seis anos! Como já disse, nesse contexto, o Senhor contrasta o silêncio expectante que deve distinguir seu povo com a falta de sentido em fitar ídolos mudos que não têm sabedoria a oferecer. Eles não estão vivos! Portanto, o ponto para nossas igrejas não é ter cultos muito, muito silenciosos, mas congregar-se na expectativa de ouvir Deus e sua Palavra. O Espírito do Deus vivo toma sua Palavra e fala a verdade para nós, muda-nos e edifica-nos, tantos os indivíduos como a congregação, para nosso bem e para a glória dEle. Para alcançar esse fim, nossos cultos devem ser estruturados voltados para a exposição da Palavra de Deus.

Você consegue imaginar toda uma comunidade viver em expectativa da Palavra e da fidelidade de Deus a suas promessas? Pense nas implicações disso para a vida de nossas congregações. Nossas igrejas se tornariam, cada vez mais, comunidades identificadas pela confiança, pela esperança, pelo otimismo e pela alegria, porque sabemos que Deus está comprometido em tornar até mesmo nossas circunstâncias mais similares às da "Babilônia" para o bem! Como congregação, o que pode abalar nossa confiança? Como congregação, o que pode nos desapontar? Como congregação, o que poderia desencorajar-nos e roubar nossa alegria? Nada! Jamais enfrentaremos nenhuma circunstância que seja bem-sucedida em impedir Deus de edificar sua igreja — nenhuma lei anti-religiosa, nenhuma dificuldade com nossa equipe, nenhum membro irascível, nenhuma controvérsia externa jamais arruinará os bons planos de Deus para seus filhos. Como Paulo disse aos romanos:

> Que diremos, pois, a estas coisas? Se Deus é por nós, quem será contra nós? Aquele que nem mesmo a seu próprio Filho poupou, antes, o entregou por todos nós, como nos não dará também com ele todas as coisas? Quem intentará acusação contra os escolhidos de Deus? É Deus quem os justifica. Quem os condenará? Pois é Cristo quem morreu ou, antes, quem ressuscitou dentre os mortos, o qual está à direita de Deus, e também intercede por nós. Quem nos separará do amor de Cristo? A tribulação, ou a angústia, ou a perseguição, ou a fome, ou a nudez, ou o perigo, ou a espada? [,,,] Mas em todas estas coisas somos mais do que vencedores, por aquele que nos amou. Porque estou certo de que nem a morte, nem a vida, nem os anjos, nem os principados, nem as potestades, nem o presente, nem o porvir, nem a altura, nem a profundidade, nem alguma outra criatura nos poderá separar do amor de Deus, que está em Cristo Jesus, nosso Senhor! (Rm 8.31-35,37-39)

Quando nos congregamos como povo de Deus, essa confiança, essa expectativa, deve dominar nossa mente e nossa esperança.

De vez em quando, tenho a oportunidade de compartilhar as palavras de Richard Sibbes, pastor puritano que estudei durante quatro anos quando vivi na Inglaterra. Sibbes apreendeu tão bem quanto qualquer um de nós o tipo de conforto, força e esperança que devemos ter em Cristo: "Oh, a doce vida do cristão que está em paz com Deus! Esse cristão está preparado para todas as condições, para a vida, para a morte, para tudo".

Por isso, Sibbes fala: "Qual a razão por que não há nada no mundo, não obstante este seja confortável para o cristão?" Sibbes responde que porque "não somos feridos se nossa alma não for ferida [...]. Nada pode ser muito ruim para nós quando estamos bem em nosso interior".

Continuando com Sibbes:

> Deus faz isso assim para o conforto dos cristãos, para que, todos os dias da vida, eles possam pensar: [...] *que o melhor para mim está por vir*, que, todos os dias, ao levantar, possam pensar: *Estou um dia mais próximo do céu do que estava ontem, estou mais próximo da morte e, por isso, mais próximo de Cristo.* Que conforto para um coração cheio de graça! O cristão é um homem feliz em vida, porém é mais feliz na morte, porque vai para Cristo; e é mais feliz ainda no céu porque, ali, está com Cristo. O oposto acontece para o homem carnal que vive de acordo com o ritmo de sua essência lasciva! Ele é miserável em vida, mais miserável na morte, e mais miserável ainda após a morte.
> Qual a razão por que não há nada no mundo, não obstante este seja confortável para o cristão? Quando ele pensa em Deus, pensa nEle como um Pai de conforto, Quando pensa no Espírito Santo, pensa nEle como um Espírito de conforto; quando pensa nos anjos, pensa neles como seus servos; quando pensa no céu, pensa nele como sua herança; ele pensa nos santos como uma comunidade em comunhão da qual participa. De onde vem tudo isso? De Cristo, que possibilitou que Deus fosse nosso Pai, do Espírito Santo, nosso Confortador, que fez os anjos nossos, os santos nossos, o céu nosso, a Terra nossa, os demônios nossos, a morte nossa e tudo em questão nosso. [...] O que pode aterrorizar uma alma? Não a morte quando esta se vê a si mesma no Cristo triunfante. [...] Nada desencoraja o cristão que se vê sentado com Cristo, à direita de Deus, triunfando com Ele, pois a fé faz com que as coisas sejam presentes, ela faz com que ele já se veja conquistando. Sejamos exortados à alegria. "Regozije-se, e repito, regozije-se".
> O conforto não é nada além dessas razões mais fortes do que o mal que nos atormenta; quando as razões são mais poderosas para tranqüilizar a mente do que a injustiça para atormentá-la.
> Nenhum problema é muito difícil.
> Neste mundo, o que pode ser pesado para aquele que tem os olhos voltados para o céu?[9]

Eu poderia continuar. A esperança que temos em Cristo é inacreditável. Enfim, você, como cristão, não tem motivo para se sentir desencorajado. Você sobreviverá a qualquer problema que enfrente. Pode ter confiança nisso! Meu irmão ou minha irmã em Cristo, você e eu somos membros de uma nova sociedade que Deus está construindo e devemos ser a imagem viva da verdade que pregamos. Somos pessoas que encontraram alegria em Deus e em crer nEle.

Como Posso Ser Feliz em qualquer Circunstância?

No capítulo 3, após esse diálogo com Deus dos capítulos 1—2, Habacuque dedica-se a ajudar-nos a responder mais uma pergunta: Como posso ser feliz sob qualquer circunstância?

A resposta dele é simples: apenas em Deus.

O capítulo 3 é a oração de Habacuque a Deus, e ela divide-se, basicamente, em três partes: os versículos 1 e 2 recontam a oração do profeta a Deus por misericórdia. Os versículos 3 a 15, a parte mais extensa do capítulo, descrevem a visão de Deus de Habacuque. E os versículos 16 a 19 apresentam a maravilhosa proclamação do profeta de sua alegria em Deus.

O capítulo inicia com as palavras: "Oração do profeta Habacuque [...]. Ouvi, Senhor, a tua palavra e temi; aviva, ó Senhor, a tua obra no meio dos anos, no meio dos anos a notifica; na ira lembra-te da misericórdia" (3.1,2).

Habacuque percorreu um longo caminho desde sua oração inicial de queixa, no capítulo 1. Agora, ele tem certeza de que Deus se importa com a injustiça e cuidará dela, tanto que ora: "Na ira lembra-te da misericórdia" (3.2).

A seguir, Habacuque, na visão que ocupa a parte principal desse capítulo, descreve Deus fazendo exatamente o que pedira em oração que fizesse — vindo! E quando Ele vem, toda a criação reage em humilde submissão:

> Deus veio de Temã, e o Santo, do monte de Parã. (Selá) A sua glória cobriu os céus, e a terra encheu-se do seu louvor. E o seu resplendor era como a luz, raios brilhantes saíam da sua mão, e ali estava o esconderijo da sua força. Adiante dele ia a peste, e raios de fogo, sob os seus pés. Parou e mediu a terra; olhou e separou as nações; e os montes perpétuos foram esmiuçados, os outeiros eternos se encurvaram; o andar eterno é seu. Vi as tendas de Cusã em aflição; as cortinas da terra de Midiã tremiam. Acaso é contra os rios, Senhor, que estás irado? Contra os ribeiros foi a tua ira ou contra o mar foi o teu furor, para que andasses montado sobre os teus cavalos, sobre os teus carros de salvação? Descoberto se fez o teu arco; os juramentos feitos às tribos foram uma palavra segura. (Selá) Tu fendeste a terra com rios. Os montes te viram e tremeram; a inundação das águas passou; deu o abismo a sua voz, levantou as suas mãos ao alto. O sol e a lua pararam nas suas moradas; andaram à luz das tuas flechas, ao resplendor do relâmpago da tua lança. Com indignação marchaste pela terra, com ira trilhaste as nações. Tu saíste para salvamento do teu povo, para salvamento do teu ungido; tu feriste a cabeça da casa do ímpio, descobrindo os fundamentos até ao pescoço. (Selá) Tu abriste com os seus próprios cajados a cabeça dos seus guerreiros; eles me acometeram tempestuosos para me espalharem; alegravam-se, como se estivessem para devorar o pobre em segredo. Tu, com os teus cavalos, marchaste pelo mar, pela massa de grandes águas (3.3-15).

Como Habacuque responde à vinda de Deus? O livro termina com esses versículos maravilhosos em que o profeta confessa que sua alegria está apenas em Deus:

Ouvindo-o eu, o meu ventre se comoveu, à sua voz tremeram os meus lábios; entrou a podridão nos meus ossos, e estremeci dentro de mim; descanse eu no dia da angústia, quando ele vier contra o povo que nos destruirá. Porquanto, ainda que a figueira não floresça, nem haja fruto na vide; o produto da oliveira minta, e os campos não produzam mantimento; as ovelhas da malhada sejam arrebatadas, e nos currais não haja vacas, todavia, eu me alegrarei no Senhor, exultarei no Deus da minha salvação. Jeová, o Senhor, é minha força, e fará os meus pés como os das cervas, e me fará andar sobre as minhas alturas (3.16-19a).

Para os Não-Cristãos

Se você não é cristão, faça-se esta pergunta: Posso ser feliz em qualquer circunstância ou há uma série de circunstâncias que são tão importantes em minha vida que não posso ser feliz sem elas? Amigo, uma vez que responda a essa pergunta, encontrou seu deus.

Jonathan Edwards, famoso ministro do século XVIII, foi despedido por sua congregação por causa de uma discórdia teológica. Quando o conselho da igreja informou a Edwards que perdera seu emprego, uma pessoa que observava Edward descreveu-o com estas palavras: "Essa testemunha fiel recebeu firme o choque. Durante toda a semana, em momento algum vi o menor sintoma de desgosto em sua fisionomia; ele parecia um homem de Deus, cuja felicidade estava fora do alcance de seus inimigos".[10]

Onde está sua felicidade? Ela é refém de alguma circunstância? Prometo-lhe, você jamais encontrará a alegria refletida em Edwards à parte da crença em Cristo. Você foi feito para conhecer a Deus. Por isso, você está vivo. Todavia, você se rebelou contra o Senhor. Toda vez que faz algo errado, você diz a Deus: "Quero levar minha vida do meu jeito, não do seu". É isso que é o pecado. O Senhor poderia condenar-nos justamente por nossos pecados. Em vez de fazer isso, Ele veio em Jesus Cristo, viveu uma vida perfeita e morreu na cruz como um substituto, pondo sobre si a justa ira de Deus pelos pecados de todos que se afastam dos pecados e crêem nEle. A seguir, Cristo levantou da morte, demonstração de que Deus aceitara seu sacrifício. Uma vez que nos salvou, o Senhor leva-nos à nova vida que promete.

Agora, Deus chama todos nós a nos arrepender de nossos pecados e a crer em Cristo.

O que essa transformação radical acarretaria em sua vida? O que exigiria de você decidir que Cristo vale mais e é mais importante que os pecados que tem acalentado? Tenho de dizer, com muita honestidade, que isso exigiria que você desse as costas a alguma das "alegrias" que aprecia atualmente. Em uma de suas parábolas, Jesus descreve pessoas sufocadas espiritualmente pelos cuidados, pelas riquezas e pelos deleites da vida (Lc 8.14). Em outras palavras, há alguns prazeres que o sufocam. Você sabia disso? Você sabia que alguns prazeres o sufocam? Você sabia que ter sexo fora do °casamento é pecado? Ou que se embebedar é pecado? E que roubar no escritório e mentir também o são? Menciono esses pecados específicos porque são alguns dos mais comuns em Washington, D. C. e, talvez, na maioria das cidades. Como todos os pecados, estes podem ser prazerosos por um tempo, mas, Jesus afirma, espiritualmente eles o sufocam. Eles acabam com sua vida. Imagino se você se sente sufocado em algum de seus prazeres e se pergunta o que está errado.

O prazer pode não apenas sufocá-lo, mas também escravizá-lo. O apóstolo Paulo disse a Tito: "Porque também nós éramos, noutro tempo, insensatos, desobedientes, extraviados, servindo a várias concupiscências e deleites" (Tt 3.3). O mundo nunca lhe dirá que o prazer pode escravizar. O mundo não tem interesse em divulgar isso. Mas é verdade. Há "alegrias" que afastam a liberdade de conhecer e de amar a Deus e os outros e de desfrutar uma alegria ainda maior. Tiago advertiu seus leitores contra esses desejos e prazeres egoístas (Tg 4.1-3). Assim como Pedro (2 Pe 2.13,14).

Cristo pode libertá-lo dos prazeres que o embaraçam nesta vida e na vida por vir, os prazeres passageiros e errôneos. Ele pode guiá-lo a prazeres duradouros — o prazer de conhecê-lo, para o qual você foi feito. E Ele guia-o à alegria, o fruto natural de ter seu Espírito vivendo em você (veja Gl 5.22). Se essa é a alegria que procura, encontre seus pecados e seja implacável com eles, arrependa-se deles e creia na morte de Cristo na cruz.

Para a Igreja

Também devemos pensar no que o capítulo 3 quer dizer para nossas igrejas. Pois ele quer dizer que, para encontrar felicidade e alegria, não precisamos trilhar os caminhos falsos caracterizados pelos estimulantes estilos carnais de adoração, pelos cultos cujo foco está em nós mesmos e pela agenda de programação intensa da igreja. As igrejas, com a finalidade de alcançar a alegria dos membros, devem conduzi-los à presença de Deus, com atenção, com reflexão e com ponderação, na adoração corporativa. As igrejas, com a finalidade de alcançar a alegria dos membros, devem prover ensinamentos sérios, centrados em Deus, porque apenas esses ensinamentos têm peso e valor para lidar com a seriedade da vida e com a situação em que os cristãos se encontram. As igrejas, com a finalidade de alcançar a alegria dos membros, devem manter sua agenda leve o bastante para que seus membros adorem a Deus, ao longo da semana, em sua vida familiar e para que estruturem o relacionamento com não-cristãos da vizinhança, com amigos e com colegas.

A congregação deve se dedicar ao cultivo de uma comunidade que apresente Deus como magnífico e que fomente em nós as mesmas coisas que Habacuque exemplifica: expectativa viva combinada com paciência (Hc 3.16) — que combinação extraordinária —, como também o crescimento do conhecimento do Senhor que gera satisfação e alegria nEle (3.17-19).

Como podemos cultivar uma comunidade que encontra sua alegria em Deus? Primeiro, as igrejas têm que tornar a pregação da Palavra de Deus o centro de seus momentos de reunião. O conhecimento *de* Deus era o que alimentava o anseio de Habacuque *por* Ele. O Senhor é tão amoroso que quanto mais o conhecemos mais queremos conhecê-lo. Segundo, nós, cristãos, temos de praticar, em nossas conversas pessoais uns com os outros, o compartilhamento de testemunhos de como o Senhor tem sido fiel conosco. Quanto de sua conversa na igreja você usa para edificar os outros? Por fim, as igrejas devem estimular seus membros a ler bons livros, biografias de cristãos que deram tudo de si mesmos e conheceram a fidelidade de Deus — pessoas como Amy Carmichael, William Carey, George Whitefield, Jim Elliot, Adoniram Judson e tantos outros. Que o Senhor, cada vez mais, torne nossas igrejas comunidades felizes à medida que observamos e revelamos uns para aos outros e para o mundo como Deus é suficiente e como satisfaz todas as áreas de nossa vida!

Para os Cristãos

O que Habacuque 3 nos ensina como cristãos individuais? De novo, muitas coisas. Para começar, devemos nos perguntar se, talvez, somos discípulos apenas por que, até o momento, as circunstâncias de nossa vida são boas. O que faríamos se Cristo nos chamasse a pegar nossa cruz em arrependimento por um determinado pecado ou para segui-lo em um caminho difícil? Você o seguiria? Estaria disposto a renunciar à oportunidade de um trabalho? Renunciaria a algum prazer específico por ser pecaminoso e por saber que pode encontrar mais alegria em Cristo? Essas são as questões que Habacuque levanta para você e para mim.

Muitos dos pecados que tentam os cristãos (e outros) são aqueles que carregam um eco obscuro e sombrio de onde a verdadeira alegria está. Por exemplo, a pornografia retrata a imagem crua da intimidade de se relacionar com outra pessoa. O sexo pré-marital fornece uma projeção da alegria encontrada no relacionamento matrimonial, mas essa alegria é tênue e fora de contexto. Isso apenas nos dilacera e usa a outra pessoa de forma egoísta, sem compromisso. Esses pecados e outros apontam para o fato de que encontramos a verdadeira alegria em relacionamentos verdadeiros, mas relacionamentos da forma como Deus determina que devem ser, e, no fim, em um relacionamento com Deus mesmo. Ele nos fez seres pessoais, espirituais, com bastante anseio por relacionamentos, anseio esse que será satisfeito, no fim e especialmente, em nosso relacionamento com Ele.

É interessante Habacuque expressar seu grande contentamento em Deus no final do capítulo 3, após considerar Deus, orar a Deus, meditar sobre Deus e, a seguir, observar essa visão da vinda dEle. Você e eu também temos que aprender mais sobre o Senhor se quisermos ser felizes e contentes. Apenas pense na promessa dEle para nós em Cristo! Nosso Deus é honesto. Nosso Deus é justo. Nosso Deus é fiel com a aliança que fez. Esse é o Deus a quem somos chamados a amar.

Habacuque aprendeu, por meio de seu questionamento honesto, que o que mais queria era esse Deus. Como Agostinho declara no início de sua biografia, *Confissões*: "Tu [o Senhor] o incitas [o homem] para que sinta prazer em louvar-te; fizeste-nos para ti, e inquieto está nosso coração, enquanto não repousa em ti" (*Confissões* I.I.).

Amo o hino da Nova Inglaterra, que apresenta Jesus Cristo como uma macieira fecunda:

A árvore da vida, minha alma viu,
Carregada de frutos e sempre verde;
As árvores da natureza são infrutíferas
Comparadas com Cristo, a macieira.

Sua beleza excede todas as coisas;
Sei pela fé, mas não há palavras para contar
A glória que agora posso ver
Em Jesus Cristo, a macieira.

Busco a felicidade há muito,
E paguei caro pelo prazer;
Tudo perdi, mas agora vejo
Tudo encontrei em Cristo, a macieira.
Cansei de minha antiga labuta,
Aqui sentarei e descansarei um pouco;
Sob a sombra estarei,
De Jesus Cristo, a macieira.

> *Esse fruto faz florescer minha alma.*
> *Mantém viva minha fé agonizante;*
> *Apressa minha alma*
> *Jesus Cristo, a macieira.*[11]

Você tem procurado a felicidade e comprado prazeres caros — caros para você e para os outros? Comece a fixar sua vida em Deus pela obediência e observe seu coração crescer em afeto por Ele à medida que o Senhor mostra ser fiel. Do mesmo modo que os três hebreus exilados, Sadraque, Mesaque e Abede-Nego, cujos corações foram arrebatados por Deus a ponto de eles não desistirem de sua fé nEle nem mesmo por sua sobrevivência física (Dn 3). Do mesmo modo como os cristãos do Novo Testamento oraram, em expectativa e em anseio jubilosos, pelo retorno de Cristo, conforme a vida de Paulo tipifica: "Se esperamos em Cristo só nesta vida, somos os mais miseráveis de todos os homens" (I Co 15.19). Se sua versão de cristianismo faz sentido mesmo se não houver nada após a sepultura, então você se prende a uma coisa falsa. O cristianismo das Escrituras não leva necessariamente a uma vida melhor deste lado da sepultura. Todavia, acreditamos em realidades eternas e, por Cristo, vivemos para elas.

Por isso, nós, cristãos, somos felizes sob quaisquer circunstâncias deste mundo! Habacuque proclama que mesmo com todos os nossos recursos totalmente exauridos, temos Deus, e Ele é nossa força e nossa esperança.

Oremos:

Oh, Deus, confessamos que nosso coração está dispersivo e dividido. Concentre o amor de nosso coração no Senhor. Revigore nossa vida com a confiança no Senhor. Por seu nome, pedimos por intermédio de Jesus. Amém.

Questões para Reflexão

1. Qual, em sua opinião, é a chave para a felicidade? Explique.
2. Habacuque é honesto com Deus em relação a suas mágoas? Sua honestidade torna-o irreverente? Podemos ser honestos e reverentes em nossas orações? Como você faz isso?
3. Deus usa os maus propósitos das pessoas para realizar bons propósitos? Isso faz com que Ele fique manchado pelo pecado?
4. Como vimos, Habacuque não cede ao ceticismo, apenas questiona Deus em oração. Há áreas em sua vida em que cedeu ao ceticismo e não se submeteu às promessas de Deus e à esperança que deve ter? Por que escolhemos o ceticismo em vez da esperança em Deus?

5. Você reflete com seriedade sobre seus pensamentos a respeito de Deus ou simplesmente segue seu primeiro impulso? Você monitora, avalia e corrige esses primeiros impulsos?
6. Como a bênção e o sucesso terrenos levam à complacência espiritual? A bênção terrena pode ser vista como um sinal do favor de Deus? Explique.
7. Você, com suas palavras, pode caracterizar a natureza da fé bíblica? Como ela é diferente da mera afirmação mental? Na vida de uma pessoa, como podemos diferenciar uma da outra? E na sua vida?
8. Os cristãos pecam? Se sua resposta for afirmativa, o que distingue os cristãos dos não-cristãos?
9. *Por que* e *como* as igrejas podem fazer mais que o cristão individual para demonstrar a glória e o caráter de Deus?
10. Que circunstâncias você precisa para ser feliz?
11. Que prazeres você "desfruta" no momento que, na verdade, o escravizam? Sufocam-no? Como você pode se libertar desse grilhão? (Dica: a resposta *não* é uma simples asserção de sua vontade e de sua disciplina pessoal.)
12. A que se assemelha a igreja que cultiva sua alegria em coisas mundanas? Como é a igreja que cultiva sua alegria em Deus?
13. Neste sermão, afirmou-se: "Se sua versão de cristianismo faz sentido mesmo, se não houver nada após a sepultura, então você se prende a uma coisa falsa". Você concorda? Explique.

Notas

Capítulo 35

[1] A data de pregação original deste sermão foi em 16 de novembro de 2003, na Capitol Hill Baptist Church, em Washington, D. C.
[2] Blaise Pascal, Pensées, trad. W. F. Trotter (Nova York: E. P. Dutton, 1958), p. 113.
[3] Veja Richard O'Connor, Undoing Depression: What Therapy Doesn't Teach You and Medication Can't Give You (Nova York: Berkley, 1999).
[4] Veja Penelope Russianoff, When Am I Going to Be Happy: How to Break the Emotoinal Bad Habits That Make You Miserable (Nova York: Bantam, 1988).
[5] Laura Huxley, entrevistada por Ian Thompson, The Independent Magazine (Londres), 30 de abril de 1994, p. 36.
[6] Martyn Lloyd-Jones, Spiritual Depression (1965; reimp., Grand Rapids, Mich.: Eerdmans, 2000), p. 20.
[7] Willian Arnot, Laws from Heaven for Life on Earth (Londres: T. Nelson & Sons, 1884), p. 311.
[8] Albert Mohler, "Naked and Not Ashamed: The Mystery of Marriage" (sermão realizado em 11 de novembro de 2001 na Capitol Hill Baptist Church, Washington, D. C.
[9] As citações são de vários escritos de Richard Sibbes. Para saber mais sobre conforto por meio dos escritos de Sibbes, veja seus livros bem conhecidos: The Bruised Reed and the Smoking Flax e The Soul's Conflict With Itself, ambos podem ser encontrados no primeiro volume de The Works of Richard Sibbes, Alexander Grosrt, ed. (Carlisle, Pa.: Banner of Truth, 1982). Bruised Reed também foi publicado separadamente pela Banner of Truth (1998).
[10] Registrado no diário de David Hall, membro do conselho. Citado em Iain H. Murray, Jonathan Edwards: A New Biography (Carlisle, Pa.: Banner of Truth, 1987), p. 327.
[11] De Divine Hymns ou Spiritual Songs, compilado por Joshua Smith, 1784.

A MENSAGEM DE SOFONIAS: PELO QUE TEMOS DE SER AGRADECIDOS?

PELO QUE TEMOS DE SER AGRADECIDOS?

INTRODUÇÃO A SOFONIAS

APENAS DEUS É DEUS

DEUS É ATIVO

DEUS É JUSTO E MISERICORDIOSO

DEUS É O JUIZ DE TODO O MUNDO

DEUS É O SALVADOR DE SEU POVO

CAPÍTULO 36

A Mensagem de Sofonias: Pelo que Temos de Ser Agradecidos?

Pelo que Temos de Ser Agradecidos?[1]

A história do Dia de Ação de Graças, um dia de celebração nos Estados Unidos, é interessante. Essa celebração tem origem no costume do cristão comum de reservar dias especiais para louvar a Deus por suas magníficas bênçãos. Na Nova Inglaterra, esse costume cristão entrelaça-se com o hábito inglês de reservar um dia para a celebração da colheita. Em 1621, os colonizadores europeus, após chegarem à colônia de Plymouth (atual Massachusetts) e conseguirem a primeira colheita depois de muitas dificuldades, deram uma festa especial de agradecimento. Eles também convidaram os norte-americanos nativos, os Wampanoags. Pelos 150 anos seguintes, as colônias freqüentemente fizeram esse tipo de ação de graças alguns dias após o início da colheita.

Em 1782, o Congresso Continental decretou:

> É obrigação indispensável de toda a nação não apenas oferecer súplicas ao Deus Todo-poderoso, o provedor de todo o bem, por sua ajuda graciosa em momentos de aflição, mas também dar-lhe louvor, de forma pública e solene, por sua bondade em geral e, em especial, pelas grandes e evidentes intervenções da providência dEle em favor da nação: por essa razão, os Estados Unidos, em reunião do Congresso, [...] por meio deste, recomenda [...] a observação de [...] um dia solene de ação de graças a Deus por todas as suas misericórdias, e ainda recomenda que todas as pessoas testemunhem sua gratidão a Deus por

sua bondade por meio da obediência disposta às leis dEle e pela proteção, cada um em seu local e área de influência, à prática da religião verdadeira e imaculada que é o grande fundamento da prosperidade pública e da felicidade nacional.

Em novembro de 1789, ocorreu a primeira celebração nacional de Ação de Graças, por proclamação presidencial — não obstante a prática vigente —, por recomendação do presidente Washington e do Congresso dos Estados Unidos. Nenhuma celebração oficializada nacionalmente da data ocorreu no início do século XIX, embora vários estados tenham reservado um dia no outono.

Em razão de a tensão nacional em relação à escravidão aumentar e o país mover-se em direção a uma guerra civil, Sarah Hale, poeta e editora, começou a trabalhar sem descanso para obter a aprovação de um feriado nacional de Ação de Graças. Mas foi apenas no auge da Guerra Civil, em 1863, que o presidente Lincoln proclamou a última quinta-feira de novembro como o dia nacional de Ação de Graças. Da década de 1870 à de 1930, as proclamações presidenciais fizeram o mesmo.

Em 1939, o presidente Roosevelt, em uma tentativa de ajudar a economia com o prolongamento do período de compras de Natal, proclamou a terceira quinta-feira de novembro o feriado nacional de Ação de Graças. Ele fez o mesmo em 1940 e em 1941, apesar de haver bastante controvérsia popular sobre quando o país deveria agradecer a Deus. Assim, o Congresso assumiu o assunto e, em 1941, passou uma resolução de entendimento que chamava à concessão. Decretaram que a Ação de Graças não deveria cair na terceira nem necessariamente na última, mas na quarta quinta-feira de novembro. Desde essa época, todos os presidentes proclamam o dia de Ação de Graças na quarta quinta-feira de novembro.

Em meio aos eventos atuais, talvez muitos norte-americanos se perguntem por qual motivo a nação deve agradecer a Deus. No Iraque, os ataques contínuos de revoltosos contra as tropas norte-americanas e aos próprios cidadãos iraquianos trazem pesar a cada novo dia. A Al-Qaeda, organização terrorista islâmica, continua a liderar bombardeios em muitos países, e, sem dúvida, muitos norte-americanos irão sentar-se a sua mesa de Ação de Graças com a sensação de menos segurança que nas comemorações anteriores.

Além desses tipos de preocupações, muitos se sentarão à mesa de Ação de Graças com mais preocupações pessoais. Alguns têm preocupação com dinheiro. Outros enfrentam problemas familiares. E ainda outros — talvez você — têm dúvidas sobre Deus.

"Deus está realmente no controle? O mundo estaria assim, se Ele estivesse no controle?"

"Por que Ele não nos ajuda?"

"Ele é justo?"

"Algum dia, Deus me perdoará?"

"Ele realmente se importa com o que acontece no mundo?"

Talvez alguns crentes vão para o dia de Ação de Graças se perguntando se seus melhores dias são os passados, ou se Deus reservou algo de bom para eles pelo que possam agradecer no próximo dia de Ação de Graças. Ou talvez no dia de Ação de Graças depois deste.

INTRODUÇÃO A SOFONIAS

Viramos-nos para o próximo livro em nossa série de estudos dos profetas menores do Antigo Testamento, o livro de Sofonias, que irá ajudar-nos a visualizar o que temos a agradecer. Sofonias não é chamado profeta "menor" por que não é importante, mas por que seu livro é menor se comparado com o dos profetas "maiores". Sabemos mais sobre o homem Sofonias do que conhecemos a respeito da maioria dos profetas menores, em especial, a partir deste versículo: "Palavra do Senhor vinda a Sofonias, filho de Cusi, filho de Gedalias, filho de Amarias, filho de Ezequias, nos dias de Josias, filho de Amom, rei de Judá" (1.1). O versículo menciona o pai, o avô, o bisavô e até o tataravô de Sofonias. Por que todos eles são mencionados? Bem, para mencionar quem era seu tataravô — o grande rei Ezequias, do século anterior. Se seu tataravô fosse Thomas Jefferson, você provavelmente mencionaria esse fato se fosse chamado a discursar para toda a nação norte-americana. Sofonias não descendia da linha real de Manassés, o filho mau de Ezequias, mas de um dos filhos mais jovens de Ezequias. Não havia como alguém acusar Sofonias de não ser leal, de não ser um hebreu de hebreus, apesar de ele dizer as coisas difíceis que registra nesse livro.

Esse primeiro versículo também nos informa que Sofonias profetizou durante o reinado de Josias, que reinou de 639 a 609 a.C. Temos dois motivos adicionais para acreditar que Sofonias profetizou no início do reinado de Josias, talvez por volta de 630 a.C. — logo após a profecia de Naum contra Nínive e pouco antes da de Habacuque contra Judá. Primeiro, Sofonias profetizou contra a ainda poderosa Nínive (2.13-15), e Nínive caiu para os babilônios em 612. Segundo, a dura condenação de Sofonias a Judá sugere que ainda não ocorrera o grande avivamento religioso pelo qual Josias ficou conhecido.

Sofonias, seja qual for a data exata em que profetizou, ajuda-nos a aprender, pelo menos, cinco coisas sobre Deus. E talvez, à medida que aprendemos sobre Deus, descubramos pelo que devemos ser muitíssimo agradecidos.

APENAS DEUS É DEUS

Primeiro, Sofonias nos ensina que apenas Deus é Deus. Podemos agradecer por esse Deus impressionante que é o único que merece reverência e admiração.

Sofonias, desde o início do livro, aponta para o julgamento do Senhor a fim de mostrar que apenas Deus é Deus. Após o versículo 1 introdutório, lemos:

> Inteiramente consumirei tudo sobre a face da terra, diz o Senhor. Arrebatarei os homens e os animais, consumirei as aves do céu, e os peixes do mar, e os tropeços com os ímpios; e exterminarei os homens de cima da terra, disse o Senhor. E estenderei a minha mão contra Judá e contra todos os habitantes de Jerusalém e exterminarei deste lugar o resto de Baal e o nome dos quemarins com os sacerdotes; e os que sobre os telhados se curvam ao exército do céu; e os que se inclinam jurando ao Senhor e juram por Malcã; e os que deixam de andar em seguimento do Senhor, e os que não buscam ao Senhor, nem perguntam por ele. Cala-te diante do Senhor Jeová, porque o dia do Senhor está perto, porque o Senhor preparou o sacrifício e santificou os seus convidados. E acontecerá que, no dia do sacrifício do Senhor, hei de castigar os príncipes, e os filhos do rei, e todos os que se vestem de vestidura estranha. Castigarei também, naquele dia, todos aqueles que saltam sobre o umbral, que enchem de violência e engano a casa dos seus senhores (1.2-9).

"[Saltar] sobre o umbral" refere-se a alguns aspectos da adoração aos outros deuses, porém, os estudiosos não têm muita certeza sobre o que está vinculado a isso. Contudo, o ponto é claro: Sofonias confronta a iniqüidade do próprio povo do Senhor em Jerusalém, e Deus os puniria.

Esses versículos iniciais devem ser os versículos de abertura mais dramáticos de qualquer profecia da Bíblia, o Senhor diz por intermédio de Sofonias: "Inteiramente consumirei tudo sobre a face da terra". Ele promete três vezes "consumir [...]" ou "arrebatar [...]" (1.2,3)! Ele afirma duas vezes que os "[exterminará]" (1.3,4). Ele diz uma vez que "[estenderá] a [...] mão contra" eles (1.4). E promete "[castigá-los]" duas vezes (1.8,9). Os verbos dizem tudo! Deus seria severo com seu povo.

E o Senhor cumpriu sua promessa. Na geração posterior à da profecia de Sofonias, Jerusalém caiu para os babilônios. Primeiro, eles invadiram a cidade e levaram muitas pessoas para o exílio. A seguir, eles voltaram e destruíram a cidade, seus muros e o grande Templo do Senhor. Sofonias talvez até tenha vivido para testemunhar essa destruição.

Pergunto-me como a situação religiosa descrita por Sofonias soa para você. Acabamos de ler sobre o pluralismo religioso e os muitos deuses distintos que eram adorados em Jerusalém (1.4,5,6,8,9). E hoje, sem dúvida, estamos familiarizados com esse mesmo tipo de diversidade religiosa em nossa nação. Talvez você, pessoalmente, adore o Senhor. Ou talvez você adore alguém mais. Em nosso país, com a graça de Deus, somos livres para adorar quem quisermos.

Quem *você* adora?

Claro que o Senhor, na profecia de Sofonias, dirigia-se a todo o povo de Jerusalém, supostamente todos verdadeiros adoradores dEle. Se perguntássemos a eles, talvez alguns respondessem que apenas adoravam ao Senhor *e* a outros deuses — sendo inclusivos, sendo respeitosos, obtendo o melhor de todas as distintas tradições, minimizando um pouco o risco dos desafios irreligiosos caso haja alguma verdade aqui ou algum poder lá. Todavia, o Deus verdadeiro não tem co-regentes. Adorar o Deus verdadeiro e algum outro deus não é, de forma alguma, adorar o Deus verdadeiro.

Às vezes, as pessoas ouvem a nós, cristãos, professarmos nossa crença em um único Deus que deve ser adorado e, portanto, assumem que nós também achamos que a adoração de outros deuses é ilegal. Por ser alguém que prega com regularidade sobre a existência de um único Deus e sobre a exclusividade de sermos salvos apenas por intermédio de Jesus Cristo, deixe-me ser absolutamente claro: não ensinamos nem propagamos, de forma alguma, essa idéia! A verdadeira adoração não pode ser compelida por lei. Na verdade, os cristãos têm uma longa tradição de advogar a proteção legal para a liberdade do exercício religioso, mesmo das religiões que afirmam *ser* o único caminho verdadeiro para Deus.

Ao mesmo tempo, nós, cristãos, somos inflexíveis em proclamar o que a Bíblia afirma: existe um Deus e um caminho para a salvação. Essas afirmações únicas não fazem parte de uma estocada conservadora recente de pessoas religiosas em resposta à crescente diversidade cultural. Não, elas estão estampadas em quase todas as páginas do Antigo Testamento. Sem dúvida, as encontramos aqui, em Sofonias. O Senhor não tolerará rivais! Jesus também ensinou isso. Ele declarou ser o único *caminho* para o único Deus verdadeiro (por exemplo, Jo 14.6). E mais, Ele disse *ser* o único Deus verdadeiro" E Ele veio na carne humana para nos buscar e nos salvar por meio do sacrifício de seu corpo.

Ore para que, em nossa era inclusiva, a igreja seja clara a respeito dessa dura verdade. Ore para que as outras igrejas de nossa cidade e de nosso país ensinem fielmente que o único caminho para a salvação é por intermédio de Cristo. Devemos ser claros, francos e não recuar dessa verdade preciosa. Também devemos ser claros no interior do corpo da igreja de que não podemos viver com outro Senhor. Não podemos permitir que o pecado impenitente caracterize nossa vida. Nosso testemunho do evangelho, entre os que se autodenominam crentes, não deve ficar comprometido pela tolerância de estilos de vida que se opõem à vontade de Deus. Por isso, nós, como congregações individuais, temos de nos comprometer com a pregação clara e a prática transparente da disciplina na igreja.

Cristão, você percebe o que isso representa para você pessoalmente? Representa que suas lealdades não devem estar divididas. Você não deve procurar formas alternativas para minimizar o risco de seu desafio religioso. Você não deve seguir o exemplo do povo do Senhor do Antigo Testamento, em Jerusalém, quando misturavam a adoração de Deus com a de outras, assim chamadas, deidades. O Senhor convida seu povo a calar-se diante dEle (1.7), não diante desses outros pretensos deuses. Seu povo é chamado a reconhecer exclusivamente a Ele em adoração.

Observe também que a ordem de Deus para que se calem assume a relação existente entre temor e reverência e a calma quietude. Em nossa cultura atual, voltada para o entretenimento, é fácil entender a idéia de enlouquecer com o aplauso. Contudo, algumas coisas — talvez as coisas mais importantes — ainda nos fazem ficar emudecidos, sem palavras, quietos. Pense na grandiosidade da natureza, em um ato impressionante de bondade ou mesmo na verdade do evangelho. Nosso silêncio ecoa e expressa nossa reverência humilde diante desse Deus magnífico.

Esse silêncio ordenado ao povo do Senhor também aponta a necessidade de submetermos-nos a Deus e de obedecermos a Ele. Se realmente adoramos a Deus como afirmamos, isso se reflete em nossos atos. Ficar em silêncio diante do Senhor quer dizer dedicar-se ao estudo mais cuidadoso de sua Palavra — o mesmo cuidado que você dedica à leitura do jornal ou do extrato bancário, seus livros legais ou a programação da televisão. Pense em como, durante a semana, você se dedica ao recebimento de informações. Você se dedica a receber informação sobre a Palavra de Deus da mesma forma? Você vivencia a soberania e o domínio dEle em sua vida à medida que o Espírito dEle escolhe a Palavra dEle que lemos e ouvimos e, a seguir, deixa-a governar seu coração e sua vida. Hoje, o que Deus instruiu-o a fazer por meio das Escrituras? Faça isso. Isso é parte de como você o adora. Isso é parte de como você reconhece a exclusividade da autoridade dEle em sua vida.

Devemos louvar e agradecer ao nosso Senhor por ser quem é como Deus soberano e por quem nos fez para ser como seu povo. E lembre-se: "A gratidão é um solo em que o orgulho não cresce com facilidade".[2] Você e eu não temos motivo para ser orgulhosos diante desse Deus.

Apenas Deus é Deus.

DEUS É ATIVO

Sofonias ensina-nos uma segunda lição sobre Deus pela qual devemos ser agradecidos: Deus é ativo. Se você tem vivido de forma injusta, mas contando com a apatia ou indiferença de Deus, Sofonias diz-lhe: "Lamentem-se!"

> "Naquele dia", declara o Senhor, "haverá gritos perto da porta dos Peixes, lamentos no novo distrito, e estrondos nas colinas. Lamentem-se, vocês que moram

na cidade baixa; todos os seus comerciantes serão completamente destruídos, todos os que negociam com prata serão arruinados. Nessa época vasculharei Jerusalém com lamparinas e castigarei os complacentes, que são como vinho envelhecido, deixado com os seus resíduos, que pensam: 'O Senhor nada fará, nem bem nem mal'. A riqueza deles será saqueada, suas casas serão demolidas. Embora construam novas casas, nelas não morarão; plantarão vinhas, mas o vinho não beberão" (1.10-13; NVI).

Nesses versículos, Sofonias torna-se ainda mais específico sobre a destruição futura de Jerusalém. O Senhor muda sua ordem de calar-se diante dEle (isto é, adorar apenas a Ele) para "[lamentar]"! Diz-se ao povo de Jerusalém para gritar sua aflição.

Todos de Jerusalém lamentarão (1.10,11)! Sofonias menciona os comerciantes e os negociantes com suas casas e suas vinhas, mas ele não os condena por seu negócio em si. Antes, como uma forma legal desdobrada em três, ele começa por apontar aqueles que são complacentes — os que estão satisfeitos consigo mesmos e com seu quinhão, aqueles que têm o hábito de perdoar as próprias faltas. Quem são essas pessoas? Sofonias desdobra o segundo terço dessa forma legal que apresenta uma explicação complementar: esses são aqueles "que são como vinho envelhecido". O profeta refere-se à matéria que se solidifica no fundo do frasco de vinho durante a fermentação e torna o vinho intragável. Talvez as pessoas de Jerusalém fossem o povo do Senhor, porém, eles estavam espiritualmente apáticos e eram indiferentes a Deus, como esse tipo de vinho. Claro que, implicitamente, as pessoas que são indiferentes a Deus contam ao mundo que mesmo o Senhor é indiferente e apático. A complacência deles o ataca. Por isso, no terceiro desdobramento, lemos que essas pessoas pensam que "o Senhor nada fará, nem bem nem mal". Como é o caso com muita freqüência, aqueles que são mais ignorantes a respeito da verdadeira religião também são os que têm mais certeza de que Deus é exatamente como eles!

Amigo, talvez você pertença a uma igreja que escreveu sua declaração de fé *com honestidade*, mas que, quando esta vem à luz, é *vazia*? Ou seja, você diz que crê no Senhor, mas, na verdade, como dizem os puritanos, é um "ateísta na prática" — alguém que vive como se Deus não existisse? Você, em sua vida diária, confia totalmente em si mesmo e em sua sabedoria, mesmo que seus lábios formem as palavras: "Eu creio em Deus"? Deixe-me garantir-lhe, nunca a riqueza e o sucesso aparente esconderão a pessoa, a cidade ou a nação do julgamento perscrutador de Deus que busca onde realmente reside a crença da pessoa.

Medite cuidadosamente sobre a suposição do homem complacente de que "o Senhor nada fará, nem bem nem mal". É irônico que esse tipo de suposição seja proferida por pessoas que afirmam conhecer a Deus! O Senhor é realmente um Deus que não faz nada? Considere o amor de Deus por nós em Cristo: Ele veio a nós, ao passo que nós fugimos dEle. Ele nos amou, ao passo que nós o odiamos. Ele morreu por nós, ao passo que nós queríamos apenas matá-lo. Ele nos salvou, ao passo que nós sempre estivemos muito prontos a condená-lo. Esse é o Deus da Bíblia, o Deus de nosso Senhor Jesus Cristo, o Deus de Israel, o Deus que alguns, em Jerusalém, acusavam calmamente de não fazer nada!

Você percebe o que isso significa para nós? O Senhor afirma categoricamente: "Lamentem-se" (1.11), e Ele diz isso àqueles que afirmam ser seu povo, todavia, vivem como hipócritas. Portanto, se você foi batizado e se autodenomina cristão, porém não vive de acordo com a vontade do Senhor e com a Palavra de Deus, a exortação do Senhor para você é simples: lamente! Se você não mudar, a destruição prometida por Sofonias cairá sobre você. E, nesse dia, nenhum silêncio conterá sua miséria, nem quietude nenhuma, sua dor. Você encontrará o aborrecimento de Deus quando Ele desmascarar sua falsa fé e sua falsa religião. Tenha cuidado ao cultivar a aparência de religiosidade, em vez da religiosidade. Desista da tentativa de *ser visto* como devoto, lute para *ser* devoto. Afinal, o que importa é a estima de Deus, não a dos outros.

E, sem dúvida, não entregue seu coração à prata e ao ouro. Usufruo de algumas coisas que Deus nos deu neste mundo, mas sei que tudo que usufruo se transformará em nada. Minha estima se transformará em nada. Meu exemplar da Bíblia se transformará em nada. Tudo se transformará em nada! Todavia, as pessoas não são assim. Deus fez as pessoas a sua imagem, e elas permanecerão por toda a eternidade. Quando o sol já tiver se extinguido há 10 mil eras, todas as pessoas que você vê hoje ainda existirão. A Bíblia cristã ensina isso. Portanto, não deixe seu coração ser escravizado por coisas pequenas como a prata e o ouro. Eles não o servirão bem.

Fique agradecido pelo Deus que temos *não* ser aquEle que algumas pessoas da época de Sofonias supunham que Ele fosse — indiferente e inativo. O Deus que adoramos se importa e age. Essa é a segunda lição que aprendemos sobre Deus com a profecia de Sofonias.

DEUS É JUSTO E MISERICORDIOSO

O terceiro tópico que temos que considerar é que Deus é justo e misericordioso! Como temos de ser agradecidos por cada um desses aspectos do caráter dEle! Voltemos à profecia de Sofonias:

> O grande dia do Senhor está perto, está perto, e se apressa muito a voz do dia do Senhor; amargamente clamará ali o homem poderoso. Aquele dia é um dia

de indignação, dia de angústia e de ânsia, dia de alvoroço e de desolação, dia de trevas e de escuridão, dia de nuvens e de densas trevas, dia de trombeta e de alarido contra as cidades fortes e contra as torres altas. E angustiarei os homens, e eles andarão como cegos, porque pecaram contra o Senhor; e o seu sangue se derramará como pó, e a sua carne, como esterco. Nem a sua prata nem o seu ouro os poderá livrar no dia do furor do Senhor, mas, pelo fogo do seu zelo, toda esta terra será consumida, porque certamente fará de todos os moradores da terra uma destruição total e apressada. Congrega-te, sim, congrega-te, ó nação que não tens desejo, antes que saia o decreto, e o dia passe como a palha; antes que venha sobre vós a ira do Senhor; sim, antes que venha sobre vós o dia da ira do Senhor. Buscai o Senhor vós todos os mansos da terra, que pondes por obra o seu juízo; buscai a justiça, buscai a mansidão; porventura sereis escondidos no dia da ira do Senhor (1.14—2.3).

Sofonias descreve de forma poderosa e pungente esse dia vindouro da justiça de Deus. Na literatura bíblica profética, encontramos, com freqüência, profecias sobre o futuro próximo misturadas com elementos mais distantes e apocalípticos. Aqui, à medida que aguarda no Espírito, Sofonias vê a queda de Jerusalém, que aconteceu várias décadas depois, e uma prévia do julgamento final do mundo. A profecia é séria. Você pode quase *ouvir* os clamores e gritos, e *sentir* a expressão de angústia e de trevas, e sentir o *cheiro* de pó e de destruição, e *sentir* o calor do zelo de Deus e o *gosto* amargo do dia. Esse dia seria o "dia da ira do Senhor" (2.3). Contudo, o Senhor envia esse aviso para seu povo, pois quer que eles ouçam, prestem atenção e não caiam sob seu julgamento. Ele quer que eles se voltem e o busquem!

Agora, uma vez que o feriado de Ação de Graças está próximo, presumo que talvez você se surpreenda em ouvir uma mensagem sobre a ira de Deus como esta. Todavia, esta é a mensagem desse livro bíblico. E Sofonias apenas repete o que já ouvimos de outros profetas (Amós, Isaías e assim por diante) e o que o povo de Deus ouviria de novo de Jesus Cristo. Na verdade, ao ler os Evangelhos do Novo Testamento, você descobre que o profeta mais violento em relação ao julgamento de Deus é o Senhor Jesus Cristo.[3]

Reveja as palavras de Sofonias:

E angustiarei os homens, e eles andarão como cegos, porque pecaram contra o Senhor; e o seu sangue se derramará como pó, e a sua carne, como esterco. Nem a sua prata nem o seu ouro os poderá livrar no dia do furor do Senhor, mas, pelo fogo do seu zelo, toda esta terra será consumida, porque certamente fará de todos os moradores da terra uma destruição total e apressada (1.17,18).

Todos serão julgados. Todos! É isso que Sofonias afirma. E não seremos julgados pelo exame de nosso currículo ou por quanto subimos nessa ou naquela posição social. Não, seremos julgados porque "[pecamos] contra o Senhor" (1.17).

Você já parou para pensar nisso? Amigo, você deve fazer isso! Deus o julgará por isso. O que é pecar contra Deus? Você tem interesse em responder a essa pergunta. E sua consciência já o alertou para alguns desses pecados, talvez para muitos deles. A Bíblia lhe contará quais são os outros pecados. Portanto, estude a Bíblia. Aprenda-a. Descubra por que Deus o fez, como Ele o chama a viver e o que o chama a fazer. A prata e o ouro não podem salvá-lo. Sofonias diz que o mundo todo será julgado.

Portanto, o que você deveria fazer se concluir que pecou contra Deus? "Buscai o Senhor, vós todos os mansos da terra, que pondes por obra o seu juízo; buscai a justiça, buscai a mansidão; porventura sereis escondidos no dia da ira do Senhor" (2.3). Sofonias diz-nos para buscar a Deus. Por que procuraríamos àquEle que nos julgará? Isso não seria parecido com o rato procurando o gato? Nós o buscamos por que foi contra Ele que pecamos, e Ele é aquEle que deve nos perdoar. Ele é nossa única esperança. Se você o procurar com humildade, reconhecendo sua necessidade, talvez seja protegido no dia da ira dEle.

Meu amigo não-cristão, busque ao Senhor. Ore ao Senhor. Você não precisa estar na igreja para orar. Você pode orar em casa. Não existe uma fórmula mágica de palavras que "funcionam". O que é necessário é a honestidade de coração. Depois de orar, leia o livro de Deus. Encontre-se com o povo do Senhor. Una-se a eles para ouvir a Palavra de Deus ser ensinada, explicada e vivida. Faça isso no seu melhor interesse.

Você percebe que a prata e o ouro não são nem resposta suficiente para o pecado nem motivo suficiente pelo qual se viver? Na peça medieval *Everyman* (O Homem Comum), o personagem título soube que está prestes a morrer e a apresentar-se diante do Senhor. Ele procura todos os amigos e familiares e pergunta-lhes: "Você iria comigo a fim de ajudar-me a prestar contas nesse grande dia de prestação de contas?" Todos lhe dizem que ele deve fazer essa jornada sozinho. Sua esposa. Seus filhos. Seus amigos do trabalho ou do bar. Os bens que acumulou. Todos dizem a mesma coisa. Os bens de Everyman são representados por um cofre no canto da sala (claro que uma voz fala por trás desse cofre ou sob ele) e, "Bens", o cofre no canto da sala, também responde com uma negativa ao pedido de ajuda de Everyman na prestação de contas a Deus, o que desaponta muitíssimo o personagem: "Ai de mim, eu o amei e, em toda a minha vida, tive muito prazer com bens e tesouros..."

> Bens: Isso é para sua danação, sem arrendamento,
> Pois meu amor é o oposto do amor duradouro;
> Mas se tivesse me amado com moderação durante sua vida,
> Dando parte de mim ao pobre,
> Então não estaria imerso nessa tristeza,
> Nem nesse grande pesar e cuidado.
> Everyman: Veja, enganei-me antes em relação àquilo de que cuidei,
> E posso considerar tudo perda de tempo.
> Bens: Você pensou que eu era seu?
> Everyman: Pensei.
> Bens: Ao contrário, Everyman, digo que não.
> Durante um tempo, fui emprestado a você,
> Por um período de tempo, você me teve para sua prosperidade.
> Minha condição é matar a alma do homem,
> Se salvo um, derrubo mil.
> Você achava que eu o seguiria?
> Não, não neste mundo, na verdade.
> Everyman: Eu pensava de outro modo.
> Bens: Então, para sua alma, Bens é um ladrão;
> Esse é meu disfarce, para que você só me conheça quando morrer —
> Enganarei outro da mesma forma
> Como fiz com você, e tudo para reprovação da alma dele.[4]

Não se deixe iludir tanto pelos objetos e pelos bens, pois logo eles pertencerão a outra pessoa. Não permita que suas posses o possuam. Nenhum bem resulta disso.

Como cristãos, sabemos que a mais surpreendente demonstração do julgamento de Deus ocorreu quando Ele derramou sua ira sobre Cristo na cruz. Também sabemos que a mais espantosa demonstração da misericórdia de Deus ocorreu quando Cristo, pendurado na cruz, tomou sobre si a ira do Senhor pelos nossos pecados. Se você crê em Cristo, o tema do julgamento e da misericórdia de Deus, na profecia de Sofonias, leva-nos à cruz, e, ali, julgamento e misericórdia se encontram.

Se você não aceita a justiça que Cristo lhe deu pela fé e, nesse último dia, escolhe sustentar sua justiça diante de Deus, então você, como Everyman, encarará seu fim em temor. Graças a Deus por ter providenciado em Cristo, por um alto preço, um refúgio tão incrível e precioso para nós!

Se você é cristão, ouça os avisos de Deus transmitidos na sua Palavra! Arrependa-se de seus pecados. Você também deve buscar ao Senhor. Busque a justiça dEle. Busque o refúgio do julgamento na misericórdia dEle em Cristo. E, esta semana, sinta-se agradecido a Deus pelo refúgio que Ele lhe oferece pela fé. Ore também por sua igreja, para que ela seja honesta em relação ao julgamento de Deus e seja ativa em propagar as Boas Novas do seu amor em Cristo. Hoje, ambas as partes dessa mensagem são vistas como desamorosas!

Mas a verdade é que Deus é justo e misericordioso.

Deus é o Juiz de todo o Mundo

Sofonias ensina-nos uma quarta coisa sobre Deus pela qual devemos ser agradecidos: Deus é o Juiz de todo o mundo. Devemos ser agradecidos porque sabemos que Ele fará o que é justo e certo, mesmo que tenhamos de esperar por isso.

Até aqui, a profecia de Sofonias dirige-se amplamente ao povo do Senhor. No entanto, a partir de 2.4, ele amplia seu escopo e deixa claro que Deus está de olho em todas as nações. Primeiro, ele dirige-se à população costeira de Canaã, os filisteus:

> Porque Gaza será desamparada, e Asquelom, assolada; Asdode ao meio-dia será expelida, e Ecrom, desarraigada. Ai dos habitantes da borda do mar, do povo dos quereteus! A palavra do Senhor será contra vós, ó Canaã, terra dos filisteus, e eu vos farei destruir, até que não haja morador. E a borda do mar será de pastagens, com cabanas para os pastores e currais para os rebanhos. E será a costa para o resto da casa de Judá para que nela apascentem; à tarde, se assentarão nas casas de Asquelom, porque o Senhor, seu Deus, os visitará e reconduzirá os seus cativos (2.4-7).

A seguir, ele dirige-se aos moabitas e aos amonitas:

> Eu ouvi o escárnio de Moabe e as injuriosas palavras dos filhos de Amom, com que escarneceram do meu povo e se engrandeceram contra o seu termo. Portanto, tão certo como eu vivo, diz o Senhor dos Exércitos, o Deus de Israel, Moabe será como Sodoma, e os filhos de Amom, como Gomorra, campo de urtigas, e poços de sal, e assolação perpétua; o resto do meu povo os saqueará, e o restante do meu povo os possuirá. Isso terão em recompensa da sua soberba, porque escarneceram e se engrandeceram contra o povo do Senhor dos Exércitos. O Senhor será terrível para eles, porque aniquilará todos os deuses da terra; e todos virão adorá-lo, cada um desde o seu lugar, todas as ilhas das nações (2.8-11).

A seguir, os cuxitas, que viviam na Etiópia, recebem uma palavra terrível: "Também vós, ó etíopes, sereis mortos com a minha espada" (2.12).

Até mesmo a força poderosa da Assíria cairá sob o julgamento de Deus:

> Estenderá também a sua mão contra o Norte e destruirá a Assíria; e fará de Nínive uma assolação, terra seca como o deserto. E, no meio dela, repousarão os rebanhos, todos os animais dos povos; e alojar-se-ão nos seus capitéis assim o pelicano como o ouriço; a voz do seu canto retinirá nas janelas, a assolação estará no umbral, quando tiver descoberto a sua obra de cedro. Esta é a cidade alegre e descuidada, que dizia no seu coração: Eu sou, e não há outra além de mim; como se tornou em assolação, em pousada de animais! Qualquer que passar por ela assobiará e meneará a sua mão (2.13-15).

Por fim, dirige-se de novo a Jerusalém. Já que Jerusalém age como as outras nações, Deus a tratará da mesma forma:

> Ai da rebelde e manchada, da cidade opressora! Não ouve a voz, não aceita o castigo, não confia no Senhor, nem se aproximou do seu Deus. Os seus príncipes são leões rugidores no meio dela; os seus juízes são lobos da tarde, que não deixam os ossos para o outro dia. Os seus profetas são levianos e criaturas aleivosas; os seus sacerdotes profanaram o santuário e fizeram violência à lei. O Senhor é justo, no meio dela; ele não comete iniqüidade; cada manhã traz o seu juízo à luz; nunca falta; mas o perverso não conhece a vergonha. Exterminei as nações, as suas torres estão assoladas; fiz desertas as suas praças, a ponto de não ficar quem passe por elas; as suas cidades foram destruídas, até não ficar ninguém, até não haver quem as habite. Eu dizia: Certamente me temerás e aceitarás a correção; e assim a sua morada não seria destruída, conforme o que havia determinado; mas eles se levantaram de madrugada, corromperam todas as suas obras (3.1-7).

Começamos a perceber a direção que o profeta segue à medida que chama, uma a uma, as nações — Deus julgará toda a Terra:

> Portanto, esperai-me a mim, diz o Senhor, no dia em que eu me levantar para o despojo; porque o meu juízo é ajuntar as nações e congregar os reinos, para sobre eles derramar a minha indignação e todo o ardor da minha ira; porque toda esta terra será consumida pelo fogo do meu zelo (3.8).

Deus julga todos por suas iniqüidades. Ninguém escapa — da Etiópia à costa de Canaã e à Assíria. Ele julga as nações pela rejeição empedernida de seu povo, como fez com Moabe e Amom. Ele julga as nações por rejeitá-lo com orgulho, como fez com a Assíria. E Ele julga também aqueles que se conhecem como o povo de Deus — pelo menos, exteriormente — como fez com a cidade de Jerusalém. Deus aponta todas as nações ao redor de Judá e, a seguir, a própria Judá a fim de ensinar que Ele é o Juiz de todo o mundo — Ele não faz distinções!

Hoje, um dos maiores mitos que se infiltrou em nossas igrejas é o de que se você foi batizado e tornou-se, externamente, membro de uma igreja, então está seguro espiritualmente. Espero que você não interprete o que estou para dizer como se eu estivesse com má intenção, mas isto precisa ser dito: essas igrejas mentem para você. Isso não é verdade. Esse é um evangelho falso. Não existe isto: você fazer parte de uma igreja e, por ter aceitado o batismo dessa igreja, estar automaticamente seguro em relação a sua salvação e vida espiritual. Algumas igrejas ensinam essa mensagem e estão terrivelmente erradas. Sofonias dirige-se a pessoas que estão *na* cidade de Jerusalém. Elas têm os sinais da aliança. Todavia, seriam julgadas por Deus e estariam perdidas.

Se você não é cristão, encorajo-o a pensar com cuidado na afirmação bíblica de que Deus julgará todos, até você. Você percebe que, no fim, a profecia de Sofonias o alcança e aponta para você, não é mesmo? Deus julgará você. Vemos o escopo universal da preocupação do Senhor quando Ele afirma que "aniquilará" os deuses das outras nações (2.11) e quando promete: "Toda esta terra será consumida pelo fogo do meu zelo" (3.8). Com certeza, você e eu fazemos parte de todo o mundo. Não somos exceções. Por isso, nossa única opção é seguir as instruções que Ele oferece para a antiga Jerusalém: temer o Senhor e aceitar a correção dEle (3.7).

Talvez você seja uma pessoa que respeita a Deus. Talvez você queira saber mais a respeito dEle. Portanto, medite com cuidado em como Ele se oporia a você e a qualquer um de seus atos. E não falamos da opinião *dEle* contra a *sua*; falamos da verdade contra a mentira. Do certo contra o errado. Da vida contra a morte. Oh, meu amigo, escolha a vida! Examine sua consciência a fim de ver se não encontra alguma coisa em relação à qual se sinta condenado. Ele teve uma razão para pôr em você esse sentimento de condenação. Depois, converse com um amigo cristão e pergunte-lhe se Deus pode estar usando sua própria consciência para começar a lidar com você e com sua alma.

Identifique seus pecados e arrependa-se deles. Afaste-se deles e volte-se para Deus.

Como já mencionei, a Bíblia ensina que Jesus Cristo será o Juiz supremo deste mundo. O apóstolo Paulo, ao pregar em Atenas, afirmou: "Porquanto tem determinado um dia em que com justiça há de julgar o mundo, por meio do varão que destinou; e disso deu certeza a todos, ressuscitando-o dos mortos" (At 17.31). Jesus será o Juiz supremo de todas as nações.

Nesse meio tempo, nós, que somos o povo de Deus, temos que esperar. O Senhor declara: "Portanto, esperai-me a mim" (3.8). Talvez as pessoas de Jerusalém que realmente pertenciam ao Senhor estivessem tentadas a acreditar no raciocínio cético e complacente de seus vizinhos de que Deus, como ainda não "consertara" a iniqüidade da Terra, não faria isso nunca, de que Ele não se importava. Por favor, não caia nessa mesma tentação. Não temos todos os fatos, mas tenha certeza de que a vida não permanecerá para sempre como está hoje. Nosso conhecimento é pateticamente finito. Portanto, temos de esperar, perseverando em confiança e em esperança. E nossa confiança e esperança não são cegas, não nos pedem que confiemos em alguém que não conhecemos nem com quem não tenhamos um histórico, um registro de nossas experiências com Ele. Nossa confiança e esperança estão em Deus.

As dificuldades da vida vêm uma após a outra, e as oportunidades para pecar se apresentam vezes sem-fim. Todavia, devemos negar a nós mesmos os prazeres pecaminosos. O prazer é apenas uma forma que o pecado assume a fim de nos atrair. O prazer imediato que se apresenta a nós — sexo, ilusão, preguiça, luxúria, ambição, ressentimento e assim por diante — é enganoso como a ratoeira o é para o rato: promete vida, mas apenas entrega morte. Portanto, nós, os cristãos, temos de esperar no Senhor e de agradecer a Deus por seu compromisso com o que é bom e certo. Não ponha seu coração no que é pequeno e perecível.

Por isso, nossas igrejas têm de assumir o compromisso de ter alguém que pregue toda a Bíblia para nós — até mesmo os profetas menores — durante o período de Ação de Graças! Nós, os membros da igreja, não precisamos apenas ouvir sobre nossa espiritualidade individual, com conselhos claros sobre a vida e o propósito desta. Nós precisamos da Palavra de Deus em sua plenitude, incluindo as verdades sobre a santidade dEle e seu justo julgamento de nossos pecados. Temos de conhecer a promessa de Deus para nós em Cristo e participar dela com alegria. As promessas bíblicas acerca do céu devem ser doces para nós, e a perspectiva de comunhão com Deus, em Cristo, deve despontar como nossa maior alegria e desejo. Nós cristãos, a fim de suportar o peso de tudo que cai sobre nós neste mundo, temos de ter um contrapeso ainda maior para nos manter em movimento nesta vida, para nos manter na espera todos os dias, semanas, meses, anos e décadas que Deus nos der nesta difícil jornada. Por essa razão, queremos igrejas cuja identidade congregacional não se fundamente em esperanças menores ou inferiores — alegria nessa ou naquela circunstância —, mas fundamentada em esperanças firmes e duradouras que perdurarão até nossa morte física e o julgamento final de Deus.

Precisamos desse tipo de esperança, pois Deus é o Juiz de todo o mundo.

Deus É o Salvador de seu Povo

A quinta e última coisa que Sofonias nos ensina sobre Deus é isto: Deus é o Salvador de seu povo. Realmente, não é difícil ver aqui o que provoca gratidão em nós, à medida que Deus promete restauração após suas promessas de julgamento:

> Porque, então, darei lábios puros aos povos, para que todos invoquem o nome do Senhor, para que o sirvam com um mesmo espírito. Dalém dos rios da Etiópia os meus zelosos adoradores, a filha da minha dispersão, me trarão sacrifício. Naquele dia, não te envergonharás de nenhuma das tuas obras, com que te rebelaste contra mim; porque então tirarei do meio de ti os que exultam na sua soberba, e tu nunca mais te ensoberbecerás no meu monte santo. Mas deixarei no meio de ti um povo humilde e pobre; e eles confiarão no nome do Senhor. O remanescente de Israel não cometerá iniqüidade, nem proferirá mentira, e na sua boca não se achará língua enganosa; porque serão apascentados, deitar-se-ão, e não haverá quem os espante (3.9-13).

O profeta, ao ouvir essas promessas, chama o povo de Deus a entoar cânticos:

> Canta alegremente, ó filha de Sião; rejubila, ó Israel; regozija-te e exulta de todo o coração, ó filha de Jerusalém. O Senhor afastou os teus juízos, exterminou o teu inimigo; o Senhor, o rei de Israel, está no meio de ti; tu não verás mais mal algum. Naquele dia, se dirá a Jerusalém: Não temas, ó Sião, não se enfraqueçam as tuas mãos. O Senhor, teu Deus, está no meio de ti, poderoso para te salvar; ele se deleitará em ti com alegria; calar-se-á por seu amor, regozijar-se-á em ti com júbilo (3.14-17).

A seguir, o livro de Sofonias encerra-se com Deus repetindo suas promessas de restauração:

> Os que em ti se entristeceram, por causa da reunião solene, eu os congregarei; esses para os quais o peso foi uma afronta. Eis que, naquele tempo, procederei contra todos os que te afligem, e salvarei os que coxeiam, e recolherei os que foram expulsos; e lhes darei um louvor e um nome em toda a terra em que foram envergonhados. Naquele tempo, vos trarei, naquele tempo, vos recolherei; certamente, vos darei um nome e um louvor entre todos os povos da terra, quando reconduzir os vossos cativos diante dos vossos olhos, diz o Senhor (3.18-20).

A grande notícia de Sofonias é que Deus salvará todo seu povo. Ele *vindicará*, e *mudará*, e *recolherá* seu povo, e *exultará em* seu povo! Esse é o plano dEle, e nossa grande esperança. Nesse sentido, esses últimos versículos fornecem a equivalência do Antigo Testamento aos últimos capítulos de Apocalipse, do Novo Testamento, em que Deus, amorosamente, dá a seu povo, que está para sofrer grande provação, uma visão mais clara do final deles a fim de que se sintam fortalecidos, encorajados e preparados a segui-lo no difícil caminho em direção a um destino precioso.

Você quer ser uma das pessoas de Deus, alguém restaurado, louvado e honrado? Falta em sua longa jornada, quer difícil quer não, esse objetivo precioso? Você precisa se decidir por Deus.

Aproxima-se o dia em que o Senhor deixará de julgar os governos na história para governar sua criação de forma mais direta. Esse é o dia para o qual devemos nos preparar e por que devemos ser uma das pessoas de Deus, do povo de Deus que desfruta da salvação. O Senhor o criou para conhecê-lo, mas você pecou contra Ele. Agora, você tem de prestar contas, e não pode. E Deus, com justiça, julgará todos nós por causa de nossos pecados não por que Ele seja duro, mas por que é correto. Todavia, Deus, em seu amor maravilhoso, veio em carne e viveu entre nós. Ele viveu uma vida perfeita e morreu na cruz como sacrifício — como substituto — pelos pecados de todos nós que nos voltarmos para Ele e crermos nEle. A seguir, Jesus, o Deus-homem, ressuscitou para uma nova vida, mostrando a aceitação do Senhor de seu sacrifício e a vindicação de seu ministério e de suas afirmações. Agora, Jesus chama-nos ao arrependimento de nossos pecados e a crer nEle. Quando fazemos isso, a justiça perfeita dEle é creditada a nosso favor. Essa é a grande boa notícia que temos como cristãos.

Em nossas igrejas, devemos ter uma cultura marcada por esse tipo de fé, de esperança, de certeza e de confiança. Os membros da igreja deveriam ser continuamente encorajados a meditar sobre essa esperança magnífica. A alegria que se segue a isso testifica a obra do Espírito do Senhor. Segue-se a isso também humildade, à medida que vemos que não merecemos nada e que nem mesmo imaginaríamos pedir a Deus todo o bem que Ele, em Cristo, já esbanjou para nós. Os membros da igreja também devem se envolver uns na vida dos outros a fim de que lembremos essas coisas uns aos outros quando nos sentimos desencorajados.

Para os cristãos não há dúvida de que o ponto desse livro é a adoração a Deus: "Canta alegremente, ó filha de Sião; rejubila, ó Israel; regozija-te e exulta de todo o coração, ó filha de Jerusalém" (3.14). Como podemos nos regozijar dessa forma se não pensarmos na salvação prometida a nós?

> Naquele dia, se dirá a Jerusalém: Não temas, ó Sião, não se enfraqueçam as tuas mãos. O Senhor, teu Deus, está no meio de ti, poderoso para te salvar; ele se deleitará em ti com alegria; calar-se-á por seu amor, regozijar-se-á em ti com júbilo (3.16,17).

Esse é o Deus que julgará com justiça, mas que também prometeu a seu povo: "Não te envergonharás de nenhuma das tuas obras, com que te rebelaste contra mim" (3.11).

Como todas essas bênçãos chegam a nós? Apenas em Cristo, que nasceu sem pecado. Cristo nos levará ao dia em que não experimentaremos mais ofensa, em que o silêncio de temor do capítulo 1 se transformará em quietude de total contentamento e de satisfação. Observe as frases magníficas do versículo 17:

> O Senhor, teu Deus, [...] ele se deleitará em ti com alegria; calar-se-á por seu amor, regozijar-se-á em ti com júbilo.

Nessas palavras, você vê o mesmo Deus da parábola de Jesus sobre a mulher que procura uma moeda perdida? Ou do pastor que busca a ovelha perdida? Ou do pai que corre para abraçar o filho pródigo? Nesses últimos versículos da profecia de Sofonias, o Juiz torna-se o Pai, o Guerreiro torna-se o Amante, aquEle que realmente nos ama.

Não sei o que você sente, mas tenho muito pelo que ser agradecido.

Oremos:

Oh, Deus, agradecemos todas as bênçãos que o Senhor nos deu e continua a dar. Acima de tudo, somos agradecidos pelo Senhor ter se entregado a nós, apesar de nossos pecados. Pedimos, por intermédio de Jesus Cristo, que ensine nosso coração a nos doar cada vez mais ao Senhor. Amém.

Questões para Reflexão

1. Atualmente, o que o impede de ser mais agradecido a Deus por tudo que Ele lhe tem dado, mesmo se suas circunstâncias forem difíceis?
2. O pluralismo religioso é a noção de que há muitas formas de adorar a "Deus", porque "Deus" vem de muitas formas distintas. Por que o pluralismo religioso atrai nossa natureza pecaminosa?
3. Hoje, as afirmações únicas do cristianismo se tornam mais e mais impopulares. O que as igrejas devem fazer a fim de permanecer fiéis à mensagem bíblica? Quais são algumas formas sutis de as igrejas começarem a comprometer essa mensagem?
4. Em sua vida, como você minimiza "o risco de seu desafio religioso"?
5. O evangelho lhe infunde um sentimento de reverência e de admiração? Por quê?
6. Fundamentado em sua prática pessoal de evangelismo, um não-cristão assumiria que Deus é ativo ou apático?
7. Qual é sua posse favorita? Você sobreviverá a essa posse? Que posse você gostaria de ter mais que tudo? Você sobreviverá a isso?
8. Deus julgará você? Como você pode se preparar para o julgamento dEle? Deus restaurará todas as pessoas com Ele? Se não, apenas quem será restaurado?

Notas

Capítulo 36

[1] A data de pregação original deste sermão foi em 23 de novembro de 2003, na Capitol Hill Baptist Church, em Washington, D.C.
[2] Michael Ramsey, The Christian Priest Today (Londres: SPCK, 1972), pp. 79-81.
[3] Por exemplo, Mateus 8.12; 10.34-36; 13.41,42; 25.41s.
[4] A. C. Cawley, ed., Everyman and Medieval Miracle Plays (Londres: J. M. Dent & Sons, 1974), pp. 218-220.

A MENSAGEM DE AGEU: SEUS INVESTIMENTOS SÃO SEGUROS?

SEUS INVESTIMENTOS SÃO SEGUROS?

INTRODUÇÃO A AGEU

INVESTIMENTOS MEDÍOCRES REVELAM-SE POR SI MESMOS (1.1-11)

ESTRATÉGIAS RUINS DE INVESTIMENTO DEVEM SER CORRIGIDAS (1.12-15)

INVESTIMENTOS SEGUROS REVELAM-SE EM SEU RETORNO (CAP. 2)
   Bênçãos Físicas
   Bênçãos Espirituais
   Bênçãos Messiânicas

CONCLUSÃO

CAPÍTULO 37

A Mensagem de Ageu:
Seus Investimentos São Seguros?

SEUS INVESTIMENTOS SÃO SEGUROS?[1]

Esta semana, em uma livraria, passei algum tempo nas seções de negócios e finanças pessoais. Talvez você não tenha reparado, mas, hoje, as seções relacionadas com finanças são algumas das maiores nas livrarias. Nessas seções, eles incluem todo tipo de livro sobre investimentos, do clássico de Benjamin Graham *The Intelligent Investor* (O Investidor Inteligente), de 1949 — cuja quarta edição acaba de ser revisada e lançada — ao novíssimo livro de William O'Neil, *The Successful Investor* (O Investidor Bem-Sucedido), em que ele advoga o planejamento fundamentado neste acróstico: CAN SLIM ("pode enxugar"). Não tenho certeza de que este seja um acróstico que você realmente quer para seus investimentos. Existe até um volume *Investing for Dummies* (Investimentos para Ignorantes) — o que é uma idéia um tanto gentil, não é mesmo?

Na seção de revistas, observei que a edição recente de *Smart Money* [*Dinheiro inteligente*] traz uma lista das trinta pessoas mais influentes em investimentos dos últimos doze meses, liderada por Warren Buffett e Alan Greenspan. A revista *Forbes* apresenta sua lista anual das pessoas mais ricas encabeçada por Bill Gates, Warren Buffett e Paul Allen. A edição atual da revista *Money* (Dinheiro) apresenta uma manchete de capa convidativa: "The Path to Wealth: How to Succeed in 2004, Earn More, Save Smarter, Invest Better" ("O Caminho para a Fortuna: Como Ser Bem-Sucedido em 2004, Ganhar mais, Poupar com Sabedoria e Investir Melhor"). A edição da revista *Money* (Dinheiro) tem todo tipo de coisa interessante sobre investimento de que nunca ouvira falar. Por exemplo, se você poupar apenas R$ 100,00 por mês a um percentual médio de rendimento de 4%, terá 1 milhão de reais — em 89 anos!

Ontem, ao telefone, perguntei ao único presidente de empresa que conheço como investir R$ 10 mil. Primeiro, ele aconselhou evitar investimentos de especulação. As pessoas ficam fascinadas com histórias de lucros inesperados, mas essas coisas raramente acontecem, e a pessoa, normalmente, perde dinheiro nesse tipo de investimento. Segundo, ele falou para investir em fundos mútuos por intermédio de empresas com boa reputação. Terceiro, ele disse para ter uma perspectiva de longo prazo. O investimento não é um bom lugar para retorno instantâneo. Ao contrário, um crescimento anual de 7 a 8% é muito bom.

Bem, após essa pequena excursão fora de minhas seções normais das livrarias, concluí que, hoje, os Estados Unidos são loucos por dinheiro. Claro, os Estados Unidos eram loucos por dinheiro ontem e serão amanhã, se ainda estivermos aqui. Os historiadores norte-americanos dizem que uma das transições-chave nas antigas colônias da Nova Inglaterra foi a de ser uma colonização fundamentada no cristianismo para uma fundamentada no comércio. Como um autor descreveu maravilhosamente essa transição, movemos-nos do puritano para o ianque.

A ganância é um dos desejos mais confiáveis de todos, no topo da lista junto com a cobiça e a inveja, e ainda deve ser mais duradouro que os outros dois. Com certeza, é mais bem aceito. É fácil a ganância se apresentar como "parcimônia" ou não se apresentar de forma alguma. Hoje, as pessoas parecem mais dispostas a falar abertamente de sexo ou de religião que do salário, dos gastos ou das economias.

E você? Está satisfeito com a solidez de seus investimentos?

INTRODUÇÃO A AGEU

Talvez o livro que examinamos agora em nosso estudo dos profetas menores desafie sua confiança em seus investimentos. Ele é o segundo livro mais curto do Antigo Testamento, o livro de Ageu.

Primeiro, deixe-me contar-lhe um pouco sobre Ageu. Esdras 5 e 6 mencionam a pregação dele em conexão com a reconstrução do Templo. Contudo, o nome dele não é mencionado em nenhum outro lugar a não ser nesse pequeno livro. Seu nome origina-se da palavra hebraica *hagh*, que significa "festival" ou "peregrino para um festival" e não é distinta da palavra arábica *hajj* ("ir em peregrinação"). Esse profeta é Ageu — aquele que peregrina.

Para o pano de fundo histórico, precisamos voltar um pouco aos dias dos profetas Jeremias e Ezequiel, quando Jerusalém foi invadida pela primeira vez pelos babilônios (606 a.C.). Naquela época, muitas pessoas foram levadas para o exílio, entre elas, Daniel. A segunda invasão ocorreu em 597, durante a qual

Ezequiel foi levado embora. Em 587, a cidade foi cercada de novo. Em 586, Jerusalém caiu e foi queimada. O Templo foi destruído. E houve outra grande deportação de judeus para a Babilônia. Os judeus ficaram na Babilônia por décadas. Em 538, os babilônios foram aniquilados por Ciro, do Império Medo-Persa. Ciro, no segundo ano de seu reinado, emitiu um decreto em que permitia que os judeus retornassem a Jerusalém e que até prometia ajuda financeira para a reconstrução do Templo do Senhor.

Portanto, em 536 a.C., uma grande quantidade de judeus (talvez 50 mil) fizeram a jornada de 1,4 mil quilômetros de retorno da Babilônia para Jerusalém. Muitos mais judeus permaneceram na Babilônia, onde haviam se estabelecido e prosperado. Os que retornaram lançaram a pedra fundamental para a reconstrução do Templo destruído, porém, a seguir, eles foram eficazmente parados pelos vizinhos samaritanos. Passaram-se alguns anos. O Império Persa passou por dois governantes. Então, em 522, Dario foi coroado, e Ageu pregou durante seu reinado sobre os persas. Do fim de agosto ao meio de dezembro de 520 a.C., Ageu transmitiu quatro profecias — quatro pequenos sermões inspirados por Deus — que compõem os dois capítulos desse livro. Depois de Ageu começar a pregar, Zacarias também começou a pregar. Porém, falaremos mais sobre isso em nosso próximo estudo.

Em suma, Ageu chamou os que retornaram do exílio a priorizar a reconstrução do Templo do Senhor, em Jerusalém. E o povo ouviu-o. Embora as profecias de Ageu parem em dezembro de 520 a.C., o livro de Esdras informa-nos que o Templo foi reconstruído, completado e consagrado pouco mais de três anos mais tarde, por volta de março de 516. Portanto, cronologicamente, Ageu situa-se entre a visão da reconstrução do Templo de Ezequiel, no exílio (Ez 40—48), e as reformas relatadas por Esdras e Neemias nos livros que levam seus nomes.

Neste estudo panorâmico de Ageu, aprendemos três coisas: primeiro, investimentos medíocres revelam-se por si mesmos (1.1-11). Segundo, estratégias ruins de investimento devem ser corrigidas (1.12-15). Terceiro, investimentos seguros revelam-se em seu retorno (cap. 2). Espero que, à medida que examinamos esse livro, você seja levado a rever como investe seus recursos, e se seus investimentos são sábios.

INVESTIMENTOS MEDÍOCRES REVELAM-SE POR SI MESMOS (1.1-11)

Nos primeiros onze versículos de Ageu, aprendemos que investimentos medíocres revelam-se por si mesmos:

> No ano segundo do rei Dario, no sexto mês, no primeiro dia do mês, veio a palavra do Senhor, pelo ministério do profeta Ageu, a Zorobabel, filho de Seal-

tiel, príncipe de Judá, e a Josué, filho de Jozadaque, o sumo sacerdote, dizendo: Assim fala o Senhor dos Exércitos, dizendo: Este povo diz: Não veio ainda o tempo, o tempo em que a Casa do Senhor deve ser edificada. Veio, pois, a palavra do Senhor, pelo ministério do profeta Ageu, dizendo: É para vós tempo de habitardes nas vossas casas estucadas, e esta casa há de ficar deserta? Ora, pois, assim diz o Senhor dos Exércitos: Aplicai o vosso coração aos vossos caminhos. Semeais muito e recolheis pouco; comeis, mas não vos fartais; bebeis, mas não vos saciais; vestis-vos, mas ninguém se aquece; e o que recebe salário recebe salário num saquitel furado. Assim diz o Senhor dos Exércitos: Aplicai o vosso coração aos vossos caminhos. Subi o monte, e trazei madeira, e edificai a casa; e dela me agradarei e eu serei glorificado, diz o Senhor. Olhastes para muito, mas eis que alcançastes pouco; e esse pouco, quando o trouxestes para casa, eu lhe assoprei. Por quê? — disse o Senhor dos Exércitos. Por causa da minha casa, que está deserta, e cada um de vós corre à sua própria casa. Por isso, retêm os céus o seu orvalho, e a terra retém os seus frutos. E fiz vir a seca sobre a terra, e sobre os montes, e sobre o trigo, e sobre o mosto, e sobre o azeite, e sobre o que a terra produz, como também sobre os homens, e sobre os animais, e sobre todo o trabalho das mãos (1.1-11).

Nesses versículos, Deus condena os dirigentes espirituais e seculares de Israel e a nação, como um todo, por causa de suas prioridades ímpias e egoístas. A essa altura, os israelitas já haviam voltado para a terra havia mais de 16 anos. No início desses 16 anos, eles passaram vários meses reconstruindo o Templo. Todavia, a seguir eles ficaram indiferentes em relação ao esforço de reconstrução, e a oposição estrangeira deu-lhes todo o motivo de que precisavam para gastar seu dinheiro em outra coisa. Na verdade, eles pegaram a magra quantia de dinheiro que tinham e gastaram em suas próprias casas. Por isso, o Senhor usou Ageu para repreendê-los e dizer-lhes que isso não estava certo.

Não é incrível como temos facilidade em encontrar desculpas quando não gostamos de trabalhar? Usamos qualquer oposição que podemos para adiar nosso trabalho.

Parece que alguns israelitas se opuseram ativamente à reconstrução do Templo. Talvez pensassem que a nação devia esperar a vinda do Messias para começar a reconstrução. Talvez pensassem que, naquele momento, a nação estava muito pobre para empreender a reconstrução de um prédio tão magnífico. Fosse qual fosse o motivo, eles encontraram uma forma de se preocupar com suas próprias casas e de remodelá-las. Encontraram uma forma de gastar dinheiro com os confortos que queriam. Eles viviam em agradáveis casas com madeira trabalhada e deram um jeito de se manter ocupados com essas casas (1.4,9). Talvez tenham declarado: "Não temos dinheiro", porém, os muros inacabados do Templo e as paredes de madeira trabalhada de suas casas eram testemunhos visíveis da indiferença deles.

Na verdade, isso soa como se a economia estivesse em ruína. Ageu retrata a situação deles com pinceladas vigorosas: "Semeais muito e recolheis pouco; comeis, mas não vos fartais; bebeis, mas não vos saciais; vestis-vos, mas ninguém se aquece; e o que recebe salário recebe salário num saquitel furado" (1.6). A colheita fora pobre. A inflação estava desenfreada. Como disse um escritor: "Os preços estavam altos e os salários, baixos; parecia que o dinheiro deles saía pelos buracos da bolsa".[2]

Todavia, foi nesse contexto que Deus inspirou Ageu a pregar essas mensagens em que dizia para o povo reconstruir o Templo do Senhor. Por quê? O Senhor diz que isso agradaria a Ele e o honraria. Seria uma oferta aceitável para Ele.

Por que você acha que a reconstrução do Templo seria uma oferta aceitável para o Senhor? Era apenas uma construção. Honestamente, na primeira vez em que Davi levantou o assunto com Ele, Deus não pareceu muito entusiasmado com a idéia (2 Sm 7.2-7). Então por que Deus se importaria tanto agora? Do ponto de vista do povo, a reconstrução do Templo seria uma clara afirmação pública de que ainda queriam a Deus e o valorizavam. Indicaria que Ele era a mais alta prioridade que qualquer outra coisa que clamasse pela atenção deles. Seria um marco de sua fé no Senhor e o reconhecimento da prioridade que Ele tinha na identidade nacional deles.

Do ponto de vista da nação, seria um sinal de que o Deus de Israel não abandonou os negócios quando Jerusalém caiu. Isso vindicaria a Deus publicamente diante do mundo.

Do ponto de vista de Deus, o Templo era um sinal visível da aliança que unia a Ele e seu povo, representava suas boas graças contínuas para eles e seu desígnio contínuo de cumprir suas promessas, tal como suas promessas a Davi (por exemplo, 2 Sm 7.11,16; Jr 33.17-22). O Senhor dissera a Davi que seu filho, Salomão, construiria o Templo para o nome dEle (1 Rs 5.5). E assim fez Salomão. O Templo era o símbolo de que o Senhor vivia entre os israelitas e não os abandonava (1 Rs 6.13; cf. Sl 132.13,14). Depois, o Senhor predisse, por intermédio de Isaías, que o Templo seria destruído e reconstruído (Is 44.28). Muitos outros profetas antes de Ageu também mencionaram a promessa de Deus de um Templo futuro.[3] Os babilônios, quando tomaram Jerusalém, queimaram o Templo e levaram as pessoas em cativeiro (2 Rs 25.9-21). E esses dois eventos deviam estar associados na mente dos israelitas: quando o Templo foi destruído, o povo foi espalhado. Bem, Deus, soberanamente, reunira seu povo. O que aconteceria a seguir? Os que retornaram do exílio deveriam reconstruir o Templo imediatamente como um sinal da presença de Deus com eles. Eles deveriam ter feito disso uma prioridade em sua vida.

Mas eles não fizeram. Assim, Deus usou a seca e esse pregador/profeta, Ageu, para chamar a atenção deles para seu pecado de auto-indulgência e de negligência para com o Senhor.

E *você*? Como vão seus investimentos? Eles são seguros? Pense nisso por um instante. Na verdade, neste momento, você investe em alguma coisa. E todo esse mês você investiu em alguma coisa. Você põe sua vida na fila, entregando-a hora após hora, dia após dia, mês após mês, e até ano após ano. Minha pergunta para você é: *Em que* está investindo sua vida? E também, qual será o retorno desse seu investimento de vida?

As Escrituras ensinam-nos que Deus nos fez à sua imagem para que o conheçamos. Todavia, pecamos ao nos rebelarmos contra Ele e separamo-nos dEle. Agora, nós desejamos nos afastar dEle e, em nossa rebelião, investir de uma forma distinta e autocentrada. Contudo, a Bíblia ensina explicitamente qual é o pagamento de nosso pecado: o pagamento, ou retorno, de nosso pecado é a morte (Rm 6.23). Você pode não ser culpado de negligenciar a reconstrução de um Templo antigo do Oriente Médio, mas é culpado de cada partícula de negligência ao Deus que o criou. O Senhor enviou Jesus Cristo para morrer por pecadores como você, mas se negligenciar a Cristo, um dia, o Senhor o julgará. Essa negligência é abominável para Ele! Oro, pelo bem de sua alma, para que você comece a entender isso. Oh, meu amigo, você tem negligenciado a Cristo?

Se afirma fazer parte do povo do Senhor — ser cristão —, você tem negligenciado a igreja de Deus, a família de Deus, a congregação de Deus como os antigos israelitas negligenciaram o Templo? Por que você acha que é menos culpado que eles?

Cristão, aprendemos tanto com o exame dessa pequena profecia. Você investe tudo de você em Cristo? Como? O que o impede de investir tudo de você nEle? Talvez você pense que não tem os recursos adequados. Talvez esteja em um relacionamento em que não confia em Deus como sabe que deveria. Talvez se estendam diante de você algumas decisões que precisa tomar. Em Cristo, Deus promete-nos muito. Mas Ele também nos chama a um compromisso total e completo!

No tempo de Ageu, observe como Deus equiparou cuidadosamente disciplina e pecado. Eles negligenciaram ao Senhor, então o que aconteceu? Os próprios recursos de vida deles falharam. Sem dúvida, ocorrem calamidades que não estão ligadas a pecados específicos nossos. Aprendemos isso no Antigo e no Novo Testamentos, como nos exemplos de Jó, no espinho de Paulo e, principalmente, de Jesus. Todavia, se formos estudiosos atentos das providências do Senhor em nossa vida, também temos de admitir que, às vezes, há um ministério de exposição de nossos pecados nas provações e nas dificuldades que o Senhor, soberanamente, permite que se apresentem a nós.

Na situação tratada por Ageu, o povo foi mesquinho com o Senhor, e, ironicamente, essa mesquinharia manteve-os pobres. Charles Haddon Spurgeon disse: "Se o homem é egoísta, mantém sua riqueza para si mesmo e rouba o quinhão de Deus, ele não prospera, ou, se prospera, não recebe nenhuma bênção disso".[4]

Como Deus exorta seu povo aqui: "Aplicai o vosso coração aos vossos caminhos" (1.7). Imagine se o fato de não doar leva-o a ter dificuldades financeiras. Não, você não está sintonizado no canal de um pregador televiso. Estudamos o livro de Ageu. Ele diz para pensar em sua vida e em como você doa. Por que o Senhor deveria confiar a riqueza dEle a você? O que você faz com ela? E Ele criou a riqueza que deu a você para que fizesse especificamente coisas boas na criação dEle, mas e se você, em vez fazer com que ela seja um meio de bênção, transformou-a em um fim morto? Por que Ele lhe daria mais alguma coisa? Ore para a graça do Senhor guiá-lo e ensinar-lhe, por meio de sua Palavra, a como usar seu dinheiro.

Pense com cuidado em seus caminhos! Para onde vai seu "dinheiro livre de restrições/discricionário"? E você reduziu a quantidade de dinheiro livre de restrições que tem para gastar por causa de compromissos financeiros anteriores para a casa, os carros, os passatempos, as subscrições, os investimentos financeiros, os telefones celulares, os feriados freqüentes, as roupas novas e assim por diante?

De novo, pense com cuidado em seus caminhos! Em que você aplica a maior parte de seu "tempo discricionário, ou seja, aquele tempo livre de restrições"? Você tem de dormir. Você tem de comer. Você tem de ir para o trabalho. E há inúmeros outros compromissos em relação aos quais você *sente* que não tem escolha. Mas será que não tem mesmo? Com o que você comprometeu sua programação financeira? Ore para a graça do Espírito do Senhor condená-lo e dar-lhe sabedoria, pois o Diabo não quer que pensemos com clareza sobre essas coisas, em especial, em uma sociedade próspera. Quantos de nós não reduziram o tempo discricionário que temos por causa do trabalho que escolhemos e dos projetos que assumimos. Pergunte-se a cada decisão tomada: essa é a vontade de Deus? Talvez seja, mas talvez *não* seja, mesmo que seja a melhor para sua carreira. Somos chamados a nos oferecermos totalmente a Deus. Com certeza, é certo nos fazermos esse tipo de pergunta e pedir que o Espírito do Senhor nos ajude a responder com honestidade.

Pense nisto: Como seria sua vida se conseguisse o que realmente quer? Você tem uma imagem disso em sua mente? Agora, pergunte-se: Deus está nela? Ele está no centro de seus desejos ou é negligenciado continuamente pelo verdadeiro centro do desejo de seu coração?

Pense também em como deveria ser o compromisso da congregação local com a obra de Deus. As provações de dificuldade e de prosperidade da congregação deveriam fazer com que os congregados examinem a si mesmos e às Escrituras. O que nossa congregação retém? Qual é a vontade de Deus para sua família, igreja e você — templo em que o Espírito Santo vive? E se a obra do Senhor significa deixar a igreja em que se sente confortável e participar da fundação de uma nova igreja?

Hoje, quando tantas igrejas, em nome de alcançar o perdido, deixam-se reestruturar fundamentadas na sabedoria proveniente da propaganda e do *marketing*, como as igrejas individuais podem resistir a essa tendência e manter-se fiéis aos limites condenatórios da Palavra do Senhor que, como a mensagem de Ageu, confrontam-nos com nosso pecado? Ore para que nossas igrejas cultivem uma vida congregacional em que conheçamos a condenação regular do pecado, em que confessemos com regularidade nossos pecados e em que lutemos uns pelos outros. Afinal, a condenação e a confissão levam à libertação! A única forma de ficar livre do pecado é reconhecê-lo. O pecado não sai por si mesmo. Temos de trabalhar para isso. O Diabo quer que pensemos na condenação e na confissão como coisas negativas e ruins, porque, reconhecidamente, de início, elas têm um gosto amargo, e quem gosta de amargor! Mas Deus, por meio da condenação e da confissão, amorosamente nos refina, remove de nossa vida primeiro isso e depois aquilo. A única forma de conhecermos a notícia mais positiva de todas — o evangelho — é por meio da confissão mais negativa de todas — merecedores da ira do Senhor por causa de nossos pecados.

Como podemos ajudar-nos a vencer o pecado se não trabalhamos para conhecer uns aos outros e não nos certificamos de que os outros saibam a verdade sobre nossa vida? Quando disciplinamos, encorajamos, ouvimos, oramos e instruímos, fazemos o trabalho de edificar a casa do Senhor. Não leia Ageu e pense fundamentalmente em um programa de construção de uma casa de reunião para a igreja! A única vez em minha vida em que ouvi o livro de Ageu ser pregado, o pregador queria iniciar um programa de construção. Concordo que o livro possa ter algumas implicações secundárias sobre prédios de igrejas. Mas, por favor, entenda que os prédios da igreja de hoje *não* devem ser comparados com o Templo do Antigo Testamento. E, de acordo com I Coríntios 3 e 6, *nós*, os que fomos incorporados em Cristo, somos chamados seu corpo e, agora, somos o templo em que o Espírito dEle vive! Esse é o templo que queremos ver edificado. Se você é um verdadeiro seguidor de Cristo, certamente, quer ver todos que se sentam ao seu redor, domingo após domingo, edificados nEle. Hoje, construir o templo dEle não tem nada a ver com construção ou mobiliário de uma casa de reunião. A verdadeira igreja é edificada à medida que a verdade de Deus é corajosamente pregada, à medida que nos aplicamos em ouvi-la e à medida que somos condenados por ela. Isso é o que nossa congregação não pode negligenciar!

Negligenciar o trabalho do ouvido — de ouvir a Palavra de Deus — debilita a igreja. Em vez de diverti-las, de investir os recursos de nossa vida e devoção para objetivos ímpios, investimentos medíocres que, um dia, revelar-se-ão por si mesmos de formas mais danosas que qualquer bolha que já tenha estourado em Wall Street.

Investimentos medíocres revelam-se por si mesmos.

ESTRATÉGIAS RUINS DE INVESTIMENTO DEVEM SER CORRIGIDAS (1.12-15)

Segundo, o Senhor disse-lhes que estratégias ruins de investimento devem ser corrigidas.

E o povo de Israel corrigiu-as! O versículo 12, do capítulo 1, determina a linha histórica:

> Então, ouviu Zorobabel, filho de Sealtiel, e Josué, filho de Jozadaque, sumo sacerdote, e todo o resto do povo a voz do Senhor, seu Deus, e as palavras do profeta Ageu, como o Senhor, seu Deus, o tinha enviado; e temeu o povo diante do Senhor. Então, Ageu, o embaixador do Senhor, falou ao povo, conforme a mensagem do Senhor, dizendo: Eu sou convosco, diz o Senhor. E o Senhor levantou o espírito de Zorobabel, filho de Sealtiel, príncipe de Judá, e o espírito de Josué, filho de Jozadaque, sumo sacerdote, e o espírito do resto de todo o povo, e vieram e trabalharam na Casa do Senhor dos Exércitos, seu Deus, ao vigésimo quarto dia do sexto mês, no segundo ano do rei Dario (1.12-15).

Eis um retrato do que a Bíblia chama de arrependimento. O povo, de fato, mudou suas prioridades egoístas! Eles temeram ao Senhor e lhe obedeceram, quando Ele animou o espírito deles a recomeçar o trabalho no Templo de Jerusalém.

Observe, por um momento, os vários aspectos do arrependimento. Há o *ato* de arrependimento: o povo "ouviu" o Senhor depois de lhe desobedecer (1.12). Há a *motivação* para o arrependimento: "temeu o povo diante do Senhor" (1.12). Ou seja, eles começaram a refletir sobre quem Ele era e em como podiam observar as palavras dEle. Por fim, há o *motivo* para o arrependimento: o Senhor "levantou" o espírito do povo (1.14). Nisso tudo, o Senhor foi ativo.

O arrependimento não é apenas um trabalho humano. E nunca foi. O artigo 8 da declaração de fé da Capitol Hill Baptist Church (tirado da Confissão de New Hampshire, de 1833), intitulado "Of Repentance and Faith" ["De Arrependimento e Fé"] determina:

Cremos que a o arrependimento e a fé são tarefas sagradas...

Está bem, nós *fazemos* isso, arrepender e crer é nossa tarefa:

... e também graças inseparáveis, forjadas [trabalhadas] em nossa alma pelo Espírito regenerador de Deus; de forma que nós, profundamente convencidos de nossa culpa, risco e desamparo e de que o caminho da salvação é por intermédio de Cristo, voltamo-nos para Deus com genuína contrição, confissão e súplica por misericórdia, ao mesmo tempo em que, com sinceridade, recebemos o Senhor Jesus Cristo como nosso Profeta, Sacerdote e Rei, e confiamos apenas nEle como nosso único e todo-suficiente Salvador.

O Senhor opera o arrependimento em nossa alma. Ele nos incita. E, assim, nosso arrependimento redunda em louvor e glória para Ele. É isso que acontece quando a presença de Deus está no pecador.

Por isso, Deus, por intermédio de Ageu, diz aos israelitas: "Eu sou convosco" (1.13). Ele "levantou" o espírito deles (1.14). Como resultado disso, eles "vieram e trabalharam na Casa do Senhor dos Exércitos, seu Deus" (1.14).

Esse parece ter sido o ponto da profecia de Ageu para esses primeiros leitores. Vinte e três dias após a primeira profecia, o povo obedeceu (veja 1.1,15). Eles encontraram um investimento mais seguro e duradouro que remodelar suas casas.

Se você não é cristão, como respondeu, até esse ponto, às perguntas concernentes a como investe sua vida? Talvez você se sinta confortável em relação a seus "investimentos". Mas, talvez, esteja menos confiante e mais perturbado com as escolhas que fez ou sobre a que dedica seu tempo, seu dinheiro e seu coração. Como Jesus afirmou: "Porque onde estiver o vosso tesouro, aí estará também o vosso coração" (Mt 6.21).

Se você percebeu que pecou contra Deus, saiba que Ele veio, em Cristo, para pessoas exatamente como você: pessoas que reconhecem seu pecado, confessam-no, voltam o olhar para Cristo e seu sacrifício na cruz e sabem que Ele morreu por elas à medida que se arrependem dos pecados e seguem a Ele.

Oh, amigo, *este* é o momento para se arrepender! Logo este mundo todo passará. A própria estrutura do que consideramos permanente revelar-se-á passageira. E você não sabe quando será esse dia. Agora é o momento para você se arrepender, como o fez povo de Israel da época de Ageu. Converta-se de sua vida ímpia para uma vida cheia de Deus e cujo foco esteja nEle! O dia chamado "amanhã" não está prometido a você, nem esta noite está. Arrependa-se e ponha Deus em primeiro lugar em sua vida!

Cristão, ao rever em sua vida os três aspectos do arrependimento listados acima, a qual deles você precisa se dedicar? Primeiro, você obedece a Deus como foi chamado a fazer em sua Palavra? Você consegue lembrar uma questão de desobediência pendente à qual não se dedica? O que o impede de obedecer a Deus nessa área?

Segundo, o que você faz para cultivar o temor do Senhor? De qualquer forma, o temor a Deus é a raiz de nossa capacidade para obedecer. A obediência flui naturalmente da reverência correta por quem Deus é. E as Escrituras nos ensinam, esse temor é o início da sabedoria. Você já começou a ser sábio? Você teme o Senhor?

Terceiro, você é incitado pelo Senhor, como os israelitas da Antiguidade foram incitados à ação? A pessoa como um todo — não apenas suas emoções — tem de estar comprometida com o arrependimento e a obediência. O verdadeiro temor ao Senhor não leva a uma inércia petrificada, mas à obediência vital, de ação. Quando você age, isso resulta em ação à medida que começa a trabalhar em obediência às ordens de Deus, não apenas na igreja, mas em todas as áreas de sua vida em que Ele o chamou a viver e a trabalhar.

Bem, nenhum dos frutos do arrependimento jamais aparecerão, se você resistir à correção e à condenação. E, francamente, todos nós precisamos de *mais* correção nas áreas em que ouvimos *menos*. Essa é a natureza de nosso pecado, e, por isso, precisamos lavar-nos constantemente na Palavra e na comunhão cristã. Se você é um verdadeiro cristão, sinta-se encorajado pelos frutos que as palavras de repreensão (as suas ou as de outros) podem produzir! Quando essas palavras são acuradas e bem postas, Deus as usa para criar frutos maravilhosos.

Assim, como você responde à condenação? Você defende seus pecados? Ou agradece a Deus por sua tenacidade gentil, por seu cuidado, duradouro e comovente, por você? O escritor de Hebreus declara:

> Porque aqueles, na verdade, por um pouco de tempo, nos corrigiam como bem lhes parecia; mas este, para *nosso* proveito, para sermos participantes da sua santidade. E, na verdade, toda correção, ao presente, não parece ser de gozo, senão de tristeza, mas, depois, produz um fruto pacífico de justiça nos exercitados por ela (Hb 12.10,11).

Cristão, nosso compromisso com Jesus é o de respeitá-lo, de amá-lo, obedecer-lhe e entregar-lhe nossa vida. Essa é a postura do cristão verdadeiramente arrependido.

Como podemos cultivar uma vida de arrependimento? Deixe-me fazer quatro sugestões simples que ajudarão a cultivar uma vida de arrependimento:

(i) Estude a Palavra de Deus. A Bíblia é a principal forma de Deus nos corrigir. Foi como o povo da época de Ageu foi corrigido. A Palavra do Senhor foi a eles.

(ii) Medite sobre a natureza de Deus, em especial, em contraste com nossa natureza. Garanto-lhe, isso se provará relevante e também é uma forma de nos tornar humildes e submissos. À medida que medita mais sobre quem Ele é, você fica mais pronto a se submeter a Ele e a crer, obediente e confiantemente, nEle.

(iii) Ore a Deus para que incite seu afeto por Ele. Ore também para que Ele faça com que você se desafeiçoe de seu pecado. Que nós, cristãos, não sejamos pessoas estoicamente obedientes, mas incitadas e estimuladas!

(iv) Busque a sabedoria e a liderança das pessoas piedosas ao seu redor.

Por intermédio do estudo bíblico, da meditação dirigida a Deus, da oração e do conselho, a condenação floresce em sua vida, e, quando a verdadeira condenação floresce, sua alma também floresce. *Esse* é um investimento seguro!

Recentemente, terminei a leitura da biografia de John Wesley, um homem que de fato cultivou esse tipo de vida de arrependimento. O biógrafo reconta uma história que aconteceu em uma reunião regular de ministros, em Londres, a que Wesley compareceu a fim de compartilhar o café da manhã e de discutir questões sérias. Durante essa reunião, um dos homens mais jovens presentes corrigiu um ministro mais velho, este, por sua vez, induziu um dos amigos de Wesley, um ministro escocês, a repreender o mais jovem pela impertinência de corrigir seu superior. Então Wesley interrompeu seu bom amigo e objetou: "Agradecerei ao mais jovem entre nós por dizer-me qualquer falta que vir em mim, e, ao fazer isso, ele será considerado por mim o meu melhor amigo".[5]

Se sua vida não se move em direção a esse tipo de humildade, nem mesmo sei se você é cristão. Talvez você se esforce para que os outros pensem que é devoto. Mas que virtude há na aprovação dos outros, se a bolha simplesmente estoura quando você morre? Se você é mesmo cristão, se você conhece a Deus de verdade, não se surpreende quando o chamo de pecador — você já sabia disso. Você admitiu isso publicamente no tanque batismal. Você admitiu que precisa ser mudado. Existe uma humildade que acompanha o verdadeiro cristão.

O que representa para nossas igrejas cultivar uma cultura de arrependimento? Representa que têm de se comprometer a pregar a Palavra de Deus de uma forma fiel, e não agradável; corajosa, e não covarde; central em nossas reuniões, e não periférica!

Em nossas reuniões semanais, também devemos vir com sinceridade e prontidão para ouvir a Palavra do Senhor. Há pouco tempo, após um culto de domingo de manhã, à porta, perguntei a um visitante o que achara do sermão. Ele disse que fora longo, que sua mente devaneou perto do fim e que ficara perdido. Na ocasião, fiz meu típico comentário de desaprovação pessoal. Mais tarde, pensei em como deveria ter respondido. Você faz isso? Faço isso o tempo todo. Eu deveria ter dito: "Trabalho arduamente na pregação e, é verdade, faço sermões longos. Mas faço isso porque acho que é muito importante. Nossa congregação trabalha arduamente para ouvir, porque eles acham o sermão muito importante! É um trabalho árduo, mas frutífero. Nós nos entregamos à Palavra de Deus porque vemos seus frutos em nossa vida. Vemos a glória que isso dá a Deus. E acreditamos que essa seja a forma usual de Deus garantir graça em nossa vida. Portanto, entregamo-nos à Palavra".

Observe aqui, em Ageu, a importância da tarefa de levar a Palavra de Deus para seu povo. Ageu é chamado de "o embaixador do Senhor" (1.13). O que aconteceria se Ageu, como embaixador do Senhor, não fosse fiel em transmitir uma mensagem impopular? Afinal, ele não lhes transmitiu uma mensagem que trouxesse uma sensação boa. O que aconteceria se Ageu quisesse dizer alguma coisa mais benquista e fácil de ouvir? E se ele tentasse falar de uma forma que assegurasse que mais pessoas voltariam e ouviriam de novo? Eles nunca teriam escutado a verdade de Deus e nunca teriam a oportunidade de se arrepender.

A mensagem de Deus a Ageu opunha-se ao povo. Na verdade, a natureza da mensagem e a audiência eram uma combinação difícil, até perigosa. A mensagem era crítica, confrontava, de forma muito específica, os pecados deles, e Ageu escolheu, para sua audiência, governantes e sumos sacerdotes poderosos. Se você fizer um sermão crítico, pelo menos faça-o para pessoas que não podem prejudicá-lo! Mas não foi isso que Deus chamou Ageu a fazer. Foi-lhe dada uma mensagem específica para um público específico. O povo de Deus precisa sempre pregar de forma fiel, e isso é sempre uma fonte de grandes bênçãos!

É preciso ser dito que nem sempre a pregação fiel recebe uma resposta positiva. Jeremias e Ezequiel foram claramente rejeitados por seus ouvintes. Contudo, quando Deus pretende mover seu povo, Ele envia-lhes pregadores fiéis para fazer isso. Essa é a forma de Ele agir no Antigo e no Novo Testamentos e ao longo da história da igreja.

Por essa razão, uma igreja boa é centrada em Deus em sua pregação e em toda a sua vida congregacional. Deus é o grande fato que nos move de nosso pequeno mundo de dedicação a si mesmo ao mundo mais amplo em que Ele e suas preocupações dominam. Irmãos e irmãs em Cristo, que nossa congregação possa ter a fé e a coragem para obedecer a Ele. Portanto, lembre-se do que Deus faz em sua vida e partilhe isso com os outros a fim de encorajá-los. Em nossa congregação, deve ser normal testificar Deus e sua obra em nossa vida, uns para os outros.

Possamos ser pessoas que mudam suas estratégias medíocres de investimento, que se arrependem dos pecados, que solicitam a correção amorosa e que respondem à correção em arrependimento humilde!

Investimentos Seguros Revelam-se em seu Retorno (cap. 2)

Por fim, o terceiro assunto: no capítulo 2 aprendemos que investimentos seguros revelam-se em seu retorno. Deus garante suas bênçãos àqueles que verdadeiramente temem e obedecem a Ele — bênçãos físicas e espirituais. No fim, Ele abençoará os exilados que retornaram por meio da vinda do Messias.

Bênçãos Físicas

Vejamos, primeiro, as bênçãos físicas que Deus promete:

> Ao vigésimo quarto dia do mês nono, no segundo ano de Dario, veio a palavra do Senhor pelo ministério do profeta Ageu, dizendo: Assim diz o Senhor dos Exércitos: Pergunta, agora, aos sacerdotes, acerca da lei, dizendo: Se alguém leva carne santa na aba da sua veste e com a sua aba tocar no pão, ou no guisado, ou no vinho, ou no azeite, ou em qualquer outro mantimento, ficará este santificado? E os sacerdotes, respondendo, diziam: Não. E disse Ageu: Se alguém, que se tinha tornado impuro pelo contato com um corpo morto, tocar nalguma destas coisas, ficará isso imundo? E os sacerdotes, respondendo, diziam: Ficará imunda. Então, respondeu Ageu e disse: Assim é este povo, e assim é esta nação diante do meu rosto, disse o Senhor; e assim é toda a obra das suas mãos; e tudo o que ali oferecem imundo é. Agora, pois, aplicai o vosso coração a isso, desde este dia em diante, antes de pordes pedra sobre pedra no templo do Senhor. Depois daquele tempo, veio alguém a um monte de vinte medidas, e havia somente dez; vindo ao lagar para tirar cinqüenta, havia somente vinte. Feri-vos com queimadura, e com ferrugem, e com saraiva, em toda a obra das vossas mãos; e não houve entre vós quem voltasse para mim, diz o Senhor. Ponde, pois, eu vos rogo, desde este dia em diante, desde o vigésimo quarto dia do mês nono, desde o dia em que se fundou o templo do Senhor, ponde o vosso coração nestas coisas. Há ainda semente no celeiro? Nem a videira, nem a figueira, nem a romeira, nem a oliveira têm dado os seus frutos; mas desde este dia vos abençoarei (2.10-19).

Os editores da *Bíblia de Estudo Pentecostal*[6] destacaram essa passagem e chamaram-na de "Repreensão e promessa de bênçãos". As realidades espirituais não são feitas de madeira ou de pedra. Você não pode santificar uma coisa pelo simples fato de colocá-la em contato com outra que foi santificada (2.12). Construir um templo não consagra nem santifica ninguém. Todavia, a impureza pode ser transmitida pelo toque, e Ageu adverte o povo que a impureza se espalha, pois ele sabia disso pela Lei (2.13; cf. Nm 19.22). Talvez Deus se refira ao egoísmo ímpio deles, denunciado no capítulo 1. Talvez eles estivessem se tornando impuros de outras formas — o casamento com esposas estrangeiras, a idolatria, os tipos de coisas tratadas por Esdras no século seguinte. Nesse livro, fica claro que o principal pecado deles era a falta de entusiasmo com a reconstrução do Templo e a restauração da adoração nele.

Mesmo nossos atos mais "religiosos" não são necessariamente aceitáveis.

Contudo, à medida que o povo começa a se arrepender, Deus promete que haverá um fim para a escassez que conheceram (2.15-17). Quando o Senhor pergunta: "Há ainda semente no celeiro?", basicamente quer dizer: "Espero que tenham plantado todas as sementes, pois as farei crescer". Ao contrário do passado recente deles, a colheita daquele ano seria boa. "Desde este dia vos abençoarei" (2.19). Mais uma vez, Deus renova sua aliança com eles na terra.

Bênçãos Espirituais

Todavia, as principais bênçãos para as quais Ageu aponta são as espirituais, as quais Deus promete na primeira metade do capítulo 2:

> No sétimo mês, ao vigésimo primeiro do mês, veio a palavra do Senhor pelo ministério do profeta Ageu, dizendo: Fala agora a Zorobabel, filho de Sealtiel, príncipe de Judá, e a Josué, filho de Jozadaque, sumo sacerdote, e ao resto do povo, dizendo: Quem há entre vós que, tendo ficado, viu esta casa na sua primeira glória? E como a vedes agora? Não é esta como nada em vossos olhos, comparada com aquela? Ora, pois, esforça-te, Zorobabel, diz o Senhor, e esforça-te, Josué, filho de Jozadaque, sumo sacerdote, e esforçai-vos, todo o povo da terra, diz o Senhor, e trabalhai; porque eu sou convosco, diz o Senhor dos Exércitos, segundo a palavra que concertei convosco, quando saístes do Egito, e o meu Espírito habitava no meio de vós; não temais. Porque assim diz o Senhor dos Exércitos: Ainda uma vez, daqui a pouco, e farei tremer os céus, e a terra, e o mar, e a terra seca; e farei tremer todas as nações, e virá o Desejado de todas as nações, e encherei esta casa de glória, diz o Senhor dos Exércitos. Minha é a prata, e meu é o ouro, disse o Senhor dos Exércitos. A glória desta última casa será maior do que a da primeira, diz o Senhor dos Exércitos, e neste lugar darei a paz, diz o Senhor dos Exércitos (2.1-9).

Deus promete que seu Espírito permanecerá entre eles (2.5), referindo-se a suas antigas promessas de sempre permanecer com seu povo. Talvez eles estivessem preocupados que o Senhor os deixasse, por que a Babilônia os levara em cativeiro, ou por que eles, em desobediência, fracassaram em reconstruir o Templo, agora que estavam de volta do exílio. Mas o Senhor assegura-lhes que continuará com eles.

O Senhor também lhes promete sua bênção de paz — *shalom*. "E neste lugar darei a paz" (2.9). O que essa paz inclui? Todo o retorno que você pode querer de seus investimentos. Trabalhar na casa deles consegue-lhes casas mais bonitas, mas não melhora a vida vivida nessas casas. À medida que eles voltaram sua vontade para a do Senhor, Deus os abençoa com a paz que não inclui apenas prosperidade, mas, ainda mais importante, o perdão dos pecados e a paz com Ele. A aprovação do Senhor, e a paz e a felicidade profundas resultantes disso estariam garantidas nos arredores desse novo Templo.

Em Levítico, Deus prometeu ao povo essa paz, esse *shalom*, quando se preparavam para entrar na Terra Prometida pela primeira vez, se fossem obedientes:

> Não fareis para vós ídolos, nem vos levantareis imagem de escultura nem estátua, nem poreis figura de pedra na vossa terra, para inclinar-vos a ela; porque eu sou o Senhor, vosso Deus. Guardareis os meus sábados e reverenciareis o meu santuário. Eu sou o Senhor. Se andardes nos meus estatutos, e guardardes os meus mandamentos, e os fizerdes, então, eu vos darei as vossas chuvas a seu tempo; e a terra dará a sua novidade, e a árvore do campo dará o seu fruto. E a debulha se vos chegará à vindima, e a vindima se chegará à sementeira; e comereis o vosso pão a fartar e habitareis seguros na vossa terra. Também darei paz na terra; e dormireis seguros, e não haverá quem vos espante; e farei cessar os animais nocivos da terra, e pela vossa terra não passará espada (Lv 26.1-6a).

Claro, eles não foram obedientes, consequentemente sua terra vivenciou pouca paz. Porém, agora, mais uma vez, Deus prediz e providencia essa paz.

Ele também promete que sua glória viria a seu povo: "Encherei esta casa de glória" (2.7; também v. 9). Quando a glória dEle viria? O versículo anterior fornece uma pista, quando o Senhor declara: "Ainda uma vez, daqui a pouco, e farei tremer os céus, e a terra, e o mar, e a terra seca" (2.6). Talvez o tremer se referisse à instabilidade que o reino persa vivenciava naquele momento. Todavia, fundamentalmente, Ageu profetizava algo, e sabemos disso por intermédio do autor de Hebreus, que ele mesmo podia apenas remotamente apreender — a segunda vinda de Cristo (Hb 12.26). Muitas vezes, as bênçãos específicas prometidas pelos profetas do Antigo Testamento parecem se fundir com as bênçãos escatológicas finais que vivenciamos em Cristo e que vivenciaremos no novo céu e na nova terra.

Bênçãos Messiânicas

Na verdade, a principal bênção que Deus promete por intermédio de Ageu, e que fica mais explícita nos versículos finais do livro, é a de um Messias:

E veio a palavra do Senhor segunda vez a Ageu, aos vinte e quatro do mês, dizendo: Fala a Zorobabel, príncipe de Judá, dizendo: Farei tremer os céus e a terra; e derribarei o trono dos reinos e destruirei a força dos reinos das nações; e destruirei o carro e os que nele se assentam; e os cavalos e os que andam montados neles cairão, cada um pela espada do seu irmão. Naquele dia, diz o Senhor dos Exércitos, te tomarei, ó Zorobabel, filho de Sealtiel, servo meu, diz o Senhor, e te farei como um anel de selar; porque te escolhi, diz o Senhor dos Exércitos (2.20-23).

Nesses últimos versículos do livro, o Senhor dirige-se a Zorobabel, governador de Judá. Mais uma vez, Deus usa a imagem do julgamento final e promete acabar com todos os impérios do mundo e governar diretamente sua criação. Todavia, Ele também faz uma promessa estranha de tornar Zorobabel seu escolhido — usá-lo como se fosse seu anel de selar.

Algumas pessoas ficam confusas com essa linguagem sobre Zorobabel. Ninguém sabe, na verdade, em que Deus usou Zorobabel. Nesse ponto, ele desaparece do registro histórico. Alguns pensam que o rei Dario, da Pérsia, considerava Zorobabel um rival em potencial em Judá e liquidou-o, o que explicaria por que não sabemos nada mais sobre ele. Mas, realmente, não sabemos nada.

Contudo, o Senhor disse que usaria Zorobabel como seu anel de selar, o que, de fato, é uma honra. O rei dava seu sinete a um ministro importante a fim de mostrar sua confiança no homem e garantir-lhe autoridade. Quase um século antes, o Senhor anunciara, por intermédio de Jeremias, uma maldição contra o avô de Zorobabel, Jeconias, e no processo declarou "ainda que Jeconias, filho de Jeoaquim, rei de Judá, fosse o selo do anel da minha mão direita, eu dali te arrancaria" (Jr 22.24). E Deus o arrancou! Jeconias foi um dos últimos reis de Judá antes de o povo ser enviado para o exílio. Bem, o Senhor escolheu a linha real davídica por intermédio de Zorobabel, declarando: "Eu a trarei de volta". No capítulo 1 do Evangelho de Mateus, ficamos sabendo que Zorobabel consta da linha de reis que culminou em Jesus Cristo (Mt 1.12,13).

Em outras palavras, nos últimos versículos de Ageu, as promessas de Deus são messiânicas. Elas não foram feitas a Zorobabel, o homem, mas a Zorobabel, o herdeiro do trono de Davi e predecessor de Cristo. Ele foi o guardião escolhido do povo escolhido, o reconstrutor da casa de Deus, o restaurador da dignidade da linha de Davi. Em tudo isso, Zorobabel é um tipo de Cristo que aponta para o próprio Senhor Jesus.[7] Todas as promessas do Senhor, feitas por intermédio de Ageu, seriam, em última instância, cumpridas em Cristo.

Por exemplo, quem é "o Desejado de todas as nações" que "virá" (Ag 2.7)? A palavra usada para "Desejado" também poderia ser traduzida por "Tesouro", o que combina com a referência, no versículo seguinte, à prata e ao ouro que pertencem ao Senhor (2.8). Em seu contexto imediato, esse tesouro — esse ouro e essa prata — refere-se aos tesouros das outras nações que foram usados na reconstrução do Templo. Na verdade, o rei Dario garantiu parte dos recursos para a reconstrução. Portanto, havia pelo menos tesouro persa no Templo! Entretanto, no contexto abrangente da história redentora, Deus prometia o Messias — *Ele é o Desejado de todas as nações!* Talvez você até conheça um ou dois hinos de Natal que usam essa linguagem, tal como "Angels from the Realms of Glory" ["Anjos dos Reinos de Glória"].

No versículo seguinte, vemos outro exemplo de cumprimento messiânico, na promessa de Deus: "A glória desta última casa será maior do que a da primeira" (2.9). Como a glória dessa presente casa seria maior que a da anterior, o Templo de Salomão? Afinal, o Templo de Salomão tinha glórias que o segundo não possuía. Todas as superfícies interiores do Templo de Salomão eram revestidas com ouro. Ele guardava a arca da aliança, o Urim e Tumim, a glória *shekinah* visível. Nenhum desses termos é mencionado no texto bíblico em conexão com o segundo Templo. Assim, como a glória dele poderia ser maior?

A resposta tem de estar na maior glória que pode haver — a presença corpórea de Deus, em Cristo. Em algum momento do século II a.C., esse segundo Templo foi profanado, mas sobreviveu até Herodes, o Grande, que o reconstruiu e ampliou. Esse é o Templo de Jerusalém em que Jesus entrou. Claro que o fato de Deus preservar o Templo de Jerusalém é apenas a mais pálida indicação da glória da presença física do Senhor com seu povo, em Jesus, Emanuel — Deus conosco. Por isso, lemos no primeiro capítulo do Evangelho de João: "E o Verbo se fez carne e habitou entre nós, e vimos a sua glória, como a glória do Unigênito do Pai, cheio de graça e de verdade" (Jo 1.14). Em outra passagem, o autor de Hebreus aponta-nos diretamente para a glória que superaria a do primeiro Templo: "O qual, sendo o resplendor da sua glória, e a expressa imagem da sua pessoa, e sustentando todas as coisas pela palavra do seu poder" (Hb 1.3).

Assim, essas foram algumas das bênçãos dadas ao povo arrependido da época de Ageu. E você? Que bênçãos você tem? Você é uma das pessoas arrependidas? Você crê nas bênçãos físicas e espirituais de Deus para sua vida tanto no tempo e espaço como na eternidade?

Sem dúvida, Deus normalmente abençoa a obediência a Ele, quer oferecida por um indivíduo, quer por uma cidade, quer por uma nação. Claro, a maior bênção mencionada aqui nos foi dada não por causa de nossa obediência, mas apesar da falta dela, e essa bênção é o Messias. O maior benefício que recebemos não é de um investimento que fizemos, mas do que Deus fez por nós. No livro de Atos, Lucas declara que Deus resgatou a igreja com seu próprio sangue (At 20.28).

A obediência, em um sentido secundário, é um lugar de bênção. É onde, como cristãos, queremos habitar. Ouvimos a repreensão de Ageu em relação a nossa dedicação a nós mesmos e à negligência a Deus. Bem, podemos nos arrepender dessas coisas e ser abençoados! Nem sempre vivenciamos bênçãos físicas por meio da fé em Cristo, mas, às vezes, podemos vivenciar (veja Tg 5.13-16).

Nós, cristãos, recebemos a dádiva da habitação do Espírito de Deus em nós. E por intermédio da obra de Cristo, recebemos paz com Deus. O cristão arrependido recebe tudo isso.

Meu amigo cristão, trabalhe para magnificar a cruz de Cristo a fim de que todos possam ver algo do que a obra dEle na cruz realizou em sua vida! Provações e tempos difíceis virão, como também condenação pelo pecado, e de vez em quando iremos nos sentir tentados a condenar Deus. Contudo, quando você deixa de olhar para a cruz e para as formas como Ele o abençoou por intermédio da cruz, fica difícil condenar ao Senhor. Na cruz, você vê como Ele o amou. Vê o cuidado e o sofrimento que Ele assumiu por você.

Você conhece seu coração. Você conhece essas coisas — por meio de um hino, de um livro, de uma passagem bíblica, de uma lembrança — que magnificam a cruz de Cristo para sua própria alma. Encontre essas coisas e use-as em sua vida. Encontre hinos e livros que magnifiquem a cruz ao falar da redenção de Cristo e alimentem sua alma com o amor magnificente de Deus pelos pecadores como você e eu.

Que nossas igrejas também conheçam as bênçãos de Deus em nossa vida congregacional! Claro, freqüentar a igreja não o salvará, nem tornar-se membro dela. Com certeza, fazer doação para o programa de construção de uma igreja não o salvará. Nenhuma dessas coisas é a mensagem de Ageu para nós. Todavia, temos de dar evidência de nossa salvação em nossas igrejas. Nossas igrejas não devem ser marcadas pelo "egoísmo piedoso"! Essa é a implicação mais imediata do livro de Ageu para nós hoje. Antes, a generosidade deve ser o fruto da obra de Deus entre nós. Com certeza, vemos esse fruto na Capitol Hill Baptist Church (e em todas as outras igrejas que pregam o evangelho). A congregação doa com generosidade para que esse movimento missionário local específico, de Washington, D. C., floresça. Você sabe, a equipe proclamadora do evangelho da igreja é uma equipe de missionários. Os cristãos da Nigéria ou da França, se assim desejarem, podem enviar dinheiro para empregar outro missionário da nossa igreja! Outra parte das doações de nossa igreja é separada para o programa de internato pastoral, em que ajudamos a treinar pastores para outras congregações. Ainda outra parte do orçamento da igreja é destinado ao programa 9Marks, por meio do qual tentamos ajudar outras igrejas locais. E separamos centenas de milhares de dólares para o trabalho cristão em todo o mundo. Espero que, sob esse aspecto, nossa igreja seja o modelo típico entre as igrejas evangélicas!

Assim, Ageu chama-nos, como cristãos individuais na igreja, a não nos voltar a nós mesmos em nossas finanças, mas a doar com generosidade para a obra de Deus. Nossa generosidade não é medida por quanto doamos, mas por quanto guardamos. Aprendemos isso com Jesus:

> E, estando Jesus assentado defronte da arca do tesouro, observava a maneira como a multidão lançava o dinheiro na arca do tesouro; e muitos ricos depositavam muito. Vindo, porém, uma pobre viúva, depositou duas pequenas moedas, que valiam cinco réis. E, chamando os seus discípulos, disse-lhes: Em verdade vos digo que esta pobre viúva depositou mais do que todos os que depositaram na arca do tesouro; porque todos ali depositaram do que lhes sobejava, mas esta, da sua pobreza, depositou tudo o que tinha, todo o seu sustento (Mc 12.41-44).

De novo, nossa generosidade não é medida por quanto damos, mas por quanto guardamos e para que guardamos. Com certeza, um dia, isso ficará claro para todos nós. Como John Piper observou: "Não há uma empresa de transportes rodoviários atrás do carro funerário".[8]

Conclusão

Enquanto lia a biografia de John Wesley, fato mencionado acima, percebi que Wesley, em seus anos finais, estava muitíssimo preocupado com o que ele percebia como um crescente mundanismo dos metodistas. Wesley lamentava o que parecia ser o problema insolúvel da conversão de pessoas que leva a graus mais altos de atividade e de frugalidade, o que, por sua vez, leva a graus mais altos de riqueza, o que, por sua vez, leva ao orgulho, à raiva e ao amor pelo mundo. A única resposta que Wesley encontrou para o problema foi: "Doe tudo que puder". Desfaça-se desse dinheiro. Assine seus cheques como uma declaração de independência do poder do mundo sobre sua vida.

Claro, hoje, estamos muito mais à vontade com a riqueza. Pensamos com otimismo que a domamos e podemos mantê-la em casa como um animal de estimação, usando-a sem perigo. Mas deixe-me perguntar: Quando foi a última vez que você aumentou o percentual da quantia que doa para a igreja? Qual foi a última vez que você pensou em fazer isso ou teve uma conversa com seu cônjuge sobre o assunto? Não digo essas coisas porque, intrinsecamente, quero que doe mais para nossa igreja. Você pode doar seu dinheiro em outro lugar. Antes, digo isso por causa de sua alma, para ajudá-lo a comparar seu balanço bancário com o local em que seu coração está. Ageu diz que devemos nos doar para o trabalho do Senhor. Em que sentido o trabalho do Senhor é a meta, o objetivo ou a perspectiva de sua vida?

Wesley, aos 84 anos, escreveu:

> Se tiver família, pense seriamente, diante de Deus, em quanto cada membro de sua família precisa a fim de ter o que é indispensável para a vida e a religiosidade. E, como regra geral, não permita que tenham menos nem muito mais do que permite a você mesmo. Depois de fazer isso, estabeleça seu objetivo para não ganhar mais que isso. Em nome de Deus, desafio-o a não aumentar seus recursos! Como eles vêm diária ou anualmente, deixe-os ir: de outra forma, você acumula tesouros na terra, e isso, positivamente, nosso Senhor proíbe tanto o homicídio como o adultério. Por isso, você, ao fazer isso, acumula para si mesmo ira para o dia da ira e da revelação do justo julgamento de Deus. Mas suponha que isso não fosse proibido, como você, fundamentado nos princípios da racionalidade, poderia gastar seu dinheiro de uma forma que Deus, possivelmente, pudesse perdoar, em vez de gastá-lo de uma maneira que Ele certamente premiaria? Você não receberá prêmio no céu pelo que acumula, mas pelo que você doa. Cada centavo que você coloca no banco terreno afunda, não rende nenhum benefício no alto. Mas cada centavo que você doa... é creditado em seu banco celestial e trará benefícios gloriosos, sim, e se acumulará por toda a eternidade.[9]

Acumular lucros por toda a eternidade? Isso é muito mais que 89 anos e muito mais que 1 milhão de dólares. *Esse* é um investimento seguro!

Invista toda sua vida, toda ela, de seu dinheiro aos seus minutos, em Cristo e na obra dEle. Ou você tem uma idéia de investimento melhor que essa?

Oremos:

Oh, Deus, vimos o chamado prático e radical que o Senhor transmitiu ao seu povo por intermédio de Ageu. Oramos para que seu Espírito, amorosa e intencionalmente, terna e misericordiosamente, opere em nossa vida a fim de libertar-nos de nossos falsos senhores para louvar e glorificar o Senhor com todos os nossos recursos, todos os dias de nossa vida. Oramos em nome de Jesus. Amém.

Questões para Reflexão

1. Se um observador imparcial examinasse os três últimos meses de seu extrato bancário, quais ele diria que são suas prioridades? Se você é cristão, ele diria que suas prioridades são distintas das de alguém que não é cristão? Explique.
2. Quando foi a última vez que você aumentou o percentual de sua doação para a igreja? Quando foi a última vez em que pensou nisso? Fez um planejamento para isso?
3. Que compromissos financeiros o impedem de dar mais para a igreja? Para missões? Para os pobres de sua cidade?

4. Que compromissos de tempo o impedem de servir o povo de Deus em sua igreja local?
5. Em que área de sua vida você se mantém mais afastado de Cristo? Você realmente acha que isso é o melhor para você?
6. Quanto seu conforto material é importante para você? Você estaria disposto a desistir dele por causa do evangelho? Você está fazendo isso? Como você saberia que transformou seu conforto material em um ídolo?
7. O que significa se arrepender? O arrependimento é necessário para a salvação?
8. O que você faz para cultivar o temor ao Senhor? Como a igreja pode encorajar seus membros a cultivar o temor ao Senhor?
9. Hoje, não se espera que os cristãos invistam seu dinheiro e seu tempo em um templo. Antes, eles são chamados a edificar a igreja. Tenha em mente o fato de que a "igreja" é a congregação de pessoas, não o prédio: como, hoje, os cristãos podem edificar a igreja?
10. Qual é o papel da Palavra de Deus na edificação da igreja?

Notas

Capítulo 37

1. A data de pregação original deste sermão foi em 30 de novembro de 2003, na Capitol Hill Baptist Church, em Washington, D.C.
2. J. E. McFadyen, "Haggai", em The Abingdon Bible Commentary, Frederick Carl Eiselen, Edwin Lewis e David G. Downey, eds. (Nova York: Abingdon-Cokesbury, 1929), p. 816.
3. Veja Isaías 2.2-4; Miquéias 4.1-4; Ezequiel 37.26; Malaquias 3.1.
4. Charles Haddon Spurgeon, Spurgeon's Devotional Bible (Grand Rapids, Mich.: Baker, 1964), p. 460.
5. Citado em Luke Tyerman, The Life and Times of the Rev. John Wesley, Founder of the Methodists, 3 vols. (Londres: Hodder & Stoughton, 1876), p. 3:567.
6. N do E: Publicada no Brasil pela CPAD. Adquira através de www.cpad.com.br.
7. Veja Ezequiel 34.23,24; 37.24; 39.19-23; Daniel 2.44.
8. John Piper, The Dangerous Duty of Delight (Sisters, Ore.: Multnomah, 2001), p. 69.
9. Citado em Tyerman, Life and Times of the Rev. John Wesley, p. 3:519.

A MENSAGEM DE ZACARIAS: DEUS DÁ UMA SEGUNDA CHANCE?

A NECESSIDADE DE SEGUNDAS CHANCES

INTRODUÇÃO A ZACARIAS

DEUS DARÁ UMA SEGUNDA CHANCE POR INTERMÉDIO DE SEU GOVERNO

DEUS DARÁ UMA SEGUNDA CHANCE POR INTERMÉDIO DE SUA PALAVRA

DEUS DARÁ UMA SEGUNDA CHANCE POR INTERMÉDIO DE SEU FILHO

CONCLUSÃO

CAPÍTULO 38

A Mensagem de Zacarias: Deus Dá uma Segunda Chance?

A Necessidade de Segundas Chances[1]

Não sei quanto a você, mas estou profundamente interessado em segundas chances. Digo isso por mim mesmo, pois tomo decisões estúpidas e erradas em minha vida e quero, de alguma forma, consertar essas decisões ou, até mesmo, cancelá-las totalmente. Mas também digo isso por pessoas que amo muito que, de alguma forma, tomaram decisões estúpidas e prejudiciais. Espero — oro — para que haja alguma maneira de Deus ser bom, santo, justo, moral, perfeito e reto *e* ainda poder nos dar a oportunidade de tentar de novo, de começar de novo, de ter um novo início e uma segunda chance.

Algumas de nossas histórias mais amadas são a respeito de pessoas que têm uma segunda chance — da conversão do cristão, em *O Peregrino*, de John Bunyan, à transformação de Ebenezer Scrooge, em *Conto de Natal*, de Charles Dickens. Uma é sobre um homem que se cansou de viver na Cidade da Destruição. A outra é sobre um recluso rico e avarento. No entanto, mesmo pessoas como eles merecem uma segunda chance.

E quanto a você?

As situações que enfrenta — no trabalho ou em casa, na escola ou na igreja — são simplesmente extenuantes e calamitosas? Você fracassou em suas amizades ou com sua família? Deixou passar alguma oportunidade maravilhosa? Você falou palavras destrutivas que parecem irrevogáveis e fechou para sempre essa possibilidade ou aquela esperança?

Deixe-me dar um passo à frente: pergunto-me se é assim que você se sente em seu relacionamento com Deus. Pergunto-me se você comparece à igreja aos domingos e se une à congregação nos hinos e nos cânticos de louvor, mas, simultaneamente, sente que estragou as coisas com aquEle sobre quem canta. Você sabe que abusou, ignorou e maltratou tanto o Senhor a ponto de não ter nenhuma pretensão à atenção de Deus, isso para não mencionar o afeto dEle. Aos domingos de manhã, muitas vezes, tentamos não deixar transparecer o desespero que sentimos. Mas você está desencorajado com a situação de seu relacionamento com Deus — ou não?

Introdução a Zacarias

Se sim, então você está certo em se voltar para as Escrituras e veio para o livro certo da Bíblia, em nosso estudo dos profetas menores, o livro de Zacarias. Este livro é o mais longo dos profetas menores. É preciso de cerca de 35 minutos para ler o livro todo em voz alta. Contudo, ele é também o profeta menor mais obscuro. Douglas Stuart, professor de Antigo Testamento, disse que a maioria das pessoas o acha "particularmente difícil de ler, mesmo para um livro profético". Tendo trabalhado nele por uma semana, certamente concordo com essa afirmação. Além disso, nunca preguei Zacarias antes!

Zacarias começa a profetizar na mesma época de Ageu — em 520 a.C. Como Ageu, ele exorta os judeus que retornaram para Jerusalém do exílio na Babilônia a prosseguir com a reconstrução do Templo do Senhor. Por meio de uma série de oito visões, dois sermões e dois oráculos, Deus usou Zacarias para dizer ao seu povo que teriam uma segunda chance! Examinaremos o livro nessas três seções naturais:

Os capítulos 1—6, tomados pelas oito visões, descrevem a segunda chance que Deus provê por intermédio de *seu governo*.

Os capítulos 7—8, compostos por dois sermões, apresentam a segunda chance oferecida por Deus por intermédio de *sua Palavra*.

Os capítulos 9—14, formados por dois oráculos, relatam a segunda chance oferecida por Deus por intermédio de *seu Filho*.

Oro para que à medida que estudamos esse livro, você descubra a segunda chance que Deus tem em estoque para você.

Deus Dará uma Segunda Chance por Intermédio de seu Governo

Primeiro, descobrimos que Deus dá uma segunda chance a seu povo por intermédio de seu governo.

Como vimos em nosso estudo de Ageu, na última parte do século VI a.C., a vida para os judeus foi desconjuntada e incerta, em especial, no relacionamento deles com Deus. Eles voltaram para a terra da Palestina, mas era fácil se perguntarem se Deus os reconheceria novamente como seu povo. Afinal, Ele os exilara de forma tão dramática na Babilônia. Ele lhes daria uma segunda chance? Desde as palavras iniciais do livro, parece que sim:

> No oitavo mês do segundo ano de Dario, veio a palavra do Senhor ao profeta Zacarias, filho de Baraquias, filho de Ido, dizendo: O Senhor tem estado em extremo desgostoso com vossos pais. Portanto, dize-lhes: Assim diz o Senhor dos Exércitos: Tornai para mim, diz o Senhor dos Exércitos, e eu tornarei para vós, diz o Senhor dos Exércitos. E não sejais como vossos pais, aos quais clamavam os primeiros profetas, dizendo: Assim diz o Senhor dos Exércitos: Convertei-vos, agora, dos vossos maus caminhos e das vossas más obras. Mas não ouviram, nem me escutaram, diz o Senhor. Vossos pais, onde estão eles? E os profetas, viverão eles para sempre? Contudo, as minhas palavras e os meus estatutos, que eu mandei pelos profetas, meus servos, não alcançaram a vossos pais? E eles tornaram e disseram: Assim como o Senhor dos Exércitos fez tenção de nos tratar, segundo os nossos caminhos e segundo as nossas obras, assim ele nos tratou (1.1-6).

O imperativo básico desse livro está no versículo 3: "Tornai para mim". Essas palavras parecem implicar uma segunda chance.

Os primeiros seis capítulos desse livro são apresentados como uma série de oito visões. De bom grado, confesso que as visões, em si mesmas, são difíceis de entender e são mesmo bastante estranhas. Por exemplo, o que profeta quer dizer com as palavras: "E os cavalos fortes saíam e procuravam ir por diante, para andarem pela terra. E ele disse: Ide, andai pela terra. E andavam pela terra" (6.7)? Essa é a história da Pony Express[2] dos tempos bíblicos com alcance mundial? Não, não exatamente.

Essa seção é uma série de visões — oito visões do capítulo 1 ao 6 — que o Senhor deu a Zacarias com a finalidade de fazer um ponto. Se você tiver a *Bíblia de Estudo Pentecostal*[3] pode ver os subtítulos que os editores deram a cada uma dessas visões:

- A primeira visão: os cavalos (1.7-17)
- A segunda visão: os quatro chifres e os quatro ferreiros (1.18-21)
- A terceira visão: Jerusalém é medida (cap. 2)
- A quarta visão: o sumo sacerdote é acusado por Satanás e justificado por Deus (cap. 3)
- A quinta visão: o castiçal de ouro e as sete lâmpadas (cap. 4)
- A sexta visão: o rolo voante (5.1-4)
- A sétima visão: a mulher e o efa (5.5-11)
- A oitava visão: os quatro carros (6.1-8)

Provavelmente, você já pode adivinhar que, neste sermão, esse material será mais de "Introdução à Bíblia" do que os sermões panorâmicos dos outros profetas menores. Espero que isso o ajude, mas quero falar disso mais adiante. À medida que iniciamos cada uma dessas três seções, tentarei explicá-la rapidamente *a* você, antes de pregá-la *para* você.

O que me ajudou a entender essas oito visões foram os pontos em comum que comecei a perceber à medida que as estudava. Nas Escrituras hebraicas, o ponto culminante da história, assim como na nossa literatura, acontece no final. Todavia, a literatura hebraica também pode ser estruturada para que o ponto culminante ocorra no meio — no topo de um pináculo simétrico, como é o caso aqui. Percebi, com bastante segurança, que as visões intermediárias — a quarta e a quinta visões, apresentadas nos capítulos 3 e 4 — apontam para o Messias. A visão quatro é sobre o sumo sacerdote Josué, cujas vestes estavam simbolicamente com a sujeira do povo e deviam ser limpas. A quinta visão é sobre a restauração da presença eterna de Deus com seu povo por intermédio do templo reconstruído por Zorobabel, o governador da terra que representa a renovada linha davídica (4.9). A seguir, no final da quinta visão, um anjo promete que dois indivíduos serão ungidos para servir o "Senhor de toda a terra" (4.11-14). Quem são esses dois indivíduos? Presumivelmente, o sacerdote que representa a purificação do povo de Deus, na quarta visão, e o rei que realiza os propósitos de Deus, na quinta visão. O Ungido que Deus enviaria seria Sacerdote e Rei.

Assim que percebi que esses dois indivíduos são o centro dessas visões, percebi outro padrão: a primeira e a última visões apresentam quatro cavalos que andam por toda a terra e retornam para comunicar que há paz (1.7-17; 6.1-15). Na primeira visão, eles notificam a paz existente antes de o Senhor julgar as nações. Essa é a paz de nações farisaicas que acreditam poder conquistar a própria segurança e descanso. Na última visão, os cavalos relatam a paz que se segue à vinda do Messias (em especial, 6.13). Essa paz estende-se até "a terra do Norte", no Antigo Testamento, a direção geralmente associada aos inimigos do povo de Deus. Essa é a paz que se estabelecerá quando Deus derrotar seus inimigos e reinar sobre todos. Será uma paz completa e totalmente abrangente.

Com os padrões da primeira, quarta, quinta e oitava visões estabelecidos, então percebi algo em relação à segunda e à terceira visões junto com a sexta e a sétima. A segunda e a terceira visões mostram Deus obtendo vitória sobre os inimigos de seu povo, ao mesmo tempo em que protege aqueles de seu povo que vivem entre esses inimigos (1.18-21; 2.1-13). A sexta e a sétima visões mostram Deus purgando seu povo de seus pecados (5.1-8; 5.9-11). Portanto, essas quatro visões juntas retratam a derrota de *toda* a oposição ao governo de Deus — tanto a oposição externa como a interna.

Em suma, as oito visões apresentam um retrato de todo o mundo em paz sob o governo do sacerdote e do rei ungidos por Deus.

E, na verdade, essas visões retratam quem Cristo é. Jesus Cristo, o Ungido, é o grande Sumo Sacerdote e Rei cujo reino não é deste mundo. O governo dEle é a grande esperança que o Senhor detém para seu povo, sitiado e atormentado, por intermédio dessas oito visões dadas a Zacarias.

Bem, a maioria de nós não está acostumada a meditar sobre o sentido das visões do Antigo Testamento. Contudo, observe como Deus se apresenta de forma poderosa: como Senhor ou Governante. Na verdade, a Bíblia afirma que o Senhor nos criou para reconhecer seu governo, motivo por que você e eu temos uma consciência. E Deus promete julgar-nos pela forma como respondemos ao seu governo. Quando você e eu morrermos, ou o mundo terminar, nosso Criador se tornará nosso Juiz. Nenhuma oposição a Ele pode impedir esse Dia de Julgamento.

Um dia, todo o mundo será governado por Deus. O Deus de Zacarias não é uma mera deidade tribal. Ele é "o Senhor de toda a terra" (6.5). Ele preocupa-se com o mundo todo!

Portanto, o que isso representa para nós como cristãos? Em essência, isso quer dizer que temos esperança! Isso representa que nunca nos depararemos com situações grandes demais para esse Deus. Quando não encontramos mais motivo para ter esperança, a fé em Cristo nos mostra uma nova base e motivo para ter esperança.

Por isso, o Senhor, ao longo dessas visões, não diz muitas vezes a Zacarias para *fazer* isso ou aquilo. Eu sou pregador, portanto, busco os verbos imperativos nas passagens em que Deus conta a seu povo o que fazer. Todavia, o Senhor não diz a Zacarias para fazer muito de nada, a não ser *conhecer* isso ou *ver* aquilo. Além disso, Ele fala para que toda a humanidade "cale-se" diante do Senhor (2.13) e, aos líderes, para que o ouçam (3.8). Era tão importante que Zacarias prestasse atenção a todas essas visões que o anjo lhe pergunta, continuamente, se ele entendeu o que via, quase como o professor que quer ter certeza de seu aluno está entendendo (por exemplo, 4.2,5,13; 5.2,5). O anjo, reiteradamente, pede que Zacarias veja, dirigindo, assim, nossa atenção para a imagem específica que quer que o profeta (e nós também) contemple (por exemplo, 3.4,9).

Em suma, não somos repreendidos por um bando de coisas que se supõe que deveríamos fazer. Antes, é-nos mostrado o que Deus fará! Ele governará seu mundo. Ele julgará os inimigos de seu povo. Ele habitará com seu povo e o protegerá. Ele enviará o Messias e limpará a culpa de seu povo. Ele purgará e purificará seu povo, separando-o de suas próprias maldades. Tão extensa é a soberania de Deus!

Cristão, caso suas circunstâncias ainda não tenham lhe ensinado a lição, saiba que o fundamento de sua esperança não está em você mesmo. Nossa esperança está em quem Deus é, no que Ele faz e no que promete fazer.

Que grande notícia! Por isso, devemos nos dedicar ao estudo da Palavra de Deus, mesmo que essas visões sejam mais difíceis de entender que outras passagens das Escrituras: elas todas são verdade e centradas em Deus. Elas nos apontam para esse grande Senhor que nos fez e a tudo que há no mundo. E se quisermos ter esperança nas circunstâncias que parecem impossíveis, devemos nos voltar para esse Deus que é a única fonte de esperança.

Meu amigo, você estuda a verdade sobre Deus nas Escrituras? Você se entrega a essa tarefa? Você observa com atenção os caminhos de Deus com você em sua vida? Você estuda o livro de seu próprio coração? Se você não fizer isso, quem fará? Seus pais, seus filhos, seu cônjuge, seus amigos e seus irmãos da igreja podem ajudá-lo na leitura de seu coração. Mas ninguém pode ler seu coração como você.

Quando lê a Palavra de Deus, você presta atenção a essas coisas que o Senhor nos diz para fazer e evita as coisas que Ele, em seu amor, nos proíbe de fazer? Esse tipo de diligência deve ser nossa marca como povo de Deus.

Às vezes, acusam nossa congregação de estudar demais! Por que fazemos isso? Nós, como igreja, estamos comprometidos a cultivar a diligência em relação à Palavra do Senhor porque conhecemos nossa carne. Conhecemos nossa ignorância sobre Deus. E sabemos que esse cultivo renderá frutos quando nosso coração estiver, adequadamente, humilde. Por isso, dedicamos-nos, sem desculpas, ao estudo — ao estudo de Deus, ao estudo de sua Palavra e ao estudo de nosso coração.

Essa diligência, de muitas formas, fica evidente na vida de nossa igreja. Mas pense em apenas uma delas: este sermão. Nossa igreja reserva uma quantidade de tempo incomum de nossas reuniões coletivas semanais para estudar a Palavra de Deus, e o sermão tem um papel importante em nossa vida congregacional. Isso é planejado! Apresento oito formas de encorajar a congregação a, juntos, tornar o sermão central em nossa vida:

(i) O texto e o título do sermão são impressos, com antecedência, em marcadores de livro do tamanho de cartões para que os membros da igreja os usem em seus momentos de quietude e para dar aos amigos não-cristãos quando os convidam para vir à igreja.

(ii) O pregador dedica-se, com seriedade e devoção, à preparação dessa refeição semanal, enquanto a congregação se compromete a permitir que o pregador use esse tempo.

(iii) O culto todo (orações, leituras das Escrituras e música) é estruturado em torno do tema encontrado no texto bíblico do dia.

(iv) Devota-se, aproximadamente, uma hora (às vezes, mais) ao sermão semanal.

(v) O último minuto da reunião semanal é devotado à meditação pessoal silenciosa. Em outras palavras, antes de nos levantarmos e logo começarmos a conversar sobre os eventos da tarde e sobre onde almoçar, queremos dar uma chance para que as pessoas reflitam, em silêncio, sobre o que o Espírito de Deus lhes ensinou como indivíduos. Queremos que elas se apropriem dessas coisas e se preparem para edificar e encorajar os outros.

(vi) Se você já passou por mim, à porta da igreja, após um sermão e disse algo parecido com isto: "Bom sermão, Pastor", terá me ouvido responder algo parecido com isto: "Bem, espero que Zacarias tenha sido útil para você essa manhã". Em outras palavras, tentarei desviar sua atenção de graduar quão bem preguei para voltá-lo a deixar que o texto bíblico gradue seu espírito e seu coração. Você nunca estará diante de Deus e fornecerá uma recapitulação de meus sermões. Em vez disso, você estará diante dEle e apresentará uma recapitulação de sua vida. Deus não traz pessoas para nossa igreja para que eu tenha uma audiência maior ou para pagar meu salário. Ele as traz para ouvir sua Palavra. É por isso que, semana após semana, fico em pé no púlpito — para entregar a Palavra de Deus a seu povo.

(vii) O texto da noite de domingo é sobre o mesmo tema (ou relacionado a ele), mas sempre é tirado do outro Testamento das Escrituras. Isso nos encoraja a conhecer toda a Palavra de Deus e ajuda-nos a ver a unidade dela.

(viii) Muitas vezes, encorajo os líderes dos pequenos grupos a usar a porção das Escrituras pregada no domingo como o assunto da reunião de seu grupo. Isso permite que os indivíduos dediquem mais tempo na busca conjunta de como a passagem bíblica da semana se aplica a sua vida.

E toda essa diligência não encoraja o orgulho. Antes, ela ajuda a desenvolver a humildade. O estudo escritural de quem Deus é e de quem somos nós apenas expõe as dramáticas diferenças entre o Senhor e nós, e a humildade é a única resposta possível para essas diferenças. O orgulho não coexiste por muito tempo com o verdadeiro conhecimento da Palavra de Deus e de nós mesmos. Por isso, nossa igreja reserva um tempo para a confissão de nossos pecados em cada reunião semanal. E é, por isso, que anunciamos a ceia do Senhor com uma semana de antecedência, dando à congregação tempo para examinar a si mesma. O conhecimento que você adquire na escola pode se transformar em orgulho, o conhecimento que adquire na igreja deve se transformar em humildade.

Essa diligência deve levar, além de à humildade, também à esperança confiante em Deus, pois conhecemos cada vez mais como Ele é. Não é de admirar que tão poucas pessoas se satisfaçam em Deus — sabemos tão pouco sobre Ele! Não reservamos tempo para meditar sobre quem Ele é, como Ele é, o que Ele faz por nós, o que Ele nos prometeu e como Ele tem sido fiel ao longo de nossa vida. Raramente refletimos sobre essas coisas como deveríamos. Todavia, o desejo e a atenção de nossa vida congregacional devem ajudar-nos a nos concentrarmos de novo em Deus e em sua maravilhosa provisão para nós em Cristo. Desse modo, louvamos a Deus em oração, entoamos cânticos de louvor a Ele, falamos uns com os outros sobre Cristo e do que Ele fez por nós e em nós.

Você não pode louvar a Deus se não o conhecer. Assim, dedique-se ao estudo da Palavra do Senhor e a conhecer melhor a rica provisão que Ele faz para você. Uma vez que Deus é infinitamente digno de louvor, podemos ter certeza de que quanto mais tempo reservarmos para aprender sobre Ele, mais motivos temos para louvá-lo.

Por isso, à medida que estudamos essas difíceis visões de Zacarias e meditamos a respeito delas, vemos com clareza a soberania e a bondade, as promessas e a perfeição de Deus que clamam por nosso louvor. E nossas igrejas devem estar comprometidas em louvar a Deus, conhecendo-o e tornando-o conhecido.

Esse é o Deus que nos dá uma segunda chance por intermédio de seu governo gracioso em nossa vida.

Deus Dará uma Segunda Chance por Intermédio de sua Palavra

Segundo, Deus dará uma segunda chance por intermédio de sua Palavra. Isso é o que aprendemos nos dois sermões dos capítulos 7 e 8, os quais se iniciam com a frase: "a palavra do Senhor veio" (7.1) e "veio a mim a palavra do Senhor" (8.1).

O dia de hoje, 7 de dezembro, é uma data auspiciosa. A maioria dos norte-americanos pensa em 7 de dezembro como o dia em que os japoneses bombardearam as instalações navais norte-americanas em Pearl Harbor. Mais de vinte navios norte-americanos foram afundados ou ficaram seriamente danificados. Mais de cinqüenta aeronaves foram destruídas. E mais de 2 mil vidas foram ceifadas em uma manhã em dois rápidos ataques aéreos.

Mas sabe o que mais que aconteceu nessa data? Com base em informações fornecidas pelos livros de Ageu e de Zacarias, podemos, na verdade, decifrar o dia exato em que Deus revelou suas palavras a esses profetas. E o conteúdo do capítulo 7 foi transmitido a Zacarias em 7 de dezembro de 518 a.C. Hoje é o 2.521° aniversário do dia em que Deus deu essa palavra ao profeta Zacarias!

Ouçamos essa mensagem de novo:

> Aconteceu, pois, no ano quarto do rei Dario, que a palavra do Senhor veio a Zacarias, no dia quarto do nono mês, em quisleu. Quando de Betel foram en-

viados Sarezer, e Regém-Meleque, e os seus homens, para suplicarem o favor do Senhor, disseram aos sacerdotes que estavam na Casa do Senhor dos Exércitos e aos profetas: Chorarei eu no quinto mês, separando-me, como o tenho feito por tantos anos? Então, a palavra do Senhor dos Exércitos veio a mim, dizendo: Fala a todo o povo desta terra e aos sacerdotes, dizendo: Quando jejuastes e pranteastes, no quinto e no sétimo mês, durante estes setenta anos, jejuastes vós para mim, mesmo para mim? Ou, quando comestes e quando bebestes, não foi para vós mesmos que comestes e bebestes? Não ouvistes vós as palavras que o Senhor pregou pelo ministério dos profetas precedentes, quando Jerusalém estava habitada e quieta, com as suas cidades ao redor dela, e o Sul e a campina eram habitados? E a palavra do Senhor veio a Zacarias, dizendo: Assim falou o Senhor dos Exércitos, dizendo: Executai juízo verdadeiro, mostrai piedade e misericórdia cada um a seu irmão; e não oprimais a viúva, nem o órfão, nem o estrangeiro, nem o pobre, nem intente o mal cada um contra o seu irmão, no seu coração. Eles, porém, não quiseram escutar, e me deram o ombro rebelde, e ensurdeceram os seus ouvidos, para que não ouvissem. Sim, fizeram o seu coração duro como diamante, para que não ouvissem a lei, nem as palavras que o Senhor dos Exércitos enviara pelo seu Espírito, mediante os profetas precedentes; donde veio a grande ira do Senhor dos Exércitos. E aconteceu que, como ele clamou, e eles não ouviram, assim também eles clamarão, mas eu não ouvirei, diz o Senhor dos Exércitos. E os espalharei com tempestade entre todas as nações que eles não conheceram, e a terra será assolada atrás deles, de sorte que ninguém passará por ela, nem se voltará, porque têm feito da terra desejada uma desolação (7.1-14).

Essa é a primeira das duas mensagens que vieram para Zacarias, provavelmente, dois anos após as oito visões dos capítulos 1—6. E essas duas mensagens são bastante distintas. A primeira mensagem, que acabamos de ler, volta-se para o passado e explica por que Deus enviou o povo de Judá para o exílio. Do ponto vista teológico, ela interpreta a história desse povo e a desobediência deles às determinações de Deus.

O segundo sermão — apresentado no capítulo 8 —, em contraste proposital, volta-se para o futuro e descreve o que Deus, segundo sua graça, fará por seu povo. Se o primeiro sermão explica que a razão da terrível conseqüência que os alcançou foi por que ignoraram a Palavra do Senhor, o segundo explica como o Senhor, conforme sua graça, restabelecerá seu povo. Em suma, Ele lhes dará um novo início — um novo começo. O capítulo se inicia com estas palavras:

Depois, veio a mim a palavra do Senhor dos Exércitos, dizendo: Assim diz o Senhor dos Exércitos: Zelei por Sião com grande zelo e com grande indignação zelei por ela. Assim diz o Senhor: Voltarei para Sião e habitarei no meio de Jerusalém; e Jerusalém chamar-se-á a cidade de verdade, e o monte do Senhor dos Exércitos, monte de santidade. Assim diz o Senhor dos Exércitos: Ainda nas praças de Jerusalém habitarão velhos e velhas, levando cada um na mão o seu bordão, por causa da sua muita idade. E as ruas da cidade se encherão de meninos e meninas, que nelas brincarão. Assim diz o Senhor dos Exércitos: Se isso for maravilhoso aos olhos do resto deste povo, naqueles dias, será também maravilhoso aos meus olhos? — diz o Senhor dos Exércitos. Assim diz o Senhor dos Exércitos: Eis que salvarei o meu povo da terra do Oriente e da terra do Ocidente; e trá-los-ei, e habitarão no meio de Jerusalém; e serão o meu povo, e eu serei o seu Deus em verdade e em justiça (8.1-8).

O capítulo 8 acrescenta mais ao retrato de um povo em paz apresentado nas visões dos primeiros seis capítulos (1.11; 2.4). Aprendemos que Deus, conforme suas promessas, será aquEle que dará prosperidade para seu povo. Esse futuro será marcado pela verdade e pelo amor. Jerusalém será chamada "a cidade de verdade" (8.3), e o povo é instruído a "[falar] verdade cada um com o seu companheiro; [executar] juízo de verdade e de paz nas vossas portas; e nenhum de vós pense mal no seu coração contra o seu companheiro, nem ame o juramento falso" (8.16,17). Também lhes é prescrito que amem "a verdade e a paz" (8.19).

Meu amigo, se você não é Cristo, deixe-me assegurar-lhe que Deus não mente. O que Ele fala é verdade. Por essa razão, devemos querer ouvir sua Palavra e obedecer a ela! Desista, abandone, largue, renuncie a todos seus pecados — dos favoritos aos que você detesta! Esses pecados mentem a você ao dizer-lhe que farão o seu bem. Eles não farão. Você deve se afastar de seus pecados e voltar-se para Deus. Ele lhe dará um futuro muitíssimo melhor que nenhum de seus pecados mentirosos jamais poderia dar, independentemente das promessas que tenham feito.

Cristo não é apenas nosso Sacerdote e Rei, Ele é o nosso profeta: sua palavra é verdade. Ele é o Verbo feito carne. Ele é o Verbo que traz esperança. E Ele é aquEle a quem devemos obedecer, pois sabemos que o que fala é verdade.

Com certeza, nós, como povo de Deus, devemos obedecer a Ele mesmo enquanto esperamos pelo futuro reinado de Cristo, que fornecerá misericórdia e justiça, bondade e eqüidade. Mesmo agora, devemos viver sob o governo dEle. O capítulo 7 fala disso — por meio de um exemplo negativo. Essa interpretação inspirada da história de Israel leva ao conhecimento deles que foram exilados por que não prestaram atenção à Palavra de Deus: "Eles, porém, não quiseram escutar, e me deram o ombro rebelde, e ensurdeceram os seus ouvidos, para que não ouvissem. Sim, fizeram o seu coração duro como diamante, para que não ouvissem a lei, nem as palavras que o Senhor dos Exércitos enviara pelo seu Espírito" (7.11,12).

Meu irmão ou minha irmã em Cristo, o que você tem se recusado a ouvir na Palavra de Deus?

Alguns de nós não têm dificuldade em responder a essa pergunta. A maioria de nós está, no mínimo, consciente de suas faltas. Mas mesmo para aqueles entre nós que consideram um desafio identificar áreas específicas em que seu coração é difícil em relação ao Senhor, temos de nos empenhar para fazer isso. É assim que Deus nos sonda. Ele pergunta aos israelitas: "Jejuastes vós para mim, mesmo para mim?" (7.5) O Senhor, com perguntas como essa, ajudou seu povo da Antiguidade a ver muito da perversidade do coração deles. Você também pode usar a Palavra do Senhor para ajudá-lo a descobrir algo em sua vida que necessite confessar e do qual tenha de se arrepender. Temos de ouvir a Palavra dEle, porque é assim que Ele começa a nos livrar de nossos afetos errôneos. Todos nós gostamos de ouvir coisas com as quais já concordávamos e de ouvir comentários elogiosos. Todavia, ganhamos pouco com esses comentários. Se você ficar firme e ouvir a correção, em especial a correção de Deus em sua Palavra, começará a conhecer os benefícios da Palavra dEle em sua vida.

Como já sugeri, a profecia de Zacarias é, em grande escala, isenta de instruções sobre o que devemos *fazer*. As duas exceções ocorrem no meio dos capítulos 7 e 8, na passagem em que Deus instrui seu povo a viver de uma forma que o honre pelo amor e pela verdade deles. Primeiro, no capítulo 7, Ele os instrui: "Executai juízo verdadeiro, mostrai piedade e misericórdia cada um a seu irmão; e não oprimais a viúva, nem o órfão, nem o estrangeiro, nem o pobre, nem intente o mal cada um contra o seu irmão, no seu coração" (7.9,10). Todavia, Israel recusou-se a seguir essas instruções e, por isso, foram exilados. Não obstante, essas instruções revelam alguma coisa do coração do Senhor. Por isso, elas são repetidas no capítulo 8, quando o Senhor fala sobre a futura sociedade de seu povo: "Falai verdade cada um com o seu companheiro; executai juízo de verdade e de paz nas vossas portas; e nenhum de vós pense mal no seu coração contra o seu companheiro, nem ame o juramento falso" (8.16,17). No futuro, Deus libertará seu povo do pecado em que sucumbiu no passado. Contudo, Ele ordena que eles renunciem imediatamente a esses pecados. Liberte-se de seus pecados e deixe que o futuro comece agora.

Em outras palavras, ouvir a Palavra do Senhor requer que dependamos totalmente dEle. Afinal, por que essas bênçãos virão? Por que podemos ter esperança? "Depois, veio a mim a palavra do Senhor dos Exércitos, dizendo: Assim diz o Senhor dos Exércitos: Zelei por Sião com grande zelo e com grande indignação zelei por ela" (8.1,2). "Salvarei o meu povo" (8.7). "Assim vos salvarei" (8.13).

Em outras palavras, todas essas bênçãos foram dadas não por que o povo de Deus fosse muito merecedor delas, mas por que o Senhor está muito comprometido com elas, amorosa e tenazmente. Cristão, você e eu devemos todas as nossas alegria e venturas, nossas bênçãos e esperanças a Deus, e apenas a Ele. À parte dEle, seríamos deixados à mercê de nossa desobediência e de nosso pecado. Seríamos deixados no capítulo 7, vivenciando os frutos amargos de nosso pecado. Todavia, por causa de Deus, recebemos nova vida e uma segunda chance.

Que nossas igrejas possam ser tão marcadas pela verdade e pelo amor. Esses capítulos intermediários de Zacarias ensinam claramente que Ele valoriza ambos. Como nossas igrejas podem cultivar esse amor e esse padrão de falar a verdade? Eis algumas sugestões:

(i) Podemos nos comprometer em ser ativamente honestos uns com os outros ao confessar nossos pecados, nossas fraquezas e nossas lutas. Pessoas demais de nossas igrejas estão infectadas por um individualismo, triste e solitário, que afaga o pecado; por um individualismo carente que produz uma alma pobre, mesquinha e isolada. E, lembre-se, nossa cultura ocidental não nos encoraja a pensar nem um pouco diferente disso. Portanto, exorto-o a trabalhar para quebrar isso. Faça da alegria dos outros de sua igreja a *sua* alegria. E consiga aceitar a dor dos outros como a *sua* dor. Comece a viver de forma mais abrangente, em vez de apenas para você mesmo.

(ii) Podemos ler biografias de indivíduos heróicos que demonstraram coragem e bravura na forma como amaram e disseram a verdade. A biblioteca e a livraria da igreja devem ter um bom sortimento desses tipos de livros. A vida de outras pessoas podem nos desafiar a viver mais da forma como Deus quer que vivamos.

(iii) Também temos de aprender a orar pelos outros membros da igreja. A vitória pessoal de alguém contra esse ou aquele pecado não deveria ajudar apenas o indivíduo, mas também todos que têm relação com ele. A oração ajuda a incitar a preocupação e o amor piedosos de uns pelos outros.

Em suma, o tipo de sinceridade que queremos cultivar em nossas igrejas é muito mais que uma virtude individual. Aprender a se comunicar de forma amorosa e honesta requer que a comunidade se exercite e apare as arestas a fim de revelar esse brilho multiplicador. Temos de ser indulgentes uns com os outros quando cometemos erros e quando pecamos uns contra os outros. E temos de encorajar uns aos outros com esforço e intenção sinceros. Temos de ser corrigidos a fim de que a Palavra do Senhor encontre e modele nosso coração. E essa habilidade para corrigir de forma amorosa e honesta não existe naturalmente em nenhum de nós.

Uma forma trivial como tento cultivar, em mim mesmo e na equipe pastoral da igreja, essa habilidade de corrigir de forma amorosa e honesta é por meio do tempo que reservamos para rever juntos os cultos, matinal e vespertino, de domingo. No domingo à noite, após o culto vespertino, a equipe pastoral e os internos revêem cada elemento do dia e falam sincera e honestamente uns com os outros. Fazemos isso a fim de exercitar e de modelar o fazer críticas piedosas e o recebê-las, e também o dar e o receber encorajamento piedoso (o que pode requerer toda a nossa vulnerabilidade). De início, criticar e encorajar, assim como receber crítica e encorajamento, pode ser difícil por tendermos naturalmente à proteção pessoal. Mas aprender essas práticas rendem bons frutos. A igreja deve ser reformada continuamente de acordo com a Palavra de Deus, e essas conversas permeadas de crítica e de encorajamento piedosos têm um papel nesse tipo de reforma.

Existem meios para você praticar o modelar a crítica e o encorajamento piedosos em sua família, em seu pequeno grupo ou entre seus amigos?

Por intermédio da Palavra de Deus, obtemos um novo início em nossa vida.

DEUS DARÁ UMA SEGUNDA CHANCE POR INTERMÉDIO DE SEU FILHO

Terceiro, Deus dará uma segunda chance por intermédio de seu Filho.

Os últimos seis capítulos de Zacarias estão divididos em duas profecias. Os capítulos 9—11 compõem a primeira, e os capítulos 12—14, a segunda. As duas se iniciam com a promessa de julgamento sobre os inimigos de Israel (9.1-8; 12.1-9). A seguir, elas apontam para aquEle que virá. Na primeira profecia Ele é chamado de "rei", de "Senhor" e de pastor de Israel (9.9,14-16; 11.4-9). Na segunda, é chamado de "a quem traspassaram" e de "Pastor" (12.10; 13.7).

Até aqui, as duas profecias combinam uma com a outra: a promessa de julgamento das nações, seguida da provisão de um bom pastor.

No entanto, a partir desse ponto, os caminhos deles divergem. A primeira termina com o Pastor-Rei divino detestado pelo rebanho: eles o rejeitam (11.8). Esse personagem também é rejeitado no segundo oráculo. Na verdade, a descrição é muito pior: Ele é traspassado e ferido (12.10; 13.7), o que implica que Ele morre. Contudo, esse segundo oráculo não termina com a rejeição do Pastor-Rei divino. No capítulo 14, o profeta descreve a celebração do dia do Senhor e a consumação do reinado. Essa terceira seção do livro de Zacarias, como as duas primeiras que já examinamos, termina com o Senhor reinando.

Não sei se isso tudo soa complicado para você, mas quando fiz um rascunho em pedaço de papel, ficou bem mais claro, interessante e atraente.

Claro, a pergunta a ser respondida é por que esses dois últimos oráculos incluem essa interessante virada de enredo em que o Pastor-Rei divino é rejeitado. Zacarias não responde a essa pergunta com tanta clareza como Romanos, livro do Novo Testamento, mas aponta para a resposta. Observe o primeiro versículo do capítulo 13: "Naquele dia, haverá uma fonte aberta para a casa de Davi e para os habitantes de Jerusalém, contra o pecado e contra a impureza". Zacarias, do começo ao fim, é uma clara conscientização do pecado e da nossa necessidade de ser purificados dele antes que possamos ter comunhão com um Deus santo.

Deus envia alguém que nos purifica de nosso pecado. Esse alguém é o próprio Deus que vem em carne como Jesus de Nazaré. A seguir, Ele é derrubado e traspassado. Contudo, sua morte é a que você e eu devíamos ter sofrido por nossos pecados. Cristo morre como um substituto para todos que se arrependem de seus pecados e se voltam para Ele. Por essa razão, a atitude mais importante que pode ter hoje é não detestá-lo e não rejeitá-lo como seu Salvador e Substituto, mas amá-lo, aceitá-lo e tomá-lo como seu. Tome a morte dEle por sua morte e a vida dEle por sua vida. Creia na afirmação de Cristo de ser a resposta para a ira de Deus por todos aqueles que se arrependem e acreditam nas Boas Novas.

Há tanto sobre Cristo nesse pequeno livro de Zacarias. Esse livro é mais citado que qualquer outro do Antigo Testamento nos relatos da crucificação nos Evangelhos. Cristo é o Deus Pastor! Cristo é aquEle que foi rejeitado! Cristo é aquEle que foi traspassado e ferido! No capítulo 12, encontramos um dos mais maravilhosos e comentados versículos do Antigo Testamento. O Senhor declara:

> E sobre a casa de Davi e sobre os habitantes de Jerusalém derramarei o Espírito de graça e de súplicas; e olharão para mim, a quem traspassaram; e o prantearão como quem pranteia por um unigênito; e chorarão amargamente por ele, como se chora amargamente pelo primogênito (12.10).

Que versículo extraordinário! O que levaria um profeta judeu, do século VI a.C., que aprendeu o monoteísmo, a pôr essas palavras de Deus na boca e a transmiti-las aos sacerdotes? *Olharão para mim, a quem traspassaram!*

O apóstolo João, em seu Evangelho, reconta a crucificação e inclui a história do soldado que traspassou o lado de Jesus com a lança. E ele cita essa passagem de Zacarias e declara que foi cumprida.

Todavia, observe um pouco mais o que o Senhor diz nesse versículo: eles *olharão* para mim (futuro), a quem *traspassaram* (passado). Logo vêm perguntas à mente. Quem é esse? É o Senhor. Como eles poderiam traspassar Jeová? Apenas se Ele tivesse carne. Está bem, mas como eles podem olhar, no futuro, no dia em que traspassaram e mataram, no passado? Apenas se Ele voltar à vida de novo. Apenas se Ele retornar!

Oh, meu irmão e minha irmã em Cristo, devemos louvar e honrar esse grande Messias Jesus! Devemos fazer isso, como Zacarias exorta-nos a fazer, regozijando-nos por Ele (9.9). Devemos entoar cânticos e hinos sobre Ele. E fazemos isso. O boletim semanal da igreja está, deliberadamente, cheio de músicas centradas em quem Jesus é, como o Messias, e no que tem feito por nós. Eis algumas dessas seleções semanais:

Cordeiro de Deus[4]

Seu único Filho, sem pecado;
O Senhor afastou de seu lado
Para caminhar neste torrão culpado
E se tornar o Cordeiro de Deus.

Ó Cordeiro de Deus, doce Cordeiro de Deus,
Amo o santo Cordeiro de Deus.
Ó lava-me em seu precioso sangue,
Meu Jesus Cristo, o Cordeiro de Deus.

Seu dom de amor, eles crucificaram,
Riram e escarneceram dEle na morte.
Chamaram de fraude o Rei humilde
E sacrificaram o Cordeiro de Deus.

Eu estava tão perdida que merecia morrer;
Mas você me trouxe para o seu lado
Para ser guiada por seu esteio e bordão
E ser chamada de ovelha de Deus.

Como É Profundo o Amor do Pai[5]

Como é profundo o amor do Pai por nós, além de toda medida,
Deu seu único Filho para tornar vil seu tesouro.
Grande é a dor da perda lancinante: o Pai vira sua face,
Enquanto as feridas que desfiguram o escolhido levam muitos filhos à glória.

Veja o homem na cruz, meu pecado sobre seus ombros;
Envergonhado, ouço minha voz zombar em meio aos escarnecedores.
Meu pecado manteve-o lá até a consumação;
Seu suspiro de morte deu-me vida — sei que está consumado.

Não me vangloriarei de nada,
de nenhum dom, nenhum poder, nenhuma sabedoria;
Mas me vangloriarei em Jesus Cristo, em sua morte e ressurreição.

Por que eu deveria ganhar com o galardão dEle? Não sei a resposta,
Mas sei isto de todo o coração, suas feridas pagaram minha remissão.

O Rei Servo (do Céu o Senhor Veio)[6]
Do céu o Senhor veio, bebê indefeso,
Entrou em nosso mundo, sua glória velada,
Não para ser servido, mas para servir,
E deu sua vida para que vivamos.

Esse é nosso Deus, o Rei Servo,
Agora, Ele chama-nos a segui-lo;
A apresentar nossa vida como oferta diária
De adoração ao Rei Servo.

Lá, no jardim de lágrimas,
Meu pesado fardo, Ele escolheu carregar,
Seu coração despedaçado pela dor
Disse: "Não a minha vontade, mas a sua".

Veja essas mãos e esses pés,
Cicatrizes que falam de sacrifício,
Mãos que lançam estrelas no espaço
Entregues aos cruéis pregos.

Aprendamos, pois, a servir
E em nosso coração, entroná-lo,
A preferir a necessidade do outro
Pois servimos a Cristo.

Veja, Ele Vem nas Nuvens[7]
Veja. Ele vem nas nuvens,
Uma vez para favorecer os pecadores mortos
Milhares e milhares de santos presentes
Elevam o triunfo de seu séqüito
Aleluia! Aleluia! Aleluia!
Deus vem à Terra para reinar.

Agora, todos os olhos o seguem,
Vestido em magnífica majestade;

Os que o apontaram como nada, e o venderam,
Trespassaram, e pregaram no madeiro
Lamentam profundamente, lamentam profundamente,
lamentam profundamente,
Ao ver o verdadeiro Messias.

As amadas marcas de sua paixão
Ainda seu esplêndido corpo carrega;
Motivo de exultação sem-fim
Para seus adoradores redimidos;
Com que arrebatamento, que arrebatamento, que arrebatamento,
Olham-me essas cicatrizes gloriosas!

Sim, amém! Deixe todos adorá-lo
Alto em seu trono eterno;
Salvador, tome o poder e a glória,
Declare que o reino é do Senhor.
Aleluia! Aleluia! Aleluia!
Deus eterno, vem!

Os cultos de nossa igreja estão cheios dessa mensagem do livro de Zacarias. Em Zacarias, Deus mesmo vem como nosso Messias Libertador. Ele julga as nações e protege seu povo. Ele purga seu povo e abençoa-o. Ele faz a diferença! Seu amor zeloso impele-o a retornar para seu povo indiferente. Deus determinou: "E o Senhor será rei sobre toda a terra; naquele dia, um será o Senhor, e um será o seu nome" (14.9). E Deus determinou que todos os substitutos mentirosos, os falsos profetas e os ídolos a quem eles serviam seriam tirados de atividade. Meu amigo cristão, não se torne orgulhoso pelo fato de "crer". É Deus quem deve salvar a você e a mim, pois, sem dúvida, nós nunca salvamos a nós mesmos!

Se você chegou até esse ponto do sermão, deve estar se perguntando: "Mas se isso é verdade, por que não há mais pessoas que acreditam nisso?". Deixe-me apontá-lo para os dois últimos versículos do capítulo 13:

> E acontecerá em toda a terra, diz o Senhor, que as duas partes dela serão extirpadas e expirarão; mas a terceira parte restará nela. E farei passar essa terceira parte pelo fogo, e a purificarei, como se purifica a prata, e a provarei, como se prova o ouro; ela invocará o meu nome, e eu a ouvirei; direi: É meu povo; e ela dirá: O Senhor é meu Deus (13.8,9).

Deus sempre parece trabalhar com a minoria. Seguir a maioria é um modo péssimo de determinar a verdade. Todavia, o Senhor está determinado a preservar seu povo. A fidelidade de Deus é o fundamento da nossa esperança.

Se você é um cristão que luta muito com um pecado específico, deixe-me, à luz das bênçãos do Senhor, encorajá-lo a retornar para Deus. Renuncie a sua desobediência! Arrependa-se desse pecado que tem acalentado. Seu pecado não lhe fará bem algum. Quanto antes você se livra de seu pecado, mais livra a si mesmo de outros sofrimentos!

O mesmo vale para nossas igrejas: que todos nós possamos ter claro em nossa mente que o cristianismo *não* é uma religião de auto-ajuda. É uma religião que reconhece nossa rejeição abominável a Deus, e que, apesar disso, Ele, em amor, nos busca com tenacidade a fim de salvar-nos. Por isso, devemos entoar hinos como os que acabamos de ler. Por isso, nossa igreja repete o evangelho em nossas orações e em nossas leituras. Porque Cristo morreu por nós!

Nossas igrejas devem estar comprometidas em ter apenas um suporte sobre o qual permanecer, e apenas Deus pode ser esse suporte!

Deus nos dá nova vida por intermédio de seu Filho.

CONCLUSÃO

Portanto, Deus dá segundas chances? Com certeza, Ele deu para seu povo da Antiguidade. Apenas que, na verdade, não é uma segunda "chance" que Deus nos dá, porque nada é incerto quando Ele está envolvido. Por intermédio da promessa de seu governo, de sua Palavra e de seu Filho, o Senhor chama seu povo para si mesmo, até quando eles se afastam. O terceiro versículo do livro resume o apelo que Deus, por intermédio de Zacarias, faz a seu povo: "Portanto, dize-lhes: Assim diz o Senhor dos Exércitos: Tornai para mim, diz o Senhor dos Exércitos, e eu tornarei para vós, diz o Senhor dos Exércitos" (1.3). O retorno deles seria o reconhecimento e a realização da soberania legítima de Deus.

Mencionamos que hoje é aniversário do ataque a Pearl Harbor e também da fala de Deus para Zacarias. Também é aniversário de outro acontecimento, certamente um não menos memorável nos anais do céu. Em 1932, John Stam, de Nova Jersey, viajou para a China com a China Inland Mission [Missão Interior da China]. Ele aprendeu a língua, e, em 1933, casou-se com Betty Scott. Em setembro de 1934, John e Betty tiveram uma menina. Em 6 de dezembro de 1934, John e Betty Stam, vários meses após o nascimento de sua filha, foram presos por soldados comunistas em meio a grande tumulto político que houve no sul da China. No dia seguinte, 7 de dezembro de 1934 — 69 anos atrás —, os soldados comunistas levaram-nos à casa de um homem rico que fugira da região, onde os mantiveram por uma noite. Na manhã seguinte, eles foram amarrados fortemente e levados pela cidade até um pequeno monte. Ali, foram interrogados e, a seguir, em rápida sucessão, decapitados. Primeiro John, depois Betty. Na época, os dois tinham 27 anos. Eles foram à China para contar ao povo que Deus lhes daria outra vida por meio de sua misericórdia em Cristo, já que a primeira vida de todos nós é permeada pelo pecado. John e Betty sabiam que o trabalho deles podia ser perigoso. Mas tinham uma mensagem importante a transmitir. A fidelidade deles em proclamar essa mensagem e, a seguir, em morrer por ela levou muitas outras pessoas, até mesmo o famoso missionário Jim Elliot, a ir e contar as Boas Novas— essa mensagem de Zacarias — a outros povos. O Senhor Altíssimo declara: "Tornai para mim".

Espero que você veja a importância e o poder dessa mensagem de perdão dos pecados e da nova vida em Cristo. As pessoas até darão sua vida por ela!

Sei que eu precisava da mensagem de nova vida em Cristo. Pessoas muito próximas de mim precisam dessa mensagem. E, agora, sei que pus em risco minha vida ao transmitir essa mensagem para outros.

E você? Você precisa de uma nova oportunidade com Deus? Você precisa de uma nova vida?

Oremos:

Querido Deus, o Senhor conhece a insensatez da nossa vida. O Senhor sabe o tanto que nos opomos ao Senhor. Oramos para que o Senhor, com sua misericórdia soberana, aja para destruir nosso ódio com seu amor, nossa independência com seu cuidado por nós. Oramos, em nome de Jesus, para que o Senhor mova seu Espírito e nos dê nova vida pela condenação de nossos pecados e faça-nos voltar para o Salvador. Amém.

Questões para Reflexão

1. Existe alguma área de sua vida em que sente que estragou seu relacionamento com Deus? Alguma área em que Ele nunca deveria lhe dar uma segunda chance? Qual é essa área?
2. As pessoas de sua vida que a conhecem e *dependem* de você (cônjuge, filhos, empregados, amigos) diriam que você é uma pessoa que dá segundas chances? Como dar segundas chances àqueles que dependem de nós engrandece o evangelho?
3. Se tantos tipos de conhecimentos podem "inflar" nosso ego, como o verdadeiro conhecimento de Deus nos torna humildes?
4. Hoje, Deus governa sobre as nações? Quando Cristo vier de novo, como seu governo sobre as nações mudará?
5. O que o impede de estudar a Palavra de Deus com mais atenção?
6. Em termos de como você avaliaria uma igreja, o estudo diligente da Palavra de Deus ocupa que colocação na lista de prioridades?

7. Por que *quem* Deus *é* deve ser nossa maior fonte de esperança? Como você cultiva essa esperança?
8. Seus amigos e sua família o descreveriam como corrigível? Como você cultiva a habilidade de corrigir de forma amorosa e honesta? Por que a habilidade de corrigir de forma amorosa e honesta está intimamente ligada a ser um crente no evangelho?
9. O que, acima de tudo, mostra-nos que Deus é um Deus de segundas chances?

NOTAS

Capítulo 38

[1] A data de pregação original deste sermão foi em 7 de dezembro de 2003, na Capitol Hill Baptist Church, em Washington, D.C.
[2] N. do T.: Serviço de correio a cavalo da época do velho-oeste dos Estados Unidos.
[3] N do E: Publicada no Brasil pela CPAD. Adquira através de www.cpad.com.br.
[4] "Lamb of God", letra de Twila Paris, ©1985, Mountain Spring Music/Straightway Music. Todos os direitos reservados. Usado com permissão.
[5] "How Deep the Father's Love", letra de Stuart Townend, direitos autorais © 1995, Thankyou Music. Todos os direitos reservados. Usado com permissão.
[6] "The Servant King (From Heaven You Came)", letra de Graham Kendrick, © Thankyou Music. Todos os direitos reservados. Usado com permissão.
[7] "Lo, He Comes with Clouds Descending", letra de John Cennick, 1752; Charles Wesley, 1758; e Martin Madan, 1760.

A MENSAGEM DE MALAQUIAS: É IMPORTANTE A FORMA COMO ADORO A DEUS?

A SINCERIDADE NÃO É TUDO QUE CONTA EM NOSSA ADORAÇÃO?

INTRODUÇÃO A MALAQUIAS

A ADORAÇÃO A DEUS ENVOLVE A FORMA COMO TRATAMOS OS OUTROS
Formar e Guardar nossa Família
Tratar com Justiça nosso Próximo

A ADORAÇÃO A DEUS ENVOLVE O QUE FAZEMOS COM NÓS MESMOS
Dar o Melhor de nós Mesmos
Dar tudo de nós

A ADORAÇÃO A DEUS ENVOLVE COMO NOS APROXIMAMOS DELE
Entender a Deus
Temer a Deus
Esperar em Deus

CAPÍTULO 39

A MENSAGEM DE MALAQUIAS: É Importante a Forma como Adoro a Deus?

A SINCERIDADE NÃO É TUDO QUE CONTA EM NOSSA ADORAÇÃO?[1]

Há algum tempo, a revista *Psychology Today* entrevistou Larry King, apresentador de programa de entrevistas da rede de televisão CNN, e perguntou-lhe por que ele era tão bom em seu trabalho de entrevistar pessoas. King respondeu: "Eu sou sincero. Eu realmente sou curioso. Eu me importo com o que as pessoas pensam. Eu ouço as respostas e deixo meu ego de fora. Eu não uso a palavra 'eu'".[2]

Achei divertido King identificar sua habilidade como entrevistador com o não uso do pronome "eu" e, contudo, usá-lo seis vezes nas três linhas de sua resposta!

Isso não é uma crítica a King. Sem dúvida, ele é um dos melhores entrevistadores da televisão. Na verdade, ele dá aos seus convidados tempo para responder às perguntas, e apenas isso já o diferencia de muitos outros. Mas é notável que King — sem qualquer intenção de ironia — ressalte a si mesmo como não sendo o centro.

Realmente, acho que todos nós somos assim. Não é apenas King. Todos nós encontramos nosso centro natural em nós mesmos. Nós simplesmente assumimos que o que Polônio falou em *Hamlet*, peça de Shakespeare, é verdade: "Mas, sobretudo, sê a ti próprio fiel; segue-se disso, como o dia à noite, que a ninguém poderás jamais ser falso" (I.iii.78-80).

Sem dúvida, o autoconhecimento é importante. Às vezes, precisamos ser brutalmente honestos com nós mesmos. Mas, hoje, dizem-nos com regularidade que o "eu" não deve apenas ser conhecido, mas considerado, expresso, realizado e obedecido! Todas as coisas, da nossa vida econômica à familiar, da nossa saúde à política, devem se adequar às exigências do "eu". A vida, a liberdade e a busca da felicidade não são dons de um Criador; são direitos inerentes ao "eu". Descartes pode ter dito: "Penso, logo existo". Todavia, hoje, nosso lema é: "Quero, logo existo".

Portanto, não é de surpreender que a *sinceridade* seja vista como o carro-chefe das virtudes. King apontou sua sinceridade como o primeiro fator para ser um bom entrevistador. A sinceridade parece ser uma virtude sem nenhum aspecto negativo. Quando dizemos que alguém é "sincero", sugerimos que a pessoa possui uma integridade e autenticidade que são, sem sombra de dúvida, boas. Existe uma honestidade clara, simples em relação à sinceridade — uma qualidade do tipo "você compra o que vê" que é estimulante, até nobre. Longfellow disse que a sinceridade é "apenas o que eu penso, nada mais nada menos". Quem pode objetar a isso?

Com certeza, a alternativa é incalculavelmente perigosa: ser insincero é enganar, esconder-se dos outros, de si mesmo e, em última instância, de Deus. Dizemos que a insinceridade e a falsidade, certamente, são ruins, e a sinceridade, sem dúvida, é boa.

Todavia, a sinceridade é tão boa como pensamos? Presumo que haja pessoas que mataram com *sinceridade* seu próximo, que odeiam com *sinceridade* seus pais ou que blasfemam contra Deus com *sinceridade*. A sinceridade, em si mesma, não nos torna corretos. Posso, ao mesmo tempo, ser sincero *e* errado. A sinceridade é importante, mas não é suficiente.

A ênfase excessiva de nossa cultura sobre a sinceridade do "eu" também afeta a forma como pensamos sobre a religião. A expressão sincera de si mesmo tornou-se a regra não apenas no campo da arte, da psicologia, da criação dos filhos e da educação, mas também da religião. Se ontem as palavras murmuradas eram "oficial" e "profissional", as de hoje são "autêntico" e "real". Hoje, a fé religiosa popular premia o ser individual, centrado no "eu" e ambíguo em relação a Deus.

Pergunto-me se esse é o tipo de religião que você procura: individual, autocentrada, vaga em relação ao Deus a quem você canta e ora, mas muito sincera!

INTRODUÇÃO A MALAQUIAS

Se esse é o caso, você veio ao livro certo da Bíblia — ao último do Antigo Testamento — Malaquias. Iniciamos essa série dos profetas menores com Oséias, no início do século VIII a.C. Agora, chegamos ao século V a.C. e a um profeta sobre quem sabemos menos que qualquer um dos outros. Sabemos quem escreveu o livro por causa do seu primeiro versículo: "Peso da palavra do Senhor contra Israel, pelo ministério de Malaquias" (I.1). Paulo, Lucas, Marcos e até Jesus citam o livro de Malaquias.³ Todavia, o próprio Malaquias não é mencionado em nenhuma outra passagem da Bíblia, e seu nome significa apenas "meu mensageiro". Contudo, seu pequeno livro foi importante para sua época e tem, igualmente, uma mensagem importante para nós.

Malaquias escreveu para os judeus que foram restaurados em sua terra após o exílio na Babilônia. O Templo fora reconstruído graças à pregação fiel de Ageu e de Zacarias. *Talvez* a adoração no Templo tivesse recomeçado (dependendo da época exata em que Malaquias escreveu seu livro), graças ao ensinamento de Esdras. E talvez os muros de Jerusalém já tivessem sido reconstruídos, graças à liderança eficaz de Neemias. A situação externa da nação judaica parecia boa. Contudo, a adoração verdadeira não fora restaurada. Portanto, Deus inspirou Malaquias a escrever esse pequeno livro.

Antes de mergulharmos em Malaquias, quero observar que, na última semana, ao ler e reler esse livro, fiquei impressionado ao perceber como é apropriado que o Antigo Testamento termine com esse livro. Bem, de forma distinta do Antigo Testamento na versão em grego (a Septuaginta) e do Antigo Testamento na versão em português, a Bíblia hebraica original apresenta os livros do Antigo Testamento em uma ordem diferente. No cânon hebraico, os profetas aparecem antes. Mas todas as três versões entendem que Malaquias representa o último livro profético da Bíblia. Nesse sentido, Malaquias de fato encerra o Antigo Testamento, independentemente de em que ordem a versão bíblica que você leia apresente os livros. E, em vista do início da Bíblia, esse é um final bem revelador! Após o maravilhoso ato de criação de Deus, Gênesis inicia-se com o pecado egoísta de Adão e Eva. O egoísmo deles produz raízes firmes; assim, milhares de anos depois, quando alcançamos Malaquias — após Deus ter operado de forma especial com seu povo vez após vez, depois de Ele os ter restaurado do exílio, depois de os muros e o Templo terem sido reconstruídos —, o egoísmo humano ainda floresce com força total. Nenhuma circunstância externa muda o coração do ser humano. O egoísmo governava soberano nos terrenos do Templo da Jerusalém pós-exílio da mesma forma que quando Adão e Eva ouviram à serpente. Os tempos eram difíceis quando Malaquias escreveu seu livro. As pessoas eram egoístas. E enquanto pessoas boas sofriam e pessoas ruins prosperavam, alguns indivíduos se perguntavam se Deus, de qualquer modo, realmente se importava.

Mas, com certeza, Deus se importa. E, nesse pequeno livro, o Senhor levanta seis debates com seu povo. Em um único sermão, não conseguiremos tratar de todos os tópicos com que o Senhor lida, mas poderemos ver a estrutura básica:

O primeiro debate é apresentado em 1.2-5;
O segundo, em 1.6—2.9;
O terceiro, em 2.10-16;
O quarto, em 2.17—3.5;
O quinto, em 3.6-12; e
O sexto, em 3.13—4.3.

Os debates intermediários — 3 e 4 — destacam a forma como o povo de Israel trata uns aos outros. Os debates 2 e 5 ressaltam o modo como o povo de Israel lidava com a vida pessoal. E os debates 1 e 6 enfatizam a forma como o povo se relacionava com Deus. Essa é a ordem que seguiremos em nosso estudo, e oro para que, à medida que desenvolvemos nosso estudo, você perceba que é muito importante a forma *como* adoramos a Deus.

A ADORAÇÃO A DEUS ENVOLVE A FORMA COMO TRATAMOS OS OUTROS

Primeiro, na parte central do livro de Malaquias, aprendemos que a adoração a Deus envolve a forma como tratamos os outros.

Muitas pessoas consideram a religião um assunto profundamente pessoal, algo que envolve como elas *pensam* ou *se sentem sobre* assuntos espirituais fundamentais. Além disso, religião é qualquer coisa que lhes dê paz, serenidade ou um tranqüilo sentimento de alegria. No entanto, essas concepções não podem estar mais distantes da imagem que Malaquias apresenta da verdadeira religião aceitável aos olhos de Deus.

Formar e Guardar nossa Família

Para começar, Deus informa ao povo de Israel que a verdadeira adoração a Ele envolve a forma como tratam sua família:

> Não temos nós todos um mesmo Pai? Não nos criou um mesmo Deus? Por que seremos desleais uns para com os outros, profanando o concerto de nossos pais? Judá foi desleal, e abominação se cometeu em Israel e em Jerusalém; porque Judá profanou a santidade do Senhor, a qual ele ama, e se casou com a filha de deus estranho. O Senhor extirpará das tendas de Jacó o homem que fizer isso, o que vela, e o que responde, e o que oferece dons ao Senhor dos Exércitos. Ainda fazeis isto: cobris o altar do Senhor de lágrimas, de choros e de gemidos; de sorte que ele não olha mais para a oferta, nem a aceitará com prazer da vossa mão. E dizeis: Por quê? Porque o Senhor foi testemunha entre ti e a mulher da tua mocidade, com a qual tu foste desleal, sendo ela a tua companheira e a mulher do teu concerto. E não fez ele somente um, *sobejando-lhe*

espírito? E por que somente um? Ele buscava uma semente de piedosos; portanto, guardai-vos em vosso espírito, e ninguém seja desleal para com a mulher da sua mocidade. Porque o Senhor, Deus de Israel, diz que aborrece o repúdio e aquele que encobre a violência com a sua veste, diz o Senhor dos Exércitos; portanto, guardai-vos em vosso espírito e não sejais desleais (2.10-16; grifo do autor).

Aqui, na terceira visão, Deus debate com o povo de Israel a infidelidade a Ele expressa por meio da infidelidade de uns para com os outros. Eles quebram a aliança com Ele ao quebrar a aliança do casamento, e fazem isso de duas formas: primeiro, casam com pessoas que não adoram ao Senhor: "Judá profanou a santidade do Senhor, a qual ele ama, e se casou com a filha de deus estranho" (2.11b). Nesse versículo, "santidade" refere-se ao povo de Israel como um todo.

Deus, durante toda a época do Antigo Testamento, proibia os israelitas de se casar com estrangeiros, e isso não por que quisesse manter seu povo puro sob o ponto de vista racial, mas sob o ponto de vista religioso — adoradores do único Deus. O Senhor sabia que esposas e maridos estrangeiros desviariam o coração de seu povo. Todavia, os israelitas, vez após vez, desobedeciam ao Senhor, casando-se com estrangeiros, e, com certeza, o coração deles foi desviado. Agora, Deus os trouxera de volta à terra após o exílio na Babilônia, e eles começavam a pecar contra o Senhor das mesmas formas que seus pais haviam pecado (2.10,11,14,15,16).

Segundo, os israelitas maltratavam suas famílias com divórcios por motivos errôneos. O povo começou a se divorciar do cônjuge apenas por não gostar dele. Em anos recentes, algumas pessoas e uma importante versão traduziram de forma mais literal a famosa passagem "[aborreço] o repúdio" por: "Porque o Senhor, o Deus de Israel, diz que odeia o divórcio e os homens violentos. Então, tenham cuidado com seus sentimentos e não se divorciem de suas mulheres!" (2.16; BV)[4] Acredito que essa versão se ajusta melhor ao fato descrito em outra passagem das Escrituras, em que lemos que é possível permitir o divórcio em circunstâncias especiais.[5] Ela também ressalta o fato de que Deus estava interessado em condenar um tipo específico de divórcio — aquele baseado em sentimentos de ódio. Claro que nossa cultura ocidental tem aceito, de forma errônea, insensata e destrutiva, a noção de divórcio "sem falhas", fundamentado meramente no sentimento de desafeição.

Por isso, Deus declara a seu povo que a adoração a Ele incluía casamento em que houvesse fidelidade um ao outro. Eles não deviam apenas levar uma vida que servisse a eles mesmos, casando e divorciando ao bel prazer. Antes, Deus é o Pai e o Criador deles (2.10), e eles expressavam submissão fiel a Ele, primeiro, ao casar apenas com outra pessoa que também adorasse a Deus e, segundo, não se divorciando por ódio. Ao escolher o cônjuge, eles demonstravam fidelidade a seu Deus.

Se você não é cristão, espero que esteja começando a perceber como o cristianismo é invasivo. Ele espalha-se por todas as áreas de sua vida. Se você se torna cristão, Deus exige que você esteja unido a Ele acima de seu cônjuge. Deus não partilha seu trono com ninguém, nem mesmo com um cônjuge. Se você se torna cristão enquanto é solteiro, o Senhor ensina-lhe que o domínio dEle se estende até onde você põe os afetos de seu coração. Se você decide amar a Deus, não pode se casar com alguém que se opõe ou é indiferente a Ele. A indiferença a Deus *é* oposição a Ele. Amigo, o Senhor quer entrar em sua vida e condená-lo pelo egoísmo que pratica mesmo nos relacionamentos mais próximos de seu coração. A forma como você se coloca em relação a eles afeta a maneira como se coloca em relação ao Senhor.

Com certeza, a sociedade beneficia-se com o reconhecimento da verdade do casamento — a união entre duas pessoas que pode gerar mais pessoas. Todos ganham quando os pais cuidam um do outro e dos filhos. Por isso, os eleitores cristãos, os legisladores, os escritores e os advogados precisam pensar como as ramificações das diferentes políticas afetam a condição do casamento em uma nação. Todavia, como cristãos, não devemos pensar nem por um momento que dependemos do Estado para praticar o casamento e o divórcio prescritos nas Escrituras, não importa o que o governo decida fazer com o casamento. Em nossas igrejas e famílias, Cristo continua a ser nossa sempre fiel cabeça, e devemos segui-lo, independentemente do que essa ou aquela legislação decida.

Assim, cristão, observe o que Malaquias fala diretamente sobre a idéia do casamento com descrentes, pois ele afirma que isso é desobediência e suicídio religioso. O Novo Testamento afirma a mesma coisa (por exemplo, 2 Co 6.14). Agora, se alguém já está casado quando vai para Cristo deve continuar a honrar o casamento. Todavia, a Bíblia ensina com clareza que, em primeiro lugar, não devemos entregar nosso coração a alguém que não esteja ligado a Deus. E como poderíamos, se Ele é nosso primeiro amor?

Saiba também que a condenação de Malaquias em relação ao término de casamentos por qualquer coisa é outra razão bíblica que não se aplica apenas aos israelitas da Antiguidade, mas aos cristãos de hoje. As leis de Deus não mudam, não importa o que o Estado decida. Na Bíblia, o divórcio é permitido em circunstâncias muito específicas, tal como o adultério e, talvez, no caso de abandono.[6] Mas, sem dúvida, o divórcio não é recomendado em passagem alguma. O livro de Oséias mostra como o poder do amor supera até mesmo os maiores erros.

Em suma, somos chamados a ser cuidadosos com quem nos casamos e somos chamados a permanecer fiéis no casamento.

O que isso representa para nossas igrejas? Primeiro, deixe-me dizer que eu, como pastor, tenho a oportunidade e o privilégio de lidar com todos os tipos de situações impressionantes e terríveis na vida da congregação. Isso faz parte do que Deus me chamou a fazer. E nenhum problema é mais complicado, difícil e doloroso que o divórcio.

Contudo, é importante lembrar que, para a igreja, como um todo, a forma como entramos no casamento e o mantemos é uma questão que diz respeito à adoração. Paulo informa-nos que temos de oferecer nosso corpo como sacrifício vivo, santo e agradável a Deus — nossa adoração espiritual (Rm 12.1). Oro para que nossas igrejas sejam comunidades em que a adoração seja cultivada todos os dias, não meramente aos domingos. Os israelitas do Antigo Testamento casavam-se e descasavam-se de forma egoísta, e isso lhes trouxe destruição, vez após a outra. Se os cristãos casam-se com não-cristãos ou divorciam-se de seus cônjuges sem que a igreja diga ou faça nada, a mesma destruição virá sobre nós. Quantos de nossos parentes se divorciaram, e a igreja deles não disse nada a respeito? Quantos de nós temos amigos, ou mesmo filhos, que, apesar de afirmarem ser cristãos, namoram não-cristãos, e a igreja não diz nada. De acordo com a Bíblia, a forma como formamos e mantemos nossa família tem um papel importante em nossa adoração.

Reservamos mais tempo para esse debate do que para os outros cinco porque, em Malaquias, essa parece ser uma das principais preocupações do Senhor. Contudo, há uma série de outras questões que também devemos examinar.

Tratar com Justiça nosso Próximo

Uma delas está no próximo debate, em que Deus nos informa que a verdadeira adoração também envolve a forma como tratamos nosso próximo:

> Enfadais ao Senhor com vossas palavras; e ainda dizeis: Em que o enfadamos? Nisto, que dizeis: Qualquer que faz o mal passa por bom aos olhos do Senhor, e desses é que ele se agrada; ou onde está o Deus do juízo? Eis que eu envio o meu anjo, que preparará o caminho diante de mim; e, de repente, virá ao seu templo o Senhor, a quem vós buscais, o anjo do concerto, a quem vós desejais; eis que vem, diz o Senhor dos Exércitos. Mas quem suportará o dia da sua vinda? E quem subsistirá, quando ele aparecer? Porque ele será como o fogo do ourives e como o sabão dos lavandeiros. E assentar-se-á, afinando e purificando a prata; e purificará os filhos de Levi e os afinará como ouro e como prata; então, ao Senhor trarão ofertas em justiça. E a oferta de Judá e de Jerusalém será suave ao Senhor, como nos dias antigos e como nos primeiros anos. E chegar-me-ei a vós para juízo, e serei uma testemunha veloz contra os feiticeiros, e contra

os adúlteros, e contra os que juram falsamente, e contra os que defraudam o jornaleiro, e pervertem o direito da viúva, e do órfão, e do estrangeiro, e não me temem, diz o Senhor dos Exércitos (2.17—3.5).

Deus sempre esteve preocupado com a justiça entre seu povo. A religião que Ele revelara não era apenas pessoal. Ela tinha a ver com nossa família. E também com a forma como tratamos nosso próximo.

Nessa passagem, esse debate dEle com o povo de Israel gira em torno de questões de justiça. Os israelitas, como não viram seus erros corrigidos de imediato, concluíram que Deus não se importava: "Onde está o Deus do juízo?"[7]

O Senhor respondeu com palavras que Marcos, escritor do Evangelho, usou para apresentar João Batista, e este, por sua vez, usou-as para apresentar Jesus: "Eis que eu envio o meu anjo, que preparará o caminho diante de mim; e, de repente, virá ao seu templo o Senhor, a quem vós buscais, o anjo do concerto, a quem vós desejais; eis que vem, diz o Senhor dos Exércitos" (3.1; veja Mc 1.2).

Onde está o Deus do juízo? Ele está vindo! "O Desejado de todas as nações", como o chamou o profeta Ageu (Ag 2.7), está vindo. Ele viria e morreria na cruz "porque do céu se manifesta a ira de Deus sobre toda impiedade e injustiça dos homens" (Rm 1.18). Deus satisfaria as exigências de justiça mais que quaisquer dos debatedores de Malaquias jamais imaginariam.

O Senhor apresenta diversos exemplos concisos de injustiça:

> E chegar-me-ei a vós para juízo, e serei uma testemunha veloz contra os feiticeiros, e contra os adúlteros, e contra os que juram falsamente, e contra os que defraudam o jornaleiro, e pervertem o direito da viúva, e do órfão, e do estrangeiro, e não me temem, diz o Senhor dos Exércitos (3.5).

Os adoradores de Deus não podem praticar feitiçaria ou adultério. Eles não devem mentir ou não pagar o salário de seus empregados. Eles não devem oprimir os indefesos. Deus se importa com a forma como seu povo trata os outros. A pessoa que é indiferente em relação à injustiça não pode pretender ser adorador dEle.

Você sabe a diferença entre *indiferença em relação à justiça* e a *injustiça* em si mesma? Não há muita diferença entre elas. Se seu coração é frio no que diz respeito ao tópico de injustiça, ele é frio em relação a um bocado de coisas com que Deus se importa. O caráter do Senhor revela-se na justiça. Isso é real em nossas cidades, isso é verdade em nossa terra, isso é verdade em todo o mundo.

O Senhor quer que seu povo saiba que Ele é um Deus de justiça (2.17). E Ele lhe diz que devem temê-lo e adorá-lo com toda sua vida.

Você freqüenta a igreja e, ao mesmo tempo, acusa Deus de ser indiferente ao que acontece no mundo por causa do sofrimento que vê ou sente? "Como Deus poderia deixar isso acontecer comigo?" Oh, amigo, você deve recuar para conseguir ter uma visão mais abrangente. O problema que lhe aflige testemunha essa situação mais abrangente que, talvez, *você* ignore, mas não Deus.

Recentemente, o Teatro Nacional de Londres apresentou um drama em dois atos, intitulado "His Dark Materials" ("Suas Matérias Obscuras"), retratando feiticeiras, anjos, demônios e captores de crianças chamados "bicho papão". A peça enfatiza o tema da injustiça no mundo e o que isso fala sobre Deus. O ponto culminante é a destruição de Deus. Um crítico disse que Ele morre na condição de "um velho sem viço e mirrado". Nicholas Hytner, diretor artístico do Teatro Nacional, quando perguntado sobre a produção, respondeu que a peça discute algumas das maiores questões da era, pois "'se [existe um Deus], por que Ele é indiferente ao nosso bem-estar?'"[8]

Era exatamente isso que o povo da época de Malaquias perguntava, e, talvez, seja o que, de tempos em tempos, seu coração pergunte.

Talvez você presuma que Deus, uma vez que nunca o testemunhou julgando o erro, nunca fará isso. Ou talvez você tenha presumido que Ele não se importa. Asseguro-lhe, nenhuma dessas suposições está correta. Deus, de quem nunca foi exigido que se importasse, importou-se tão profundamente que enviou seu único Filho, em carne, para morrer na cruz por causa do pecado de pessoas como você e eu. Pecado que Ele nunca cometeu. Pecado que merece a justa ira contra nós. Pecado que Ele, em seu amor maravilhoso, pôs sobre si mesmo. Agora, Deus chama-nos ao arrependimento desse pecado e que voltemos para Ele a fim de que possa nos garantir perdão e vida nova nEle. Os atos do Senhor, em Jesus Cristo, foram a maior demonstração de amor e de justiça imaginável!

Se você é cristão, aprenda com Malaquias que sua adoração a Deus envolve a forma como trata os outros. O adultério é pecado contra seu cônjuge ou seu futuro cônjuge. O perjúrio é pecado contra a pessoa *sobre* quem mente e contra a pessoa *para* quem mente. Defraudar a pessoa que trabalha para você em seu salário justo não é apenas um assunto legal, mas também espiritual. Oprimir a pessoa vulnerável que não tem poder para proteger a si mesma também é pecado. Se você pensa que adora a Deus porque freqüenta a igreja e entoa hinos, enquanto sua vida se caracteriza pela participação impenitente nesses pecados, você engana a si mesmo. Você não está adorando a Deus. Não importa o quanto você seja sincero. O ponto não é apenas a sinceridade. Como o apóstolo João afirmou: "Se alguém diz: Eu amo a Deus e aborrece a seu irmão, é mentiroso. Pois quem não ama seu irmão, ao qual viu, como pode amar a Deus, a quem não viu?" (I Jo 4.20) Nosso relacionamento horizontal uns com os outros testifica tanto a favor como contra a realidade de nosso relacionamento vertical com Deus.

Em nossas igrejas, devemos trabalhar para permanecer responsáveis uns pelos outros, para encorajar, para instruir e para repreender uns aos outros, a fim de que nossa fé se torne visível na forma como vivemos. O amor de Deus deve se manifestar na forma como vemos e cuidamos uns dos outros. Se nos consideramos tão virtuosos a ponto de não permitir que outro cristão se manifeste sobre nossa vida e corrija nossas injustiças, não estamos juntos na igreja. Você é um pecador, eu sou um pecador, e todo pastor que terá é um pecador. Devemos reconhecer esse fato e, em humildade, admitir nosso pecado diante do Senhor e, quebrantados, aproximarmo-nos uns dos outros. Esse é o tipo de adoração aceitável a Deus.

A adoração não é apenas etérea ou pessoal. Ela necessariamente envolve a forma como tratamos nossa família e nosso próximo.

A Adoração a Deus Envolve o que Fazemos com nós Mesmos

A segunda questão que o Senhor nos ensina, por intermédio de Malaquias, é que a adoração a Ele envolve o que fazemos com nós mesmos, o que nos traz para o segundo e o quinto debates.

Talvez aqui, mais uma vez, pensemos que nossa sinceridade nos vacina contra qualquer crítica, mas não é esse o caso. Deus não se importa só com *o que* fazemos, mas também com a forma *como* fazemos.

Dar o Melhor de nós Mesmos

Na época de Malaquias, a adoração no Templo fora restaurada. As pessoas traziam, de novo, seus sacrifícios e seus dízimos para o Templo. Todavia, não estava tudo certo. Deus não queria apenas do que podiam abrir mão, Ele queria o melhor deles. Observe o segundo debate:

> O filho honrará o pai, e o servo, ao seu senhor; e, se eu sou Pai, onde está a minha honra? E, se eu sou Senhor, onde está o meu temor? — diz o Senhor dos Exércitos a vós, ó sacerdotes, que desprezais o meu nome e dizeis: Em que desprezamos nós o teu nome? Ofereceis sobre o meu altar pão imundo e dizeis: Em que te havemos profanado? Nisto, que dizeis: A mesa do Senhor é desprezível. Porque, quando trazeis animal cego para o sacrificardes, não faz mal! E, quando ofereceis o coxo ou o enfermo, não faz mal! Ora, apresenta-o ao teu príncipe; terá ele agrado em ti? Ou aceitará ele a tua pessoa? — diz o Senhor dos Exércitos. Agora, pois, suplicai o favor de Deus, e ele terá piedade de nós; isto veio da vossa mão; aceitará ele a vossa pessoa? — diz o Senhor dos Exércitos. Quem há também entre vós que feche as portas e não acenda

debalde o fogo do meu altar? Eu não tenho prazer em vós, diz o Senhor dos Exércitos, nem aceitarei da vossa mão a oblação. Mas, desde o nascente do sol até ao poente, será grande entre as nações o meu nome; e, em todo lugar, se oferecerá ao meu nome incenso e uma oblação pura; porque o meu nome será grande entre as nações, diz o Senhor dos Exércitos. Mas vós o profanais, quando dizeis: A mesa do Senhor é impura, e o seu produto, a sua comida, é desprezível. E dizeis: Eis aqui, que canseira! E o lançastes ao desprezo, diz o Senhor dos Exércitos: vós ofereceis o roubado, e o coxo, e o enfermo; assim fazeis a oferta; ser-me-á aceito isto de vossa mão? — diz o Senhor. Pois maldito seja o enganador, que, tendo animal no seu rebanho, promete e oferece ao Senhor uma coisa vil; porque eu sou grande Rei, diz o Senhor dos Exércitos, o meu nome será tremendo entre as nações. E, agora, ó sacerdotes, este mandamento vos toca a vós. Se o não ouvirdes e se não propuserdes no vosso coração dar honra ao meu nome, diz o Senhor dos Exércitos, enviarei a maldição contra vós e amaldiçoarei as vossas bênçãos; e já as tenho amaldiçoado, porque vós não pondes isso no coração. Eis que vos corromperei a semente e espalharei esterco sobre o vosso rosto, o esterco das vossas festas; e com ele sereis tirados. Então, sabereis que eu vos enviei este mandamento, para que o meu concerto seja com Levi, diz o Senhor dos Exércitos. Meu concerto com ele foi de vida e de paz, e eu lhas dei para que me temesse, e me temeu e assombrou-se por causa do meu nome. A lei da verdade esteve na sua boca, e a iniqüidade não se achou nos seus lábios; andou comigo em paz e em retidão e apartou a muitos da iniqüidade. Porque os lábios do sacerdote guardarão a ciência, e da sua boca buscarão a lei, porque ele é o anjo do Senhor dos Exércitos. Mas vós vos desviastes do caminho, a muitos fizestes tropeçar na lei: corrompestes o concerto de Levi, diz o Senhor dos Exércitos. Por isso, também eu vos fiz desprezíveis e indignos diante de todo o povo, visto que não guardastes os meus caminhos, mas fizestes acepção de pessoas na lei (1.6—2.9).

Hoje, talvez muitas pessoas achem estranha a noção de que algumas formas de adoração são corretas, e outras, incorretas. Mas pense nas notícias que apareceram após a captura de Saddam Hussein, ex-ditador do Iraque. Uma das primeiras coisas que seus captores fizeram foi se certificar de que ele era o verdadeiro Saddam. O capturado se parecia com ele. Testemunhas atestavam que era ele. Eles examinaram as cicatrizes dele. Contudo, seus captores, mesmo assim, continuaram a tomar medidas para confirmar sua identidade a fim de assegurar que não houve erro. Por isso, fizeram o teste de DNA.

A persistência deles faz sentido para nós, pois estamos falando do reino das realidades objetivas, certo? E a respeito da adoração? Podemos testar nossa adoração para assegurar que é a adoração real e verdadeira? Na Bíblia, Deus mostra muita preocupação em *como* Ele é tratado. Ele é real — como também são sua santidade e nosso pecado. De novo, não é suficiente ser sincero, pois uma pessoa pode estar sinceramente errada. Os captores de Saddam poderiam ter prendido, com sinceridade, o homem errado no Iraque. Da mesma forma, podemos entender mal tanto esse Deus que afirmamos adorar como o que Ele requer de nós. Suponha que você se aproxime de Deus com sinceridade, mas faz isso de acordo com sua conveniência, ou como a oitava coisa mais importante em sua lista de prioridades, ou sem se incomodar em se arrepender de um pecado conhecido. Sob nenhuma dessas circunstâncias sua adoração será aceitável a Deus.

Na verdade, Deus é tão inflexível sobre como é adorado que, no Antigo Testamento, Ele separa toda uma tribo — os levitas — para ensinar ao povo de Israel como oferecer a adoração correta que honra e glorifica a Ele. Os sacerdotes levitas deviam guardar o santuário contra ofertas impuras.

Portanto, o Senhor, nessa seção, dirige-se diretamente aos sacerdotes (veja 1.6; 2.1) — aqueles a quem o Senhor refere-se como "o anjo do Senhor dos Exércitos" (2.7). Quando o povo traz sacrifícios vis (1.14), os sacerdotes devem corrigi-los. Em vez de fazer isso, eles tornaram-se cúmplices: "Vós ofereceis o roubado, e o coxo, e o enfermo; assim fazeis a oferta; ser-me-á aceito isto de vossa mão? — diz o Senhor" (1.13). Aparentemente, eles pensavam: "Quem está vendo? Quem se importa?" Eles deveriam levar em consideração o fato de que, no livro de Levítico, o Senhor proibira especificamente esses tipos de sacrifícios (Lv 22.17-25).

Jamais temos a prerrogativa de perguntar ao Senhor por que Ele faz o que faz. Realmente, não é da nossa conta. Mas, talvez, possamos perguntar, com reverência, por que Deus se importa tanto se os sacrifícios trazidos a Ele são sem mácula ou não. O que acontece aqui? Em parte, o Senhor estava interessado em conhecer as prioridades na vida dos israelitas. Ele queria saber se estavam dispostos a trazer o melhor que tinham para o Senhor. Espero que possamos entender bem isso. Todavia, Ele também estava interessado em ensinar ao povo que o sacrifício pelo pecado deles tinha que ser perfeito. Acima de tudo, pretendia que os sacrifícios levíticos apontassem para o sacrifício pelo pecado que ainda estava por vir — Jesus Cristo, o verdadeiramente perfeito, o Cordeiro perfeito de Deus.

Na época de Malaquias, talvez o povo de Jerusalém questionasse se o Senhor realmente os amava, mas Ele responde categoricamente que a questão verdadeira não era o amor do Senhor por Israel, mas o amor de Israel pelo Senhor. Deus prometera que seu nome seria grande entre as nações (1.11). Mas seu próprio povo profanou seu nome. Eles o trataram de forma desprezível. Um dia, as nações seriam obedientes, e essa obediência seria manifestada de maneiras distintas das de seu povo que, agora, não era obediente (1.12; cf. Gn 12.2,3).

Devemos adorar a Deus de acordo com a forma que Ele determinou que devemos fazê-lo. Ele pede o melhor de nós, e devemos dar o nosso melhor.

Se você acredita que pode adorar a Deus e permanecer senhor de si mesmo, guardando o melhor de você para si mesmo, está muito equivocado. A verdadeira adoração a Deus inclui considerá-lo como seu Pai celestial e seu Mestre Todo-poderoso. E Ele merece o melhor de você.

Dar tudo de nós

Deus também merece tudo de nós. Observe o quinto debate:

> Porque eu, o Senhor, não mudo; por isso, vós, ó filhos de Jacó, não sois consumidos. Desde os dias de vossos pais, vos desviastes dos meus estatutos e não os guardastes; tornai vós para mim, e eu tornarei para vós, diz o Senhor dos Exércitos; mas vós dizeis: Em que havemos de tornar? Roubará o homem a Deus? Todavia, vós me roubais e dizeis: Em que te roubamos? Nos dízimos e nas ofertas alçadas. Com maldição sois amaldiçoados, porque me roubais a mim, vós, toda a nação. Trazei todos os dízimos à casa do tesouro, para que haja mantimento na minha casa, e depois fazei prova de mim, diz o Senhor dos Exércitos, se eu não vos abrir as janelas do céu e não derramar sobre vós uma bênção tal, que dela vos advenha a maior abastança. E, por causa de vós, repreenderei o devorador, para que não vos consuma o fruto da terra; e a vide no campo não vos será estéril, diz o Senhor dos Exércitos. E todas as nações vos chamarão bem-aventurados; porque vós sereis uma terra deleitosa, diz o Senhor dos Exércitos (3.6-12).

Aqui, o Senhor continua a discussão com seu povo sobre a forma como o adoram. Eles não apenas não lhe davam o seu melhor, como não lhe davam tudo. Tudo o quê? Deus exige que seu povo se arrependa e mude totalmente seu caminho.

Deus inicia essa conversa lembrando aos israelitas que Ele não muda (3.6) e que a constância de seu caráter gracioso é a única esperança que possuem em meio à difundida desobediência deles. Assim, como em Zacarias (Zc 1.3), Ele lhes diz: "Tornai vós para mim, e eu tornarei para vós" (3.7).

Nessa passagem, o Senhor chamou seu povo especificamente a se arrepender de sua falha em dar o dízimo (3.8-10). O problema não era apenas com os sacerdotes, mas com toda a nação. Os filhos de Israel aprenderam — com o exemplo de Abraão com Melquisedeque, com o modelo de Jacó e com o ensinamento explícito de Deuteronômio[9] — a dar anualmente um décimo de suas propriedades ou de sua produção para ajudar os levitas e os sacerdotes que administravam a adoração ao Senhor no Templo de Jerusalém. Aqui, em Malaquias, o Senhor promete abençoar o povo, se for obediente em relação a esse assunto, com "uma bênção tal, que dela vos advenha a maior abastança" (3.10) ou, de forma mais literal, "até que não haja mais necessidade". O mundo inteiro pertence a Deus, e supõe-se que seu povo reconheça o domínio dEle por meio das ofertas e da confiança na provisão contínua do Senhor. Portanto, Deus usava os sacrifícios e o dízimo deles para os ensinarem a adorá-lo com todo seu ser.

A adoração requer mais que entoar hinos ou memorizar um salmo a caminho do templo, ela requer *tudo*.

O mesmo vale para nós hoje. O cristianismo não é para pessoas que querem selecionar áreas de sua vida para a "subcontratação" ou "terceirização" de Deus enquanto mantêm a administração total dos negócios de sua vida. Deus não opera dessa maneira. Ele não é assim. Ou Ele é Senhor de tudo ou não é Senhor de nada. Ele é Deus. O Senhor protegeu seu povo e levou-o de volta à terra, eles, porém, continuam a tentar se proteger com a manutenção do controle da bolsa e da conta bancária. Você percebe como isso cheira a desconfiança? O Deus Criador eterno pede a seus seguidores que tragam um dízimo de sua renda para Ele. Isso faz parte da nossa adoração.

Às vezes, hoje, as pessoas dizem que qualquer conceito de dízimo é muito legalista. Afinal, Gálatas 5 não afirma que estamos livres das restrições da Lei? Sim, mas Jesus também disse a um homem que vendesse tudo que tinha e desse ao pobres (Mt 19.21). Em outras palavras, os cristãos ainda são chamados a dar o melhor de si mesmos — e tudo de si! Muitas vezes, vemos cristãos dispostos a dar tudo com o mesmo espírito de alegria com que dão um percentual. Em nossa igreja, encorajamos os membros a começar ofertando 10% de sua renda e, a seguir, a ofertar mais.

Em vista do padrão mundial, nossa nação é rica. Temos de tentar administrar nossos recursos a fim de maximizar o que ofertamos e minimizar o que retemos para nós mesmos.

Você tem a tentação de ofertar a Deus menos que o seu melhor? Você tem a tentação de reter parte do que sabe que pertence a Ele? Se você for do Texas, certamente ouviu falar sobre Sam Houston, pitoresco soldado e político. Talvez o que você não saiba é que Sam Houston veio para Cristo — sim, para espanto de todos! Houston, depois de seu batismo, disse que queria pagar metade do salário do ministro local. Quando alguém lhe perguntou por que, ele apenas respondeu: "Meu talão de cheques também foi batizado".[10]

Oro para que, a cada ano, nossa igreja cresça em fidelidade por meio do comprometimento de nossos recursos para com o Senhor e sua obra. Quando fazemos isso, não tenho dúvida de que o Senhor provê, talvez até nos entregando mais. Louvo a Deus pela forma como temos visto isso em nossa igreja.

A adoração a Deus envolve o que fazemos com nós mesmos. Você dá o seu melhor? Você dá tudo de si mesmo?

A Adoração a Deus Envolve como nos Aproximamos dEle

Por fim, a adoração a Deus envolve como nos aproximamos dEle. Aprendemos isso no início e no final de Malaquias.

Há cinqüenta anos, William Miller escreveu que "era possível dizer que o presidente Eisenhower, como muitos norte-americanos, era um crente muito fervoroso de uma religião muito vaga".[11] Quer essa declaração descreva de forma precisa o presidente Eisenhower quer não, ela certamente descreve muitos norte-americanos de hoje. Atualmente, as pessoas escolhem entre uma mistura eclética de várias religiões e filosofias de acordo com seu gosto pessoal e a necessidade detectada. Robert Bellah, sociólogo, referiu-se a essa visão mundial como "sheilaismo", oriundo de "Sheila", nome que deu a uma mulher que entrevistou e declarou acreditar na "minha religião". Claro, isso não é religião de verdade! Malaquias diria a Sheila — e a nós — que uma noção tão vaga de Deus e uma consideração tão débil por Ele impedem a adoração. Não podemos adorar o que interpretamos mal, o que desconsideramos, desprezamos e negligenciamos. Talvez você tenha um fim de semana muito emocionante. Mas você não conseguirá tocar Deus sem abordá-lo da forma como Ele se revelou.

Entender a Deus

Esse é o ponto que Malaquias faz desde o início de seu livro. Parte da adoração a Deus é entendê-lo:

> Eu vos amei, diz o Senhor; mas vós dizeis: Em que nos amaste? Não foi Esaú irmão de Jacó? — disse o Senhor; todavia amei a Jacó e aborreci a Esaú; e fiz dos seus montes uma assolação e dei a sua herança aos dragões do deserto. Ainda que Edom diga: Empobrecidos somos, porém tornaremos a edificar os lugares desertos, assim diz o Senhor dos Exércitos: Eles edificarão, e eu destruirei, e lhes chamarão Termo-de-Impiedade e Povo-Contra-Quem-O-Senhor-Está-Irado-Para-Sempre. E os vossos olhos o verão, e direis: O Senhor seja engrandecido desde os termos de Israel (1.2-5).

Deus queria que seu povo conhecesse a verdade sobre Ele — que Ele é, igualmente, grande e soberano além dos limites de Israel. O Senhor não é um deus de aldeia ou um espírito tribal. Ele, por sua escolha, tomou Israel para si. E Ele, por sua escolha, rejeitou, até odiou, o vizinho próximo de Israel, Edom (descendentes de Esaú). Paulo usou essa passagem, em sua famosa controvérsia de Romanos 9, a fim de argumentar que Deus é soberano sobre todas as coisas e todos os povos. (A soberania de Deus não é proclamada apenas no Antigo Testamento.)

Esse foi o primeiro debate que Deus levantou com seu povo porque queria assegurar que eles o entendessem. Apenas Ele era soberano sobre Israel e além dela. "O Senhor seja engrandecido desde os termos de Israel" (1.5; cf. 1.11; 3.12).

Não sei se esse é o Deus que você adora na igreja, mas você não pode ser indiferente a como Ele é e, ao mesmo tempo, adorá-lo com honestidade. Se você é indiferente a quem Ele é, então o único deus a quem poderia adorar é o feito em casa, construído por você mesmo, não o Deus real.

Nesse debate, além de aprendermos que Deus é soberano, também tomamos conhecimento de que Ele ama seu povo (1.2). As bênçãos e a fidelidade de Deus para com seu povo não resultam da fidelidade deles, mas são produtos do amor do Senhor. E o Senhor quer que a grandeza e a continuidade de seu amor universal sejam conhecidas, a fim de que possamos nos aproximar dEle da forma correta. Falar e entender a verdade sobre Deus faz parte da nossa adoração a Ele. O cristão deve *querer* conhecer a verdade sobre o Senhor.

Thomas Long, em um breve relato biográfico do pastor George Buttrick, escreve:

> George Buttrick [...] foi [de 1927 a 1954] pastor da Madison Avenue Presbyterian Church, em Nova York. Ele esteve fora, por uma semana, para fazer uma palestra e retornava para a cidade de Nova York. No avião, ele tinha papel e caneta e fazia algumas anotações para o sermão do domingo seguinte. O homem sentado a seu lado observava-o com curiosidade. Por fim, a curiosidade venceu-o e disse a Buttrick:
>
> — Desculpe-me por incomodá-lo, obviamente, você está trabalhando em alguma coisa. Mas, por caridade, em que você está trabalhando?
>
> Buttrick respondeu:
>
> — Oh, eu sou pastor presbiteriano. Estou trabalhando em meu sermão de domingo.
>
> — Ah, religião — disse o homem. — Eu não gosto de me apegar a todos os detalhes e complexidades da religião. Gosto de mantê-la simples. "Faça aos outros como eles fazem a você". Essa é minha regra de ouro, minha religião.
>
> Buttrick disse:
>
> — Bem, e o que você faz?
>
> — Sou astrônomo. Ensino em uma universidade.
>
> — Ah, sim — disse Buttrick. — Astronomia... não gosto de me ater aos

detalhes e às complexidades da Astronomia. "Brilha, brilha estrelinha", essa é minha astronomia.[12]

Bem, talvez nos surpreendamos com essa história, pois sabemos a enorme complexidade da astronomia, portanto, reduzi-la a uma canção infantil é ridículo. Amigo, Deus está lá para ser conhecido, mais conhecido do que conhecemos as estrelas. E Ele revelou-nos a verdade sobre si mesmo. Parte de nossa adoração a Ele é conhecer e entender essa verdade.

Temer a Deus

Todavia, não devemos apenas entender a Deus, mas também devemos temê-lo. É isso que aprendemos no último debate entre Ele e seu povo:

> As vossas palavras foram agressivas para mim, diz o Senhor; mas vós dizeis: Que temos falado contra ti? Vós dizeis: Inútil é servir a Deus; que nos aproveitou termos cuidado em guardar os seus preceitos e em andar de luto diante do Senhor dos Exércitos? Ora, pois, nós reputamos por bem-aventurados os soberbos; também os que cometem impiedade se edificam; sim, eles tentam ao Senhor e escapam. Então, aqueles que temem ao Senhor falam cada um com o seu companheiro; e o Senhor atenta e ouve; e há um memorial escrito diante dele, para os que temem ao Senhor e para os que se lembram do seu nome. E eles serão meus, diz o Senhor dos Exércitos, naquele dia que farei, serão para mim particular tesouro; poupá-los-ei como um homem poupa a seu filho que o serve. Então, vereis outra vez a diferença entre o justo e o ímpio; entre o que serve a Deus e o que não o serve. Porque eis que aquele dia vem ardendo como forno; todos os soberbos e todos os que cometem impiedade serão como palha; e o dia que está para vir os abrasará, diz o Senhor dos Exércitos, de sorte que lhes não deixará nem raiz nem ramo. Mas para vós que temeis o meu nome nascerá o sol da justiça e salvação trará debaixo das suas asas; e saireis e crescereis como os bezerros do cevadouro. E pisareis os ímpios, porque se farão cinza debaixo das plantas de vossos pés, naquele dia que farei, diz o Senhor dos Exércitos (3.13—4.3).

Em Malaquias, Deus, nesse debate final, repreende as palavras duras que seu povo usou contra Ele. Em resposta, alguns do povo temeram ao Senhor (3.16) como deviam.

Ao longo da Bíblia — de Gênesis a Apocalipse (Gn 22.12; Ap 14.7) —, somos instruídos a temer ao Senhor. Temer ao Senhor representa ter extremada reverência por Ele. Isso quer dizer que devemos manter os olhos voltados para

Ele e dar nossa submissão a Ele, pois chegará o dia em que o Senhor dividirá toda a humanidade entre aqueles que "reverenciaram" o Senhor e os que não o reverenciam (Ml 4.2).

Essa reverência verdadeira é uma parte indispensável de nossa adoração a Ele, e ela deve ser demonstrada de várias formas em nossa vida. Para começar, esse temor é demonstrado por meio do arrependimento do pecado. Ele também se mostra à medida que os outros temores são curto-circuitados — temores que, no passado, nos governaram, como o medo de más notícias, o medo de ser mal visto pelos outros, o medo do sofrimento e, até mesmo, o medo da morte. Se somos cristãos, tememos a Deus. Ele é nosso Senhor e Pai, nosso Marido e Mestre. Assim, o adoramos com temor, não com desrespeito, nem com desconfiança nem com arrogância. Deus sempre fala a verdade, porque Ele é a própria verdade. Portanto, como pecadores, nós o tememos e mantemos os olhos de nosso coração fixos nEle e em suas promessas.

Esperar em Deus

O que nos leva aos últimos versículos de Malaquias. Para tratarmos Deus da forma correta — para adorá-lo da forma correta —, devemos não apenas compreendê-lo e temê-lo, mas também depositar nossa esperança nEle.

> Lembrai-vos da Lei de Moisés, meu servo, a qual lhe mandei em Horebe para todo o Israel, a qual são os estatutos e juízos. Eis que eu vos envio o profeta Elias, antes que venha o dia grande e terrível do Senhor; e converterá o coração dos pais aos filhos e o coração dos filhos a seus pais; para que eu não venha e fira a terra com maldição (4.4-6).

Que maneira interessante de o Novo Testamento terminar! Nessa palavra de conclusão, o Senhor instrui seu povo a olhar para o passado e para o futuro. Eles deviam voltar os olhos para a Lei de Moisés, como Deus fez, com freqüência, ao longo dessa pequena profecia. Mas eles também deviam perscrutar sua obra vindoura e preparatória por intermédio de Elias. Deus usou seu último profeta, antes de João Batista, para lembrar a seu povo a Lei e os profetas — Moisés e Elias, os mesmos que permanecem com o Mestre no monte da transfiguração, apontando para Jesus!

E, como Jesus disse, "Elias" veio. Seu nome era João e veio para batizar, pregar o arrependimento e preparar o povo de Deus para a vinda do Messias. Depois, Jesus declara que a profecia de Malaquias se cumpriu por meio de João Batista.[13] Depois de ler Malaquias não devemos nos espantar ao ver que as primeiras palavras de profecia inspirada, após vários séculos de silêncio, sejam o chamado de

João Batista ao arrependimento: "Arrependei-vos" (Mt 3.2). Malaquias termina o Antigo Testamento com a palavra "maldição", que também pode ser traduzida por "destruição". Esse é o mesmo Antigo Testamento que começa com Deus e sua criação perfeita.

Portanto, o Senhor chama seu povo, por intermédio de Malaquias e de João Batista, a se arrepender de sua indiferença e desconsideração apática por Ele e para que lembrem as ordens do Senhor ao viver de acordo com elas. Para depositar sua esperança nEle e em sua Palavra. Para depositar sua fé nas promessas dEle. Para viver na dependência das promessas do Senhor! Para depositar seu fardo na verdade de que o Senhor fala. Eis como você e eu realmente adoramos a Deus: ao viver demonstrando que temos fé nEle, ao correr com alegre abandono em direção a Ele e ao confiar que, por intermédio de Cristo, Ele nos receberá como seus. É dessa sinceridade que precisamos!

Pergunto-me se você percebeu que a última frase do livro inicia com "e" (4.6). O Antigo Testamento começa com uma escolha mortal no jardim do Éden. Agora, ele termina com outra escolha: iremos nos afastar da escolha mortal feita pelo primeiro Adão e que temos endossado milhões de vezes em nosso coração? Mais especificamente, nós nos voltaremos para Jesus? Essa é a pergunta que Malaquias, o Antigo Testamento e a Bíblia deixam para você.

Oremos:

Oh, Deus, nós o louvamos pela magnífica provisão que fez, em Cristo, para nós e para nosso pecado. Nós o louvamos pela punição que merecemos por nossa própria causa e, por toda a confusão que fizemos em nosso relacionamento com o Senhor, se nos arrependermos de nossos pecados e nos voltarmos para ti, cair sobre Cristo. Oh, Deus, faça com que a verdade das boas novas encontre eco em nosso coração. Oramos para que a esperança que podemos ter no Senhor seja firme, nos encaminhe, mais e mais para Jesus e nos afaste das coisas menores que nos enganam. Nós o louvamos pela grande notícia que o Senhor nos deu por intermédio de seu mensageiro, Malaquias. Oramos em nome de Jesus. Amém.

Questões para Reflexão

1. Por que temos a tendência de achar que a sinceridade dá legitimidade moral ao que a pessoa pensa ou diz?
2. Como a sinceridade pode ser útil na religião? Como ela pode ser inútil?
3. Por que Deus se importa tanto com quem nos casamos?
4. Do ponto de vista prático, quais são os passos que a igreja deveria adotar em resposta a um membro que planeja se divorciar por motivos bíblicos? Por motivos não-bíblicos? Quais são os passos que a igreja poderia adotar em resposta a um membro que planeja se casar com um não-cristão?

5. Como sua vida reflete a preocupação com a justiça, em especial, pelo tiranizado e pelo oprimido?
6. O que quer dizer ofertar seu melhor para Deus? O que é seu melhor? O que interfere com o ofertar seu melhor ao Senhor?
7. Há alguma área de sua vida que você retém de Deus? O que a mensagem de Malaquias representa para você?
8. Por que a verdadeira compreensão de Deus deve preceder a adoração a Ele? Quando as pessoas crêem, elas adoram a Deus, mas se elas não o conhecerem de verdade, o que elas adoram?
9. Se a verdadeira compreensão de Deus deve preceder nossa adoração a Ele, como a igreja pode encorajar melhor seu povo a adorá-lo bem e da forma correta?
10. Você pode adorar alguém a quem teme? Você pode adorar a alguém a quem não teme? Explique.
11. Malaquias é um livro *cristão*? Em que sentido?

NOTAS

Capítulo 39

[1] A data de pregação original deste sermão foi em 14 de dezembro de 2003, na Capitol Hill Baptist Church, em Washington, D.C.
[2] Larry King foi entrevistado por Manuello Paganelli, "The Every Man Who Would Be King", Psychology Today, maio/junho de 1996.
[3] Mateus 11.10; Marcos 1.2; Lucas 1.17; 7.27; Romanos 9.13.
[4] Veja também a tradução de Gordon P. Hugenberger em "Malachi" em D. A. Carson et al., eds. Consultores, New Bible Commentary, 4ª edição (Downers Grove, Ill.: InterVarsity Press, 1994), p. 887.
[5] Por exemplo, Deuteronômio 24.1-4; Mateus 1.19; 5.32; 19.8,9; I Coríntios 7.15.
[6] Ibid.
[7] 2.17; cf. Salmos 73; Jeremias 12; 2 Pedro 3.
[8] Citado em http://www.darkmaterials.org/article214.html.
[9] Gênesis 14.20; 28.22; Deuteronômio 14.22; 26.12.
[10] Citado em Randy Alcorn, The Treasure Principle (Portland: Multnomah, 2001), p. 59.
[11] William Lee Miller, Repórter, 7 de julho de 1953, p. 15.
[12] Citado em Bill Turpic, ed., Tem Great Preachers (Grand Rapids, Mich.: Baker, 2000), pp. 87,88.
[13] Veja João 1.21; a seguir, Mateus 11.14; 17.12,13 (cf. Mc 9.13).